AF799195

ABHANDLUNGEN ZUM
URHEBER- UND KOMMUNIKATIONSRECHT

des Max-Planck-Instituts für
Innovation und Wettbewerb

Herausgegeben von
Josef Drexl
Reto M. Hilty
Gerhard Schricker
Joseph Straus

Band 65

Moritz Sutterer

Das Kollisionsrecht der kollektiven Rechtewahrnehmung

Nomos
Stämpfli Verlag
C.H.BECK

Die Deutsche Nationalbibliothek verzeichnet diese Publikation in der Deutschen Nationalbibliografie; detaillierte bibliografische Daten sind im Internet über http://dnb.d-nb.de abrufbar.

Zugl.: München, Ludwig-Maximilians-Universität, Diss., 2023

1. Auflage 2024

© Moritz Sutterer

Publiziert von
Nomos Verlagsgesellschaft mbH & Co. KG
Waldseestraße 3–5 | 76530 Baden-Baden
www.nomos.de

Gesamtherstellung:
Nomos Verlagsgesellschaft mbH & Co. KG
Waldseestraße 3–5 | 76530 Baden-Baden

ISBN (Print) 978-3-7560-1515-3
Nomos Verlagsgesellschaft mbH & Co. KG, Baden-Baden

ISBN (ePDF) 978-3-7489-4322-8
Nomos Verlagsgesellschaft mbH & Co. KG, Baden-Baden

ISBN 978-3-7272-4299-1
(Stämpfli Verlag, Bern)

DOI: https://doi.org/10.5771/9783748943228

Die Schriftenreihe ist bis Band 51 beim
Verlag C.H. Beck, München erschienen.

Onlineversion
Nomos eLibrary

Dieses Werk ist lizenziert unter einer Creative Commons Namensnennung 4.0 International Lizenz.

Vorwort

Die vorliegende Arbeit entstand während meiner Zeit als wissenschaftlicher Mitarbeiter am Max-Planck-Institut für Innovation und Wettbewerb in München. Sie wurde im Sommersemester 2022 von der Juristischen Fakultät der Ludwig-Maximilians-Universität München als Dissertation angenommen. Das Rigorosum fand am 31. Mai 2023 in München statt. Die Arbeit wurde für die Veröffentlichung auf den Stand Oktober 2023 gebracht.

Mein herzlicher Dank gilt meinem Doktorvater, Herrn Prof. Dr. Josef Drexl, LL.M. (UC Berkeley), Direktor am Max-Planck-Institut für Innovation und Wettbewerb in München. Er hat die Betreuung dieser Arbeit übernommen und sie angeleitet. Der kritische und konstruktive Austausch mit Josef Drexl, seine Diskussionsbereitschaft und seine weitsichtigen Anmerkungen waren für das Gelingen dieser Arbeit unerlässlich. Er hat mir zugleich die Freiheit gelassen, meine Gedanken selbstständig zu entwickeln und eigene Wege zu gehen. Für das mir entgegengebrachte Vertrauen will ich ihm danken.

Mein Dank gilt auch Prof. Dr. Dr. Reto M. Hilty. Gemeinsam mit Josef Drexl prägten beide über Jahrzehnte hinweg die rechtswissenschaftliche Abteilung des Max-Planck-Instituts für Innovation und Wettbewerb. Sie entwickelten nicht nur die wissenschaftliche Ausrichtung des Instituts, sondern sorgten auch für die einzigartigen Forschungsbedingungen, die es mir ermöglichten über sechs Jahre hinweg diese Arbeit zu verfassen, an vielen spannenden Projekten mitzuwirken, mit klugen Menschen in Austausch zu treten und dabei selbst zu wachsen. Hierfür steht unser MPI. Es ist geprägt von einer herzlichen und vertrauensvollen Atmosphäre, die unerlässlich ist, um mutige Ideen zu entwickeln und miteinander in kritischen Austausch zu treten. Ich hätte mir die kollegiale Forschungsumgebung an unserem Institut kaum besser wünschen können. Darum sind auch viele weitere Personen zu nennen, die meine wissenschaftliche Entwicklung und die Entwicklung dieser Arbeit beeinflusst haben und für deren Unterstützung, Kollegialität und Freundschaft ich Dank sagen möchte.

Davor möchte ich aber noch Herrn Prof. Dr. Matthias Leistner, LL.M. (Cambridge) meinen Dank aussprechen. Er hat die Erstellung des Zweitgutachtens übernommen und war bereit, sich auf eine komplexe und sehr spezielle Thematik einzulassen. Sein Gutachten enthielt weitere wertvolle Anmerkungen und die motivierende Anregung einzelne Punkte, für die ich in dieser Arbeit nur den Grundstein legen konnte, wieder aufzugreifen und in einem anderen Rahmen einer Veröffentlichung zuzuführen.

Aus dem Kreis der Kolleginnen und Kollegen möchte ich Pedro Batista, Dr. Beatriz Conde Gallego, Dr. Luc Desaunettes-Barbero, LL.M. (College of Europe), Dr. Tobias Endrich-Laimböck, MJur (Oxford), Dr. Franziska Greiner-Wittner, Dr. Vikas Kathuria, Dr. Daria Kim, LL.M. (MIPLC), Shraddha Kulhari, Dr. Matthias Lamping, Prof. Dr. Dr. Mark-Oliver Mackenrodt, LL.M. (NYU), Dr. Stefan Scheuerer, Peter R. Slowinski, J.S.M. (Stanford) und Dr. Gabriele Spina Alì ausdrücklich danken. Zudem danke ich den Mitarbeiterinnen und Mitarbeitern unserer Bibliothek für ihren stets engagierten und gewissenhaften Einsatz, der meine Arbeit am Institut wesentlich erleichtert hat. In ihrer Funktion als Betreuerin am Institut hat mich Izv. Prof. Dr. Silke von Lewinski engagiert unterstützt. Dr. Eva-Marina Bastian hat für alle Doktorandinnen und Doktoranden immer ein offenes Ohr. Geduldig hört sie sich unsere Sorgen und Nöte an, immer weiß sie einen Rat und stetig manövriert sie das Institut durch die Jahre.

Danken will ich den Kollegen vom International Newsletter, namentlich Dr. Sebastian Benz, Dr. Natale Rampazzo, Dr. Klaus Wiedemann und Seyhan Uğurlu, LL.M. (MIPLC), mit dem ich auch über zwei Jahre hinweg die Redaktion der IIC übernehmen durfte. Unsere Redaktionssitzungen im blauen Haus fehlen mir.

Zuletzt möchte ich unsere Urheberrechtsgruppe nennen, die in wechselnder Besetzung aber stetiger Intensität die rechtspolitischen Entwicklungen während meiner Institutsjahre diskutiert und behandelt hat. Hierzu gehören Andrea Bauer, Ansgar Kaiser, Dr. Ricarda Lotte, Dr. Valentina Moscon, Dr. Aaron Stumpf und Dr. Heiko Richter.

Bedanken möchte ich mich auch bei meinen Eltern und Geschwistern. Ihr fürsorglicher Zuspruch hat mir den notwendigen Rückhalt zur Durchführung dieser Arbeit gegeben. Mein besonders herzlicher Dank gebührt meiner Ehefrau, Dr. Amélie Sutterer-Kipping, der ich diese Arbeit widme.

Inhaltsverzeichnis

Einleitung 23

Thema und Zielsetzung 23

Methodik und Gang der Untersuchung 28

Teil 1. Das Verwertungsgesellschaftssystem 35

Kapitel 1. Die Rolle der Verwertungsgesellschaften im Urheberrechtsverkehr 37

A. Grundlagen 37

I. Begriffsbestimmung 37

II. Historische Entwicklung der Verwertungsgesellschaften 39

III. Die Verwurzelung der Verwertungsgesellschaften im Urheberrecht 41

B. Funktionen der kollektiven Rechtewahrnehmung 43

I. Ökonomische Funktionen 45

1) Transaktionskosten- und Informationsökonomik 47

2) Risikoverteilungsansatz 53

3) Marktschaffungsfunktion 54

4) Zusammenfassung 55

II. Kulturelle Funktionen 56

III. Soziale Funktionen 59

IV. Gesamtbetrachtung 62

C. Das Urheberrecht als Gegenstand der kollektiven Rechtewahrnehmung 64

I. Das dualistische System von Exklusivität und Kollektivierung 64

II. Die Fragmentierung der Rechte 66

1) Fragmentierung durch individuelle Wahrnehmungsbefugnisse im Bereich des Urheberpersönlichkeitsrechts 67

2) Territoriale Fragmentierung der Rechte 70

3) Horizontale Fragmentierung der Rechte 71

4) Vertikale Fragmentierung der Rechte – die MyVideo-Entscheidung 72
a) Urheberrechtliche Befugnisse und ihr Verhältnis zur Nutzungsart 74
(1) Verwertungsrechte 75
(2) Nutzungsrechte 76
(3) Nutzungsarten 78
(4) Das Zusammenspiel der Befugnisse 79
b) Die MyVideo-Entscheidung 81
(1) Argumente für die Aufspaltbarkeit der Rechte 83
(2) Argumente gegen die Aufspaltbarkeit der Rechte 84
(3) Ergebnis 101
c) Die Kollektivierung der mechanischen Rechte in den USA 102

D. Zusammenfassung 103

Kapitel 2. Die Internationale Rechtevergabe durch Verwertungsgesellschaften nach dem alten Modell – Gegenseitigkeitsverträge als Kollisionsrechtsersatz 107

A. Szenarien der internationalen Betätigung von Verwertungsgesellschaften 107

B. Die Praxis der nationalen Wahrnehmungstätigkeit auf Grundlage der Gegenseitigkeitsverträge und ihre Ausstrahlung auf das Urheberwahrnehmungsgesetz 108
I. Die Überwindung der nationalen Beschränkungen im Innenverhältnis der Verwertungsgesellschaften 109
II. Die territoriale Begrenzung des alten Wahrnehmungsrechts 110
III. Zwischenfazit 113

C. Die kartellrechtliche Bewertung der Gegenseitigkeitsverträge 114
I. Die Entscheidungen *Tournier* und *Lucazeau* 115
II. Das CISAC Verfahren 117

D. Prozessuale Hindernisse für die grenzüberschreitende Betätigung von Verwertungsgesellschaften 119

E. Fazit 121

Teil 2. Die rechtliche Kontrolle von Verwertungsgesellschaften im Mehrebenensystem der Regulierung 123

Kapitel 1. Die Verwertungsgesellschaftenrichtlinie 125

A. Ziele des europäischen Modells der kollektiven Rechtewahrnehmung 125

B. Regelungsgehalt der Verwertungsgesellschaftenrichtlinie 127

I. Die Regelung des Innenverhältnisses der Verwertungsgesellschaften 128

II. Das Außenverhältnis der Verwertungsgesellschaften 130

III. Das Binnenverhältnis zwischen Verwertungsgesellschaften – Gegenseitigkeitsverträge und Repräsentationsvereinbarungen 131

IV. Unterscheidung zwischen Online und Offline 132

C. Interessenbezogene Analyse der Verwertungsgesellschaftenrichtlinie im Modell der right-holders' option 133

I. Die Interessenvielschichtigkeit im Urheberrecht 134

II. Die Interessenlage im Verwertungsgesellschaftssystem und ihre Berücksichtigung durch die VG-RL 136

1) Interessen der Rechteinhaber 137

2) Interessen der Rechtenutzer 139

3) Übergeordnete Interessen 140

D. Zusammenfassung 142

Kapitel 2. Die Kontrolle von Verwertungsgesellschaften – Analyse der Kontrollebenen und ihrer Wirksamkeit 145

A. Die interne Aufsicht 146

B. Die externe Aufsicht 148

I. Grundlagen der Aufsicht 149

II. Aufgaben und Befugnisse der Aufsichtsbehörde 150

III. Die Aufsichtspraxis 152

IV. Der Einfluss der Verwertungsgesellschaftenrichtlinie auf die aufsichtsrechtliche Kontrolle der Verwertungsgesellschaften im Binnenmarkt 154

1) Auswirkungen auf das anwendbare Aufsichtsrecht 154

2) Auswirkungen auf die Zuständigkeit und Befugnisse der Aufsichtsbehörden 156

V. Reichweite der deutschen Aufsicht im außereuropäischen Kontext 157

VI. Fazit 161

C. Das Kartellrecht als Kontrollmittel über Verwertungsgesellschaften 162

I. Ebenen der kartellrechtlichen Kontrolle 162

1) Kontrolle nach Art. 101 AEUV und nach Art. 102 AEUV. 162

2) Ebenen und Grundvoraussetzungen der Kontrolle nach Art. 102 AEUV 166

II. Kartellrechtliche Kontrolle der Tätigkeit von Verwertungsgesellschaften gegenüber Rechteinhabern 170

III. Kartellrechtliche Kontrolle der Tätigkeit von Verwertungsgesellschaften gegenüber Nutzern 171

1) Abschlusszwang der Verwertungsgesellschaften im europäischen Wettbewerbsrecht 174

2) Preiskontrolle bei der Lizenzierung durch Verwertungsgesellschaften im europäischen Wettbewerbsrecht 175

IV. Fazit 179

D. Regulatorisches Privatrecht als Kontrollmittel über Verwertungsgesellschaften 181

I. Die privatrechtlichen Vorschriften im neuen Verwertungsgesellschaftsrecht 182

1) Das Verwertungsgesellschaftsrecht im Spannungsfeld zwischen öffentlichem Recht und Privatrecht 182

2) Strukturierung der privatrechtlichen Rechte und Pflichten 188

a) Normen zur Regelung der Wahrnehmungstätigkeit 188

b) Normen zur Regelung der Lizenzierungstätigkeit 191

c) Normen zur Regelung der Zusammenarbeit von Verwertungsgesellschaften 193

II. Fazit 196

E. Ergebnis 197

Teil 3. Entwicklung von Kollisionsnormen für das Wahrnehmungsrecht 201

Kapitel 1. Grundsätze für ein Kollisionsrecht jenseits des europäischen Binnenmarktkonzepts 203

A. Konzeptionelle Grundlagen der Anknüpfung 203
I. Methodische Grundlagen für die Entwicklung eines Kollisionsrechts der kollektiven Rechtewahrnehmung 203
1) Besonderheiten des Wirtschaftskollisionsrechts 203
2) Keine Funktionsgewährleistung durch andere Kontrollinstitutionen 206
3) Berücksichtigungsfähigkeit von Interessen im Internationalen Privatrecht 207
II. Grundsätzliche Systembildung - Rechtsverhältnisse und Statuten 209
1) Mögliche Statuten 209
2) Besondere Rechte und Pflichten im Verwertungsgesellschaftsrecht 210

B. Kollisionsrechtliche Vorgaben im speziellen Verwertungsgesellschaftsrecht 211
I. Das kollisionsrechtliche Konzept der VG-RL 211
II. Das kollisionsrechtliche Konzept des VGG 216

C. Das urheberrechtliche Kollisionsrecht als Basis des Kollisionsrechts der kollektiven Rechtewahrnehmung 217
I. Begründung der Anknüpfung nach dem Schutzlandprinzip 217
1) Das Verwertungsgesellschaftsrecht als Teil des materiellen Urheberrechts 217
a) Systematischer Zusammenhang 218
b) Funktionaler Zusammenhang 221
c) Ableitungen 223
2) Rückwirkungen der materiell-rechtlichen Verbindung von Urheberrecht und Verwertungsgesellschaftsrecht auf das Kollisionsrecht der kollektiven Rechtewahrnehmung 224
3) Zwischenfazit 228

II. Das urheberrechtliche Kollisionsrecht 228
1) Grundlagen des Internationalen Urheberrechts 229
a) Die Lehre von der Territorialität der Immaterialgüterrechte 230
(1) Der Inländergleichbehandlungsgrundsatz in der RBÜ als völkerrechtliche Statuierung des Territorialitätsprinzips 232
(2) Das Universalitätsprinzip 234
b) Das Schutzlandprinzip 235
2) Übertragung der kollisionsrechtlichen Diskussion auf den Bereich der kollektiven Rechtewahrnehmung 239
a) Bewertung des Ursprungslandprinzips – bringt das Ursprungslandprinzip Erleichterung bei der grenzüberschreitenden Wahrnehmung von Rechten? 240
(1) Übertragung der Argumente für das Ursprungslandprinzip auf das Urheberrecht im Massenverkehr 241
(2) Übertragung der Argumente für das Ursprungslandprinzip auf das Urheberrecht im schrankennahen Bereich 245
b) Kollisionsrechtliche Ableitungen 246
3) Zwischenfazit 248
III. Alternative Statuten für die Bildung eines Kollisionsrechts der kollektiven Rechtewahrnehmung – Reichweite der Schutzlandanknüpfung im Urheberrecht 250
1) Wahrnehmungsstatut 250
2) Vertragsstatut 251
a) Wirkung des Vertragsstatuts 252
b) Abgrenzung vom Urheberrechtsstatut 254
IV. Zusammenfassung 256

D. Übertragung auf einzelne Rechte und Pflichten im Verwertungsgesellschaftsrecht – die Kontrahierungspflichten der Verwertungsgesellschaften 257
I. Konstellationen mit Auslandsbezug 257
II. Anknüpfung im Rahmen der Rom I-VO 258
III. Anknüpfung im Rahmen der Rom II-VO 260

IV. Autonome Anknüpfung 261
1) Der Wahrnehmungszwang 262
a) Qualifikation auf Grundlage einer Funktionsanalyse 262
b) Qualifikation auf Grundlage der kollisionsrechtlichen Interessen 265
c) Der Wahrnehmungszwang bei Wahrnehmung von gesetzlichen Vergütungsansprüchen und verwertungsgesellschaftspflichtigen Rechten 266
(1) Schranken als mehrseitig konzipierte Regulierungssysteme des Urheberrechts 266
(2) Ausbleibender Wettbewerb 268
(3) Regulatorische Einheitlichkeit mit dem Aufsichtsrecht 269
(4) Notwenige Begrenzung der Anwendung des Schutzlandrechts 269
(5) Zwischenergebnis 273
d) Der Wahrnehmungszwang bei Wahrnehmung von Ausschließlichkeitsrechten 274
(1) Keine zwingende Erforderlichkeit zur urheberrechtlichen Funktionsgewährleistung 274
(2) Verdrängung ordnungspolitischer Interessen im Wettbewerbssystem der „right-holders‘ option“ 274
(3) Öffnung für die stärkere Berücksichtigung von Partei- und Verkehrsinteressen 275
(4) Zwischenergebnis 276
2) Ergebnis 276
3) Der Abschlusszwang 278
V. Zwischenergebnis 279

E. Bewertung besonderer Verpflichtungen aus dem Wahrnehmungsverhältnis 280
I. Verteilung der Einnahmen durch Verwertungsgesellschaften 281
1) Allgemeine Regelungen zur Verteilung der Einnahmen von Verwertungsgesellschaften 282
2) Die bisherige Praxis der grenzüberschreitenden Verteilung durch Verwertungsgesellschaften über Gegenseitigkeitsverträge 283

3) Beschreibung des Grundproblems im nationalen Wahrnehmungsfall 287
   a) Reprobel und Verlegerbeteiligung als Ausgangsfall eines Qualifikationsproblems 288
   b) Die nationale Normenkollision als Spiegel des Qualifikationsproblems 290
4) Fallgruppen der grenzüberschreitenden Verteilung von Einnahmen durch Verwertungsgesellschaften 292
   a) Fallgruppe 1: Direkte Wahrnehmung von Urheberrechten und gesetzlichen Vergütungsansprüchen durch eine ausländische Verwertungsgesellschaft 292
   b) Fallgruppe 2: Grenzüberschreitende Wahrnehmung über Gegenseitigkeitsverträge wobei alle (potentiellen) Rechteinhaber derselben Verwertungsgesellschaft angehören 293
   c) Abwandlung von Fallgruppe 2: Die Rechteinhaber sind bei unterschiedlichen Verwertungsgesellschaften 294
   d) Fallgruppe 3: Rechtewahrnehmung durch eine inländische Verwertungsgesellschaft in Deutschland, wobei nicht alle potentiellen Rechteinhaber dieser angeschlossen sind 296
5) Das anwendbare Recht hinsichtlich der Verteilung der Einnahmen aus der Wahrnehmung des Ausschließlichkeitsrechts 296
   a) Strukturelle Nähe zum Urheberrechtsstatut 297
      (1) Reichweite von Art. 8 Abs. 1 Rom II-VO 297
      (2) Strukturelle Nähe aufgrund eines Funktionszusammenhangs 298
      (3) Die Auswirkungen der Anwendung des Urheberechtsstatuts 299
      (4) Exzessive Rechtsanwendung bei Geltung des Urheberrechtsstatuts 300
   b) Anwendung des Vertragsstatuts 300
   c) Anwendung des Wahrnehmungsstatuts 301
      (1) Allgemeine Wirkungen 301

(2) Die Wirkungen im Gegenseitigkeits- bzw. Repräsentationsverhältnis 302
(3) Absicherung des Willkürverbots durch gesonderte Anknüpfung des Berechtigtenbegriffs bzw. der Rechteinhaberschaft 303
(4) Zusammenfassung 305
d) Zwischenergebnis 306
e) Analyse der kollisionsrechtlichen Interessen 307
(1) Ordnungsinteresse 307
(2) Parteiinteresse 309
(3) Verkehrsinteressen 311
(4) Zwischenergebnis 311
f) Kollisionsrechtliche Bewertung von § 46 VGG 312
g) Ergebnis 313
6) Das anwendbare Recht hinsichtlich der Verteilung der Einnahmen aus der Wahrnehmung gesetzlicher Vergütungsansprüche und verwertungsgesellschaftspflichtiger Rechte 314
a) Einheitliche Qualifikation des Wahrnehmungsverhältnisses 315
b) Urheberrechtliche Qualifikation des Wahrnehmungsverhältnisses im Bereich der Schranken mit Erstreckung auf die Einnahmenverteilung 317
(1) Reichweite der Schrankenregelung – der inhaltliche Zusammenhang von Beschränkung und Vergütung 317
(2) Erweiterte Schrankenfunktion 318
(3) Die besondere Rolle der Verwertungsgesellschaften im Bereich der Schranken 319
(4) Zweifelhafte Erforderlichkeit der Vergütungssicherung durch grenzüberschreitende Durchsetzung urheberrechtlicher Wertungen 321
c) Fazit 325
7) Ergebnis 326

II. Repertoirerückzugsrechte 326
1) Kollisionsrechtliche Verortung im (Urheber-)Vertragsstatut 327
a) Kollisionsrechtliche Behandlung der urheberrechtlichen Rückrufrechte (§§ 41, 42 und § 34 Abs. 3 S. 2 UrhG) 328
b) Übertragung der Überlegungen auf das verwertungsgesellschaftsrechtliche Rückrufrecht 332
c) Qualifikation 333
(1) Kollisionsrechtliche Interessen – auswirkungsbezogene Betrachtung 333
(2) Gesetzgeberische Intention des Geltungs- und Wirkungsrahmens 334
(3) Kollisionsrechtliche Verortung zwischen Wahrnehmungs- und Vertragsstatut 334
2) Ergebnis 335
III. Voraussetzungen und Bedingung der Mitgliedschaft in den Verwertungsgesellschaften sowie Mitwirkungsrechte der Berechtigten 336
1) Bedingungen der Mitgliedschaft 337
a) Qualifikation 337
b) Zwischenergebnis 338
2) Grundsätze der Mitwirkung und Organisationsstruktur der Verwertungsgesellschaft 338
a) Qualifikation 338
(1) Die Rolle Gesellschaftsstatuts 339
(2) Die Grundsätze der Mitwirkung als wahrnehmungsspezifische Regelungen 340
b) Zwischenergebnis 342
3) Ergebnis 342
IV. Verwandte Plichten, die ebenfalls dem Wahrnehmungsstatut unterfallen 342
1) Die kollisionsrechtliche Behandlung der Informationspflichten 343
a) Der Ordnungsrahmen im deutschen Recht 343
b) Qualifikation 343
c) Zwischenergebnis 344
2) Rechnungslegung und Transparenzbericht 345

3) Ergebnis 345
V. Zusammenfassung und Ergebnis für die Pflichten aus dem Wahrnehmungsverhältnis 346

F. Bewertung der besonderen Verpflichtungen aus dem Lizenzverhältnis 348
I. Der Abschlusszwang und verwandte Pflichten 349
1) Die funktionale Einheitlichkeit der Regulierung der Lizenzzugangsbedingungen 349
2) Die kollisionsrechtliche Ausgangslage nach dem alten Recht 350
3) Qualifikation 351
a) Die marktgestaltende und schrankenähnliche Funktion der Zugangssicherung zu den Repertoires 352
(1) Die urheberrechtliche Funktion 354
(2) Zusammenhang von Abschlusszwang und Kartellrecht 358
b) Die kollisionsrechtlichen Interessen 362
4) Ergebnis 364
II. Informations- und Auskunftsansprüche 364
1) Informationspflichten der Verwertungsgesellschaften 364
a) Qualifikation 364
b) Ergebnis 366
2) Auskunftsansprüche der Verwertungsgesellschaften gegenüber Nutzern 366
a) Qualifikation 366
b) Ergebnis 367
III. Vermutungsregelungen 367
1) Der Rechtsrahmen – die unterschiedlichen Vermutungsregelungen 367
2) Qualifikation 369
a) Der rechtliche Charakter der Vermutungsregelungen 369
(1) Gesetzliche Vermutungen 370
(2) Tatsächliche Vermutungen – die „GEMA-Vermutung“ 371
b) Bestimmung der lex causae 372
3) Ergebnis 373
IV. Zusammenfassung und Ergebnis 373

G. Bewertung der besonderen Verpflichtungen der Verwertungsgesellschaften untereinander – Das Gegenseitigkeits- und Repräsentationsverhältnis 374
I. Grundsätzliche Anwendung des Vertragsstatuts 374
II. Qualifikation des Repräsentationszwangs 375
1) Vergleich mit dem Wahrnehmungszwang 376
2) Bedeutung der Repertoireakkumulation 377
3) Auswirkungsbezogene Betrachtungen 377
III. Ergebnis 379

H. Kollisionsrechtliche Behandlung der Verwertungsgesellschaftseigenschaft 379
I. Die Bedeutung für den Anwendungsbereich des Verwertungsgesellschaftsrechts 379
II. Kollisionsrechtliche Behandlung als Vor- oder Teilfrage 380
III. Ergebnis 383

I. Gesamtergebnis 384
I. Zusammenfassung 384
II. Darstellung der kollisionsrechtlichen Vorschläge 387

Kapitel 2. Korrekturen des kollisionsrechtlichen Ergebnisses durch das Herkunftslandprinzip – ein neues Binnenmarktkollisionsrecht? 391

A. Ausgangsbetrachtung 391

B. Bedeutung des Herkunftslandprinzips und seine Wirkung auf das Kollisionsrecht 393
I. Das Herkunftslandprinzip – von der Erfassung verwaltungsrechtlicher Kontrollen zur Erstreckung auf zivilrechtliche Fragen 393
II. Unterscheidung zwischen dem sekundärrechtlich und dem primärrechtlich verankerten Herkunftslandprinzip sowie dem primärrechtlichen Herkunftslandprinzip im koordinierten Bereich. 395
1) Das primärrechtliche Herkunftslandprinzip und seine kollisionsrechtliche Wirkung 396
a) Die Geltung des Herkunftslandrechts als kollisionsrechtlicher Ausgangspunkt 397

b) Das Herkunftslandprinzip als kollisionsrechtlicher favor 397
c) Das Herkunftslandprinzip als eigenständiges Modell 399
d) Fazit 402
2) Das sekundärrechtliche Herkunftslandprinzip 403
a) Das Herkunftslandprinzip in der E-Commerce-Richtlinie 403
b) Das Herkunftslandprinzip in der Dienstleistungsrichtlinie 408
c) Das Herkunftslandprinzip der AVMD-RL 410
d) Fazit 410
3) Gemeinsame Prinzipien 412
4) Rückschlüsse auf das Sitzlandprinzip der VG-RL 413
5) Bedeutung des Harmonisierungsgrades der VG-RL für die Rechtfertigung von Beschränkungen der Dienstleistungsfreiheit 417
III. Zusammenfassung 419
IV. Zwischenergebnis: Vom Sitz- bzw. Herkunftslandprinzip (potentiell) betroffene Rechte und Pflichten 421

C. Konkrete Einwirkungen von Sitz- und Herkunftslandprinzip auf die Rechte und Pflichten der Verwertungsgesellschaften im Binnenmarkt 422
I. Ausgangspunkt der Untersuchung 422
1) Leitende Prinzipien für die Untersuchung der Reichweite des Sitz- und Herkunftslandprinzips 422
2) Geltung der Dienstleistungsrichtlinie 423
3) Der Rahmen der Dienstleistungsfreiheit 425
a) Anwendungsbereich 425
b) Diskriminierungs- und Beschränkungsverbot 427
c) Maßgaben an die Rechtfertigung 430
4) Zwischenfazit 432
II. Verteilung der Einnahmen der Verwertungsgesellschaften aus gesetzlichen Vergütungsansprüchen und verwertungsgesellschaftspflichtigen Rechten 433
1) Ergebnis der kollisionsrechtlichen Untersuchung und Fragestellung für Binnenmarktsachverhalte 433
2) Beschränkung 434

3) Rechtfertigung 436
a) Legitimer Zweck: Der Schutz der Rechte des geistigen Eigentums als Rechtfertigungsgrund 437
b) Geeignetheit 439
c) Erforderlichkeit 440
(1) Der Harmonisierungsstand zur Verteilung der Einnahmen im Wahrnehmungsrecht 441
(2) Der Harmonisierungsstand der urheberrechtlichen Schranken 442
(3) Art. 16 DSM-RL 444
(4) Ableitungen zur Erstreckung des Sitzlandprinzips auf originär urheberrechtliche Verteilungsfragen im Binnenmarkt 445
4) Zusammenfassung 449
5) Ergebnis 451
III. Die Bedingungen der Wahrnehmung eines gesetzlichen Vergütungsanspruchs oder eines in sonstiger Weise eingeschränkten Rechts 451
1) Ergebnis der kollisionsrechtlichen Untersuchung 451
2) Beschränkung 452
3) Rechtfertigung 452
a) Hinreichender Schutz durch Harmonisierung 453
b) Rechtliche Einheit von Schranke und Wahrnehmungsverpflichtung 454
4) Zusammenfassung und Ergebnis 456
IV. Der Rechtezugang 456
1) Einheitlichkeit der wesentlichen Verpflichtungen im Lizenzverhältnis 456
2) Das Diskriminierungsverbot der VG-RL im Lizenzverhältnis 458
a) Die Tarifkontrolle nach dem europäischen Kartellrecht 459
(1) Die sachliche Ungleichbehandlung 459
(2) Die territoriale Ungleichbehandlung 461
b) Rückbezug zur VG-RL 464
3) Zusammenfassung 467

4) Rechtezugang und Dienstleistungsfreiheit 467
a) Die Lizenzzugangsansprüche im Bereich des Ausschließlichkeitsrechts 468
(1) Beschränkung der Dienstleistungsfreiheit 468
(2) Rechtfertigung 469
(3) Ergebnis 477
b) Sonderregelungen für die Zugangsansprüche bei der Vergabe multiterritorialer Online-Musikrechte? 477
(1) Das Wesen der Mehrgebietslizenzen 479
(2) Die Regulierungsmechanismen zur Förderung der Mehrgebietslizenzen 483
(3) Praktische Auswirkungen auf die Rechtevergabe 485
(4) Ergebnis 486
c) Die Tarife im Bereich der urheberrechtlichen Schranken 487
(1) Harmonisierungsstand und Beschränkung 487
(2) Rechtfertigung 488
(3) Ergebnis 491
V. Die Befugnis zur und die Bedingungen der Nutzung ohne Lizenz 491
VI. Werk- und lizenzbezogene Informationspflichten der Verwertungsgesellschaften gegenüber den Rechtenutzern 492
1) Kollisionsrechtlicher Ausgangspunkt 492
2) Beschränkung und legitimer Zweck 492
3) Rechtfertigung 493
4) Ergebnis 496

D. Gesamtergebnis 496

Kapitel 3. Grenzüberschreitende Rechtsfragen bei erweiterten kollektiven Lizenzen (EKL), insbesondere bei der Nutzung vergriffener Werke 501

A. Kollisionsrechtlicher Ausgangspunkt 501

B. Die besonderen Mechanismen der erweiterten kollektiven Lizenz aus der DSM-RL 502

C. Das allgemeine Modell der kollektiven Lizenzvergabe mit erweiterter Wirkung nach Art. 12 DSM-RL 503
I. Das Modell der Repräsentativität in Art. 12 Abs. 3 lit. a) 503
II. Die rechtlichen Anforderungen an die Informationsbemühungen der Verwertungsgesellschaften, Art. 12 Abs. 3 lit. d) DSM-RL 506
D. Vergriffene Werke in Europa 508
I. Hintergrund der Regelung 508
II. Die Tatbestandsmerkmale in der Regulierung vergriffener Werke 509
III. Die Umsetzung des Binnenmarktkonzepts für vergriffene Werke 510
1) Der territoriale Bezugspunkt des Vergriffenseins 511
2) Der territoriale Bezugspunkt der Repräsentativität 512
3) Das Ursprungslandprinzip in Art. 9 Abs. 2 DSM-RL 517
a) Das dogmatische Konzept des Ursprungslandprinzips 517
b) Grenzen des Ursprungslandprinzips in Art. 9 Abs. 2 DSM-RL 519
E. Ergebnis 520

Schlussbetrachtung 523

Literaturverzeichnis 533

Einleitung

Thema und Zielsetzung

Am 4. Februar 2014 erließ der europäische Gesetzgeber nach zähem Ringen um eine sachgerechte Lösung die lang versprochene Richtlinie zum Verwertungsgesellschaftsrecht für die Europäische Union (Richtlinie 2014/26/EU über die kollektive Wahrnehmung von Urheber- und verwandten Schutzrechten und die Vergabe von Mehrgebietslizenzen für Rechte an Musikwerken für die Online-Nutzung - VG-RL). Die Pläne der Kommission zu einer Vereinheitlichung des Rechts der Mitgliedstaaten in diesem Bereich reichen zurück bis weit ins vorvergangene Jahrzehnt. So unternahm die europäische Kommission bereits mit einer ersten Empfehlung „für die länderübergreifende kollektive Wahrnehmung von Urheberrechten und verwandten Schutzrechten, die für legale Online-Musikdienste benötigt werden"[1], im Oktober 2005 einen ersten Vorstoß zur Neuordnung der Verwertungsgesellschaftspraxis in der Union. Besonders für den Onlinebereich wurde die Territorialität des Wahrnehmungsgeschäfts als Hindernis für den europäischen Binnenmarkt, insbesondere der erfolgreichen Etablierung europäischer Musikdienste, identifiziert. Die effizienteste Lösung dieses Problems wurde darin gesehen, dass jeder Rechteinhaber eine von ihm gewählte Verwertungsgesellschaft mit der gesamten Rechtewahrnehmung in der EU bzw. im EWR betraut und die Verwertungsgesellschaften um die Rechteinhaber konkurrieren, deren Rechte sie dann exklusiv ggf. unter Zuhilfenahme anderer Verwertungsgesellschaften lizenzieren. Ziel der Empfehlung war es, die nationalen Monopole der Verwertungsgesellschaften zu brechen und die Vergabe multinationaler Lizenzen zu ermöglichen. Gleichzeitig sollte das System der Gegenseitigkeitsverträge, durch welches die Verwertungsgesellschaften die Möglichkeit erlangten, zumindest auf nationaler Ebene das Weltrepertoire anzubieten, aufgelöst werden. Obwohl der Empfehlung der Kommission keinerlei rechtliche Bindung zukam, hatte sie erhebliche Auswirkungen auf die Geschäftspraxis der Verwertungsgesellschaften. Immerhin war doch klar erkennbar, dass aus Sicht der Kommission Regelungsbedarf bestand und in welche Richtung eine nachfolgende

1 2005/737/EG vom 21.10.2005, ABl. Nr. L 276/54.

Regulierung gehen würde. In diesem Kontext veröffentlichte die Kommission im Juli 2012 einen Richtlinienvorschlag „über die kollektive Wahrnehmung von Urheber- und verwandten Schutzrechten und die Vergabe von Mehrgebietslizenzen für die Onlinenutzung von Rechten an Musikwerken im Binnenmarkt".[2] Dieser Vorschlag bildete die Grundlage für die am 4. Februar 2014 erlassene VG-RL. In Deutschland wurde die Umsetzungspflicht der VG-RL zum Anlass genommen, das alte Urheberrechtswahrnehmungsgesetz aufzuheben und den Rechtsrahmen für Verwertungsgesellschaften in einem neuen *Gesetz über die Wahrnehmung von Urheberrechten und verwandten Schutzrechten durch Verwertungsgesellschaften* (Verwertungsgesellschaftengesetz – VGG) festzusetzen. Das neue Verwertungsgesellschaftengesetz wurde am 31. Mai 2016 im Bundesgesetzblatt (BGBl. I S.1190) verkündet und trat am 1. Juli 2016 in Kraft.

Diese von der EU-Kommission angetriebene gesetzliche Europäisierung des Verwertungsgesellschaftssystems kann als ausschlaggebender Initiator für die Neuausrichtung der Verwertungsgesellschaften im europäischen Binnenmarkt angesehen werden. Zugleich folgt die Europäisierung bzw. Internationalisierung der Verwertungsgesellschaften jedoch einem Marktbedürfnis, welches auf der Europäisierung und Internationalisierung der Diensteanbieter beruht, die Lizenzen bei Verwertungsgesellschaften anfragen. Lange Zeit wurde die Nachfrage nach Lizenzen allein auf Grundlage der nationalen Tätigkeit von Verwertungsgesellschaften bedient. Um die Jahrtausendwende begannen Verwertungsgesellschaften jedoch damit, neue Modelle von Gegenseitigkeitsverträgen zu entwickeln, die einen Systemwechsel von der territorial eng umgrenzten Lizenzierung hin zur Mehrstaatenlizenz ermöglichen sollten.[3] Nachdem die Kommission der Zusammenarbeit der Verwertungsgesellschaften, insbesondere im Rahmen Vereinbarung von *Santiago*, eine Freistellung nach Art. 81 Abs. 3 EG verwehrt hatte, ließen die Verwertungsgesellschaften Programme zur Ermöglichung der

---

2 Richtlinienvorschlag der Kommission vom 11.7.2012, COM(2012) 372 final, 2012/0180 (COD).

3 Für die Rechte der Tonträgerhersteller war dies die *IFPI-Simulcasting Vereinbarung*, für die Aufführungsrechte der Musikurheber die Vereinbarung von *Santiago* und für die Vervielfältigungsrechte die Vereinbarung von *Barcelona*. Aufgrund einer sogenannten *„user's residence clause"*, nach der Nutzer eine Mehrstaatenlizenz nur über die Verwertungsgesellschaft ihres „Sitzlandes" erlangen konnten, wurden die Vereinbarungen von *Santiago* und *Barcelona* von der Kommission abgelehnt. Zur *IFPI-Simulcasting Vereinbarung* siehe Kommissionsentscheidung vom 8.10.2002, Sache COMP/C2/38.014 — IFPI "Simulcasting" [2003] ABl. L 107 v. 30.4.2003, S. 58–84

grenzüberschreitenden Tätigkeit jedoch wieder auslaufen und konzentrierten sich erneute auf eine nationale Lizenzierung.[4]

Es lässt sich gleichfalls nicht bestreiten, dass veränderte Marktbedingungen und Verbreitungswege den Bedarf nach territorial erweiterten Lizenzen geweckt haben. Dieser Bedarf ist jedoch einerseits nicht notwendigerweise auf den europäischen Binnenmarkt begrenzt,[5] andererseits beschränkt er sich inhaltlich nicht auf die Online-Musikdienste, denen in Titel III der VG-RL besondere Aufmerksamkeit geschenkt wird. Es mag zwar vor allem der Onlinebereich sein, von dem ein Grundbedürfnis nach „Mehrstaatenlizenzen" ausgeht, dieser Markt besteht aber bei weitem nicht nur aus Musikdiensten. Auch bei anderen Werkkategorien nimmt die internationale Online-Verwertung längst eine zentrale Rolle ein. So besteht beispielsweise in der Wissenschaft seit jeher das Bedürfnis nach internationalem Austausch, welchem die Verlage und Datenbanken durch ihre internationale Ausrichtung nachkommen. Überdies sind klassischere Diensteanbieter, wie Radio- und TV-Stationen, an der Verbreitung ihrer vielfältigen Inhalte in mehreren Staaten interessiert.[6]

Die Internationalisierung der kollektiven Rechtewahrnehmung mag noch so sehr gewünscht sein und sie lässt sich auch durch gesetzliche Aufforderungen oder durch kartellrechtliche Angriffe auf die Grundstrukturen der „territorialen Konzentration" anstoßen. Voraussetzung dieser Internationalisierung ist jedoch die Bestimmung – insbesondere die räumliche Bestimmung – des Ordnungsrahmens, mithin die Fragen, nach welchem Recht Verwertungsgesellschaften ihre Tätigkeit ausrichten müssen, wenn sie der Aufforderung nach Internationalisierung folgend in neue Märkte vordringen. Das gilt umso mehr, als die Verwertungsgesellschaften in vielen Ländern einer strengen und besonderen Kontrolle unterliegen. Dies ist sodann also Ziel der Arbeit und Forschungsfrage: Welches nationale Recht beherrscht die Tätigkeit der Verwertungsgesellschaften oder gilt für

4 Siehe EuG, T-442/08, ECLI:EU:T:2013:188 – *CISAC*, Rn. 109.

5 So bieten Verbreitungsdienste eine weitgehend einheitliche Leistung nicht nur in der EU, sondern gleichfalls in Drittstaaten an. Die erste über das Lizenzierungshub ICE erteilte Lizenz soll ca. 130 Territorien umfasst haben *Langhoff/Radloff/Schmidt u.a.*, in: Heker/Riesenhuber (Hrsg.), Recht und Praxis der GEMA, [3]2018, Rn. 240 f.

6 Teilweise bestehen hier schon seit langer Zeit urheberrechtliche Erleichterungen, die auch Einfluss auf die Lizenzierung durch Verwertungsgesellschaften nehmen. Ein Beispiel ist die Richtlinie 93/83/EWG (SatKab-RL) von 1993 (ABl. L 248 vom 6.10.1993, S. 15–21).

bestimmte verwertungsgesellschaftliche Rechtsverhältnisse, wenn Verwertungsgesellschaften grenzüberschreitend tätig werden?

Die Frage mag sich einem Gesetzgeber aufdrängen, wenn er eine Marktöffnung bzw. Internationalisierung bewusst anstößt – besonders dann, wenn das Subjekt der Internationalisierung eine Institution ist, die gleichzeitig Subjekt engmaschiger Regulierung sein soll. Umso überraschender erscheint es daher, dass weder der europäische noch der deutsche Gesetzgeber dieses Thema aufgegriffen haben, um ein klares kollisionsrechtliches Konzept bereitzustellen. Beide enthalten sich einer Bestimmung des Kollisionsrechts. Der europäische Gesetzgeber erklärt: „Die Bestimmungen [der] Richtlinie lassen die Anwendung [...] der Kollisionsnormen und der Vorschriften zur gerichtlichen Zuständigkeit im Rahmen des internationalen Privatrechts [...] unberührt" (ErwG 56); der deutsche Gesetzgeber „[...] sieht [ebenfalls] von der Anordnung eines Sonderkollisionsrechts ab [und überlässt] die sachgerechte Anwendung der bestehenden kollisionsrechtlichen Bestimmungen und Prinzipien auch im Zusammenspiel mit der VG-Richtlinie [...] der Praxis [...]."[7] Auch in der Literatur gibt es bis auf wenige Ausnahmen bislang keine Auseinandersetzung mit dem Thema.[8] Diese Lücke für das Privatrecht zu schließen und ein systematisches Konzept zu entwickeln, mit dessen Hilfe der räumliche Anwendungsbereich des „Privatrechts der Verwertungsgesellschaften" anhand der typischen Strukturen des Verwertungsgesellschaftsrechts bestimmt werden kann, ist daher Aufgabe dieser Arbeit.

Der Frage kommt durchaus praktische Bedeutung zu, denn erstens ist die Internationalisierung nunmehr angestoßen und eine Rückkehr in nationale Strukturen nicht zu erwarten; zweitens sind die nationalen Regelungsregime über die Betätigung von Verwertungsgesellschaften äußerst heterogen. In Deutschland bildete das UrhWG seit jeher (seit 1965 und zuvor das

7 So ausdrücklich im Regierungsentwurf zum VGG vom 11.11.2015 (Gesetz zur Umsetzung der Richtlinie 2014/26/EU über die kollektive Wahrnehmung von Urheber- und verwandten Schutzrechten und die Vergabe von Mehrgebietslizenzen für Rechte an Musikwerken für die Online-Nutzung im Binnenmarkt sowie zur Änderung des Verfahrens betreffend die Geräte- und Speichermedienvergütung), S. 86.

8 Zur eigentlichen Thematik hat *Drexl* den Grundstein gelegt: *Drexl*, MPI Stellungnahme VGG, 2015; *Drexl*, in: Götz von Olenhusen/Gergen/Vogel (Hrsg.), Kreativität und Charakter, 2017, S. 227 ff.; *Drexl*, MüKo, 8 Aufl. 2021, Art. 8 Rom II-VO, Rn. 239–250. Die Vorarbeit von *Drexl* fand Aufnahme in den Kyoto Guidelines der International Law Association (siehe Art. 27 der Kyoto Guidelines, verfügbar bspw. in JIPITEC 2021, 86 ff.). Jenseits dessen erscheint an dieser Stelle lediglich *Matulionytė*, JWIP 11 (2008), 467 ff. nennenswert.

Gesetz über Vermittlung von Musikaufführungsrechten vom 4. Juli 1933) einen relativ dichten Regulierungsrahmen, welcher einerseits mittels einer öffentlich-rechtlichen Aufsicht die Tätigkeit von Verwertungsgesellschaften zu kontrollieren versuchte, andererseits den Parteien im Verwertungsgesellschaftssystem privatrechtliche Ansprüche an die Hand gab, die sie gegen Verwertungsgesellschaften durchsetzen konnten. Die Bereitstellung einer derartigen Spezialmaterie, welche die Besonderheiten der kollektiven Rechtewahrnehmung berücksichtigt, ist jedoch nicht selbstverständlich. Viele Staaten kennen ein solches System überhaupt nicht oder arbeiten mit rudimentären und verstreuten Rechtsgrundsätzen oder sie leiten allgemeine Regulierungsprinzipien aus dem Kartellrecht ab.[9] Diese Heterogenität schafft besonderes Konfliktpotential zwischen den nationalen Regelungsregimen. In der Union hingegen besteht dieses Spannungsverhältnis aufgrund der tiefgreifenden Harmonisierung zumindest auf den ersten Blick nicht. Doch auch hier bleiben Unterschiede bestehen, die entscheidend sein können, denn die VG-RL ist grundsätzlich nur mindestharmonisierend. Überdies verfolgt die VG-RL einen stark aufsichtsrechtlichen Charakter und schweigt sich zur privatrechtlichen Dimension nahezu vollkommen aus. Entsprechend stellt sich die Frage nach „dem räumlich besten Recht" gerade mit Blick auf die private Rechtsdurchsetzung auch innerhalb des Binnenmarkts.

Für diese Arbeit folgt hieraus eine Zweiteilung. Zunächst ist nach einem Regelungsrahmen für grenzüberschreitende Betätigungen von Verwertungsgesellschaften jenseits des europäischen Binnenmarkts zu fragen, anschließend nach einem Regelungsrahmen innerhalb des europäischen Binnenmarktkonzepts, welches mit der VG-RL ein gemeinsames Fundament für den Bereich der kollektiven Rechtewahrnehmung erhalten hat. Dabei wird nicht nach dem Regelungsrahmen im Eigentlichen gefragt, sondern nach der Anwendung der in Frage kommenden nationalen Regelungsregime für Verwertungsgesellschaften, also nach einem Kollisionsrecht der kollektiven Rechtewahrnehmung. Dieses untergliedert sich in jene zwei Teile: ein allgemeines Kollisionsrecht für tatsächlich internationale Sachverhalte und ein Binnenmarktkollisionsrecht, welches Binnenmarktprinzipien und die harmonisierende Wirkung des europäischen Verwertungsgesellschaftsrechts berücksichtigt.

9 Vor allem in Staaten ohne sektorspezifisches Regulierungsrecht und spezieller Institutionen der Aufsicht hat sich eine eigene kartellrechtliche Praxis entwickelt. Siehe hierzu die ausführliche Analyse bei *Drexl*, Copyright, Competition and Development, 2013, 210 ff. Zum Stand in einigen EU Staaten vor der Harmonisierung *Matulionytė*, JWIP 11 (2008), 467, 474 f.

Zugleich ist das Verwertungsgesellschaftsrecht (sofern es denn ein solches in den betreffenden Jurisdiktionen gibt) eine Regulierungsmaterie, die eine für das Wirtschaftsrecht typische Doppelnatur aufweist. Sie umfasst öffentlich-rechtliche Vorschriften, die sich an eine staatliche Aufsicht als Kontrollorgan richten und sie umfasst privatrechtliche Vorschriften, welche den Beteiligten in den jeweiligen Rechtsverhältnissen durchsetzbare Rechte an die Hand geben – eine klare Trennung ist dabei kaum möglich. Diese Arbeit beschränkt sich auf die Herausbildung eines Kollisionsrechts für die privatrechtlichen Rechtsverhältnisse, welches einerseits schwieriger zu bestimmen ist,[10] andererseits gerade im grenzüberschreitenden System eine besondere Rolle spielt, weil das Privatrecht die Parteien bindet, ihre jeweiligen Positionen berücksichtigt und ihnen Rechte und Pflichten an die Hand gibt, die sie unabhängig von der Mitwirkung einer Aufsichtsbehörde im grenzüberschreitenden Verkehr durchsetzen können.

Methodik und Gang der Untersuchung

Die Arbeit folgt einem „funktionsbezogenen" oder „funktionssichernden Ansatz". Das Verwertungsgesellschaftsrecht ist eine typische Querschnittsmaterie – angesiedelt vor allem zwischen Urheberrecht, Wettbewerbsrecht und Vertragsrecht. Alle diese Rechtsbereiche folgen einer eigenen Funktion und für alle diese Bereiche gibt es ein weitgehend etabliertes Kollisionsrecht. „Funktionsbezogener Ansatz" meint damit zunächst, dass von der funktionalen Nähe zu einem Rechtsgebiet, für welches bereits ein anerkanntes kollisionsrechtliches Konzept besteht, ein Erkenntnisgewinn für das Kollisionsrecht der kollektiven Rechtewahrnehmung zu erwarten ist. „Funktionssichernder Ansatz" meint sodann, dass die Wirkungen der nationalen Regulierung der Verwertungsgesellschaften im internationalen Rechtsverkehr abgesichert werden sollen, sofern dies zur Funktionssicherung notwendig ist. Die Einschränkung der Notwendigkeit verweist dabei

10 Die Aufsicht wendet nur ihr eigenes Recht an und die Frage beschränkt sich daher auf eine der Zuständigkeit (ausführlich zum öffentlichen Kollisionsrecht *Ohler*, Die Kollisionsordnung des Allgemeinen Verwaltungsrechts, 2005). Diese Kontrolle der Verwertungsgesellschaften im Binnenmarkt erfolgt gemäß Art. 36 Abs. 1 VG-RL durch die Behörden des Sitzstaates der jeweiligen Verwertungsgesellschaft. Art. 37 Abs. 2 VG-RL räumt den Behörden des Lizenzstaates lediglich die Möglichkeit ein, die Behörde des Sitzstaates über die Lizenzierungstätigkeit der Verwertungsgesellschaft zu informieren und gegebenenfalls zu ersuchen, Maßnahmen gegenüber der Verwertungsgesellschaft zu ergreifen.

insbesondere auf die Funktionssicherung durch andere Institutionen, namentlich den Wettbewerb. Denn dort, wo bspw. ein funktionierender Wettbewerb die Funktionssicherung bereits gewährleisten kann, muss diese Aufgabe nicht mehr zwingend vom privatrechtlichen Verwertungsgesellschaftsrecht übernommen werden. Dieser Ansatz gibt sodann den Aufbau der *Teile 1* und *2* vor. Zunächst geht es um die Bestimmung jener Funktionen der Verwertungsgesellschaften (*Teil 1*) und des Verwertungsgesellschaftsrechts (*Teil 2*). Letzteres wird anschließend gemeinsam mit der angrenzenden Regulierungsmaterie auf seine Wirkung und Wirksamkeit hin untersucht. In diesem Rahmen widmet sich *Teil 2, Kapitel 2* einer Analyse der verschiedenen Kontrollebenen im Verwertungsgesellschaftssystem.

Das Verwertungsgesellschaftsrecht hat zunächst augenscheinlich die Funktion, die Tätigkeit von Verwertungsgesellschaften zu steuern, doch ist auch hier genauer hinzusehen. Die Querschnittseigenschaft des Verwertungsgesellschaftsrechts und seine dienende Funktion erschließt sich vor allem bei einer näheren Analyse des Regulierungssubjekts – der Verwertungsgesellschaften – und ihrer Tätigkeit – der kollektiven Rechtewahrnehmung. Denn genauso wie jede Institution eine Funktion oder einen Grund hat, hat jedes Rechtsgebiet eine Funktion oder einen Grund – sozusagen eine Aufgabe, die ihm Existenzberechtigung verschafft. Bezieht sich ein Regelungswerk allein auf die Regulierung der Tätigkeit einer Institution – in diesem Fall der Verwertungsgesellschaften –, so wird sie ihren Grund, ihren Zweck oder ihre Funktion in erster Linie aus der Funktion eben jener Institution beziehen.

Die Untersuchung beginnt daher mit einer Analyse der Besonderheiten und Funktionen der kollektiven Rechtewahrnehmung. Sie dient dem Grundverständnis des Verwertungsgesellschaftssystems sowie einer ersten Verortung des Verwertungsgesellschaftsrechts. Denn Verwertungsgesellschaften erfüllen keinen Eigenzweck. Schon definitionsgemäß besteht ihr „ausschließlicher oder hauptsächlicher Zweck [darin], für Rechnung mehrerer Rechteinhaber Urheberrechte [...] zu deren kollektiven Nutzen wahrzunehmen" (§ 2 Abs. 1 VGG). Dies lässt darauf schließen, dass auch das Verwertungsgesellschaftsrecht eine dem Urheberrecht entlehnte Materie ist und diesem womöglich auch kollisionsrechtlich gleicht. *Teil 1, Kapitel 1* führt daher in die Grundlagen der kollektiven Rechtewahrnehmung ein und widmet sich ihren Funktionen in ökonomischer, kultureller und sozialer Hinsicht. In *Abschnitt C* wird sodann die besondere Rolle der Verwertungsgesellschaften für das Urheberrecht erörtert, welche nicht allein rechteinhaberbezogene, sondern gleichfalls nutzerbezogene Aufgaben verwirklicht. Urheberrechtliche Transaktionen sehen sich mehrfachen Schwierigkeiten ausgesetzt. Während ein grundsätzliches Transaktionskostenproblem im urheberrechtlichen Massenverkehr am Beginn der Funktionsanalyse besprochen wird, widmet sich *Abschnitt C* spezifischen Besonderheiten des materiellen Urheberrechts, welche in der Fragmentierung der Rechte in territorialer, horizontaler und vertikaler Hinsicht liegen. Verwertungsgesellschaften nehmen hier eine besondere Rolle für die Gewährleistung urheberrechtlicher Transaktionsfähigkeit ein und zugleich wird in diesem Abschnitt offengelegt, wie sehr das materielle Urheberrecht – sowie seine nationalen Besonderheiten – die Tätigkeit von Verwertungsgesellschaften bestimmt. Die eingangs betonte Rechteinhaberbezogenheit des § 2 Abs 1 VGG sollte nicht darüber hinwegtäuschen, dass Verwertungsgesellschaften in vielfacher Hinsicht zum urheberrechtlichen Interessenausgleich beitragen und zu diesem Zweck auch bewusst (regulatorisch) eingesetzt werden. Verdeutlicht wird damit am Beginn der Arbeit der Sach- und Funktionszusammenhang zwischen Urheber- und Verwertungsgesellschaftsrecht, der womöglich a priori auch auf einen kollisionsrechtlichen Gleichlauf schließen lässt.

Kapitel 2 in diesem Teil 1 widmet sich sodann der Untersuchung des alten Systems der internationalen Rechtevergabe durch Verwertungsgesellschaften auf Grundlage der Gegenseitigkeitsverträge. Es wird hierin erörtert, worin die Probleme des alten Systems zu sehen waren und warum dieses System auf eine rein nationale Betätigung der Verwertungsgesellschaften (zumindest im Lizenzverhältnis) ausgelegt war.

In *Teil 2* der Arbeit werden zunächst das Konzept der Verwertungsgesellschaftenrichtlinie und die Neuordnung, welche von ihr ausgeht, untersucht. Die Ausgestaltung des Wahrnehmungsrechts und erfolgte Marktverschiebungen (worin auch immer sie ihre Wurzeln haben) nehmen Einfluss auf das urheber- und verwertungsgesellschaftliche Interessengerüst. Dort, wo die Position einer Partei rechtlich oder schlicht marktmäßig verbessert wird, könnte die internationale Durchsetzung parteienschützender Vorschriften möglicherweise entbehrlich werden.

In *Teil 2, Kapitel 2* wird ein besonderes Augenmerk auf das Aufsichts- und Kartellrecht als bestehende Kontrollmittel über Verwertungsgesellschaften gerichtet. Das Verwertungsgesellschaftsrecht zeichnet sich als Querschnittsmaterie auch dadurch aus, dass es verschiedene Kontrollinstitutionen begründet oder einbezieht, die in ihrer Funktion und Wirksamkeit divergieren können. Als Kontrollinstitutionen des Verwertungsgesellschaftsrechts im engeren Sinne – neben dem regulatorischen Privatrecht –

werden die verwertungsgesellschaftsinterne und vor allem die externe Aufsicht untersucht. Letztere erscheint kaum darauf ausgelegt und nicht dazu in der Lage, die Bedürfnisse und Besonderheiten ausländischer Märkte zu berücksichtigen. Als eine dritte Kontrollinstitution über Verwertungsgesellschaften ist das Kartellrecht in die institutionelle Analyse einzubeziehen, welches in Ländern ohne spezifisches Verwertungsgesellschaftsrecht sowie vor der Harmonisierung auf Ebene der europäischen Union eine entscheidende Rolle spielte. Rückbindung erfährt die Analyse der Kontrollinstitutionen durch Aufnahme der Erkenntnisse in die Interessenabwägungen, welche in *Teil 3* – bei der abschließenden Entwicklung des Kollisionsrechts der kollektiven Rechtewahrnehmung – mehrfach anzustellen sind. Denn Grundlage einer jeden kollisionsrechtlichen Untersuchung ist die Analyse der kollisionsrechtlichen Interessen, welche sich typischerweise in Partei-, Verkehrs- und Ordnungsinteressen einteilen lassen. Auch innerhalb dieses Systems ist das Verwertungsgesellschaftsrecht bzw. das Privatrecht der Verwertungsgesellschaften nicht isoliert zu betrachten, sondern in seiner Zwischenposition innerhalb des Gesamtsystems zur Regulierung der Tätigkeit von Verwertungsgesellschaften und seinen marktmäßigen Realitäten. Denn dort, wo bereits Institutionen des Rechts oder der Wettbewerb selbst die Betätigung der Verwertungsgesellschaften einer hinreichenden Kontrolle unterwerfen – also Funktionssicherung gewährleisten – und die Parteien innerhalb der kollektiven Rechtewahrnehmung ausreichend schützen, kann grundsätzlich auch das Kollisionsrecht „liberaler" ausfallen. Liberal meint dabei eine möglichst weitgehende Berücksichtigung der Verkehrsinteressen, welche sich typischerweise durch eine Konzentration der Rechtsanwendung auf den maßgeblichen Transaktionsakteur – also die Verwertungsgesellschaften – oder durch Rechtswahl verwirklichen lässt.

Teil 3 bildet den Kern der Arbeit und gliedert sich seinerseits in drei Kapitel. *Kapitel 1* macht sich die Entwicklung eines „allgemeinen Kollisionsrechts" zur Aufgabe, welches sich auf Sachverhalte ohne Binnenmarktbesonderheiten bezieht. Zwar mag auf dem Boden der VG-RL und der von ihr ausgehenden Europäisierung der Verwertungsgesellschaft ein europäisches Kollisionsrecht von besonderem Interesse sein, doch ist die kollisionsrechtliche Problematik keinesfalls auf den Binnenmarkt beschränkt, da es nicht abwegig ist – und scheinbar bereits zur Realität gehört –, dass Verwertungsgesellschaften auch jenseits der Grenzen des europäischen Binnenmarkts grenzüberschreitend tätig werden. *Kapitel 2* widmet sich sodann den europäischen Besonderheiten, baut dabei aber auf das zuvor entwickelte Kollisionsrecht auf und fragt in erster Linie danach, ob ausgehend vom Sitzlandprinzip der Richtlinie oder dem Herkunftslandprinzip der Grundfreiheiten Korrekturen an diesem System der kollektiven Rechtewahrnehmung vorzunehmen sind. In *Kapitel 3* geht es erweiterte kollektive Lizenzen und die Zugänglichmachung vergriffener Werke. Die DSM-RL nimmt sich diesem Thema an und bezweckt eine Vereinfachung der Zugänglichmachung im Binnenmarkt. Die Arbeit beleuchtet grenzüberschreitende (Binnenmarkt-)Fragen aus rechtdogmatischer und praktischer Sicht.

Teil 3, Kapitel 1 beginnt mit einer Systembildung der wahrnehmungsrechtlichen Rechte und Pflichten der Verwertungsgesellschaften und führt zu einer grundsätzlichen Unterscheidung dreier Rechtsverhältnisse: dem Wahrnehmungsverhältnis, dem Lizenzverhältnis und dem Gegenseitigkeits- bzw. Repräsentationsverhältnis (*A. II.*). Es werden an dieser Stelle bereits mögliche Statuten „in den Ring geworfen". Nachdem das europäische und deutsche Verwertungsgesellschaftsrecht auf konkrete kollisionsrechtliche Vorgaben hin untersucht wurden, widmet sich die Arbeit einer näheren Betrachtung des urheberrechtlichen Kollisionsrechts, das aufgrund der funktionalen Nähe der Verwertungsgesellschaften zum Urheberrecht besonders beachtenswert erscheint.

In Abschnitt *D* werden die Grundprinzipien anhand der Kernpflichten der Verwertungsgesellschaften – den Kontrahierungspflichten – herausgearbeitet und zuvor gewonnene Erkenntnisse erstmals umgesetzt. Die Abschnitte *E bis G* stellen sodann den Kern dieses Kapitels dar und widmen sich der Übertragung der Annahmen und Prinzipien auf die konkreten Rechtsverhältnisse der Verwertungsgesellschaften. Sie lassen sich in drei Richtungen aufteilen: „Wahrnehmungs-, Lizenz- und Gegenseitigkeits-/Repräsentationsverhältnis". Die Untersuchung mündet in konkret formulierten Kollisionsrechtssätzen für die maßgeblichen Rechtsverhältnisse innerhalb der kollektiven Rechtewahrnehmung.

Teil 3, Kapitel 2 nimmt sich sodann die Entwicklung besonderer Rechtsanwendungssätze für den europäischen Binnenmarkt vor und fragt danach, ob eine Korrektur der entwickelten allgemeinen Rechtsanwendungssätze für den Binnenmarkt erforderlich ist. Hier besteht erstens die Besonderheit, dass sich Verwertungsgesellschaften in der europäischen Union auf die Grundfreiheiten berufen können und zweitens, dass die VG-RL ein besonderes Sitzlandprinzip einführt, dessen Wirkungen auf das Privatrecht zu untersuchen ist. Die VG-RL setzt jedenfalls gemeinsame Regulierungsstandards, die auch auf die Anwendung der Grundfreiheiten zurückwirken können.

Nähere Ausführungen zur Methodik und zum konzeptionellen Vorgehen finden sich am jeweiligen Beginn der Abschnitte, in denen die jeweilige Methodik zur Anwendung kommt. Dies ist maßgeblich am Beginn von *Teil 3, Kapitel 1,* unter Abschnitt *A* der Fall. Die Bedeutung des Herkunftslandprinzips und seine Wirkungen auf das Kollisionsrecht wird in *Teil 3, Kapitel 2, Abschnitt B* und *C* erarbeitet. Lediglich eine ausgelassene Methode sei hier noch angesprochen – der Rechtsvergleich. Die Arbeit verzichtet auf einen systematischen Rechtsvergleich und beschränkt sich auf punktuelle Ausführungen zur Rechtslage in ausländischen Jurisdiktionen. Sie dienen allein zur Verdeutlichung eines Konfliktfalls. Mit etwas Phantasie lassen sich jedoch zahlreiche Konfliktfälle konstruieren, ohne dass ein konkret bestehender Wertungsunterschied zwischen Rechtsordnungen benannt werden muss. Ansonsten mögen der Pflichtenkanon bzw. die Regulierungsmaterie des deutschen und europäischen Wahrnehmungsrechts stellvertretend für eine typische (wenn auch sehr tiefgreifende) Regulierung der Verwertungsgesellschaften stehen. Sie bildet den Gegenstand der Betrachtung, die entwickelten Prinzipien sollen jedoch verallgemeinerbar sein.

Zu Beginn der Arbeit bestand die Motivation, ein umfassendes Kollisionsrecht zu entwickeln, welches sich auch der ebenso bedeutenden Frage der internationalen Zuständigkeit der Gerichte sowie der Rolle und Zuständigkeit besonderer Streitschlichtungsorgane widmen sollte. Die Arbeit am Internationalen Privatrecht hat sich jedoch bereits als hinreichend herausfordernd und vor allem umfangreich und zeitintensiv herausgestellt, sodass auf die Untersuchung dieses Teils verzichtet wurde. In der Arbeit wurden aber gleichwohl Prinzipien entwickelt, die sich auf Zuständigkeitsfragen übertragen lassen. Ein Grundstein ist also gelegt und vielleicht erfolgt zukünftig eine gesonderte Forschung in anderer Form.

Teil 1.
Das Verwertungsgesellschaftssystem

Kapitel 1. Die Rolle der Verwertungsgesellschaften im Urheberrechtsverkehr

A. Grundlagen

I. Begriffsbestimmung

Verwertungsgesellschaften sind natürlich gewachsene Organisationen, die tief in ihrer jeweiligen nationalen Urheberrechtsordnung verwurzelt sind. Der zu ihrer Kontrolle entwickelte Regulierungsrahmen ist vielschichtig und nicht notwendigerweise widerspruchsfrei. Das „Recht der Verwertungsgesellschaften" setzt sich aus einer komplexen und schwer zu überblickenden Regelungsmaterie zusammen. An deren Beginn stehen die nationalen Wahrnehmungsrechtsregime – diese waren in der EU nun Gegenstand der Harmonisierung durch die VG-RL, wobei nationale Abweichungen teilweise möglich bleiben[11] –, daneben stehen internationale, europäische und nationale Bestimmungen des Urheberrechts und des Kartellrechts. Schließlich verdienen die europäischen Grundfreiheiten Beachtung. Im Zentrum der Betrachtung steht nunmehr das nationale Wahrnehmungsrecht im Kontext der RL 2014/29/EU (VG-RL), in Deutschland also das Verwertungsgesellschaftengesetz (VGG).

Was unter einer Verwertungsgesellschaft zu verstehen ist, definiert § 2 VGG. Gemäß § 2 Abs. 1 VGG ist eine Verwertungsgesellschaft eine Organisation, die gesetzlich oder auf Grundlage einer vertraglichen Vereinbarung berechtigt ist und deren ausschließlicher oder hauptsächlicher Zweck es ist, für Rechnung mehrerer Rechteinhaber[12], Urheberrechte oder verwandte Schutzrechte zu deren kollektiven Nutzen wahrzunehmen, gleichviel, ob in eigenem oder in fremdem Namen. Rechteinhaber sind zunächst die Kreativen selbst (originäre Rechteinhaber), darüber hinaus findet sich eine

11 In Hinblick auf Titel II der Richtlinie ist nur eine „Mindestharmonisierung vorgesehen" (siehe Erwägungsgrund 9 der VG-RL).

12 Im VGG und in der VG-RL wird von Rechtsinhabern gesprochen. In dieser Arbeit wird meist der Begriff Rechteinhaber verwendet, aus dem hervorgeht, dass es sich in der Regel um Inhaber einer Vielzahl von Rechten handelt.

Vielzahl von abgeleiteten, derivativen Rechteinhabern.[13] Aus dem Kreis potentieller Rechteinhaber im Sinne des Verwertungsgesellschaftengesetzes sind die Verwertungsgesellschaften nach § 5 Abs. 2 VGG allerdings ausgeschlossen.[14] Die neue Definition der Verwertungsgesellschaften entspricht im Wesentlichen ihrer bisherigen Begriffsbestimmung im UrhWahrnG. Der Gesetzgeber hat deshalb darauf verzichtet den Begriff der Verwertungsgesellschaft durch den von der VG-Richtlinie vorgegebenen Begriff der „Organisation für die kollektive Rechtewahrnehmung" zu ersetzen.[15] Prägendes Merkmal einer jeden Verwertungsgesellschaft ist die treuhänderische kollektive Wahrnehmung von urheberrechtlich geschützten Rechten für eine Mehrzahl von Rechteinhabern für deren Rechnung und zu deren Nutzen.[16] Das gesetzliche Tatbestandsmerkmal *„zu deren kollektiven Nutzen"* entspricht inhaltlich der *„gemeinsamen Auswertung"* in der alten Definition nach § 1 Abs. 1 WahrnG und bleibt ein wichtiges Abgrenzungskriterium zu Verlagen, Agenturen oder sonstigen Organisationen, die Rechte Dritter für eigene Rechnung verwerten.[17] Bezeichnend für Verwertungsgesellschaften ist darüber hinaus, dass die Rechte gemeinsam ausgewertet werden. Es erfolgt also keine Individualisierung der Repertoires in dem Sinne, dass Qualität und Marktwert eines konkreten Werkes bei der Auswertung gegenüber anderen Werken derselben Kategorie berücksichtigt werden.[18]

---

13 *Staudt*, in: Becker/Riesenhuber/Kreile (Hrsg.), Recht und Praxis der GEMA, ²2008, Kapitel 10, Rn. 38 ff. Der Begriff des „Rechtsinhabers" nach § 5 Abs. 1 VGG und Art. 3 lit. c VG-RL umfasst ausdrücklich die Inhaber abgeleiteter Rechte. Um zu den Rechtsinhabern im Sinne von § 5 Abs. 1 Alt. 2 VGG zu zählen, muss die (natürliche oder juristische) Person Anspruch auf einen Anteil an den Einnahmen aus den Rechten haben. Der Begriff „Einnahmen an den Rechten" ist in Art. 3 lit. h VG-RL legaldefiniert und meint die von einer Organisation für die kollektive Rechtewahrnehmung für die Rechtsinhaber eingezogenen Beträge aus einem ausschließlichen Recht oder einem Vergütungs- oder Ausgleichsanspruch (*Freudenberg*, in: Götting/Lauber-Rönsberg/Rauer (Hrsg.), Beck'scher Online-Kommentar Urheberrecht, ³⁹2023, VGG § 5, Rn. 6).

14 Siehe auch Art. 3 lit. c VG-RL.

15 BT-Drs. 18/7223, S. 72.

16 *Freudenberg*, in: Götting/Lauber-Rönsberg/Rauer (Hrsg.), Beck'scher Online-Kommentar Urheberrecht, ³⁹2023, VGG § 2, Rn. 2.

17 *Ders.*, in: Götting/Lauber-Rönsberg/Rauer (Hrsg.), Beck'scher Online-Kommentar Urheberrecht, ³⁹2023, VGG § 2, Rn. 11; siehe auch die amtliche Begründung in der Bundestag Drucksache 18/7223, S. 72.

18 *Ders.*, in: Götting/Lauber-Rönsberg/Rauer (Hrsg.), Beck'scher Online-Kommentar Urheberrecht, ³⁹2023, VGG § 2, Rn. 14. sowie *Schulze*, in: Dreier/Schulze (Hrsg.), Urheberrechtsgesetz, ⁶2018, § 2 VGG, Rn. 8.

Nach § 2 Abs. 2 Nr. 1 und Nr. 2 müssen die Anteile einer Verwertungsgesellschaft entweder von ihren Mitgliedern gehalten werden (Nr. 1) oder die Organisation darf nicht auf Gewinn ausgerichtet sein (Nr. 2).[19] Der europäische Gesetzgeber hat darüber hinaus eine neue „verwertungsgesellschaftsähnliche" Organisationen eingeführt, die teilweise der Regulierung durch das Verwertungsgesellschaftsrecht unterfällt. Dies ist die „unabhängige Verwertungseinrichtung" (Art. 3 lit. b) VG-RL bzw. § 4 VGG); im deutschen Recht wird sie um die „abhängigen Verwertungseinrichtungen" (§ 3 VGG) ergänzt, deren Struktur auch in Art. 2 Abs. 3 VG-RL beschrieben wird.[20]

In dieser Arbeit wird grundsätzlich der traditionelle Begriff „Verwertungsgesellschaft" verwendet und – soweit es um die Tätigkeit der Verwertungsgesellschaften geht – meist von „kollektiver Rechtewahrnehmung" gesprochen. Der europäische Begriff „Organisationen für die kollektive Rechtewahrnehmung" wird grundsätzlich nur in Abgrenzung zu einem traditionellen Verständnis der Verwertungsgesellschaften eingesetzt. Geht es um die Regelungsmaterie der Verwertungsgesellschaften im engeren Sinne, werden die Begriffe „Verwertungsgesellschaftsrecht" und „Wahrnehmungsrecht" alternativ verwendet.

II. Historische Entwicklung der Verwertungsgesellschaften

Die Geschichte der Verwertungsgesellschaften reicht zurück bis ins Frankreich des 18. Jahrhunderts. Bereits vor der französischen Revolution im Jahr 1777 wurde unter wesentlicher Beteiligung von *Beaumarchais* die *Société des Auteurs et Compositeurs Dramatiques* (SACD) gegründet. Obwohl die SACD in erster Linie um angemessene Vertragsbedingungen ihrer Mitglieder gegenüber Theaterunternehmen kämpfte und keine typische Verwertungsgesellschaftstätigkeit ausübte, wird sie vielfach als erste Verwertungsgesellschaft der Welt angesehen.[21] Doch weder die Gründung der SACD noch die erstmalige Kodifizierung des *droît d'auteur* durch das französische

19 *Freudenberg*, in: Götting/Lauber-Rönsberg/Rauer (Hrsg.), Beck'scher Online-Kommentar Urheberrecht, ^{39}2023, VGG § 2, Rn. 19 f. Genauso setzt dies die VG-RL in Art. 3 lit a voraus.

20 *Schulze*, in: Dreier/Schulze (Hrsg.), Urheberrechtsgesetz, ^{6}2018, VGG, § 3, Rn. 1 f. und § 4, Rn. 1 f.

21 *Vogel*, in: Becker (Hrsg.), Die Wahrnehmung von Urheberrechten an Sprachwerken, 1999, S. 17, 24 f.; *Melichar*, in: Loewenheim/Becker (Hrsg.), Handbuch des Urheber-

Urheberrechtsgesetz im Jahr 1791 brachten in der Folgezeit eine schnelle Verbreitung von Verwertungsgesellschaften. Es dauerte bis Mitte des 19. Jahrhunderts bis sich der Gedanke der kollektiven Wahrnehmung von musikalischen Aufführungsrechten ausbreitete und zur Gründung der ersten Verwertungsgesellschaft im heutigen Sinne führte.[22]

Einer viel und in unterschiedlichen Varianten erzählten Anekdote[23] zufolge, an der sich auch heute noch die Notwendigkeit von Verwertungsgesellschaften bildhaft veranschaulichen lässt, entsprang der erste Rechtsstreit um die Vergütungspflicht der Restaurant- und Kaffeehausbetreiber aus einer Auseinandersetzung zwischen dem Komponisten *Ernest Bourget* und dem Inhaber des berühmten *Café Les Ambassadeurs* in Paris. Der Komponist *Bourget* verbrachte einen Abend im *Café Les Ambassadeurs*, wo zur Unterhaltung der Gäste seine Werke aufgeführt wurden. Gefragt wurde er natürlich nicht, vergütet schon gar nicht. Als der Kellner ihm die Rechnung brachte, verweigerte *Bourget* die Bezahlung und erklärte die Aufrechnung mit dem Hinweis, das Orchester habe, ebenfalls ohne dafür zu bezahlen, wiederholt seine Werke gespielt. Es entwickelte sich ein Rechtsstreit, der bis zur *Cour de cassation* ausgetragen wurde. Erstmals erstreckte das oberste Gericht das französische Aufführungsrecht ausdrücklich auf musikalische Werke und verurteilte den Inhaber des *Ambassadeurs* entsprechend zu Unterlassung und Schadensersatz.[24] Damit war zunächst klar, dass Komponisten ein Verbotsrecht gegen die öffentliche Aufführung ihrer Werke zustand, doch ergaben sich daraus auch zwei Probleme: Erstens, wie sollte dieses Verbotsrecht gegen die Masse der Nutzer durchgesetzt werden? – Ein Kontrollapparat war erforderlich! Zweitens, wie sollte die willkommene Nutzung gegen Entgelt ausgehandelt und lizenziert werden? – Eine Lizenzierungsstelle war erforderlich! Die Lösung wurde in der Koordinierung der Rechte und der Kollaboration der Rechteinhaber gesehen. Vor diesem Hintergrund schlossen sich die Komponisten *Ernest Bourget*,

---

rechts, ^{2}2010, § 45, Rn. 9.; *Nérisson*, in: Liu/Hilty (Hrsg.), Remuneration of copyright owners, 2017, S. 71, 72.

22 *Lichtenegger*, Verwertungsgesellschaften, Kartellverbot und Neue Medien, 2014, S. 36.

23 Mit viel Hintergrundinformation nachzulesen bei *Schwab* (*Schwab*, Recht und Praxis der Urheberverwertungsgesellschaften in Frankreich, 1989, S. 36 ff.). Auch dargestellt bei *Melichar*, Die Wahrnehmung von Urheberrechten durch Verwertungsgesellschaften, 1983, S. 5 ff. und *von Lewinski*, in: Zimmermann (Hrsg.), Save the Rights! – Dossier »Verwertungsgesellschaften«, 2015, 10.

24 *Schwab*, Recht und Praxis der Urheberverwertungsgesellschaften in Frankreich, 1989, S. 38.

Victor Parizot und *Paul Henrion* gemeinsam mit ihrem Verleger *Jules Colombier* zum Zwecke der gemeinsamen Verwaltung der Aufführungsrechte an ihren Musikwerken zu einer *Agence Centrale* zusammen. Es handelte sich um die weltweit erste Verwertungsgesellschaft moderner Prägung – die Vorgängerin der heutigen *Société des Auteurs, Compositeurs et Éditeurs de Musique* (SACEM) –, die zum Zugpferd der gesamten folgenden Entwicklung werden sollte.[25]

III. Die Verwurzelung der Verwertungsgesellschaften im Urheberrecht

Die Geschichte hinter der Gründung der SACEM verdeutlicht Folgendes: Urheberrechte sind wertlos, wenn ihre Nutzung nicht wirksam kontrolliert und das Verbotsrecht nicht wirksam durchgesetzt werden kann. Sie sind auch dann wertlos, wenn ihr Gebrauch nicht mit verhältnismäßigem Aufwand erlaubt werden kann. Diese beiden Voraussetzungen für die Verwirklichung des Urheberrechts zu schaffen, war die historische Intention hinter der Gründung der Verwertungsgesellschaften. Sie sind damit Teil des urheberrechtlichen Funktionssystems.

Im engeren Sinne werden Verwertungsgesellschaften im Urheberrecht auf zwei Ebenen relevant, erstens auf Ebene der Ausschließlichkeitsrechte und zweitens auf Ebene der Schranken. Das Urheberrecht begründet eine Reihe von Nutzungsrechten, die ohne Hilfe der Verwertungsgesellschaften kaum wahrnehmbar wären oder die gar auf ein bestehendes Verwertungsgesellschaftssystem aufbauen.[26] Im ersten Punkt ist vor allem eine marktschaffende Eigenschaft der Verwertungsgesellschaften zugunsten der Urheber und sonstigen Rechteinhaber angelegt. Der Gesetzgeber weist den Urhebern Exklusivrechte zu, deren individuelle Ausübung tatsächlich kaum möglich ist.[27] Hier verschafft die Kollektivierung der Rechte den Urhebern die wirtschaftliche Partizipationsmöglichkeit. Dieser Bereich der kollektiven Rechtewahrnehmung steht in der Tradition der ursprünglichen Motivation zur Kollektivierung der Rechte. Im zweiten Punkt findet sich

---

25 *Ulmer*, in: Ulmer/Bussmann/Weber (Hrsg.), Das Recht der Verwertungsgesellschaften: Vergleichende Darstellung der gesetzlichen Bestimmungen, 1955, S. 5; *Lichtenegger*, Verwertungsgesellschaften, Kartellverbot und Neue Medien, 2014, S. 36.

26 *Becker*, in: Becker/Riesenhuber/Kreile (Hrsg.), Recht und Praxis der GEMA, ^{2}2008, Kapitel 4, Rn. 1.

27 *Popp*, Verwertungsgesellschaften, 2001, S. 15.

eine staatsnahe öffentliche Aufgabe wieder.[28] Denn dort, wo der Gesetzgeber reine Vergütungsansprüche im materiellen Urheberrecht einführt oder Rechte verwertungsgesellschaftspflichtig ausgestaltet, geht er vom Bestehen eines (funktionierenden) Verwertungsgesellschaftssystems aus und bedient sich bewusst der Mechanismen der Kollektivierung.[29]

Um das Verhältnis der Verwertungsgesellschaften zum Urheberrecht zu verdeutlichen, bietet sich eine Einteilung verschiedener Beschränkungs- oder Begrenzungsformen des Urhebers zur Berücksichtigung von Zugangsinteressen an. Gänzlich „unbegrenzt" ist das Recht lediglich bei voller individueller Ausübung. Bereits die freiwillige Entscheidung, die Rechtevergabe einer Verwertungsgesellschaft anzuvertrauen, bedeutet – zumindest im Zusammenhang mit dem Kontrahierungszwang der Verwertungsgesellschaften – eine Einschränkung des Rechts.[30] Man kann insoweit von der sanftesten Form der Begrenzung sprechen. Auf der zweiten Ebene finden sich grundsätzlich gleich gelagert – nochmalige Abstufungen sind möglich – die echten Beschränkungen: Verwertungsgesellschaftspflicht[31], vergütungspflichtige Schranken[32] und Zwangslizenz.[33] Erst danach werden auch die

---

28 Zur Erfüllung öffentlicher Aufgaben durch Verwertungsgesellschaften: *von Einem*, Verwertungsgesellschaften im deutschen und internationalen Musikrecht, 2007, 78 ff.; *Heindorf*, Die staatliche Aufsicht über Verwertungsgesellschaften, 2011, S. 136 ff.

29 *Becker*, in: Becker/Riesenhuber/Kreile (Hrsg.), Recht und Praxis der GEMA, ^{2}2008, Kapitel 4, Rn. 4.

30 Hierzu gehört grundsätzlich auch die „erweiterte kollektive Lizenz" (EKL), da auch sie mit der Möglichkeit zum *opt out* auf Freiwilligkeit beruht (*Ficsor*, in: Gervais (Hrsg.), Collective management of copyright and related rights, 2015, S. 31, 74 f.). Da das *opt out* zugegebenermaßen stärker auf die Ausschließlichkeit des Rechts einwirkt als ein *opt in*, kann es auch auf eine Stufe zwischen freiwilliger kollektiver Rechtewahrnehmung und Verwertungsgesellschaftspflicht gestellt werden (so auch *Gervais*, in: ders. (Hrsg.), Collective management of copyright and related rights, 2015, S. 3, 28).

31 Bspw. das Recht zur Kabelweitersendung nach § 20b UrhG.

32 Bspw. die Privatkopievergütung nach §§ 53 Abs. 1, 54 Abs. 1 UrhG.

33 Im Zusammenhang mit dem Kontrahierungszwang von Verwertungsgesellschaften ergeben sich kaum Unterschiede innerhalb der verschiedenen Beschränkungsformen. Insbesondere die Verwertungsgesellschaftspflicht wandelt sich in „eine Art Zwangslizenz", wenn die Verwertungsgesellschaften zugleich einem Abschlusszwang unterliegen (so auch: *Geiger*, GRUR Int. 2008, 459-468, 467; *Pflüger*, Gerechter Ausgleich und angemessene Vergütung, 2017, S. 60; *Plate*, Die Verwertungsgesellschaftspflicht für urheberrechtliche Vergütungsansprüche und ausschließliche Verwertungsrechte, 2003, 205 f.). Einziges Beispiel im deutschen Urheberrecht ist die Zwangslizenz zur Herstellung von Tonträgern nach § 42a UrhG. Ihre praktische Relevanz ist gering, da das Recht ohnehin von Verwertungsgesellschaften wahrgenommen wird (*Schulze*, in: Dreier/Schulze (Hrsg.), Urheberrechtsgesetz, 72022, § 42a, Rn. 3).

Vergütungsinteressen der Rechteinhaber mit vergütungsfreien Schranken wesentlich beeinträchtigt.[34] Es ist dabei nicht gesagt, dass die Interessen der Urheber stets mit der Gewährung des Ausschließlichkeitsrechts am besten geschützt sind, im Gegenteil, oft garantiert erst der Vergütungsanspruch wirtschaftliche Partizipation der Urheber.[35]

B. Funktionen der kollektiven Rechtewahrnehmung

Hauptaufgabe jeder Verwertungsgesellschaft ist die Wahrnehmung der Urheberrechte ihrer Mitglieder.[36] Ihnen gegenüber sind sie treuhänderisch verpflichtet, von ihnen sind sie beauftragt, die Nutzung ihrer Werke zu überwachen, mit Nutzern zu verhandeln und Lizenzen gegen Vergütung einzuräumen. Jenseits dieser konkreten Aufgabe der Verwertungsgesellschaften – möge sie auch zentral sein – stehen aber systemische Funktionen, die sich in ihrer abstrakten Natur als übergeordnet betrachten lassen. Sie sind ökonomischer, kultureller und sozialer Art.[37]

Für den europäischen Gesetzgeber, besonders aber für die Europäische Kommission, standen im Gesetzgebungsverfahren die ökonomischen Funktionen im Vordergrund. Schon die Kommissionsempfehlung von 2005[38] war wettbewerbspolitisch motiviert und folgte dem allgemeinen

---

34 *Gervais*, in: ders. (Hrsg.), Collective management of copyright and related rights, 2015, S. 3, 28 f.

35 *Drexl*, in: Hilty/Geiger (Hrsg.), Impulse für eine europäische Harmonisierung des Urheberrechts/Perspectives d'harmonisation du droit d'auteur en Europe, 2007, S. 369, 374; BGH, Urt. v. 11.7.2002 – I ZR 255/00 – *Elektronischer Pressespiegel* = GRUR 2002, 963, 966 (BGHZ 151, 300–316). Nähere Ausführungen finden sich am Beginn von *Abschnitt III* (Die Verwertungsgesellschaften als Rechteclearingstellen).

36 Siehe auch exemplarisch § 2 der Satzung der GEMA in der Fassung vom 23./24. Juni 2009.

37 Das theoretische Fundament des Urheberrechts und seine facettenreichen Funktionen werden in neuartiger Gegenüberstellung bei *Lueg*, Teleologische Theorien des Urheberrechts, 2022 besprochen. Betrachtet man Verwertungsgesellschaften als Institutionen, die dem Urheberrecht dienen und die ihre Aufgaben unmittelbar aus urheberrechtlichen Prinzipien ableiten, so reflektierten die von *Lueg* ausgesandten Lichtkegel freilich zurück auf das Funktionsverständnis der kollektiven Rechtewahrnehmen.

38 Kommission, Empfehlung von 2005 (2005/737/EG vom 21.10.2005, ABl. Nr. L 276/54). Der Empfehlung vorausgegangen waren u.a.: EU Parlament, Bericht über einen Gemeinschaftsrahmen für Verwertungsgesellschaften im Bereich des Urheberrechts v. 11.12.2003 (EP-Doc. A5-0478/2003) (abrufbar unter: http://www.europarl.europa.eu/sides/getDoc.do?pubRef=-//EP//NONSGML+REPORT+A5-2003-047

Binnenmarktkonzept.[39] In der VG-RL wird gleich zu Beginn in Erwägungsgrund 1 die Förderung von Investitionen angesprochen, was sich einem ökonomischen Zweck zuordnen lässt und eine Verbindung zum allgemeinen Anreizgedanken im geistigen Eigentum zeigt.[40] In Erwägungsgrund 2 finden sich etwas detailliertere Ausführungen zur ökonomischen Funktion der Verwertungsgesellschaften. Den Verwertungsgesellschaften kommt demnach die Aufgabe zu, die Nutzung der Rechte zu überwachen, für die Durchsetzung der Rechte zu sorgen, Einnahmen einzuziehen und zu verteilen. Soziale und kulturelle Aspekte sind ansatzweise in Erwägungsgrund 3 angesprochen.[41] Die Berücksichtigung sozialer und kultureller Aspekte ist auf den Einfluss des Europäischen Parlaments zurückzuführen, welches die sehr einseitige Fokussierung der Kommission auf die multiterritoriale Lizenzierung von Online-Musikrechten sowie auf die Stärkung der Position der Rechteinhaber, insbesondere mit Blick auf Repertoirekontrolle, zu ergänzen vermochte.[42]

8+0+DOC+PDF+V0//DE (zuletzt abgerufen, 20.3.2020)); Kommission, Mitteilung v. 16.4.2004 – Die Wahrnehmung von Urheberrechten und verwandten Schutzrechten im Binnenmarkt, KOM(2004) 261 endg.; und Kommission, Commission Staff Working Document, Study on a Community initiative on the cross-border collective management of copyright (v. 7.7.2005) (abrufbar unter: http://www.fia-actors.com/uploads/Study%20on%20CM_en.pdf (zuletzt abgerufen, 20.3.2022)).

39 *Poll*, ZUM 2008, 500, 503; *Drexl*, in: Hilty/Geiger (Hrsg.), Impulse für eine europäische Harmonisierung des Urheberrechts/Perspectives d'harmonisation du droit d'auteur en Europe, 2007, S. 369, 371 ff.; *von Lewinski*, in: Ohly (Hrsg.), Perspektiven des geistigen Eigentums und Wettbewerbsrechts, 2005, S. 401, 405 f.

40 Dieser findet sich im Urheberrecht teils modifiziert wieder, indem er nicht so sehr den Werkschaffenden in den Blick nimmt, sondern stärker auf den Financier oder allgemein auf die Investition fokussiert (*Loewenheim*, in: Schricker/Loewenheim (Hrsg.), Urheberrecht, [5]2017, Einleitung Rn. 9; *Reich*, Die ökonomische Analyse des Urheberrechts in der Informationsgesellschaft, 2006).

41 Hier heißt es: „*die Union* [ist] *verpflichtet, bei ihrer Tätigkeit der kulturellen Vielfalt Rechnung zu tragen und einen Beitrag zur Entfaltung der Kulturen der Mitgliedstaaten unter Wahrung ihrer nationalen und regionalen Vielfalt und der gleichzeitigen Hervorhebung des gemeinsamen kulturellen Erbes zu leisten. Organisationen für die kollektive Rechtewahrnehmung spielen als Förderer der Vielfalt kultureller Ausdrucksformen eine wichtige Rolle, und sollten dies auch weiterhin tun, da sie kleinsten und weniger populären Repertoires Zugang zum Markt verschaffen und im Interesse der Rechtsinhaber und der Öffentlichkeit soziale, kulturelle oder Bildungsleistungen erbringen.*"

42 Siehe Pressemitteilung der Kommission vom 11.7.2012, „Copyright: Commission proposes easier music licensing in the Single Market" (abrufbar unter: https://ec.europa.eu/commission/presscorner/detail/en/IP_12_772 (zuletzt abgerufen, 20.3.22)). Zum Gesetzgebungsprozess *Reinbothe*, in: Schricker/Loewenheim (Hrsg.), Urheberrecht, [6]2020, VGG, Einl. Rn. 24 ff.

Festzuhalten ist, dass sich die VG-RL abgesehen von wenigen Ausführungen in den Erwägungsgründen – so etwa in Erwägungsgründen eins bis drei – eher wertungsarm und vor allem auf die ökonomische Funktionsfähigkeit ausgerichtet präsentiert.[43] Nachfolgend sollen jedoch die verschiedenen Funktionen der Verwertungsgesellschaften im System des Urheberrechts näher beleuchtet werden. Da die ökonomischen Zwecke der Verwertungsgesellschaften vom europäischen Gesetzgeber besonders betont werden, sollen sie auch hier am Anfang der Analyse stehen.

I. Ökonomische Funktionen

Verwertungsgesellschaften stehen traditionell auf der Seite der Urheber. Das Grundkonzept der Verwertungsgesellschaften besteht darin, dort Vergütungen zu realisieren, wo dies individuell nicht möglich oder zu aufwendig ist.[44] Sie schaffen Kontrolle und dienen in dieser Hinsicht vor allem den Interessen der Rechteinhaber. Sie stehen aber auch auf der Seite derjenigen, die ein Interesse an einem legalen und einfachen Zugang zu geschützten Werken und Leistungsschutzrechten suchen.[45] So wird die Konzeption der europäischen Verwertungsgesellschaftssysteme gelegentlich gar als Königsweg zwischen Zugangs- und Vergütungsinteressen bezeichnet.[46] Andere mögen dies kritischer sehen.[47] Dies zeigt schon die allseitige Kritik an Verwertungsgesellschaften. Nutzer beschweren sich über hohe Preise und Intransparenz, Rechteinhaber über geringe Vergütung und alle Beteiligten über mangelnde Flexibilität und hohen Bürokratieaufwand.[48] Um Kreativität zu fördern, kann es aber genügen das Recht „vergütungsfähig" zu gestalten. Die wahre Kontrolle, die das Verbotsrecht gewährt, ist dazu nicht erforderlich und vielfach auch de facto nicht durchsetzbar.[49] Das Urheberrecht verfolgt den Zweck ein Marktversagen aufzulösen, indem es exklusive

43 *Staats*, ZUM 2013, 162, 164.

44 *Becker*, in: Becker/Riesenhuber/Kreile (Hrsg.), Recht und Praxis der GEMA, ²2008, Kapitel 4, Rn. 1.

45 *Peifer*, GRUR 2015, 27, 28.

46 So etwa *Staats*, in: Peifer (Hrsg.), Werkvermittlung und Rechtemanagement im Zeitalter von Google und Youtube, 2010, S. 91 ff.

47 Exemplarisch *Katz*, Copyright Collectives, 2009 und *Goldstein*, IIC 2015, 153 f.

48 Siehe beispielhaft den Bericht der Enquete-Kommission des Deutschen Bundestages „Kultur in Deutschland", BT-Drs. 16/7000. S. 280 f. (online abrufbar unter: http://dipbt.bundestag.de/dip21/btd/16/070/1607000.pdf, zuletzt abgerufen am 04.12.2017).

49 *Gervais*, (Re)structuring Copyright, 2017, 207 ff.; *Hilty*, GRUR 2005, 819 ff.

Rechte an Gütern gewährt, die ihrer Natur nach nicht exklusiv und nicht rival sind.[50]

Aus ökonomischer Perspektive weist man Verwertungsgesellschaften traditionell drei Funktionen zu: die Ermöglichungsfunktion, die Zentralstellenfunktion und die Vergütungsfunktion.[51] Geht es um die Ermöglichungs- und Vergütungsfunktion, stehen Verwertungsgesellschaften vor allem im Lager der Rechteinhaber. Geht es dagegen um die Zentralstellenfunktion, so steht das Interesse der Nutzer an einer einfachen Lizenzierung im Vordergrund. Die Ermöglichungsfunktion ist – mit Blick auf die Vergütungssicherung zugunsten der Rechteinhaber – neben anderen ökonomischen Einzelfunktionen in Erwägungsgrund 2 der Richtlinie angesprochen: „Organisationen für die kollektive Rechtewahrnehmung ermöglichen es Rechtsinhabern, Vergütungen für die Nutzung ihrer Rechte [...] zu erhalten, die sie selbst sonst nicht überwachen oder durchsetzen könnten."

Damit adressiert der europäische Gesetzgeber den seit jeher als primär angesehenen Zweck von Verwertungsgesellschaften.[52]

Die Zentralstellenfunktion (der sog. *One-Stop-Shop*) – essentieller Vorteil starker Verwertungsgesellschaften aus Sicht der Nutzer – kommt in der Richtlinie hingegen kaum zur Sprache. Dies mag nicht verwundern, setzt die Zentralstellenfunktion doch grundsätzlich eine Monopolisierung der Rechtewahrnehmung voraus, welche die Kommission gerade zu überwinden suchte. Entsprechend waren in einigen Mitgliedstaaten gesetzliche Monopole vorgesehen, in anderen Mitgliedstaaten ging man zumindest von einer faktischen Monopolisierung aus und passte das Recht durch starke Kontrollstrukturen und rechtliche Verpflichtungen den als nützlich empfundenen Realitäten an.[53] Die Verwertungsgesellschaftspflicht von Verwertungsrechten (z.B. bei der Weitersendung nach § 20b Abs. 1 UrhG) und Vergütungsansprüchen (z.B. § 45a UrhG; § 49 Abs. 1 UrhG; § 52a UrhG; § 52b UrhG; § 53a UrhG)[54] sowie die Möglichkeit, aufgrund von Vermutungsregelungen auch für Außenseiter tätig zu werden,[55] knüpfen an die

50 *Drexl*, in: Torremans (Hrsg.), Copyright Law, 2007, S. 255, 260.

51 *Grewening*, ZUM 2011, 27 ff.; *Spindler*, ZUM 2014, 91 ff.

52 *Staats*, ZUM 2013, 162, 164.

53 In Deutschland bestanden im UrhWG strenge Kontrahierungszwänge, eine Erlaubnispflicht für den Betrieb von Verwertungsgesellschaften und eine eng geknüpfte Staatsaufsicht.

54 Ausführliche Darstellung bei *Pflüger*, Gerechter Ausgleich und angemessene Vergütung, 2017, 28 f.

55 § 13c Abs. 2, 3 UrhWG.

Zentralstellenfunktion von Verwertungsgesellschaften an und verstärken diese.[56] Die Vergütungs- oder Vergütungssicherungsfunktion bezieht sich nicht nur auf die Lizenzierung von Rechten gegen Entgelt durch Verwertungsgesellschaften, sondern auch auf ihre Rolle bei der Wahrnehmung gesetzlicher Vergütungsansprüche.[57] Gerade die Rolle der Verwertungsgesellschaften bei der Wahrnehmung von gesetzlichen Vergütungsansprüchen wurde im Kommissionsvorschlag zur VG-RL vernachlässigt, ging es ihr doch in erster Linie um die Lizenzierung exklusiver Rechte im Musikbereich[58]

Die ökonomische Analyse der Verwertungsgesellschaften folgt hier nicht dieser Dreiteilung der ökonomischen Funktionen. Vielmehr wird etwas abstrakter die Transaktionskostenökonomik beleuchtet, die sich auch auf die Informationsökonomik erstreckt. Darin angelegt ist vor allem die Zentralstellenfunktion der Verwertungsgesellschaften, aber auch ihre Vergütungsfunktion.[59] Außerdem führt die Kollektivierung der Rechte zu einer Risikoverteilung, die ökonomisch zu bewerten ist. Die Ermöglichungsfunktion kann kaum isoliert betrachtet werden. Sie steht quasi als Ergebnis hinter anderen ökomischen Überlegungen. Im Folgenden findet sie ihren Niederschlag besonders unter dem Begriff der Marktschaffung.

1) Transaktionskosten- und Informationsökonomik

Die Reduzierung der Transaktionskosten bei der Rechtevergabe wird als einer der maßgeblichen ökonomischen Zwecke der Verwertungsgesellschaften angesehen.[60] Der Vertragsschluss und seine Erfüllung werden durch positive Transaktionskosten beeinflusst.[61] Ebenfalls von der Transaktionskostenökonomik untersucht, werden Überwachungs- und Durchset-

56 *Staats*, ZUM 2013, 162, 164.

57 *Ders.*, ZUM 2013, 162, 164.

58 Richtlinienvorschlag der Kommission vom 11.7.2012, COM(2012) 372 final, 2012/0180 (COD). Lediglich bei der Lizenzvergabe in Art. 15 Nr. 2 werden die gesetzlichen „Vergütungs- und Ausgleichansprüche" erwähnt, bei deren Bemessung grundsätzlich der Marktwert der Rechte zugrunde gelegt werden soll.

59 Gelegentlich wird auch isoliert die Inkassofunktion der Verwertungsgesellschaften genannt. Hier wird auf eine gesonderte Behandlung dieser Aufgabe der Verwertungsgesellschaften verzichtet, da sie letztlich in anderen Funktionen aufgeht.

60 *Mestmäcker/Schweitzer*, Europäisches Wettbewerbsrecht, ^{3}2014, § 33 Rn. 6 f.

61 *Richter/Furubotn*, Neue Institutionenökonomik, ^{4}2010, S. 171; *Mestmäcker/Schweitzer*, Europäisches Wettbewerbsrecht, ^{3}2014, § 33, Rn. 6 f.

zungskosten.[62] Vor allem die Musikrechtelizenzierung zeichnet sich durch massenhafte Kleinstnutzungen aus. Die Zentrallizenzierung durch Kollektivierung erscheint da als praktisches Mittel zur Reduzierung dieser Kosten, zumal Gegenstand der Tätigkeit von Verwertungsgesellschaften standardisierte und sich wiederholende Transaktionen sind.[63]

Die Transaktionskostenökonomik als Teilgebiet der neuen Institutionenökonomik analysiert diejenigen Kosten, welche bei der Werterhaltung und Nutzung der durch die Rechtsordnung zugewiesenen Verfügungsrechte entstehen.[64] Erfasst werden alle Kosten, die mit einer oder einer Vielzahl von Transaktionen einhergehen. Ziel ist es, diejenigen Institutionen zu ermitteln, bei denen die Transaktionskosten am geringsten ausfallen, bei denen also sowohl ein möglichst effizienter Zugang zu Nutzungsrechten als auch die größtmögliche wirtschaftliche Partizipation an der Werknutzung für Urheber und Rechteinhaber gewährleistet sind. Die entscheidende Frage der Transaktionskostenökonomik für die Rechtewahrnehmung lautet daher: Wie lässt sich die durch Transaktionskosten ausgelöste Ineffizienz der Nutzung und Verbreitung von künstlich verknappten geistigen Ressourcen am besten korrigieren – durch individuelle oder durch kollektive Rechtewahrnehmung?[65] Berücksichtigt werden dabei vor allem die Anzahl der Transaktionen, die Höhe der transaktionsspezifischen Investitionen, ihre rechtlichen und ökonomischen Rahmenbedingungen und die Unsicherheit, welche mit einer Transaktion verbunden ist.[66] Bei der Lizenzierung von Urheber- und verwandten Schutzrechten lässt sich dies konkreter mit folgenden Kostenphänomenen umschreiben: Such- und Informationskosten (*search costs*), Verhandlungs- und Entscheidungskosten (*contracting and bargaining costs*) sowie Überwachungs- und Durchsetzungskosten (*monitoring and enforcement costs*).[67]

---

62 *Richter/Furubotn*, Neue Institutionenökonomik, [4]2010, S. 171. Verschiedene Kosten werden erfasst, von dem oben angesprochenem Informationsproblem, über Verhandlungskosten, bis hin zu Überwachungs- und durchsetzungskosten.

63 *Dies.*, Neue Institutionenökonomik, [4]2010, S. 171 f. *Mestmäcker/Schweitzer*, Europäisches Wettbewerbsrecht, [3]2014, § 33, Rn. 6 ff.

64 Ausführlich bei *Bing*, Die Verwertung von Urheberrechten, 2002, S. 116 f.; *Katz*, Copyright Collectives, 2009, 4 f.

65 *Eidenmüller*, Effizienz als Rechtsprinzip, [4]2015, S. 91 ff.; *Hansen/Schmidt-Bischoffshausen*, GRUR Int. 2007, 461, 467.

66 *Bing*, Die Verwertung von Urheberrechten, 2002, 119 f.

67 *Handke*, SSRN Journal 2013, S. 4; *Lichtenegger*, Verwertungsgesellschaften, Kartellverbot und Neue Medien, 2014, S. 216; *Bing*, Die Verwertung von Urheberrechten,

Für die Transaktionskostenökonomik spielt es grundsätzlich keine Rolle, ob die Kosten auf Anbieter oder Nutzerseite entstehen. Betrachtet werden Kostenfaktoren in ihrer Gesamtheit. Zum Verständnis des Verwertungsgesellschaftsrechts und vor allem auch für eine spätere kartellrechtliche Analyse des Systems ist es allerdings sinnvoll zu trennen, auf welcher Seite die wesentlichen Transaktionskosten anfallen. Die Trennung ist gewiss unscharf, doch lassen sich Such- und Informationskosten eher auf Seiten der Rechtenutzer lokalisieren,[68] wohingegen die Überwachungs- und Durchsetzungskosten primär auf Seiten der Rechteinhaber relevant werden. Verhandlungs- und Entscheidungskosten fallen auf beiden Seiten gleichermaßen an. Zu den rechteinhaberbezogenen Informationskosten können allerdings Marktkenntnisse, insbesondere Kenntnisse über Nachfrager und ihren Bedarf gezählt werden.[69] Informationskosten stehen prinzipiell am Beginn einer möglichen Transaktion. Ist der Kontakt angebahnt, folgen die Kosten für den Abschluss des Vertrages und am Ende stehen die Kosten für die Überwachung und ggf. Durchsetzung.[70] Drei Kriterien sind bei der Einschätzung der Höhe von Transaktionen zu berücksichtigen: Die Häufigkeit, mit der die Transaktionen sich wiederholen (*frequency*), das Ausmaß und die Art der Unsicherheit, die bei einer Transaktion zu bewältigen ist (*uncertainty*) sowie die Höhe der transaktionsspezifischen Investitionen (*asset specifity*).[71]

2002, 118 f.; *Cooter/Ulen*, Law & economics, [5]2008, S. 91 ff.; *Emler*, Wettbewerb zwischen Verwertungsgesellschaften, 2014, 150 ff.

68 *Bing* und *Lichtenegger* sehen die Informationskosten hingegen primär bei den Rechteinhabern. Sie verstehen darunter den zeitlichen und finanziellen Aufwand, „der erforderlich ist, um Rechtenutzer zu suchen und zu identifizieren, weitergehende Informationen über sie einzuholen und zu verarbeiten und schließlich Kontakt mit ihnen aufzunehmen. [...] die Kosten, die anfallen, um potentielle Rechtenutzer über die eigene Bereitschaft zum Vertragsschluss zu informieren. Informationskosten [...] für die Ermittlung des Wertes einer Lizenz [...]. Schließlich verursacht auch das Aufspüren illegaler Nutzungen erhebliche Informationskosten." (*Lichtenegger*, Verwertungsgesellschaften, Kartellverbot und Neue Medien, 2014, S. 217 ähnlich auch *Bing*, Die Verwertung von Urheberrechten, 2002, S. 135). Tatsächlich sind es allerdings eher die Rechtenutzer, welche zwecks Lizenzierung die Lasten des Rechteclearings zu tragen haben. Sie tragen das Risiko einer unvollständigen Lizenzierung ihrer Angebote, da sie potentiell Unterlassungs- und ggf. Schadensersatzansprüchen ausgesetzt sind. Die Kosten für das Aufspüren illegaler Nutzungen basieren zwar auf einem Informationsdefizit, sie sind nach dem obigen dreigliedrigen Modell aber eher den Überwachungs- und Durchsetzungskosten zuzuordnen.

69 *Handke*, SSRN Journal 2013, S. 4.

70 *Hansen/Schmidt-Bischoffshausen*, GRUR Int. 2007, 461, 467 f.

71 *Williamson*, Transaktionskostenökonomik, 1993, S. 12 ff.

Die Lizenzierung von Urheberrechten, gerade im Musikbereich, stellt sich als Massengeschäft dar. Musiktitel werden laufend und parallel genutzt und dabei über verschiedene Medien verbreitet. Dies schafft – sofern diese nicht gebündelt angeboten werden – erstens enorme Kosten bei der Suche nach Informationen über Rechteinhaber, Repertoires und Interessenten. Zweitens lassen sich die Bedingungen über die Nutzung einzelner Werke bei dieser Masse und Häufigkeit an Nutzungen nicht individuell bestimmen, sondern müssen pauschaliert vorliegen oder zumindest in Kategorien abgebildet werden. In besonderem Maße würde sich ein System der individuellen Einzellizenzierung gegen die Interessen jener Rechtenutzer richten, bei denen ein Programm spontan erstellt wird und eine individuelle Rechteklärung im Vorfeld daher nicht möglich ist.[72]

Würde jeder einzelne Rechteinhaber und jeder einzelne Rechtenutzer als eigenständiger Marktakteur auftreten, würde dies zu einer erheblichen Unsicherheit führen. Die Vielzahl schafft Anonymität, welche Vertrauen ausschließt und eine weitere Absicherung der Transaktion erforderlich macht.[73] Dies gilt für beide Seiten der Rechtetransaktion. Das Urheberrecht ist kein Registerrecht. Die Rechteketten sind oft komplex und nicht selten sind die Rechte auf verschiedene Rechteinhaber verteilt – es gibt verschiedene Ebenen der Fragmentierung.[74] Nutzer bleiben aufgrund ihrer Vielzahl oft anonym, entsprechend kommen notwendigerweise Intermediäre ins Spiel.

Bereits die Geschichte der kollektiven Rechtewahrnehmung verdeutlichte das Transaktionskostenproblem im Urheberrecht, welches sich zunächst in hohen Kontroll- und Überwachungskosten ausdrückt. Ist ein zentraler Überwachungs- und Verwaltungsapparat jedoch erst einmal eingerichtet, so bleiben die Kosten auch bei einer Erweiterung des Repertoires relativ konstant.[75] Dies spricht stark für die Bündelung der Repertoires bei eini-

---

72 *Spindler*, ZUM 2014, 91, 93 ff.

73 *Richter*, Institutionen ökonomisch analysiert, 1994, 9 f.

74 Zur Fragmentierung im Urheberrecht sogleich unter *C, II*.

75 In diesem Zusammenhang ist auch an die Inkassotätigkeit der Verwertungsgesellschaften zu denken, die hier nicht als eigenständige Funktion aufgenommen wurde. Um weitere Skaleneffekte zu erzielen, schließen sich Verwertungsgesellschaften in Deutschland in vielen Fällen für das Inkasso zusammen. Für die Wahrnehmung bestimmter Rechte, etwa den Vergütungsanspruch für die Privatkopie oder die Bibliothekstantieme, an denen mehrere Verwertungsgesellschaften für ihre Rechteinhaber partizipieren, wurden Dachgesellschaften gegründet, um gemeinsam über die Gesamtvergütung mit dem jeweiligen Schuldner verhandeln zu können; hier sind

gen wenigen Verwertungsgesellschaften, womit Skalen- und Verbundeffekte (*economies of scale and scope*) angesprochen sind.

Skalenvorteile bewirken eine Kostendegression der produzierten Einheiten bei zunehmender Produktionsmenge. Dabei sind lediglich die Fixkosten degressiv, nicht aber die variablen Kosten.[76] Überträgt man diese Formel auf Verwertungsgesellschaften wird deutlich, dass diese über die Masse der „produzierten" Transaktionen ihre fixen Verwaltungskosten pro Werk oder Transaktion reduzieren können. Dies gilt auch hinsichtlich der Verteilung der Einnahmen.[77] In dieser Fixkostendegression liegt einer der wesentlichen Vorteile der kollektiven gegenüber der individuellen Rechteverwertung.

Durch Verbundeffekte lässt sich bei der „Produktion von Lizenzen" die Rentabilität über eine Ergänzung oder Kombination der wahrzunehmenden Rechte erhöhen. Durch eine Kombination von verschiedenen verwerteten Rechten können Verwertungsgesellschaften profitieren. Vor allem schafft die Bündelung vieler und unterschiedlicher Rechte einen Vorteil für Nutzer, die sich nur an eine Gesellschaft wenden müssen und im besten Fall eine Blankettlizenz erhalten.[78] Die Kostenreduzierung im Hinblick auf Verhandlungs- und Entscheidungsaufwand lässt sich vor allem auf die Tarifbindung der Verwertungsgesellschaften zurückführen und auf ihre Verpflichtung, Verträge zu einheitlichen Bedingungen abzuschließen. Die Kostenvorteile verstärken sich mit der Größe der Repertoires, die zur Lizenzierung bereitstehen. Im Idealfall genügt ein einziger Vertragsschluss, wenn alle nachgefragten Rechte gebündelt in einer Hand liegen.

Die Fülle an geschützten Werken und anderen immateriellen Gütern führt zu einem erheblichen Informationsproblem. Der Informationsbeschaffungsaufwand wächst gleichförmig mit der Anzahl an geschützten Gütern, welche den Inhalt oder Gegenstand einer Nutzung bilden. Im Urheberrecht liegen Informationsdefizite auf der Hand, da das Urheberrecht

---

z.B. die Zentralstelle für private Überspielungsrechte (ZPÜ) und die Zentralstelle Bibliothekstantieme (ZBT) zu nennen.
Zur Geschichte der Verwertungsgesellschaften in diesem Kapitel unter *A, II.*

76 *Panzar/Willig*, Q J Econ 91 (1977), 481 ff.

77 *Lichtenegger*, Verwertungsgesellschaften, Kartellverbot und Neue Medien, 2014, S. 218; *Bing*, Die Verwertung von Urheberrechten, 2002, 183 ff.

78 *Hansen/Schmidt-Bischoffshausen*, GRUR Int. 2007, 461, 470; Zu den Blankettlizenzen und kartellrechtlichen Überlegungen *Hemphill*, Colum. J.L. & Arts 34 (2011), 645, 647 f.

formlos gewährt wird.[79] Dieses Informationsdefizit betrifft nicht nur die Rechtenutzer, sondern auch die Rechteinhaber. Dies zeigt sich insbesondere im Bereich der Verwaltung unbekannter Nutzungsarten und verwaister sowie vergriffener Werke.[80] Zu einem besonderen Vorteil führen in diesem Zusammenhang sogenannte Blankettlizenzen. Sie erlauben dem Nutzer eine umfassende Werknutzung und befreien ihn damit von der Überprüfungspflicht.[81] Der Erwerb einer Blankettlizenz führt somit zu einer weiteren Senkung der Informations- und Verhandlungskosten.[82] Voraussetzung hierfür ist, dass eine Verwertungsgesellschaft (nahezu) das gesamte Weltrepertoire wahrnimmt und entsprechend eine gesicherte Vermutung besteht, dass jede Nutzung von Werken auf eine Nutzung des Repertoires einer Gesellschaft hinausläuft. Ergibt sich daraus auch eine (prozessuale) Vermutung zugunsten der Verwertungsgesellschaften zur Wahrnehmung eines jeden Werkes berechtigt zu sein, so führt dies zu weiteren Kostenvorteilen bei der Überwachung von Nutzungen (GEMA-Vermutung). Auf Nutzerseite senkt die Zentralstelle aber vor allem die Such- und Informationskosten. Auch der europäische Gesetzgeber erkennt in Erwägungsgrund 44 der VG-RL die Repertoirebündelung als Voraussetzung für die Senkung von Transaktionskosten und als Voraussetzung für die Entstehung eines vielfältigen Angebots auf dem nachgelagerten Markt der Online-Dienste.

---

79 *Schack*, Urheber- und Urhebervertragsrecht, [10]2021, Rn. 263.

80 *Peifer*, GRUR 2015, 27, 29; zur Einführung eines Urheberrechtsregisters: *Spindler/Heckmann*, GRUR Int. 2008, 271, 280; *van Gompel*, IIC 2007, 669, 684 f.; zu den unterschiedlichen internationalen Bemühungen um die Ausgestaltung einer freiwilligen Registrierung und einer Übersicht über die Anzahl der Registrierungen auf freiwilliger Basis in den unterschiedlichen Ländern (S.19) vgl. WIPO, Survey of National Legislation on Voluntary Registration (SCCR/13/2), 9.11.2005 (http://www.wipo.int/edocs/mdocs/copyright/en/sccr_13/sccr_13_2.pdf).

81 *Handke*, SSRN Journal 2013, S. 8; ggf. ist eine Protokollierung der Nutzung zur internen Abrechnung erforderlich.

82 *Lichtenegger*, Verwertungsgesellschaften, Kartellverbot und Neue Medien, 2014, S. 220; *Riccio/Codiglione*, MUJLT 7 (2013), 287, 291 f. In der Bereitstellung von Gesamtrepertoires zu einheitlichen Bedingungen (*blanket licences*) sah der U.S. Supreme Court das maßgebliche Argument dafür, dass die kooperative Festsetzung der Preise nicht gegen das Kartellverbot verstößt. Die Vermittlung von Blankettlizenzen sei notwendig zur Vermeidung tausender individueller Vertragsverhandlungen, deren Führung praktisch unmöglich sei. Die Verwertungsgesellschaft ASCAP habe einen Markt geschaffen, auf dem einzelne Komponisten wesensmäßig nicht in der Lage seien, am Wettbewerb mit voller Wirkung teilzunehmen (*BMI v. ASCAP*, 441 U.S. 1, 99 (1979)).

In einem wettbewerbsbasierten Modell, in welchem sich der Wettbewerb der Verwertungsgesellschaften auf die Rechteinhaber bezieht (sog *right-holders' option*) und die Rechte dabei in der Regel exklusiv über eine Verwertungsgesellschaft wahrgenommen werden, gerät dieser informationsökonomische Vorteil unter erheblichen Druck.[83] Im zweiseitigen Markt der Verwertungsgesellschaften[84] profitieren (potentiell) beide Seiten von Größenvorteilen. Während die Rechteinhaber vor allem von den Skaleneffekten profitieren, kommen die Verbundeffekte vor allem den Nutzern zugute.[85] Dass diese Vorteile nicht auch bei alternativen Lizenzierungseinrichtungen anfallen können, ist damit nicht gesagt, denn insbesondere im Onlinemarkt sind dezentralere Modelle denkbar.

2) Risikoverteilungsansatz

Ebenfalls im Zusammenhang mit informationsökonomischen Vorteilen, aber auch schon auf soziale Aspekte verweisend, steht der Risikoverteilungsansatz der Verwertungsgesellschaften. Insbesondere kleinere Rechteinhaber scheinen tendenziell risikoavers. Der Grund dafür kann einerseits in mangelnder Branchenkenntnis und weiteren Informationsdefiziten gesehen werden, andererseits in der fehlenden Möglichkeit liegen, finanzielle Verluste auf einen großen Umsatz zu verteilen.[86] Letzteres bezieht sich zum Beispiel auf eine Verteilung des Kostenrisikos bei der Rechtsdurchsetzung. Juristisches Vorgehen, etwa gegen unerlaubte Werknutzungen, kann langwierig und teuer sein.[87] Dies gilt umso mehr bei weniger eindeutigen und rechtlich komplexen Fällen wie sie im Bereich des Urhebervertragsrechts vorkommen. Im Verwertungsgesellschaftssystem können derartige ökonomische Risiken auf viele Schultern verteilt werden. Dieses Privileg genießen

---

83 *Drexl*, in: Torremans (Hrsg.), Copyright Law, 2007, S. 255, 263 ff.

84 Die besondere Rolle der Verwertungsgesellschaften in einem zweiseitigen Markt wird bei der kartellrechtlichen Analyse näher ausgeführt (*Teil 2, Kapitel 2, C*). Zu den Verwertungsgesellschaften als *One-Stop-Shop*, siehe beispielsweise *Müller*, ZUM 2009, 121, 123 ff.; *Handke*, SSRN Journal 2013, S. 8; *Lichtenegger*, Verwertungsgesellschaften, Kartellverbot und Neue Medien, 2014, S. 220.

85 *Drexl*, in: Torremans (Hrsg.), Copyright Law, 2007, S. 255, 265 f.; *Katz*, Journal of Competition Law & Economics 1 (2005), 541, 590.; *Drexl*, in: Purnhagen/Micklitz (Hrsg.), Varieties of European Economic Law and Regulation, 2014, S. 459, 463.

86 *Lichtenegger*, Verwertungsgesellschaften, Kartellverbot und Neue Medien, 2014, 222 f.

87 Siehe exemplarisch den Rechtsstreit um die weitere Vergütung des Chefkameramanns im Film „Das Boot", zuletzt und nicht abschließend entschieden durch Urteil vom 20.2.2020 – I ZR 176/18 – *Das Boot II*.

ansonsten nur große Rechteinhaber bzw. Verwerter wie die Major-Musikverlage und Medienkonzerne.

3) Marktschaffungsfunktion

Die Marktschaffungsfunktion von Verwertungsgesellschaften zeigt sich auf drei Ebenen: Erstens auf Ebene der Transaktionskosten. In diesem Zusammenhang wird auch oft von der Ermöglichungsfunktion gesprochen. Sie wird in Erwägungsgrund 2 der VG-RL genannt. Zweitens auf Ebene der Nischenrepertoires. Sie erhalten durch Verwertungsgesellschaften Marktzugang zu den gleichen Bedingungen wie große Major-Repertoires.[88] Drittens zeigt sich die Marktschaffungsfunktion auch auf der Marktgegenseite. Dadurch, dass Verwertungsgesellschaften zur Lizenzierung verpflichtet sind und Exklusivvereinbarungen damit ausgeschlossenen werden, ist gewährleistet, dass kreative Inhalte durch verschiedene „Kanäle fließen" können. Dies ermöglicht oder fördert einen Markt und einen Wettbewerb zwischen verschiedenen Angeboten - sei es im Programm, in der Darreichungsform, im Preis, in der Übertragungsqualität oder auf andere Weise.[89] Kommerzielle Anbieter konkurrieren um Verbraucher, wodurch ein Kreativitätswettbewerb auch auf Angebotsseite entsteht.[90] Durch Verbindung des Systems des *One-Stop-Shop* mit einer Lizenzeinräumungspflicht zu gleichen Bedingungen kann der Wettbewerb auf dem nachgelagerten Markt gestärkt werden.[91] Dies ist notwendig, denn auch der nachgelagerte Markt ist ein zweiseitiger, also ein Intermediärsmarkt mit ähnlich starken Skalen- und Verbundeffekten vor allem im On-Demand Bereich.[92]

---

88 *Drexl*, in: Torremans (Hrsg.), Copyright Law, 2007, S. 255, 274 f.

89 Zum Repertoirewettbewerb im Gegensatz zu einem Kreativ- bzw. Qualitätswettbewerb: *ders.*, in: Hilty/Geiger (Hrsg.), Impulse für eine europäische Harmonisierung des Urheberrechts/Perspectives d'harmonisation du droit d'auteur en Europe, 2007, S. 369, 385 ff.

90 *Ders.*, in: Torremans (Hrsg.), Copyright Law, 2007, S. 255, 273 f.

91 Zum Kontrahierungszwang: *Pflüger*, Gerechter Ausgleich und angemessene Vergütung, 2017, S. 60.

92 Hierzu ausführlich *Li*, Multifunktionalität, Monopol und sektorspezifische Aufsicht, 2020, 70 ff.

4) Zusammenfassung

Nach wie vor gelten die historischen Grundannahmen, die zum Entstehen der ersten Verwertungsgesellschaften geführt haben. Die individuelle Rechtewahrnehmung sieht sich in vielen Bereichen prohibitiven Transaktionskosten ausgesetzt. Die Zentrallizenzierung schafft erhebliche Kostenvorteile. Prominent steht die Senkung von Überwachungs- und Durchsetzungskosten durch zentrale Nutzungserfassung und administrative Erleichterung der Zahlungsabwicklung. Hier und bei den Such- und Informationskosten zeigen sich die Größenvorteile, die Skalen- und Verbundeffekte der Verwertungsgesellschaften am deutlichsten. Such- und Informationskosten werden etwa dadurch verringert, dass für potentielle Nutzer durch die Schaffung zentraler Anlaufstellen der Zugang zu Nutzungsrechten kanalisiert und die Rechteklärung beschleunigt wird. Rechteinhaber müssen ihrerseits nicht aufwendig nach Absatzwegen suchen. Die Tarifbindung und der Abschlusszwang der Verwertungsgesellschaften machen individuelle Verhandlungen überflüssig. Dies senkt zwar die Transaktionskosten, schafft aber gleichzeitig ein Problem bei der Preisfindung, da eine marktmäßige Ressourcenallokation nicht mehr stattfinden kann.[93] Blankettlizenzen sorgen dafür, dass die Nutzung nicht mehr im Detail spezifiziert werden muss und die spontane Gestaltung eines Programms möglich wird. Die Verwendung einheitlicher Bedingungen schafft Rechtssicherheit und Wettbewerbsgleichheit. Die Vielzahl der (potentiellen) Akteure bei einer individuellen Rechtewahrnehmung führt zu Anonymität und verhindert gegenseitiges Vertrauen der Marktakteure. Ein Verzicht auf Verwertungsgesellschaften würde daher entweder individuelle Schutzmaßnahmen oder die Einschaltung anderer Intermediäre erfordern. Die Zentralstellenfunktion behält aus ökonomischer Sicht ihre Bedeutung. Sie gerät allerdings im Modell der VG-RL unter Druck. Von Vorteil für die Beteiligten an der Rechteverwertung kann sich auch die Besonderheit erweisen, dass Verwertungsgesellschaften mit Nutzerverbänden Gesamtverträge schließen und die Rechte gemeinschaftlich zu inhaltsgleichen Bedingungen einräumen.

Zusammenfassend lässt sich daher festhalten: Die Überwindung prohibitiver Transaktionskosten und die Auflösung allseitig bestehender Informationsdefizite vermag mehr als die Entstehung von Effizienzvorteilen. Viele der Märkte, auf denen Verwertungsgesellschaften tätig sind, entstehen erst durch ihre Tätigkeit. Indem Verwertungsgesellschaften ein Gesamt-

93 *Spindler*, ZUM 2014, 91, 92 f.

repertoire bereitstellen, ermöglichen sie das Aufkommen nachgelagerter Märkte, welches sich in reichhaltigen Angeboten etwa auf dem Rundfunk-, Tonträger- und Onlinemarkt widerspiegelt. Das Gesamtrepertoire ist damit mehr als die Summe seiner Teile, es ist ein neues Produkt, das es ohne Verwertungsgesellschaften so nicht gäbe.[94]

II. Kulturelle Funktionen

Die Europäische Union ist der kulturellen Vielfalt verpflichtet (Art. 167 AEUV). Kulturelle Zwecke des Verwertungsgesellschaftssystems finden in der Verwertungsgesellschaftsrichtlinie allerdings nur am Rande Erwähnung. Der Handlungsauftrag an die Gesetzgeber bei der Umsetzung und an die Verwertungsgesellschaften bei der Rechtewahrnehmung bleibt vage.[95] In den Erwägungsgründen 1, 3, 36 und 44 der VG-RL sind entsprechende Ansätze erkennbar.[96] Die Kulturförderung liegt dem europäischen Urheberrecht allerdings als eine der Leitideen zugrunde. Dies wird nicht zuletzt aus Erwägungsgründen 9, 10, 11, 12, 14 und 22 der InfoSoc-RL[97] sehr deutlich. Stets werden Kultur- und Kreativitätsförderung und die Bewahrung kultureller Vielfalt in Europa als Kernaufgaben des Urheberrechts hervorgehoben. Das Ziel der Kulturförderung wird entsprechend auf das Verwertungsgesellschaftsrecht übertragen, worin sich auch der enge Zusammenhang von Verwertungsgesellschaftsrecht und Urheberrecht zeigt; teilweise wird gar ausdrücklich von einer Zugehörigkeit des Verwertungsgesellschaftsrechts zum Urheberrecht ausgegangen.[98]

Im Urheberrechtswahrnehmungsgesetz fanden sich Ansätze zur Kulturförderung z.B. bzgl. der Verteilung der Einnahmen in § 7 S. 2 und bzgl. der Tarifbestimmungen in § 13 Abs. 3 S. 4 UrhWG. Auch im neuen Verwer-

---

94 *Mestmäcker/Schweitzer*, Europäisches Wettbewerbsrecht, [3]2014, § 33 Rn. 7.

95 *Peifer*, GRUR 2015, 27, 31.

96 *Ders.*, GRUR 2015, 27, 34.

97 RL 2001/29/EG, ABl. L 167 v. 22.6.2001, S. 10–19.

98 So geht *Dietz* etwa von einem Urheberrecht mit fünf Subsystemen aus. Es besteht aus: dem materiellen Urheberrecht, den verwandten Schutzrechten, dem Urhebervertragsrecht (einschließlich dem Vertragsrecht der ausübenden Künstler), dem Recht der Verwertungsgesellschaften und der Rechtsdurchsetzung (*Dietz*, GRUR Int. 2015, 309, 312 ff. und *ders.*, in: Dümling/Kreile/Dietz u.a. (Hrsg.), Musik hat ihren Wert, 2003, S. 336, 336 ff.). Speziell für das Musikurheberrecht wird gelegentlich vom materiellen Urheberrecht und dem Verwertungsgesellschaftsrecht als den zwei tragenden Säulen gesprochen (beispielhaft *Poll*, ZUM 2008, 500).

tungsgesellschaftengesetz finden sich einige Vorschriften, in denen sich der Gedanke der Kulturförderung widerspiegelt. So sollen gemäß § 11 VGG Rechteinhaber die Möglichkeit haben, Nutzungen für nicht kommerzielle Zwecke individuell zu ermöglichen. Gemäß § 32 VGG sollen Verwertungsgesellschaften kulturell bedeutende Werke und Leistungen fördern. Dazu zählt auch die Nachwuchsförderung. Gemäß § 26 Nr. 4 i.V.m. § 32 Abs. 3 und § 47 Nr. 4 VGG können Verwertungsgesellschaften dafür Einnahmen aus der Verwertung der Rechte verwenden. Die Kulturförderung soll dabei fair und transparent ausgestaltet sein, was sich unter anderem aus Art. 12 Abs. 4, Art. 18 Abs. 1 lit. f, Art. 21 Abs. 1 lit. g und Art. 22 Abs. 3 VG-RL ergibt. In diesem Zusammenhang kann auch die besondere Aufteilung der Einnahmen zwischen U und E Musik bei der GEMA genannt werden.[99] All dies sind Bereiche in denen Verwertungsgesellschaften sehr konkret, aber gleichzeitig auch eher punktuell zur Kulturförderung beitragen. Darüber hinaus kann im Verwertungsgesellschaftssystem an sich aber durchaus ein Beitrag zur Kulturförderung i.S. der Gewährung von Zugang zum "Kulturmarkt“ erkannt werden. Denn anders als in der anglo-amerikanischen Tradition sind Verwertungsgesellschaften nach kontinentaleuropäischem Verständnis als Urheberrechtssubjekte zur Kulturvermittlung und -förderung verpflichtet.[100] Dies bezieht sich auf beide Seiten des Marktes: Urheber erhalten Marktzugang und Nutzer erhalten Werkzugang.

Von der Warte der Urheber aus betrachtet ist von besonderer Bedeutung, dass Verwertungsgesellschaften Zugang zum Lizenzierungsmarkt unter einheitlichen Bedingungen verschaffen. Es findet keine vorhergehende „Qualitätskontrolle“ oder Kontrolle auf „Hittauglichkeit“ also Vermarktbarkeit statt, wodurch auch untypische Werke ihren Weg zum Nutzer gegen Vergütung finden.[101] Verwertungsgesellschaften schaffen Marktzugang für kleine Repertoires. Dadurch, dass diese im Rahmen der Blankettlizenzen zu denselben Bedingungen eingeräumt werden, wie die besonders nachgefragten Repertoires, erfahren sie einen Kostenvorteil. Denn erstens wären jene Preise unter anderen Umständen möglicherweise nicht zu erzielen gewesen und zweitens wäre der Anteil der abzuziehenden Transaktionskosten bei geringerer Transaktionshäufigkeit höher.[102] Verwertungsgesellschaften fördern damit einen kreativen Wettbewerb auf Schöpferebene in dem

---

99 *Riesenhuber*, GRUR 2014, 443 ff.
100 *Poll*, MMR 2007, XXVII, XXIX f.
101 *Drexl*, in: Torremans (Hrsg.), Copyright Law, 2007, S. 255, 273 ff.
102 *Handke*, SSRN Journal 2013, S. 14.

Sinne, dass Raum für die Entstehung und Erreichbarkeit kreativer Werke geschaffen wird. Sie fördern damit zugleich einen nicht nur kreativen, sondern durchaus auch dynamischen Wettbewerb auf dem nachgelagerten Markt der Kulturvermittlung.[103] Dadurch, dass Verwertungsgesellschaften Blankettlizenzen vergeben, überlassen sie die Qualitätsauswahl weitgehend dem Markt. Die Hörer entscheiden, welcher Song zum Hit wird, während in einem Wettbewerbsmodell große Musikverlage bzw. Plattenfirmen noch stärkeren Einfluss auf die Musikauswahl hätten.[104] Dies, und nicht so sehr ein Effizienzwettbewerb oder allokative Effizienz, liegt im Interesse des Urheberrechts.[105]

Verwertungsgesellschaften können darüber hinaus bei der Lizenzierung „schrankennaher Nutzungen" nützlich sein. Zu denken ist in diesem Zusammenhang etwa an „halbprivate Nutzungen"[106] und den inzwischen sozialadäquaten Gebrauch von Urheber- und verwandten Schutzrechten in sozialen Netzwerken. Verwertungsgesellschaften sind in der Lage, eine Vielzahl von Vergütungsansprüchen, auch im „schrankennahen" Bereich, geltend zu machen und zugleich einfache und vergleichsweise kostengünstige Lizenzmodelle bereitzustellen.[107] Dies erkannte auch der deutsche Gesetzgeber bei der Umsetzung von Art. 17 DSM-RL[108]. Konkret verpflichtet § 4 Abs. 1 S. 2 Nr. 3 UrhDaG Diensteanbieter zum Erwerb von Lizenzen bei inländischen Verwertungsgesellschaften und nach § 5 Abs. 2 UrhDaG haben Diensteanbieter eine angemessenen Vergütung für erlaubte Nutzungen in Form der Karikatur, der Parodie und des Pastiche zu bezahlen.[109] In ihrer Eigenschaft als zentrale Rechteclearingstellen können sie also einen Beitrag zur Entwicklung neuerer Formen von sozialer Kommunikation

103 *Drexl*, in: Torremans (Hrsg.), Copyright Law, 2007, S. 255, 266, 273 f.

104 Natürlich sollte dabei der dennoch bestehende, starke Einfluss bei der Förderung von Musik etwa durch die Plattenfirmen nicht übersehen werden.

105 *Drexl*, in: Torremans (Hrsg.), Copyright Law, 2007, S. 255, 266, 273 f.; Zum dynamischen Wettbewerb im Gegensatz zum Substitutionswettbewerb auch *ders.*, Zugang zu standardessenziellen Patenten als moderne Regulierungsaufgabe: Wie reagiert das EU-Kartellrecht auf Patentkriege zwischen chinesischen Unternehmen?, 2014, 32 f.

106 Zu denken ist an eine Vielzahl von Phänomenen, von denen sich einige unter dem Schlagwort „User-Generated-Content" versammeln lassen.

107 Weitere Überlegungen dazu bei *Peifer*, GRUR 2015, 27, 29 f.

108 Richtlinie (EU) 2019/790, ABl. L 130 vom 17.5.2019, S. 92–125.

109 *Raue*, in: Dreier/Schulze (Hrsg.), Urheberrechtsgesetz, 72022, UrhDaG, § 4 Rn. 19 ff. und § 5 Rn. 5 ff.

und Interaktion leisten, die nicht mehr ohne Weiteres dem Privat- bzw. urheberrechtsfreien Bereich zugeordnet werden kann.[110]

Verwertungsgesellschaften sind aus kulturpolitischer Sicht bei Zugrundelegung der Grundannahme, dass es ein öffentliches Interesse an der Wahrnehmung und Verbreitung aller urheberrechtlich geschützten Inhalte gibt, von großer Bedeutung.[111] Dies erkannte auch der europäische Gesetzgeber, doch findet der Zusammenhang von Repertoirebündelung und Kulturförderung nur am Rande, nämlich in Erwägungsgrund 44 der Richtlinie, Erwähnung: „Die Bündelung verschiedener Musikrepertoires für die Vergabe von Mehrgebietslizenzen erleichtert den Lizenzierungsprozess und trägt durch die Erschließung sämtlicher Repertoires für den Zugang zum Markt für Mehrgebietslizenzen dazu bei, die kulturelle Vielfalt zu fördern […]."

III. Soziale Funktionen

Zuletzt seien noch soziale Zwecke des Verwertungsgesellschaftssystems in Europa angesprochen. Hier gibt es zwangsläufig Überschneidungen mit den bereits ausgeführten kulturellen und ökonomischen Aspekten, insbesondere wenn es um Zugangsinteressen zu einheitlichen Bedingungen von Nutzern und Urhebern sowie um den Einbehalt eines Teils der Vergütung zur Förderung der Kultur geht. Aber auch einige der ganz konkreten Betätigungen von Verwertungsgesellschaften im Bereich der Ausbildungsförderung, im Bereich der Unterstützung von sozialen und kulturellen Einrichtungen, wie Konzerten, Festivals und Stadtfesten sowie im Bereich der gesellschaftlichen Information über das Urheberrecht und urheberrechtliche Nutzungen, lassen sich nicht eindeutig einem Bereich zuordnen. Ihnen ist gemeinsam, dass sie nicht auf die kommerzielle Verwertung der Rechte ausgerichtet sind.[112]

Andere Tätigkeitsbereiche der Verwertungsgesellschaften lassen sich deutlicher dem sozialen Bereich zuordnen. Teilweise wird von Verwertungsgesellschaften als gewerkschaftsähnlichen Institutionen gesprochen.

---

110 Hierzu ausührlich *Li*, Multifunktionalität, Monopol und sektorspezifische Aufsicht, 2020, 99 ff.

111 *Mestmäcker/Schweitzer*, Europäisches Wettbewerbsrecht, [3]2014, § 33, Rn. 6; *Mestmäcker*, Wirtschaft und Verfassung in der Europäischen Union, [2]2006, S. 710.

112 Eine detaillierte Auseinandersetzung mit der kulturellen und sozialen Rolle von Verwertungsgesellschaften im internationalen Raum findet sich bei *Gervais*, EIPR 40 (2018), 349, 350 ff.

Gegenüber Urhebern ist zunächst die Organisation und Finanzierung von Vorsorge- und Unterstützungseinrichtungen zu nennen – prominentestes Beispiel ist wohl die GEMA-Sozialkasse.[113] Sie war im alten Recht in § 8 UrhWG angesprochen und findet nunmehr ihren Niederschlag in § 32 VGG. Auch in der VG-RL finden soziale Aspekte Erwähnung, und zwar in den Erwägungsgründen 3, 28 und 36 sowie in Art. 12 Abs. 4 und Art 13 Abs. 6, im Hinblick auf Transparenz schließlich, in Art. 18 Abs. 1 lit) f, 20 Abs. 1 lit. g) und 21 Abs. 3 VG-RL.[114]

Im Urhebervertragsrecht wird der Versuch unternommen, durch nicht dispositives Recht ein identifiziertes Machtungleichgewicht bzw. eine Verhandlungsdisparität zwischen Urhebern und kommerziellen Verwertern auszugleichen.[115] Hierdurch sind eine Reihe von Sondervorschriften nötig, die den Grundsatz der Vertragsautonomie einschränken.[116] Auch das Wahrnehmungsrecht übernimmt die Funktion, die Abhängigkeit der Urheber von kommerziellen Verwertern zu lösen und ihre Verhandlungsposition zu stärken. Dabei ist es eine der wesentlichen Aufgaben der Verwertungs-

113 Ein anderes Beispiel ist die VG Wort mit ihrem Sozialfonds zur Unterstützung finanziell hilfsbedürftiger Autoren und Verleger, ihrem Autorenversorgungswerk, welches Zuschüsse zur Altersversorgung gewährt und den Förderungsfonds Wissenschaft, der einen erheblichen Teil der Druckkosten für bestimmte wissenschaftliche Veröffentlichungen übernimmt (*Schindel*, in: Zimmermann (Hrsg.), Save the Rights! – Dossier »Verwertungsgesellschaften«, 2015, 49). Hierzu vertieft, *Hauptmann*, Die Vergesellschaftung des Urheberrechts, 1994, S. 65 ff.

114 Außerdem gibt es Überlegungen, Verwertungsgesellschaften eine Klagebefugnis in Fällen zuzuerkennen, in denen Vergütungsrichtlinien zwischen Verwerter- und Urheberverbänden bestehen, aber nicht eingehalten werden. Die Urheber scheuen in der Regel den Prozess. Sei es aus Gründen des Prozesskostenrisikos oder weil sie befürchten müssen, in den Augen der Verwerter diskreditiert zu werden und in der Folge keine Aufträge mehr zu erlangen (*Schulze*, in: Stern/Peifer/Hain (Hrsg.), Urhebervertragsrecht - gelungen oder reformbedürftig?, 2014, 149; für die Einführung von Verbandsklagen zur Durchsetzung von Vergütungsregeln, *Schimmel*, in: Stern/Peifer/Hain (Hrsg.), Urhebervertragsrecht - gelungen oder reformbedürftig?, 2014, S. 119, 137 und *Peifer*, GRUR 2015, 27, 30; zu Verwertungsgesellschaften als gewerkschaftsähnliche Institutionen auch: *Handke*, SSRN Journal 2013, S. 6.). Der Gedanke der Solidargemeinschaft erlaubt es den Verwertungsgesellschaften, auch Musterprozesse zu führen oder, so z.B. in Frankreich, Urhebern beratend zur Seite zu stehen (*von Lewinski*, in: Ohly (Hrsg.), Perspektiven des geistigen Eigentums und Wettbewerbsrechts, 2005, S. 401, 409).

115 *Schack*, Rn. 1080 ff.; ausführlich dargestellt bei *Drexl*, in: Riesenhuber (Hrsg.), Wahrnehmungsrecht in Polen, Deutschland und Europa, 2006, S. 193, 221 ff.

116 Exemplarisch stehen hierfür § 32 UrhG, der zu einer angemessenen Vergütung verpflichtet, sowie die Vergütungsregeln und Grenzen der Einräumung von Nutzungsrechten in §§ 36 ff UrhG.

gesellschaften in diese Richtung zu wirken.[117] Verwertungsgesellschaften ergänzen das Urhebervertragsrecht, indem sie an einem Ausgleich der Verhandlungsdisparität zwischen Urhebern und Verwertern mitwirken.[118] Mit der Hilfe von Verwertungsgesellschaften lässt sich auch der Wissens- und Marktmachtvorteil der großen Marktakteure gegenüber den einzelnen Werkschaffenden ansatzweise ausgleichen.[119] Die Sicherung von Verhandlungsparität hat auch die Kommission etwa in der *Daft Punk*-Entscheidung als legitimes Ziel von Verwertungsgesellschaften anerkannt.[120]

Außerdem vertreten Verwertungsgesellschaften die Interessen der Kulturschaffenden im Gesetzgebungsprozess. Konkret erreichen sie dies erstens dadurch, dass die finanzielle Unabhängigkeit der Urheber durch die Einnahmen aus der kollektiven Rechtewahrnehmung gestärkt wird, zweitens durch die Konstituierung von Berufs- und Interessengruppen – so vor allem zwischen Urhebern und Verlegern. Beide Parteien sind als Rechteinhaber in den Verwertungsgesellschaften vertreten und können vom Kuriensystem der Verwertungsgesellschaften profitieren. Fragen der gerechten Aufteilung der Einnahmen zwischen Autoren und Verlegern führen immer wieder zu Spannungen und Konflikten innerhalb der Verwertungsgesellschaften. Dies hat sich nicht zuletzt im Streit um die Verlegerbeteiligung auf deutscher und europäischer Ebene offenbart und den europäischen Gesetzgeber schließlich dazu veranlasst, den Mitgliedstaaten eigenständige Regelungen zur Beteiligung der Verleger an Einnahmen aus gesetzlichen Vergütungsansprüchen zu erlauben (Art. 16 DSM-RL).[121] Im deutschen Recht hat dies seinen Niederschlag insbesondere in § 63a UrhG und §§ 27a und b VGG gefunden.

Aus Nutzerperspektive stehen Zugangsmöglichkeiten im Vordergrund. Die Vereinfachung des Zugangs zu Kultur- und Wissensgütern auf einer Basis die zwar Vergütung vorsieht, in der die Höhe der Vergütung aber

---

117 So auch anerkannt vom EuGH, etwa bereits in Urteil EuGH, C-127/73, ECLI:EU:C:1974:25 – *BRT II*, Rz. 9, 10.

118 *Drexl*, in: Hilty/Geiger (Hrsg.), Impulse für eine europäische Harmonisierung des Urheberrechts/Perspectives d'harmonisation du droit d'auteur en Europe, 2007, S. 369, 373 f.

119 *Lichtenegger*, Verwertungsgesellschaften, Kartellverbot und Neue Medien, 2014, S. 224. *Drexl*, in: Torremans (Hrsg.), Copyright Law, 2007, S. 255, 261 f.

120 EU Kommission, Entscheidung v. 12.8.2002, COMP/C2/37.219, *Banghalter & Homem Christo* v *SACEM*, 10 f.

121 BGH, Urt. V. 21.4.2016 – I ZR 198/13 – *Verlegerbeteiligung* (BGHZ 210, 77–113) und EuGH, C-572/13 (ECLI:EU:C:2015:750) – *Reprobel.*

begrenzt wird, und vor allem diskriminierungsfrei und nicht exklusiv erfolgt, leistet einen erheblichen Beitrag in der Gewährleistung von sozialer Teilhabe und Wissenszugang der Bürger. Die Rechtewahrnehmung durch Verwertungsgesellschaften dient also nicht nur der Profitmaximierung der Urheber, sondern auch der Gewährleistung eines bezahlbaren Zugangs zu Kulturgütern für die Öffentlichkeit.[122] Konkret ermöglicht § 11 VGG im deutschen Recht (wie auch in Art. 5 Abs. 3 VG-RL vorgesehen) schließlich die Vergabe von Creative-Commons-Lizenzen für nichtkommerzielle Zwecke.[123]

IV. Gesamtbetrachtung

Nach klassischem Verständnis wird das eigentliche Betätigungsfeld der Verwertungsgesellschaften dort gesehen, wo eine individuelle Rechtewahrnehmung aus rechtlichen oder tatsächlichen Gründen nicht möglich ist. Dies ist aber nur eine grobe Umschreibung des Wahrnehmungsauftrages der Verwertungsgesellschaften. Weitere Überlegungen müssen hinzuzutreten. Dienen Verwertungsgesellschaften treuhänderisch nicht nur dem Einzelnen, sondern der Gesamtheit aller ihrer Mitglieder, so ergibt sich bereits aus der Zusammenfassung der Einzelnen zu einem Kollektiv ein Eigeninteresse der Verwertungsgesellschaft.[124] Dieses Interesse der Verwertungsgesellschaft ist aber nicht nur darauf gerichtet, die Rechte wahrzunehmen, deren individuelle Wahrnehmung nicht möglich ist, sondern geht weit darüber hinaus. Tatsächlich hat der BGH in der Entscheidung *Musical Gala* darauf abgestellt, ob die Rechtewahrnehmung durch die Verwertungsgesellschaft „sinnvoll" sei[125] und einen normativen Maßstab herangezogen.[126] Zusammenfassend lässt sich mithin sagen, Verwertungsgesellschaften sollten überall dort eine Rolle spielen, wo der Einzelne seine Rechte entweder nicht sinnvoll individuell wahrnehmen kann oder wo deren Einräumung dazu dienlich ist, eine effektive (kollektive) Rechtewahrnehmung zu ermög-

122 *Peifer*, GRUR 2015, 27, 31.
123 *Ders.*, GRUR 2015, 27, 34.
124 BGH, Urt. v. 25.2.1966 – Ib ZR 30/64 (GELU) = GRUR 1966, 567, 569 f.
125 BGH, Urt. v. 14.10.1999 – I ZR 117/97 (Musical-Gala) = ZUM 2000, 234, 237.
126 *Riesenhuber*, ZUM 2010, 137, 143.

lichen und wo den Interessen der Beteiligten – in all ihrer Vielfalt – durch Kollektivierung am ehesten gedient ist.[127]

Verwertungsgesellschaften sind – zumindest nach kontinentaleuropäischem Verständnis – auf den Ausgleich der unterschiedlichen Interessen ausgelegt. Dabei stellt sich die urheberrechtliche Interessenlage komplex dar. Im Blickfeld des Urheberrechts stehen nicht nur Rechteinhaber und Urheber, sondern weitere Beteiligte. Die Rechteinhaber sind keine homogene Gruppe. Die Interessen derivativ Berechtigter nach §§ 31 ff. UrhG, namentlich der Verlage, unterscheiden sich erheblich von den Interessen der Urheber.[128] Entsprechend wird oft von einer tripolaren Interessenlage gesprochen.[129] Weitere Differenzierungen mögen angebracht sein, so lassen sich neben den Gruppen der Urheber, Verleger und (End-)Nutzer auch beispielsweise Gruppen kommerzieller Verwerter und Gruppen von Intermediären isolieren. Auch die Gruppe der Kreativen und Kunstschaffenden ist keinesfalls homogen. Zwischen ihnen gibt es ideelle und finanzielle Konflikte. Deutlich wird dies, wenn man sich mit Verteilungsfragen zwischen Musikschaffenden, also Komponisten, Textdichtern, Interpreten sowie Tonträgerherstellern auseinandersetzt.[130] Es ergibt sich ein mehrschichtiges wettbewerbliches Spannungsfeld, sodass es angebracht erscheint, von einer multipolaren Interessenlage zu sprechen.

Die Verfolgung kultureller und sozialer Ziele dient nicht nur der Befriedigung von Gruppeninteressen, sondern auch dem Allgemeininteresse an kultureller Entwicklung und sozialem Ausgleich. Sie spiegelt sich in der Garantie einer Vergütung für die Urheber ebenso wie in der Garantie auf Zugang zu Kulturgütern und den Grundsätzen der Verteilung der Einnahmen.[131] Neben den ökonomischen Effizienzgedanken tritt also ein „kultureller Imperativ“[132] – eine berechtigte Erwartung der Gesellschaft,

---

127 *Ders.*, Die Auslegung und Kontrolle des Wahrnehmungsvertrags, 2004, S. 41 ff.

128 So können gesetzliche Vergütungsansprüche gegenüber dem Verbotsrecht für Urheber vorteilhaft sein, weil sie ihnen im Gegensatz zum abtretbaren Nutzungsrecht eine finanzielle Partizipation sichern (so sehr deutlich BGH, Urt. v. 11.7.2002 – I ZR 255/100 – *Elektronischer Pressespiegel* = GRUR 2002, 963 966. (BGHZ 151, 300–316)).

129 So etwa *Hilty*, in: Ohly (Hrsg.), Perspektiven des geistigen Eigentums und Wettbewerbsrechts, 2005, S. 325 ff.; *ders.*, ZUM 2003, 983 ff.; *Möller*, Verwaiste Werke, 2013, S. 29 f.; *Li*, Multifunktionalität, Monopol und sektorspezifische Aufsicht, 2020, 99 ff.

130 *Hilty*, ZUM 2003, 983, 186 ff.

131 *Podszun/Franz*, ZGE 7 (2015), 15, 25.

132 Mit dieser Formulierung: *Senftleben*, in: Weller/Weller-Kemle-Dreier-Lynen (Hrsg.), Kunst im Markt - Kunst im Recht, 2010, S. 75, 75 ff.

das Kulturschaffen zu fördern und die Gesellschaft am Kulturleben zu beteiligen.

C. Das Urheberrecht als Gegenstand der kollektiven Rechtewahrnehmung

Teilweise wird von einer „symbiotischen Beziehung“ zwischen Urheberrecht und kollektiver Rechtewahrnehmung gesprochen.[133] Dies ist sicherlich nicht falsch, denn die kollektive Rechtewahrnehmung kann sich von ihrem Gegenstand, dem Urheberrecht, auf den sie ganz und gar ausgerichtet ist, ohnehin nicht lösen. Doch auch umgekehrt, sieht sich das Urheberrecht in einer vielfachen Abhängigkeit zur kollektiven Rechtewahrnehmung. Es liegt nahe, dass diese innerliche Verschränktheit Einfluss auf das Kollisionsrecht der kollektiven Rechtewahrnehmung nimmt, denn wenn beide Materien voneinander abhängen, könnte ein kollisionsrechtliches „Auseinanderreißen“ den „gegenseitigen Nutzen des Zusammenlebens“ in einen beiderseitigen Nachteil verkehren. Nachfolgend sollen daher die Besonderheiten des Urheberrechts als Gegenstand der kollektiven Rechtewahrnehmung untersucht werden. Es geht darum, diejenigen Bereiche des Urheberrechts zu bestimmen, in denen die kollektive Rechtewahrnehmung eine Rolle spielt und in denen sie vielleicht sogar funktionsimmanent ist. Dabei gibt es eine erste offensichtliche Abgrenzungslinie, die der Gesetzgeber vorgibt. Sie verläuft zwischen denjenigen Bereichen, in denen die kollektive Rechtewahrnehmung gesetzlich vorgesehen ist und dem sonstigen Urheberrecht. Doch auch innerhalb der formellen Ausschließlichkeitsrechte kann im Hinblick auf die Rolle der kollektiven Rechtewahrnehmung differenziert werden.

I. Das dualistische System von Exklusivität und Kollektivierung

Über den Weg der gesetzlichen Vergütungsansprüche hat der Gesetzgeber eine indirekte Methode der Realisierung der Urheberansprüche gesucht,

133 So ausdrücklich *Hansen/Schmidt-Bischoffshausen*, GRUR Int. 2007, 461, 463 und *Rhode*, Reformbedarf für eine effizienzorientierte kollektive Wahrnehmung von Online-Rechten an Musikwerken, 2019, S. 30.

für welche die Verwertungsgesellschaften unabdingbar sind.[134] Es kann von einem traditionell dualistischen System zwischen individueller und kollektiver Rechtewahrnehmung gesprochen werden.[135] Doch beschränkt sich dieser Dualismus nicht auf die Unterscheidung zwischen Rechten, die zwingend über Verwertungsgesellschaften wahrgenommen werden müssen, und solchen, die einer individuellen Lizenzierung rechtlich zugänglich sind. Denn auch jenseits verwertungsgesellschaftspflichtig ausgestalteter Rechte und gesetzlicher Vergütungsansprüche können Rechteinhaber zwischen individueller und kollektiver Rechtewahrnehmung wählen.[136] Bereits aus dem historischen Zusammenhang der Gründung der ersten Verwertungsgesellschaften und der ökonomischen Analyse wird aber deutlich, dass das eigentliche Tätigkeitsfeld der Verwertungsgesellschaften dort liegt, wo eine individuelle Rechtewahrnehmung aufgrund der Marktgegebenheiten scheitern muss.[137] Offenkundig ist dies bei den Aufführungsrechten. Weder ist eine individuelle Überwachung der Nutzungen für die Verlage oder gar die einzelnen Urheber möglich noch kann die Lizenzierung der einzelnen „Kleinstnutzungen" individuell gesteuert werden. Die Rechteinhaber würden ohne Verwertungsgesellschaften sowohl daran scheitern, illegale Nutzungen aufzudecken, als auch daran, legale Nutzungen zu ermöglichen. Auch jenseits gesetzlicher Vergütungsansprüche und der Verwertungsgesellschaftspflicht werden also jene Rechte, welche grundsätzlich individuell lizenziert werden könnten, aus ökonomischen Motiven heraus häufig von Verwertungsgesellschaften wahrgenommen. Soweit Verwertungsgesellschaften in diesem Bereich ein Gesamtrepertoire anbieten können, kann man von ihnen als *One-Stop-Shop* sprechen.

---

134 *Becker*, in: Becker/Riesenhuber/Kreile (Hrsg.), Recht und Praxis der GEMA, 22008, Kapitel 4, Rn. 5. Außerdem sind die Vergütungsansprüche für neue, bei Vertragsschluss unbekannte Nutzungsarten verwertungsgesellschaftspflichtig (§ 137l Abs. 5 UrhG). Andere gesetzliche Vergütungsansprüche werden auf vertraglicher Grundlage von den Verwertungsgesellschaften wahrgenommen (z.B. § 46 Abs. 4, § 47 Abs. 2, § 52 UrhG). Sie sind in der Regel im Voraus nur an Verwertungsgesellschaften abtretbar (§ 63a UrhG).

135 So etwa *Lichtenegger*, Verwertungsgesellschaften, Kartellverbot und Neue Medien, 2014, S. 42.

136 *Staats*, in: Zimmermann (Hrsg.), Save the Rights! – Dossier »Verwertungsgesellschaften«, 2015, 12; *Kreile*, in: Becker/Riesenhuber/Kreile (Hrsg.), Recht und Praxis der GEMA, ^{2}2008, Kapitel 16, Rn. 2.

137 Stellvertretend *Becker*, in: Becker/Riesenhuber/Kreile (Hrsg.), Recht und Praxis der GEMA, ^{2}2008, Kapitel 4, Rn. 1.

II. Die Fragmentierung der Rechte

Neben der Repertoireakkumulation im Sinne einer Bündelung verschiedener Werke, also etwa aller Kompositionen im Musikbereich, ist für den Urheberrechtsverkehr jedoch ein weiterer Faktor entscheidend: welche Rechte werden für eine bestimmte Nutzung benötigt und finden sich diese Rechte insgesamt im Verwertungsgesellschaftssystem wieder oder ist die zusätzliche individuelle Lizenzierung notwendig? Der Begriff Fragmentierung bedingt dabei einen Perspektivwechsel. Das Urheberrecht wird nicht aus Sicht des Schöpfers betrachtet, sondern aus Sicht des Nutzers, bzw. genauer, der Nutzung. Sie ist das Produkt, das den eigentlichen Wert des Urheberrechts verkörpert und in der Regel abhängig von einer Erlaubnis, sprich Transaktion. Diese Betrachtungsweise deckt sich allerdings nicht mit der Struktur des Urheberrechts, das zumindest im Ausgangspunkt den Schöpfer und sodann andere Rechteinhaber in den Blick nimmt, um sie mit Rechten und Verfügungsbefugnissen auszustatten, die nicht notwendigerweise vom Ende (also von der Nutzung) her gedacht sind. Das Urheberrecht möchte beispielsweise möglichst alle an der Wertschöpfung Beteiligten berücksichtigen. Die Beteiligung kann dabei ganz unterschiedlich ausfallen. Geht es um den wirtschaftlich wichtigen Bereich der (Pop-)Musik, lassen sich die Beiträge der Komponistinnen und Textdichter sowie der Interpretinnen und des Tonträgerherstellers (als Leistungsschutzberechtigte) unterscheiden. Für den Verwerter stellt sich „der Song" jedoch als einheitliches Produkt dar, an dessen Auswertung er insgesamt interessiert ist und für das er eine Gesamtkalkulation vornimmt. Insoweit lässt sich grundsätzlich eine Fragmentierung der Rechte in drei Richtungen erkennen.[138] Erstens genügt es für die Mehrzahl der anvisierten Nutzungen im Musikbereich nicht, allein das Urheberrecht an der Musikkomposition und an den Liedtexten zu lizenzieren. Vielmehr ist die Klärung weiterer Rechte erforderlich, die im Rahmen einer Musikproduktion entstehen. Gemeint ist bspw. der zusätzliche Erwerb der Rechte von Interpreten und Tonträgerherstellern – insoweit kann man von einer *horizontalen Fragmentierung* der Rechte sprechen. Zweitens können die Rechte innerhalb eines Werks, also etwa innerhalb einer Komposition, u.U. getrennt vergeben werden und womöglich in den Händen unterschiedlicher Rechteinhaber liegen. Gemeint ist damit eine Unterteilung anhand der (möglicherweise kumulativ betroffenen)

138 Dies wird häufig auch unter dem Begriff Split Copyrights besprochen, so bspw. *Rehse*, ZUM 2013, 191, 192.

Verwertungsrechte. Dies lässt sich als *vertikale Fragmentierung* der Rechte bezeichnen und führt in die verschiedenen nationalen Urheberrechtstraditionen.[139] Hinzu tritt, drittens, eine räumliche oder *territoriale Fragmentierung* der Rechte, welche aus der Territorialität des Urheberrechts resultiert. Zuletzt können urheberpersönlichkeitsrechtliche Implikationen eine individuelle Kontrolle der Urheber erfordern, welche gegenüber der kollektiven Rechtewahrnehmung grundsätzlich systemfremd erscheint. Darin mag man eine spezielle, vierte Ebene der Fragmentierung sehen, mit der begonnen werden soll.

1) Fragmentierung durch individuelle Wahrnehmungsbefugnisse im Bereich des Urheberpersönlichkeitsrechts

Die Kollektivierung erlaubt grundsätzlich keine individuelle Nutzungskontrolle. Sie gerät daher an ihre Grenzen, wenn ein „berechtigtes Interesse" des Rechteinhabers an einer individuellen Entscheidung über die Nutzung besteht. Dies ist typischerweise dann der Fall, wenn das Urheberpersönlichkeitsrecht betroffen ist, es mithin nicht lediglich um die Sicherung von Vergütung geht. Urheberpersönlichkeitsrechtlich begründete Erlaubnisvorbehalte liegen einer Reihe von besonderen Vorschriften zugrunde, bspw. den Änderungsverboten nach § 39 Abs. 1 und § 62 Abs. 1 UrhG oder dem allgemeinen Erlaubnisvorbehalt bei Bearbeitungen nach § 23 S.1 UrhG.[140] Es gilt außerdem das Entstellungsverbot nach § 14 UrhG, das insbesondere ein individuelles Verbotsrecht der Urheber bei Musiknutzung für Wahlkampfwerbung begründet.[141] Ähnliche Konzepte finden sich in anderen Ländern. So untersagten die Rolling Stones dem ehemaligen US-Präsidenten Donald Trump mehrfach die Verwendung ihrer Songs zu Wahlkampfzwecken.[142] Die US-Verwertungsgesellschaften BMI und ASCAP sehen für

139 Eine ähnliche Terminologie verwendet in diesem Zusammenhang auch *Ullrich*, ZUM 2010, 311, 315.

140 *Schulze*, in: Dreier/Schulze (Hrsg.), Urheberrechtsgesetz, ^{7}2022, § 14 Rn. 2.

141 BGH, v. 11.5.2017 – I ZR 147/16 – *Verwendung von Musik für Wahlkampfwerbung*.

142 Rolling Stones Threaten Trump With Lawsuit Over Rally Music", Rolling Stone vom 27.6.2020 (online abrufbar unter: https://www.rollingstone.com/music/music-news/rolling-stones-trump-lawsuit-rally-music-bmi-1021498/?fbclid=IwAR0VmDIPVuqMoMfiMqIJV0BC8vEbZpuOeegJflQZxy8_OJpsTgjza0dITbM (zuletzt abgerufen am 16.3.2022)).

diese Fälle ein Widerspruchsrecht der Musikurheber vor, von dem viele Künstler Gebrauch gemacht haben.[143]

Drei weitere Grenzfälle veranschaulichen die Problematik in Deutschland. Sie behandeln (Konzert-)Verfilmungen[144], die Nutzung von Musik für Werbezwecke[145] und die Verwendung von Musik als Klingelton[146]. In allen

---

143 Zuletzt spielte die Kampagne vornehmlich die Hits „Macho Man" und „YMCA" der Gruppe *The Village People*. Die Band sprach sich zwar öffentlich gegen die Nutzung ihrer Musik aus, machte jedoch nicht von ihrem Widerspruchsrecht gegenüber BMI gebrauch („Village People record label says it will sue over Trump YMCA video", Complete Music Update (CMU) vom 9.11.2020, online abrufbar unter: https://completemusicupdate.com/article/village-people-record-label-says-it-will-sue-over-trump-ymca-video/). Siehe auch www.ascap.com/~/media/files/pdf/advocacy-legislation/political_campaign.pdf (beide Websites wurden zuletzt am 16.3.2022 abgerufen).

144 BGH, v. 19. 1. 2006 – I ZR 5/03 – *Alpensinfonie*. In der *Alpensinfonieentscheidung* ging es um die Liveübertragung eines Konzertes im TV und dessen Aufzeichnung für den Vertrieb auf DVD. Entscheidend war die Frage, ob die Rechte für die Konzertverfilmung kollektiv oder individuell wahrgenommen werden, denn nur im Falle der individuellen Rechtewahrnehmung stünde dem Musikverlag ein individuelles Verbotsrecht zu. Der BGH war der Ansicht, dass die unveränderte Übernahme der Musik und deren Verbindung mit dem Bildteil der musikalischen Aufführung weder eine Verfilmung im Sinne von § 88 UrhG noch eine Bearbeitung nach § 23 UrhG darstelle und verneinte eine Verletzung der vom Musikverlag gehaltenen Rechte aus §§ 88 und 23 UrhG. Es ging damit nicht um das Urheberpersönlichkeitsrecht an sich aber mit dem Bearbeitungsrecht um einen Bereich, der dem Änderungsverbot nach § 14 UrhG nahesteht (*Schulze*, in: Dreier/Schulze (Hrsg.), Urheberrechtsgesetz, 72022, § 23 Rn. 17.).

145 BGH, v. 10.6.2009 – I ZR 226/06 – *Nutzung von Musik für Werbezwecke*. Bis zur Entscheidung des BGH ging die GEMA davon aus, dass ihr die erforderlichen Rechte zur Nutzung von Musikwerken für Werbezwecke im Berechtigungsvertrag eingeräumt wurden. Lediglich hinsichtlich des Rechts zur Herstellung der Werbung sollte dem Berechtigten ein individuelles Verbotsrecht zustehen. Der BGH ging jedoch einen Schritt weiter und sah in der Verwendung von Musik zu Werbezwecken eine eigenständige Nutzungsart, womit aufgrund des Übertragungszweckgedankens nach § 31 Abs. 5 UrhG der GEMA eine ausdrückliche Benennung im Vertrag erforderlich gewesen wäre. Die GEMA ergänzte ihren Berechtigungsvertrag entsprechend. Nach wie vor erfolgt die Erlaubnis zur Nutzung von Musik zu Werbezwecken zweistufig. Erstens kollektiv durch Einräumung der Nutzungsrechte über die GEMA, zweitens durch eine individuelle Zustimmung der Berechtigten. Die individuelle Entscheidungsbefugnis des Berechtigten resultiert wiederum aus den urheberpersönlichkeitsrechtlichen Implikationen, welche von der Bearbeitung des Werks und der Nutzung des Werks für die Vermittlung von Werbebotschaften ausgehen.

146 BGH, v. 18.12.2008 – I ZR 23/06 – *Klingeltöne für Mobiltelefone*. Gegenstand des Verfahrens war die Nutzung von Musikwerken zur Herstellung von Klingeltönen. Das Angebot eines auf zwei Takte gekürzten und digital bearbeiteten Musikstücks stelle – so der BGH – zwar eine Bearbeitung nach § 23 UrhG dar, die grundsätz-

drei Fällen zeigt sich das komplexe Zusammenspiel von Urheber- und Verwertungsgesellschaftsrecht. Ist das Urheberpersönlichkeitsrecht von einer Nutzung betroffen, so wird grundsätzlich ein individuelles Einverständnis des Urhebers erforderlich. Zugleich sind diese Entscheidungen sehr kontext- und zeitgeistabhängig. Für die Lizenzparteien ist die Einordnung stets mit Unsicherheiten verbunden. Verwertungsgesellschaften müssen – beispielsweise im Berechtigungsvertrag – urheberrechtliche Besonderheiten wie den Übertragungszweckgedanken[147] berücksichtigen und ggf. eine zusätzliche Ebene der individuellen Nutzungserlaubnis einführen. Diese betrifft sodann unmittelbar die Nachfrager von Lizenzen, denn der Verwerter muss für die Frage des „ob" nach einer individuellen Lizenz ersuchen und erst wenn diese Frage geklärt wurde, kann die Abrechnung für die einzelnen Nutzungen über Verwertungsgesellschaften erfolgen.[148] Die Problematik erfährt neue Relevanz, bei der Lizenzierung verschiedener Formen des user generated content (UGC) im Internet, auch wenn weite Teile der entsprechenden Nutzungen von den Schranken der Karikatur, der Parodie oder des Pastiche erfasst sein mögen.[149] So setzt § 4 Abs. 1 Nr. 3 UrhDaG-E auf eine weitgehende Lizenzierung durch Plattformen insbesondere über Verwertungsgesellschaften. Allerdings geht UGC stets mit einer Bearbeitung einher, die schnell persönlichkeitsrechtliche Relevanz entfalten kann. Eine kollektive Erlaubnis ist daher nicht immer möglich[150] (zumindest wäre das im Kontext der oben genannten Rechtsprechung zu diskutieren).

Die Entscheidung *Nutzung von Musik für Werbezwecke* ist nicht allein aufgrund der urheberpersönlichkeitsrechtlichen Implikationen von Bedeu-

---

lich der Einwilligung des Urhebers bedürfe, dies führe jedoch nicht zu einem individuellen Verbotsrecht derjenigen Urheber, die der GEMA ihre Rechte nach 2002 zur Wahrnehmung übertragen haben. Die Entscheidung beruht wesentlich auf Besonderheiten eines alten GEMA-Berechtigungsvertrags. Der neue Vertrag sieht eine zweistufige Rechtewahrnehmung vor. Die Frage, ob eine Benutzung als Ruftonmelodie vorgenommen werden darf, kann der Urheber individuell entscheiden, die Nutzungsrechte werden hingegen von der GEMA lizensiert (siehe §1 h) Abs. 4 GEMA, Berechtigungsvertrag Fassung April 2016, abrufbar unter: https://www.gema.de/fileadmin/user_upload/Gema/Berechtigungsvertrag.pdf, zuletzt abgerufen am 29.12.2020).

147 BGH, v. 10.6.2009 – I ZR 226/06 – *Nutzung von Musik für Werbezwecke.*

148 So bei BGH, v. 10.6.2009 – I ZR 226/06 – *Nutzung von Musik für Werbezwecke* und BGH, v. 18.12.2008 – I ZR 23/06 – *Klingeltöne für Mobiltelefone.*

149 Siehe hierzu § 51a UrhG und § 5 Abs. 1 Nr. 2 UrhDaG.

150 Hierauf weist auch die GEMA hin, die nach § 1 lit. i) (4) grds. UGC-Lizenzen vergibt (siehe https://www.gema.de/fileadmin/user_upload/Musikurheber/Informationen/201210_Wahrnehmungsbedingungen_Herstellungsrecht_UGC_201215.pdf.

tung, sondern darüber hinaus aufgrund der Besonderheit, dass der BGH in der Nutzung von Musik für Werbezwecke eine eigenständige Nutzungsart sah.[151] Dies müssen Verwertungsgesellschaften im Berechtigungsvertrag berücksichtigen, die Besonderheiten des nationalen Urheberrechts wirken also unmittelbar auf die Tätigkeit der Verwertungsgesellschaften ein.

2) Territoriale Fragmentierung der Rechte

Doch auch jenseits urheberpersönlichkeitsrechtlicher Verstrickungen der kollektiven Rechtewahrnehmung bewirkt das Urheberrecht selbst eine Fragmentierung der Rechte, welche die Vorteile der Kollektivierung nutzerseitig in Frage stellen kann. Das Territorialitätsprinzip bewirkt die räumliche Beschränkung des Rechts und erstreckt diese Beschränkung auch auf räumlich ungebundene, immaterielle Güter. Praktische Folge ist, dass ein paneuropäischer Dienst grundsätzlich – Ausnahmen gibt es etwa in der Art. 1 Abs. 2 lit. b der SatKab-RL[152] – 27 nationale Rechte erwerben muss.[153] Traditionell folgte auch das Verwertungsgesellschaftssystem dieser Logik, indem nationale Verwertungsgesellschaften sich auf die Lizenzierung von räumlich auf das Inland beschränkten Nutzungsrechten konzentrierten. Diese territoriale Begrenzung der Tätigkeit der Verwertungsgesellschaften zu überwinden, um grenzüberschreitende Nutzung von Urheberrechten zu erleichtern, ist erklärtes Ziel der VG-RL. Die Mittel des Kollisionsrechts zur praktischen Überwindung der *territorialen Fragmentierung* auf Verwertungsgesellschaftsebene (und seine Grenzen) ist Untersuchungsgegenstand dieser Arbeit. Das Thema erfährt später bei der Analyse des urheberrechtlichen Kollisionsrechts in *Teil 3* eine nähere Betrachtung. An dieser Stelle erfolgt eine Untersuchung der Fragmentierung in *horizontaler* und *vertikaler* Hinsicht, deren Ausprägung stark von der jeweiligen Ausgestaltung des nationalen Urheberrechts abhängt. Nationale Systemunterschiede wirken damit – ähnlich wie urheberpersönlichkeitsrechtliche Verstrickungen – unmittelbar auf die Praxis der kollektiven Rechtewahrnehmung ein.

151 Insoweit zeigt sich auch die deutsche Konzeption der Orientierung an (u.a.) wirtschaftlich eigenständigen Nutzungsarten, die über die Grenzen der Verwertungsrechte hinweg zur Verkehrsfähigkeit der Rechte beitragen.

152 Richtlinie 93/83/EWG (ABl. L 248 vom 6.10.1993, S. 15–21)

153 Dazu sowie zur neueren SatKab-Online-RL (Richtlinie (EU) 2019/789, ABl. L 130 vom 17.5.2019, S. 82) *Sutterer*, in: Hennemann/Sattler (Hrsg.), Immaterialgüter und Digitalisierung, 2017, S. 145 ff.

3) Horizontale Fragmentierung der Rechte

Die *horizontale Fragmentierung*[154] der Rechte folgt der Logik des Urheberrechts, welches verschiedenen an der Produktion beteiligten Personenkreisen ausschließliche Rechte zugesteht. Innerhalb eines Musikwerks kann etwa zwischen der Komposition und dem Liedtext unterschieden werden. Da das deutsche Recht insoweit von verbundenen Werken nach § 9 UrhG und nicht von einer Miturheberschaft an einem einheitlichen Werk (§ 8 UrhG) ausgeht, werden beide Rechte für die Darbietung der Musik benötigt.[155] Bezieht sich die Nutzung auf ein fertig produziertes Musikwerk, so sind regelmäßig nicht nur die Urheberrechte an Komposition und Liedtext zu lizenzieren, sondern darüber hinaus die Leistungsschutzrechte der Interpreten (§§ 77, 78 UrhG) und des Tonträgerherstellers (§ 85 UrhG).[156] Im

154 Von *horizontaler und vertikaler Abgrenzung* spricht in diesem Zusammenhang auch *Ullrich*, ZUM 2010, 311, 315.

155 *Schulze*, in: Dreier/Schulze (Hrsg.), Urheberrechtsgesetz, ^{7}2022, § 9 Rn. 2. Es handlt sich hierbei um eine deutsche Besonderheit. Das französische Recht beispielsweise geht von einer Miturheberschaft (*œuvre de collaboration*) aus (siehe rechtsvergleichend *Flechsig*, ZUM 2012, 227 ff.). Hiervon ist wiederum das Kollektivwerk zu unterscheiden. Beim *oeuvre collective* handelt es sich um eine französische Besonderheit (Art. L 113-5 Code de la propriété intellectuelle), welche dem Investor *ab initio* das Urheberrecht gewährt (*Geiger*, in: Hilty/Geiger (Hrsg.), Impulse für eine europäische Harmonisierung des Urheberrechts/Perspectives d'harmonisation du droit d'auteur en Europe, 2007, S. 519, 520). Insofern findet sich im französischen Modell des *ouevre collective* eine gewisse Nähe zur *works made for hire* Doktrin. Bedeutung erlangen Fragen der Miturheberschaft im Rechtsverkehr bei der Lizenzierung und Übertragung. Welche Verbotsrechte hat jeder einzelne Miturheber; bedürfen Verwertung und Übertragung der Nutzungsrechte seiner Mitwirkung? Daneben hängt die tatsächliche Schutzdauer des Urheberrechts von der Bewertung der Beteiligten als Urheber und von der Bewertung des Werkes als Gesamtwerk oder trennbares zusammengesetztes Werk, ab. Kommt es zur Verwertung eines Werkes, an welchem mehrere Urheber Rechte haben oder welches aus mehreren Werken zusammengesetzt ist, stellen sich schließlich Fragen der Vergütung der einzelnen Rechteinhaber. Kollisionsrechtlich stellt sich bereits hier eine Qualifikationsfrage. Geht es um die Frage der Werkeigenschaft, so gilt unbestritten das Schutzlandprinzip, geht es hingegen um eine Frage der Urheberschaft, ist die Anknüpfung umstritten. Für Fragen der ersten oder ursprünglichen Rechteinhaberschaft wird zunehmend eine einheitliche Anknüpfung i.S.d. Ursprungslandprinzips befürwortet (siehe exemplarisch Guideline 20 der Kyoto Guidelines des *ILA Committee on Intellectual Property and Private International Law*, veröffentlicht u.a. in JIPITEC 12 (2021), S. 86).

156 Bei einem aktuellen Popsong kommen so leicht 30 Berechtigte zusammen (*Kühn*, in: Zimmermann (Hrsg.), Save the Rights! – Dossier »Verwertungsgesellschaften«, 2015, 38).

Rahmen der kollektiven Rechtewahrnehmung werden die Urheberrechte an Musikwerken in Deutschland grundsätzlich von der GEMA wahrgenommen, die Leistungsschutzrechte der ausübenden Künstler und Tonträgerhersteller von der GVL.[157]

Das deutsche Urheberrecht kennt darüber hinaus eine weitere Form der horizontalen Fragmentierung, die sich an den Nutzungsarten orientiert. So kann ein urheberrechtliches Werk auf verschiedenste Weise genutzt werden: Filme können im Kino gezeigt, auf DVD oder Blu-ray vervielfältigt und vertrieben, zum Streaming auf Video-on-Demand Plattformen zur Verfügung gestellt oder im Free- bzw. Pay-TV gezeigt werden. Bücher können als Hardcover, Taschenbuchausgaben oder E-Book vertrieben werden.[158] Über die Zulässigkeit der jeweiligen Aufteilung lässt sich im Einzelfall trefflich streiten. Ihrem Wesen nach ist aber auch sie im Urheberrecht angelegt, welches dem Urheber die Befugnis verschafft, an jeder denkbaren Nutzungsart Nutzungsrechte zu vergeben (§ 31 Abs. 1 UrhG).[159]

4) Vertikale Fragmentierung der Rechte – die MyVideo-Entscheidung

Weitreichendere Probleme ergeben sich bei *vertikaler Fragmentierung* der Repertoires.[160] Die *vertikale Fragmentierung* des Urheberrechts meint eine Erstreckung der gesetzlichen Unterscheidung zwischen den einzelnen Verwertungsrechten (§§ 15 ff. UrhG) auf Lizenzebene. Die gesetzliche Differenzierung zwischen öffentlicher Wiedergabe in Form der Sendung (§ 15

157 Teilweise wird insoweit von den „kleinen Rechten" gesprochen. Die Begriffspaare „kleine Rechte" und „große Rechte" finden sich nicht im Urheberrechtsgesetz. Kleine Rechte sind all jene Rechte, die die Urheber durch den Abschluss von Wahrnehmungsverträgen von den Verwertungsgesellschaften treuhänderisch und kollektiv wahrnehmen lassen. Von großen Rechten spricht man bei all den anderen Rechten, die nicht von Verwertungsgesellschaften wahrgenommen, sondern etwa von Verlagen oder von den Urhebern selbst individuell vergeben werden (*Schulze*, in: Dreier/Schulze (Hrsg.), Urheberrechtsgesetz, ^{7}2022, Vor. § 31, Rn. 120; *Staats*, Aufführungsrecht und kollektive Wahrnehmung bei Werken der Musik, 2004, S. 58 ff.; *Schulze*, in: Dreier/Schulze (Hrsg.), Urheberrechtsgesetz, ^{6}2018, VGG, Vorb. Rn. 1). Zu den kleinen Rechten gehören auch alle verwertungsgesellschaftspflichtigen Rechte und gesetzlichen Ansprüche. Gelegentlich wird auch von „Erst- und Zweitverwertungsrechten" gesprochen.

158 BGH, Urt. v. 12.12.1991 – I ZR 165/89 – *Taschenbuchlizenz* = GRUR 1992, 310, 311; BGH, Urt. v. 02.10.1968 – I ZR 1/67 – *Fernsehauswertung* = GRUR 1969, 364, 366; *Schulze*, in: Dreier/Schulze (Hrsg.), Urheberrechtsgesetz, 72022, § 31, Rn. 140 ff.

159 *Ullrich*, ZUM 2010, 311, 315.

160 Aus angelsächsischer Sicht: *Gervais*, (Re)structuring Copyright, 2017, p. 207 ff.

Abs. 2 S. 2 Nr. 3 und § 20 UrhG) oder in Form der öffentlichen Zugänglichmachung (§19a UrhG) und der Vervielfältigung (§ 16 UrhG) wird auf die Ebene der Rechteeinräumung übertragen, indem jeweils getrennte Nutzungsrechte für einen eigentlichen einheitlichen Vorgang (Streaming) eingeräumt werden. Bei Nutzungshandlungen im Internet sind stets mehrere Verwertungsrechte kumulativ betroffen. So liegt dem on-Demand Streaming zunächst eine öffentliche Zugänglichmachung nach § 19a UrhG[161] und dem Live-Streaming (bis hin zu „Near on-Demand" Übertragungen) eine Sendung nach § 20 UrhG[162] zu Grunde. Darüber hinaus ist bei allen Angeboten ein Upload auf den Bereitstellungsserver erforderlich, der mit einer Vervielfältigung nach § 16 UrhG einhergeht.[163]

Genau wie die horizontale Fragmentierung, kann auch die vertikale Fragmentierung den Lizenzierungsprozess erschweren, da nicht mehr nur eine Lizenz einzuholen ist, sondern mindestens zwei, die unter Umständen von verschiedenen Rechteinhabern oder Lizenzstellen erworben werden müssen, wobei jeder für sich eine Lizenz oder – hier kommt es auf den jeweiligen Standpunkt an – eine Teillizenz vergibt. Diese Form der Rechtevergabe entspricht nicht den Nutzerbedürfnissen. Das Gegenmodell findet sich in § 8 Abs. 2 S. 1 UrhG, der für Miturheber bestimmt, dass das Werk gesamthänderisch verwaltet wird.[164] Für ausübende Künstler sieht § 80 Abs. 1 S. 1 UrhG ebenfalls eine gesamthänderische Verwertung vor, wenn sich

161 *Ungern-Sternberg*, in: Schricker/Loewenheim (Hrsg.), Urheberrecht, 62020, § 19a, Rn. 54 f.

162 *Ders.*, in: Schricker/Loewenheim (Hrsg.), Urheberrecht, 62020, § 20, Rn. 80 ff.

163 *Heerma*, in: Wandtke/Bullinger (Hrsg.), Praxiskommentar Urheberrecht, 62022, § 16, Rn. 22 Zur Behandlung der (vorübergehenden) Vervielfältigung auf dem Endgerät des Rezipienten siehe ebenfalls *Heerma* m.w.N.

164 Im Gegensatz zu § 747 S. 1 BGB kann der einzelne Miturheber nicht über seinen Anteil am Urheberrecht verfügen. Die Miturheber können das gemeinschaftlich geschaffene Werk nur gemeinschaftlich veröffentlichen oder verwerten. § 8 Abs. 2 S. 1 UrhG sagt nichts über die Übertragbarkeit an sich, die Vorschrift trifft hingegen eine Aussage über die Verwaltung des Miturheberrechts durch Einräumung von Nutzungsrechten (§ 31 UrhG) (*OLG Frankfurt*, GRUR 2006, 578). Sie setzt, vorbehaltlich des § 8 Abs. 2 S. 2 UrhG, Einvernehmen aller Miturheber voraus. Nach § 8 Abs. 4 UrhG ist – in Abweichung zu § 29 Abs. 1 UrhG – ein Verzicht des Miturhebers auf seinen Anteil an den Verwertungsrechten möglich und hat eine „Anwachsung" des Anteils zugunsten der anderen Miturheber zur Folge. Auf den persönlichkeitsrechtlichen Teil des Miturheberrechts kann nicht verzichtet werden. (*Loewenheim/Peifer*, in: Schricker/Loewenheim (Hrsg.), Urheberrecht, 62020, § 8 Rn. 17 Amtl. Begr. BT-Drs. IV/270, 41 f.)

ihre Anteile an einer gemeinsamen Darbietung nicht gesondert verwerten lassen.[165]

Das Thema ist für die Arbeit deshalb von Bedeutung, weil die *vertikale Fragmentierung* international unterschiedlich behandelt wird und für die Lizenzierung im wirtschaftlich bedeutenden Onlinebereich entscheidend ist. Sie bestimmt daher die Tätigkeit der Verwertungsgesellschaften bei der (grenzüberschreitenden) Lizenzierung von „Onlinerechten" und es wird später zu fragen sein, wie diese urheberrechtlichen Besonderheiten auf das Kollisionsrecht der kollektiven Rechtewahrnehmung zurückwirken. Gedanklich liegt der *vertikalen Fragmentierung* eine anglo-amerikanische Lizenzierungspraxis zugrunde, die sich international durchgesetzt hat. Traditionell wird in den USA und in Großbritannien zwischen den *performing rights* und den *mechanical rights* unterschieden. Beide Rechte sind für typische Onlinenutzungsformen, wie das Streaming, erforderlich, da diese sowohl mit einer (mechanischen) Vervielfältigung (auf dem Server des Anbieters) als auch mit einer öffentlichen Wiedergabe einhergehen.[166] Die Aufführung und die mechanische Vervielfältigung zur Herstellung von Tonträgern stellen historisch gewachsene,[167] gänzlich unterschiedliche Nutzungsformen dar, die nun im Bereich der Onlinenutzungen verschmelzen.

a) Urheberrechtliche Befugnisse und ihr Verhältnis zur Nutzungsart

Ob eine Aufspaltung der Rechte anhand der Kategorien in § 15 UrhG nach dem deutschen Recht möglich ist, ist nach wie vor nicht hinreichend geklärt. Das Urheberrecht zeigt sich auch als ein Bündel vermögensrechtlicher Befugnisse. Von besonderer Bedeutung für die Beurteilung der vertikalen Aufspaltbarkeit des Urheberrechts, ist die Unterscheidung der drei Begriffe: *Verwertungsrechte*, *Nutzungsrechte* und *Nutzungsarten*. Die Terminologie wird selten konsequent verwendet, dies führt inhaltlich oft zu ungenauen Schlussfolgerungen.

---

165 Hierzu auch *Sutterer*, ZGE 2021, 281, 288 f.

166 *Hieber*, ZUM 2019, 161, 162; *Heyde*, Die grenzüberschreitende Lizenzierung von Online-Musikrechten in Europa, 2011, 197 ff.; *Loren*, Case W. Res. L. Rev. 53 (2003), 673, 680-681, 686, 689. Siehe nun 17 U.S.C. § 115 – U.S. Code.

167 Dies gilt sowohl in den USA und GB als auch in Deutschland. Die US-Lizenzierungspraxis ist anschaulich beschrieben in: US Court of Appeals for the District of Columbia, 7 August 2020, No. 19–1028 – *George Johnson v Copyright Royalty Board and Librarian Congress*, p. 5 f. Rechtsvergleichend *Heyde*, Die grenzüberschreitende Lizenzierung von Online-Musikrechten in Europa, 2011, 164 ff.

(1) Verwertungsrechte

Die in §§ 15 ff. genannten Verwertungsrechte beschreiben allgemein, welche Verwertungsmöglichkeiten dem Urheber gesetzlich vorbehalten sind.[168] Dabei ist das Urheberrecht handlungsbezogen ausgestaltet.[169] Erlaubt oder verboten werden Nutzungs- bzw. Verwertungshandlungen.[170] Eine (Werk-)Nutzungs- bzw. Verwertungshandlung meint die Nutzung des Werkes auf eine Art und Weise, die nach dem Tatbestand eines Verwertungsrechts unter das Verbotsrecht des Urhebers fällt.[171] Zusammen mit dem Urheberpersönlichkeitsrecht und den sonstigen Rechten des Urhebers[172] bilden die Verwertungsrechte das umfassende subjektive Urheberrecht.[173] Die Verwertungsrechte verschaffen dem Urheber – innerhalb der Reichweite des Urheberrechts und außerhalb von Schranken und Erlaubnissen – ein weitreichendes Verbotsrecht, mit welchem er gegen die Nutzung seines Werks durch Dritte vorgehen kann. Außerdem hat der Urheber die Möglichkeit, sein Werk selbst zu verwerten.[174]

168 *Wandtke*, in: Wandtke/Bullinger (Hrsg.), Praxiskommentar Urheberrecht, ^{6}2022, Vor §§ 31 ff., Rn. 23.

169 *Ungern-Sternberg*, in: Schricker/Loewenheim (Hrsg.), Urheberrecht, ^{5}2017, § 15, Rn. 212 ff.

170 Diese Begriffe werden tatsächlich kaum sinnvoll voneinander abgegrenzt, von Verwertung (bzw. Verwertungshandlung) wird verstärkt im kommerziellen Bereich, etwa auf Ebene der Intermediäre, gesprochen, von Nutzung (bzw. Nutzungshandlung) hingegen im Privat- oder Verbraucherbereich, rechtlich meinen sie meist dasselbe.

171 *Ungern-Sternberg*, in: Schricker/Loewenheim (Hrsg.), Urheberrecht, ^{5}2017, § 15, Rn. 14; weitere Ausführungen bei *ders.*, GRUR 2012, 576, 576 ff.

172 Teil 1, Abschnitt 4, Unterabschnitt 4 des Urheberrechtsgesetzes.

173 *Ullrich*, ZUM 2010, 311, 311 f.

174 *Ders.*, ZUM 2010, 311, 312. Die deutsche Konzeption der Verwertungsrechte ist nicht identisch mit den Verwertungsrechten, wie sie auf europäischer Ebene ausgestaltet sind. Die InfoSoc-RL formuliert die Verwertungsrechte als Rechte des Urhebers, bestimmte Handlungen Dritter „zu erlauben oder zu verbieten". § 15 UrhG gibt hingegen dem Urheber „das ausschließliche Recht, sein Werk in körperlicher oder unkörperlicher Form zu verwerten" und rückt damit den Urheber selbst ins Zentrum des Gesetzes, wohingegen der europäische Ansatz eher die Rolle des Nutzers oder professionellen Verwerters betont (*Ungern-Sternberg*, in: Schricker/Loewenheim (Hrsg.), Urheberrecht, ^{5}2017, § 15, Rn. 10 und Rn. 212 ff.). Die Verwertungsrechte sind im deutschen Recht als positive Nutzungsrechte formuliert, zugleich sind sie jedoch negative Verbotsrechte (*Schack*, Urheber- und Urhebervertragsrecht, ^{10}2021, Rn. 353 ff.; *Schulze*, in: Dreier/Schulze (Hrsg.), Urheberrechtsgesetz, ^{7}2022, § 15, Rn. 5; *Ungern-Sternberg*, in: Schricker/Loewenheim (Hrsg.), Urheberrecht, ^{5}2017, § 15, Rn. 166 f.).

Die Verwertungsrechte sind als integraler Bestandteil des Urheberrechts – abgesehen von den Ausnahmen in § 29 UrhG – nicht übertragbar. Verfügen kann der Urheber über seine Rechte nur eingeschränkt, nämlich durch Abspaltung einzelner Nutzungsrechte. Dies wurzelt im monistischen Ansatz des deutschen Urheberrechts.[175] Die Einräumung der Nutzungsrechte wirkt dabei nicht translativ wie die Übertragung des Sacheigentums, sondern konstitutiv. Der Urheber bleibt zwar Inhaber des Urheberrechts – inklusive der Verwertungsrechte –, allerdings wird das Urheberrecht durch Einräumung von Nutzungsrechten ähnlich einem Nießbrauch beim Sacheigentum belastet. Zugleich entsteht auf Seiten des Erwerbers ein neues Recht.[176]

(2) Nutzungsrechte

Nach deutschem Recht erhält der Erwerber sodann lediglich Nutzungsrechte eingeräumt. Der Urheber verfügt über die Verwertungsrechte nur mittelbar, indem er einzelne Nutzungsrechte von diesen abspaltet und dem Erwerber überträgt.[177] In der Regel bildet ein Nutzungsrecht also einen Ausschnitt eines Verwertungsrechts ab, in Ausnahmefällen können sich beide Rechte inhaltlich decken.[178] Einigkeit besteht darüber, dass Nutzungsrechte ihrerseits zugunsten des Verkehrsschutzes stets mindestens eine *Nutzungsart* umfassen müssen.[179] Oft spricht man auch dann von einem Nutzungsrecht, welches eingeräumt wurde, wenn dieses sich auf mehrere Nutzungsarten erstreckt. Tatsächlich kann man es sich aber besser als ein

---

175 *Schack*, Urheber- und Urhebervertragsrecht, [10]2021, Rn. 357 ff.; *Schulze*, in: Dreier/Schulze (Hrsg.), Urheberrechtsgesetz, [7]2022, § 15, Rn. 2; *Ungern-Sternberg*, in: Schricker/Loewenheim (Hrsg.), Urheberrecht, [5]2017, § 15, Rn. 166 f.

176 *Schack*, Urheber- und Urhebervertragsrecht, [10]2021, Rn. 655.

177 *Wandtke*, in: Wandtke/Bullinger (Hrsg.), Praxiskommentar Urheberrecht, [6]2022, Vor §§ 31 ff, Rn. 24. Das Nutzungsrecht kann räumlich, zeitlich und inhaltlich beschränkt eingeräumt werden (*Ohly*, in: Schricker/Loewenheim (Hrsg.), Urheberrecht, [5]2017, § 31, Rn. 27). Das ausschließliche Nutzungsrecht ist ein dingliches Recht; es genießt Sukzessionsschutz (§ 33 UrhG) und weist somit ein Kernelement der Dinglichkeit auf (*ders.*, in: Schricker/Loewenheim (Hrsg.), Urheberrecht, [5]2017, § 29, Rn. 23).

178 *Ohly*, in: Schricker/Loewenheim (Hrsg.), Urheberrecht, [5]2017, § 29, Rn. 19; *Wandtke*, in: Wandtke/Bullinger (Hrsg.), Praxiskommentar Urheberrecht, [6]2022, § 31, Rn. 4.

179 *Wandtke*, in: Wandtke/Bullinger (Hrsg.), Praxiskommentar Urheberrecht, [6]2022, § 31, Rn. 14 ff. m. w. N.

Bündel von Nutzungsrechten vorstellen, von dem weitere Nutzungsrechte abgespalten werden können – stets bis zur Untergrenze der kleinsten Nutzungsart, diese bildet die Grenze der Aufspaltbarkeit.[180] Das Nutzungsrecht ist also auf die jeweils konkrete wirtschaftliche Nutzungsart bezogen.[181] Entstehen neue Nutzungsarten, entstehen gleichfalls neue Nutzungsrechte und damit einhergehend wachsen auch die Verwertungsrechte an, die nun neue abspaltbare Nutzungsrechte enthalten.[182] Das Nutzungsrecht ist also der auf eine konkrete Nutzungsart beschränkte Teil eines oder mehrerer Verwertungsrechte über den der Urheber durch Rechtseinräumung verfügen kann.[183]

---

180 So führt etwa *Schulze* aus: *„zu jeder einzelnen Nutzungsart* [gehört] *ein entsprechendes Nutzungsrecht. Je zahlreicher und unterschiedlicher die Arten sind, auf die sich das betreffende Werk nutzen lässt, desto größer ist das Bündel an Nutzungsrechten, welches dem Urheber zur Verfügung steht, um sie insgesamt einer Person oder aufgeteilt verschiedenen Personen einräumen zu können.“* (*Schulze*, in: Dreier/Schulze (Hrsg.), Urheberrechtsgesetz, [7]2022, § 31, Rn. 5.)

181 Ob ein bereits eingeräumtes Nutzungsrecht auch eine neue Nutzungsart umfasst ist letztlich Auslegungsfrage und richtet sich speziell nach § 31 Abs. 5 und § 31a UrhG. Der Begriff „Nutzungsrecht“ deckt sich inhaltlich mit dem Begriff „Lizenz“. Besonderheiten bestehen etwa im Verlagsrecht, wo Lizenzen nur Nutzungsrechte zweiter Stufe, sogenannte „Enkelrechte“ meinen (*Ohly*, in: Schricker/Loewenheim (Hrsg.), Urheberrecht, [5]2017, § 29, Rn. 20).

182 In der Regel lassen sich neu entstehende Nutzungsarten unter die bestehenden Verwertungsrechte subsumieren. So bestand das Recht, geschützte Werke zum Abruf öffentlich zugänglich zu machen, angesichts der umfassenden Gewähr des ausschließlichen Rechts der unkörperlichen öffentlichen Wiedergabe in § 15 Abs. 2 und der stets erforderlichen Vervielfältigung durch den Upload auf einen Server, (zumindest für Urheber) auch schon vor Schaffung des § 19a. Der Katalog der in § 15 UrhG genannten Rechte ist außerdem nicht abschließend, sodass man hinsichtlich der Online-Zugänglichmachung jedenfalls vor der Harmonisierung durch Art. 3 Abs. 2 InfoSoc-RL von einem sog. unbenannten Recht der öffentlichen Wiedergabe ausgehen konnte (*Dreier*, in: Dreier/Schulze (Hrsg.), Urheberrechtsgesetz, [7]2022, § 19a Rn. 3) (zumindest im nicht-harmonisierten Bereich besteht Einigkeit über die Erweiterbarkeit des Katalogs der Verwertungsrechte um unbenannte Verwertungsrechte (*Schulze*, in: Dreier/Schulze (Hrsg.), Urheberrechtsgesetz, [7]2022, § 15 Rn. 10)).

183 *Schulze*, in: Dreier/Schulze (Hrsg.), Urheberrechtsgesetz, [7]2022, § 15, Rn. 6; wobei zu untersuchen sein wird, was Teil *eines* Verwertungsrechts bedeutet: Kann sich ein Nutzungsrecht auf mehrere Verwertungsrechte beziehen oder ist es an ein einziges Verwertungsrecht gebunden?

(3) Nutzungsarten

Die Nutzungsart bezeichnet die tatsächliche Verwendungsform eines Werkes. Die Verwendungsform muss üblich, technisch und wirtschaftlich eigenständig und damit nach der Verkehrsauffassung klar abgrenzbar sein.[184] Genau wie das Nutzungsrecht deckt sich auch die Nutzungsart in der Regel nicht mit den in § 15 UrhG aufgezählten Verwertungsrechten, vielmehr beinhaltet sie meist nur Ausschnitte aus einem der Verwertungsrechte. Sie kann sich außerdem auf mehrere Verwertungsrechte erstrecken[185] – wobei hieraus unterschiedliche Schlussfolgerung gezogen werden, auf welche sogleich einzugehen sein wird. Die verlegerische Nutzung (wobei auch diese sich wohl als ein Bündel von Nutzungsarten darstellt) betrifft beispielsweise das Vervielfältigungs- und Verbreitungsrecht. Mit einer Nutzung, die nur in eines der beiden Verwertungsrechte eingreift, kann der Verleger wirtschaftlich nichts anfangen.[186] Diesen Gedanken bringt auch § 42a UrhG zum Ausdruck, wo davon ausgegangen wird, dass dem Tonträgerhersteller *ein* Nutzungsrecht an einem Musikwerk mit dem Inhalt eingeräumt wurde, das Werk auf den Tonträger zu übertragen, diesen zu vervielfältigen und zu verbreiten.[187] In ganz ähnlicher Weise geht § 8 VerlG von einer „Einheit" von Vervielfältigung und Verbreitung aus – aus beiden Verwertungsrechten überträgt der Verfasser dem Verleger jene Nutzungsrechte, die der Verleger für seine Arbeit braucht.[188]

---

184 *Ohly*, in: Schricker/Loewenheim (Hrsg.), Urheberrecht, [5]2017, § 31, Rn. 8; *Wandtke*, in: Wandtke/Bullinger (Hrsg.), Praxiskommentar Urheberrecht, [6]2022, § 31, Rn. 16 und Vor §§ 31 ff., Rn. 25; *Schulze*, in: Dreier/Schulze (Hrsg.), Urheberrechtsgesetz, [7]2022, § 31, Rn. 9; BGH, Urt. v. 12.12.1991 – I ZR 165/89 – *Taschenbuch-Lizenz*; BGH, Urt. v. 6. 7. 2000 – I ZR 244/97 – *OEM-Version* = GRUR 2001, 153, 154 (BGHZ 145, 7–16); BGH, Urt. v. 5.6.1985 – I ZR 53/83 – *GEMA-Vermutung I* = GRUR 1986, 62, 64 (BGHZ 95, 274, 277); BGH, Urt. v. 19.5.2005 – I ZR 285/02 – *Der Zauberberg* = GRUR 2005, 937, 939 (BGHZ 163, 109–119); zur Abgrenzung der Nutzungsart öffentliche Zugänglichmachung im *Intranet* gegenüber derselben Handlung im offenen *Internet* BGH, Urt. v. 28.7.2022 – I ZR 141/20 – *Elektronischer Pressespiegel II*, Rn. 105 (= GRUR 2022, 1427, 1437).

185 Dass eine einheitliche Nutzungsart im Schnittstellenbereich zweier Verwertungsrechte liegen kann und sich somit auf beide bezieht, scheint weitgehend anerkannt. (*Ohly*, in: Schricker/Loewenheim (Hrsg.), Urheberrecht, [5]2017, § 31, Rn. 8.; *Schaefer*, ZUM 2010, 150, 151).

186 *Ohly*, in: Schricker/Loewenheim (Hrsg.), Urheberrecht, [5]2017, § 31, Rn. 8.

187 *Ullrich*, ZUM 2010, 311, 313; *Schaefer*, ZUM 2010, 150, 152.

188 Auch im Verlagsvertrag muss aber eine detaillierte Rechteinräumung vereinbart werden, die sich an (recht kleinteilig bestimmten) Nutzungsarten orientiert (ver-

Während das Nutzungsrecht die jeweiligen Befugnisse des Verwerters beschreibt, wird unter einer Nutzungsart also jede wirtschaftliche Nutzungsmöglichkeit im Sinne einer wirtschaftlich-technisch selbstständigen und abgrenzbaren Art und Weise der Auswertung des Werkes verstanden.[189]

(4) Das Zusammenspiel der Befugnisse

In Deutschland sind die Verwertungsrechte, wie sie sich in §§ 15 ff UrhG finden, grundsätzlich nicht übertragbar (§ 29 Abs. 1 UrhG).[190] Der Urheber räumt vielmehr Nutzungsrechte ein (§§ 29 Abs. 2, 31 UrhG), die nicht mehr zum Stammrecht gehören, sondern von diesem abgeleitet werden und gewissermaßen die Früchte des Urheberrechts bilden.[191] Mit dem Nutzungsrecht korrespondiert mindestens eine Nutzungsart (§ 31 Abs. 1 UrhG). Das Nutzungsrecht leitet sich aus den Verwertungsrechten ab, bildet sie aber in der Regel nicht vollumfänglich ab.[192] Bisweilen überschneiden sich Nutzungs- und Verwertungsrechte aber schon begrifflich. Eine der Standardnutzungen im Urheberrecht ist die körperliche Vervielfältigung zu irgendeinem näher bestimmten Zweck. Sie wurzelt im Vervielfältigungsrecht nach § 16 UrhG, umfasst dieses aber aufgrund der Zweckbindung in der Regel nicht. Das Nutzungsrecht ist der auf eine konkrete Nutzungsart

---

schiedene Beispiele mit Rechtsprechung sind aufgeführt bei *Schulze*, in: Dreier/Schulze (Hrsg.), Urheberrechtsgesetz, ^{7}2022, § 31 Rn. 129). Dass es keinesfalls um die Übertragung der Verwertungsrechte an sich geht, wird aus dem Zusammenspiel mit § 2 VerlG deutlich, wo einzelne Nutzungsarten von der Übertragung und Enthaltungspflicht des Verfassers ausgenommen sind.

189 *Wandtke*, in: Wandtke/Bullinger (Hrsg.), Praxiskommentar Urheberrecht, ^{6}2022, Vor §§ 31 ff., Rn. 25. Eine wirtschaftlich-technische als einheitlich und selbständig erscheinende Art und Weise der Nutzung ist nicht bereits dann gegeben, wenn eine Nutzungsmöglichkeit durch den technischen Fortschritt lediglich erweitert wird, ohne sich aber aus der Sicht der Nutzer in ihrem Wesen entscheidend zu verändern. Es kommt darauf an, dass sich der Vorgang der Werkvermittlung seiner Art nach wesentlich ändert (*Jänich/Eichelberger*, MMR 2008, 576, 577; BGH, Urt. v. 4.7.1996 – I ZR 101/94 – *Klimbim* (BGHZ 133, 281–298)).

190 *Schack*, Urheber- und Urhebervertragsrecht, ^{10}2021, Rn. 360; *Schulze*, in: Dreier/Schulze (Hrsg.), Urheberrechtsgesetz, ^{7}2022, § 15, Rn. 2. Zur Problematik aus internationaler und vor allem anglo-amerikanischer Sicht: *Mazziotti*, Colum. J.L. & Arts 34 (2011), 757, 759 ff.

191 *Ulmer*, Urheber- und Verlagsrecht, ^{3}1980, S. 116 und 358 ff.

192 *Wandtke*, in: Wandtke/Bullinger (Hrsg.), Praxiskommentar Urheberrecht, ^{6}2022, Vor §§ 31 ff., Rn. 24 f.; *Schulze*, in: Dreier/Schulze (Hrsg.), Urheberrechtsgesetz, ^{7}2022, § 15 Rn. 6.

beschränkte Teil eines Verwertungsrechts, über den der Urheber durch Rechtseinräumung verfügen kann.[193] Zugleich ist das Nutzungsrecht aber stets nicht nur wirtschaftlich beschränkt, sondern wirtschaftlich nutzbar in dem Sinne, dass es einen wirtschaftlichen Gebrauch des Rechts ermöglichen muss.[194] Klassische Nutzungsarten wie die Vervielfältigung, also bspw. der Druck oder die Kopie eines Buches, lassen sich einem Verwertungsrecht entnehmen – hier § 16 UrhG. Komplexere Nutzungen können aber auch (als einheitliche wirtschaftliche Nutzungsmöglichkeit) in verschiedene Verwertungsrechte eingreifen.[195] Im Onlinebereich zeigt sich dies deutlich. Zwar wurde mit dem Recht der öffentlichen Zugänglichmachung nach § 19a UrhG ein typisches, onlinespezifisches Verwertungsrecht geschaffen, es ist jedoch nicht das einzige Verwertungsrecht, das für klassische Nutzungsformen im Onlinebereich relevant wird.[196] So ist für die Speicherung des Werkes auf einem Server, die der öffentlichen Zugänglichmachung notwendigerweise vorausgeht, stets eine Vervielfältigung erforderlich.[197] Will etwa ein Musiksender sein Programm auch online bereitstellen, so berührt diese Tätigkeit grundsätzlich das Vervielfältigungsrecht für die Speicherung auf dem Server (§ 16 UrhG) und das Recht der öffentlichen Zugänglichmachung nach § 19a UrhG (ggf. außerdem die Rechte der öffentlichen Wiedergabe aus § 19 UrhG).[198]

---

193 *Schulze*, in: Dreier/Schulze (Hrsg.), Urheberrechtsgesetz, [7]2022, § 15 Rn. 6.

194 *Wandtke*, in: Wandtke/Bullinger (Hrsg.), Praxiskommentar Urheberrecht, [6]2022, Vor §§ 31 ff., Rn. 25; *Schulze*, in: Dreier/Schulze (Hrsg.), Urheberrechtsgesetz, [7]2022, § 15 Rn. 6.

195 *Gervais*, in: ders. (Hrsg.), Collective management of copyright and related rights, 2015, S. 3, 12.

196 Zur Rechtslage vor Umsetzung der InfoSoc-RL *Ungern-Sternberg*, in: Schricker/Loewenheim (Hrsg.), Urheberrecht, [5]2017, § 19a, Rn. 39 ff.

197 *Dreier*, in: Dreier/Schulze (Hrsg.), Urheberrechtsgesetz, [7]2022, § 19a, Rn. 1.

198 *Brunotte*, Urheberrechtliche Bewertung der Streamingfilmportale, 2014, S. 48 und 63; *Altemark*, Wahrnehmung von Online-Musikrechten im Europäischen Wirtschaftsraum, 2011, S. 70; *Heerma*, in: Wandtke/Bullinger (Hrsg.), Praxiskommentar zum Urheberrecht, [4]2014, § 16, Rn. 22; *Gerlach*, Die urheberrechtliche Bewertung des nicht-linearen Audio-Video Streamings im Internet, 2012, S. 165 ff.; *Vianello*, MMR 2009, 90.

b) Die MyVideo-Entscheidung

Das Zusammenspiel der urheberrechtlichen Befugnisse war auch Gegenstand der *MyVideo-Entscheidung* des OLG München. Die Entscheidung ist von besonderem Interesse, weil sie die Spannungen zwischen verschiedenen nationalen Urheberrechtstraditionen verdeutlicht und die Rückwirkungen des materiellen Urheberrechts (in seiner nationalen Besonderheit) auf die Praxis der kollektiven Rechtewahrnehmung veranschaulicht. Hintergrund der *MyVideo*-Entscheidung war die Herausnahme der Vervielfältigungsrechte aus dem GEMA-Repertoire durch EMI Music Publishing Europe in Folge der Online-Empfehlung der Kommission vom 18.10.2005 und deren isolierte Wahrnehmung für die Onlinenutzung durch die eigens hierzu gegründete CELAS[199]. Die Wiedergaberechte hingegen verblieben bei den klassischen Verwertungsgesellschaften – für den deutschen Markt also grundsätzlich bei der GEMA.[200] Bei *MyVideo* handelte es sich um die Betreiberin eines YouTube-ähnlichen Streaming-Portals, auf dem jeder registrierte Nutzer Videos einstellen konnte. Die Lizenzierung der Rechte erfolgte zwischen *MyVideo* und der GEMA. Nachdem CELAS gegenüber *MyVideo* eigene Rechte geltend machte, welche sie aus der Verwaltung der Vervielfältigungsrechte des EMI Repertoires für Deutschland ableitete, kam es zum Rechtsstreit. *MyVideo* vertrat die Ansicht, CELAS habe die Rechte nicht wirksam erworben und ihr stünden demnach keine eigenen Verbotsrechte zu, vielmehr seien die relevanten Rechte bei der GEMA verblieben. Entsprechend erhob *MyVideo* Klage auf Feststellung, dass CELAS ihr gegenüber bestimmte urheberrechtliche Nutzungen nicht untersagen dürfe.[201]

---

199 Bei der CELAS GmbH handelte es sich um ein Gemeinschaftsunternehmen der GEMA und der britischen PRS for Music. Nach Übernahme von EMI durch Universal Music ging die CELAS in dem neu gegründeten Lizenzierungsdienst SOLAR auf, welcher seither auch die Administration der pan-europäischen Online-Lizenzverträge von Sony/ATV übernimmt (siehe hierzu Pressemitteilung, CELAS, International vom 25.9.2014, online abrufbar unter: https://www.gema.de/aktuelles/sonyatv_prs_for_music_und_gema_geben_joint_venture_bekannt/).

200 Zu den Schwierigkeiten bei der Herausnahme der unterschiedlichen Rechte aus dem Verwertungsgesellschaftssystem ausführlich: *Heyde*, Die grenzüberschreitende Lizenzierung von Online-Musikrechten in Europa, 2011, S. 218 ff.

201 Eine übersichtliche Darstellung der Hintergründe findet sich bei *Jani*, ZUM 2009, 722, 722 f.

Wie bereits das LG München I[202] in der Vorinstanz betrachtete auch das OLG München die Herausnahme der Vervielfältigungsrechte als unwirksam und gab der Klage statt. Nach Ansicht des LG München I dürfen „Online-Nutzungsrechte an Musikwerken [...] nicht in das Recht zur öffentlichen Zugänglichmachung nach § 19a UrhG und davon getrennte ‚mechanische Vervielfältigungsrechte im Onlinebereich' nach § 16 UrhG aufgespalten werden".[203] Diesem Urteil schloss sich das OLG München an. Eine Nutzungsart „mechanische Vervielfältigungsrechte im Online-Bereich" ohne das Recht auf öffentliche Zugänglichmachung gebe es nicht. Aus § 31 Abs. 1 UrhG resultiere eine absolute Untergrenze für die Möglichkeit der Einräumung von Nutzungsrechten mit dinglicher Wirkung gegen Dritte. Deshalb habe auch EMI Music Publishing Europe, auf welche die Rechte zurückgeführt werden sollten, ein derartiges Recht nicht erwerben können.[204] Bei den Vervielfältigungen, die beim Upload auf dem Server des Betreibers entstehen, handele es sich lediglich um untergeordnete Vorbereitungshandlungen für die eigentlich relevante öffentliche Zugänglichmachung.[205]

Aufgrund von Klagerücknahmen kam es zu keiner Entscheidung durch den BGH.[206] Die Entscheidung wurde allerdings in der Literatur aufgegriffen und kontrovers diskutiert. Jenseits der rechtlichen Fragen besteht die tatsächliche Problematik, dass sich die Lizenzierungstätigkeit großer Major-Verlage, ungeachtet des konkret anwendbaren Rechts, an einer angloamerikanischen Lizenzierungspraxis orientiert. Rechtliche Besonderheiten scheinen dabei ignoriert zu werden, zugleich mangelt es an einer konsequenten Rechtsdurchsetzung durch die Akteure.[207]

---

202 LG München I, Urt. v. 25.6.2009 – 7 O 4139/08 – *MyVideo* = ZUM 2009, 788.

203 Leitsatz LG München I, Urt. v. 25.6.2009 – 7 O 4139/08 – *MyVideo.*

204 OLG München Urt. v. 29. 04. 2010 – 29 U 3698/09 – *Videodateien* (*MyVideo*) = ZUM 2010, 709, 712; mit weiterem Verweis auf *Ullrich*, ZUM 2010, 311, 314.

205 OLG München Urt. v. 29. 04. 2010 – 29 U 3698/09 – *MyVideo* = ZUM 2010, 709, 711.

206 *Wübbelt*, Die Zukunft der kollektiven Rechtewahrnehmung im Online-Musikbereich, 2015, S. 114. Entsprechend ist auch das Urteil des OLG München nicht rechtskräftig.

207 So auch *Müller*, ZUM 2011, 13, 20.

(1) Argumente für die Aufspaltbarkeit der Rechte

Eine Reihe von Autoren spricht sich für die Aufspaltbarkeit des Online-Rechts in seine Vervielfältigungs- und Aufführungskomponente nach deutschem Urheberrecht aus.[208]

Unter ihnen wird dabei vertreten, dass die Beschränkung der Aufspaltbarkeit der Nutzungsrechte nur innerhalb der Grenzen eines Verwertungsrechts gelte. Wer ein Nutzungsrecht in Bezug auf eine bestimmte Nutzungsart erwerbe, solle nur davor bewahrt werden, im Rahmen eines technisch-wirtschaftlichen Gesamtkomplexes doppelt zur Kasse gebeten zu werden und (nachträglich) eine weitere Lizenz für eine im Kern gleiche Nutzung erwerben zu müssen.[209] Ein Grundsatz, dass die Aufteilung eines Nutzungsvorgangs in die Verwertungsrechte der §§ 15 ff. UrhG unzulässig sei, folge daraus nicht und lasse sich dem Urheberrecht generell nicht entnehmen[210] – eine Konsumption der vorgelagerten Vervielfältigung durch die nachgelagerte öffentliche Zugänglichmachung erst recht nicht.[211] Eine Aufteilung sei auch deshalb geboten, weil andernfalls das Verbotsrecht des § 16 UrhG unzulässigerweise beschnitten würde. Derjenige, der einen illegalen Download vornimmt, ohne zugleich als Uploader aktiv zu sein, und der deshalb nicht gegen § 19a UrhG verstößt, würde nach der Rechtsprechung von LG und OLG München nicht isoliert gegen § 16 UrhG verstoßen.[212]

Teilweise wird darüber hinaus angeführt, die Möglichkeit der Aufspaltung der Nutzungsrechte in die Teile Vervielfältigung und öffentliche Zugänglichmachung sei in den GEMA-Entscheidungen der Kommission[213] angelegt. Die Kommission habe als Nutzungsarten im Sinne ihrer Entscheidung in *GEMA II* „alle wirtschaftlich trennbaren Formen der Ausübung des

---

208 So v.a. *Heyde*, Die grenzüberschreitende Lizenzierung von Online-Musikrechten in Europa, 2011, 237 ff.; *Jani*, ZUM 2009, 722 ff.; *Melichar*, ZUM 2010, 713 ff.; *Ohly*, in: Schricker/Loewenheim (Hrsg.), Urheberrecht, [5]2017, § 31, Rn. 39; *Schulze*, ZUM 2011, 2 ff.; *Spohn/Hullen*, GRUR 2010, 1053.

209 Das Risiko der doppelten Inanspruchnahme bestehe schon deshalb nicht, weil es Aufgabe des Nutzers sei für die (vollständige) Lizenzierung seiner Nutzung zu sorgen. Die Auseinandersetzung mit einer Vielzahl von Rechteinhabern sei dabei nichts ungewöhnliches (so *Jani*, ZUM 2009, 722, 726 f.).

210 *Spohn/Hullen*, GRUR 2010, 1053, 1057 f. so auch *Jani*, ZUM 2009, 722, 726.

211 *Ungern-Sternberg*, in: Schricker/Loewenheim (Hrsg.), Urheberrecht, [5]2017, § 19a, Rn. 64; *Jani*, ZUM 2009, 722, 723.

212 *Jani*, ZUM 2009, 722, 724 und 727 f.

213 Kommission v, 2.6.1971 – 71/224/EWG, ABl. 1971 L 134/15 ff. – *GEMA I* und Kommission v. 6.7.1972 – 72/268/EWG, ABl. 1972 L 166/15, 22 ff. – *GEMA II*.

Urheberrechts unter Berücksichtigung der Unterschiede der nationalen Gesetzgebungen über das Urheberrecht" definiert und als Beispiele für solche wirtschaftlich trennbare Formen der Ausübung des Urheberrechts unter anderem das „mechanische Vervielfältigungs- und Verbreitungsrecht" und das „Wiedergaberecht mechanisch vervielfältigter Werke"[214] genannt. Hieraus sei zu schließen, dass die Europäische Kommission die Möglichkeit der gesonderten Einräumung von Nutzungsrechten für die Vervielfältigung und für die öffentliche Zugänglichmachung als Unterfall der Wiedergabe der vervielfältigten Werke zulasse.[215] Entsprechend halten einige Autoren die Aufspaltung der Rechte für europarechtlich geboten.[216] Die Aufteilung der Rechte entspreche dem Unionsrecht und werde europaweit von anderen Verwertungsgesellschaften praktiziert.[217]

(2) Argumente gegen die Aufspaltbarkeit der Rechte

Die Onlinenutzung in Form des Streamings zeichnet sich dadurch aus, dass eine dauerhafte Speicherung des Inhalts auf einem Server, mithin eine Vervielfältigung zur Bereitstellung der Inhalte erforderlich ist. Zur Beantwortung der aufgeworfenen Frage, ob die getrennte Vergabe eines Rechts der öffentlichen Zugänglichmachung und eines Vervielfältigungsrechts für die Lizenzierung von Streamingangeboten zulässig ist, bietet es sich an, zwei Problemkreise zu trennen. Zunächst stellt sich die Frage, ob das deutsche Urheberrecht[218] eine derartige Trennung zulässt und falls dies

214 Kommission, 72/268/EWG, ABl. 1972 L 166/15, 22, 23 – *GEMA II.*

215 *Müller*, ZUM 2011, 13, 19.

216 So sieht *Ohly* zwar die besseren Argumente auf Seiten derjenigen, die sich gegen die Aufspaltbarkeit der Rechte aussprechen, erachtet sie aber gleichwohl als europarechtlich vorgegeben. Da Erwägungsgrund 37 der Wahrnehmungsrichtlinie von der Möglichkeit einer Aufspaltung entlang der Grenzen der in der InfoSoc-RL geregelten Verwertungsrechte ausgehe, gebiete die unionsrechtskonforme Auslegung des § 31 Abs. 1 UrhG diese Maßgabe für das deutsche Recht zu übernehmen (*Ohly*, in: Schricker/Loewenheim (Hrsg.), Urheberrecht, 52017, § 31, Rn. 39).

217 *Spohn/Hullen*, GRUR 2010, 1053, 1057 f. so auch *Jani*, ZUM 2009, 722, 724 und 727 f.; ausführlich bei *Heyde*, Die grenzüberschreitende Lizenzierung von Online-Musikrechten in Europa, 2011, 240 ff.

218 Die Frage nach dem anwendbaren Recht wurde in der Entscheidung durch das LG München I kurz und knapp zugunsten des deutschen Rechts beantwortet (LG München I – *MyVideo* = ZUM 2009, 788, 792). Mehr Raum nahm dies bei der Prüfung durch das OLG München ein. Da urheberrechtlicher Schutz für das Inland beansprucht wurde, sei nach der *lex loci protectionis* das deutsche Urheberrechtsge-

nicht so ist, daran anknüpfend die Frage, wie der bestehende europäische Rechtsrahmen sich hierzu verhält.[219]

(a) Analyse des deutschen Urheberrechts

i. Systematische Analyse

Aus deutscher Sicht sprechen in erster Linie systematische Erwägungen gegen die Aufspaltbarkeit des Online-Rechts. So zeigt das Verhältnis von Verwertungsrechten, Nutzungsrechten und Nutzungsarten, dass jede Rechteeinräumung im Mindestgehalt eine Nutzungsart zum Gegenstand haben muss, während mit den Verwertungsrechten die Befugnisse des Urhebers an seinem Werk umschrieben werden. Die Verwertungsrechte betreffen die materielle Seite des Urheberrechts, nämlich die wirtschaftlichen Interessen des Urhebers, die in der Nutzung des Werkes (§ 11 Satz 1 UrhG) liegen.[220] Die Verwertungsrechte als wirtschaftlicher Teil des Ausschließ-

---

setz anwendbar. Wörtlich heißt es hier: „Die Beklagte beansprucht [...] Schutz für das Inland. Nach dem Schutzlandprinzip sind daher, [...] die Vorschriften des deutschen Urheberrechtsgesetzes anwendbar [...]. Nach dem Recht des Schutzlandes richten sich insbesondere die Ansprüche, die der Inhaber einer ausschließlichen urheberrechtlichen Befugnis im Falle der Verletzung dieses Rechts geltend machen kann (vgl. BGHZ 136, 380, 385 – *Spielbankaffaire*). Nach dem Recht des Schutzlandes bestimmt sich auch, welche Handlungen als Verwertungshandlungen unter das Schutzrecht fallen (vgl. BGHZ 136, 380, 386 – *Spielbankaffaire*). Auch die Frage, wer als Urheber und erster Inhaber des Urheberrechts an einem Werk anzusehen ist, beurteilt sich nach dem Recht des Schutzlandes (vgl. BGHZ 136, 380, 387 – *Spielbankaffaire*). Ebenso bestimmt das Recht des Schutzlandes, ob urheberrechtliche Befugnisse übertragbar sind (vgl. BGHZ 136, 380, 387 – *Spielbankaffaire*). Nach dem Recht des Schutzlandes – und damit im Streitfall nach deutschem Recht (§ 31 UrhG) – beurteilt sich auch, ob die Einräumung von Nutzungsrechten mit dinglicher Wirkung gegen Dritte zulässig ist [m.w.N.]" (OLG München Urt. v. 29. 04. 2010 – 29 U 3698/09 – *MyVideo* = ZUM 2010, 709, 711). Deshalb kann auch die Schlussfolgerung von *Müller*, britische Gerichte würden das Recht ohnehin anders als das OLG München beurteilen, nicht überzeugen (*Müller*, ZUM 2011, 13, 20); ähnlich auch *Heyde*, Die grenzüberschreitende Lizenzierung von Online-Musikrechten in Europa, 2011, S. 238.

219 Natürlich ist diese Trennung künstlich, schließlich ist das europäische Recht bei der Auslegung des deutschen Urheberrechts stets zu berücksichtigen. Dennoch ist eine derartige Trennung sinnvoll, um zu verdeutlichen welches Ergebnis sich aus der Systematik des „deutschen Urheberechts" ergibt, an welchen Stellen überhaupt eine Harmonisierung des Urheberrechts vorliegt und wie sich diese auswirkt.

220 *Schulze*, in: Dreier/Schulze (Hrsg.), Urheberrechtsgesetz, ^{7}2022, § 15, Rn. 1.

lichkeitsrechts stecken den Rahmen des Urheberrechts ab. Sie berechtigen den Urheber zunächst selbst zur Nutzung, verschaffen ihm aber vor allem ein Verbotsrecht, mit dem er gegen nicht lizenzierte Nutzungen Dritter vorgehen kann.[221] Bei Lichte betrachtet dient das Verwertungsrecht also primär zur Abwehr nicht lizenzierter Nutzungshandlungen, die in den Zuweisungsgehalt des Urheberrechts eingreifen.[222]

Die Nutzungsrechte leiten sich zwar aus den Verwertungsrechten ab, decken sich aber nicht mit ihnen.[223] Vielmehr zeigt § 31 Abs. 1 und 5 UrhG deutlich, dass sich die übertragbaren Nutzungsrechte an den Nutzungsarten orientieren und stets zumindest eine Nutzungsart zum Gegenstand haben müssen. Dass diese Vorgabe aus § 31 UrhG auf jene Fälle beschränkt sein soll, in denen eine etwaige Nutzung in lediglich ein Verwertungsrecht eingreift, ergibt sich weder aus dem Wortlaut von § 31 UrhG noch aus der Systematik des Urheberrechts. Im Gegenteil, in § 31 UrhG wird die ausschließliche Orientierung der Nutzungsrechte an den Nutzungsarten bei der Rechtevergabe deutlich. Nutzungsart und Nutzungsrecht werden in Abs. 1 unmittelbar miteinander verknüpft und die „einzelne Nutzungsart" ist erkennbar das Minimum des Nutzungsrechts.[224]

---

221 *Ders.*, in: Dreier/Schulze (Hrsg.), Urheberrechtsgesetz, [7]2022, § 15, Rn. 5 Diese Ebene des Verbotsrechts hat auch der BGH jüngst in der Entscheidung *Cordoba II* betont. Er hebt jedoch zugleich hervor, dass diese hier eingenommene Eingriffs- und Verletzungsperspektive nicht mit der Lizenzperspektive zu verwechseln sei, wo sich insbesondere die Frage stellen könne, ob eine untergeordnete und vorbereitende Vervielfältigung eine eigene Nutzungsart darstelle und damit selbstständig lizenzierbar sei. Diesen Frage ließ das Gericht bewusst offen. Siehe BGH, Urt. v. 10.1.2019 – I ZR 267/15, Rz. 47 ff. und Rz. 51 (= GRUR 2019, 813, 818).

222 Von der Funktion her betrachtet, ist das Urheberrecht im Bereich der Ausschließlichkeitsrechte in §§ 12–23 UrhG vor allem ein Verbotsrecht mit Einwilligungsmöglichkeit.

223 Hierzu soeben *4.), a.), (2).* Das Nutzungsrecht schöpft zumindest insoweit aus den Verwertungsrechten, als der Rechteinhaber nur das Lizenzieren kann was ihm rechtlich zusteht. Die Reichweite des (wirtschaftlichen Teils des) Urheberrechts bestimmen die Verwertungsrechte.

224 Die Verwertungsrechte sind im deutschen Urheberrecht grundsätzlich nur beispielhaft aufgezählt, unbenannte Verwertungsrechte sind daher denkbar (zumindest im nicht-harmonisierten Bereich besteht Einigkeit über die Erweiterbarkeit des Katalogs der Verwertungsrechte um unbenannte Verwertungsrechte (*Schulze*, in: Dreier/Schulze (Hrsg.), Urheberrechtsgesetz, [7]2022, § 15, Rn. 10)). Dadurch soll das Urheberrecht auf technische Dynamik reagieren können. Einschränkungen ergeben sich allerdings innerhalb des harmonisierten Bereichs (vgl. *Haberstumpf*, GRUR Int. 2013, 627, 629 f.; *Metzger*, GRUR 2012, 118, 122; *Leistner*, GRUR 2014, 1145, 1149 ff.; zur Vollharmonisierung des Rechts der öffentlichen Wiedergabe EuGH,

Nicht die Anzahl der Verwertungsrechte, die von der Auswertung des Werks durch einen Dritten betroffen werden, bestimmt die Anzahl der zu dieser Auswertung notwendigen Nutzungsrechte, sondern allein die Anzahl der Nutzungsarten. Die Gleichung: Ein (benanntes) Verwertungsrecht entspricht (mindestens) einem Nutzungsrecht gibt es nicht; eine „Nutzungsart Vervielfältigungsrecht“ kann es schon begrifflich nicht geben. Das Nutzungsrecht mag sich üblicherweise im Rahmen eines urheberechtlichen Verwertungsrechts halten – denn das Urheberrecht ist insgesamt von Überlegungen rund um die Nutzung von Werken getragen –, dies ist aber nicht zwingend.[225] Die Untergrenze[226] für die Einräumung eines Nutzungsrechts ist die einzelne Nutzungsart.[227] So ist es mit der gesetzlichen Systematik des deutschen Urheberrechts nicht vereinbar, das Nutzungsrecht von dem gesetzlich vorgegebenen Bezugspunkt Nutzungsart zu entkoppeln und allein an einem einzelnen benannten Verwertungsrecht des Urhebers auszurichten. Entsprechend sind die Verwertungsrechte auch nicht Lizenzgegenstand, denn diese sind gerade nicht übertragbar. Sie ergeben sich vielmehr als Tochterrechte aus dem gesamten subjektiven Urheberrecht.[228]

Das Vervielfältigungsrecht als Verwertungsrecht, wie es sich in § 16 UrhG findet, konnte daher nicht an CELAS übertragen werden. Lediglich ein auf die Vervielfältigung im Rahmen von Streamingangeboten bezogenes Nutzungsrecht hätte Gegenstand der Übertragung sein können, aber auch

GRUR 2014, 360 Rn. 33 ff. – Svensson, mit Anm. Jani/Leenen, GRUR 2014, 362.). Die Erweiterbarkeit der Verwertungsrechte würde – bei Verfolgung des Modells der Durchbrechung des Prinzips der Rechtevergabe anhand der Nutzungsarten – zu zusätzlicher Rechtsunsicherheit führen. Sollte sich die Rechtevergabe nicht ausschließlich an den Nutzungsarten orientieren, sondern in der Schnittstelle mehrerer Verwertungsrechte eine zusätzliche Unterteilung möglich sein, so müssten diese Schnittstellen wenigstens abschließend dargestellt werden.

225 *Ullrich*, ZUM 2010, 311, 314.

226 Auch eine Obergrenze für die Einräumung des Nutzungsrechts bzw. des Bündels der Nutzungsrechte gibt es grundsätzlich nicht. Sie kann sich allenfalls aus dem Urheberpersönlichkeitsrecht ergeben und aus anderen Erwägungen zum Schutz des Urhebers wie dem Zweckübertragungsgedanken nach § 31 Abs. 5 UrhG.

227 Umfasst das Nutzungsrecht mehr als eine Nutzungsart, kann man es sich auch als ein Rechte- oder Lizenzbündel vorstellen, von dem weitere Rechte oder Lizenzen abgespalten werden können (BGH, Urt. v. 12.12.1991 – I ZR 165/89 – *Taschenbuch-Lizenz*).

228 *Ullrich*, ZUM 2010, 311, 314.

dann müsste diesem Recht eine entsprechende Nutzungsart zugrunde liegen.[229]

ii. Fehlende Wirtschaftliche Eigenständigkeit

Eine isolierte Nutzungsart bezogen auf die Vervielfältigung beim Streaming, welche im Rahmen des Uploads auf einen Bereitstellungsserver erforderlich wird, ist aus dem deutschen Urheberrecht nicht ableitbar. Eine Nutzungsart muss üblich, technisch und wirtschaftlich eigenständig und damit nach der Verkehrsauffassung klar abgrenzbar sein.[230] Diese Abgrenzung ist im Einzelfall schwierig. So tritt etwa in der Entscheidung des BGH „Nutzung von Musikwerken für Werbezwecke"[231] das Verhältnis von Verwertungsrechten und Nutzungsarten sowie an letzteren begründeten Nutzungsrechten zum Vorschein. Der BGH hob hervor, dass es sich bei der Verwendung eines Musikwerks zu Werbezwecken um eine eigenständige Nutzungsart handle. Die Verwendung zu Werbezwecken sei dabei eine allgemein übliche und wirtschaftlich eigenständige Form der Nutzung von Musikwerken.[232] Teilweise wird daraus abgeleitet, dass auch die reine

---

229 Teilweise wurde im Zusammenhang mit der *MyVideo*-Entscheidung hervorgehoben, dass Onlinenutzungen wie das Streaming sowohl in das Recht nach § 19a UrhG als auch in das Recht nach § 16 UrhG eingreifen (Exemplarisch *Jani*, ZUM 2009, 722, 723 f.), wobei das Recht der öffentlichen Zugänglichmachung wirtschaftlich im Vordergrund stehe. Die Frage, welches „Recht wirtschaftlich im Vordergrund" steht, ist ungenau, vielmehr muss danach gefragt werden, welche Nutzung wirtschaftlich im Vordergrund steht und ob es im Bereich des Streamings überhaupt eine wirtschaftlich eigenständige Nutzung des Uploads auf den Server oder die zusätzliche Nutzung der Bereitstellung geben kann.

230 *Ohly*, in: Schricker/Loewenheim (Hrsg.), Urheberrecht, [5]2017, § 31, Rn. 8; *Wandtke*, in: Wandtke/Bullinger (Hrsg.), Praxiskommentar Urheberrecht, [6]2022, § 31, Rn. 16 und Vor §§ 31 ff., Rn. 25; *Schulze*, in: Dreier/Schulze (Hrsg.), Urheberrechtsgesetz, [7]2022, § 31, Rn. 9; BGH, Urt. v. 12.12.1991 – I ZR 165/89 – *Taschenbuch-Lizenz*; BGH, Urt. v. 6. 7. 2000 – I ZR 244/97 – *OEM-Version* (BGHZ 145, 7–16); BGH, Urt. v. 5.6.1985 – I ZR 53/83 – *GEMA-Vermutung I* (BGHZ 95, 274–284); BGH, Urt. v. 19.5.2005 – I ZR 285/02 – *Der Zauberberg* (BGHZ 163, 109–119). Zur Nutzungsart siehe oben *C, II., 4.), a.), (3)*.

231 BGH, Urt. v. 10.6.2009 – I ZR 226/06 – *Nutzung von Musik für Werbezwecke.*

232 BGH, Urt. v. 10.6.2009 – I ZR 226/06 – *Nutzung von Musik für Werbezwecke* mit weiterem Verweis auf BGH, Urt. v. 5.6.1985 – I ZR 53/83 – *GEMA-Vermutung I* (BGHZ 95, 274–284), OLG Hamburg GRUR 1991, 599, 600 und OLG München ZUM 1997, 275, 279. Darüber, dass der Vorgang bzw. die Nutzung von Musikwerken für Werbung im Internet in verschiedene Verwertungsrechte, insbesondere in das Vervielfältigungsrecht eingreift, verlor der BGH hingegen kein Wort.

Vervielfältigung zum Upload ein für sich wirtschaftlich eigenständiger und abgrenzbarer Vorgang sei. Bereits die Speicherung auf dem Server enthalte einen wesentlichen Teil der Wertschöpfung, was sich vor allem darin zeige, dass der so vorhandene Werkbestand bei einer Geschäftsbewertung als *„Asset“*, mithin als eigener Vermögensposten berechnet würde. Entsprechend werde in den USA das Vervielfältigungsrecht teilweise gegen Zahlung einer sog. *„Hosting-Fee“* oder *„Server-Fixation-Fee“* gesondert lizenziert.[233]

Dies muss in der Sache nicht angezweifelt werden. Allein die Übertragung und Sammlung auf einem Server, also die reine Vervielfältigung, mag sich bereits als bezifferbarer Geschäftswert darstellen lassen. Die daran anknüpfende Annahme, allein mit der Vervielfältigung ergebe sich eine wirtschaftliche Eigenständigkeit der Nutzung, greift jedoch zu kurz. Zwei Gründe können nämlich zur positiven wirtschaftlichen Bewertung der Vervielfältigung auf dem Server führen. Erstens kann die Vervielfältigung dazu dienen, eine Art Werkdatenbank aufzubauen. Geht es darum, dient die Vervielfältigung aber bereits einem anderen Zweck. Denn in ihr spiegelt sich dann eine Nutzungsart, die mit der im Raum stehenden „Vervielfältigung durch Upload zur Bereitstellung eines Streamingdienstes“ nichts zu tun hat. Zweitens kann die wirtschaftliche Bewertung Ausdruck einer reinen Erwartung sein. Mit der Vervielfältigung und Sammlung auf einem Server ist bereits ein erster Schritt auf dem Weg hin zu einem vollwertigen Streamingdienst getan. Hoffnungen und Erwartungen lassen sich wirtschaftlich bewerten, sie stellen aber keinen eigenständigen Wert in dem Sinne dar, dass es sich bei ihnen um eine „wirtschaftlich eigenständige Nutzung bzw. Verwendung“ handelt.

Dies verdeutlicht, dass eine vertikale Unterteilung dem Grundsatz „wirtschaftlich einheitliche Nutzungen“ zu gewähren, nicht entspricht. So ist die Vervielfältigung eines Werks durch den Upload auf einen Server zum Zweck der öffentlichen Zugänglichmachung zwar in technischer Hinsicht ein eigenständiger Vorgang, diesem kommt aber kein eigener wirtschaftlicher Zweck zu. Wirtschaftlich betrachtet dient die Vervielfältigung durch Upload nur dem Gesamtvorgang des Streamings.[234] Die Vervielfältigung kann mit der Lagerhaltung körperlicher Gegenstände verglichen werden. Ist der Verkäufer zur Veräußerung der Gegenstände berechtigt, so ist er

233 So etwa *Jani*, ZUM 2009, 722, 727 und *Heyde*, Die grenzüberschreitende Lizenzierung von Online-Musikrechten in Europa, 2011, S. 240.

234 *Ullrich*, ZUM 2010, 311, 316.

notwendigerweise auch befugt, sich ein Lager über diese Gegenstände zu halten.[235]

iii. Verkehrsschutz

Schließlich stützen Überlegungen des Verkehrsschutzes im Urheberrecht dieses Ergebnis, denn das „Verbot der Doppellizenzierung" dient auch dem Interessenausgleich im Urheberrecht. Vielfach wird vorgetragen, es sei Aufgabe des Rechtenutzers, vor der Nutzung eines Werkes oder Leistungsschutzrechts die Rechte umfassend einzuholen, denn die mangelhafte Rechteklärung falle allein in seinen Verantwortungsbereich.[236] Diese Annahme greift zu kurz. Das Urheberrecht leidet unter dem Problem der Überkomplexität und zusätzlich unter einer kaum überschaubaren Zersplitterung der Rechte – man kann von einer Unübersichtlichkeit des Rechts und der Rechte sprechen. Im Horizontalverhältnis ist diese hinzunehmen, entspricht sie doch der Struktur des Urheberrechts, das möglichst alle am Werkschaffen Beteiligte mit eigenen Rechten ausstatten möchte. Eine zusätzliche Dimension der Rechteaufspaltung ist aber nicht nur unnötig, sondern auch schädlich – erschwert sie den Rechteklärungsprozess doch immens.[237] So entspricht es dem Zweck und der besonderen Ökonomie von Verwertungsgesellschaften, zugunsten aller Beteiligten die Transak-

---

235 Fälle zur Lagerhaltung sind etwa aus dem Markenrecht bekannt. Auch für das Urheberrecht hat sich der EuGH zur Problematik geäußert. Demnach kann „die Lagerung von Waren, die mit einem im Hoheitsgebiet des Mitgliedstaats der Lagerung urheberrechtlich geschützten Motiv versehen sind, durch einen Händler eine Verletzung des ausschließlichen Verbreitungsrechts im Sinne dieser Bestimmung darstellen […], wenn dieser Händler in einem Ladenlokal ohne Zustimmung des Urheberrechtsinhabers Waren, die mit den gelagerten Waren identisch sind, zum Verkauf anbietet, sofern die gelagerten Waren tatsächlich zum Verkauf im Hoheitsgebiet des Mitgliedstaats bestimmt sind, in dem dieses Motiv geschützt ist." (EuGH, C-572/17, ECLI:EU:C:2018:1033 – *Syed*) Auch hier wird aber nicht die Lagerhaltung selbst zu einer urheberrechtlich relevanten Nutzung. Im Gegenteil, zwecks Rechtsdurchsetzung kann sich das Verbotsrecht hinsichtlich der Verbreitung lediglich dann auf die Vorstufe der Lagerhaltung erstrecken, wenn sie erkennbar der Verbreitung dient. *Schaefer* bemüht alternativ das Bild eines Bahnreisenden: „Noch nie musste ein Bahnreisender mit gültigem Fahrschein auch eine Bahnsteigkarte lösen." *Schaefer*, ZUM 2010, 150, 152.

236 So insbes. *Jani*, ZUM 2009, 722, 726.

237 *Gervais* spricht insoweit von: *„a licence for a single economic operation"* (*Gervais*, Colum. J.L. & Arts 34 (2011), 591, 599 f.).

tionskosten im Markt der Rechtelizenzierung zu senken.[238] Dem Interesse der Rechteinhaber hinsichtlich Kontrolle und garantierter Vergütung steht das Interesse der Rechtenutzer hinsichtlich Übersichtlichkeit, Zentralisierung und Tarifkontrolle gegenüber. Beide Seiten profitieren von niedrigen Transaktionskosten.

iv. Verwertungsgesellschaftsrechtliche Betrachtung – Abschlusszwang und Tarifkontrolle

Der Gedanke, dass Verwertungsgesellschaften eine besondere Verpflichtung gegenüber Rechteinhabern und Rechtenutzern zukommt, spiegelt sich in weiten Teilen des Verwertungsgesellschaftsrechts sowie des Kartellrechts. So kann die Einbringung von Rechten in ein kollektives Verwertungssystem, insbesondere vor dem Hintergrund des Kartellrechts,[239] nur dann gerechtfertigt sein, wenn sie dem urheberrechtlichen Interessenausgleich dient und dabei ebenso die Interessen der Nutzer (als Marktgegenseite) berücksichtigt. Verwertungsgesellschaften unterliegen einem Abschlusszwang (§ 34 Abs. 1 VGG) und der Tarifkontrolle (§§ 37 ff. VGG). Aus dem Ab-

238 Siehe in diesem Kapitel, *B, I.*

239 Letztlich handelt es sich bei der Einbringung der Rechte in ein kollektives Verwertungssystem um eine Handlung, die aus kartellrechtlicher Sicht kritisch zu beurteilen ist (exemplarisch bei *Hemphill*, Colum. J.L. & Arts 34 (2011), 645, 646 f.). Die kollektive Wahrnehmung der Rechte erweist sich als rechtfertigungsbedürftiger Verstoß gegen das Kartellverbot des Art. 101 Abs. 1 AEUV. Durch die Bildung von Verwertungsgesellschaften drücken Urheber- und Leistungsschutzberechtigte ihren Willen zur Koordinierung aus (soweit eine wirtschaftliche Verwertung der Rechte erfolgt, ist jeder Urheber- und Leistungsschutzberechtigte als Unternehmen anzusehen). Diese Vereinbarung bezweckt eine spürbare Beschränkung des Wettbewerbs der Rechteinhaber um Nutzer (*Lichtenegger*, Verwertungsgesellschaften, Kartellverbot und Neue Medien, 2014, S. 362 ff.). Eine Rechtfertigung bzw. eine Freistellung vom Kartellverbot kann nur unter den vier kumulativen Voraussetzungen des Art. 101 Abs. 3 AEUV erfolgen. Hierzu gehören zuvorderst die Generierung von *„Effizienzvorteilen"* und eine *„Verbraucherbeteiligung"* (*ders.*, Verwertungsgesellschaften, Kartellverbot und Neue Medien, 2014, S. 410 ff.; so auch *Schierholz*, in: Walter/von Lewinski (Hrsg.), European copyright law, 2010, Ziff. 12.0.22). Die Verbraucherbeteiligung ist nicht mehr gewährleistet, wenn ein Mischsystem nach beschriebenem Vorbild entwickelt wird.
(Zur Sicherung des Anspruchs der Werkschöpfer und ausübenden Künstler auf angemessene Vergütung und den hieraus entstehenden Konflikt mit dem Kartellrecht, siehe etwa *Drexl*, in: Ohly (Hrsg.), Perspektiven des geistigen Eigentums und Wettbewerbsrechts, 2005, S. 651 ff.))

schlusszwang der Verwertungsgesellschaften lässt sich grundsätzlich die Verpflichtung ableiten, stets wirtschaftlich vollwertige Nutzungsrechte zu vergeben und einem Modell der „getrennten Rechtevergabe" entgegenzutreten. Denn Kombinationsmodelle aus kollektiver und individueller Rechtevergabe widersprechen den systemischen Funktionen der kollektiven Rechtevergabe und der Idee des Abschlusszwangs. Genauso wie die Transaktionskosten nur dann gesenkt werden, wenn die kollektive Rechtewahrnehmung die individuelle Rechtewahrnehmung tatsächlich ersetzt, können Abschlusszwang und Tarifkontrolle nur dann wirksam greifen, wenn durch den Vertragsschluss zu einem bestimmten Tarif ein nutzbarer Gegenstand erworben wird. Eine Kombination von individueller und kollektiver Rechtewahrnehmung hebt die Vorteile der Kollektivierung nutzerseitig hingegen auf. Die Kollektivierung ließe sich für die Rechteinhaber einseitig nutzen, indem sie ihnen zunächst eine Mindestvergütung sichert und – zumindest für attraktive Repertoires – gleichzeitig die Möglichkeit lässt, durch zusätzliche individuelle Rechtewahrnehmung eine höhere Vergütung zu erzielen und Exklusivität zurückzugewinnen.[240] Es handelt sich um eine einseitige Bevorteilung, welche mit den beiden wesentlichen Grundsätzen der kollektiven Rechtewahrnehmung, Abschlusszwang (oder zumindest ein

240 In einer sehr frühen Entscheidung aus dem Jahr 1987 (EuGH, C-402/85, ECLI:EU:C:1987:197 – *Basset*) war der EuGH mit einem ähnlichen Phänomen des französischen Rechts befasst. In Frankreich setzte sich die Vergütung für die Vorführung von Musikwerken i.H.v. 8,25 % des Bruttoumsatzes aus einer Vergütung von 6,60 % für „die Veräußerung des Vorführrechts" und einer „'zusätzliche[n]' Vervielfältigungsgebühr von 1,65 %" zusammen. Die zusätzliche Vervielfältigungsgebühr sei nach französischem Recht erlaubt gewesen, da die eigentliche Vervielfältigungsgebühr für die Tonbandaufnahme nicht für die Fälle abgegolten sei, in denen diese von einem Verwerter nach dem Erwerb öffentlich genutzt werde (Rz. 7 und 8). Der EuGH hatte nun zu entscheiden, ob diese zusätzliche Gebühr erstens mit dem Erschöpfungsgrundsatz bzw. der Warenverkehrsfreiheit in Einklang stand und zweitens einen Missbrauch einer marktbeherrschenden Stellung bedeutet. Beiden Fragen ging der EuGH aus dem Weg, indem er pragmatisch darauf hinwies, dass es sich „bei der zusätzlichen Gebühr für die mechanische Vervielfältigung […], unabhängig von der Ausgestaltung durch die französischen Rechtsvorschriften und die französische Praxis, [letztlich] um einen Teil der Abgeltung der Urheberrechte für die öffentliche Vorführung eines aufgezeichneten musikalischen Werks [handelt]." (Rz. 15) Damit rückt auch hier die Nutzung in den Vordergrund. Diese ist relevanter Gegenstand, an dem sich die Vergütung orientieren muss und die dann auch einheitlich dem Abschlusszwang unterfallen sollte. Das deutsche Recht ist bereits in seiner Struktur darauf angelegt, dieses Ergebnis zu erzielen.

Diskriminierungsverbot) sowie Tarifbindung und Tarifkontrolle kaum in Einklang steht.[241]

v. Zwischenfazit

Im Ergebnis ist daher festzuhalten, dass die zweistufige Rechtevergabe bzw. die vertikale Fragmentierung der deutschen Urheberrechtssystematik und dem Wesen des Verwertungsgesellschaftsrechts widerspricht. Sie ist auch aus kartellrechtlicher Sicht kritisch zu bewerten. Nach deutschem Recht ist die Aufteilung des Onlinenutzungsrechts in Form des Streamings, in einen Teil, welcher den notwendigen Upload auf einen Server erlaubt und in einen weiteren Teil, welcher sich auf die öffentliche Bereitstellung des Dienstes bezieht, nicht möglich.

(b) Analyse des europäischen Rechtsrahmens

Fraglich ist allerdings, wie sich das europäische Recht auf die Bewertung des beschriebenen Lizenzierungsmodells auswirkt. Zweifellos stellen die unterschiedlichen nationalen urheberrechtlichen Lizenzierungsmodelle ein Hindernis für die Entwicklung eines Binnenmarkts für Onlinekulturangebote, speziell Onlinemusik, dar.[242] Eine inhaltliche Angleichung könnte Spannungen vermeiden und den Lizenzierungsprozess vereinfachen.

i. Der Harmonisierungsstand

Das Urheberrecht unterliegt bereits seit rund 25 Jahren einem Harmonisierungsprozess, der zu Anfang sehr punktuell erfolgte, aber am Beginn des Jahrtausends mit der InfoSoc-RL einen zentralen Baustein erhielt.[243] Daneben spielen seit jeher die Grundfreiheiten eine wichtige Rolle. Einen großen Teil der europäischen Urheberrechtsfortbildung übernimmt dabei

241 So auch *Schaefer*, ZUM 2010, 150, 152 f.

242 Siehe hierzu etwa *Hugenholtz*, in: Derclaye (Hrsg.), Research handbook on the future of EU copyright, 2009, S. 12 ff.

243 *Schack*, in: Leistner (Hrsg.), Europäische Perspektiven des geistigen Eigentums, 2010, S. 173, 173 ff.

der EuGH.[244] Zahlreiche zentrale Fragen sind jedoch nach wie vor dem nationalen Recht überlassen. Von Interesse für die Frage nach der Aufspaltbarkeit der zur Onlinenutzung erforderlichen Rechte sind auf europäischer Ebene die InfoSoc-RL und die VG-RL.

Die InfoSoc-RL widmet sich zentralen urheberrechtlichen Fragen wie der Ausgestaltung der Urheberrechtsschranken (Art. 5) und den Verwertungsformen der Vervielfältigung, öffentlichen Wiedergabe und Zugänglichmachung sowie der Verbreitung (Art. 2–4). Ein eigenständiges Onlinerecht schafft sie allerdings nicht. Weder die InfoSoc-RL noch das deutsche Recht oder andere europäische Rechtsordnungen sehen ein gesondert normiertes Verwertungsrecht für Onlinenutzungen vor.[245] Auch in der VG-RL (etwa in den Erwägungsgründen 19 und 37) geht der europäische Gesetzgeber davon aus, dass es kein eigenständiges Onlineverwertungsrecht gibt.[246]

---

244 Hierzu ausführlich *Metzger*, ZEuP 2017, 836 ff.

245 *Heyde*, Die grenzüberschreitende Lizenzierung von Online-Musikrechten in Europa, 2011, S. 63. Sie auch EU-Kommissions-Entscheidung *Universal/BMG Music Publishing*, S. 7 f. (COMP/M.4404), in der die Kommission zwar von einem eigenen Produktmarkt der Onlinerechte, nicht jedoch von einem eigenständigen Recht ausgeht. In der deutschen Literatur wird bestenfalls die öffentliche Zugänglichmachung nach § 19a UrhG als zentrales, aber nicht alleiniges Verwertungsrecht im Onlinebereich angesehen (*Bullinger*, in: Wandtke/Bullinger (Hrsg.), Praxiskommentar zum Urheberrecht, [4]2014, § 19a, Rn. 12 ff.; *Dreier*, in: Dreier/Schulze (Hrsg.), Urheberrechtsgesetz, [7]2022, § 19a, Rn. 1 ff.).

246 In ihrer Empfehlung von 2005 definierte die Kommission die Onlinerechte allerdings als:
„i) das ausschließliche Recht der Vervielfältigung in der Form von unkörperlichen Kopien (Richtlinie 2001/29/EG), die im Zuge der Online-Verbreitung von Musikwerken vorgenommen werden;
ii) das Recht der öffentlichen Wiedergabe eines Musikwerks, entweder in der Form eines Rechts zu erlauben oder zu verbieten (Richtlinie 2001/29/EG), oder eines Rechts auf angemessene Vergütung (Richtlinie 92/100/EWG). Diese Rechte erstrecken sich auf Webcasting, Internet-Radio und Simulcasting oder ‚Near-on-Demand'-Dienste, die entweder auf einem PC oder auf einem Mobiltelefon empfangen werden;
iii) das ausschließliche Recht der öffentlichen Zugänglichmachung eines Musikwerks (Richtlinie 2001/29/EG), das ‚On-Demand' oder andere ‚interaktive' Dienste umfasst;" Das Verständnis der Kommission bzgl. Onlinenutzung wird hier sehr deutlich. Ein eigenständiges Onlineverwertungsrecht bildet demnach auch das Recht der öffentlichen Zugänglichmachung nicht, vielmehr können, je nach Ausgestaltung der konkreten Nutzung, verschiedene Verwertungsrechte und in der Regel mehrere Verwertungsrechte zugleich betroffen sein. Spricht man von einem Onlinerecht, so bezeichnet dies keinen eigenständigen Rechtsbegriff und erst recht

Zu der Frage der Übertragbarkeit des Urheberrechts bzw. der Frage wie der Rechtsverkehr im Urheberrecht konkret ausgestaltet ist, enthält die InfoSoc-RL kaum Regelungen.[247] Lediglich in Erwägungsgrund 30 ist davon die Rede, dass die von der Richtlinie erfassten Rechte „übertragen oder abgetreten werden oder Gegenstand vertraglicher Lizenzen sein" können. Eine konkrete Ausgestaltung der Art und Weise des urheberrechtlichen Rechtsverkehrs ist damit jedoch nicht verbunden. Zwar können in nahezu allen Mitgliedstaaten der EU die wirtschaftlichen Bestandteile des Urheberrechts übertragen werden, die InfoSoc-RL lässt allerdings auch das deutsche Modell mit seiner Anknüpfung an Nutzungsarten bei gleichzeitiger Unübertragbarkeit der Verwertungsrechte zu.[248] Entsprechend bleibt auch der monistische Ansatz des deutschen Urheberrechts und damit die Unübertragbarkeit des Urheberrechts und der einzelnen Verwertungsrechte bestehen.[249] Deshalb ist es auch verfehlt, von der europäischen Ausgestaltung der Verwertungsrechte, besonders des Rechts der öffentlichen Zugänglichmachung, auf eine Ausgestaltung der Aufspaltbarkeit der Nutzungsrechte oder – noch weitergehender – auf die Verkehrsfähigkeit des Urheberrechts zu schließen.[250]

Problematischer ist die Beurteilung der begrenzten Aufspaltbarkeit der Nutzungsrechte im Lichte der VG-RL. Vor allem in den Erwägungsgründen 37 und 46 der VG-RL scheint der europäische Gesetzgeber von einem Modell der Rechtevergabe entlang der Verwertungsrechte auszugehen. Erwägungsrund 37 der VG-RL bezieht sich ausdrücklich auf die InfoSoc-RL und enthält ganz beiläufig eine Aussage, die – je nach Lesart und methodischer Einordnung – eine enorme Tragweite entwickeln kann. Demnach verlange „die Richtlinie 2001/29/EG [...], dass für jedes der Rechte, die bei der Online-Verwertung von Musikwerken zum Tragen kommen, eine Lizenz erforderlich ist. Zu den Rechten des Urhebers gehört das ausschließliche Recht

kein klar definiertes Verwertungsrecht. Vielmehr handelt es sich um eine untechnische Sammelbezeichnung für die Gesamtheit derjenigen Verwertungsrechte, die bei einer Nutzung von urheberrechtlich geschützten Werken im Internet betroffen sein können. Ähnlich *Heyde*, Die grenzüberschreitende Lizenzierung von Online-Musikrechten in Europa, 2011, S. 64 und bereits *Poll*, GRUR 2007, 476 ff.

247 So implizit etwa: *Schack*, in: Leistner (Hrsg.), Europäische Perspektiven des geistigen Eigentums, 2010, S. 173, 184 f.

248 *Ohly*, in: Schricker/Loewenheim (Hrsg.), Urheberrecht, ^{5}2017, § 29, Rn. 7.

249 *Pflüger*, Gerechter Ausgleich und angemessene Vergütung, 2017, S. 49 f. Gleichwohl ist zu konstatieren, dass im Denkmodell des europäischen Gesetzgebers die Verkehrsfähigkeit der Verwertungsrechte beinahe selbstverständlich zu sein scheint.

250 Diesen Ansatz scheint *Jani* zu verfolgen (*Jani*, ZUM 2009, 722, 724 f.).

auf Vervielfältigung und das ausschließliche Recht auf öffentliche Wiedergabe von Musikwerken [...]. Das Vervielfältigungsrecht und das Recht der öffentlichen Wiedergabe des Urhebers kann von verschiedenen Organisationen für die kollektive Rechtewahrnehmung wahrgenommen werden." Aus der Beschreibung dieses Wahrnehmungskonzepts könnte man folgern, dass eine Aufspaltung der Rechte anhand der Verwertungsrechte, wie sie sich in der InfoSoc-RL finden, nunmehr erklärter Wille des europäischen Gesetzgebers ist.[251]

Drei grundsätzliche Fragen müssen in diesem Zusammenhang gestellt werden: Erstens, darf der europäische Gesetzgeber diese Frage regeln, liegt also eine Gesetzgebungskompetenz vor? Zweitens, kann er bindende Vorgaben zur Interpretation eines früheren Rechtsakts in den Erwägungsgründen eines späteren Rechtsakts machen? Drittens, wollte er diese Frage tatsächlich regeln?

ii. Die Regelungskompetenz des Unionsgesetzgebers

Gegen die Regelungskompetenz des Unionsgesetzgebers mag sprechen, dass die Harmonisierung der Übertragbarkeit der Verwertungsrechte in die monistische Tradition des deutschen Urheberrechts eingreift und mit Konsequenzen für die Vereinigung von Vermögensrecht und Persönlichkeitsrecht nach deutschem Verständnis verbunden wäre.[252] Grundsätzlich finden sich in Art. 114 ff. und Art. 118 AEUV aber breit angelegte Rechtssetzungskompetenzen der Europäischen Union, die eine Offenheit auch für eine tiefgreifende Vereinheitlichung des Urheberrechts schaffen.[253] Der Binnenmarktbezug ist auch bei dieser Frage schnell hergestellt, da die bestehenden Rechtsunterschiede erheblichen Einfluss auf die grenzüberschrei-

---

251 Verstärkt wird dieser Eindruck von den Ausführungen in Erwägungsgrund 46 der VG-RL, wo davon gesprochen wird, dass von Organisationen für die kollektive Rechtewahrnehmung *„Rechte an denselben Werken bündeln, um das Recht zur Vervielfältigung und das Recht zur öffentlichen Wiedergabe dieser Werke zusammen vergeben zu können."* Wohl mit diesem Verständnis: *Ohly*, in: Schricker/Loewenheim (Hrsg.), Urheberrecht, [5]2017, § 31, Rn. 39.

252 Sehr ausführlich bei *Fischer*, Perspektiven für ein europäisches Urheberrecht, 2014, 47 ff. Sehr pragmatisch mit der Kompetenzfrage geht hingegen *Schack* um, *Schack*, in: Leistner (Hrsg.), Europäische Perspektiven des geistigen Eigentums, 2010, S. 173, 180 f.

253 *Stieper*, in: Grabitz/Hilf/Nettesheim (Hrsg.), Das Recht der Europäischen Union, 2019, Art. 118 AEUV, Rn. 37 f.

tende Lizenzierung von Urheber- und verwandten Schutzrechten haben können. Was das Subsidiaritätsprinzip und den Verhältnismäßigkeitsgrundsatz anbelangt, kann man entweder eine sehr detaillierte Prüfung beginnen oder es mit *Schack* halten. Demnach „[ist] das Subsidiaritätsprinzip, dessen Einhaltung sich der EG-Gesetzgeber regelmäßig selbst zu bescheinigen pflegt, kein ernsthaftes Hindernis“ und hinsichtlich des Verhältnismäßigkeitsgrundsatzes gilt, „wo ein politischer Wille ist, ist auch ein Weg“.[254]

iii. Reform der InfoSoc-RL durch Erwägungsgründe der VG-RL?

Interessanter sind die systematischen Erwägungen der zweiten Frage. Grundsätzlich ist es nicht ausgeschlossen, dass der europäische Gesetzgeber in einem späteren Rechtsakt Änderungen oder Interpretationsvorgaben zu einem älteren Rechtsakt macht. Auch im Europarecht gilt der Grundsatz *lex posterior derogat legi prori* als allgemeines juristisches Prinzip.[255] Zwei weitere methodische Erwägungen lassen hieran aber Zweifel aufkommen. Erstens der ebenso bedeutende Grundsatz *lex specialis derogat legi generali*,[256] denn die Ausgestaltung des materiellen Urheberrechts ist Gegenstand der InfoSoc-RL und nicht der VG-RL.[257] Unterschiede im materiellen Urheberrecht sind zwar zweifellos binnenmarktrelevant, insbesondere wenn es um länderübergreifende Lizenzierungen von Onlinemusikrechten geht, sie stehen jedoch nicht im Zentrum der Betrachtung der VG-RL und werden auch nicht ausschließlich im Zusammenhang mit der kollektiven Rechtewahrnehmung relevant, sondern sind allgemeiner Natur. Andere europäische Rechtsakte sind der richtige Ort zur Regelung dieser Materie (z.B. die InfoSoc-RL oder die DSM-RL).

Eine zweite systematische Überlegung verstärkt den geäußerten Zweifel. Die Ausführungen sind ausschließlich in den Erwägungsgründen (Erwägungsgrund 37 VG-RL) und nicht im operativen Teil der Richtlinie

---

254 *Schack*, in: Leistner (Hrsg.), Europäische Perspektiven des geistigen Eigentums, 2010, S. 173, 180 f.

255 *Riesenhuber*, in: ders. (Hrsg.), European Legal Methodology, ^{2}2021, § 10 Rn. 30.

256 *Ders.*, in: ders. (Hrsg.), European Legal Methodology, ^{2}2021, § 10 Rn. 31.

257 Der primäre Gegenstand der VG-RL ist nach Erwägungsgrund 8: „[...] die Koordinierung nationaler Vorschriften, die sich auf die Aufnahme der Tätigkeit einer Organisation zur kollektiven Wahrnehmung von Urheber- und verwandten Schutzrechten, die Modalitäten ihrer internen Funktionsweise und auf ihre Beaufsichtigung beziehe*n* [...]“.

enthalten. Die Bindungswirkung der Erwägungsgründe im europäischen Recht ist hoch. Sie sind nicht bloß Auslegungshilfen, sondern können gewissermaßen als Auslegungsvorgabe angesehen werden. Jede Auslegung oder Interpretation muss jedoch zumindest ansatzweise im operativen Teil, also dem eigentlichen Rechtsakt angelegt sein.[258] Im operativen Teil der VG-RL fehlt jedoch schon der Ansatz einer Vorschrift mit Bezug zur Aufspaltbarkeit der Nutzungsrechte. Auch Art. 5 Abs. 2 VG-RL kann kaum als inhaltliche Vorschrift zur materiellen Ausgestaltung der Nutzungsrechte und der Frage ihrer Aufspaltbarkeit verstanden werden. Zweck der Vorschrift ist es, die Einräumungsmöglichkeit an Verwertungsgesellschaften zugunsten der Rechteinhaber sicherzustellen (Wahrnehmungszwang). Es obliegt Rechteinhabern, eine Verwertungsgesellschaft zu wählen, um sie mit der Wahrnehmung ihrer Rechte zu beauftragen. Dies beinhaltet ausdrücklich die Beauftragung „mit der Wahrnehmung von Rechten, von Kategorien von Rechten oder von Arten von Werken und sonstigen Schutzgegenständen ihrer Wahl in den Gebieten ihrer Wahl [...]“ und stellt insoweit eine Reaktion auf die Ablehnung ausländischer Rechteinhaber durch Verwertungsgesellschaften und die Ablehnung der Herausnahme von Repertoireteilen dar.[259] Insbesondere Letzteres sagt allerdings nichts über die Aufspaltbarkeit des materiellen Urheberrechts aus, sondern erlaubt den Rechteinhabern allein eine Auswahl zwischen verschiedenen Verwertungsgesellschaften (sowie der individuellen Rechtewahrnehmung) im Rahmen des bestehenden Urheberrechts.[260]

---

258 *Riesenhuber*, in: ders. (Hrsg.), European Legal Methodology, ^{2}2021, §10 Rn. 38.

259 Beides war in der Vergangenheit schon Gegenstand von Verfahren. Siehe für die Diskriminierung ausländischer Rechteinhaber exemplarisch Kommission v. 29.19.1981 – 81/1030/EWG, ABl. 1981 L 370/49 ff. – *GVL* und sodann EuGH, C-7/82, ECLI:EU:C:1983:52 – *GVL/Kommission* sowie für repertoirebezogene Einschränkungen Kommission, Entscheidung v. 12. August 2001, COMP/C2/37.219 – *Banghalter / Homem Christo (Daft Punk) v SACEM* = MR-Int 2006, 69. In der *Daft Punk* Entscheidung sah die Kommission das Ausnutzen einer marktbeherrschenden Stellung i.S.v. Art. 102 AEUV darin, dass Verwertungsgesellschaften Urheber zwangen ihr Repertoire auch für die Onlinelizenzierung an Verwertungsgesellschaften zu geben, obwohl in diesem Bereich tatsächlich die Möglichkeit einer Direktlizenzierung bestehe (hierzu auch *Drexl*, in: Torremans (Hrsg.), Copyright Law, 2007, S. 255, 261).

260 So auch *Reinbothe*, der als Beispiel für „Arten von Werken“ und „Kategorien von Rechten“ die anerkannten Werkkategorien des § 2 Abs. 1 UrhG nennt sowie „Rechte für bestimmte Nutzungsformen“, was inhaltlich den an den Nutzungsarten orientierten Nutzungsrechten entspricht (obwohl die Richtlinie in ErwG 19 fälschlicherweise „die Vervielfältigung zur Verbreitung im Internet“ als Beispiel nennt; *Reinbo-*

Mangels Anknüpfungspunktes innerhalb der VG-RL müsste Erwägungsgrund 37 der VG-RL zur Auslegung der InfoSoc-RL herangezogen werden. Dies ist rechtsdogmatisch zweifelhaft, erscheint jedoch nicht ausgeschlossen. Doch auch hier fehlt ein nennenswerter Bezugspunkt im operativen Teil der InfoSoc-RL. Denn eine Vorschrift zur Regelung des Urheberrechtstransfers und zur Aufspaltbarkeit der Rechte enthält die InfoSoc-RL ebenso wenig.[261] Die verschiedenen Traditionen des Urheberechtstransfers bleiben auch nach Erlass der InfoSoc-RL bestehen.

iv. Der Regelungswille

Neben den systematischen Erwägungen ist die dritte Frage entscheidend: Wollte der europäische Gesetzgeber das Urheberrecht inhaltlich ausgestalten? Wichtig ist in diesem Zusammenhang ein weiterer europäischer Grundsatz. Auch wenn der europäische Gesetzgeber sich an einem nationalen Modellgesetz orientiert bzw. eine verbreitete Urheberrechtstradition seinem Denkansatz zugrunde liegt, kann dieses „Modellgesetz“ gleichwohl nicht selbst Rechtsbindung entfalten. Dies folgt bereits aus der Eigenständigkeit des Unionsrechts.[262] So erscheint es naheliegend, dass die verwendeten Begrifflichkeiten weniger Ausdruck eines Regelungswillens, sondern vielmehr bloße Beschreibungen des Marktes sind, der tatsächlich von der anglo-amerikanischen Lizenzierungstradition geprägt ist. Denn die Terminologie mag üblich sein, sie ist zumindest in Kontinentaleuropa aber nicht zwingend rechtlich verankert.

Dass Erwägungsgrund 37 der VG-RL nichts weiter als ein allgemeines Marktverständnis der Kommission – unter Ausblendung der unterschiedlichen Rechtstraditionen in den Mitgliedstaaten – darstellt, legt u.a. die

the, in: Schricker/Loewenheim (Hrsg.), Urheberrecht, [6]2020, § 9 VGG Rn. 5). *Raue* schließt in seiner Kommentierung die Aufspaltung einheitlicher Nutzungsarten im Zusammenhang mit § 9 VGG ausdrücklich aus (*Raue*, in: Dreier/Schulze (Hrsg.), Urheberrechtsgesetz, [7]2022, § 9 VGG Rn. 16).

261 Bei Art. 2–4 InfoSoc-RL geht es um die inhaltliche Ausgestaltung der Rechte. Geregelt wird, welche Ausschließlichkeitsrechte das Urheberrecht gewähren muss und anschließend, welche Einschränkungen der Ausschließlichkeitsrechte vorgenommen werden können. In diesem Zusammenhang ist die InfoSoc-RL zu lesen (*Schack*, in: Leistner (Hrsg.), Europäische Perspektiven des geistigen Eigentums, 2010, S. 173, 184 f.).

262 *Riesenhuber*, in: ders. (Hrsg.), European Legal Methodology, [2]2021, § 10 Rn. 39.

GEMA II-Entscheidung der Kommission aus dem Jahr 1972 nahe.[263] Denn schon lange vor einer Harmonisierung des materiellen Urheberrechts zeigte die Kommission ein ähnliches Grundverständnis, was freilich keinerlei Auswirkungen für das materielle Urheberrecht[264] hatte. Nutzungsarten seien demnach beispielsweise das Vervielfältigungs- und Verbreitungsrecht.[265] Auf das deutsche Recht bezogen kann man dies entweder als eine Fehlvorstellung oder schlicht als eine terminologische Ungenauigkeit bewerten. Letzteres scheint wohl angebracht. Schließlich ließ sich auch mit der *GEMA II*-Entscheidung im deutschen Recht leben, ohne dass ein materiell-rechtliches Umdenken stattgefunden hätte. Gleiches gilt aber auch für die Ausführungen in Erwägungsgrund 37 der VG-RL. Ihnen muss kein Regelungsgehalt für das materielle Recht entnommen werden, sie lassen sich genauso als eine – aus deutscher Sicht – terminologische Ungenauigkeit verstehen. Dies wird durch den Verweis auf die InfoSoc-RL in Erwägungsgrund 37 bestätigt. So wird deutlich, dass keine Neuregelung gewünscht ist, sondern allein die Vorgaben der InfoSoc-RL zu beachten sind, die diesen Themenkomplex aber gerade nicht berühren. Im Gegenteil, auch die VG-RL kennt Diskriminierungsverbot und Tarifkontrolle (Art. 16 VG-RL). Beides ist mit einem Mischsystem aus kollektiver und individueller Rechtewahrnehmung nicht vereinbar.[266]

v. Zwischenergebnis

Nach alldem ist festzustellen, dass sich das europäische Recht, insbesondere die VG-RL, nicht auf die Bewertung des Lizenzierungsmodells auswirkt, wie es Gegenstand der *MyVideo*-Entscheidung war. Es handelt sich schlicht um eine terminologische Ungenauigkeit, die im Kontext des europäischen Urheberrechts und im Kontext der nationalen Traditionen zu lesen ist. Eine Aussage zum Wesen der Verwertungsrechte und ihrer Übertragbarkeit kann auch der VG-RL nicht entnommen werden.

---

263 Kommission v. 6.7.1972 – 72/268/EWG, ABl. 1972 L 166/15, 22, 23 – *GEMA II.*

264 Insbesondere nicht für die Frage der Verkehrsfähigkeit der Verwertungsrechte und den monistischen Ansatz.

265 Kommission, 72/268/EWG, ABl. 1972 L 166/15, 22, 23 – *GEMA II.*

266 Zuletzt lässt sich der Satz „Das Vervielfältigungsrecht und das Recht der öffentlichen Wiedergabe des Urhebers kann von verschiedenen Organisationen für die kollektive Rechtewahrnehmung wahrgenommen werden", als bloße Beschreibung des Status quo in einigen Jurisdiktionen – vor allem Großbritannien – verstehen. Ein Regelungswille muss damit nicht verbunden sein.

(3) Ergebnis

Die *MyVideo*-Entscheidung des OLG München erweist sich als eine zentrale Entscheidung für das deutsche Urheberrecht, zeigt sie doch wesentliche Implikationen der Orientierung an Nutzungsarten als tatsächlich übliche, technisch und wirtschaftlich eigenständige Verwendungsformen. Dieses Urheberrechtsverständnis steht in Kontrast zu anderen Urheberrechtstraditionen, welche von der Übertragung der Verwertungsrechte ausgehen. Die Übertragung der Verwertungsrechte ist nach deutschem Rechtsverständnis bereits aufgrund des gewählten monistischen Ansatzes nicht möglich.

Die Orientierung an den Nutzungsarten bringt erhebliche Vorteile bei der Rechteklärung mit sich. Ein Rechtenutzer, der eine näher bestimmte Nutzung vornehmen möchte, muss sich in der Regel nur mit einem Rechteinhaber auseinandersetzen. Die Orientierung an den Verwertungsrechten bei gleichzeitiger Übertragbarkeit dieser, führt hingegen zu einer zusätzlichen Fragmentierung des Urheberrechts in vertikaler Richtung. Einheitliche Vorgänge werden künstlich aufgespalten.

Besonders im Zusammenhang mit der kollektiven Rechtewahrnehmung ist eine derartige Aufspaltung des Urheberrechts kaum zu rechtfertigen. Denn eine Bedingung der Kollektivierung der Rechte besteht in der Nutzerbeteiligung. Die Kollektivierung dient nicht allein dem Schutz der Rechteinhaber im Sinne einer Vereinfachung der Kontrolle und zugleich der Sicherung einer Mindestvergütung über standardisierte Tarife. Ebenso entscheidend ist die Beteiligung der Nutzer an den Vorteilen der Kollektivierung. Konkret bedeutet dies, eine Vereinfachung des Rechteclearings und zugleich eine Effektuierung von Tarifsicherheit und Tarifangemessenheit. Beides wird in einem Modell der Aufspaltung der Urheberrechte in parallele Systeme der kollektiven und der individuellen Rechtewahrnehmung in Frage gestellt.

Für diese Arbeit sind vor allem die (kollisionsrechtlichen) Rückwirkungen des materiellen Urheberrechts auf das Verwertungsgesellschaftsrecht interessant. Kollisionsrechtlich führt die *lex loci protectionis* zur Anwendung deutschen Rechts, wenn es um die Lizenzierung urheberrechtlicher Nutzungen in Deutschland geht. Auch ausländische Rechteinhaber und Verwertungsgesellschaften müssen sich daher am Modell der Lizenzierung von Nutzungsarten orientieren, wenn sie Lizenzen für Nutzungen in Deutschland erteilen. Auch hierin zeigt sich die Verstrickung von kollektiver Rechtewahrnehmung und materiellem Urheberrecht (in seiner jeweiligen nationalen Ausgestaltung).

c) Die Kollektivierung der mechanischen Rechte in den USA

Die Fragmentierung der Rechte und das damit einhergehende Erfordernis der getrennten Lizenzierung von Aufführungs- und Vervielfältigungsrechten hat auch jüngst in den USA den Gesetzgeber zur Reformierung des Urheberrechts veranlasst. Unter dem Titel *Music Modernization Act* (MMA) wurde eine umfassende Reform des amerikanischen Urheberrechts beschlossen, die darauf abzielt, das Rechteclearing für Onlinemusikdienste gerade hinsichtlich der mechanischen Rechte zu vereinfachen.[267]

Während die Aufführungsrechte (*public perfomance rights*) auch in den Vereinigten Staaten von Verwertungsgesellschaften (*performing rights societies*) wahrgenommen und lizenziert werden, erfolgte der notwenige Erwerb der Vervielfältigungsrechte (*mechanical rights*) bislang über die Harry Fox Agency (HFA) – dies jedoch nur soweit die Rechteinhaber sich für eine Wahrnehmung über die HFA entschieden hatten.[268] Auch in den USA ist nach allgemeiner Auffassung für den Betrieb interaktiver Streaming-Dienste im Musikbereich der Erwerb beider Rechte – der *performing rights* und der *mechanical rights* – erforderlich.[269] Die damit verbundene Unübersichtlichkeit beim Rechteerwerb führte zu zahlreichen Rechtsstreitigkeiten.[270] Der Gesetzgeber reagierte hierauf und überführt nun zur Vereinfachung des Rechteerwerbs auch die mechanischen Rechte verpflichtend in ein Verwertungsgesellschaftssystem. Der *Music Modernization Act* bewirkt dies durch die Einführung einer Pauschallizenz (*blanket license*), die dann notwendigerweise durch eine Verwertungsgesellschaft bzw. Non-Profit-Agentur (*Mechanical Licensing Collective*) vergeben wird, welche die Rechte bei sich bündelt und von Verlagen und Musikschaffenden ohne Verlagsbindung betrieben wird.[271] Erlaubt werden damit die Vervielfältigung und Verbreitung von musikalischen Werken für näher bestimmte Tätigkeiten (17 U.S.C.

---

267 Orrin G. Hatch-Bob Goodlatte Music Modernization Act, Pub. L. No. 115–264, 132 Stat. 3676 (2018) (sodann in verschiedenen Normen von 17 U.S.C umgesetzt, online abrufbar unter: https://www.congress.gov/115/plaws/publ264/PLAW-115publ264.pdf, zuletzt abgerufen am 7.2.2020). Von Relevanz in diesem Zusammenhang ist Title 1 des MMA (Sec. 102 ff.).

268 *Hieber*, ZUM 2019, 161, 162; *Heyde*, Die grenzüberschreitende Lizenzierung von Online-Musikrechten in Europa, 2011, 197 ff.

269 *Hieber*, ZUM 2019, 161, 162; *Heyde*, Die grenzüberschreitende Lizenzierung von Online-Musikrechten in Europa, 2011, 197 ff.; *Loren*, Case W. Res. L. Rev. 53 (2003), 673, 680-681, 686, 689. Siehe nun 17 U.S.C. § 115 – U.S. Code.

270 *Hieber*, ZUM 2019, 161, 164.

271 nähere Ausführungen finden sich bei *ders.*, ZUM 2019, 161, 165 ff.

§ 115(d)). Zu den erfassten Tätigkeiten zählt die digitale Übertragung musikalischer Werke in der Form des dauerhaften Downloads, des beschränkten (vorrübergehenden) Downloads und des interaktiven Streamings.[272]

Hieran zeigt sich, dass die Rechtefragmentierung ein Problem im Urheberrechtsverkehr darstellt, welches als solches erkannt wurde. Dabei lässt sich wie in den USA durch die Einführung einer Verwertungsgesellschaftspflicht punktuell entgegensteuern. Genauso kann man dem Problem der Rechtefragmentierung durch die nutzungsbasierte Ausgestaltung des Urheberrechts auf systematische Weise begegnen. Das deutsche Recht hat grundsätzlich diesen systematischen Vorteil.

D. Zusammenfassung

Verwertungsgesellschaften sind eine der wichtigsten Schnittstellen im Urheberrechtstransfer. Sie bringen Urheber und Rechtenutzer zusammen. Geht es um die Sicherung der Vergütung, stehen Verwertungsgesellschaften auf der Seite der Urheber, zugleich stehen sie auf der Seite der Nutzer, soweit es darum geht, diesen einen möglichst einfachen Zugang zu den Rechten zu verschaffen. Entsprechend werden den Verwertungsgesellschaften drei grundlegende Funktionen zugesprochen: *Ermöglichungsfunktion*, *Zentralstellenfunktion* und *Vergütungssicherungsfunktion.*

Diese drei Kernfunktionen der Verwertungsgesellschaften finden sich in den verschiedenen Wirkungsweisen des Verwertungsgesellschaftssystems in ökonomischer, kultureller und sozialer Hinsicht wieder. Während die Ermöglichungsfunktion, als Reaktion auf die Transaktionskostenproblematik, den ökonomischen Kern der Kollektivierung bilden mag, befindet sich die Vergütungssicherung an der Schnittstelle zwischen sozialen und ökonomischen Zwecken. Noch weniger lässt sich die Zentralstellenfunktion klar zuordnen. Sie wirkt sich marktgestaltend aus, indem sie die Herausbildung nachgelagerter Dienste fördert. Sie ist damit Voraussetzung für die Entstehung eines kreativen Wettbewerbs auf Ebene der Kulturvermittlung und

272 "A digital music provider […] may […] make and distribute digital phonorecord deliveries of musical works through one or more covered activities." (17 U.S.C. § 115(d)(1)(A)) "The term 'covered activity' means the activity of making a digital phonorecord delivery of a musical work, including in the form of a permanent download, limited download, or interactive stream, where such activity qualifies for a compulsory license under this section" (17 U.S.C. § 115(e)(7)). Ausführlich zur Reform *Loren*, B.U. L. Rev. 99 (2019), 2519 ff.

erhält so auch eine kulturelle Komponente. Zugleich schafft die Zentralstellenfunktion die Voraussetzung für den Zugang zu einem breiten Spektrum an Kulturgütern und verwirklicht damit auch eine gesellschaftliche Aufgabe, die sich so in den sozialen Funktionen des Verwertungsgesellschaftssystems wiederfindet. Neben den ökonomischen Effizienzgedanken tritt schließlich eine berechtigte Erwartung der Gesellschaft, das Kulturschaffen zu fördern und die Gesellschaft am Kulturleben zu beteiligen. Dieses kulturelle Verständnis des Verwertungsgesellschaftssystems kommt in der VG-RL nur am Rande zur Sprache. Die Analyse legte eine funktionale Verortung der kollektiven Rechtewahrnehmung innerhalb der Bereiche der Wettbewerbs- und Kulturpolitik offen, die grundsätzlich auch auf kollisionsrechtlicher Ebene zu berücksichtigen ist.

Zum Verständnis des Verwertungsgesellschaftssystems und besonders zum Verständnis ihrer Aufgaben als Zentralstellen beim Rechteerwerb war außerdem eine nähere Untersuchung des Urheberrechtssystems erforderlich – welche Rechte werden überhaupt benötigt, um Dienste auf der Ebene der Kulturvermittlung anzubieten? Es zeigte sich eine weitreichende Fragmentierung der Rechte – genauer eine Fragmentierung in drei Richtungen. Während die territoriale und die horizontale Fragmentierung in der Urheberechtskonzeption per se angelegt sind, erweist sich die vertikale Fragmentierung als ein – zumindest aus deutscher Sicht – vermeidbares zusätzliches Hindernis beim Rechteerwerb. Nationale Urheberrechtsbesonderheiten wirken sich stark auf die Betätigung der Verwertungsgesellschaften aus. Schließlich sind Urheberrechte in ihrer jeweiligen nationalen Ausgestaltung Gegenstand der Rechtewahrnehmung. In diesem Zusammenhang stellt sich die *MyVideo*-Entscheidung des OLG München als eine zentrale Entscheidung für das deutsche Urheberrecht dar, zeigt sie doch wesentliche Implikationen der Orientierung an Nutzungsarten als tatsächlich übliche, technisch und wirtschaftlich eigenständige Verwendungsformen. Dieses Urheberrechtsverständnis steht in Kontrast zu anderen Urheberrechtstraditionen, welche von der Übertragung der Verwertungsrechte ausgehen. Kollisionsrechtlich führt die *lex loci protectionis* zur Anwendung deutschen Rechts, wenn es um die Lizenzierung urheberrechtlicher Nutzungen in Deutschland geht. Dies bedeutet, dass auch ausländische Rechteinhaber und Verwertungsgesellschaften sich am Modell der Lizenzierung von Nutzungsarten orientieren müssen, wenn sie Lizenzen für Nutzungen in Deutschland erteilen.

Die Auseinandersetzung mit dem Verwertungsgesellschaftssystem sollte vor allem zwei Dinge verdeutlichen. Erstens, Verwertungsgesellschaften nehmen eine zentrale Rolle beim Funktionsschutz des Urheberrechts ein. Ihrer Begründung lag ein informationsökonomisches Problem zugrunde, ihr Betätigungsfeld hat sich jedoch schnell erweitert. Verwertungsgesellschaften sind so aus gesetzgeberischer Sicht zu einem wesentlichen Mittel bei der Ausgestaltung des Urheberrechts avanciert. Dies zeigt sich etwa im Abschlusszwang der Verwertungsgesellschaften und ist dann offensichtlich, wenn Rechte verwertungsgesellschaftspflichtig ausgestaltet werden oder wenn – wie im Fall der vergriffenen Werke – die Zentralstellenfunktion der Verwertungsgesellschaften zur Auflösung spezifischer Probleme des Urheberrechts eingesetzt wird. Aktuelles Beispiel zum Einsatz von Verwertungsgesellschaften bei der Ausgestaltung des Urheberrechts ist die Kollektivierung der mechanischen Rechte in den USA durch den *Music Modernization Act.* So erhält das Verwertungsgesellschaftsrecht einen ordnungspolitischen Charakter, der sich in einem kollisionsrechtlichen Modell wiederfinden sollte. Zweitens legte die *MyVideo*-Entscheidung exemplarisch die inhaltlichen Verschränkungen von Urheber- und Verwertungsgesellschaftsrecht offen. Kollisionsrechtlich bedeutet dies, dass das internationale Urheberrecht im Kollisionsrecht der kollektiven Rechtewahrnehmung von Anfang an mitbedacht werden muss.

Kapitel 2. Die Internationale Rechtevergabe durch Verwertungsgesellschaften nach dem alten Modell – Gegenseitigkeitsverträge als Kollisionsrechtsersatz

A. Szenarien der internationalen Betätigung von Verwertungsgesellschaften

Die Wahrnehmungspraxis im alten System der kollektiven Rechtewahrnehmung zeichnete sich durch eine dreifache Einschränkung der Verwertungsgesellschaften aus. Erstens vertraten die Verwertungsgesellschaften beinahe ausschließlich Rechteinhaber aus dem Inland,[273] zweitens beschränkten sich Verwertungsgesellschaften auf die Erteilung von Lizenzen an inländische Verwerter und drittens wurde der Geltungsbereich der von den Verwertungsgesellschaften erteilten Lizenzen auf das Inland beschränkt.[274] Da die Mitglieder der Gesellschaften und sonstige Rechteinhaber diesen aber in aller Regel ihre Rechte zur umfassenden, das heißt zur weltweiten Verwertung, anvertrauten, behalfen sich die Verwertungsgesellschaften mit sogenannten Gegenseitigkeitsverträgen, welche durch die Einbindung ausländischer Schwestergesellschaften eine nahezu weltweite Auswertung der Rechte ermöglichten.[275] Es kam also rein tatsächlich kaum vor, dass eine ausländische Verwertungsgesellschaft Rechte bzw. Nutzungslizenzen für das deutsche Staatsgebiet vergab.

Jenseits der Gegenseitigkeitsverträge sind drei Szenarien denkbar, in denen Verwertungsgesellschaften auf Lizenzierungsebene unmittelbar grenzüberschreitend tätig werden. Erstens, eine inländische Verwertungsgesellschaft lizenziert an ausländische Verwerter für eine inländische Nutzung; zweitens, eine inländische Verwertungsgesellschaft lizenziert an inländische Verwerter für eine ausländische Nutzung; und drittens, eine inländische Verwertungsgesellschaft lizenziert an ausländische Verwerter für

273 Die Wahrnehmung der Rechte ausländischer Rechteinhaber im Rahmen der Gegenseitigkeitsverträge stellt eine Ausnahme dar. Am grundsätzlichen Verhältnis ändert sich hierdurch nichts, vielmehr sind die Gegenseitigkeitsverträge Voraussetzung dieses Systems.

274 Heine/Eisenberg, GRUR Int 2009, 277. Wobei der dritte Punkt der entscheidende ist. Eine Lizenzierung an ausländische Verwerter für inländische Nutzungen war durchaus möglich.

275 Gerlach, in: Wandke/Bullinger UrhG, Vor §§ 1ff. WahrnG, Rn. 20.

eine ausländische Nutzung. Rechtlich relevant sind dabei aber nur zwei Unterscheidungen, erstens, ob es sich um eine ausländische oder gar eine Mehrgebiets-Lizenz handelt (unabhängig davon, wo der Lizenznehmer niedergelassen ist), zweitens, ob es sich um eine Lizenzierung an einen ausländischen Verwerter handelt (unabhängig davon, für welches Gebiet die Lizenzerteilung erfolgt).[276] Der Auslandsbezug kann also entweder durch die Parteien (Verwertungsgesellschaft und Verwerter) oder durch den Gegenstand (das Urheberrecht) hergestellt werden.[277]

In vielen Bereichen der kollektiven Rechtewahrnehmung, vor allem jenseits der Wahrnehmung von „Onlinerechten" bilden Gegenseitigkeitsverträge nach wie vor die Grundlage der internationalen Rechtewahrnehmung.[278]

B. Die Praxis der nationalen Wahrnehmungstätigkeit auf Grundlage der Gegenseitigkeitsverträge und ihre Ausstrahlung auf das Urheberwahrnehmungsgesetz

Fragen zur grenzüberschreitenden Anwendbarkeit des Verwertungsgesellschaftsrechts stellten sich bislang also kaum. Deutlich wird die unzulängliche Auseinandersetzung mit der internationalen Anwendbarkeit des Verwertungsgesellschaftsrechts bei der Durchsicht der Gesetzesmaterialien. Weder der Richtlinienrahmen noch das VGG und der Referentenentwurf zum VGG[279] setzen sich mit diesem Themenbereich explizit auseinander. Im internationalen bzw. europäischen Kontext wurden zwar Fragen

276 *Drexl*, in: Purnhagen/Micklitz (Hrsg.), Varieties of European Economic Law and Regulation, 2014, S. 459 ff.

277 Gleiches gilt auf Wahrnehmungsebene, entweder der Auslandsbezug wird durch die Parteien (Rechteinhaber und Verwertungsgesellschaft gehören unterschiedlichen Staaten an) oder durch den Gegenstand der Rechtewahrnehmung (aus Sicht der Verwertungsgesellschaft soll ein ausländisches Recht wahrgenommen werden) hergestellt.

278 Zu neueren Modellen die sich im Anschluss an die Kommissionsempfehlung von 2005 entwickelten *Mazziotti*, Colum. J.L. & Arts 34 (2011), 757, 771 ff. und ausführlich *Heyde*, Die grenzüberschreitende Lizenzierung von Online-Musikrechten in Europa, 2011.

279 Referentenentwurf des Bundesministeriums der Justiz und für Verbraucherschutz, Entwurf eines Gesetzes zur Umsetzung der Richtlinie 2014/26/EU über die kollektive Wahrnehmung von Urheber- und verwandten Schutzrechten und die Vergabe von Mehrgebietslizenzen für Rechte an Musikwerken für die Online-Nutzung im Binnenmarkt sowie zur Änderung des Verfahrens betreffend die Geräte- und Speichermedienvergütung (VG-Richtlinie-Umsetzungsgesetz), vom 9.6.2015.

zur grenzüberschreitenden Kontrolle durch die staatliche Aufsicht über Verwertungsgesellschaften bedacht,[280] der Rechtsbereich greift jedoch tief hinein in das privatrechtliche Verhältnis zwischen Rechteinhabern, Verwertungsgesellschaften und Nutzern. Für die Vergangenheit folgte das begrenzte Interesse an einem *Internationalen Privatrecht der Verwertungsgesellschaften* der Logik der Gegenseitigkeitsverträge, die es den Verwertungsgesellschaften ermöglichten, ihre Tätigkeit weitestgehend auf eine nationale Rechtewahrnehmung zu beschränken.

Gegenseitigkeitsverträge sind bilaterale Verträge unter Schwestergesellschaften, durch die sich die Gesellschaften gegenseitig zur Wahrnehmung ihrer Repertoires bevollmächtigen. Wirtschaftlich entspricht ein Gegenseitigkeitsvertrag der Gewährung einer Lizenz zur Wahrnehmung des eigenen Repertoires in einem bestimmten Gebiet.[281] Der internationale Dachverband der Verwertungsgesellschaften hat zu diesem Zweck Standardverträge formuliert, auf deren Grundlage gebietsspezifische Musterverträge gestaltet werden. So entwickelte sich ein weltweites Netz von Gegenseitigkeitsverträgen, welches die Entstehung territorial begrenzter Lizenzierungen beförderte, gleichzeitig jedoch die Entstehung eines nationalen *One-Stop-Shop* für das Weltrepertoire ermöglichte.[282]

I. Die Überwindung der nationalen Beschränkungen im Innenverhältnis der Verwertungsgesellschaften

Die wechselseitige Vertretung der Verwertungsgesellschaften führte nicht nur dazu, dass eine jede Verwertungsgesellschaft ihre Lizenztätigkeit ausschließlich auf den nationalen Markt ausrichtete, sondern auch dazu, dass sie in der Regel nur inländische Rechteinhaber unmittelbar vertrat. Diese Praxis der Verwertungsgesellschaften wurde bereits in den 1980er Jahren von der Kommission angegriffen und so stellte die Kommission fest, dass „das Verhalten der GVL [...] keine Wahrnehmungsverträge mit ausländischen Künstlern abzuschließen [...] einen Missbrauch einer marktbeherrschenden Stellung im Sinne von Artikel 86 des EWG-Vertrages“ darstell-

280 So etwa in Art. 36 f. der VG-RL.

281 *Wünschmann*, Die kollektive Verwertung von Urheber- und Leistungsschutzrechten nach europäischem Wettbewerbsrecht, 2000, S. 25.

282 *Mestmäcker*, in: Becker/Riesenhuber/Kreile (Hrsg.), Recht und Praxis der GEMA, [2]2008, Kapitel 6, S. 80 f.

te.[283] Die Entscheidung wurde vom EuGH bestätigt.[284] Die Tatsache, dass § 6 UrhWG (in der Fassung vor 1995)[285] den Wahrnehmungszwang zugunsten inländischer Rechteinhaber beschränkte, hindere die GVL nicht daran, ihre Dienste ausländischen Rechteinhaber unter denselben Bedingungen anzubieten.[286] § 6 Abs. 1 UrhWG, der den Wahrnehmungszwang lediglich zugunsten deutscher Staatsangehöriger und Rechteinhabern mit Wohnsitz in Deutschland vorgesehen hatte, wurde 1995 zugunsten Staatsangehöriger der EU und des EWR erweitert.[287] Darin, dass § 6 Abs. 1 UrhWG auch in diesen Konstellationen als Beurteilungsmaßstab bzw. als grundsätzlich anwendbare Vorschrift angesehen wurde, kann eine implizite kollisionsrechtliche Wertung im Verhältnis zwischen ausländischen Rechteinhabern und Verwertungsgesellschaften gesehen werden. Ob die grundsätzliche Anwendbarkeit des deutschen Wahrnehmungsrechts daraus folgte, dass die Verwertungsgesellschaft ihren Sitz in Deutschland hatte oder dass es um die Wahrnehmung von Rechten nach dem deutschen Urheberrechtsgesetz ging, kommt in der Entscheidung allerdings nicht zum Ausdruck.

II. Die territoriale Begrenzung des alten Wahrnehmungsrechts

Diese ersten Ansätze der Europäisierung von Verwertungsgesellschaften betrafen allein das Verhältnis der Gesellschaften zu den Rechteinhabern. Das System der Gegenseitigkeitsverträge führte aber vor allem dazu, dass sich Verwertungsgesellschaften auf die Erteilung von Lizenzen an inländische

283 Kommission v. 29.19.1981 – 81/1030/EWG, ABl. 1981 L 370/49 ff. – *GVL*. Bereits früher im Zusammenhang mit der Weigerung der GEMA ausländische Rechteinhaber als Mitglieder aufzunehmen: Kommission v. 2.6.1971 – 71/224/EWG, ABl. 1971 L 134/15 ff. – *GEMA I.*

284 EuGH, C-7/82, ECLI:EU:C:1983:52 – *GVL/Kommission*, Rz. 56

285 § 6 UrhWG wurde erst als Reaktion auf die *Phil Collins*-Entscheidung des EuGH (EuGH v. 20.10.1992, Verb. Rs. C-92/92 und C-326/92 – *Phil Collins und Patricia Im- und Export*, Slg. 1993, I-5145 = ECLI:EU:C:1993:847), in der klargestellt wurde, dass die Mitgliedstaaten bei der Ausgestaltung ihres nationalen Urheberrechts nicht gegenüber ausländischen Rechteinhabern diskriminieren dürfen, geändert.

286 EuGH, C-7/82, ECLI:EU:C:1983:52 – *GVL/Kommission*, Rz. 52. In Polen wurde für das Wahrnehmungsrecht entsprechendes aus Art. 12 Abs. 1 EGV (nun Art. 18 AEUV) für Angehörige der EU und des EWR sowie aus Art. 5 Abs. 1 RBÜ für Angehörige von Mitgliedstaaten der Berner Übereinkunft angenommen, siehe hierzu: *Badowski*, in: Riesenhuber (Hrsg.), Wahrnehmungsrecht in Polen, Deutschland und Europa, 2006, S. 63, S. 73.

287 BGBl. 1995 I 845.

Verwerter beschränkten bzw. der Geltungsbereich der von den Verwertungsgesellschaften erteilten Lizenzen auf das Inland beschränkt wurde.[288]

Den tatsächlichen Verhältnissen der Wahrnehmungstätigkeit folgte grundsätzlich auch das Wahrnehmungsrecht, welches darauf ausgelegt war, nur innerhalb der territorialen Grenzen der Staaten zu wirken.[289] § 1 Abs. 1 UrhWG umgrenzte den Anwendungsbereich des deutschen Wahrnehmungsrechts anhand der Wahrnehmung deutscher Urheberrechte. § 1 Abs. 1 UrhWG unterwarf seinem Wortlaut nach also grundsätzlich jede Verwertungsgesellschaft, welche Rechte nach dem deutschen Urheberrechtsgesetz wahrnahm, der Erlaubnispflicht durch die deutsche Aufsichtsbehörde.[290] Hierin lag gewiss eine geographische Begrenzung des Anwendungsbereichs. Insoweit schien sich das alte Wahrnehmungsrecht am immaterialgüterrechtlichen Territorialitätsgrundsatz zu orientieren.[291] Als Kollisi-

288 *Heine/Eisenberg*, GRUR Int. 2009, 277 ff.

289 Siehe etwa Österreich: § 1 Nr. 1 VerwGesG (a.F.): „Verwertungsgesellschaften sind Unternehmen, die darauf gerichtet sind, in gesammelter Form Rechte an Werken und verwandte Schutzrechte im Sinn des Urheberrechtsgesetzes [gemeint ist das Österreichische] dadurch nutzbar zu machen, dass den Benutzern die zur Nutzung erforderlichen Bewilligungen gegen Entgelt erteilt werden [...]". § 2 Abs. 1 VerGesG (a.F.) statuierte einen Erlaubnisvorbehalt ähnlich dem deutschen Recht: „Verwertungsgesellschaften dürfen nur mit Genehmigung der Aufsichtsbehörde betrieben werden." Nach Abs. 2 hatten Verwertungsgesellschaften, die in Österreich nicht zugelassen sind, kein Klagerecht: „[...] Zur Eintreibung des Entgelts für die im Betrieb eines solchen Unternehmens erteilten Werknutzungsbewilligungen steht dem Inhaber des Unternehmens kein Klagerecht zu."

290 § 1 Abs. 1 UrhWG besagt: „Wer Nutzungsrechte, Einwilligungsrechte oder Vergütungsansprüche, die sich aus dem Urheberrechtsgesetz vom 9. September 1965 (Bundesgesetzbl. I S. 1273) ergeben, für Rechnung mehrerer Urheber oder Inhaber verwandter Schutzrechte zur gemeinsamen Auswertung wahrnimmt, bedarf dazu der Erlaubnis, gleichviel, ob die Wahrnehmung in eigenem oder fremdem Namen erfolgt." Strenggenommen ergibt sich schon daraus ein Anwendungsbereich der Erlaubnispflicht des UrhWG der nicht gerechtfertigt ist. Denn alle Gesellschaften – auch ausländische –, denen wie üblich die Weltrechte eingeräumt werden, nehmen Rechte wahr, die sich aus dem UrhG ergeben. Sie bräuchten selbst dann eine Erlaubnis, wenn sie in Deutschland nicht unmittelbar als Lizenzierungsstellen und als Stellen zur Einziehung der gesetzlichen Vergütungsansprüche agieren, sondern sich im Wege der Gegenseitigkeitsverträge „vertreten lassen". Seinem Wortlaut nach stellt § 1 UrhW (a.F.) auf die Beauftragung, also den Wahrnehmungsvertrag ab. Dass dies so nicht gehandhabt und nicht einmal in der Literatur angedacht wurde, ergibt sich wohl aus dem Zweck der Erlaubnispflicht, aus der Vermeidung „extraterritorialen Rechtsanwendung" und vor allem aus dem Pragmatismus, welcher der kollektiven Rechtewahrnehmung zugrunde liegt.

291 *Drexl*, MPI Stellungnahme VGG, 2015, Rn. 24.

onsnorm konnte § 1 Abs. 1 UrhWG aber schon deshalb nicht verstanden werden, weil die Erlaubnispflicht dem öffentlichen Recht zuzuordnen ist.[292] Eine kollisionsrechtliche Dimension hätte dem Wahrnehmungsrecht allenfalls dann entnommen werden können, wenn man § 1 Abs. 1 UrhWG so verstanden hätte, dass das gesamte Urheberrechtswahrnehmungsgesetz – inklusive der privatrechtlichen Vorschriften – stets anwendbar sei, wenn eine Verwertungsgesellschaft Rechte nach dem Urheberrechtsgesetz wahrnimmt. Eine solche Betrachtung hätte jedoch den deutlichen Bezug auf die Erlaubnispflicht verkannt. Dass der Gesetzgeber eine kollisionsrechtliche Wertung für das gesamte Wahrnehmungsrecht vornehmen wollte, ist unwahrscheinlich, weil sich unter der Geltung des Urheberrechtswahrnehmungsgesetzes kaum kollisionsrechtliche Konflikte ergaben.[293] Möglich wäre es allenfalls gewesen, der allgemeinen Verankerung des immaterialgüterrechtlichen Territorialitätsprinzips in § 1 UrhWG eine Wertung zugunsten der kollisionsrechtlichen Anknüpfung am Schutzlandprinzip zu

---

292 *Ders.*, in: von Hein (Hrsg.), MüKo IPR II, [8]2021, Rom II-VO Art. 8 Rn. 241.

293 Einer der wenigen Fälle, in dem ein Sachverhalt mit Bezug zu ausländischen Verwertungsgesellschaften den Verfahrensgegenstand bildete, lag einer Entscheidung des LG Hamburg aus dem Jahr 2005 zugrunde. Die schweizerische SUISA leitete Rechte u.a. von der GEMA ab. SUISA lizenzierte dabei Musikrechte an ein Schweizer Unternehmen, welches Handyklingeltöne u.a. in Deutschland anbot. Allerdings sollte auch hier das zweistufige Verfahren gelten, welches Gegenstand des GEMA-Berechtigungsvertrages ist (s.o. zur *Klingeltonentscheidung*), denn das von der GEMA abgeleitete Recht könne nicht über den Gegenstand des GEMA-Berechtigungsvertrages hinausgehen. Eine Verwertungsgesellschaft war an dem Verfahren nicht unmittelbar als Partei beteiligt, jedoch lässt das LG Hamburg durchblicken, dass grundsätzlich der Abschlusszwang des deutschen Wahrnehmungsrechts auch für die schweizerische SUISA gilt, sofern sie Rechte für Nutzungen in Deutschland anbietet. Das Gericht führt hierzu aus: „Ein Nutzungsrecht der Bekl. ergibt sich auch nicht daraus, dass das Musikwerk […] zuvor bereits mit deren Einwilligung als Ruftonmelodie veröffentlicht worden ist. Dabei bedarf es hier keiner Beantwortung der Frage, ob […] dann auch insoweit ein Abschlusszwang besteht. Denn die oben dargestellte Vereinbarung zwischen den Urhebern und der GEMA zur Rechtewahrnehmung bei einer Ruftonnutzung beschränkt den Vorbehalt der Zustimmung des Urhebers ersichtlich nicht auf eine erstmalige Nutzung, sondern auch auf Folgenutzungen. […] Ein Anspruch auf Lizenzierung einer Coverversion eines Klingeltons besteht nicht. Damit deckt auch der Vertrag der Bekl. mit der SUISA, die ihre Rechte von der NCB und der TEOSTO ableitet, die bei den vorstehenden Ausführungen der GEMA gleichgesetzt worden sind, eine solche Nutzung nicht ab." (LG Hamburg, Urteil vom 18. 3. 2005 – 308 O 390/04 = ZUM 2005, 483, 484 f.).

entnehmen.[294] Theoretisch ließe sich so auch für das alte Recht in sinnvoller Weise ein Geltungsrahmen des deutschen Wahrnehmungsrechts im internationalen Kontext entwickeln. Der Abschlusszwang des § 11 Abs. 1 UrhWG wäre entsprechend auch auf ausländische Verwertungsgesellschaften, die deutsche Rechte wahrnehmen, anwendbar gewesen – sie hätten überdies einer Erlaubnis bedurft.[295] Die Gesamtkonzeption und die Handhabung des alten Wahrnehmungsrechts zeigt aber, dass es wesentlich in der Struktur der grenzüberschreitenden Wahrnehmung über Gegenseitigkeitsverträge verhaftet war.[296] Die Praxis der Gegenseitigkeitsverträge half dabei Rechtskonflikte zu vermeiden und verhinderte somit auch die Entwicklung eines Kollisionsrechts der kollektiven Rechtewahrnehmung.[297] Den Gegenseitigkeitsverträgen kann somit für die Vergangenheit eine kollisionsrechtsersetzende Wirkung zugesprochen werden.

III. Zwischenfazit

Die Wahrnehmungstätigkeit der Verwertungsgesellschaften war in der Vergangenheit in vielfacher Weise territorial beschränkt. Teilweise waren territoriale Beschränkungen auch im Wahrnehmungsrecht angelegt, jedoch wurden mögliche kollisionsrechtliche Konflikte bereits von der Praxis der Gegenseitigkeitsverträge überlagert. Lediglich im Innenverhältnis führte die europäische Rechtsprechung über kartellrechtlich begründete Diskriminierungsverbote zu einer Aufhebung der Beschränkungen der Verwertungsgesellschaften auf die Vertretung inländischer Rechteinhaber. Entscheidender dürfte jedoch die Lizenzierungsebene sein, welche lange Zeit von einer grenzüberschreitenden Zusammenarbeit der Verwertungsgesell-

294 *Drexl*, MPI Stellungnahme VGG, 2015, Rn. 24. Zum Verhältnis von Territorialitätsprinzip und kollisionsrechtlichem Schutzlandprinzip später (*Teil 3, Kapitel 1, C, II., 1.*)) und *ders.*, in: von Hein (Hrsg.), MüKo IPR II, ^{8}2021, Rom II-VO Art. 8 Rn. 14.

295 Eine Erlaubnis zur Wahrnehmung von Rechten nach dem deutschen Urheberrecht war auch für auslänische Verwertungsgesellschaften nicht ausgeschlossen (einen Überblick insbesondere jener Länder, in deren Wahrnehmungsrecht nationale Monopole vorgesehen sind bzw. waren bietet *Drexl*, Copyright, Competition and Development, 2013, Rn. 11.1.4).

296 *Ders.*, in: Götz von Olenhusen/Gergen/Vogel (Hrsg.), Kreativität und Charakter, 2017, S. 227, 233 f.

297 So entnimmt *Grote* den Gegenseitigkeitsverträgen gar eine kollisionsrechtsähnliche Funktion *Grote*, Europäische Perspektiven der Rechtewahrnehmung durch Verwertungsgesellschaften, 2012, S. 149

schaften geprägt war, die es ihnen erlaubte, sich auf ihren Heimatmarkt zu konzentrieren und so Rechtskonflikte zu vermeiden.

C. Die kartellrechtliche Bewertung der Gegenseitigkeitsverträge

Mit der Praxis der Gegenseitigkeitsverträge war aber nicht nur eine Verdrängung des Internationalen Privatrechts verbunden, die territoriale Begrenzung der Verwertungsgesellschaften weist auch den Charakter einer Gebietsaufteilung auf, durch welche die nationalen Monopolstellungen der Verwertungsgesellschaften abgesichert, wenn nicht gar ermöglicht werden.[298] Die Gegenseitigkeitsverträge waren deshalb schon früh im Fokus der europäischen Wettbewerbskontrolle. Grundsätzlich lässt sich eine wettbewerbliche Auswirkung der Gegenseitigkeitsverträge im Hinblick auf die Ausrichtung der Verwertungsgesellschaften gegenüber den Rechteinhabern einerseits und deren Praxis bei der Lizenzvergabe andererseits unterscheiden.

Frühe Entscheidungen der Kommission gegen Verwertungsgesellschaften beruhten auf deren faktischer Monopolstellung und richteten sich gegen einzelne als missbräuchlich erkannte Betätigungen; sie griffen die Gegenseitigkeitsverträge allerdings noch nicht unmittelbar auf.[299] Im Kontext der Gegenseitigkeitsverträge sind vor allem die Rechtssachen *Tournier* und *Lucazeau* und in der jüngeren Entwicklung das *CISAC-Verfahren* relevant.[300] Im Gegensatz zur „allgemeinen kartellrechtlichen Kontrolle" der Verwertungsgesellschaften (Dazu später, *Teil 2, Kapitel 2 C*) beruht die Problematik der Gegenseitigkeitsverträge nicht auf Art. 102 AEUV, sondern im Kontext von „Vereinbarungen von Unternehmen" auf dem Kartellverbot nach Art. 101 AEUV.[301]

---

298 *Drexl*, Copyright, Competition and Development, 2013, S. 263.

299 Kommission v, 2.6.1971 - 71/224/EWG, ABl. 1971 L 134/15, 22 - *GEMA I* und Kommission v. 6.7.1972 - 72/268/EWG, ABl. 1972 L 166/15, 22, 23 - *GEMA II.*

300 Außerdem die Entscheidung EuGH, C-22/79, ECLI:EU:C:1979:245 - *Greenwich Film*, wobei es hier nur darum ging, dass das europäische Wettbewerbsrecht sich auch auf Verträge mit Drittländern erstreckt. Die Kontrolle erfolgte allerdings auf Grundlage von Art. 102 AEUV (Art. 86 EGW-Vertrag). Die Gegenseitigkeitsverträge wurden auch in einer Antwort der Kommission auf eine schriftliche Anfrage des Abgeordneten *Vredeling* vom 12. Oktober 1971 thematisiert (siehe: schriftliche Anfrage Nr. 349/71 des Abgeordneten *Vredeling* an die Kommission der Europäischen Gemeinschaften und Antwort vom 9. Dezember 1971, Abl. C 125/8f.).

301 *Drexl*, Copyright, Competition and Development, 2013, S. 265.

I. Die Entscheidungen *Tournier* und *Lucazeau*

Zum generellen Verhältnis der Verwertungsgesellschaftspraxis zum Kartellrecht ist die Entscheidung des EuGH in der Rechtssache *Tournier*[302] aus dem Jahr 1989 aufschlussreich. Es handelte sich hierbei um ein Vorabentscheidungsersuchen durch die französische *Cour d'Appel Aix-en-Provence* in einem Strafverfahren gegen den Direktor der französischen Gesellschaft zur Wahrnehmung von Urheberrechten auf dem musikalischen Gebiet (SACEM). Der Betreiber einer Diskothek in Juan-les-Pins warf der SACEM vor, ihn zu überhöhten, unangemessenen und nicht geschuldeten Geldleistungen für die Aufführung geschützter Musikwerke zu zwingen und sich hierdurch nach französischem Recht strafbar zu machen.[303] Inhaltlich stellte sich die Frage, ob die von der SACEM geforderten Gebühren einen Missbrauch einer marktbeherrschenden Stellung nach Art. 102 AEUV (Art. 86 EWG-Vertrag) darstellten und – hier von Interesse – ob das System der Gegenseitigkeitsverträge einerseits sowie eine Marktabschottung durch sogenannte Ausschließlichkeitsregelungen andererseits gegen das Kartellverbot nach Art. 101 AEUV (Art. 85 EWG-Vertrag) verstießen.

Der EuGH entschied in der Rechtssache *Tournier*, dass die Praxis der gegenseitigen Rechteeinräumung der Verwertungsgesellschaften nicht per se einen Verstoß gegen Art. 85 Abs. 1 EWG-Vertrag (Art. 101 Abs. 1 AEUV) darstelle. Die gegenseitige Rechteeinräumung bezwecke oder bewirke keine Wettbewerbsbeschränkung, denn zum einen sei ihr Ziel, die Gesamtheit der geschützten Musikwerke ohne Rücksicht auf deren Herkunft einheitlichen Bedingungen für die in ein und demselben Staat ansässigen Nutzer zu unterwerfen; zum anderen ermögliche das System der Gegenseitigkeitsverträge den Verwertungsgesellschaften, sich für den Schutz ihrer Bestände in einem anderen Staat auf die von der dort tätigen Verwertungsgesellschaften aufgebaute Organisation zu stützen, ohne genötigt zu sein, diese Organisation durch ein eigenes Netzwerk von Verträgen mit den Nutzern und eigene Kontrollen zu ergänzen.[304]

Eine andere Beurteilung der kartellrechtlichen Lage nahm der EuGH hinsichtlich sogenannter Ausschließlichkeitsregelungen vor. So urteilte der EuGH, dass Vereinbarungen, die es den Verwertungsgesellschaften grund-

302 EuGH, C-395/87, ECLI:EU:C:1989:319 – *Tournier*; im Wesentlichen deckungsgleich, EuGH, verb. Rs. 110/88, 241/88 und 242/88, ECLI:EU:C:1989:326 – *Lucazeau.*

303 EuGH, C-395/87, ECLI:EU:C:1989:319 Rz. 2 – *Tournier.*

304 EuGH, C-395/87, ECLI:EU:C:1989:319 Rz. 19 – *Tournier.*

sätzlich untersagen für das „Gebiet" einer Schwestergesellschaft Nutzungslizenzen zu vergeben und somit gebietsschützenden Charakter haben, einen Verstoß gegen Art. 85 Abs. 1 EWG-Vertrag (Art. 101 Abs. 1 AEUB) darstellen.[305] Bereits zuvor hatte die Kommission ihre Missbilligung der Ausschließlichkeitsvereinbarung geäußert, was zur Folge hatte, dass diese nicht mehr Bestandteil der Gegenseitigkeitsverträge waren.[306] Da die formelle Herausnahme der Ausschließlichkeitsvereinbarungen aus den Gegenseitigkeitsverträgen an der Praxis der Verwertungsgesellschaften jedoch nichts änderte – dem französischen Diskothekenbetreiber war es gerade nicht möglich eine Lizenzierung durch eine ausländische Gesellschaft zu erhalten –, stellte sich die Frage, ob diese faktisch aufrechterhalten wurden.

Ein bloßes, wenn auch bewusstes Parallelverhalten fällt grundsätzlich nicht in den Anwendungsbereich des Kartellverbots (Art. 101 AEUV), stellt aber ein Indiz für eine abgestimmte Verhaltensweise dar.[307] Die Untätigkeit der Verwertungsgesellschaften auf ausländischen Märkten und ihre Beschränkung auf den Heimatmarkt, ließen sich aus Sicht des EuGH jedoch mit den Besonderheiten der Rechtewahrnehmung erklären.[308] So könne sich die Zurückhaltung der Verwertungsgesellschaften hinsichtlich der grenzüberschreitenden Lizenzierung daraus ergeben, dass es für sie unwirtschaftlich sei ein eigenes Verwaltungs- und Kontrollsystem in anderen Ländern zu errichten.[309] Das Argument der Unwirtschaftlichkeit der Errichtung eines Kontrollapparates im Ausland hat jedoch im Bereich der Onlinenutzung von Musik nicht mehr bedingungslos Bestand. Entsprechend begannen auch die Verwertungsgesellschaften um die Jahrtausendwende damit, neue Modelle für Gegenseitigkeitsverträge zu entwickeln, die einen Systemwechsel von der territorial eng umgrenzten Lizenzierung hin zur Mehrstaatenlizenz ermöglichen sollten.[310]

---

305 Ibid. Rz. 26 – *Tournier.*

306 Ibid. Rz. 20 – *Tournier*; *Europäische Kommission*, Wettbewerbsbericht, 1972, S. 84, Fn.1; Antwort der Kommission auf die schriftliche Anfrage Nr. 349/71 (*Vedeling*) vom 12.10.1971, Abl. EU Nr. C 125/8 v. 18.12.1971, S. 9.

307 *Brinker*, in: Bechtold/Bosch/Brinker u.a. (Hrsg.), EU-Kartellrecht, ^{4}2023, Art. 101 AEUV, Rn. 42; EuGH, C-395/87, ECLI:EU:C:1989:319 Rz. 21 ff. – *Tournier.*

308 EuGH, C-395/87, ECLI:EU:C:1989:319 Rz. 21 ff. – *Tournier.*

309 *Mestmäcker* in: *Kreile/Becker/Riesenhuber*, Kapitel 6, Rn. 17. Zum gesamten Komplex auch *Eckel*, GRUR Int. 2017, 948, 952 f.

310 Für die Rechte der Tonträgerhersteller war dies die *IFPI-Simulcasting Vereinbarung*, für die Aufführungsrechte der Musikurheber die Vereinbarung von *Santiago* und für die Vervielfältigungsrechte die Vereinbarung von *Barcelona.* Aufgrund einer sogenannten *„user's residence clause"*, nach der Nutzer eine Mehrstaatenlizenz nur

II. Das CISAC Verfahren

Nachdem die Kommission den internationalen Lizenzierungsinitiativen der Verwertungsgesellschaften, namentlich den Vereinbarungen von *Santiago* und *Barcelona*, die Freistellung verweigert hatte[311] und sich in ihrer Empfehlung von 2005 für ein rechteinhaberseitiges Wettbewerbsmodell aussprach,[312] griff sie in der sogenannten *CISAC*-Entscheidung[313] auch das bestehende Modell der Gegenseitigkeitsverträge an.[314]

Gegenstand der Entscheidung waren einerseits Mitgliedschaftsregelungen und Exklusivitätsklauseln, andererseits ging es um die Abstimmung zwischen den Verwertungsgesellschaften, die nach Auffassung der Kommission eine strikte territoriale Aufteilung der Lizenzierungsgebiete zum Ziel hatte. Insoweit wurde bereits in den Verfahren *Tournier* und *Lucazeau* festgestellt, dass die territoriale Tätigkeitsbeschränkung der Verwertungsgesellschaften maßgeblich auf fehlende Kontrollmöglichkeiten zurückzuführen sei.[315] Die Kommission kam in der Entscheidung hingegen zu dem Schluss, dass diese Vereinbarungen und Verhaltensweisen wettbewerbswidrig seien und gegen Artikel 81 EG-Vertrag (Art. 101 AEUV) verstoßen.

Maßgeblich beruhte die Annahme der Kommission, die territorialen Tätigkeitsbeschränkungen der Verwertungsgesellschaften seien nicht mehr mit bloßem Parallelverhalten zu begründen, sondern das Ergebnis eines abgestimmten Verhaltens, auf den bereits oben angesprochenen Annahmen: Im Onlinebereich ist die Lizenzierungsmöglichkeit im Ausland nicht mehr zwingend abhängig von einem dort vorhanden (physischen) Kontrollappa-

über die Verwertungsgesellschaft ihres „Sitzlandes" erlangen konnten, wurden die Vereinbarungen von *Santiago* und *Barcelona* von der Kommission abgelehnt. Hierzu exemplarisch *Drexl*, Copyright, Competition and Development, 2013, S. 266 ff. und *Heyde*, Die grenzüberschreitende Lizenzierung von Online-Musikrechten in Europa, 2011, S. 96 ff.

311 Siehe Pressemitteilung der Kommission vom 3.5.2004 (IP/04/586).

312 Kommission, Empfehlung von 2005 (2005/737/EG, ABl. Nr. L 276 vom 21. Oktober 2005, S.54 ff.).

313 Kommissionsentscheidung vom 16.9.2008, K(2008)3435 final, COMP/C2/38.698 – *CISAC*.

314 *Drexl*, Copyright, Competition and Development, 2013, S. 268 ff.; *Heine*, Wahrnehmung von Online-Musikrechten durch Verwertungsgesellschaften im Binnenmarkt, 2008, S. 206; *Riccio/Codiglione*, MUJLT 7 (2013), 287, 295 f.; *Drexl*, in: Leska (Hrsg.), Managing Copyright, 2023, S. 29, 33 f.

315 EuGH, C-395/87, ECLI:EU:C:1989:319 – *Tournier*, Rz. 21 ff.

rat und mithin leichter zu bewerkstelligen.[316] Der maßgebliche Grund für territoriale Exklusivität sei – so die Kommission – daher weggefallen. Die Aufhebung der Ausschließlichkeitsvereinbarungen in den Gegenseitigkeitsverträgen stelle sich nur als ein formaler Akt dar, der zu keiner wesentlichen Verhaltensänderung geführt habe.[317] So zeige das *Santiago-Abkommen* erstens, dass eine physische Kontrolle vor Ort entbehrlich sei, zugleich sei im Abschluss des Abkommens aber bereits eine Abstimmung zu sehen, die sich im gemeinsamen Beschluss, das Abkommen nicht zu verlängern, bestätigt habe.[318] Da die Kontrolle der Lizenznehmer mittels technischer Lösungen möglich sei, könne sich auch die Zusammenarbeit der Verwertungsgesellschaften auf die (gerichtliche) Durchsetzung der Rechte durch die jeweilige lokale Verwertungsgesellschaft beschränken.[319]

Nachdem die GEMA als betroffene Verwertungsgesellschaft sowie die CISAC selbst gegen die Kommissionsentscheidung Klage erhoben hatten, hob das EuG weite Teile der Entscheidung auf.[320] Nach Ansicht des EuG konnte die Kommission ein abgestimmtes Verhalten der Verwertungsgesellschaften bei der Rechtevergabe nicht hinreichend darlegen und beweisen, denn die Rückkehr zur Rechtslage vor dem *Santiago-Abkommen* könne sich auch als bloße automatische Konsequenz der Nichtverlängerung der Vereinbarung darstellen.[321] Entsprechend könne auch angenommen werden, dass die Rückkehr zum klassischen System der Gegenseitigkeitsverträge mit einer Tätigkeitsbeschränkung der Verwertungsgesellschaften auf das Gebiet ihrer nationalen Märkte den normalen Marktbedingungen entspreche.[322] Die Annahme, eine Zusammenarbeit der Verwertungsgesellschaften könne sich auf die erforderlichen Bereiche beschränken, wies das Gericht mit dem Argument zurück, dass im Wettbewerbsmodell der Verwertungsgesellschaften die maßgeblichen Anreize auch zur punktuellen Zusammenarbeit verlorengehen würden.[323] So habe eine andere Verwertungsgesell-

316 Mit Hinweis auf technische Kontrollmöglichkeiten: *CISAC*-Entscheidung (COMP/C2/38.698), Rn. 173 f.

317 Ibid. Rn. 156 ff.

318 Ibid. Rn. 158, 169 und 192 ff.

319 Ibid. Rn. 174, 177.

320 EuG, T-410/08, ECLI:EU:T:2013:171 – *GEMA/Kommission*, Rz. 87, 88 und EuG, T-442/08, ECLI:EU:T:2013:188 – *CISAC/Kommission*, Rz. 110, 111.

321 EuG, *GEMA/Kommission*, Rz. 87,88 und EuG, *CISAC/Kommission*, Rz. 110, 111. Zur Entscheidung auch *Eckel*, GRUR Int. 2017, 948, 956 f.

322 EuG, T-410/08, ECLI:EU:T:2013:171 – *GEMA/Kommission*, Rz. 116 f.; EuG, T-442/08, ECLI:EU:T:2013:188 – *CISAC/Kommission*, Rz. 139 f.

323 *Mestmäcker/Schweitzer*, Europäisches Wettbewerbsrecht, ^{3}2014, § 33 Rn. 27 f.

schaft bislang nur deshalb ein Interesse daran, die Verletzung von Rechten anderer Verwertungsgesellschaften zu verfolgen, weil diese nicht Wettbewerber seien.[324] Grundsätzlich, so das EuG abschließend, stehe den Verwertungsgesellschaften seit dem Wegfall der Ausschließlichkeitsklauseln die Möglichkeit zur Erteilung von Mehrgebietslizenzen zur Verfügung. Dass sich dieses System bislang nicht durchsetzen konnte, müsse nicht an einem abgestimmten Verhalten liegen, sondern könne auch durch die Besonderheiten des Wahrnehmungsmarkts und durch eine fehlende tatsächliche Nachfrage nach solchen Lizenzen begründet sein.[325]

D. Prozessuale Hindernisse für die grenzüberschreitende Betätigung von Verwertungsgesellschaften

Die räumliche Begrenzung der Anwendung des öffentlichen Rechts kann vor allem mittelbaren Einfluss auf das Privatrecht nehmen. Dies wurde im Wahrnehmungsrecht etwa daran deutlich, dass die Möglichkeit zur gerichtlichen Durchsetzung privater Rechte vor Geltung der Richtlinie noch generell von der Erlaubnis durch die deutsche Aufsichtsbehörde abhängig war. Zwei europäische Fälle sind von besonderem Interesse, wenn es um die Auswirkungen des (implizit) nationalen Ansatzes des Wahrnehmungsrechts und der öffentlich-rechtlichen Erlaubnispflicht auf die tatsächliche Betätigung von Verwertungsgesellschaften und ihre prozessuale Stellung geht.

Im ersten Fall berichtete die VG Media (inzwischen Corint Media), welche die Urheberrechte und verwandten Schutzrechte von Sendeunternehmen wahrnimmt, dass ihr bei der Durchsetzung direkt übertragener Rechte an spanische Nutzer vor Gerichten in Spanien die Prozessführungsbefugnis aberkannt worden sei. Grund hierfür sei die fehlende Zulassung als Verwertungsgesellschaft bei der spanischen Aufsichtsbehörde gewesen. Die Kommission äußerte Bedenken im Hinblick auf die Vereinbarkeit einer

324 EuG, T-410/08, ECLI:EU:T:2013:171 – *GEMA/Kommission*, Rz. 125–131; EuG, T-442/08, ECLI:EU:T:2013:188 – *CISAC/Kommission*, Rz. 148–154.

325 EuG, T-410/08, ECLI:EU:T:2013:171 – *GEMA/Kommission*, Rz. 99–108; EuG, T-442/08, ECLI:EU:T:2013:188 – *CISAC/Kommission*, Rz. 122 ff.

zivilprozessualen Wirkung der Erlaubnispflicht nach nationalem Wahrnehmungsrecht mit der Dienstleistungsfreiheit.[326]

Ein weiterer Fall betrifft die Auswirkungen der deutschen Erlaubnispflicht auf eine Verwertungsgesellschaft, die ihren Sitz außerhalb der EU hat und in Deutschland vor Zivilgerichten Unterlassungsansprüche für die mit ihr verbundenen Rechteinhaber geltend machte. Eine türkische Verwertungsgesellschaft (wohl MESAM) beantragte zunächst beim LG Köln und in zweiter Instanz beim OLG Köln eine Unterlassungsverfügung gegen einen deutschen Onlineplattformbetreiber, der auf seiner Website in türkischer Sprache Klingeltöne für Handys zum Download anbot.[327] Das LG Köln hatte den Antrag in erster Instanz mit der Begründung abgewiesen, die Antragstellerin habe ihre Verwertungsrechte gänzlich zur exklusiven Nutzung an die GEMA abgetreten, es bestehe mithin keine Anspruchsinhaberschaft bzw. Aktivlegitimation. Das OLG Köln wies den Antrag in der Rechtsmittelinstanz ebenfalls ab, jedoch mit der Begründung, dass die türkische Verwertungsgesellschaft zur Wahrnehmung der von ihr geltend gemachten Rechte nicht befugt sei, weil sie in der Bundesrepublik Deutschland dazu nicht über die erforderliche Erlaubnis verfügt (§ 1 Abs. 1 und Abs. 3 UrhWG). Sie nehme diese Rechte auch nicht lediglich gelegentlich i.S.v. § 1 Abs. 2 UrhWG und damit nicht erlaubnispflichtig wahr.[328] Nach altem Wahrnehmungsrecht konnte die öffentlich-rechtliche Erlaubnispflicht also durchaus zivilprozessuale Auswirkungen haben.

In einem außereuropäischen Kontext ist schließlich eine Entscheidung aus Nigeria bekannt.[329] Eine Reform des nigerianischen Wahrnehmungsrechts sollte verhindern, dass in Nigeria nicht zugelassene Verwertungsgesellschaften Rechtsverletzungen des nigerianischen Urheberrechts einklagen.[330] Section 17 des nigerianischen Urheberrechts – Kern dieser Reform

---

326 Siehe Antwortschreiben der EU COM, vormals abrufbar unter: https://www.vg-media.de/images/stories/downloads/121130_european-commission_vgm.pdf (leider seit 2018 nicht mehr abrufbar); siehe auch *Drexl*, Copyright, Competition and Development, 2013, 219 f.

327 OLG Köln, Beschl. v. 28.9.2007 – 6 W 150/07 = GRUR 2008, 69.

328 *Drexl*, Copyright, Competition and Development, 2013, S. 219 f.; OLG Köln, GRUR 2008, 69.

329 Supreme Court of Nigeria, 14.12.2018, Case SC. 425/2010 – *MCSN v. Compact Disc Technology et al.* (online abrufbar unter: https://drive.google.com/file/d/1laGHDtflhzJMyylV56yHHEvY4IY83O9O/view, zuletzt abgerufen 4.4.2019).

330 In Section 17 des nigerianischen Urheberrechts heißt es: „[…] no action for infringement of copyright or any right under this act shall be commenced or maintained by any person – a) carrying on the business of negotiating and granting of licence;

– wurde mit Rückwirkung zum 10. Mai 1999 eingeführt. Die Verwertungsgesellschaft MCSN hatte keine Zulassung in Nigeria, ging aber gleichwohl Mitte 2007 gerichtlich gegen die Nutzung von Werken vor, für welche sie die Rechtewahrnehmung beanspruchte. Die Vorinstanzen wiesen die Klage mangels Aktivlegitimation (*locus standi*) ab. Der nigerianische *Supreme Court* hob die Entscheidungen auf. Dies jedoch allein deshalb, weil die Vorinstanzen das Gesetz rückwirkend angewandt hatten.[331]

E. Fazit

Die Ausschließlichkeitsklauseln der Gegenseitigkeitsverträge standen schon früh im Fokus des Kartellrechts. Ihre Aufhebung führte allerdings nicht zum erhofften Systemwechsel. Vielmehr verharrte das Wahrnehmungsrecht in den alten Strukturen, auch nachdem sich für den Onlinebereich tatsächlich eine nennenswerte Nachfrage für Mehrstaatenlizenzen hätte entwickeln können und zugleich die Lizenzierungs- und Kontrollsysteme der Verwertungsgesellschaften grenzüberschreitende Betätigungen grundsätzlich erlaubt hätten. Schon früh erkannten EuGH sowie EuG, dass diese Strukturen nicht ohne Grund existieren und zugleich mit gewissen Vorteilen für die Rechtenutzer verbunden sind.

Obwohl das EuG die Kommissionsentscheidung im *CISAC-Verfahren* weitgehend aufhob und – wie bereits zuvor der EuGH – die positiven Eigenschaften der Gegenseitigkeitsverträge betonte, war ein „Zurück" zum alten Modell aufgrund zwischenzeitlicher Initiativen einzelner Verlage und

b) collecting and distributing royalties of Copyright works or representing more than fifty owners of copyright [...] Unless it is approved under Section 39 [...] or is otherwise issued a certificate of exemption by the Commission".

331 Der Supreme Court wies darauf hin, dass die Reform des Urheber- bzw. Wahrnehmungsrechts erst mit Wirkung zum 10. Mai 1999 eingeführt wurden und im Übrigen keine rückwirkende Wirkung entfalte. Da die relevanten Rechte allerdings vor diesem Datum (um 1990) von den Rechteinhabern an die MCSN übertragen wurden, sei sie auch insoweit aktivlegitimiert, da Rechteinhaberin. Ohne es ausdrücklich zu sagen, bezog der Supreme Court die Zulassungspflicht auf die Frage, ob die Verwertungsgesellschaft Rechteinhaberin sein könne bzw. ob an eine nicht zugelassene Verwertungsgesellschaft Rechte übertragen werden könnten. Auf die ähnliche Frage, worauf sich die Zulassungspflicht und ihre Rechtsfolge beziehen („no action for infringement of copyright or any right under this act shall be commenced") – ob dies die Übertragung des Rechts oder die prozessuale Möglichkeit der Geltendmachung meint – ging das Gericht nicht ein.

Verwertungsgesellschaften nicht mehr möglich. Nachdem die frühen Lizenzierungsinitiativen der Verwertungsgesellschaften um die Jahrtausendwende herum, namentlich die Abkommen von *Santiago* und *Barcelona* gescheitert waren, geriet der Markt in Bewegung. Im Vordergrund standen dabei vor allem Einzelinitiativen der Verlage mit ausgewählten Verwertungsgesellschaften.[332]

Die lange geübte Praxis der Gegenseitigkeitsverträge und auch ihre Behandlung durch EuGH und EuG verdeutlichen die enge Verbindung zwischen Rechtewahrnehmung und nationalem Urheberrecht. Seit jeher bestand Bedarf nach ausländischen Repertoires bzw. ausländischen Kulturgütergütern. Dieser Bedarf ließ sich auf effiziente Art und Weise über das Gegenseitigkeitsmodell der kollektiven Rechtewahrnehmung bedienen. Nicht zuletzt erlaubten technologische Entwicklungen zunehmend grenzüberschreitende Nutzungen und mit dem Internet ist seit langem die grenzüberschreitende Ausrichtung von Diensten die Regel und die nationale Beschränkung eher die Ausnahme. Gleichwohl hat sich das Modell der kollektiven Lizenzierung nicht wesentlich aus sich selbst heraus geändert. Ein Grund dafür ist die feste Verankerung der Verwertungsgesellschaften im Urheberrecht und damit auch in der Territorialität des Urheberrechts. Ganz konkret zeigt sich das bei der Rechtsdurchsetzung in Verletzungsfällen, die eine wesentliche Aufgabe der Verwertungsgesellschaften ist und bei der es ganz unbestritten auf das nationale Recht ankommt (siehe nur Art. 8 Abs. 1 Rom II-VO). Die VG-RL greift das Modell der Gegenseitigkeitsverträge auf, bezeichnet sie jedoch nunmehr als Repräsentationsvereinbarungen.

---

332 Ausführlich dargestellt bei *Heyde*, Die grenzüberschreitende Lizenzierung von Online-Musikrechten in Europa, 2011. Punktuell zusammengefasst auch bei *Gyertyánfy*, IIC 210, 59 ff. und *Mazziotti*, Colum. J.L. & Arts 34 (2011), 757, 771 ff.

Teil 2.
Die rechtliche Kontrolle von Verwertungsgesellschaften im Mehrebenensystem der Regulierung

Die Verwertungsgesellschaftenrichtlinie verfolgt ein „zwei Säulen" Regelungskonzept, in welchem erstens ein besonderes Augenmerk auf die Etablierung von Mindeststandards für die Tätigkeitsausübung von Verwertungsgesellschaften im Innen- und Außenverhältnis gerichtet wird und zweitens Sonderregelungen für die Vergabe von Mehrgebietslizenzen für die Onlinenutzung von Musikwerken geschaffen werden.[333] Diese zweite Säule der VG-RL war gewissermaßen Initiator für die gesamte Harmonisierung des Wahrnehmungsrechts in Europa. Schließlich ging es bereits in der Mitteilung der Kommission von 2004[334] und vor allem etwas später in der Kommissionsempfehlung von 2005[335] um die grenzüberschreitende Lizenzierung von Onlinemusikrechten. Entsprechend der Option 3 sollte es den Rechteinhabern freistehen, die Wahrnehmung sämtlicher Onlinerechte oder Teile der Onlinerechte, die für die Bereitstellung eines legalen Onlinemusikdienstes erforderlich sind, im gewählten territorialen Umfang einer Verwertungsgesellschaft ihrer Wahl anzuvertrauen, ungeachtet des Sitzstaates der jeweiligen Verwertungsgesellschaft und der Staatsangehörigkeit des jeweiligen Rechteinhabers.[336] Diese Initiative hat schließlich zu einer sehr weitreichenden Harmonisierung des gesamten Verwertungsgesellschaftsrechts geführt.

---

333 *Mesevic*, Urheberrechtssysteme und kollektive Rechtewahrnehmung in Südost-europa, 2015, 209 f.; *Papēde*, Verwertungsgesellschaften im europäischen Kontext, 2016, S. 50.

334 EU Kommission, Mitteilung vom 16. April 2004 – Die Wahrnehmung von Urheberrechten und verwandten Schutzrechten im Binnenmarkt, KOM(2004) 261 endg.

335 Kommission, Empfehlung von 2005 (2005/737/EG, ABl. Nr. L 276 vom 21. Oktober 2005, S.54 ff.).

336 Empfehlung der Kommission vom 18. Mai 2005, Nr. 3. Zur Problematik des Modells der *right-holders' option* insbesondere *Drexl*, in: Hilty/Geiger (Hrsg.), Impulse für eine europäische Harmonisierung des Urheberrechts/Perspectives d'harmonisation du droit d'auteur en Europe, 2007, S. 369, 378 ff.

Dieser Teil beginnt mit einer Analyse des europäischen Rechtsrahmens für Verwertungsgesellschaften (*Kapitel 1*). Dabei werden zunächst die Zwecke der VG-RL herausarbeitet und der Regelungsgehalt der Richtlinie systematisiert (*Kapitel 1, A und B*). Die dabei gewonnen Erkenntnisse werden den Interessen der Beteiligten anschließend gegenübergestellt (*Kapitel 1, C*). Schwerpunkt dieses Teils ist die Untersuchung der Kontrollmechanismen gegenüber Verwertungsgesellschaften (*Kapitel 2*). Die verschiedenen Ebenen der Kontrolle – die interne Aufsicht, das Kartellrecht, das sektorspezifische Regulierungsrecht mit nationalen Aufsichtsbehörden und das Privatrecht – werden auf ihre Wirkungsweisen hin untersucht und den Interessen der Beteiligten gegenübergestellt (*Kapitel 2, A, B und C*). Auf dieser Grundlage lässt sich die Relevanz des Privatrechts für die Regulierung der Verwertungsgesellschaften in den jeweiligen Rechtsbeziehungen bestimmen. Diese Erkenntnisse sind anschließend bei der Entwicklung des Kollisionsrechts der kollektiven Rechtewahrnehmung zu berücksichtigen. Die Analyse des regulatorischen Privatrechts beinhaltet außerdem die Identifizierung der relevantesten privatrechtlichen Vorschriften (*Kapitel 2, D*), welche dann Grundlage der Erarbeitung des Kollisionsrechts in Teil 3 sein werden.

Kapitel 1. Die Verwertungsgesellschaftenrichtlinie

Das jeweilige Verständnis der Funktionen der kollektiven Rechtewahrnehmung hat unmittelbaren Einfluss auf die Ausgestaltung des Rechts und damit auf den Interessenausgleich zwischen Rechtenutzern, Werkvermittlern und Rechteinhabern sowie auf die Interessenbalance innerhalb dieser Gruppen. Versteht man Verwertungsgesellschaften als Treuhänder mit kulturellen und sozialen Verpflichtungen, so sind Konfliktfälle, die sich auch in handfesten Streitigkeiten um Lizenzierungspflichten und die Tarifhöhe entladen können, anders zu beurteilen, als wenn man ihre Eigenschaft als Agenten und Inkassostellen der Rechteinhaber in den Vordergrund rückt.[337] Das funktionale Verständnis von Verwertungsgesellschaften hat sodann Einfluss auf das Kollisionsrecht, etwa indem es die Qualifikation einzelner Fragen beeinflussen kann. Von welchem funktionalen Verständnis in Europa auszugehen ist, lässt sich am ehesten aus der VG-RL ableiten. Wie das Regelungsmodell des Verwertungsgesellschaftsrechts in der Richtlinie ausgestaltet ist, welches Konzept der VG-RL zugrunde liegt und inwieweit die unterschiedlichen Interessen im europäischen Rechtsrahmen berücksichtigt wurden, wird nachfolgend herausgearbeitet.

A. Ziele des europäischen Modells der kollektiven Rechtewahrnehmung

Die Kernziele der Harmonisierung des Verwertungsgesellschaftsrechts sind ausweislich des Erwägungsgrunds 55 der VG-RL die verbesserte Kontrolle der Tätigkeit von Verwertungsgesellschaften durch deren Mitglieder, die Gewährleistung eines hinreichenden Maßes an Transparenz und die Verbesserung länderübergreifender Lizenzierungsmöglichkeiten von Urhebern

337 *Peifer*, GRUR 2015, 27, 31. Als Beispiel für die Sozialbindung kann die Beurteilung, in welche Tarifkategorie die Veranstaltung eines Stadtfestes fällt und wie hoch die zu entrichtende Vergütung in der Folge sein muss, genannt werden (so etwa der Einigungsvorschlag der Schiedsstelle v. 24.4.2007 - Sch-Urh 38/05 = ZUM 2007, 587 und ebenfalls in dieser Sache BGH, Urt. v. 27.10.2011 - I ZR 125/10 - *Barmen Live*). Zu den unterschiedlichen Zwecken und Funktionen der kollektiven Rechtewahrnehmung, siehe in diesem Teil, *Kapitel 1, B.*

von Musikwerken für die Onlinenutzung. Als Rechtsgrundlagen wurden Art. 50 Abs. 1, Art. 54 Abs. 1 und Art. 62 AEUV herangezogen.[338]

Dazu werden in der ersten Säule Standards insbesondere im Hinblick auf Transparenz, Information, Abrechnungsgenauigkeit und Mitwirkungsmöglichkeiten innerhalb der Verwertungsgesellschaften angeglichen. Die zweite Säule trägt die Etablierung von Gesellschaften, die bereit und in der Lage sind, sogenannte Mehrgebietslizenzen an Onlinemusikrechten zu vergeben. Zur Förderung des Binnenmarktes wird die Mobilität der Rechteinhaber verbessert, dies betrifft die Erleichterung des Wechsels von einer Verwertungsgesellschaft zu einer anderen durch ausdrückliche Statuierung der Wahlfreiheit der Rechteinhaber im Modell der *right-holders' option*.[339] Zusätzlich wird der Wechsel mittelbar durch die Vereinheitlichung der Pflichten von Verwertungsgesellschaften, insbesondere in Bezug auf Transparenz gegenüber den Rechteinhabern vereinfacht.[340] Abgesichert wird die Mobilität der Rechteinhaber durch ein ausdrückliches Diskriminierungsverbot der Verwertungsgesellschaften gegenüber ausländischen Rechteinhabern und ein individuelles Repertoirerückzugsrecht.[341] Schließlich sollen Anreize zur Repertoirebündelung durch Repräsentationsinitiativen leistungsfähiger Verwertungsgesellschaften gegenüber kleineren, national agierenden Gesellschaften entstehen.[342] Eine dritte Säule fördert die grenzüberschreitende Tätigkeit der Verwertungsgesellschaften durch Einführung des Sitzlandprinzips, das zunächst eine Erleichterung der behördlichen Kontrolle im grenzüberschreitenden Verkehr bedeutet und dessen Ausstrahlung auf das Privatrecht näher zu untersuchen ist. Der Binnenmarktgedanke für Onlinemusikdienste war Anstoß für die Harmonisierung des Verwertungs-

---

338 Siehe ErwG. 7 und 8 der VG-RL. Art. 50 Abs. 1 und 54 Abs. 1 AUEV dienen der Verwirklichung der Niederlassungsfreiheit und generell der vereinfachten Aufnahme wirtschaftlicher Tätigkeiten in der Union. In diesem Zusammenhang ist auch die weitere Rechtsgrundlage des Art. 62 AEUV zur Förderung der Dienstleistungsfreiheit zu sehen.

339 Siehe hierzu auch ErwG. 19 VG-RL.

340 Siehe ErwG. 5 und 6 VG-RL.

341 Art. 16 Abs. 2 und Art. 5 Abs. 4 sowie ErwG. 18 VG-RL. Die Gewährung von Mobilität der Rechteinhaber und eine gewisse Absicherung der Mobilität durch Diskriminierungsverbote ist so gesehen nicht neu. Sie war bereits Gegenstand von Entscheidungen der Kommission und des EuGH und gehörte somit zum gemeinsamen Besitzstands des EU-Rechts: Kommission v. 29.10.1981, Rs. IV/29.839 – *GVL*, Rz. 11, ABl. 1981 L 370/49 EuGH, C-7/82, ECLI:EU:C:1983:52 – *GVL/Kommission*, Rz. 53 ff.

342 Hierzu u.a. ErwG. 40 VG-RL.

gesellschaftsrechts[343] und blieb eines der Hauptziele der VG-RL, die dann allerdings eine deutlich weitreichendere Regelungstiefe erfuhr. Dies wird aus den Erwägungsgründen 37 ff. der VG-RL sehr deutlich. Der Vergabe von Mehrgebietslizenzen für Onlinemusikrechte ist der gesamte Titel III (Art. 23–32 VG-RL) gewidmet.

B. Regelungsgehalt der Verwertungsgesellschaftenrichtlinie

Die Verwertungsgesellschaftenrichtlinie ist in fünf Titel untergliedert. In Titel I finden sich allgemeine Bestimmungen, insbesondere Begriffsbestimmungen zur Definition von Verwertungsgesellschaften, Repräsentationsvereinbarungen, Rechteinhabern, Nutzern und Mehrgebietslizenzen. Titel II richtet sich an alle Verwertungsgesellschaften. Er bezieht sich vor allem auf das Innenverhältnis der Verwertungsgesellschaften, also die Pflichten der Verwertungsgesellschaften gegenüber den Rechteinhabern und die interne Aufsicht (Art. 9 VG-RL); er regelt jedoch zugleich das Außenverhältnis der Verwertungsgesellschaften, insbesondere deren Kollaboration untereinander (Art. 14, 15 VG-RL) sowie deren Auftreten gegenüber den Rechtenutzern (Art. 16, 17 VG-RL). In Titel III geht es ausschließlich um die Vergabe von Mehrgebietslizenzen für Onlinemusikrechte und um besondere Anforderungen an Verwertungsgesellschaften, sowie um besondere Verpflichtungen von Verwertungsgesellschaften, die sich zur Vergabe von Mehrgebietslizenzen entschließen. Titel IV enthält Bestimmungen zu Durchsetzungsmaßnahmen, das bedeutet zum Beschwerdeverfahren, zur Streitbeilegung und zur Aufsicht sowie zum Austausch der nationalen Aufsichtsbehörden untereinander. Titel V enthält die Schlussbestimmungen.

Die Richtlinie verfolgt ein gemischtes Modell, in welchem die Mitgliedstaaten hinsichtlich der Regelungsmaterie aus Titel II durchaus strengere Vorschriften festlegen können.[344] Grundsätzlich nicht von der Richtlinie erfasst, sind die Bereiche: individuelle Rechtewahrnehmung, erweiterte kollektive Lizenzen, die verpflichtende kollektive Rechtewahrnehmung und

---

343 Kommissionsempfehlung von 2005 (2005/737/EG); *Rupp*, MMR 2014, 217, 218; *Grohmann*, GRUR-Prax 2014, 145 ff.

344 Zur Kritik an diesem Modell, welches unterschiedliche nationale Anforderungen an Verwertungsgesellschaften bewirkt und zu einem weiterhin bestehenden Flickenteppich aus unterschiedlichen Wahrnehmungsregimen führt *Lichtenegger*, Verwertungsgesellschaften, Kartellverbot und Neue Medien, 2014, S. 168 f. Folge ist auch, dass ein einheitliches *level playing field* nicht erreicht werden kann (*Podszun*, GPR 2013, 97, 100).

gesetzliche Vermutungen in Bezug auf die Vertretung und Übertragung von Rechten an Verwertungsgesellschaften (ErwG. 12 und 13 VG-RL) – in Deutschland also die sogenannte GEMA-Vermutung.

Im Hinblick auf die Begriffsbestimmungen in Art. 3 VG-RL wird insbesondere auf die Definition der Verwertungsgesellschaften eingegangen. Es erfolgt eine Unterscheidung zwischen den verschiedenen Arten von Verwertungsgesellschaften bzw. Lizenzierungseinrichtungen.[345] Letztere, die sogenannten unabhängigen Verwertungseinrichtungen, unterliegen nur sehr eingeschränkten Verpflichtungen (ErwG. 15), in erster Linie sind dies Informationspflichten.

I. Die Regelung des Innenverhältnisses der Verwertungsgesellschaften

Das Innenverhältnis der Verwertungsgesellschaften wird in der Richtlinie sehr detailliert geregelt. Hierzu zählt eine deutliche Fokussierung auf Transparenzpflichten der Verwertungsgesellschaften gegenüber den Rechteinhabern, was insbesondere aus den Erwägungsgründen 5, 6 und 34–36 deutlich wird. Neben der staatlichen Aufsicht, deren Analyse hier noch aussteht, die aber zumindest aus deutscher Sicht für grenzüberschreitende Sachverhalte geschwächt wurde, setzt die Richtlinie in Art. 9 und Erwägungsgrund 24 auf eine interne Aufsicht der Verwertungsgesellschaften. Mitwirkungs- und Gestaltungsmöglichkeiten der Rechteinhaber innerhalb der Verwertungsgesellschaften sollen abgesichert werden (ErwG. 22 und 23 sowie Art. 6 ff. der VG-RL). Im operativen Teil der Richtlinie (Art. 11 bis 13 VG-RL) findet sich ein detaillierter Regelungsrahmen zur Verwaltung der Verwertungsgesellschaften, zur Verteilung der Einnahmen und zur Transparenz. Im Grundsatz ähnlichen, aber doch strengeren Anforderungen unterliegen Verwertungsgesellschaften, die Mehrgebietslizenzen vergeben (ErwG. 45 und Art. 27, 28 der VG-RL).

Neben diesen Sorgfalts- und Transparenzpflichten der Verwertungsgesellschaften widmet sich die Richtlinie im Innenverhältnis vor allem einer Stärkung von Flexibilität und Wechselmöglichkeit der Rechteinhaber

345 Verwertungsgesellschaften werden in der Richtlinie als „Organisationen für die kollektive Rechtewahrnehmung" bezeichnet. Hier wird weiterhin der traditionelle Terminus verwendet. Zu den Definitionen und zur Abgrenzung der unterschiedlichen Arten Verwertungseinrichtungen *Mesevic*, Urheberrechtssysteme und kollektive Rechtewahrnehmung in Südosteuropa, 2015, S. 212 ff.

(ErwG. 19). Gemäß Art. 5 Abs. 2 der VG-RL sollen die Rechteinhaber das Recht haben, eine Verwertungsgesellschaft ihrer Wahl mit der Wahrnehmung von Rechten, von Rechtekategorien oder von Arten von Werken und in den Gebieten ihrer Wahl zu beauftragen. Dazu haben Rechteinhaber die Möglichkeit, den Wahrnehmungsauftrag innerhalb einer Frist von höchstens sechs Monaten zu kündigen (Art. 5 Abs. 4 VG-RL). Verwertungsgesellschaften sollen grundsätzlich zur Wahrnehmung verpflichtet sein (Art. 5 Abs. 2 S. 2). Es handelt sich um eine eingeschränkte Form des Wahrnehmungszwangs.[346] Eine Verwertungsgesellschaft, der die Wahrnehmung der Rechte angetragen wird, kann nur „aus objektiv nachvollziehbaren Gründen ablehnen".

Ganz neu ist dieses System nicht. Schon früh wurde erkannt, dass Verwertungsgesellschaften als marktbeherrschende Unternehmen eine besondere und binnenmarktrelevante Rolle einnehmen, aus der auch ein Diskriminierungsverbot ausländischer Rechteinhaber erwächst.[347] Gleichwohl ist die Position der Rechteinhaber gegenüber den Verwertungsgesellschaften durch die Richtlinie deutlich gestärkt und so dienen auch die umfassenden Transparenzpflichten der Verwertungsgesellschaften im Innenverhältnis der Förderung der Vergleichsmöglichkeit der Rechteinhaber und damit der Absicherung ihres Wahlrechts.[348] Ausdrücklich soll die Wechselmöglichkeit besonders gefördert werden, um Gesellschaften, die keine Mehrgebietslizenzen erteilen, diese Rechte zu entziehen und sie anderweitig, in der Regel über grenzüberschreitend tätige Verwertungsgesellschaften, lizenzieren zu lassen (ErwG. 47). Diskriminierungsverbote wie sie in Erwägungsgrund 18 vorzufinden sind, ergeben sich einerseits bereits aus Art. 5 Abs. 2 S. 2 der VG-RL, andererseits auch aus den Grundfreiheiten und dem europäischen Kartellrecht.[349]

---

346 *Dies.*, Urheberrechtssysteme und kollektive Rechtewahrnehmung in Südosteuropa, 2015, S. 216 f.; auf die genaue Ausgestaltung des Wahrnehmungszwang wird in *Teil 3* eingegangen.

347 Siehe hierzu bereits 1983, EuGH, C-7/82, ECLI:EU:C:1983:52 – *GVL/Kommission*. Nähere Ausführung finden sich in der kartellrechtlichen Analyse (*Kapitel 2, C*).

348 Siehe dazu auch Erwägungsgrund 36.

349 Hierzu EuGH, C-7/82, ECLI:EU:C:1983:52 – *GVL/Kommission* und an späterer Stelle.

II. Das Außenverhältnis der Verwertungsgesellschaften

Deutlich weniger detailliert geregelt wurde das Außenverhältnis der Verwertungsgesellschaften. Hervorzuheben ist immerhin das sogenannte Diskriminierungsverbot bei den Lizenzbedingungen (Art. 16 Abs. 2 UAbs. 2 und ErwG. 31 VG-RL). Art. 16 Abs. 1 VG-RL statuiert eine Verhandlungspflicht zwischen Verwertungsgesellschaften und Nutzern. Hierin kann eine eingeschränkte Version des Kontrahierungszwangs gesehen werden.[350] Außerdem bestehen (eingeschränkte) Tarifaufstellungspflichten (Art. 16 Abs. 2 und ErwG. 31). Auffällig und bezeichnend für die gesamte Konzeption der Richtlinie ist, dass selbst in diesem Teil der Richtlinie, der sich eigentlich mit dem Verhältnis der Verwertungsgesellschaften zu den Nutzern befasst, die Vergütungssicherung für die Rechteinhaber betont wird.[351]

Neben dem angesprochenen Diskriminierungsverbot bei der Lizenzierung sind als Verpflichtungen der Verwertungsgesellschaften gegenüber Nutzern vor allem Transparenz- und Informationspflichten vorgesehen. Sie finden sich in Art. 18 ff. der VG-RL (konkretisiert in Erwägungsgrund 31). Alle diese Vorschriften betreffen im Kern werkbezogene Informationen, welche die Verwertungsgesellschaften bereithalten müssen. Doch auch die Nutzer sind Informationsansprüchen der Verwertungsgesellschaften ausgesetzt. Hier geht es vor allem um die Pflicht über die konkrete Werknutzung Auskunft zu geben. Sie war in Deutschland bislang nicht ausdrücklich statuiert und musste wohl auf § 242 BGB gestützt werden,[352] gleichzeitig ist aber eine inhaltliche Nähe zu den urheberrechtlichen Rechtsansprüchen, insbesondere auf Auskunft nach § 101 UrhG und damit eine Verwandtschaft zum materiellen Urheberrecht erkennbar.

Schließlich verfolgt die Richtlinie einen Ansatz der „Innovationsförderung" durch die Abkehr von der Bindungswirkung gegenüber Nutzern und einer gewissen Einschränkung des Diskriminierungsverbots hinsichtlich

---

350 *Mesevic*, Urheberrechtssysteme und kollektive Rechtewahrnehmung in Südosteuropa, 2015, S. 221 f.; kritisch zum fehlenden Kontrahierungszwang im Richtlinienvorschlag von 2012 (COM (2012)372), *Drexl/Nérisson/Trumpke u.a.*, IIC 44 (2013), 322, 328. Die Verhandlungspflicht kann sich dabei durchaus zu einem echten Kontrahierungszwang verdichten und aufgrund der Mindestharmonisierung sind strengere nationale Standards möglich (so z.B. der Abschlusszwang nach § 34 VGG im deutschen Recht).

351 In Art. 16 Abs. 2 UA 2 heißt es: „Die Rechteinhaber erhalten eine angemessene Vergütung für die Nutzung ihrer Rechte."

352 *Peifer*, GRUR 2015, 27, 32 mit weiterem Verweis auf *Reinbothe*, in *Schricker/Loewenheim*, UrhG, 4. Aufl. 2010, § 13 UrhWG Rn. 3.

der Lizenzierung für neue oder neuartige Geschäftsmodelle (Erwg. 32 und Art. 16 Abs. 2 S. 2 VG-RL).

III. Das Binnenverhältnis zwischen Verwertungsgesellschaften – Gegenseitigkeitsverträge und Repräsentationsvereinbarungen

Während der Begriff „Gegenseitigkeitsverträge" die Wechselseitigkeit der Rechteeinräumung betonte, liegt der Fokus bei den Repräsentationsvereinbarungen schon terminologisch auf der Einseitigkeit.[353] In diesem Bild „bittet" eine Verwertungsgesellschaft eine andere um die Wahrnehmung ihres Repertoires im Ausland. Im Model der Mehrgebietslizenzen für Onlinemusikrechte sollen dies in der Regel kleine Verwertungsgesellschaften sein, die leistungsfähigeren Schwestergesellschaften einseitig ihr Repertoire zur paneuropäischen Lizenzierung zur Verfügung stellen.[354] Gleichwohl geht es auch bei den Repräsentationsvereinbarungen in der Sache um die Zusammenarbeit von Verwertungsgesellschaften im Bereich von Rechtewahrnehmung und Vergütungssicherung. Die Repertoirerepräsentation ist dabei nicht auf den Onlinebereich und die Mehrgebietslizenzen beschränkt, was insbesondere aus Erwägungsgrund 11 hervorgeht.[355] Die Aufrechterhaltung klassischer Gegenseitigkeitsverträge ist möglich, sofern diese im Einklang mit dem Kartellrecht stehen, worauf in Erwägungsgrund 11 ausdrücklich hingewiesen wird.

Um den Zugang kleiner Verwertungsgesellschaften zum Markt für Mehrgebietslizenzen wenigstens über den Umweg der Repräsentationsvereinbarungen abzusichern, wurde ein eingeschränkter „Wahrnehmungszwang" eingeführt, der aber immerhin weiterreicht als das zuvor angesprochene Diskriminierungsverbot bei der Lizenzierung. So sind nach Art. 30 Abs. 1 der Richtlinie Verwertungsgesellschaften, die bereits Mehrgebietslizenzen im Rahmen von Repräsentationsvereinbarungen vergeben, verpflichtet dies im selben Umfang gegenüber antragenden Schwestergesellschaften zu tun.[356] Gesellschaften, die selbst nicht in der Lage sind, Mehrgebietslizenzen zu vergeben, sollen zur Beauftragung einer bzw. mehrerer Schwesterge-

353 *Papēde*, Verwertungsgesellschaften im europäischen Kontext, 2016, S. 314 f.

354 Zur Kritik an der Definition der Repräsentationsvereinbarungen *Mesevic*, Urheberrechtssysteme und kollektive Rechtewahrnehmung in Südosteuropa, 2015, S. 215 f.

355 *Peifer*, GRUR 2015, 27, 33.

356 Siehe auch ErwG. 46 VG-RL.

sellschaften im Rahmen von Repräsentationsverträgen auf nichtexklusiver Basis ermutigt werden.[357]

Das Verhältnis gegenüber den originären Rechteinhabern und Schwestergesellschaften wird auch durch Transparenzpflichten und Vorgaben hinsichtlich der Verteilung der Einnahmen abgesichert (Art. 14, 15, 19 VG-RL). Eine generelle Transparenzpflicht von Verwertungsgesellschaften, die Rechte auf der Grundlage sogenannter Repräsentationsvereinbarungen wahrnehmen, enthält Art. 20 VG-RL. Außerdem sind Verwertungsgesellschaften zur Erstellung und Veröffentlichung eines jährlichen Transparenzberichts verpflichtet.

IV. Unterscheidung zwischen Online und Offline

Titel III der VG-RL enthält Sonderregelungen für Onlinemusiklizenzen und „gilt" gemeinsam mit Art. 34 Abs. 2 und Art. 38 nur für Verwertungsgesellschaften, die ihren Sitz in der Union haben und Urheberrechte an Musikwerken für grenzüberschreitende Onlinenutzungen anbieten (Art. 2 Abs. 2 VG-RL). Gleichwohl können Mitgliedstaaten dieselben oder vergleichbare Bestimmungen auf Verwertungsgesellschaften anwenden, die ihren Sitz außerhalb der Union haben, aber im betreffenden Mitgliedstaat tätig sind. Dies wird in Erwägungsgrund 10 klargestellt.

Die Förderung des Systems der Onlinemehrgebietslizenzen und die Bündelung der Repertoires erfolgt einerseits durch das Wahlrecht der Rechteinhaber, andererseits durch Repräsentationsinitiativen leistungsfähiger Verwertungsgesellschaften gegenüber kleineren, national agierenden Gesellschaften (ErwG. 40). Positiv hervorzuheben ist, dass Repräsentationsvereinbarungen unterstützt werden und vor allem, dass sie nichtexklusiv sein sollen (ErwG. 44 und Art. 29 Abs. 1 VG-RL). Dies kann eine Vereinfachung für die Nutzer beim Rechteclearing schaffen und verringert ihre Abhängigkeit von einzelnen Verwertungsgesellschaften. Die Wahrnehmung des Repertoires aus den Repräsentationsvereinbarungen erfolgt diskriminierungsfrei, d.h. unter denselben Bedingungen wie die Wahrnehmung des eigenen Repertoires (Art. 29 Abs. 1 und Art. 30 Abs. 3 VG-RL). Rechteinhaber können Verwertungsgesellschaften das Repertoire leichter entziehen und somit eine Direktlizenzierung ermöglichen. Das fördert die

357 Siehe ErwG. 44 VG-RL.

Bündelung der Repertoires. Konkret können Rechteinhaber gemäß Art. 31 VG-RL einer Verwertungsgesellschaft, die selbst keine Mehrgebietslizenzen an Online-Musikwerken vergibt, auch nur diese Rechte entziehen und ihr weiterhin die Rechte für die Lizenzierung auf dem Gebiet, auf dem sie tatsächlich tätig ist, überlassen.[358]

Auch bei der Regelung der Vergabe von Mehrgebietslizenzen im Onlinebereich, konzentriert sich die Richtlinie auf das Verhältnis von Verwertungsgesellschaften und Rechteinhabern bzw. das Verhältnis der Verwertungsgesellschaften untereinander. Die Nutzerinteressen sind nur sporadisch angesprochen. So gibt es besondere Anforderungen an die Datenerhebung und Information. Dies dient einerseits einer punktgenauen Abrechnung (Art. 24), andererseits der Erleichterung des Rechteclearings (Art. 25). Zugunsten der Nutzer soll ein höheres Maß an Rechtetransparenz geschaffen werden, welches die Repertoiresuche vereinfachen kann. Verwertungsgesellschaften, die Mehrgebietslizenzen vergeben, müssen dabei insbesondere Informationen über die repräsentierten Musikwerke, die vollständig oder teilweise repräsentierten Rechte und über die umfassten Lizenzgebiete bereithalten (ErwG. 41 ff.).

C. Interessenbezogene Analyse der Verwertungsgesellschaftenrichtlinie im Modell der right-holders' option

Die Untersuchung der Funktionen der Verwertungsgesellschaften hat gezeigt, dass Verwertungsgesellschaften in der Lage sind, den Interessenausgleich im Urheberrecht zu fördern.[359] Dies sollte aber nicht darüber hinwegtäuschen, dass die Verwertungsgesellschaften selbst zunächst auf der Seite der Rechteinhaber stehen. Ihnen gegenüber sind sie treuhänderisch verpflichtet. Als Mitglieder der Verwertungsgesellschaften haben die Rechteinhaber unmittelbaren Einfluss auf die Ausrichtung des verwertungsgesellschaftlichen Handelns. Nutzerseitig fehlt diese unmittelbare Einfluss-

358 Das Konzept der Mehrgebietslizenzen beinhaltet im Wesentlichen Folgendes: Verwertungsgesellschaften können unter den Voraussetzungen des Titel III selbst Mehrgebietslizenzen vergeben, sie können andere Verwertungsgesellschaften oder Dritte mit der Vergabe von Mehrgebietslizenzen beauftragen oder hierfür Gemeinschaftsunternehmen mit anderen Verwertungsgesellschaften gründen. Die Rechteinhaber können andernfalls andere Verwertungsgesellschaften mit der Vergabe der Onlinerechte betrauen (*Rupp*, MMR 2014, 217, 219).

359 So auch *Drexl/Nérisson/Trumpke u.a.*, IIC 44 (2013), 322, Ziff. 17.

möglichkeit und so hängt ihre Position stärker von der Schaffung konkreter Ansprüche ab.

Nach einer Darstellung der Interessenvielschichtigkeit im Urheberrecht wird nach der Interessenlage im Verwertungsgesellschaftssystem gefragt und ihre Berücksichtigung durch die VG-RL und das VGG untersucht.

I. Die Interessenvielschichtigkeit im Urheberrecht

Die Interessen im Urheberrecht sind so vielschichtig wie seine Akteure.[360] Grobschichtig lässt sich zwischen den Interessen der Schöpfer, Verwerter und Nutzer unterscheiden. Diese Dreiteilung[361] scheint auch im deutschen Urheberrecht angelegt, welches vom Werk und den Werkschöpfern ausgeht, sodann Vorschriften zum Rechtsverkehr im Urheberrecht enthält und schließlich die Regelung der urheberrechtlichen Schranken in den Blick nimmt.

Das Urheberrecht ist zunächst auf die Kreativen hin ausgerichtet. Ihre Gruppe ist allerdings keinesfalls homogen. Die Interessen, der Schutzbedarf und der Verwertungsweg sowie das Verwertungsinteresse unterscheiden sich zwischen einem Maler, einem Bildhauer, einem Komponisten, einem Filmregisseur, einem Architekten, einem Werbetexter oder einem Programmierer erheblich. Betrachtet man allein den Musikbereich, so sind für die Allgemeinheit zwar zunächst die Interpreten sichtbar, auf sie konzentriert sich jedoch nicht das Urheberrecht, sie sind lediglich leistungsschutzberechtigt. Andere am Schaffungsprozess Beteiligte, seien sie auch noch so zentral wie ein Komponist, werden von der Öffentlichkeit meist übersehen. Auch zwischen ihnen muss ein Ausgleich – sei es bzgl. ideeller Fragen wie der Namensnennung oder bzgl. der Aufteilung von Einnahmen aus

---

360 Zum Interessenausgleich im Urheberrecht insbesondere *Metzger*, JZ 65 (2010), 929, 931; *Schack*, Urheber- und Urhebervertragsrecht, [10]2021, Rn. 10; mit verschiedenen Vorschlägen zu Schutzzweckklauseln, durch welche die Interessenvielfalt im Urheberrecht transparenter gemacht werden sollen *Leistner/Hansen*, GRUR 2008, 479, 486 und *Hansen*, Warum Urheberrecht?, 2009, S. 306 ff.

361 Mit dieser Dreiteilung der Interessen im Onlinebereich auch *Kling*, Gebietsübergreifende Vergabe von Online-Rechten an Musikwerken, 2017, S. 31 f. Ausführlich zur Interessenlage im Urheberrecht und zur Rolle der Verwertungsgesellschaften beim Interessenausgleich *von Lewinski*, in: Heker/Riesenhuber (Hrsg.), Recht und Praxis der GEMA, [3]2018, Kapitel 3.

dem „Kreativgut“ – stattfinden.[362] Daneben finden sich Produzenten und Verleger, deren Leistung vor allem organisatorisch, technisch und finanziell ist. Produzenten und Rechteverwertern kommt nicht selten eine Doppelrolle als Rechteinhaber und Rechtenutzer zu.[363] Verwertern der Werke ist besonders an Exklusivität und Reichweite der Verbreitung gelegen, den Konsumenten hingegen am Zugang zu den Werken auf möglichst einfache, vielfältige und preiswerte Weise.[364] Hinzutreten mag auch ein Interesse an freier Kommunikation, die im digitalen Umfeld oft mit dem Urheberrecht in Konflikt gerät.[365]

Im Internet rücken die Intermediäre ins Zentrum der Betrachtung. Dies können Suchmaschinen sein oder es kann sich um eigene Werkvermittlungsseiten handeln. Der verfügbare Inhalt kann dabei durch Nutzer gesteuert[366] oder von Plattformen selbst bereitgestellt und kuratiert werden.[367] Die verschiedenen Arten von Intermediären unterscheiden sich in der Art ihrer Nutzung der Rechte: Suchmaschinen weisen grundsätzlich nur den Weg zu den entsprechenden Inhalten, bestimmte Streamingdienste wählen selbst aus was sie verbreiten, wobei die Geschäftsmodelle ebenfalls variieren.[368] Sender mit ihren Onlineangeboten und andere programmgestaltende Dienste unterscheiden sich wiederum von klassischen Streaming- bzw. On-Demand-Angeboten, die lediglich eine mehr oder weniger umfangreiche Datenbank zur Auswahl bereitstellen. Die Intermediäre unterscheiden sich darüber hinaus auch in Größe, Reichweite und Marktmacht voneinander und nicht zuletzt in ihrem Interesse daran, Inhalte exklusiv anzubieten. Das Verwertungsgesellschaftssystem betrifft einen Großteil der genannten Interessengruppen.

---

362 *Hilty*, ZUM 2003, 983, 987 f.; *Drexl/Nérisson/Trumpke u.a.*, IIC 44 (2013), 322, Ziff. 15 f.

363 Typische Beispiele sind Plattenlabel, Filmproduzenten und Zeitungsverlage (*Podszun/Franz*, ZGE 7 (2015), 15, 23 f.)

364 *Hilty*, ZUM 2003, 983, 995 ff.; *Podszun/Franz*, ZGE 7 (2015), 15, 22 f.

365 Dies betrifft Phänomene wie *user-generated-content*.

366 Wie im Fall von YouTube.

367 Wie im Fall von Spotify im Musikbereich und Netflix im Filmbereich.

368 In die Debatte um die Provider- und Intermediärshaftung soll hier nicht eingestiegen werden.

II. Die Interessenlage im Verwertungsgesellschaftssystem und ihre Berücksichtigung durch die VG-RL

Die urheberrechtliche Interessenlage spiegelt sich im Verwertungsgesellschaftssystem, welches Rechtetransaktionen erleichtern und Vergütung sichern soll. Für einige Akteure mag das Verwertungsgesellschaftssystem eine größere Rolle spielen als für andere. Dies hängt nicht zuletzt davon ab, inwieweit ihre Rechte Gegenstand von Massennutzungen sind.

Als Intermediäre in einem zweiseitigen Markt sind Verwertungsgesellschaften in erster Linie mit den Interessen der jeweiligen Marktgegenseite konfrontiert. Sie bilden zwar konzeptionell keinen eigenen Willen, sondern werden durch eine kollektive Willensbildung ihrer Mitglieder gesteuert, in deren kollektivem Interesse sie handeln.[369] Gleichwohl besteht bei ihnen wie bei allen Institutionen ein Eigeninteresse und sei dies auch nur ein Interesse an der Selbsterhaltung.[370] Jedenfalls dürfen Verwertungsgesellschaften aber kein Interesse an einer eigenen Gewinnerzielung haben (Art. 3 lit. a) VG-RL) oder müssen im Eigentum ihrer Mitglieder stehen bzw. von ihren Mitgliedern beherrscht werden (Art. 3 lit. b) VG-RL).

Die Untersuchung konzentriert sich auf die Interessen der Rechteinhaber, die Interessen der Rechtenutzer sowie auf die Interessen der Allgemeinheit. Auch dabei handelt es sich freilich um pauschalisierende Oberbegriffe keinesfalls homogener Gruppen, was sich insbesondere bei den Rechteinhabern zeigt, deren Interessenkonflikte, mindestens zwischen originären und derivativen Rechteinhabern, regelmäßig offen zutage treten. Hervorheben lassen sich vorab gemeinsame ökonomische Interessen aller am Schaffungs-, Verbreitungs- und Nutzungsprozess Beteiligten. Auf den ersten Blick scheinen die jeweiligen Interessen zumindest zwischen Rechteinhabern und Rechtnutzern konträr. Allerdings zeigte bereits die ökonomische Analyse der Verwertungsgesellschaften, insbesondere im Hinblick auf die Transaktionskosten- und Informationskostenökonomik auch ein gemeinsames Interesse an einem wirksamen Verwertungsgesellschaftssystem, das mit einer breiten Bündelung von Repertoires einhergeht.[371] Geht es um Tarife, liegt der Konflikt allerdings auf der Hand; Rechtenutzer und Rechteinhaber sind sich immerhin darin einig, Verwaltungskosten der

369 So auch ErwG. 22 VG-RL.
370 *Podszun/Franz*, ZGE 7 (2015), 15, 24.
371 Siehe *Teil 1, Kapitel 1, B, I., 1.)*.

Verwertungsgesellschaften möglichst gering zu halten, also eine effiziente Rechtewahrnehmung zu erreichen.[372]

1) Interessen der Rechteinhaber

Ein Großteil der VG-RL[373] befasst sich mit den Rechten der Rechteinhaber und dem Schutz ihrer Position und ihrer Interessen. Sie erhalten umfassende Mitwirkungs-, Gestaltungs- und Aufsichtsbefugnisse.[374] Verstärkt wird die Begünstigung der Rechteinhaber im System der VG-RL über das gewählte Modell der *right-holders' option*. Die VG-RL verfolgt damit einen Ansatz, der Flexibilität zugunsten der Rechteinhaber schafft und ihnen durch umfassende Transparenzpflichten auch die notwenigen Informationen zur Verfügung stellt, um einen Wechsel in ihrem Interesse zu vollziehen. Der dadurch entstehende Wettbewerbsdruck auf Verwertungsgesellschaften verstärkt ihre Ausrichtung auf die Bedürfnisse der Rechteinhaber.

Die VG-RL unterscheidet hingegen kaum zwischen den verschiedenen Arten von Rechteinhabern und ihren teils unterschiedlichen Interessen innerhalb des Systems der kollektiven Rechtewahrnehmung.[375] Der Begriff des Rechteinhabers wird in Art. 3 lit. c VG-RL weit definiert. Er umfasst alle natürlichen und juristischen Personen „mit Ausnahme von Organisationen für die kollektive Rechtewahrnehmung, die Inhaber eines Urheber- oder eines verwandten Schutzrechts [sind] oder die aufgrund eines Rechteverwertungsvertrages oder gesetzlich Anspruch auf einen Anteil an den Einnahmen aus den Rechten" haben. Eine Differenzierung zwischen originär und abgeleitet Berechtigten erfolgt nicht. Lediglich in Erwägungsgrund 6 wird von Kategorien von Rechteinhabern gesprochen

372 De facto werden die Verwaltungskosten durch Anpassung der Tarifhöhe an die Rechtenutzer weitergereicht. Dies gilt zumindest für einen Teil dieser Kosten, nicht jede Schwankung wird sich unmittelbar in der Tarifhöhe ausdrücken. Zumindest soweit diese Kosten gerechtfertigt sind und sich etwa mit objektiven Unterschieden zwischen den Verhältnissen in dem betreffenden Mitgliedstaat und denen in den übrigen Mitgliedstaaten rechtfertigen lassen, scheint dies unbedenklich. Zu denken ist dabei vor allem an kostenbeeinflussende objektive Faktoren, wie etwa spezielle Regelungen, die das Funktionieren des Verwaltungsapparats schwerfälliger machen oder Merkmale des Marktes (so EuGH, C-177/16, ECLI:EU:C:2017:689 – *AKKA/LAA*, Rz. 58 ff. mit weiterem Verweis auf EuGH, verb. Rs. 110/88, 241/88 und 242/88, ECLI:EU:C:1989:326 – *Lucazeau*, Rz. 25 ff.).

373 Besonders Titel II Kapitel 1, 2 und 5.

374 Art. 6–10 VG-RL.

375 *Podszun/Franz*, ZGE 7 (2015), 15, 23.

und eine Gleichbehandlung innerhalb der jeweiligen Kategorie gefordert. Mit handfesten Konsequenzen ist dies jedoch kaum verbunden. Ebenso wenig sucht die VG-RL nach einem Interessenausgleich zwischen großen, marktmächtigen Rechteinhabern und kleinen Rechteinhabern. Der Druck auf die Verwertungsgesellschaften für die Rechteinhaber attraktiv zu sein, kann schnell dazu führen, dass Verwertungsgesellschaften ihre Attraktivität speziell für die Gruppe der großen, marktmächtigen Inhaber von Rechten mit ihren kommerziell nachgefragten Repertoires erhöhen. Denn deren Rechtewahrnehmung hat positiven Einfluss auf die Kostenstruktur der Verwertungsgesellschaften.[376] Weniger attraktiv ist das System hingegen für individuelle Künstler und Inhaber von Nischenrepertoires, um deren Rechte sich Verwertungsgesellschaften kaum reißen werden und für die ein Wechsel der Verwertungsgesellschaft allein schon auf Grund bürokratischer und sprachlicher Hürden weniger naheliegend ist.[377] Entsprechend waren auch die ersten Modelle zur Zentrallizenzierung, welche im Anschluss an die Kommissionsempfehlung von 2005 entstanden sind, zum Teil verlagsgesteuert.[378] Diese „Interessenpolitik" hat seit Erlass der Kommissionsempfehlung die Politik der Kommission geprägt und von Anfang an – auch von Seiten des Parlaments – Kritik hervorgerufen.[379] Ohne zusätzliche

376 Denn weniger attraktive Repertoires können die Verwaltungskosten im Verhältnis zum Ertrag überproportional erhöhen. Hierzu u.a. *Drexl*, in: Riesenhuber (Hrsg.), Wahrnehmungsrecht in Polen, Deutschland und Europa, 2006, S. 193, 214 *ders.*, in: Torremans (Hrsg.), Copyright Law, 2007, S. 255, 270 f.

377 *Drexl*, in: Leska (Hrsg.), Managing Copyright, 2023, S. 29, 30 f. dazu auch *Peifer*, ZUM 2014, 453, 460.

378 Hierzu ausführlich *Heyde*, Die grenzüberschreitende Lizenzierung von Online-Musikrechten in Europa, 2011, § 9.

379 Siehe insbes. den Lévai-Bericht für den Rechtsausschuss des Europäischen Parlaments (Bericht über die Empfehlung der Kommission vom 18. Oktober 2005 für die länderübergreifende kollektive Wahrnehmung von Urheberrechten und verwandten Schutzrechten, die für legale Online-Musikdienste benötigt werden (2005/737/EG), vom 5.3.2007, EP-Doc. A6-0053/2007) sowie die anschließende Entschließung des Europäischen Parlaments vom 13. März 2007 (EP-Doc. P6_TA(2007)0064). Aus der Wissenschaft insbes. *MPI*, Stellungnahme des Max-Planck-Instituts für Geistiges Eigentum, Wettbewerbs- und Steuerrecht zuhanden des Bundesministeriums der Justiz betreffend die Empfehlung der Europäischen Kommission über die Lizenzierung von Musik für das Internet vom 18. Oktober 2005 (2005/737/EG), GRUR Int. 2006, 222; *Drexl*, in: Hilty/Geiger (Hrsg.), Impulse für eine europäische Harmonisierung des Urheberrechts/Perspectives d'harmonisation du droit d'auteur en Europe, 2007, S. 369 ff.; *von Lewinski*, in: Ohly (Hrsg.), Perspektiven des geistigen Eigentums und Wettbewerbsrechts, 2005, S. 401 ff.; *Hilty*, in: Leistner (Hrsg.), Europäische Perspektiven des geistigen Eigentums, 2010, S. 123 ff. sowie einen Überblick bei *Heyde*, Die

Binnendifferenzierung werden den Mitgliedern von den Verwertungsgesellschaften, insbesondere in Art. 5 VG-RL zwar recht umfangreiche, aber vor diesem Hintergrund vor allem pauschale Rechte eingeräumt.[380]

Interessenkonflikte drängen sich nicht zuletzt bei der Verteilung der Einnahmen auf. Ein handfester Konflikt zwischen Urhebern und Verlegern um die Partizipation an den Einnahmen aus gesetzlichen Vergütungsansprüchen führte zu den kontrovers diskutierten Entscheidungen *Reprobel*[381] und *Verlegerbeteiligung*[382]. Über das Regime der internen Aufsicht können vor allem finanzkräftige und gut organisierte Rechteinhaber oder Rechteinhabergruppen die Tätigkeit der Verwertungsgesellschaften kontrollieren und beeinflussen.[383] Die interne Aufsicht kann überdies nur zu einem funktionierenden Innenverhältnis der Verwertungsgesellschaften beitragen und bewirkt nicht den Schutz Außenstehender, also vor allem der Nutzer.[384]

2) Interessen der Rechtenutzer

Auch bei Nutzern stehen grundsätzlich ökonomische Interessen im Vordergrund, die mit den Aufgaben der Verwertungsgesellschaften korrespondie-

---

grenzüberschreitende Lizenzierung von Online-Musikrechten in Europa, 2011, S. 111 ff.

380 Rechteinhabern, die nicht Mitglied einer Verwertungsgesellschaft sind, wird gemäß Art. 7 VG-RL nur ein Mindestschutz gewährt.

381 EuGH, C-572/13 (ECLI:EU:C:2015:750) – *Reprobel* (Hewlett-Packard Belgium)

382 BGH, Urt. v. 21.4.2016 – I ZR 198/13 – *Verlgeranteil* (BGHZ 210, 77–113).

383 Das Kräfteungleichgewicht äußert sich auch in der Mitgliederstruktur der GEMA. Zwar waren 2016 insgesamt 61.653 Komponisten und Textdichter Mitglieder der GEMA, davon waren aber nur 2.436 (ca. 4 %) als ordentliche Mitglieder der GEMA angeschlossen. Bei Verlagen stellt sich dieses Verhältnis anders da. Von 5.225 Verlagen in der GEMA sind 564 (knapp 11 %) ordentliche Mitglieder (GEMA-Geschäftsbericht 2016, S.8). Hierzu auch *Podszun*, in: Grünberger/Leible (Hrsg.), Die Kollision von Urheberrecht und Nutzerverhalten, 2014, S. 173, 178 f.

384 Umso mehr überrascht es, dass einzelne Autoren der internen Aufsicht auch eine (funktionierende) Kontrolle des Außenverhältnisses der Verwertungsgesellschaften unterstellen. Explizit soll dies etwa die Tarifkontrolle betreffen (so *Kreile*, ZUM 2018, 13, 16). Solange eine solche Aussage nicht mit Tatsachen belegt ist, scheint sie entweder von einem unrealistischen Wunsch getragen oder einen eigenen (und zwar einseitigen) Zweck zu verfolgen. Klar ist doch, dass die Mitglieder der Verwertungsgesellschaften und sonstigen Berechtigten eigene Interessen verfolgen, die zu denjenigen der Rechtenutzer im Außenverhältnis – als Marktgegenseite – größtenteils und ganz besonders was Fragen der Tarife anbelangt, konträr stehen. Die interne Aufsicht der Verwertungsgesellschaften kann gerade nicht die Interessen der Rechtenutzer wirksam schützen und dies sollte von ihr auch nicht erwartet werden (hierzu sogleich in *Kapitel 2, A*).

ren. Nutzer erwarten eine Vereinfachung des Rechteerwerbs und dabei möglichst kostengünstige Lizenzen.

Was die Vereinfachung des Rechteerwerbs angeht, sehen sich die Rechtenutzer durch die Neuordnung des Verwertungsgesellschaftsmodells bislang im Nachteil. Die *right-holders' option* stärkt zunächst die Position der Rechteinhaber, indem ihnen ein erweitertes Wahlrecht gegenüber den Verwertungsgesellschaften eingeräumt wird. Die zunehmende Ausrichtung der Verwertungsgesellschaften auf die Rechteinhaber führt nicht nur zu einem Wettbewerb, der sich etwa im Hinblick auf Tarife schnell zu Lasten der Rechtenutzer entwickeln kann, sie führt auch zu einer Zersplitterung der Rechtekataloge. Damit steht ein wesentlicher Vorteil der kollektiven Rechtewahrnehmung für die Rechtenutzer auf dem Prüfstand – die Reduzierung der Kosten für die Repertoiresuche.[385]

Die VG-RL selbst berücksichtigt die Interessen der Rechtenutzer nur in geringem Maße. So finden sich in Art. 18 ff. VG-RL überwiegend werkbezogene Informationspflichten und in Art. 16 Abs. 2 VG-RL (Erwägungsgründen 11, 31) die allgemeine Pflicht der Verwertungsgesellschaften, Lizenzen zu diskriminierungsfreien und transparenten Bedingungen einzuräumen. Insbesondere für kleine Rechtenutzer kann die Auflösung nationaler *One-Stop-Shops* im Onlinebereich ein Marktzugangshindernis darstellen, denn das Modell der VG-RL erhöht die Kosten, die zur Vorbereitung bzw. Etablierung eines neuen Onlinedienstes nötig sind. Immerhin wurden im Gegensatz zur Kommissionsempfehlung die Gegenseitigkeitsverträge bzw. Repräsentationsvereinbarungen gestärkt, was zu einer Bündelung der Repertoires im Interesse der Nutzer führen kann.

3) Übergeordnete Interessen

Es besteht schließlich ein Interesse der Allgemeinheit an breitem Zugang zu Kulturgütern. Der Kulturvermittlungsauftrag der Verwertungsgesellschaft ist in Erwägungsgrund 3 nur sehr vage formuliert und findet kaum Anknüpfungspunkte im operativen Teil der Richtlinie.[386] Einziger handfester Ausdruck der Nutzerinteressen ist der eingeschränkte „Kontrahierungszwang“ bzw. das Diskriminierungsverbot sowie die Tarifkontrolle.[387] Ein

385 *Drexl*, in: Torremans (Hrsg.), Copyright Law, 2007, S. 255, 259 ff.

386 *Peifer*, GRUR 2015, 27, 31.

387 Daneben kann als ein nicht ganz unbedeutender Ansatz die fakultative Förderung von Creative-Commons-Lizenzen in Art. 5 Abs. 3 der VG-RL genannt werden. Sie

diskriminierungsfreier Zugang zu Kreativgütern kann kulturelle Vielfalt sichern. Die Tarifkontrolle kann zu einem sozial ausgewogeneren Vergütungssystem beitragen.[388]

Bei Allgemeininteressen und Partikularinteressen nicht klar umgrenzter bzw. unorganisierter Gruppen kommt ein Durchsetzungsproblem hinzu. Allgemeininteressen lassen sich in der Regel nicht individuell zuordnen und können im Rechtsverkehr daher kaum durch individuelle Akteure verteidigt werden. Und selbst wenn sich aus Allgemeininteressen individuelle Rechte ergeben, so zeigt sich in der Regel doch ein Ungleichgewicht der Durchsetzungschancen zwischen allgemeinen und individuellen Interessen. Zwei Gründe lassen sich hierfür ausmachen: Erstens ist die Durchsetzung direkter Sonderinteressen gegenüber indirekten Allgemeininteressen in der Regel attraktiver.[389] Zweitens ist die Organisationsfähigkeit in Bezug auf Allgemeininteressen gering.[390] Dies führt zu praktischen Konsequenzen bei der Suche nach einem Rechtsrahmen für ein Verwertungsgesellschaftssys-

---

ist aber vom Willen der Rechteinhaber abhängig und vermag daher kaum einen systematischen Interessenausgleich herbeizuführen. *ders.*, GRUR 2015, 27, 34.

388 *Drexl*, in: Riesenhuber (Hrsg.), Wahrnehmungsrecht in Polen, Deutschland und Europa, 2006, S. 193, 215 f.

389 Ein subjektiver Effekt schwächt den fehlenden Anreiz zur Durchsetzung von Gruppeninteressen, denn wichtiger als eine Verbesserung der absoluten Position ist meist eine Verbesserung der eigenen Position in Relation zu einer Vergleichsgruppe. *David/Abramovitz* (Hrsg.), Nations and Households in Economic Growth, 1974; *von Arnim*, Gemeinwohl und Gruppeninteressen, (1977), 160 f.; *Clark/Senik*, The Economic Journal 120 (2010), 573 ff.

390 *Von Arnim*, Gemeinwohl und Gruppeninteressen, (1977), S. 152 ff., wobei bei *v. Arnim* als dritter Grund die größere Attraktivität der Einkommenssphäre gegenüber der Ausgabensphäre hinzukommt. Dies liege vor allem daran, dass bei großen Gruppen das individuelle Verhalten geringen Einfluss auf den Gruppenerfolg hat, wobei der Einzelne gleichzeitig von einem Gruppenerfolg auch dann profitiert, wenn er sich nicht unmittelbar einsetzt. Schließlich zeige sich, dass gerade soziale und wirtschaftliche Randgruppen zu einer wirksamen Organisation in geringerem Maße in der Lage sind. Dies könne finanzielle oder strukturelle Gründe haben – so erleichtere Finanzkraft Organisation (*ders.*, Gemeinwohl und Gruppeninteressen, (1977), S. 162 f.). Hinzu tritt ein Problem der Organisationsfähigkeit. Sollen Privilegien aufgelöst werden oder schlicht ein (Besitz-)Zustand geändert werden, so braucht es zunächst eine gemeinsame Motivation zur Änderung an sich, darüber hinaus aber auch eine gemeinsame Vorstellung über den anzustrebenden Zustand. „Die Einigkeit darüber, daß die bestehende Ordnung ungerecht sei, schafft noch kein Einverständnis darüber, welche Neuordnung gerecht wäre. Die Einigkeit darüber, dass die bestehende Ordnung gerecht sei, setzt dagegen das Einverständnis, welche neue Ordnung gerecht wäre, gleich mit – nämlich keine.“ (*Popitz*, Prozesse der Machtbildung, 31976, S. 10).

tem, in dem sowohl Partikular- als auch Allgemeininteressen berücksichtigt werden sollen. Während Partikularinteressen primär von den jeweiligen Interessenträgern vertreten und durchgesetzt werden können, braucht es für den Schutz von Allgemeininteressen – oder zumindest breiter gelagerter Interessen schlecht organisierter und kaum organisationsfähiger Gruppen – ein generelles Schutz- und Durchsetzungsorgan. Dieses mag zumindest in der öffentlichen Aufsicht über Verwertungsgesellschaften liegen. Auf ihre Aufgabe, Funktionsweise und Funktionsfähigkeit wird später bei der Untersuchung der Kontrollmechanismen der Verwertungsgesellschaften näher eingegangen. Zur Wahrung von Allgemeininteressen können zumindest in jenen Bereichen, in denen sich Allgemein-, Gruppen- und Individualinteressen überschneiden, typisierte und vereinfachte Mechanismen der individuellen Rechtsdurchsetzung geschaffen werden.

D. Zusammenfassung

Das Modell der VG-RL stattet vor allem die Rechteinhaber mit umfangreichen Rechten aus und stärkt ihre Position gegenüber den Verwertungsgesellschaften. Das Wahlrecht der Rechteinhaber bei der Beauftragung der Verwertungsgesellschaften verstärkt den Druck auf die Verwertungsgesellschaften für Rechteinhaber attraktiv zu sein. Vor allem Rechteinhaber gewinnversprechender Repertoires profitieren von diesem Modell. Entscheidend bleibt im Rechteinhaberverhältnis der Schutz von Rechteinhabern weniger attraktiver Nischenrepertoires und vor allem ein interner Interessenausgleich zwischen den verschiedenen Arten von Rechteinhabern. Dies können einerseits Rechteinhaber mit unterschiedlichen kommerziellen Chancen sein, vor allem bezieht sich dies aber auf unterschiedliche Kategorien von „Rechteinhabern". So zeigten die Entscheidungen *Reprobel* und *Verlegerbeteiligung*, dass ein Interessenausgleich über das Urheberrecht mit seinem Alles-oder-Nichts-Prinzip kaum herbeizuführen ist und zugleich, dass bestehende Praktiken innerhalb der Verwertungsgesellschaften kaum hinterfragt werden. Das Verwertungsgesellschaftsrecht kann hier ausgleichend wirken und entscheidend ist dabei die nationale Ausgestaltung des Rechts.

Das kulturelle Verständnis und eine Sozialbindung der Verwertungsgesellschaften kommt in der VG-RL nur am Rande zur Sprache. Genauso fällt der Schutz konkreter Nutzerinteressen gering aus. Gerade diese sind jedoch eng mit dem Verwertungsgesellschaftssystem verbunden, denn dort wo die urheberrechtliche Exklusivität breiten Werkzugang und damit Kulturkommunikation verhindert, kann die Kollektivierung diesen Mangel ausgleichen – vorausgesetzt es bestehen hinreichende Zugangsansprüche. Die VG-RL erlaubt es, in weiten Teilen strengere Vorschriften zu erlassen – siehe nur Erwägungsgrund 9 – und jenseits des Binnenmarkts bestehen ohnehin keine bindenden Vorgaben. Damit kommt es auf den räumlichen Geltungsbereich des nationalen Verwertungsgesellschaftsrechts an, denn die Interessenbewertung und damit die Ausgestaltung des materiellen Rechts kann von Land zu Land unterschiedlich ausfallen. Darüber hinaus ist für eine wirksame Rechtsdurchsetzung auch die Greifbarkeit des Rechts, mithin die Vorhersehbarkeit seiner Anwendung für die Akteure, entscheidend.

Kapitel 2. Die Kontrolle von Verwertungsgesellschaften – Analyse der Kontrollebenen und ihrer Wirksamkeit

Zentral ist die Frage nach der Kontrolle von Verwertungsgesellschaften. Scheidet der Wettbewerb als stabilisierender Faktor und auch als Faktor von Kontrolle aus, sind andere Institutionen von wachsender Bedeutung. Dies können staatliche Akteure in Form von Aufsichtsstellen sein oder private Akteure, denen zum Ersatz für fehlende Wahlfreiheit aufgrund fehlenden Wettbewerbs rechtliche Positionen eingeräumt werden. In Deutschland erfolgt die Kontrolle der Verwertungsgesellschaften klassischerweise dreispurig: Erstens durch das öffentliche Aufsichtsrecht, zweitens durch besondere privatrechtliche Ansprüche und drittens durch das Kartellrecht. Diese Kontrollmittel werden nachfolgend dargestellt und auf ihre Wirksamkeit und Wirkungsrichtung hin untersucht. Entscheidend ist, welches Kontrollmittel einen Beitrag zur Funktionssicherung des Systems auf welche Weise leisten kann und welches Kontrollmittel sich für den Schutz der unterschiedlichen und spezifischen Interessen eignet. Der Schwerpunkt der Arbeit liegt im Privatrecht. Bevor im nächsten Teil auf die Fragen des Kollisionsrechts eingegangen werden kann, erfolgt am Ende dieses Kapitels eine Identifizierung und Strukturierung der privatrechtlichen Vorschriften des VGG.

Dort, wo der Wettbewerb Einzug in die Wahrnehmungspraxis der Verwertungsgesellschaften erhält, besteht grundsätzlich ein regulierender Faktor, der Effizienz und Interessenschutz gewährleisten kann. Andere Kontrollmittel verlieren damit an Bedeutung und unter Umständen sogar an Rechtfertigung. Dies hat zwangsläufig Einfluss auf die Ausgestaltung des Kontrollsystems auf seinen verschiedenen Ebenen. Denn dort, wo hinreichend Kontrolle besteht bzw. eine Kontrollinstitution spezifische Rechtspositionen bereits wirksam schützt – und selbst wenn dieser Schutz „nur" von funktionierendem Wettbewerb ausgeht –, können andere Institutionen liberaler ausgestaltet werden. Für diese Arbeit wird der Gedanke einer liberaleren Ausgestaltung vor allem auf die Frage der räumlichen Anwendung des privatrechtlichen Schutzes von Rechtspositionen gegenüber Verwertungsgesellschaften bezogen. So bedeutet eine zurückhaltende Anwendung des „eigenen Verwertungsgesellschaftsrechts" gegenüber ausländischen Verwertungsgesellschaften einen Abbau rechtlicher Hürden für die grenzüberschreitende kollektive Rechtewahrnehmung.

A. Die interne Aufsicht

Das Dreisäulenmodell der Kontrolle der Verwertungsgesellschaften in Europa und in vielen anderen Ländern[391] wird durch die interne Aufsicht über die Verwertungsgesellschaften ergänzt. Sie wird selten – sofern überhaupt ein solches Bild verwendet wird – als eigenständiger Teil der Kontrolle der Verwertungsgesellschaften neben dem Aufsichtsrecht, dem Kartellrecht und dem Privatrecht gesehen.[392] Gleichwohl eröffnet sich in ihr ein eigenes Feld mit eigenen Mechanismen der Kontrolle der Verwertungsgesellschaftspraxis und eigenen Schutzpotentialen.

Die interne Aufsicht wird in Art. 8 und 9 der VG-RL aufgegriffen. Demnach kommt erstens der Mitgliederhauptversammlung eine tragende Rolle bei der Aufsicht der Verwertungsgesellschaften zu, darüber hinaus ist ein Aufsichtssystem bzw. Aufsichtsgremium einzurichten, welches die kontinuierliche Überwachung der Tätigkeit und der Aufgabenerfüllung der Personen gewährleistet, die die Geschäfte der Organisation führen.[393] Die Rechte und Aufgaben der Mitgliederhauptversammlung beziehen sich insbesondere auf die Überwachung der Direktoren (Art. 8 Abs. 4 VG-RL) und die Genehmigung des jährlichen Transparenzberichts (Art. 8 Abs. 8 VG-RL). Von besonderer Bedeutung ist die Rolle der Mitgliederhauptversammlung bei der Gestaltung der Verteilung der Einnahmen (Art. 8 Abs. 5 lit. a VG-RL). Die deutsche Umsetzung regelt die Errichtung des Aufsichtsgremiums in § 22 VGG. Die Befugnisse der Mitgliederhauptversammlung finden sich vor allem in §§ 17 und 18 VGG. Hervorzuheben ist dabei, dass die Mitgliederhauptversammlung nicht nur das Recht hat, über die Verteilung der Einnahmen zu beschließen, sondern auch über die Wahrnehmungsbedin-

---

391 Hierzu *Drexl*, Copyright, Competition and Development, 2013, S. 210 ff. im Hinblick auf die Tarifkontrolle S. 246 ff.

392 Ausführlich jedoch nur zur internen Aufsicht *Li*, Multifunktionalität, Monopol und sektorspezifische Aufsicht, 2020, 203 ff.

393 Bei der GEMA ist dies der Aufsichtsrat. Im Gegensatz zum aktienrechtlichen Aufsichtsrat hat der Aufsichtsrat der GEMA nicht nur eine überwachende Funktion, sondern dem Vorstand gegenüber ein Weisungsrecht, hierzu im Einzelnen: *Steinau-Steinrück/Wohlgemuth*, in: Becker/Riesenhuber/Kreile (Hrsg.), Recht und Praxis der GEMA, ^{2}2008, Kapitel 8 Rn. 3 und 110 ff.

gungen und die Tarifausgestaltung entscheidet (§ 17 Abs. 1 Nr. 13, 14 VGG). Durch diese institutionalisierte Integration der Rechteinhaber im Kontroll- und Entscheidungsapparat der Verwertungsgesellschaften kann dem grundsätzlich bestehenden *principal-agent*-Problem begegnet werden.[394]

Verwertungsgesellschaften setzen sich in Deutschland und Europa typischerweise aus verschiedenen Interessengruppen zusammen und schaffen so bereits durch ihre interne Struktur und die Kuriensysteme einen Interessenausgleich zwischen diesen Gruppen. Dies sind die verschiedenen Kategorien der Rechteinhaber, wie Autoren oder Komponisten und Verlage.[395] Bei wichtigen Entscheidungen steht den Interessengruppen grundsätzlich ein Vetorecht zu (§§ 16 ff VGG). Dieser Interessenausgleich ist allerdings notwendigerweise auf die spezifischen Interessen derjenigen Gruppen beschränkt, die sich im Kuriensystem vertreten sehen. In der GEMA sind sowohl (Musik-)Urheber als auch Verlage vertreten. Gleiches gilt für die VG WORT und für die GVL, bei der sowohl Interpreten als auch Tonträgerhersteller und Videoclipproduzenten repräsentiert werden. Andere Verwertungsgesellschaften, wie etwa die VFF, nehmen ausschließlich die Rechte einer homogenen Gruppe wahr.[396] Dort, wo sich verschiedene Interessengruppen innerhalb eines Gremiums gegenübersitzen, ist grundsätzlich auch ein Interessenausgleich auf Verhandlungsbasis zu erhoffen.[397] Der angesprochene Interessenausgleich betrifft allerdings nicht die Marktgegenseite – also die verschiedenen Kategorien von Nutzern, seien dies Radiostationen, Diskothekenbetreiber, Bibliotheken oder Anbieter von Streamingdiensten –, denn sie sind naturgemäß nicht in den Verwertungsgesellschaften aktiv.

Gerade deshalb überrascht es, dass das VG München die Befugnisse der (externen) Aufsicht durch das DPMA im Rahmen der Überprüfung von Nutzungsbedingungen und entsprechenden Tarifen auf eine Evidenzkontrolle zurechtgestutzt hat. Nach Auffassung des Gerichts dürfen Aufsichtsmaßnahmen nur ergriffen werden, wenn die Nutzungsbedingungen grob

---

394 Hierzu exemplarisch *Podszun/Franz*, ZGE 7 (2015), 15, S. 21 und 30.

395 Selbst hier funktioniert das Kontrollsystem nur sehr begrenzt. Der Einfluss des einzelnen Urhebers ist wegen der großen Gesamtzahl der Mitglieder von geringer Bedeutung (so BT-Dr. IV/271, S. 20).

396 In diesem Fall die Leistungsschutzrechte der Produzenten im Film- und Fernsehbereich.

397 *Podszun*, in: Grünberger/Leible (Hrsg.), Die Kollision von Urheberrecht und Nutzerverhalten, 2014, S. 173, 178 f.

unangemessen sind.[398] Wird eine derartige Tätigkeitsbeschränkung der Aufsichtsbehörde überdies damit begründet, dass die Kontrolle des Außenverhältnisses, namentlich hinsichtlich der Tarife, bereits über dieses System der internen Aufsicht durch die Gremien der Verwertungsgesellschaften gewährleitstet werde, so geht dies vollkommen an den Realitäten vorbei.[399] Die interne Aufsicht schützt die Interessen derjenigen, die sie einsetzen und kontrollieren. Dies sind die Rechteinhaber. Sie schützt hingegen nicht die Interessen einer Marktgegenseite für deren Schutz sie auch nicht verantwortlich ist. Eine solche Funktion sollte von der internen Aufsicht nicht erwartet werden. Zurecht wurde das Urteil nunmehr vom VGH München revidiert. Das Gericht stellte klar, dass die Tarifaufstellung, einschließlich der Ermittlung angemessener Tarife durch eine Verwertungsgesellschaft der staatlichen Aufsicht unterliegt.[400]

B. Die externe Aufsicht

Die Entscheidungen von VG und VGH München leiten über zu den Aufgaben und Befugnisse der Aufsichtsbehörde. Was können die Beteiligten zum Schutz ihrer Interessen und zum Schutz der Funktion des Wahrnehmungssystems von der nationalen Aufsicht erwarten? Das VGG regelt die Pflichten der Verwertungsgesellschaften gegenüber dem UrhWG in erheblich höherem Detailgrad. Den knapp 30 Vorschriften des Urheberwahrnehmungsgesetzes stehen nun über 130 Vorschriften im Verwertungsgesellschaftengesetz gegenüber. Für Funktionsschutz spricht Regelungsdichte bzw. Regelungsumfang nicht zwingend, es besteht jedoch die Vermutung – und bei näherem Blick auf die tatsächliche Detailliertheit der Regelungen bestätigt sich dies –, dass der Aufsichtsbehörde eine konkretere Rechtsgrundlage für ihr Handeln zur Verfügung steht. Aufgaben, Befugnisse und Grenzen der Befugnisse werden nachfolgend kurz skizziert. Anschließend wird auf die Grenzen der Befugnisse der Aufsichtsbehörden im grenzüberschreitenden Kontext eingegangen.

---

398 VG München, Urt. v. 25.10.2016 – M 16 K 15.5333 = ZUM 2017, 779 (amtl. Leitsatz). Die Entscheidung bezog sich noch auf das UrhWG.

399 So *Kreile*, ZUM 2018, 13, 16.

400 VGH München, Urt. v. 25.2.2019 – 22 B 17.1219. Dazu auch *Berberich*, GRUR-Prax 2019, 453 ff.

I. Grundlagen der Aufsicht

In Deutschland übernimmt das Deutsche Patent- und Markenamt (DPMA) die Aufsicht über Verwertungsgesellschaften (§ 75 VGG).[401] Die Leistungsfähigkeit der Aufsicht in Deutschland steht schon seit Längerem in der Kritik.[402] Ein Kernpunkt der Kritik der Enquete-Kommission des Bundestages „Kultur in Deutschland" bezog sich auf die geringe personelle Ausstattung. Das Referat für Urheberrecht am DPMA bestand im Jahr 2007 lediglich aus fünf Personen – drei Juristen, einem Sachbearbeiter und einem Registrator.[403] Inzwischen hat die Aufsicht personell aufgestockt und kann auf 16–19 Mitarbeiter zurückgreifen.[404]

Fragen zur Rechtsnatur der Aufsicht über Verwertungsgesellschaften im Sinne einer Untergliederung in Rechts- und Fachaufsicht scheinen nicht zielführend. Elemente aus beidem mögen vertreten sein, es handelt sich um eine Wirtschaftsaufsicht deren Aufsichtsobjekte privatrechtlich organisierte Unternehmen sind.[405] Das VGG steckt hierzu den Rechtsrahmen und die Eingriffsbefugnisse ab. Entscheidender ist die Frage, wem die Aufsicht dient und damit verknüpft, ob es einen Anspruch auf Einschreiten der Behörde gibt. Letzteres wurde bereits nach alter Rechtslage, zumindest hinsichtlich der Nutzer und Verwerter, recht einhellig abgelehnt. Ein eigenes subjektiv-öffentliches Recht auf Einschreiten der Aufsichtsbehörde bestehe nicht. Eine Beschwerde beim DPMA könne lediglich als Anregung zu selbständigem staatlichem Handeln verstanden werden.[406] Umstrittener war die Lage mit Blick auf die Mitglieder der Verwertungsgesellschaften und

---

401 Grundlegend zur Aufsicht nach dem alten System: *Meyer*, Verwertungsgesellschaften und ihre Kontrolle nach dem Urheberrechtswahrnehmungsgesetz, 2001; *Heindorf*, Die staatliche Aufsicht über Verwertungsgesellschaften, 2011; *Wirtz*, Die Kontrolle von Verwertungsgesellschaften, 2002.

402 Siehe exemplarisch *Podszun/Franz*, ZGE 7 (2015), 15, 38 mit dem Hinweis die Verwaltung sei gegenüber den Verwertungsgesellschaften wenig konfrontativ geführt.

403 Bericht der Enquete-Kommission des Deutschen Bundestages „Kultur in Deutschland", BT-Drs. 16/7000. S. 282 f. online abrufbar unter: http://dipbt.bundestag.de/dip21/btd/16/070/1607000.pdf, zuletzt abgerufen am 04.12.2017; hierzu auch *Drexl*, in: Götz von Olenhusen/Gergen/Vogel (Hrsg.), Kreativität und Charakter, 2017, S. 227, 228 ff.

404 Nach Angaben der Referatsleiterin Anne Algermissen im Jahr 2018.

405 Siehe dazu *Heindorf*, Die staatliche Aufsicht über Verwertungsgesellschaften, 2011, S. 144 f.

406 Siehe etwa *Schulze*, in: Dreier/Schulze (Hrsg.), Urheberrechtsgesetz, [5]2015, UrhWG § 19, Rn. 10; *Heindorf*, Die staatliche Aufsicht über Verwertungsgesellschaften, 2011, S. 182.

die sonstigen Berechtigten. Mehrheitlich wurde auf die Verfahren bei der Schiedsstelle und auf privatrechtliche Ansprüche verwiesen.[407] Jedenfalls im neuen Recht verdeutlicht § 75 Abs. 2 VGG, dass die Aufsichtsbehörde ihre Aufgaben und Befugnisse nur im öffentlichen Interesse wahrnimmt und keine subjektiven Rechte geschaffen werden sollen.[408] Auch die Richtlinie fordert keine darüberhinausgehenden Rechte von Rechteinhabern, Nutzern und anderen Verwertungsgesellschaften. Ihnen müssen lediglich Verfahren zur Verfügung stehen, mit denen sie die zuständigen Behörden über Verstöße in Kenntnis setzen können (Art. 36 Abs. 2 VG-RL).[409] Für alle am Verwertungsgesellschaftssystem Beteiligten gewinnt das Privatrecht zur unmittelbaren Rechtsdurchsetzung damit an Bedeutung.

II. Aufgaben und Befugnisse der Aufsichtsbehörde

Grundsätzlich unterliegen Verwertungsgesellschaften in Deutschland der Erlaubnispflicht. Ausgenommen sind nach § 77 Abs. 2 VGG lediglich Verwertungsgesellschaften, die ihren Sitz in einem anderen EU-Mitgliedstaat oder EWR-Vertragsstaat haben. Der Erlaubnisvorbehalt ist ihnen gegenüber beschränkt und gilt nur soweit sie gesetzliche Vergütungsansprüche wahrnehmen bzw. für die Wahrnehmung der in § 49 Abs. 1 UrhG genannten Vergütungsansprüche und für die Wahrnehmung des in § 50 UrhG genannten Rechts sowie der in §§ 51 und 52 UrhG genannten Rechte von Außenstehenden (im Rahmen der erweiterten kollektiven Lizenzvergabe oder bei *nicht verfügbaren* Werken). Im Übrigen gilt lediglich eine Pflicht zur Anzeige der Tätigkeit nach § 82 VGG. Der Begriff der Verwertungsgesellschaften knüpft an § 2 VGG an. Die Erlaubnispflicht abhängiger Verwertungseinrichtungen richtet sich nach der Sonderregelung in § 90 VGG, während unabhängige Verwertungseinrichtungen erlaubnisfrei sind.

Hinsichtlich des Anwendungsbereichs der Erlaubnispflicht knüpft § 77 VGG, abgesehen von den Ausnahmen für Verwertungsgesellschaften mit

---

407 *Schulze*, in: Dreier/Schulze (Hrsg.), Urheberrechtsgesetz, [5]2015, UrhWG § 19, Rn. 10; *Gerlach*, in: Wandtke/Bullinger (Hrsg.), Praxiskommentar zum Urheberrecht, [4]2014, UrhWG § 18, Rn. 2; *Heindorf*, Die staatliche Aufsicht über Verwertungsgesellschaften, 2011, S. 183 ff.; *Riesenhuber*, in: Becker/Riesenhuber/Kreile (Hrsg.), Recht und Praxis der GEMA, [2]2008, Kapitel 9 Rn. 61 ff.

408 *Freudenberg*, in: Götting/Lauber-Rönsberg/Rauer (Hrsg.), Beck'scher Online-Kommentar Urheberrecht, [39]2023, VGG § 75, Rn. 9.

409 Hierzu auch *Podszun/Franz*, ZGE 7 (2015), 15, 41.

Sitz in einem anderen EU-Mitgliedstaat[410], an die alte Regelung des § 1 UrhWG an. Erlaubnispflichtig sind alle Gesellschaften, die Urheberrechte oder verwandte Schutzrechte wahrnehmen, die sich aus dem Urheberrechtsgesetz ergeben. Hierin zeigt sich die geographische Begrenzung des Anwendungsbereichs.[411] Insoweit scheinen sich VGG und UrhWG am immaterialgüterrechtlichen Territorialitätsgrundsatz zu orientieren.[412] Als Kollisionsnorm kann § 77 Abs. 1 VGG – wie zuvor § 1 Abs. 1 UrhWG – aber schon deshalb nicht verstanden werden, weil die Erlaubnispflicht dem öffentlichen Recht zuzuordnen ist.[413] Inwieweit der Vorschrift auch Wirkungen oder Prinzipien für die Entwicklung des Internationalen Privatrechts entnommen werden können bzw. inwieweit sie für eine kollisionsrechtliche Interpretation offen ist, wird später untersucht werden.

Die Erlaubnis wird nach § 78 VGG auf schriftlichen Antrag der Verwertungsgesellschaft von der Aufsichtsbehörde erteilt. Die Versagungsgründe sind in § 79 VGG geregelt. Die Liste der Versagungsgründe ist zwar abschließend, aber tatbestandlich weit gefasst und bietet aufgrund der zum Teil unbestimmten Rechtsbegriffe der Aufsichtsbehörde einen weiten Beurteilungsspielraum. Liegt keiner der aufgezählten Versagungsgründe vor, so besteht ein Anspruch des Antragstellers auf Erteilung der Erlaubnis.[414]

Nach Erteilung der Erlaubnis geht das Verfahren in die laufende Aufsicht nach §§ 85 ff. VGG über. Wie aus § 85 Abs. 1 VGG deutlich wird, überwacht die Aufsichtsbehörde die Einhaltung der Verpflichtungen der Verwertungsgesellschaften nach dem VGG umfassend und unabhängig davon, ob es sich um nutzer- oder rechteinhaberbezogene Pflichten handelt oder gar um Pflichten, die sich auf die Zusammenarbeit der Verwertungsgesellschaften beziehen (§§ 44 ff VGG). Damit die Aufsichtsbehörde dieser Kontrollpflicht nachkommen kann, bestehen Unterrichtungspflichten der Verwertungsgesellschaften (§ 88 VGG) und die Aufsicht hat zugleich die Möglichkeit an der Mitgliederversammlung sowie den Sitzungen des Aufsichtsrats, des Verwaltungsrats, des Aufsichtsgremiums, der Vertretung der Delegierten

---

410 Dies soll die EWR-Staaten miteinschließen und wird nachfolgend nicht mehr gesondert erwähnt.

411 Nach § 77 VGG, wie zuvor schon nach § 1 Abs. 1 UrhWG, kommt es also nicht darauf an, welchem Staat der oder die Schöpfer angehören, sondern für welches Land die Rechte vergeben werden sollen.

412 *Drexl*, MPI Stellungnahme VGG, 2015, Rn. 24.

413 *Ders.*, in: von Hein (Hrsg.), MüKo IPR II, ^{8}2021, Rom II-VO Art. 8 Rn. 241 f.

414 *Freudenberg*, in: Götting/Lauber-Rönsberg/Rauer (Hrsg.), Beck'scher Online-Kommentar Urheberrecht, ^{39}2023, VGG § 79, Rn. 3.

sowie aller Ausschüsse dieser Gremien teilzunehmen (§ 85 Abs. 4 VGG). § 85 Abs. 3 VGG gewährt der Aufsicht umfassende Auskunfts- und Einsichtsrechte.

Um die Einhaltung der Pflichten nach dem VGG durch Verwertungsgesellschaften durchzusetzen, stehen der Aufsicht verschiedene Maßnahmen und Sanktionsmittel zur Verfügung. Nach Art. 36 Abs. 3 der VG-RL haben die Mitgliedstaaten dafür zu sorgen, dass die zuständigen Behörden befugt sind, bei Verstößen gegen nationales Recht, welches zur Umsetzung der Richtlinie erlassen wurde, geeignete Sanktionen zu verhängen und geeignete Maßnahmen zu ergreifen. Diese sollen wirksam, verhältnismäßig und abschreckend sein. Mögliche Sanktionen sind dabei das Zwangsgeld zur Durchsetzung von Verwaltungsakten nach §§ 35 ff. VwVfG mit der Besonderheit des § 89 Abs. 3 VGG, der Widerruf der Erlaubnis nach § 80 VGG und die Untersagung des Geschäftsbetriebs nach § 85 Abs. 2 VGG, welche sich insbesondere gegen Gesellschaften richten kann, die keiner Erlaubnis bedürfen.[415] Um die Treuhandfunktion der Verwertungsgesellschaften sicherzustellen, besteht außerdem die Möglichkeit der Abberufung vertretungsberechtigter Personen nach § 85 Abs. 5 VGG.

III. Die Aufsichtspraxis

Analysiert man die deutsche Aufsichtspraxis, so entsteht der Eindruck, diese sei eher auf kooperative Beratung als auf Konfrontation ausgerichtet.[416] Darauf, dass sich dieses System ändert, ließ zuletzt das Vorgehen der deutschen Aufsichtsbehörde gegen die VG Media hoffen. Durch die Abänderung der Entscheidung des VG München durch den VGH hat die deutsche Aufsicht schließlich doch noch eine Stärkung erfahren.[417]

In dem Verfahren ging es um die Angemessenheit eines Tarifs der VG Media für die öffentliche Wiedergabe von Fernseh- und Radioprogrammen. Die VG Media hatte den Tarif pauschal auf 20 % des GEMA-Tarifs festgelegt, ohne dass der genaue Repertoireumfang der Verwertungsgesellschaft feststand. Aufgrund der Unklarheiten über den Repertoirebestand der VG Media hielt die Aufsichtsbehörde den Tarif nach § 11 Abs. 1 UrhWG

---

415 *Ders.*, in: Götting/Lauber-Rönsberg/Rauer (Hrsg.), Beck'scher Online-Kommentar Urheberrecht, [39]2023, VGG § 85, Rn. 11 ff.

416 So auch *Podszun/Franz*, ZGE 7 (2015), 15, 38.

417 VGH München, Urt. v. 25.2.2019 – 22 B 17.1219; Vorinstanz VG München, Urt. v. 25.10.2016 – M 16 K 15.333.

für unangemessen und gab der Verwertungsgesellschaft auf, den Tarif zurückzunehmen. Die Klägerin sei verpflichtet gewesen, bei Aufstellung des Tarifs zu ermitteln, in welchem Umfang sie Rechte anbieten könne. Diese Pflicht habe sie nicht erfüllt. Die Tatsache, dass die Klägerin keine hinreichenden Angaben dazu machen konnte, in welchem Umfang sie über Rechte verfügte, sei ausreichendes Indiz für die Unangemessenheit des Tarifs. Eine Verwertungsgesellschaft, die den Umfang ihres Repertoires nicht hinreichend kenne, könne eine angemessene Tarifhöhe nicht festlegen. Hiergegen ging die VG Media vor dem Verwaltungsgericht vor. Das Verfahren richtete sich nach dem alten UrhWG.

Das VG München gab der Klage statt und folgte der VG Media in ihrer Argumentation. Die Kontrolle von Nutzungsbedingungen bzw. Tarifen durch die Beklagte beschränke sich auf eine Kontrolle der groben Unangemessenheit von Nutzungsbedingungen. Für komplexe Fragen der Angemessenheit von Tarifen sei eigens eine spezialisierte Schiedsstelle nach §§ 14 ff. UrhWG (§§ 92 ff VGG) eingerichtet worden. Sie und der nachfolgende Rechtsweg zu den ordentlichen Gerichten seien daher primär dazu berufen, Fragen der Angemessenheit von Tarifen zu beurteilen.

Diese Entscheidung bedeutete zunächst eine Schwächung der Kontrolle von Verwertungsgesellschaften durch die Aufsicht im Inland. Sie wurde jedoch durch Urteil des VGH korrigiert. Der VGH stellte klar, dass die Tarifaufstellung einschließlich der Ermittlung angemessener Tarife durch eine Verwertungsgesellschaft der staatlichen Aufsicht unterliegt und eine Verwertungsgesellschaft dazu verpflichtet ist, vor Aufstellung eines Tarifs den Umfang der von ihr wahrgenommenen Rechte hinreichend zu ermitteln.[418]

---

418 VGH München, Urt. v. 25.2.2019 – 22 B 17.1219, Leitsätze. Der Ausgangsentscheidung des VG München zurecht kritisch gegenüber: *Podszun*, ZUM 2017, 732 ff.; positiv hingegen *Kreile*, ZUM 2018, 13 ff. und *Flechsig*, GRUR-Prax 2017, 160 f. Die Ausgangsentscheidung war auch vor dem Hintergrund von Art. 16 VG-RL kritisch zu sehen. Denn nach Art. 16 Abs. 2 VG-RL müssen Tarife „in einem angemessenen Verhältnis unter anderem zum wirtschaftlichen Wert der Nutzung der Rechte [...] sowie zu dem wirtschaftlichen Wert der von der Organisation für kollektive Rechtewahrnehmung erbrachten Leistungen" stehen. Dazu ist zuallererst der tatsächliche Repertoireumfang zu ermitteln. Berücksichtigt man, dass in Art. 36 VG-RL erkennbar auf die nationale Aufsicht zur Kontrolle der Einhaltung der Verpflichtungen der Verwertungsgesellschaften gebaut wird, wirken solche innerstaatlichen Kompetenzunsicherheiten besonders schwer. Die Kompetenz der Aufsicht zur Kontrolle von Verwertungsgesellschaften ist erst recht im grenzüberschreitenden Bereich überaus problematisch.

IV. Der Einfluss der Verwertungsgesellschaftenrichtlinie auf die aufsichtsrechtliche Kontrolle der Verwertungsgesellschaften im Binnenmarkt

Wie bereits zu Beginn des Kapitels angemerkt, wird die Kontrollbefugnis der nationalen Aufsichtsbehörden durch Art. 36 Abs. 1 VG-RL deutlich begrenzt. Während der Anwendungsbereich des deutschen Wahrnehmungsrechts gemäß § 1 UrhWG der Wahrnehmung von Rechten nach dem deutschen UrhG folgte und damit die Grundsätze des urheberrechtlichen Territorialitätsprinzips auch dem Wahrnehmungsrecht zur Grundlage machte, verzichten VGG und Richtlinie auf eine solche Eingrenzung. Die Kontrollbefugnisse der nationalen Aufsichtsbehörden werden in geografischer Hinsicht auf andere Weise begrenzt. Sie sind zumindest im Hinblick auf europäische Verwertungsgesellschaften allein zur Kontrolle der in ihrem Hoheitsgebiet ansässigen Verwertungsgesellschaften befugt. Für grenzüberschreitende Fälle sehen Art. 37 und 38 VG-RL einen Informationsaustausch und die Zusammenarbeit der Behörden vor. Die europäische Harmonisierung des Wahrnehmungsrechts bewirkt im Hinblick auf die aufsichtsrechtliche Kontrolle damit einen grundlegenden Systemwechsel.[419]

1) Auswirkungen auf das anwendbare Aufsichtsrecht

Das Sitzlandprinzip der Richtlinie hat seinen Niederschlag vor allem in § 76 Abs. 2 und §§ 86 f. VGG gefunden. § 76 VGG setzt die Vorgaben aus Art. 36 VG-RL für das anwendbare Aufsichtsrecht um. Bei Verwertungsgesellschaften mit Sitz in einem anderen Mitgliedstaat, die im Inland tätig werden, soll die (deutsche) Aufsichtsbehörde darauf achten, dass die Verwertungsgesellschaft die Vorschriften dieses anderen Mitgliedstaates zur Umsetzung der Richtlinie ordnungsgemäß einhält (§ 76 Abs. 2 VGG). Auch Art. 36 Abs. VG-RL konzentriert die Überwachungspflicht zur Einhaltung der nationalen Umsetzungsbestimmungen bei den Behörden des Sitzlandes der jeweiligen Verwertungsgesellschaft. Art. 37 Abs. 2 VG-RL, wonach bei möglichen Rechtsverstößen gegen das Sitzlandrecht der Verwertungsgesellschaft durch ihre Tätigkeit in einem anderen Mitgliedstaat, eine Information der Sitzlandbehörde durch die Behörde des jeweiligen

419 *Drexl*, in: von Hein (Hrsg.), MüKo IPR II, ^{8}2021, Rom II-VO Art. 8 Rn. 241.

„Tätigkeitslandes" vorgesehen ist, bestätigt dieses Konzept.[420] In der Tat liegt der binnenmarktfreundliche Kernmechanismus des Sitzlandprinzips darin, dass Marktteilnehmer sich nur an einem Recht, nämlich dem Recht ihres Sitzlandes, orientieren müssen und gleichzeitig auf mehreren nationalen Märkten tätig sein können. Diese Konzeption des Sitzlandprinzips mit einem Verbot doppelter Kontrollen tritt in der VG-RL allerdings nicht so deutlich zu Tage wie in vielen anderen europäischen Rechtsakten.[421] Das deutsche Aufsichtsrecht über Verwertungsgesellschaften regelt den generellen räumlichen Anwendungsbereich ansonsten nur im Zusammenhang mit der Erlaubnispflicht in § 77 VGG und knüpft dabei grundsätzlich an die Wahrnehmung deutscher Urheberrechte an, sieht jedoch gleichzeitig Ausnahmen für Verwertungsgesellschaften mit Sitz in einem anderen EU-Mitgliedstaat vor.

Das VGG gilt mit Blick auf die öffentlich-rechtlichen Vorschriften und auf die Überwachung durch das DPMA also für inländische Verwertungsgesellschaften – unabhängig davon welche nationalen Rechte sie wahrnehmen –, es gilt hingegen nicht für andere EU-/EWR-Verwertungsgesellschaften, selbst wenn sie deutsche Urheberrechte wahrnehmen.[422] Der materiellrechtliche Maßstab der Aufsicht richtet sich innerhalb von EU und EWR also ausschließlich nach dem Recht des Sitzstaates einer Verwertungsgesellschaft, wobei – wie Art. 37 Abs. 2 VG-RL und § 76 Abs. 2 VGG zeigen – das DPMA auch zur Überwachung ausländischer Gesellschaften nach eben jenem Recht des Sitzstaates aufgefordert sein kann.[423]

420 *Staats*, ZUM 2014, 470, 472 f.; kritisch *Drexl*, MPI Stellungnahme VGG, 2015, Rn. 15 f.

421 So etwa in Art. 3 Abs. 1 der ECRL sowie in Art. 2 und 3 Abs. 1 der AVMD-RL.

422 Für andere EU-Verwertungsgesellschaften könnte es bestenfalls dann den Maßstab bilden, wenn es für sie in einzelnen Fragen günstiger ist als ihr Heimatrecht und nach allgemeinen Regeln zur Anwendung käme. Umgekehrt könnte ausländisches Recht für deutsche Verwertungsgesellschaften den Prüfungsmaßstab bilden, wenn es weniger strenge Verpflichtungen als das Heimatrecht vorsieht. Die verschiedenen Dimensionen von Sitz- und Herkunftslandprinzip werden in *Teil 3, Kapitel 2* untersucht.

423 *Drexl*, in: von Hein (Hrsg.), MüKo IPR II, ^{8}2021, Rom II-VO Art. 8 Rn. 241 f.

2) Auswirkungen auf die Zuständigkeit und Befugnisse der Aufsichtsbehörden

Deutlicher geht aus der Richtlinie die Frage der Zuständigkeit und damit die Befugnis zum Ergreifen von Durchsetzungsmaßnahmen hervor. Konkrete aufsichtsrechtliche Maßnahmen gegen Verwertungsgesellschaften können grundsätzlich nur von der Sitzlandbehörde (Art. 36 Abs. 1 und 3 VG-RL) vorgenommen werden. Hinsichtlich ausländischer EU-Gesellschaften bleiben die Behörden auf die Verfahren nach Art. 37, 38 VG-RL verwiesen. Im deutschen Recht wurde dies in § 86 VGG umgesetzt. Aus dem Regelungsverhältnis zwischen § 85 und § 86 VGG ergibt sich auch, dass die Ermittlungsbefugnisse aus § 85 Abs. 3 und 4 VGG nicht gegenüber ausländischen EU-Gesellschaften bestehen.[424] Zumindest soweit diese Gesellschaften nicht ausnahmsweise einer Erlaubnispflicht unterfallen,[425] entfällt auch das Sanktionsmittel des Widerrufs der Erlaubnis nach § 80 VGG. Auch die übrigen Sanktionierungsmittel, vor allem aus § 85 Abs. 2 und 5 VGG, bestehen gegenüber ausländischen Verwertungsgesellschaften nicht. Für Beschwerden und Auskunftsersuchen ausländischer Aufsichtsbehörden gilt die Vorschrift des § 87 VGG.[426]

---

424 *Freudenberg*, in: Götting/Lauber-Rönsberg/Rauer (Hrsg.), Beck'scher Online-Kommentar Urheberrecht, [39]2023, VGG § 85, Rn. 2.

425 Im neuen österreichischen VerwGesG von 2016 wird gleichwohl an einer strengeren Erlaubnispflicht (hier „Wahrnehmungsgenehmigung“ genannt) festgehalten. So darf gemäß § 3 Abs. 2 VerwGesG (Österreich) die Wahrnehmungsgenehmigung nach wie vor nur einer inländischen Gesellschaft erteilt werden, wobei ausländische (europäische) Gesellschaften nur für die Vergabe von Online-Lizenzen gemäß Absatz 3 von der Erlaubnispflicht befreit sind. Ob dies mit der Richtlinie im Einklang steht, darf bezweifelt werden (unkritisch insoweit *Walter*, VerwGesG '16, 2017, § 3 II. und § 1 IV.2.).

426 Zu den Kotrollbefugnissen und zum anwendbaren Aufsichtsrecht im grenzüberschreitenden Kontext so im Wesentlichen auch *Kling*, Gebietsübergreifende Vergabe von Online-Rechten an Musikwerken, 2017, S. 251 ff. Weitere Differenzierungen hinsichtlich ausländischen Gesellschaften, die ihren Sitz außerhalb von EU und EWR haben, sowie hinsichtlich abhängiger und unabhängiger Verwertungseinrichtungen können ebenfalls bei *Kling* nachgelesen werden (*dies.*, Gebietsübergreifende Vergabe von Online-Rechten an Musikwerken, 2017, S. 251- 271).

V. Reichweite der deutschen Aufsicht im außereuropäischen Kontext

Diese Privilegierung gilt gegenüber Verwertungsgesellschaften, die ihren Sitz außerhalb von EU und EWR haben grundsätzlich nicht. Doch ist der Umfang der Aufsicht bzw. der Geltungsbereich des deutschen Aufsichtsrechts für diese Fälle nicht eindeutig umschrieben. Klar ist, dass eine außereuropäische Verwertungsgesellschaft gemäß § 77 Abs. 1 VGG der Erlaubnis durch die deutsche Aufsichtsbehörde bedarf, wenn sie Urheberrechte oder verwandte Schutzrechte wahrnimmt, die sich aus dem Urheberrechtsgesetz ergeben. Zugleich beschränkt sich diese Erlaubnis auf die Wahrnehmung von Urheberrechten in Deutschland. Weniger klar ist, ob eine Verwertungsgesellschaft mit Sitz in Deutschland einer Erlaubnis durch die deutsche Aufsichtsbehörde bedarf, wenn sie keine deutschen Rechte, sondern nur ausländische Rechte wahrnimmt. Teilweise wird dies so vertreten, da die Verwertungsgesellschaft Rechte von Deutschland aus vergebe.[427] Aus dem Wortlaut und der Systematik der Vorschrift geht dies allerdings nicht hervor. Vielmehr knüpft § 77 Abs. 1 VGG allein an das Wahrnehmungsobjekt an, welches die deutschen Urheberrechte und verwandten Schutzrechte sind. Die Aufnahme des Sitzlandkriteriums in Abs. 2 gilt hingegen nur negativ, zum weitgehenden Ausschluss der Erlaubnispflicht für Verwertungsgesellschaften mit Sitz in einem anderen Mitgliedstaat der EU oder des EWR und ist dem Sitzlandprinzip der VG-RL geschuldet. Eine positive Erlaubnispflicht für alle Verwertungsgesellschaften mit Sitz in Deutschland lässt sich aus der Vorschrift daher nicht ableiten.[428] Systematisch ließe sich bestenfalls über einen Umkehr- bzw. Erst-Recht-Schluss aus § 90 Abs. 2 Nr. 2 und § 91 Abs. 2 VGG eine Anzeigepflicht begründen, denn nach § 91 Abs. 2 VGG gilt die Anzeigepflicht auch für unabhängige Verwertungseinrichtungen mit Sitz im Inland, die weder deutsche noch sonstige europäische Rechte wahrnehmen. Die Erlaubnispflicht oder zumindest eine Tätigkeitsanzeige scheint jedoch für all jene Fälle sinnvoll, in denen deutsches Aufsichtsrecht zur Anwendung kommt und entsprechend von der deutschen Aufsichtsbehörde durchgesetzt werden müsste.[429] Es fragt sich

---

427 *Schulze*, in: Dreier/Schulze (Hrsg.), Urheberrechtsgesetz, ^{6}2018, VGG, § 77, Rn. 4 mit Verweis auf BGH GRUR 2004, 421, 422, 424 – *Tonträgerpiraterie durch CD-Export* und OLG Hamburg ZUM-RD 2016, 576, 597 – *Tagebuch der Anne Frank.*

428 *Freudenberg*, in: Götting/Lauber-Rönsberg/Rauer (Hrsg.), Beck'scher Online-Kommentar Urheberrecht, ^{39}2023, VGG Rn. 7 f.

429 Zwar folgt aus der Nichtanwendbarkeit der Erlaubnis- bzw. Anzeigepflicht nicht explizit die Nichtanwendbarkeit des deutschen Aufsichtsrechts und die generelle

daher, wie der Anwendungsbereich des deutschen Aufsichtsrechts gegenüber Verwertungsgesellschaften zu bestimmen ist, die ihren Sitz nicht in einem anderen EU- oder EWR-Staat haben.

Der Regierungsentwurf zum VGG enthält hierzu Aussagen. Diesem zufolge sollen jenseits der Kontrolle mitgliedstaatlicher Verwertungsgesellschaften grundsätzlich alle Verwertungsgesellschaften, die im Inland ansässig oder auch nur tätig sind, der deutschen Aufsicht unterliegen. Zum einen solle sich dies auf alle im Inland ansässigen Verwertungsgesellschaften beziehen, auch wenn sie ausschließlich im Ausland tätig sind, zum anderen genüge im Hinblick auf die Tätigkeit im Inland bereits der Abschluss mit auch nur einem inländischen Rechteinhaber. Bereits diese Tätigkeit unterliege der deutschen Aufsicht.[430] Beides greift regulatorisch zu weit und lässt sich weder aus einer Analyse des VGG noch des europäischen Rechtsrahmens ableiten. Zwar ist die Kontrolle durch die Aufsichtsbehörde des Sitzlandes der Verwertungsgesellschaft wenigsten in der VG-RL deutlich angelegt, jedoch ist auch hier hinsichtlich des Kontrollgegenstands zu unterscheiden. Ein umfassendes Kontrollbedürfnis der inländischen Verwertungsgesellschaften im Hinblick auf ihre innereuropäische Betätigung folgt der Logik des Binnenmarktkonzepts der VG-RL, welches eine zusätzliche behördliche Kontrolle am Marktort ausschließt und somit eine Liberalisierung im Sinne der Dienstleistungsfreiheit herbeiführt, die auf gegenseitigem Vertrauen und der Anwendung harmonisierter, also gleicher oder ähnlicher Standards beruht. Diese Grundlagen des Vertrauens bestehen im außereuropäischen Kontext nicht und zugleich würde eine Anwendung deutscher Rechtsstandards im Hinblick auf außereuropäische Lizenzierungstätigkeiten einen Eingriff in das Marktkonzept anderer Staaten bedeuten. Am Schutz der Märkte von Drittstaaten und am Schutz der dorti-

---

Unzuständigkeit der deutschen Aufsichtsbehörden, doch scheint das Aufsichtsrecht nach dem VGG implizit von einer damit verbundenen Anwendbarkeit auszugehen. Es scheint also seine Anwendbarkeit mit den Regelungen zur Erlaubnis- und Anzeigepflicht zu beschränken, andere inhaltliche Umgrenzungen sind kaum ersichtlich. Zum Verhältnis des Internationalen Verwaltungsrechts zum Internationalen Privatrecht, siehe etwa *Lehmann*, in: Zetzsche/Lehmann (Hrsg.), Grenzüberschreitende Finanzdienstleistungen, 2018, S. 1, Rn. 8 ff.; *Drexl* sieht den Anwendungsbereich des VGG (potentiell) weiter und nur im Hinblick auf die Erlaubnispflicht auf die Wahrnehmung von Rechten nach dem deutschen Urheberrechtsgesetz beschränkt *Drexl*, MPI Stellungnahme VGG, 2015, Rn. 3.

430 Begründung des Regierungsentwurfs zum VGG, BT-Drs. 18/7223, S. 95.

gen Lizenznehmer besteht kein inländisches Interesse.[431] Was die Kontrolle ausländischer Verwertungsgesellschaften mit Betätigung im Inland betrifft, genügt jedenfalls allein die Begründung einer Wahrnehmungsbeziehung mit einem inländischen Rechteinhaber nicht. Aufgrund der internationalen Verstrickungen würde dies letztlich auf eine Aufsicht der Betätigung beinahe aller Verwertungsgesellschaften der Welt durch das DPMA hinauslaufen. Ein Rechteinhaber, der sich von einer ausländischen Verwertungsgesellschaft vertreten lässt, trifft hierbei jedoch eine bewusste Entscheidung und kann sich auf ein deutsches Regulierungsregime insoweit nicht verlassen.[432]

Zu einem kohärenten Ansatz gelangt man erst durch Hinzuziehung des europäischen Rechtsrahmens, dessen Umsetzung das VGG dient und in dessen Lichte die Vorschriften des VGG auszulegen sind, sowie durch eine Berücksichtigung des nationalen Regulierungsinteresses. Die VG-RL verfolgt einen Regelungsansatz, der sich im VGG kaum wiederfindet.[433] Sie erstreckt ihren Regelungsbereich in räumlicher Hinsicht grundsätzlich auf „alle Organisationen der kollektiven Rechtewahrnehmung mit Sitz in der Union" (Art. 2 Abs. 1 VG-RL), und gemäß Art. 34 Abs. 1 VG-RL müssen die Mitgliedstaaten sicherstellen, „dass die Einhaltung der nach dieser Richtlinie erlassenen nationalen Bestimmungen durch die in ihrem Hoheitsgebiet ansässigen Organisationen für die kollektive Rechtewahrnehmung durch die zu diesem Zweck benannten zuständigen Behörden überwacht wird." Zwar ist die Richtlinie klar auf innereuropäische Sachverhalte ausgerichtet und die Erleichterung der Entwicklung eines Binnenmarkts für Kulturgüter ist der eigentliche Zweck der Richtlinie (siehe u.a. Erwägungsgrund 2 VG-RL), doch ist sie deshalb nicht notwendigerweise auf innereuropäische Sachverhalte beschränkt.

---

431 *Drexl*, in: von Hein (Hrsg.), MüKo IPR II, ^{8}2021, Rom II-VO Art. 8 Rn. 241. Im Regierungsentwurf wird dies völlig verfehlt mit der Definition der Verwertungsgesellschaft in § 2 VGG begründet, die sich im Gegensatz zum alten § 1 Abs. 1 UrhWG nicht mehr auf die Wahrnehmung von Rechten nach dem deutschen Urheberrechtsgesetz bezieht. Es reiche die Wahrnehmung beliebiger Urheberrechte und verwandter Schutzrechte aus, um eine Organisation als Verwertungsgesellschaft zu qualifizieren (BT-Drs. 18/7223, S. 95). Dieses Konzept ist zur territorialen Abgrenzung eines nationalen Regelungsregimes gänzlich ungeeignet, da es keinerlei Begrenzung enthält.

432 *Ders.*, in: von Hein (Hrsg.), MüKo IPR II, ^{8}2021, Rom II-VO Art. 8 Rn. 241.

433 Dies mag der Unsicherheit des deutschen Gesetzgebers im Hinblick auf das Kollisionsrecht – sowohl verwaltungsrechtlich als auch privatrechtlich und einmal bzgl. innereuropäischer Sachverhalte und einmal bzgl. außereuropäischer Sachverhalte – geschuldet sein. Sie wird gerade deutlich anhand des inkohärenten Regelungsverständnisses wie es aus dem Regierungsentwurf hervorgeht.

In der Tat ist eine aufsichtsrechtliche Kontrolle der inländischen Verwertungsgesellschaften sinnvoll und naheliegend. Das liegt nicht nur an der räumlichen Nähe von Aufsichtsbehörde und Verwertungsgesellschaft, sondern kann auch Pflichtenkollisionen und Mehrfachkontrollen vermeiden. Exemplarisch seien hier die Pflichten im Wahrnehmungsverhältnis genannt, beispielsweise hinsichtlich der Verteilung der Einnahmen und der Mitwirkungsrechte der Berechtigten. Grundsätzlich begründet auch die Anknüpfung an die Wahrnehmung nationaler Rechte ein legitimes regulatorisches Interesse, jedoch führt dieses Modell für Verwertungsgesellschaften, die Rechte für mehrere Staaten wahrnehmen zur Anwendung mehrerer Rechtsordnungen. Auf Lizenzierungsebene kann dies zwar die grenzüberschreitende Wahrnehmung erschweren, die Einhaltung verschiedener nationaler Regelungsregime erscheint aber möglich. Nicht so auf Wahrnehmungsebene, denn hier können aus der Anwendbarkeit mehrerer nationaler Regelungsregime unauflösbare Pflichtenkollisionen entstehen. Wie soll eine Verwertungsgesellschaft bspw. mehrere unterschiedliche Vorgaben an die Mitwirkungsrechte der Berechtigten zugleich berücksichtigen? Einziges Mittel zur Vermeidung einer solchen Pflichtenkollision wäre die Nichtteilnahme am jeweiligen Markt. Dies kann regulatorisch gewünscht sein, doch bestehen zumindest Zweifel, inwiefern sich das nationale Regelungsinteresse in legitimen Umfang auf derartige Sachverhalte erstreckt.

Die generelle Anknüpfung an den Wahrnehmungsgegenstand, wie sie in § 77 Abs. 1 VGG zum Ausdruck kommt, ist zumindest im Lizenzverhältnis sinnvoll, greift aber im Wahrnehmungsverhältnis zu kurz, wenn es um inländische Verwertungsgesellschaften geht, die allein ausländische Rechte wahrnehmen. Gleichzeitig schießt die Anknüpfung an den Wahrnehmungsgegenstand über das Ziel hinaus, wenn der gesamte Regelungsbereich zum Innenverhältnis der Verwertungsgesellschaften auch auf ausländische Gesellschaften erstreckt wird, die nur (auch) deutsche Rechte wahrnehmen. Kohärent ist daher im Ausgangspunkt die Verfolgung des Sitzlandprinzips, welches im EU-/EWR- Kontext umfassend gilt und sich außerhalb dessen auf die Kontrolle des Innenverhältnisses beschränken sollte, also auf die Wahrnehmungsbeziehung.

Die zusätzliche Tätigkeitskontrolle von Verwertungsgesellschaften durch die deutsche Aufsicht betrifft die Wahrnehmung deutscher Rechte. Die so begründete Tätigkeitskontrolle ist allerdings in zweierlei Hinsicht begrenzt, zum einen gilt sie nicht gegenüber Verwertungsgesellschaften mit Sitz in einem anderen EU-Staat, zum anderen gilt sie inhaltlich grundsätzlich nur für die Lizenzierungstätigkeit, da nur diese eine hinreichende Einwirkung auf den deutschen Markt entfaltet.

VI. Fazit

Die Europäisierung des Wahrnehmungsrecht wurde zwar genutzt, um das Wahrnehmungsrecht insgesamt detaillierter zu regeln und den Aufsichtsbehörden damit eine konkretere Rechtsgrundlage an die Hand zu geben; im grenzüberschreitenden Kontext geht das Sitzlandprinzip der Richtlinie, wie es zumindest für die Zuständigkeit der Aufsichtsbehörden und die Anwendung des Aufsichtsrechts gilt, aber mit einer Schwächung der Kontrolle einher. Die Kontrolle ist nicht mehr uneingeschränkt am Marktort und damit am Mittelpunkt der betroffenen Interessen gewährleistet. Die Überprüfung des Verhaltens inländischer Verwertungsgesellschaften im Ausland ist nicht nur praktisch schwierig – die Aufsichtsbehörde ist dann wohl tatsächlich auf Kooperation und Informationsaustausch nach §§ 86, 87 VGG angewiesen – es besteht vor allem kein hinreichendes Interesse und kein hinreichender (politischer) Druck die Verwertungsgesellschaften zu kontrollieren und ggf. zu sanktionieren.

Nicht neu, vor diesem Hintergrund aber umso problematischer, ist das Fehlen eines Anspruchs i.S. eines subjektiv-öffentlichen Rechts der Betroffenen auf Eingreifen der Behörde. Dem steht nun eindeutig § 75 Abs. 2 VGG entgegen. Dies verdeutlicht die wachsende Bedeutung des Privatrechts und der privaten Rechtsdurchsetzung für alle Beteiligten – gerade im grenzüberschreitenden Kontext. Auch im Fall der Verlegerbeteiligung[434] war es eine Privatperson, die auf das Fehlverhalten der VG WORT hingewiesen hatte und sich durch alle Instanzen klagte, obwohl es genauso Aufgabe der Aufsicht gewesen wäre, die Einhaltung des Rechts zu kontrollieren.[435]

Die internationale Anwendbarkeit des aufsichtsrechtlichen Regelungsregimes ist jenseits der „Binnenmarktverwertungsgesellschaften" nicht hinreichend klar umschrieben. Das Regulierungskonzept des VGG scheint

434 BGH, Urt. v. 21.4.2016 – I ZR 198/13 – *Verlegeranteil* (BGHZ 210, 77–113).

435 Diese Kritik an der Aufsicht ist nicht ganz berechtigt, da das Urteil sehr kontrovers diskutiert wurde und der Ausgang so nicht unbedingt absehbar war. Das Fehlverhalten war also zumindest nicht offensichtlich. Dies ändert jedoch nichts am Kern des Rückschlusses, dass die private Rechtsdurchsetzung als Mittel zur Kontrolle der Verwertungsgesellschaften unerlässlich ist.

auf diesen Fall nicht eingestellt zu sein und bietet daher auch kein kohärentes Konzept. Umso wichtiger erscheint daher die Entwicklung eines kollisionsrechtlichen Konzepts für das Privatrecht, an welchem sich u.U. auch das öffentlich-rechtliche Regelungskonzept orientieren kann. Die unzureichende Auseinandersetzung des deutschen Gesetzgebers mit dieser Frage zeigt sich gerade im regulatorischen Fehlverständnis, wie es aus der Begründung des Regierungsentwurfs zum VGG hervorgeht. Ein tragfähiges Regelungskonzept ergibt sich jedoch in Ansätzen aus der VG-RL, auf deren Boden sich auch Grundsätze einer internationalen Aufsicht jenseits des Binnenmarkts entwickeln lassen. Im Ausgangspunkt sollte die Kontrolle durch die Aufsicht im Sitzland der Verwertungsgesellschaften erfolgen, sie sollte sich zugleich auf das Innenverhältnis der Verwertungsgesellschaften konzentrieren. Im außereuropäischen Kontext kann sich die zusätzliche Tätigkeitskontrolle ausländischer Verwertungsgesellschaften aufgrund der Wahrnehmung deutscher Rechte dann inhaltlich grundsätzlich auf die Lizenzierungstätigkeit beschränken, da nur durch diese auf den deutschen Markt eingewirkt wird.

C. Das Kartellrecht als Kontrollmittel über Verwertungsgesellschaften

I. Ebenen der kartellrechtlichen Kontrolle

1) Kontrolle nach Art. 101 AEUV und nach Art. 102 AEUV.

Eine historische Betrachtung des Wahrnehmungsrechts zeigt, dass die Europäisierung der verwertungsgesellschaftsrechtlichen Grundlagen nicht erst mit der VG-RL bzw. der Kommissionsempfehlung von 2005 einsetzte, sondern ihre Wurzeln im europäischen Kartellrecht hat. Das europäische Wettbewerbsrecht reagierte bereits in den 1970er Jahren auf die monopolistische Markstellung der Verwertungsgesellschaften und so konnte die Kartellrechtspraxis zur Ausbildung des heutigen wettbewerbsorientierten europäischen Wahrnehmungsrechts beitragen.[436] Insbesondere die Kontra-

---

436 In Bezug auf Art. 102 AEUV sind folgende Entscheidungen europäischer Organe zu nennen: Kommission v, 2.6.1971 – 71/224/EWG, ABl. 1971 L 134/15 ff. – *GEMA I*; EuGH, C-127/73, ECLI:EU:C:1974:25 – *BRT II*; EuGH, C-22/79, ECLI:EU:C:1979:245 – *Greenwich Film Production*; Kommission v. 4. 12.1981 – 82/204/EWG, IV/29.971, ABl. 1982 L 94/12 ff. – *GEMA III*; EuGH, C-7/82, ECLI:EU:C:1983:52 – *GVL/Kommission*; EuGH, C-402/85, ECLI:EU:C:1987:197 –

hierungsverpflichtungen und Diskriminierungsverbote, wie sie sich im Wahrnehmungsrecht finden, bilden das Bindeglied zwischen Wettbewerbspolitik und privatrechtlicher Rechtsdurchsetzung.[437] Schon früh wurde anerkannt, dass Verwertungsgesellschaften aus Sicht des europäischen Kartellrechts Unternehmen sind – und zwar keine Unternehmen, die mit der Erbringung von Dienstleistungen von allgemeinem wirtschaftlichen Interesse im Sinne von Art 106 Abs. AEUV betraut sind.[438] Entsprechend unterliegen sie grundsätzlich dem europäischen Kartellrecht.[439] Im Gegensatz zum Aufsichtsrecht erfolgt durch das Kartellrecht allerdings keine laufende und systematische Kontrolle der Tätigkeit von Verwertungsgesellschaften, sondern lediglich eine, auf die Aufdeckung bzw. Aufhebung einzelner Verstöße gerichtete, also punktuelle, *ex post* Kontrolle. Mit diesem Ansatz kann sie das Aufsichtssystem bestenfalls ergänzen, aber nicht ersetzen.

Die europäischen Wettbewerbsvorschriften haben den Zweck, die Offenheit der Märkte zu schützen und dem Wettbewerb als dynamischem

---

Basset; EuGH, verb. Rs. 110/88, 241/88 und 242/88, ECLI:EU:C:1989:326 – *Lucazeau*; EuGH, C-395/87, ECLI:EU:C:1989:319 – *Tournier*; Kommissionsentscheidung v. 12. August 2001, COMP/C2/37.219, MR-Int 2006, 69 – *Daft Punk*; EuGH, C-52/07, ECLI:EU:C:2008:703 – *Kanal 5/STIM*; EuGH, C-351/12, ECLI:EU:C:2014:110 – *OSA* und EuGH, C-177/16, ECLI:EU:C:2017:689 – *AKKA/LAA*.

437 *Drexl*, in: Götz von Olenhusen/Gergen/Vogel (Hrsg.), Kreativität und Charakter, 2017, S. 227, 230 und *ders.*, in: Leska (Hrsg.), Managing Copyright, 2023, S. 29, 45 ff.

438 So bereits Kommission, v. 2.6.1971 – 71/224/EWG, ABl. 1971 L 134/15, 27 – *GEMA I*; außerdem EuGH, C-127/73, ECLI:EU:C:1974:25 – *BRT II*, Rz. 19 ff.; sowie EuGH, C-7/82, ECLI:EU:C:1983:52 – *GVL/Kommission*; ausführlich dargestellt bei *Wünschmann*, Die kollektive Verwertung von Urheber- und Leistungsschutzrechten nach europäischem Wettbewerbsrecht, 2000, S. 66 ff.; *Wirtz*, Die Kontrolle von Verwertungsgesellschaften, 2002, S. 219 f.

439 Daneben bleibt ein eigenständiger Anwendungsbereich des nationalen Kartellrechts neben dem europäischen Kartellrecht auch dann bestehen, wenn das Verhalten geeignet ist, den Handel zwischen den Mitgliedstaaten zu beeinträchtigen (Art. 3 Abs. 2 S. 2 der Kartellverfahrensverordnung (Verordnung (EG) 1/2003)). Die Missbrauchsvorschriften der §§ 19, 20 GWB sind im Vergleich zum europäischen Kartellrecht detaillierter und gehen teilweise darüber hinaus, sodass sie eigenständige Bedeutung behalten. Hierzu *Banck*, Der Kontrahierungszwang der Verwertungsgesellschaften gemäß § 11 WahrnG und seine Ausnahmen, 2012, S. 90 f. Vor allem in Staaten ohne sektorspezifisches Regulierungsrecht und einer speziellen Aufsicht hat sich eine kartellrechtliche Praxis entwickelt. Siehe hierzu die ausführliche Analyse bei *Drexl*, Copyright, Competition and Development, 2013, 251 ff. und *ders.*, in: Leska (Hrsg.), Managing Copyright, 2023, S. 29, 40 ff.

Prozess Raum zu verschaffen.[440] Das Kartellrecht richtet sich unmittelbar an Unternehmen, indem es sie daran hindert, die im Binnenmarkt erreichte Öffnung der Märkte durch privatwirtschaftliches wettbewerbsbeschränkendes Handeln zu unterlaufen.[441] Verschiedene Ebenen der Kontrolle sind dabei zu unterscheiden. Zunächst muss eine Unterscheidung der kartellrechtlichen Kontrolle nach Art. 101 AEUV und Art. 102 AEUV erfolgen. Während sich das Kartellverbot nach Art. 101 AEUV auf das Verbot aufeinander abgestimmter Verhaltensweisen zwischen Unternehmen bezieht, geht es bei Art. 102 AEUV um den Missbrauch marktbeherrschender Positionen.

Die kartellrechtliche Kontrolle nach Art. 101 AEUV kann auf zwei Ebenen relevant werden. Erstens kann die Zusammenarbeit der Verwertungsgesellschaften untereinander insbesondere im Rahmen von Gegenseitigkeitsverträgen einen Verstoß gegen Kartellrecht begründen.[442] Zweitens stehen Verwertungsgesellschaften allgemein im Fokus des Kartellrechts, soweit es um Vereinbarungen und aufeinander abgestimmtes Verhalten der Rechteinhaber durch die gemeinschaftliche Rechtewahrnehmung geht. Die Aufstellung gemeinsamer Tarife stellt grundsätzlich ein Preiskartell unter Rechteinhabern dar. Da die Lizenzierung durch Verwertungsgesellschaften insbesondere mit Blick auf Blankettlizenzen allerdings unerlässlich für die Entstehung nachgelagerter Märkte ist, haben Wettbewerbsbehörden Verfahren entwickelt, um die Tätigkeit von Verwertungsgesellschaften zu ermöglichen.[443] So hat bspw. der US Supreme Court Wege gefunden die Annahme eines per se Verbots zu umgehen, obwohl auch in den USA horizontale Preisabsprachen als Wettbewerbsbeschränkung angesehen werden, die grundsätzlich nicht gerechtfertigt werden können. In der Entscheidung *BMI v CBS* nahm der US Supreme Court an, dass eine verwertungsgesellschaftliche Blankettlizenz gegenüber einer Individuallizenz ein „anderes Produkt“ darstelle.[444] Der besondere Charakter der Blankettlizenz

---

440 *Meessen/Kersting*, in: Loewenheim/Meessen/Riesenkampff u.a. (Hrsg.), Kartellrecht, [4]2020, Einführung, Rn. 6 ff.; *Bunte*, in: Langen/Bunte (Hrsg.), Kommentar zum deutschen und europäischen Kartellrecht, [13]2018, Einleitung, Rn. 35 f.

441 *Immenga/Mestmäcker*, in: dies. (Hrsg.), Wettbewerbsrecht, [5]2012, Einleitung, Teil B Rn. 17 ff.

442 Siehe hierzu die kartellrechtliche Bewertung der Gegenseitigkeitsverträge und das CISAC-Verfahren in *Teil 1, Kapitel 2, C.*

443 Auch die Wahrnehmungsverträge können nach Art. 101 AEUV überprüft werden. In der Regel erfolgt in der EU jedoch eine Kontrolle nach Art. 102 AEUV, wie beispielhaft in der Entscheidung C-127/73, ECLI:EU:C:1974:25 – *BRT II*, Rn. 6 f.

444 Broadcast Music, Inc. v. CBS, Inc., 441 U.S. 1, 21—22 (1979).

äußere sich insbesondere in der unmittelbaren Nutzungsmöglichkeit eines Gesamtrepertoires und der Senkung von Transaktionskosten, die beiden Parteien, Rechteinhabern und Nutzern, zugutekomme.[445] Mit ähnlichen Argumenten begründete die Kommission eine Ausnahme vom Kartellverbot des Art. 101 Abs. 1 AEUV für die Zusammenarbeit der Verwertungsgesellschaften im Rahmen der IFPI-Simulcasting-Vereinbarung. Die Möglichkeit der Lizenzierung vielseitiger Repertoires für die Nutzung in mehreren Gebieten zugleich („multi-repertoire und multi-territorial licences") stelle ein neues Produkt dar,[446] welches auch den Verbrauchern zugutekomme[447] sowie der Förderung des technischen und wirtschaftlichen Fortschritts[448] und der Verbesserung der Verteilung von Gütern[449] diene. Aufgrund der positiven Effekte der Kollektivierung für Rechtenutzer sind die Abstimmungen innerhalb der Verwertungsgesellschaften daher gerechtfertigt bzw. rechtfertigungsfähig.[450] Zugleich ermöglicht dies den Wettbewerbsbehörden eine umfassende Kontrolle der Lizenzpraxis der Verwertungsgesellschaften, die sich in den USA regelmäßig in *consent decrees*[451] der Bundes-

---

445 „This substantial lowering of costs, which is, of course, potentially beneficial to both sellers and buyers, differentiates the blanket license from individual use licenses. [...] Here, the whole is truly greater than the sum of its parts; it is, to some extent, a different product. The blanket license has certain unique characteristics: it allows the licensee immediate use of covered compositions, without the delay of prior individual negotiations, and great flexibility in the choice of musical material." (Rn. 21,22). Siehe hierzu auch die Untersuchung der ökonomischen und kulturellen Funktionen in *Teil 1, Kapitel 1, B., I. und II.*

446 Entscheidung der Kommission vom 8. Oktober 2002, Sache COMP/C2/38.014 – *IFPI Simulcasting*, ABl. L 107 vom 30.4.2003, S. 58–84. "[...] die Vereinbarung [schafft] ein neues Produkt [...], nämlich die Vergabe von Mehrgebiets- und Mehrprogrammlizenzen für das Simultanübertragungsrecht, das ohne eine Zusammenarbeit zwischen den Verwertungsgesellschaften nicht geschaffen werden könnte [...]" (Rn. 62 der Entscheidung).

447 Rn 93 ff. der Entscheidung.

448 Rn. 84 ff. der Entscheidung.

449 Rn. 89 ff. der Entscheidung.

450 Demgegenüber kritisch: *Hemphill*, Colum. J.L. & Arts 34 (2011), 645 ff.; sehr ausführlich und mit einem besonderen Augenmerk auf den Onlinebereich: *Lichtenegger*, Verwertungsgesellschaften, Kartellverbot und Neue Medien, 2014. Die Anwendung des Kartellrechtes gegenüber Verwertungsgesellschaften wird auch bei *Drexl*, Copyright, Competition and Development, 2013, S. 210 ff. beleuchtet.

451 So bspw. Department of Justice, 'Statement of the Department of Justice on the Closing of the Antitrust Division's Review of the ASCAP and BMI Consent Decrees' (15 January 2021), abrufbar unter: <www.justice.gov/atr/page/file/1355391/download> (zuletzt abgerufen 22.3.2022).

gerichte niederschlägt und in der EU unter Art. 101 Abs. 3 AEUV ausgeübt wird.[452]

An dieser Stelle soll es lediglich um die Missbrauchskontrolle aufgrund einer marktbeherrschenden Stellung nach Art. 102 AEUV gehen. Sie ist als Kontrollmittel gegen Verwertungsgesellschaften sowohl aus Nutzer- als auch aus Rechteinhaberperspektive in der EU bedeutender. Die Anwendung des Kartellrechts ist in Bezug auf Verwertungsgesellschaften in Folge der VG-RL nicht per se ausgeschlossen, wie Erwägungsgrund 11 der Richtlinie klarstellt.

2) Ebenen und Grundvoraussetzungen der Kontrolle nach Art. 102 AEUV

Da Verwertungsgesellschaften in einem zweiseitigen Markt agieren, muss das Wettbewerbsrecht auch in Bezug auf rechteinhaber- und rechtenutzerbezogene Dienstleistungen angewendet werden.[453] In sachlicher Hinsicht kann zunächst zwischen dem Wahrnehmungs- und Lizenzierungsmarkt unterschieden werden. Daneben besteht ein dritter Markt – der Markt für Wahrnehmungsdienstleitungen gegenüber anderen Verwertungsgesellschaften bzw. der Repertoireverwaltungsmarkt.[454] Auch wenn sich die jeweiligen Märkte hinsichtlich Leistung und Marktgegenseite deutlich unterscheiden, stehen sie nicht bezugslos nebeneinander. Die Rechteeinräumung als Wahrnehmungstätigkeit erfolgt zum Zweck der Lizenzierung, genauso hängt die Lizenzierung von der vorhergehenden Rechteeinräumung ab. Der Leistungsaustausch auf dem einen Markt hängt vom Leistungsaustausch auf dem anderen Markt ab. Es zeigt sich ein für zweiseitige Märkte typisches Bild gegenseitiger Abhängigkeit durch wirtschaftliche Verknüpfung der Produktmärkte.[455] Weiterhin kann zwischen verschiedenen Arten

---

452 Siehe insgesamt *Drexl*, in: Leska (Hrsg.), Managing Copyright, 2023, S. 29, 35 f.

453 *Ders.*, Copyright, Competition and Development, 2013, S. 11 f.

454 Dieser wird hier nicht gesondert untersucht. Die Repertoireverwaltungstätigkeit der Verwertungsgesellschaften – in der Richtlinie Repräsentation genannt – wird in der VG-RL angesprochen. Sie wird grundsätzlich gefördert und soll auf nichtexklusiver Basis sowie diskriminierungsfrei erfolgen.

455 *Evans*, The Antitrust Economics of Two-Sided Markets, SSRN 2002 (http://dx.doi.org/10.2139/ssrn.332022); *Lichtenegger*, Verwertungsgesellschaften, Kartellverbot und Neue Medien, 2014, 100 f.; *Drexl*, in: Hilty/Geiger (Hrsg.), Impulse für eine europäische Harmonisierung des Urheberrechts/Perspectives d'harmonisation du droit d'auteur en Europe, 2007, S. 369, 387 f. sowie *ders.*, in: Leska (Hrsg.), Managing Copyright, 2023, S. 29, 31 ff.

von Lizenzen unterschieden werden, insbesondere zwischen Online- und Offlinelizenzen.

Schließlich muss sich die markbeherrschende Stellung räumlich widerspiegeln.[456] Solange Lizenzen national vergeben wurden, war klar, dass räumlich in erster Linie nationale Märkte relevant waren. Hier war die Marktbeherrschung in der Vergangenheit stets unkritisch anzunehmen, da Verwertungsgesellschaften auf ihren Heimatmärkten entweder über ein faktisches oder gar über ein rechtliches Monopol verfügten. Im europäischen Kartellrecht muss die beherrschende Stellung auf dem Binnenmarkt oder einem wesentlichen Teil desselben bestehen. Wesentliche Teile des Binnenmarktes sind nach der Rechtsprechung des EuGH zumindest die größeren Mitgliedstaaten bzw. bedeutende Teile derselben.[457] Verschiedene Kriterien können bei der Einzelabgrenzung berücksichtigt werden. Entscheidend bleibt eine Gesamtbetrachtung bei der nicht nur auf prozentuale Messgrößen abzustellen ist, sondern auch absoluten Größenordnungen Indizwirkung zukommt.[458] Im Bereich des Wahrnehmungsrechts stellte diese Frage bislang kein Problem dar: Dass eine Verwertungsgesellschaft in einem wesentlichen Teil des Binnenmarktes eine marktbeherrschende Stellung einnimmt, beantworteten EuGH und Kommission nicht nur hinsichtlich Verwertungsgesellschaften großer Mitgliedsstaaten, wie der GEMA[459], sondern auch hinsichtlich Verwertungsgesellschaften kleinerer Länder wie der belgischen SABAM und der schwedischen STIM stets positiv.[460]

---

456 Hierzu *Fuchs/Möschel*, in: Immenga/Mestmäcker (Hrsg.), Wettbewerbsrecht, ^{5}2012, Art. 102, Rn. 65 ff.

457 Z. B. EuGH, C-340/99, ECLI:EU:C:2001:281 – *TNT Traco*, Rz. 43; EuGH, C-40/73, ECLI:EU:C:1975:174 – *Suiker Unie u.a./Kommission*; EuGH, C-18/93, ECLI:EU:C:1994:195 – *Corsica Ferries/Corpo dei piloti del porto di Genova* (*Hafen von Genua II*), Rz. 40 f.

458 So auch *GA Warner*, Schlussanträge in EuGH, C-77/77, ECLI:EU:C:1978:107 – *B.P.*; *Fuchs/Möschel*, in: Immenga/Mestmäcker (Hrsg.), Wettbewerbsrecht, ^{5}2012, Art. 102, Rn. 67.

459 Kommission v, 2.6.1971 – 71/224/EWG, ABl. 1971 L 134/15, 21 – *GEMA I*.

460 EuGH, C-127/73, ECLI:EU:C:1974:25 – *BRT II*, Rz. 5 und EuGH, C-52/07, ECLI:EU:C:2008:703 – *Kanal 5/STIM*, Rz. 22. Sehr deutlich nun auch in EuGH, C-351/12, ECLI:EU:C:2014:110 – *OSA*, Rz. 86, hier heißt es: „Hierzu ist festzustellen, dass eine Verwertungsgesellschaft wie OSA, die für die Wahrnehmung der Urheberrechte in Bezug auf eine bestimmte Kategorie geschützter Werke im Gebiet eines Mitgliedstaats über ein Monopol verfügt, eine beherrschende Stellung auf einem wesentlichen Teil des Binnenmarkts im Sinne von Art. 102 AEUV innehat." Erneut bestätigt hinsichtlich Lettland in EuGH, C-177/16, ECLI:EU:C:2017:689 – *AKKA/LAA*, Rz. 28 ff.

Zweifel an der marktbeherrschenden Stellung von Verwertungsgesellschaften können allerdings nunmehr hinsichtlich der paneuropäischen Onlinelizenzierung aufkommen. Auch wenn sich die europäische Lizenzierung, dem Territorialitätsprinzip folgend, als eine Bündelung nationaler Lizenzen darstellt, kann unter wirtschaftlicher Betrachtung doch ein europäischer Lizenzmarkt entstehen. In räumlicher Hinsicht ist dann auch mit Blick auf den Lizenzmarkt die gesamte EU – oder zumindest größere, länderübergreifende Teile der EU – zu berücksichtigen.[461] Auf diesem Markt gilt das bisherige Prinzip „ein Territorium, eine Verwertungsgesellschaft" dann nicht mehr.[462] Dies erschwert die Anwendung der kartellrechtlichen Kontrolle nach Art. 102 AEUV im Onlinebereich, da nicht mehr ohne Weiteres von einer Marktbeherrschung derjenigen Verwertungsgesellschaften ausgegangen werden kann, die bereit und in der Lage sind, Mehrstaatenlizenzen für Onlinedienste zu vergeben.

Gleichwohl sind die spezifischen Marktwirkungen, die zu einer natürlichen Konzentration im Bereich der kollektiven Rechtewahrnehmung führen und im Extremfall ein natürliches Monopol bewirken, im europäischen Modell der kollektiven Rechtewahrnehmung nicht aufgehoben. Skalen- und Verbundeffekte, wie sie in der ökonomischen Analyse der Verwertungsgesellschaften dargestellt wurden, bestehen online wie offline. Verstärkt werden die Konzentrationstendenzen durch Netzwerkeffekte im zweiseitigen Markt der Verwertungsgesellschaften. Der ökonomische Vorteil von Verwertungsgesellschaft wächst grundsätzlich sowohl für Nutzer als auch für Rechteinhaber mit der Größe der Verwertungsgesellschaften.

---

461 Da Verwertungsgesellschaften ihre Tätigkeit in zwei Richtungen ausüben, ist auch kartellrechtlich zwischen dem Wahrnehmungs- und dem Lizenzmarkt zu unterscheiden. Zum Wahrnehmungsmarkt sogleich unter *II.* und zum Lizenzmarkt unter besonderer Berücksichtigung der Frage der Substituierbarkeit von Repertoires unter *III.*

462 Während die nationale Wahrnehmungstätigkeit für Verwertungsgesellschaften im Offline-Bereich weitgehend bestehen bleibt, haben sich im Onlinemarkt einige Lizenzinitiativen gebildet. Armonia und ICE sind dabei hervorzuheben, die sich als Joint Ventures der Verwertungsgesellschaften darstellen und teilweise bei der Onlinelizenzierung auch nur unterstützend wirken (zu verschiedenen Zentrallizenzierungsinitiativen durch abhängige Verwertungseinrichtungen: *Kling*, Gebietsübergreifende Vergabe von Online-Rechten an Musikwerken, 2017, S. 143 ff.). Eine gute Darstellung bei der auch die Unübersichtlichkeit im Wahrnehmungsmarkt hinsichtlich überhaupt tätiger Verwertungsgesellschaften und Lizenzierungseinrichtungen sowie hinsichtlich der angewandten Tarife aufgezeigt wird, findet sich bei *Vučković*, IIC 2016, 28 ff.

So wird mit jedem neuen Rechteinhaber als Partner einer Verwertungsgesellschaft nicht nur eine weitere Verwertungsbeziehung möglich, sondern, entsprechend der Zahl der Nutzer, die Zugang zum Repertoire der Verwertungsgesellschaft haben, eine Vielzahl.[463] Zukünftige Marktentwicklungen sind schwer vorherzusagen. Für den Onlinebereich wird von den meisten Autoren aber die Bildung eines stabilen Oligopols einiger weniger Verwertungsgesellschaften oder Lizenzierungsinitiativen erwartet, die in der Lage sind, kommerziell nachgefragte Repertoires für den Onlinebereich zu lizenzieren.[464]

Die kartellrechtliche Kontrolle nach Art. 102 AEUV ist in Oligopolmärkten zwar nicht ausgeschlossen, sie wird jedoch schwieriger.[465] Dabei wirkt sich das Wettbewerbsmodell der Verwertungsgesellschaften gegenüber den Rechteinhabern und gegenüber den Nutzern höchst unterschiedlich aus.

---

463 *Drexl*, in: Riesenhuber (Hrsg.), Wahrnehmungsrecht in Polen, Deutschland und Europa, 2006, S. 193, 227 f. Im Ausgangspunkt ähnlich sieht dies auch *Lichtenegger*, zugleich verweist er jedoch kritisch auf negative Skaleneffekte die bei zunehmender Unternehmensgröße entstehen können. Auch *Lichtenegger* vermutet langfristig das Entstehen stabiler Oligopole im Onlinebereich (*Lichtenegger*, Verwertungsgesellschaften, Kartellverbot und Neue Medien, 2014, S. 218 ff. und S. 229 f.).

464 Von einem solchen Szenario ging die Kommission von Beginn an aus. Siehe: Commission Staff Working Document, Study on a Community Initiative on the cross-border collective management of copyright, at 4.7 (p. 42). Siehe außerdem: *von Einem*, MMR 2006, 647, 648 ff.; *Lichtenegger*, Verwertungsgesellschaften, Kartellverbot und Neue Medien, 2014, an verschiedenen Stellen, insbes. S. 154, 173 f und 230; *Drexl*, in: Riesenhuber (Hrsg.), Wahrnehmungsrecht in Polen, Deutschland und Europa, 2006, S. 193, 226 ff.; Stellungnahme des MPI für Geistiges Eigentum, Wettbewerbs- und Steuerrecht zuhanden des Bundesministeriums der Justiz betreffend die Empfehlung der Europäischen Kommission über die Lizenzierung von Musik für das Internet vom 18. Oktober 2005 (2005/737/EG) (in GRUR Int. 2006, 222, S. 223); *ders.*, in: Hilty/Geiger (Hrsg.), Impulse für eine europäische Harmonisierung des Urheberrechts/Perspectives d'harmonisation du droit d'auteur en Europe, 2007, S. 369, 382; *Holzmüller*, ZUM 2013, 168, 173 f.; ähnlich auch *Handke/Stepan/Towse*, in: Drexl (Hrsg.), Research Handbook on Competition and Intellectual Property Law, 2008, S. 373, 395 ff.

465 Dazu *Fuchs/Möschel*, in: Immenga/Mestmäcker (Hrsg.), Wettbewerbsrecht, ^{5}2012, Art. 102, Rn. 115, 120 ff.

II. Kartellrechtliche Kontrolle der Tätigkeit von Verwertungsgesellschaften gegenüber Rechteinhabern

Durch das Verwertungsgesellschaftsmodell der *right-holders' option* haben Rechteinhaber eine echte Wahl, welche Verwertungsgesellschaft sie mit der Wahrnehmung ihrer Rechte betrauen möchten. Dabei mögen besonders bei Werkschaffenden kulturelle und sprachliche Grenzen zwar weiterhin eine Rolle spielen, grundsätzlich wurden ihre Rechte aber gestärkt und Abhängigkeitsverhältnisse abgebaut.[466]

Nicht so weitreichende, aber dem Modell der VG-RL ähnliche Rechte zugunsten der Rechteinhaber wurden schon früh aus dem Kartellrecht entwickelt. Hierzu gehörten seit jeher Diskriminierungsverbote.[467] Zumindest solange die nationalen Monopole bestanden und die Anwendung von Art. 102 AEUV auf Verwertungsgesellschaften unkritisch möglich war, ließen sich zahlreiche Verbote für Verwertungsgesellschaften bzw. Pflichten der Verwertungsgesellschaften gegenüber Rechteinhabern aus dem Kartellrecht ableiten. Hierzu zählte das Verbot, Vertragsschlüsse mit Rechteinhabern aus anderen Mitgliedstaaten abzulehnen.[468] Außerdem wurde aus dem Kartellrecht eine weitreichende Flexibilität der Rechteinhaber hinsichtlich des Umfangs und der Dauer der Rechteeinräumung abgeleitet. So konnten Verwertungsgesellschaften zwar auf die Einräumung jener Rechte (im Bündel) bestehen, die erforderlich sind, um ihrer Tätigkeit das notwendige Gewicht gegenüber Werknutzern zu verleihen, eine Verpflichtung zur darüberhinausgehenden Rechteabtretung war aber grundsätzlich nicht möglich. Die Rechtewahrnehmungspraxis der Verwertungsgesellschaften

466 Freilich bleiben für alle Rechteinhaber auch ökonomische Abhängigkeiten bestehen (hierzu ausführlich *Drexl*, in: Leska (Hrsg.), Managing Copyright, 2023, S. 29, 38 ff.).

467 Die Diskriminierungsverbote beschränken sich nicht auf die Seite der Rechteinhaber wie etwa im Verfahren *GVL/Kommission* (EuGH, C-7/82, ECLI:EU:C:1983:52 – *GVL/Kommission*), von mindestens ebenso großer Bedeutung sind Diskriminierungsverbote mit Blick auf die Rechtenutzer. Hier ist ein abgeleiteter Markt betroffen, auf dem erstrebenswerter Wettbewerb durch Ungleichbehandlungen der Verwertungsgesellschaften erheblich gestört werden kann (EuGH, C-52/07, ECLI:EU:C:2008:703 – *Kanal 5/STIM*; Marktgericht-Schweden, Urt. v. 16.4.1998, Rs. B 4367–97 – *STIM/TV3* = GRUR Int1999, 627 ff. und *Trumpke*, Exklusivität und Kollektivierung, 2016, 499 ff.).

468 EuGH, C-7/82, ECLI:EU:C:1983:52 – *GVL/Kommission*, Rz. 56.

unterlag einem „Erforderlichkeitsvorbehalt", der sich insbesondere in einer Begrenzung der zeitlichen Bindung ausdrückte.[469]

Da das Modell der VG-RL den Rechteinhabern zusätzliche Rechte gewährt, die über die aus dem Kartellrecht ableitbaren Pflichten hinausgehen, wird das Kartellrecht im Verhältnis zu den Rechteinhabern schon rein praktisch an Bedeutung verlieren.[470] Zugleich steht die Anwendungsmöglichkeit der kartellrechtlichen Missbrauchskontrolle gegenüber Verwertungsgesellschaften im Verhältnis zu Rechteinhabern aufgrund des Wettbewerbs im Onlinebereich ganz grundsätzlich in Frage.

III. Kartellrechtliche Kontrolle der Tätigkeit von Verwertungsgesellschaften gegenüber Nutzern

Geht es um die kartellrechtliche Kontrolle der Verwertungsgesellschaften gegenüber Nutzern auf der Grundlage von Art. 102 AEUV, stellt sich zunächst die Frage der Anwendbarkeit des Missbrauchsverbots. Denn der Wettbewerb der Verwertungsgesellschaften untereinander könnte dazu führen, dass kartellrechtlich keine der Gesellschaften als marktbeherrschend anzusehen wäre oder zumindest, dass einzelne Gesellschaften mangels Marktbeherrschung der Kontrolle entgehen.[471] Dies stößt auf zwei Bedenken: Erstens stellt sich ganz grundsätzlich die Frage, inwieweit Repertoires substituierbar sind. Zweitens stellt sich die damit zusammenhängende Frage, inwieweit der Wettbewerb der Verwertungsgesellschaften auf die Rechtenutzer ausgerichtet sein wird und inwiefern ein möglicher Wettbe-

---

469 Kommission v, 2.6.1971 – 71/224/EWG, ABl. 1971 L 134/15 ff. – *GEMA I*; EuGH, C-127/73, ECLI:EU:C:1974:25 – *BRT II*, Rz. 9, 11, 12, 14 und 15. In der *Daft Punk* Entscheidung sah die Kommission das Ausnutzen einer marktbeherrschenden Stellung i.S.v. Art. 102 AEUV darin, dass Verwertungsgesellschaften Urheber zwangen ihr Repertoire auch für die Onlinelizenzierung an Verwertungsgesellschaften zu geben, obwohl in diesem Bereich tatsächlich die Möglichkeit einer Direktlizenzierung besteht (Kommission, Entscheidung v. 12. August 2001, COMP/C2/37.219, MR-Int 2006, 69 – *Daft Punk*; hierzu auch *Drexl*, in: Torremans (Hrsg.), Copyright Law, 2007, S. 255, 261).

470 So schon zur Onlineempfehlung *ders.*, in: Riesenhuber (Hrsg.), Wahrnehmungsrecht in Polen, Deutschland und Europa, 2006, S. 193, 232. Ausführliche Darstellung des kartellrechtlichen Diskriminierungsverbots in Bezug auf die Rechteinhaber bei *ders.*, in: Götz von Olenhusen/Gergen/Vogel (Hrsg.), Kreativität und Charakter, 2017, S. 227, 234 ff.

471 *Hilty/Li*, Control Mechanisms for CRM Systems and Competition Law, SSRN, April 2016 (https://ssrn.com/abstract=2772482), S. 13.

werb die individuelle Abhängigkeit eines jeden Rechtenutzers vom Vertragsschluss mit einer jeden Verwertungsgesellschaft überhaupt verringern kann.

Aufgrund der Einzigartigkeit kultureller Güter könnte generell an ihrer Substituierbarkeit gezweifelt werden.[472] Man wird gleichwohl nicht jedem Repertoire oder Werk eine derart exklusive Stellung zugestehen können, dass sich mangels Austauschbarkeit der sachlich relevante Markt auf dieses Werk beschränken würde.[473] Gerade im Musikbereich erhöht das sogenannte „Superstar-Phänomen“[474] aber die Abhängigkeit der Anbieter vom Zugang zu einigen Werken oder Repertoires, was den Wettbewerb um die Rechtenutzer zumindest hemmt. Diese Annahme wird durch die Erfahrung in den USA bestätigt. Obwohl dort längst mehrere Verwertungsgesellschaften nebeneinander bestehen, hat sich ein Wettbewerb um die Rechtenutzer nicht entwickelt. Die meisten Rechtenutzer suchen vielmehr wenigstens

---

472 In Extrempositionen wurde angenommen, dass kreative Werke aufgrund ihrer Eigenart, Individualität und Originalität aus Sicht der Marktgegenseite nicht austauschbar und damit nicht Teil eines übergeordneten Marktes seien (so bereits *Wawretzko*, UFITA 31 (1960), 287, 298). Zur Repertoiresubstituierbarkeit auch *Janik/Tiwisina*, ZUM 2013, 177, 180; *Lichtenegger*, Verwertungsgesellschaften, Kartellverbot und Neue Medien, 2014, S.152 ff., S. 172 f., S. 371 ff.; *Drexl/Nérisson/Trumpke u.a.*, IIC 44 (2013), 322, Rn. 9; *Drexl*, in: Torremans (Hrsg.), Copyright Law, 2007, S. 255, 267 f. Siehe hierzu auch Entwurf eines Gesetzes über Verwertungsgesellschaften auf dem Gebiet des Urheberrechts vom 23.3.1962, BT-Drs. 4/273, S. 17 und *ders.*, in: Götz von Olenhusen/Gergen/Vogel (Hrsg.), Kreativität und Charakter, 2017, S. 227, 232 f. Zur Verschiebung der Marktlogik im Bereich der Kulturindustrie *Reckwitz*, Die Gesellschaft der Singularitäten, 2017, 150 ff.

473 *Drexl*, Copyright, Competition and Development, 2013, S 75; *Hilty/Li*, Control Mechanisms for CRM Systems and Competition Law, SSRN, April 2016 (https://ssrn.com/abstract=2772482), S. 12; *Lamping*, in: Hilty/Liu (Hrsg.), Compulsory Licensing, 2015, S. 121, S. 123 f. Die Ausschließlichkeit liegt im Wesen der Immaterialgüterrecht und bewirkt seit jeher Spannungen mit dem Wettbewerbsrecht. Jenes wendet sich aber nicht gegen das Immaterialgüterrecht an sich, sondern nimmt die jeweilige Ausübung der Rechte in den Blick. Hierzu u.a. EuGH, Urt. v. 6.10.1982, Rs. C-262/81 – *Coditel II*, Rn.19; EuGH, Urt. v. 4.10.2011, Verb. Rs. C-403/08 und C-429(08 – Murphy, Rn.137 und 140; siehe Darstellung bei *Sutterer*, in: Hennemann/Sattler (Hrsg.), Immaterialgüter und Digitalisierung, 2017, S. 145, 157 f.

474 Bereits 1981 beschrieb *Rosen* das Superstar-Phänomen mit seiner wachsenden Ungleichheit der Einkünfte (*Rosen*, AER 71 (1981), 845 ff.). Zu einem großen Teil sei dieses auf die damals neuen Verbreitungswege zurückzuführen, die es ausgewählten Künstlern ermöglichen mit ihren Werken omnipräsent zu sein und (im Musikbereich) entsprechend einen Großteil der Hörerschafft und Vergütung auf sich zu vereinen. Dieser Effekt ist mit den neuen Verbreitungswegen keinesfalls gebrochen, im Gegenteil, die Verbreitung von Werken war nie einfacher.

den Vertragsschluss mit den beiden bedeutendsten Verwertungsgesellschaften in den USA, ASCAP und BMI.[475] Entsprechend erfolgt in den USA eine kartellrechtliche Kontrolle, obwohl mehrere Verwertungsgesellschaften auf dem Markt miteinander „konkurrieren". Dabei wird auch sichergestellt, dass erstens die Rechteinräumung durch die Rechteinhaber und zweitens die Lizenzierung durch die Verwertungsgesellschaften nicht exklusiv ist.[476] Gleichwohl ist zu berücksichtigen, dass auf der Marktgegenseite nicht Endverbraucher, sondern gewerbliche Rechtenutzer stehen, denen es darauf ankommt, ein attraktives Programm zusammenzustellen. Hierzu gehören bei populären Angeboten die Werke der Stars, daneben finden sich aber auch Formate mit spartenmäßiger Spezialisierung.[477] Ein umfassender Zugriff auf alle Werke ist für kommerzielle Nutzer also nicht zwingend, um einen erfolgreichen Dienst anzubieten. Festzuhalten bleibt aber, dass eine starke Abhängigkeit der kommerziellen Rechtenutzer von der Lizenzierung, insbesondere der kommerziell erfolgreichen Werke besteht und vor allem, dass der geförderte Wettbewerb der Verwertungsgesellschaften kaum den Nutzern zugutekommt.[478]

---

475 *Einhorn*, Colum. J.L. & Arts 24 (2001), 349, 362; *Drexl/Nérisson/Trumpke u.a.*, IIC 44 (2013), 322, Rn. 9. Die dritte US-amerikanische Musikurheberverwertungsgesellschaft ist die SESAC.

476 Bereits seit 1941 beschäftigt die marktbeherrschende Stellung der beiden wichtigsten Verwertungsgesellschaften in den USA die Gerichte. Eine erste Klage führte zu Einigungen. Seither sind Verpflichtungen der Verwertungsgesellschaften in laufend ergänzten *Consent Decrees* vorgesehen (hierzu *Consent Decrees*: *U.S. v. BMI*, 1940–43 Trade Cas. (CCH) paras. 56, 96, 381 (E.D. Wisc. 1941); *U.S. v. ASCAP*, 1940–43 Trade Cas. (CCH) paras. 56, 104, 402 (S.D.N.Y. 1941) zuletzt *U.S. v. BMI*, 1996–1 Trade Cas. (CCH) paras. 71, 379 (S.D.N.Y. Nov. 18, 1994); *U.S. v. ASCAP*, 2001–2 Trade Cas. (CCH) paras. 73, 474 (S.D.N.Y. June 11, 2001); siehe auch *Hilty/Li*, Control Mechanisms for CRM Systems and Competition Law, SSRN, April 2016 (https://ssrn.com/abstract=2772482), S. 8 und *Gervais*, Colum. J.L. & Arts 34 (2011), 591, 569 ff.

477 *Lichtenegger*, Verwertungsgesellschaften, Kartellverbot und Neue Medien, 2014, 372 f.

478 *Drexl*, in: Torremans (Hrsg.), Copyright Law, 2007, S. 255, 267 f.; *Drexl/Nérisson/Trumpke u.a.*, IIC 44 (2013), 322, Rn. 9; sowie *Drexl*, in: Leska (Hrsg.), Managing Copyright, 2023, S. 29, 41 f.

l) Abschlusszwang der Verwertungsgesellschaften im europäischen Wettbewerbsrecht

Im europäischen Kartellrecht sucht man vergeblich nach Entscheidungen, die einen Abschlusszwang der Verwertungsgesellschaften begründen.[479] Dies mag daran liegen, dass derartige Fragen aufgrund der generellen Abschlussbereitschaft der Verwertungsgesellschaften bislang nicht relevant wurden. Auch der Entscheidung *Magill TV Guide*[480] lassen sich keine generellen Wertungen zugunsten möglicher Kontrahierungspflichten der Verwertungsgesellschaften im Lizenzverhältnis entnehmen. Denn der Entscheidung lag eine Situation des Behinderungsmissbrauchs zugrunde, die sich dadurch auszeichnet, dass ein beherrschendes Unternehmen seine Marktmacht auf angrenzende Märkte überträgt oder zur Einschränkung des Wettbewerbs auf angrenzenden Märkten einsetzt.[481] Diese Konstellation unterscheidet sich schon in ihrer Grundstruktur von der kollektiven Rechtewahrnehmung, da Verwertungsgesellschaften gerade nicht auf dem Sekundärmarkt aktiv sind.[482]

479 Wie eng der wahrnehmungsrechtliche Abschlusszwang aber mit den kartellrechtlichen Wertungen verbunden ist, zeigt sich insbesondere in den Entscheidungen BGH, Urt. v. 22. 4. 2009 – I ZR 5/07 – *Seeing is Believing* (BGHZ 181, 1–12), wonach der Abschlusszwang nach § 11 Abs. 1 UrhWG ausnahmsweise nicht gilt, wenn im Einzelfall eine missbräuchliche Ausnutzung einer faktischen Monopolstellung der Verwertungsgesellschaft ausscheidet und diese dem Verlangen auf Einräumung von Nutzungsrechten vorrangige berechtigte Interessen entgegenhalten kann und OGH Österreich, Urt. v. 12.4.2011 – 4 Ob 222/10s = ZUM-RD 2012, 230, 233, mit der Betonung, dass der Kontrahierungszwang von Verwertungsgesellschaften wie er sich aus § 17 VerwGesG (a.F.) ergab ein Gegengewicht zur Monopolstellung der Verwertungsgesellschaften bilde.

480 EuGH, verb. Rs. C-241/91 und C-242/91, ECLI:EU:C:1995:98 – *Magill TV Guide*.

481 *Magill* Rn 56. Hierzu auch *Mestmäcker/Schweitzer*, Europäisches Wettbewerbsrecht, ^{3}2014, § 19 Rn. 70 ff.

482 Im Übrigen müssen nach *Magill* weitere Umstände hinzutreten, durch die sich die Ausübungsfreiheit eines Ausschließlichkeitsrechts durch den Rechteinhaber als missbräuchlich erweist und zu einem Kontrahierungszwang verdichtet. Erstens muss der Schutzrechtsinhaber sich weigern, einem Dritten die begehrte Lizenz einzuräumen, obwohl dieser für die Herstellung eines bestimmten Produkts (oder die Bereitstellung eines bestimmten Dienstes) darauf angewiesen ist; zweitens darf die Verweigerung der Lizenzvergabe sachlich nicht gerechtfertigt sein; drittens muss das Verhalten des Schutzrechtsinhabers geeignet sein, einen Wettbewerb auf dem Sekundärmarkt auszuschließen; und viertens muss die Lizenzverweigerung das Auftreten eines neuen Erzeugnisses verhindern (*Magill TV Guide*, Rn 50–58).

Fälle der Lizenzverweigerung durch Verwertungsgesellschaften, deren Ziel nicht die Ausdehnung der Markmacht auf einen Sekundärmarkt ist, sondern allein die Durchsetzung überhöhter Lizenzgebühren, lassen sich hingegen als Ausbeutungsmissbrauch qualifizieren.[483] Gegenstand der kartellrechtlichen Kontrolle sind daher vor allem die Tarife der Verwertungsgesellschaften, die grundsätzlichen nach den Kriterien des Preishöhenmissbrauchs nach Art. 102 S. 2 lit. a AEUV überprüft werden können.[484]

2) Preiskontrolle bei der Lizenzierung durch Verwertungsgesellschaften im europäischen Wettbewerbsrecht

Im europäischen Sekundärrecht finden sich kaum Anhaltspunkte für die Entwicklung allgemeiner Standards der Tarifbildung. Lediglich in Erwä-

---

483 Eine eigenständige und bislang ungeklärte Frage ist, inwieweit sich ein Kontrahierungszwang und eine Tarifkontrolle aus den Anforderungen an eine Einzelfreistellung nach Art. 101 Abs. 3 AEUV ergeben kann. Wie bereits erwähnt, stellt der Zusammenschluss der Rechteinhaber und die gemeinschaftliche Rechtewahrnehmung grundsätzlich einen Verstoß gegen Art. 101 Abs. 1 AEUV dar (siehe auch im Abschnitt zur Rechtefragmentierung in *Teil 1, Kapitel 1, C, II.*). Dieser ist aber gerechtfertigt, soweit die Voraussetzungen des Art. 101 Abs. 3 AEUV gewahrt sind (hierzu *Lichtenegger*, Verwertungsgesellschaften, Kartellverbot und Neue Medien, 2014, S. 442 ff. für den Offlinebereich, S. 463 ff. für den Onlinebereich). Es wäre daher denkbar, Abschlusszwang und Tarifkontrolle unter das Erfordernis einer angemessenen Verbraucherbeteiligung zu subsumieren. Im Ergebnis hat diesen Ansatz auch die Kommission im Rahmen der Freistellung der IFPI-Simulcasting-Vereinbarung gewählt. Die Möglichkeit der Lizenzierung vielseitiger Repertoires für die Nutzung in mehreren Gebieten zugleich („multi-repertoire und multi-territorial licences"), stellt - so die Kommission - ein neues Produkt dar, welches auch den Verbrauchern zugutekommt (Kommission vom 8. Oktober 2002, Sache COMP/C2/38.014 — IFPI "Simulcasting", ABl. L 107 vom 30.4.2003, S. 58–84, siehe auch ausführlich zuvor unter *I. 1.)*). Jenseits dessen erfolgt die kartellrechtliche Kontrolle der Verwertungsgesellschaften i.d.R. auf Grundlage des Ausbeutungsmissbrauchs nach Art. 102 S. 2 lit. a AEUV. Dennoch ist anzumerken, dass unter Durchsetzungsgesichtspunkten der Ansatz über Art. 101 AEUV aufgrund einer Umkehrung der Beweislast interessant sein kann. Gemäß Art. 2 S. 2 der Verordnung 1/2003 trägt das Unternehmen, das sich auf die Freistellung beruft, die Beweislast für das Vorliegen ihrer Voraussetzungen, also insbesondere dafür, dass Verbraucher profitieren. Gleichwohl kann dieser Ansatz einen privatrechtlichen Abschlusszwang und eine Tarifkontrolle nicht ersetzen. Hingegen spricht die Überlegung schon allgemein für die Einführung von Pflichten, die die Position der Nutzer gegenüber Verwertungsgesellschaften stärken.

484 *Mestmäcker/Schweitzer*, Europäisches Wettbewerbsrecht, ^{3}2014, § 33 Rn. 44 ff.; ausführlich dazu *Drexl*, in: Leska (Hrsg.), Managing Copyright, 2023, S. 29, 41 f.

gungsgrund 17 der SatKab-RL (RL 93/83/EWG)[485] werden allgemeine Kriterien genannt, die für die Tarifhöhe anzusetzen sind. Demnach sollen die Beteiligten bei der Vereinbarung der Vergütung „allen Aspekten der Sendung, wie der tatsächlichen und potentiellen Einschaltquote und der sprachlichen Fassung, Rechnung tragen". In ganz ähnlicher Weise sieht nunmehr Art. 2 Abs. 2 der Online-SatKab-RL (RL (EU) 2019/789)[486] vor, dass „die Parteien bei der Festsetzung der Vergütung für die Rechte [...] alle Aspekte des ergänzenden Online-Dienstes, [...] einschließlich des Zeitraums, in dem die im Rahmen des Dienstes bereitgestellten Programme online verfügbar sind, das Publikum und die bereitgestellten Sprachfassungen berücksichtigen." Handfeste Berechnungsgrundsätze ergeben sich aus alldem jedoch nicht. Auch in der Entscheidung *SENA* hat der EuGH keine eigene und vor allem keine konkrete Regelung zur Festsetzung einer einheitlichen Angemessenheit der Vergütung i.S.v. Art. 8 Abs. 2 der Vermiet- und Verleihrichtlinie (RL 92/100/EWG)[487] im Einzelnen vorgenommen. Es sei vielmehr den Mitgliedstaaten überlassen, in ihrem Hoheitsgebiet sachnahe Kriterien festzulegen. Jeder Mitgliedstaat solle die Kriterien, die am besten geeignet sind, die Angemessenheit der Vergütung zu bestimmen, innerhalb der vom Gemeinschaftsrecht gesetzten Grenzen selbst entwickeln. Insbesondere sei der Tarif anhand des wirtschaftlichen Wertes der Nutzung zu ermitteln.[488]

Wichtiger war in Bezug auf die Tarifbildung der Verwertungsgesellschaften die kartellrechtliche Kontrolle nach Art. 102 AEUV. Hierzu hat sich, angefangen mit den grundlegenden Entscheidungen in den *French disco cases*[489], eine

485 ABl. L 248 vom 6.10.1993, S. 15–21.

486 ABl. L 130 vom 17.5.2019, S. 82. Siehe auch ErwG. 15 zur Weiterverbreitung. Hierzu *Sutterer*, ZUM-RD 2017, 301, 307 f.

487 ABl. L 346 vom 27.11.1992, S. 61–66.

488 EuGH, C-245/00, ECLI:EU:C:2003:68 – *SENA*, Rz. 34, 37 und 38. Als Methode der Berechnung biete sich grundsätzlich eine Mischung aus variablen und festen Faktoren an. Hierzu zähle die Anzahl der Stunden der Sendung der Tonträger, der Umfang der Hörer- und Zuschauerschaft, die vertraglich festgelegten Tarife für Wiedergabe- und Senderechte von urheberrechtlich geschützten Musikwerken sowie die von den öffentlich-rechtlichen Rundfunkanstalten und die von den gewerblichen Sendern gezahlten Beträge (Rz. 46).

489 EuGH, verb. Rs. 110/88, 241/88 und 242/88, ECLI:EU:C:1989:326 – *Lucazeau*; EuGH, C-395/87, ECLI:EU:C:1989:319 – *Tournier*. Die Entscheidungen lassen mögl. Rückschlüsse auf einen Abschlusszwang zu.

europäische Entscheidungspraxis entwickelt.[490] In der Rechtssache *Lucazeau* sollte – auf Beschwerde französischer Diskothekenbetreiber – der von der SACEM erhobene pauschale Gebührensatz in Höhe von 8,25 % des Diskothekenumsatzes einer kartellrechtlichen Missbrauchskontrolle nach Art. 86 EG-Vertrag (Art. 102 AEUV) unterzogen werden.[491] Der EuGH entwickelte allerdings kaum eigene Kriterien der „Angemessenheitsbestimmung" eines Tarifs, sondern stützte sich auf einen Vergleich der Tarife der Verwertungsgesellschaften in den einzelnen Mitgliedstaaten. Problematisch ist dabei zunächst die Herstellung einer Vergleichsbasis, da der Tarifbildung unterschiedliche Methoden zugrunde liegen können.[492] Ergibt sich bei einer Verwertungsgesellschaft ein wesentlich höherer Tarif, so sei diese Differenz als Indiz für einen Missbrauch der beherrschenden Stellung anzusehen. Es obliege dann den Verwertungsgesellschaften, die Differenz unter Hinweis auf etwaige objektive Unterschiede zwischen den Mitgliedstaaten zu rechtfertigen.[493] Ein Vergleich mit der Lage in anderen Mitgliedstaaten kann demnach

490 Hierzu: *Lichtenegger*, S. 111 f.; *Drexl*, Deutsche Verwertungsgesellschaften im europäischen Wettbewerb, S. 22. Weitere relevante Entscheidungen sind: EuGH, C-402/85, ECLI:EU:C:1987:197 – *Basset*; EuGH, C-245/00, ECLI:EU:C:2003:68 – *SENA*; EuGH, C-52/07, ECLI:EU:C:2008:703 – *Kanal 5/STIM*; EuGH, C-351/12, ECLI:EU:C:2014:110 – *OSA* EuGH, C-177/16, ECLI:EU:C:2017:689 – *AKKA/LAA*.

491 Die zweite Vorlagefrage bezog sich wiederum auf die Problematik, ob die durch Gegenseitigkeitsverträge hergestellte faktische Ausschließlichkeit als abgestimmte Verhaltensweise – und damit als Verstoß gegen Art. 85 Abs. 1 EGV (Art. 101 Abs. 1 AEUV) – anzusehen ist. Der EuGH widerholte insoweit seine Ausführungen zur Rechtssache *Tournier*. Die Gegenseitigkeitsverträge an sich dienten der Verwirklichung anerkannter Ziele: erstens der „Gleichbehandlung ausländischer und inländischer Werke (bzw. der Urheber der Werke)"; zweitens der Möglichkeit von Verwertungsgesellschaften sich zum Schutz ihrer Bestände auf die Organisation örtlicher Verwertungsgesellschaften zu stützen und so insgesamt die Effizienz der Rechtewahrnehmung zu erhöhen. Ausschließlichkeitsvereinbarungen würden hingegen gegen das Kartellverbot verstoßen, seien aber nicht nachweisbar (Rz. 13 ff.). Inhaltlich decken sich die Verfahren *Tournier* und *Lucazeau* hinsichtlich der hier entscheidenden Fragen. Nicht angezweifelt wurde die marktbeherrschende Stellung der SACEM, womit der Weg zur Missbrauchskontrolle nach Art. 86 EG-Vertrag (Art. 102 AEUV) frei war.

492 Die SACEM erhob ihre Gebühren als Umsatzbeteiligung. Andere Verwertungsgesellschaften berechnen ihre Tarife bspw. nach Fläche oder Anzahl der Plätze, nach Art des Lokals, nach Höhe des Eintrittspreises etc. (*Tournier* Rz. 37). Da verschiedene Berechnungsmethoden angewandt werden, ist eine Vergleichsgrundlage zu ermitteln.

493 EuGH, *Tournier*, Rz. 38; EuGH, *Lucazeau*, Rz. 25. Die SACEM berief sich in den Verfahren insbesondere auf das hohe Niveau des urheberechtlichen Schutzes in Frankreich und auf die Besonderheiten des französischen Rechts. Nach französi-

Hinweise auf einen eventuellen Missbrauch einer marktbeherrschenden Stellung liefern.[494]

Die Tarifkontrolle konnte der EuGH in der jüngeren Entscheidung *AKKA/LAA*[495] konkretisieren. Auch diese Entscheidung beruht allerdings nicht auf den Wertungen des VG-Richtlinienmodells. Es ging überdies um nationale Tarife, die für Offline-Nutzungen in Lettland erhoben wurden. Bestätigt wurde die in der Rechtssache *Lucazeau* herausgearbeitete Vergleichsmethode.[496] Der EuGH stellte jedoch klar, dass ein Vergleich nicht notwendigerweise mit allen Tarifen in der EU erfolgen muss, sondern dass in ihrer Art und sozialen Struktur vergleichbare nationale Tarife herangezogen werden können. Beim Vergleich der Tarife sei dabei vor allem die unterschiedliche Kaufkraft in den einzelnen Mitgliedstaaten zwingend zu berücksichtigen.[497] Wird ein Unterschied zwischen den Tarifen festgestellt, so indiziere dies grundsätzlich den Missbrauch der marktbeherrschenden Stellung, hinsichtlich der Signifikanz der Unterschiede komme es allerdings auf die Umstände eines jeden Einzelfalls an.[498] Dabei verzichtet der EuGH im Rahmen der Tarifkontrolle auf die Bestimmung klarer Beurteilungskriterien.

Die vagen Ausführungen verdeutlichen die Schwierigkeit bei der Festsetzung von Preisen bzw. bei der Bestimmung von Angemessenheit. Dieses Problem lässt sich in keinem staatlichen Verfahren vollends beheben. Eine Preisfestsetzung durch Gerichte oder Behörden kann immer nur zweite Wahl sein. Umso wichtiger ist es jedoch, Verhandlungsmechanismen zu be-

---

schem Urheberrecht unterlag die Verbreitung von aufgezeichneten Musikwerken nicht nur einer Aufführungsgebühr, sondern auch einer ergänzenden Gebühr für die mechanische Vervielfältigung. Dieses Argument ließ der EuGH nicht gelten. Unter Bezugnahme auf die Entscheidung in der Rechtssache *Basset* (EuGH, C-402/85, ECLI:EU:C:1987:197 – *Basset*), verwies er darauf, dass es sich bei der Gebühr für die mechanische Vervielfältigung der Sache nach nur um einen Teil der Abgeltung für die öffentliche Vorführung eines aufgezeichneten musikalischen Werks handelt. Eine eigeständige Funktion enthält diese Gebühr nicht (*Tournier* Rz. 40).

494 Insbesondere ein vergleichsweise hoher Anteil der Verwaltungskosten lässt nach Ansicht des EuGH darauf schließen, dass der Mangel an Wettbewerb zu einer Schwerfälligkeit des Verwaltungsapparats und damit zu einem hohen Gebührensatz führt (*Lucazeau*, Rz. 29, 30 und wortgleich *Tournier*, Rz. 42, 43).

495 EuGH, C-177/16, ECLI:EU:C:2017:689 – *AKKA/LAA*.

496 Siehe *AKKA/LAA* Rz. 38.

497 Siehe Rz. 42 und 46.

498 Rz. 55.

stimmen und einen Kontrahierungszwang als Ausgangspunkt für Verhandlungen zu etablieren.

Das Kartellrecht scheint als Grundlage der Tarifkontrolle nur begrenzt geeignet. Trotz inzwischen rund 30-jähriger Erfahrung mit der Anwendung des europäischen Kartellrechts auf die Preisgestaltung von Verwertungsgesellschaften konnte sich bislang kein hinreichend konkreter Beurteilungsmaßstab für die Tarifgestaltung der Verwertungsgesellschaften herausbilden.[499] Dem Kartellrecht fehlen überdies Wertungsparameter, mit denen auch nicht wirtschaftliche Aspekte bei der Kontrolle berücksichtigt werden können. Auf die Berücksichtigung der spezifischen Bedürfnisse des Urheberrechts und der kollektiven Rechtewahrnehmung ist das Kartellrecht nicht ausgelegt. Kulturelle und soziale Aspekte spielen im europäischen Verständnis des Wahrnehmungsrechts jedoch eine große Rolle, die mit dem Kartellrecht kaum angesprochen werden können. Das Kartellrecht fördert effiziente Strukturen, diese sollen zwar auch durch das Verwertungsgesellschaftsrecht erreicht werden – so gehört es zu den wesentlichen Funktionen der Verwertungsgesellschaften Effizienz im Lizenzierungsmarkt zu ermöglichen – doch geht es im Immaterialgüterrecht nicht ausschließlich um Effizienz.[500]

IV. Fazit

Die Kontrolle der Verwertungsgesellschaften über das Kartellrecht kann ein funktionierendes System kaum gewährleisten. Gestützt auf den kartellrechtlichen Marktmissbrauchstatbestand des Art. 102 AEUV lässt sich ein Zugang zu Rechten des geistigen Eigentums nur in Ausnahmefällen erwirken. Trotz jahrzehntelanger Praxis bleiben die Standards der Kontrolle unklar. Die Voraussetzungen des kartellrechtlichen Zugangsanspruchs aus Art. 102 AEUV verengen sich lediglich bei Wettbewerbsbeeinträchtigungen

499 Mit den Verfahren *Tournier* und *Lucazeau* als Ausgangspunkt (EuGH, verb. Rs. 110/88, 241/88 und 242/88, ECLI:EU:C:1989:326 – *Lucazeau*, EuGH, C-395/87, ECLI:EU:C:1989:319 – *Tournier*). Weitere relevante Entscheidungen zu dieser Frage sind: EuGH, C-402/85, ECLI:EU:C:1987:197 – *Basset*; EuGH, C-245/00, ECLI:EU:C:2003:68 – *SENA*; EuGH, C-52/07, ECLI:EU:C:2008:703 – *Kanal 5/STIM*; EuGH, C-351/12, ECLI:EU:C:2014:110 – *OSA* EuGH, C-177/16, ECLI:EU:C:2017:689 – *AKKA/LAA*.

500 *Drexl*, in: Torremans (Hrsg.), Copyright Law, 2007, S. 255 ff.; *ders.*, Zugang zu standardessenziellen Patenten als moderne Regulierungsaufgabe: Wie reagiert das EU-Kartellrecht auf Patentkriege zwischen chinesischen Unternehmen?, 2014.

im Sinne von diskriminierendem Zugang oder der Gewährung von Exklusivität. Überdies zeichnet sich das kartellrechtliche Durchsetzungssystem durch seinen reaktiven Charakter aus, die *ex post* Kontrolle, kann nur bereits erfolgte Kartellverstöße aufdecken.

Besonders deutlich trifft dies die Rechtenutzer, deren Interessen weder über das Wettbewerbsmodell der VG-RL noch über die Kartellrechtspraxis ausreichend geschützt werden. Aus Sicht der Rechtenutzer steht die Kontrolle der Lizenzierungspraxis der Verwertungsgesellschaften über Art. 102 AEUV im Vordergrund. Um überhaupt den Anwendungsbereich der Missbrauchskontrolle zu eröffnen, bedarf es aber einer Marktabgrenzung, einer Beherrschung des so bestimmten Marktes und der anschließenden Darlegung eines missbräuchlichen Verhaltens, was für Rechtenutzer zunehmend schwierig werden kann. Obwohl der Wettbewerb der Verwertungsgesellschaften im Richtlinienmodell nicht auf die Rechtenutzer ausgerichtet ist, könnte die „Marktöffnung" zumindest im Onlinebereich grundsätzliche Zweifel an der Marktbeherrschung der Verwertungsgesellschaften begründen. Jene konkurrieren zwar, der Wettbewerbsdruck wirkt sich jedoch nicht zugunsten der Rechtenutzer aus.

Das Kartellrecht ist ein wichtiges Mittel für die Kontrolle der Ausübung von Ausschließlichkeitsrechten. Als allgemeines Instrument des Wirtschaftsrechts scheint es mit den Besonderheiten des Immaterialgüterrechts allerdings oft überfordert zu sein. Dies gilt umso mehr für das Urheberrecht, das nicht nur von ökonomischen, sondern gleichzeitig auch von kulturpolitischen Anreizgedanken getragen wird. Verwertungsgesellschaften nehmen innerhalb der Kulturvermittlung eine besondere Rolle ein, die kaum ausschließlich mit ökonomischen Parametern gemessen werden kann. Schließlich zeigt sich im Kartellrecht ein Durchsetzungsproblem in der sachlich und zeitlich aufwendigen Verfahrensgestaltung.[501] Dem Kläger, der Ansprüche aus einem Ausbeutungsmissbrauch herleiten möchte, obliegt nach Art. 2 der Kartellverfahrensverordnung die Darlegungs- und

---

501 Beispielsweise nahm das Verfahren *Magill* (EuGH, verb. Rs. C-241/91 und C-242/91, ECLI:EU:C:1995:98 – *Magill TV Guide*) 10 Jahre, das Verfahren *Microsoft* (EuG, T-201/04, ECLI:EU:T:2007:289 – *Microsoft*) 14 Jahre in Anspruch. Nationale Wahrnehmungsgesetze (insbesondere das UrhWG) sahen im Rahmen von Streitigkeiten etwa bzgl. des Zugangs zu einem Repertoire oder der Tarife besondere Mittel zur Aufrechterhaltung und Funktionsfähigkeit des Marktes während des streitigen Prozesses vor. Aus dem Kartellrecht lassen sich ähnliche Schutzmechanismen herleiten (siehe etwa EuGH, C-170/13, ECLI:EU:C:2015:477 – *Huawei*). Ihre Ausgestaltung und Anwendung ist allerdings für das Urheberrecht bislang unklar und kann Rechtssicherheit damit nicht gewährleisten.

Beweislast für das Vorliegen einer marktbeherrschenden Stellung, die missbräuchliche Ausnutzung dieser Stellung und die Eignung des Missbrauchs zur spürbaren Beeinträchtigung des Handels zwischen den Mitgliedstaaten. Dieser Nachweis ist schwer zu führen und dürfte nicht immer gelingen.

Schließlich hat sich in den bislang erfolgten europäischen Verfahren zur Preishöhenkontrolle kein hinreichend konkreter und überprüfbarer Beurteilungsrahmen für die Angemessenheit der Tarife entwickelt. Umso wichtiger ist es aus Sicht der Rechtenutzer auf spezialisierte Anlaufstellen zurückgreifen zu können, die eine Angemessenheit der Tarife wenigstens ansatzweise beurteilen können.

D. Regulatorisches Privatrecht als Kontrollmittel über Verwertungsgesellschaften

Die Analyse der Aufsicht über Verwertungsgesellschaften hat gezeigt, dass privatrechtliche Ansprüche gegen Verwertungsgesellschaften und die Möglichkeit ihrer Durchsetzung vor den Zivilgerichten unerlässlich sind. Sie gewinnen im neuen Recht, insbesondere aufgrund eingeschränkter Befugnisse der Aufsichtsbehörden im grenzüberschreitenden Kontext, an Bedeutung. Auch wenn das Urteil des VG München im Verfahren gegen die Aufsicht revidiert wurde,[502] legte es strukturelle Schwächen des nationalen Aufsichtssystems und eine prinzipielle Zurückhaltung der Verwaltungsgerichte bei der Kontrolle der Verwertungsgesellschaften offen. Der Eindruck wird durch das Urteil zur *Verlegerbeteiligung* gegen die VG WORT verstärkt, welches eine Einzelperson durch alle Instanzen hindurch erstritt.[503] Auch hier kann man durchaus den Standpunkt vertreten, es sei Sache der Aufsicht, die Einhaltung des Rechts zu kontrollieren. Gerade in derart grundlegenden Fragen, die zudem rechtlich überaus umstritten sind und in denen sich eine, wenn auch unrechtmäßige, Verwaltungspraxis bzw. Tradition etabliert hat, ist von der Aufsicht kaum jedoch ein Einschreiten zu erwarten. All dies verdeutlicht, dass die privatrechtliche Rechtsdurchsetzung unerlässlicher Bestandteil des Verwertungsgesellschaftssystems ist. Der Streit um die

502 VG München, Urt. v. 25.10.2016 – M 16 K 15.333 (ZUM 2017, 779). Revidiert durch VGH München, Urt. v. 25.2.2019 – 22 B 17.1219.

503 BGH, Urteil vom 21.4.2016 – I ZR 198/13 – *Verlegerbeteiligung* (BGHZ 210, 77–113).

Verlegerbeteiligung zeigte, dass sie sich als besonders effektiv und sogar als systemverändernd erweisen kann.[504]

Das Verwertungsgesellschaftsrecht präsentiert sich als eine typische Materie modernen Regulierungsrechts, in der eine klare Zuordnung der Vorschriften zum öffentlichen Recht oder zum Privatrecht nur schwer möglich ist. Diese Abgrenzung soll an dieser Stelle erfolgen. Zur Vorbereitung auf die eigentliche kollisionsrechtliche Untersuchung werden die relevanten Vorschriften herausgearbeitet und den Rechtsverhältnissen der Verwertungsgesellschaften – Wahrnehmungsverhältnis, Lizenzverhältnis und Gegenseitigkeits- bzw. Repräsentationsverhältnis – zugeordnet.

I. Die privatrechtlichen Vorschriften im neuen Verwertungsgesellschaftsrecht

1) Das Verwertungsgesellschaftsrecht im Spannungsfeld zwischen öffentlichem Recht und Privatrecht

Der Eindruck beim Verwertungsgesellschaftsrecht handele es sich um eine spezifische Materie des öffentlichen Rechts, fußt auf zwei Annahmen. Zum einen ist dem Verwertungsgesellschaftsrecht in der Tat eine Dimension des öffentlichen Wirtschaftsrechts eigen, da es von Normen geprägt ist, die nicht zur Disposition der Parteien stehen und die Einhaltung dieser Normen (u.a.) durch eine Staatsaufsicht mit verwaltungsrechtlichen Befugnissen kontrolliert wird. Zum anderen werden die Verwertungsgesellschaften selbst häufig mit Behörden assoziiert.[505] Letzteres ist formell sicher falsch – Verwertungsgesellschaften sind juristische Personen des Privatrechts. Der Eindruck steht jedoch nicht gänzlich unberechtigt, weil Verwertungsgesellschaften zwei staatsähnliche Eigenschaften mit sich bringen. Zum einen ihre marktmäßige Stellung – an den jeweiligen Verwertungsgesellschaften

504 So auch *Drexl*, in: Götz von Olenhusen/Gergen/Vogel (Hrsg.), Kreativität und Charakter, 2017, S. 227, 229.

505 Exemplarisch die Süddeutsche Zeitung: „[...] Eine weitere Behörde, die Gema neben dem Gasteig, nutzt die Lange Nacht seit einigen Jahren, um ihr Image aufzupolieren. Im Foyer zeigen die Musikrechteverwerter, wem die Gebühren letztlich zugute kommen [...].“ Süddeutsche Zeitung (online) v. 26. April 2018, Lange Nacht der Musik – Wenn die ganze Stadt zur Bühne wird, online abrufbar unter: http://www.sueddeutsche.de/muenchen/lange-nacht-der-musik-die-stadt-wird-zur-buehne-1.3958713 (zuletzt abgerufen: 28. April 2018).

führt in der Regel kein Weg vorbei. Zum anderen die Wahrnehmung von Aufgaben, die ansonsten staatlicherseits zu organisieren wären. Insoweit wird teilweise von Verwertungsgesellschaften als Trägern staatsentlastender Tätigkeit gesprochen.[506] Dies bezieht sich auf ihre Aufgaben zur Funktionssicherstellung des Urheberrechts allgemein und gilt besonders dort, wo Urheberrechte verwertungsgesellschaftspflichtig ausgestaltet sind und der Gesetzgeber damit das Bestehen von Verwertungsgesellschaften voraussetzt.

Eine solche marktmäßig besondere Stellung privater Unternehmen im Bereich der Daseinsführsorge ist im Recht keinesfalls neu und sollte nicht über ihre eigentliche privatrechtliche Eigenschaft hinwegtäuschen. Gerade im Bereich der Netzwirtschaft, etwa im Telekommunikationsrecht, finden sich ganz ähnliche regulatorische Modelle. Genauso wie Wettbewerbsrecht, Energie- und Telekommunikationsrecht in ihrer Zielrichtung dem Privatrecht zuzuordnen sind, ist auch das Verwertungsgesellschaftsrecht in seiner Grundkonzeption dem Privatrecht zuzuordnen. Geschützt und gefördert wird nicht zuletzt der Wettbewerb, um die Funktionsbedingungen für materielle Vertragsfreiheit auf naturgemäß wettbewerbsarmen Märkten zu sichern bzw. um aufgrund der Marktstruktur gestörte Kräfteverhältnisse auszugleichen.[507] So wie im Bereich der Netzinfrastruktur die Marktgegenseite mit besonderen Ansprüchen gegen die Netzbetreiber ausgestattet wird, wird auch im Verwertungsgesellschaftsrecht die Marktgegenseite mit Ansprüchen gegen Verwertungsgesellschaften ausgestattet, um dem erkannten Marktungleichgewicht entgegenzusteuern und eine Sicherung der Funktion des Verwertungsgesellschaftssystems zu erreichen. Lediglich daneben tritt

506 Bspw. *Herschel*, UFITA 50 (1967), 22 ff.

507 *Säcker*, in: ders. (Hrsg.), Telekommunikationsgesetz, [3]2013, Einl. I, Rn. 8; *Ogus Anthony*, in: Cafaggi/Muir Watt (Hrsg.), The regulatory function of European private law, 2009, S. 3, 5 f. Für die (auch) privatrechtliche Wirkung des europäischen Kartellrechts siehe lediglich EuGH v. 5.6.2014, C-557/12, ECLI:EU:C:2014:1317 – *Krone u.a.*, Rz. 20 „Es ist darauf hinzuweisen, dass die Art. 101 Abs. 1 AEUV und 102 AEUV in den Beziehungen zwischen Einzelnen unmittelbare Wirkungen erzeugen und unmittelbar in deren Person Rechte entstehen lassen, die die nationalen Gerichte zu wahren haben" mit weiteren Nennungen; sowie EuGH v. 14.3.2019, C-724/17, ECLI:EU:C:2019:204 – *Skanska Industrial Solutions*, Rz. 27: „In Ermangelung einer einschlägigen Unionsregelung ist die Regelung der Modalitäten für die Ausübung des Rechts, Ersatz des sich aus einem nach Art. 101 AEUV verbotenen Kartell oder Verhalten ergebenden Schadens zu verlangen, zwar Aufgabe der innerstaatlichen Rechtsordnung des einzelnen Mitgliedstaats, wobei der Äquivalenz- und der Effektivitätsgrundsatz zu beachten sind" mit weiterer Nennung.

eine staatlicherseits organisierte Aufsicht. Es kommt somit zum Nebeneinander von staatlicher Aufsicht und privater Rechtsdurchsetzung jeweils auf der Grundlage von sektorspezifischem Regulierungsrecht.[508]

Diese Verflüssigung von privatrechtlicher Wettbewerbsfreiheit und öffentlicher Wirtschaftsgestaltung ist ein geradezu typisches Merkmal des Wirtschaftsrechts.[509] Die Entwicklung einer zunehmenden Expansion regulatorischen Privatrechts gegenüber dem klassischen Privatrecht auf nationaler Ebene verläuft auf europäischer Ebene in umgekehrter Richtung. Europäische Gesetzgebung im Privatrecht erfolgte bislang fast ausschließlich durch regulatorisches Recht. Die Ausgestaltung der Wirtschaftsbeziehungen durch ein derart „lenkendes" und „ausgleichendes" Privatrecht, welches seine Begründung etwa in Marktungleichgewichten, in Verhandlungsdisparität oder in Informationsasymmetrien sieht, nimmt diesem Rechtsbereich aber nicht den privatrechtlichen Charakter.[510]

Im Zentrum der Regulierung von Verwertungsgesellschaften standen in Deutschland stets der Wahrnehmungs- und Abschlusszwang als Ausprägung eines privatrechtlichen Kontrahierungszwangs mit einer wettbewerbsrechtlichen Grundidee.[511] Die Einhaltung beider Pflichten wurde über die Aufsicht kontrolliert, die Vorschriften in §§ 6 und 11 UrhWG hatten aber zugleich privatrechtlichen Charakter.[512] Die VG-RL kennt ganz ähnliche Verpflichtungen deren Kernstück Art. 5, zur Absicherung der Wahlfreiheit

508 *Säcker*, in: ders. (Hrsg.), Telekommunikationsgesetz, [3]2013, Einl. I, Rn. 9 ff.; zur Abgrenzung von „internationalem Wirtschaftsrecht" und „Wirtschaftskollisionsrecht" siehe auch *Drobnig*, RabelsZ 52 (1986), 1 ff.

509 Hierzu grundlegend *Basedow*, RabelsZ 52 (1986), 8 ff.; *Drobnig*, RabelsZ 52 (1986), 1 ff.

510 *Köndgen/Mörsdorf*, in: Riesenhuber (Hrsg.), European Legal Methodology, [2]2021, § 6 Rn. 16 ff.; *Micklitz*, GPR 2009, 254, 257 ff. und *ders.*, in: Cafaggi/Muir Watt (Hrsg.), The regulatory function of European private law, 2009, S. 16 ff.; *Ogus Anthony*, in: Cafaggi/Muir Watt (Hrsg.), The regulatory function of European private law, 2009, S. 3, 8 f.; *Reinbothe*, in: Schricker/Loewenheim (Hrsg.), Urheberrecht, [6]2020,

511 *Drexl*, in: Götz von Olenhusen/Gergen/Vogel (Hrsg.), Kreativität und Charakter, 2017, S. 227, 229. Zur historischen Entwicklung des Verwertungsgesellschaftsrecht von einer Rechtsmaterie die anfangs ausschließlich vertragsrechtlich gestaltet wurde hin zu einer Überlagerung der Vertragsfreiheit durch zwingende gesetzliche Vorschriften und einer verwaltungsrechtlichen Kontrolle *Nérisson*, in: Liu/Hilty (Hrsg.), Remuneration of copyright owners, 2017, S. 71, 73 f.

512 *Drexl*, in: Götz von Olenhusen/Gergen/Vogel (Hrsg.), Kreativität und Charakter, 2017, S. 227, 231.

der Rechteinhaber, und Art. 16, hinsichtlich der Nutzerrechte bei der Lizenzvergabe, bilden.

Gleichwohl ist zu sehen, dass die VG-RL in ihrer Grundkonzeption die kollektive Rechtewahrnehmung zunächst aus verwaltungs- und aufsichtsrechtlicher Perspektive angeht.[513] In ihrer Formulierung richtet sich die Richtlinie an die Mitgliedstaaten.[514] Dies ist gleichfalls nichts Ungewöhnliches, da Richtlinien stets zunächst einen Umsetzungsauftrag an die Mitgliedstaaten vermitteln.[515] Entscheidender mit Blick auf die VG-RL ist die Fokussierung auf eine verwaltungs- und aufsichtsrechtliche Kontrolle bei der Einhaltung der Vorschriften, die insbesondere in Art. 36 VG-RL zum Ausdruck kommt. Art. 36 Abs. 1 VG-RL verpflichtet die Mitgliedstaaten zur Überwachung der Einhaltung des Wahrnehmungsrechts durch eine nationale Aufsichtsbehörde und Art. 36 Abs. 3 VG-RL verpflichtet zur Sanktionierung von Verstößen.[516]

Trotz dieser Fokussierung auf eine aufsichtsrechtliche Kontrolle in der VG-RL, wird eine privatrechtliche Umsetzung in den Mitgliedstaaten durch die Richtlinie jedenfalls nicht ausgeschlossen. Im Gegenteil, aus Erwägungsgrund 56 der Richtlinie, wonach die „Bestimmungen dieser Richtlinie [...] die Anwendung [...] des Vertragsrechts, der Kollisionsnormen und der Vorschriften zur gerichtlichen Zuständigkeit im Rahmen des internationalen Privatrechts" unberührt lassen, wird deutlich, dass eine privatrechtliche Umsetzung möglich ist. Überdies formuliert die VG-RL zahlreiche Rechte von Personen, die diesen unmittelbar gegenüber den Verwertungsgesellschaften zustehen.[517] So sieht bspw. Art. 5 Abs. 2 S. 1 VG-RL das Recht der

513 *Ders.*, MPI Stellungnahme VGG, 2015, Rn. 5.

514 So beginnt beinahe jeder Vorschrift der VG-RL mit der Formulierung „die Mitgliedstaaten stellen sicher, dass [...]".

515 Ganz ähnlich sind beispielsweise die Formulierungen in der InfoSoc-RL, wo es stets heißt, „die Mitgliedstaaten sehen vor [...]". Allerdings wird trotz dieser Formulierung der privatrechtliche Charakter InfoSoc-RL wesentlich deutlicher, was sich aus dem Inhalt der Richtlinie ergibt – sie will wesentliche Bestandteile des Urheberrechts harmonisieren, die privatrechtlicher Natur sind – und überdies aus den Formulierungen deutlich wird (so bspw. Art. 2 Abs. 1 InfoSoc-RL: „Die Mitgliedstaaten sehen für folgende Personen das ausschließliche Recht vor [...]").

516 *Drexl*, in: Götz von Olenhusen/Gergen/Vogel (Hrsg.), Kreativität und Charakter, 2017, S. 227, 240 f. und *ders.*, MPI Stellungnahme VGG, 2015, Rn. 19 f. Dafür ein staatliches Aufsichtsregime neben der privaten Rechtsdurchsetzung zu etablieren sprechen organisationstheoretische Überlegungen (siehe *Teil 2, Kapitel 1, C, II., 3.)*). Sie ersetzt aber nicht die Mechanismen des Wettbewerbs.

517 *Drexl*, MPI Stellungnahme VGG, 2015, Rn. 19.

Rechteinhaber vor, „eine Organisation für die kollektive Rechtewahrnehmung ihrer Wahl mit der Wahrnehmung von Rechten [...] ihrer Wahl in den Gebieten ihrer Wahl [...] zu beauftragen". Die Verwertungsgesellschaften sind gleichzeitig dazu „verpflichtet, Rechte, [...] die in ihren Tätigkeitsbereich fallen, wahrzunehmen" sofern sie „die Rechtewahrnehmung nicht aus objektiv nachvollziehbaren Gründen ablehnen" können. Umgekehrt lässt sich auch Art. 16 VG-RL am wirksamsten durch direkte Ansprüche der Nutzer gegenüber Verwertungsgesellschaften umsetzen.[518] Zum Zweck der Geltendmachung jener und weiterer Rechte sieht Art. 34 Abs. 1 VG-RL die (fakultative) Einrichtung eines alternativen Streitbeilegungsverfahrens vor und im Bereich der Mehrgebietslizenzen ist die Einrichtung eines alternativen Streitschlichtungsverfahrens, welches sich insbesondere auf die Nutzerrechte nach Art. 16 VG-RL bezieht, sogar verpflichtend (Art. 34 Abs. 2 VG-RL).[519]

Obwohl eine Pflicht zur privatrechtlichen Umsetzung in der Richtlinie nicht explizit vorgesehen ist, kommt ihre privatrechtliche Dimension damit deutlich zum Ausdruck. Konkret im zitierten Fall von Art. 5 Abs. 2 der VG-RL sind die Mitgliedstaaten bspw. verpflichtet, den Rechteinhaber die in der VG-RL formulierten Rechtspositionen auch tatsächlich zu vermitteln, was letztlich eine Einräumung von unmittelbaren Ansprüchen voraussetzt (Art. 5 Abs. 1 VG-RL).[520]

Bei der Umsetzung der Richtlinie sind die Mitgliedstaaten in der Wahl der Durchsetzungsmittel also nicht so frei, wie dies zunächst scheinen mag. Die europäische VG-RL regelt das Verhältnis zwischen Verwertungsgesellschaften und Rechteinhabern und (potentiellen) Rechtenutzern sowie das Verhältnis der Verwertungsgesellschaften untereinander. Alle Beteiligten sind natürliche oder juristische, rechts- und pflichtenfähige Personen und damit Zuordnungssubjekte des Privatrechts, die sich als Parteien bzw. Einzelpersonen gleichberechtigt gegenüberstehen.[521] Soweit das europäische Recht diesen Parteien konkrete Rechte einräumt, lässt sich aus dem Grundsatz der vollständigen Wirksamkeit des Unionsrechts (*effet utile*) grundsätz-

518 *Ders.*, MPI Stellungnahme VGG, 2015, Rn. 19.

519 *Raue*, in: Dreier/Schulze (Hrsg.), Urheberrechtsgesetz, ^{7}2022, VGG, § 94 Rn. 1a Genauso setzt Art. 35 Abs. 1 VG-RL die gerichtliche Geltendmachung von Nutzeransprüchen gegen Verwertungsgesellschaften voraus.

520 Die Richtlinie spricht stets von „sicherstellen, dass [...]". *Drexl*, in: von Hein (Hrsg.), MüKo IPR II, ^{8}2021, Rom II-VO Art. 8 Rn. 245.

521 Siehe dazu etwa *Wolff*, AöR 76 (1950), 205 ff.; *Erichsen*, Jura 1982, 537-245, 538 ff. und *Ruthig/Storr*, Öffentliches Wirtschaftsrecht, ^{5}2020, § 1, Rn. 29 ff.

lich auch eine Pflicht zur privatrechtlichen Umsetzung der Vorschriften ableiten.[522] Denn zu den anerkannten Rechtsgrundsätzen des Unionsrechts gehört es, dass dort, wo das Unionsrecht eine eindeutige Verpflichtung begründet, dieses Recht anzuerkennen ist und vor den einzelstaatlichen Gerichten einklagbar sein muss.[523] Entsprechend sind die Mitgliedstaaten dazu verpflichtet, die Voraussetzungen für eine unmittelbare Rechtsdurchsetzung vor den Zivilgerichten zu schaffen. Die privatrechtliche Dimension der VG-RL, inklusive der Möglichkeiten zur individuellen Rechtsdurchsetzung, tritt daher eigenständig neben die öffentliche Aufsicht über Verwertungsgesellschaften.

Anders ist die Lage zu beurteilen, wenn Bestimmungen ausschließlich dem öffentlichen Wirtschaftsrecht zuzuordnen sind. Am deutlichsten wird dies bei der Erlaubnispflicht und der Pflicht zur Tätigkeitsanzeige, die im europäischen Recht nicht ausdrücklich vorgesehen sind, im VGG in § 77 und § 82 aber weiterhin eine wichtige Säule des deutschen Regulierungsrechts bilden. Auch sie können allerdings auf das Privatrecht ausstrahlen. Denn eine Verwertungsgesellschaft, die ohne erforderliche Erlaubnis oder Anzeige tätig wird, kann gemäß § 84 S. 1 VGG die von ihr wahrgenommenen Urheberrechte und verwandten Schutzrechte nicht geltend machen. Insoweit wurde das Rechtsfolgenprogramm von § 1 Abs. 3 UrhWG ins neue Recht übernommen. Nach h.M. folgt aus dem Ausschluss von der Geltendmachung der Rechte zwar nicht die Unwirksamkeit der Verfügung durch die Berechtigten und damit die Unwirksamkeit der Rechteeinräumung selbst,[524] immerhin jedoch der Verlust der Aktivlegitimation der Verwertungsgesellschaft und damit der unmittelbare Verlust ihrer zivilprozessualen Stellung.[525]

---

522 *Schroeder*, in: Streinz (Hrsg.), EUV, AEUV, ^{2}2012, Art. 288, Rn. 75 ff.

523 Siehe hierzu bereits EuGH v. 5.2.1963, C-26/62, ECLI:EU:C:1963:1 – *Van Gend & Loos*. Konkret zum europäischen Verwertungsgesellschaftsrecht, *Drexl*, in: Götz von Olenhusen/Gergen/Vogel (Hrsg.), Kreativität und Charakter, 2017, S. 227, 241 der die Verpflichtung zur privatrechtlichen Umsetzung auch aus dem *effet utile*-Grundsatz ableitet. Grundlegend *Schroeder*, in: Streinz (Hrsg.), EUV, AEUV, ^{2}2012, Art. 288, Rn. 75 ff.

524 A.A. *Raue*, in: Dreier/Schulze (Hrsg.), Urheberrechtsgesetz, ^{7}2022, VGG, § 84 Rn. 2.

525 *Freudenberg*, in: Götting/Lauber-Rönsberg/Rauer (Hrsg.), Beck'scher Online-Kommentar Urheberrecht, ^{39}2023, VGG § 84, Rn. 5 f.; *Staats*, in: Wandtke/Bullinger (Hrsg.), Praxiskommentar Urheberrecht, ^{6}2022, VGG, § 84 Rn. 2; *Raue*, in: Dreier/Schulze (Hrsg.), Urheberrechtsgesetz, ^{7}2022, VGG, § 84 Rn. 1a. Dazu auch OLG Köln, Beschl. v. 28.9.2007 – 6 W 150/07 = GRUR 2008, 69. Mangels Erlaubnis zur Wahrnehmung von Rechten nach dem deutschen UrhG sei die türkische Verwer-

2) Strukturierung der privatrechtlichen Rechte und Pflichten

Die Tätigkeiten von Verwertungsgesellschaften lassen sich grundsätzlich in drei Bereiche und drei Produktmärkte einteilen: erstens Urheberrechtsverwaltungsdienste für Rechteinhaber (Wahrnehmungstätigkeit), zweitens die Lizenzierung der Rechte an die Nutzer (Lizenzierungstätigkeit) und drittens Urheberrechtsverwaltungsdienste für andere Verwertungsgesellschaften (Gegenseitigkeits- und Repräsentationstätigkeit).[526] Die nachfolgende Analyse der privatrechtlichen Vorschriften folgt dieser Dreiteilung.

a) Normen zur Regelung der Wahrnehmungstätigkeit

Die Regelung der Wahrnehmungstätigkeit, also des Innenverhältnisses von Verwertungsgesellschaft und Rechteinhaber, ist zentraler Baustein sowohl der VG-RL als auch des VGG. In §§ 9 bis 20 VGG werden die wesentlichen Rechte der Rechteinhaber hinsichtlich der Rechtewahrnehmung und der Mitwirkung innerhalb der Verwertungsgesellschaften geregelt.

Der Wahrnehmungszwang steht am Beginn dieses Unterabschnitts. Gemäß § 9 VGG sind die Verwertungsgesellschaften verpflichtet, auf Verlangen der Rechteinhaber Rechte ihrer Wahl an Arten von Werken und sonstigen Schutzgegenständen ihrer Wahl in Gebieten ihrer Wahl wahrzunehmen, soweit die jeweilige Verwertungsgesellschaft in diesem Bereich aktiv ist (Nr. 1) und der Wahrnehmung keine objektiven Gründe entgegenstehen (Nr. 2). Es besteht weder eine Einschränkung des Personenkreises, demgegenüber der Wahrnehmungszwang gilt – in § 6 Abs. 1 UrhWG war dieser grundsätzlich noch auf deutsche und EU-Bürger beschränkt[527] –

tungsgesellschaft nicht zur Wahrnehmung und daher nicht zur Geltendmachung der von ihr behaupteten Rechte befugt.
EU/EWR Gesellschaften, die der Erlaubnispflicht nach § 77 Abs. 2 VGG nicht unterliegen, bleiben nach § 82 VGG anzeigepflichtig, wenn sie Rechte nach dem deutschen Urheberrecht wahrnehmen. Auch für sie gilt dann die Rechtsfolge des § 84 VGG. Über § 90 Abs. 2 und 3 VGG gelten die Anzeigepflicht und die Rechtsfolge des § 84 VGG überdies für abhängige Verwertungseinrichtungen i.S.v. § 3 VGG (*Freudenberg*, in: Götting/Lauber-Rönsberg/Rauer (Hrsg.), Beck'scher Online-Kommentar Urheberrecht, ^{39}2023, VGG § 90, Rn. 15;. *Staats*, in: Wandtke/Bullinger (Hrsg.), Praxiskommentar Urheberrecht, ^{6}2022, VGG, § 84 Rn. 1 f.).

526 So auch EuG, T-442/08, ECLI:EU:T:2013:188 – *CISAC/Kommission*, Rz. 16.

527 Bzgl. weiterer Gruppen siehe im Einzelnen bspw. *Schulze*, in: Dreier/Schulze (Hrsg.), Urheberrechtsgesetz, ^{5}2015, § 6 UrhWG, Rn. 21 ff.

noch eine generelle Beschränkung auf Rechte nach dem deutschen Urheberrechtsgesetz, wie sie sich noch aus § 6 Abs. 1 i.V.m. § 1 Abs. 1 UrhWG ergab. Entscheidend ist vielmehr, welche Rechte (vor allem hinsichtlich Art und Gebiet) die Verwertungsgesellschaft tatsächlich wahrnimmt – also wie der tatsächliche Tätigkeitsbereich der jeweiligen Verwertungsgesellschaft ausgestaltet ist. Verwertungsgesellschaften können ihren Tätigkeitsbereich daher objektiv einschränken, insbesondere in Bezug auf bestimmte Werk- und Nutzungsarten sowie auf bestimmte Wahrnehmungsgebiete. Die Tätigkeitsbeschreibung muss dabei hinreichend detailliert erfolgen.[528]

Die Wahlfreiheit der Rechteinhaber wird in Umsetzung von Art. 5 Abs. 2 VG-RL betont. Sie besteht grundsätzlich innerhalb des Tätigkeitsbereichs der Verwertungsgesellschaften, solange keine objektiven Gründe der Wahrnehmung entgegenstehen. Diese Gründe sind weder in der VG-RL noch im VGG näher definiert. Besonders streng dürfte der Wahrnehmungszwang im Bereich der verwertungsgesellschaftspflichtigen Rechte auszulegen sein, da Rechteinhaber hier zwingend auf die Wahrnehmung durch Verwertungsgesellschaften angewiesen sind.[529] All dies lässt sich unter dem Begriff Zugangsmöglichkeiten und -voraussetzungen zum System der kollektiven Rechtewahrnehmung zusammenfassen.

Die Wahrnehmungsbedingungen unterliegen der Angemessenheitskontrolle. Dies bedeutet vor allem, dass die Rechteinhaber „angemessen" an dem wirtschaftlichen Nutzen, der aus der Auswertung ihrer Werke gezogen wird, beteiligt werden müssen.[530] Unter dem Gesichtspunkt der Angemessenheit lässt sich aus § 9 VGG insbesondere eine Pflicht zur Gleichbehandlung der Rechteinhaber ableiten. Die Angemessenheit wird für wichtige Bereiche der Rechtewahrnehmung an anderen Stellen des VGG konkre-

---

528 *Freudenberg*, in: Götting/Lauber-Rönsberg/Rauer (Hrsg.), Beck'scher Online-Kommentar Urheberrecht, [39]2023, VGG § 9, Rn. 26 ff.

529 *Ders.*, in: Götting/Lauber-Rönsberg/Rauer (Hrsg.), Beck'scher Online-Kommentar Urheberrecht, [39]2023, VGG § 9, Rn. 33 ff. Zu den Grenzen des Wahrnehmungszwangs bspw. *Gerlach*, in: Wandtke/Bullinger (Hrsg.), Praxiskommentar Urheberrecht, [6]2022, VGG, § 9, Rn. 10 ff. sowie Rn. 14 ff. in der Vorauflage.

530 So schon nach alter Rechtslage: BGH, v. 3.7.1981 – I ZR 106/79 – *Masterbänder* mwN = GRUR 1982, 102, 103; BGH, v 28.6.1984 – I ZR 84/82 – *Zeitschriftenauslage* = GRUR 1985, 131, 132; BGH, v 22.1.1986 – I ZR 194/83 – *Filmmusik* = GRUR 1986, 376, 378; BGH, v. 5.4.2001 – I ZR 132/98 – *Gesamtvertrag privater Rundfunk* = GRUR 2001, 1139, 1142; BGH, v. 27.10.2011 – I ZR 125/10 – *Barmen live* = GRUR 2012, 711, 712; BGH, v. 27.10.2011 – I ZR 175/10 – *Bochumer Weihnachtsmarkt* = GRUR 2012, 715, 716.

tisiert.[531] Hierzu gehört § 27 VGG, wonach innerhalb einer bestimmten Rechtekategorie sämtliche Werke und Rechte hinsichtlich ihrer Nutzungen und der Verteilung der erzielten Erlöse grundsätzlich gleich zu behandeln sind.[532]

Detailliertere Regelungen des finanziellen Verhältnisses zwischen Verwertungsgesellschaften und Rechteinhabern finden sich in den §§ 23 ff. VGG. Dies umfasst die Einziehung, Verwaltung und Verteilung von Einnahmen. Speziell geregelt sind unter anderem die Kontoführung und die Anlage der Einnahmen (§§ 24 und 25 VGG), der Verteilungsplan und Besonderheiten bei der Verteilung von gesetzlichen Vergütungsansprüchen (§§ 27 und 27a VGG) sowie die Möglichkeiten der Verwertungsgesellschaften Abzüge von den Einnahmen aus der Verwertung der Rechte vorzunehmen (§§ 31 f. VGG).[533]

Außerdem werden Fragen der Vertragsbeendigung und Vertragsanpassung speziell geregelt. Zur Verwirklichung des Wahlrechts der Rechteinhaber sieht § 12 Abs. 1 VGG die Möglichkeit der nachträglichen Entziehung der zur Wahrnehmung eingeräumten Rechte durch „die Berechtigten“ vor. Sie können diese Rechte entweder selbst wahrnehmen oder einer anderen Verwertungsgesellschaft anvertrauen.[534] § 10 VGG regelt in Umsetzung von Art. 5 Abs. 7 der VG-RL die Pflicht der Verwertungsgesellschaften zur umfassenden Einholung und Dokumentation der Zustimmung der Rechteinhaber zur Wahrnehmung jedes einzelnen Rechts. Auch dies dient nicht zuletzt einer zusätzlichen Flexibilisierung und zur Verwirklichung des Wahlrechts der Rechteinhaber.[535] Schließlich gehören Fragen der Mitgliedschaft und der Beteiligung der Rechteinhaber innerhalb der Verwertungsge-

531 Überblicksartig *Raue*, in: Dreier/Schulze (Hrsg.), Urheberrechtsgesetz, [7]2022, VGG, § 9 Rn. 30.

532 *Freudenberg*, in: Götting/Lauber-Rönsberg/Rauer (Hrsg.), Beck'scher Online-Kommentar Urheberrecht, [39]2023, VGG § 9, Rn. 38.

533 Hierzu auch *Miernicki*, Collective management of copyrights between competition, regulation and monopolism, 2017, S. 140 ff.; zur (auch) privatrechtlichen Einordnung der Verteilungsregelungen und weiterer Teile des Wahrnehmungsverhältnisses *Riesenhuber*, in: Becker/Riesenhuber/Kreile (Hrsg.), Recht und Praxis der GEMA, [2]2008, Kapitel 9 Rn. 63 und *ders.*, Die Auslegung und Kontrolle des Wahrnehmungsvertrags, 2004, S. 77 f.

534 Hierzu: *Freudenberg*, in: Götting/Lauber-Rönsberg/Rauer (Hrsg.), Beck'scher Online-Kommentar Urheberrecht, [39]2023, VGG § 12, Rn. 1 ff.

535 Mit umfassender Kritik hieran, *Nérisson*, in: von Lewinski (Hrsg.), Remuneration for the use of works, 2017, S. 259 ff.

sellschaft zu diesem Verhältnis. Sie sind in §§ 6 und 7 VGG und in den §§ 15 ff. VGG näher bestimmt.

b) Normen zur Regelung der Lizenzierungstätigkeit

Hiervon zu unterscheiden ist das Außenverhältnis der Verwertungsgesellschaften, und zwar zunächst gegenüber Nutzern aller Art.[536] Im Zentrum der Regelung des Verhältnisses von Verwertungsgesellschaften und Nutzern steht der Abschnitt der §§ 34–43 VGG mit Regelungen zum Abschlusszwang und zur Nichtdiskriminierung bei der Rechtevergabe durch Verwertungsgesellschaften sowie zu den Tarifen und den Mitteilungs- und Meldepflichten der Nutzer.

Sonderregelungen gibt es für die Vergabe von Online-Rechten an Musikwerken. §§ 62, 63, 66 und 67 VGG enthalten Vorschriften in Hinblick auf Repertoireinformation, Nutzungsmeldung und Abrechnungsmodalitäten. Gemäß § 60 Abs. 1 VGG wird gleichzeitig der strengere Abschlusszwang des deutschen Rechts auf das bloße Diskriminierungsverbot nach § 34 Abs. 1 S. 2 VGG herabgestuft.[537] Zu beachten ist, dass der besondere Regulierungsrahmen in Teil 3 gemäß § 59 Abs. 1 VGG nur für die Lizenzierung von Musikwerken und nicht gleichzeitig für die ebenfalls erforderlichen Leistungsschutzrechte der Interpreten und Tonträgerhersteller gilt.[538] Nur eingeschränkt gilt der Regulierungsrahmen auch für unabhängige Verwertungseinrichtungen (§ 4 VGG).

Zur Thematik des Abschlusszwangs als Kernregelung innerhalb der urheberrechtlichen Funktionsgewährleistung durch Verwertungsgesellschaften gehören die besonderen Regelungen zu den Gesamtverträgen (§ 35

---

536 *Miernicki*, Collective management of copyrights between competition, regulation and monopolism, 2017, S. 156 ff.

537 § 34 VGG statuiert einen Abschlusszwang, der in seinem Regulierungsgehalt über das Diskriminierungsverbot des Art 16 Abs. 2 VG-RL hinausgeht. Entsprechend musste dort, wo die Richtlinie eine Vollharmonisierung bezweckt – also vor allem im Online-Musikbereich (Erwägungsgrund 9 der VG-RL) – eine Angleichung an das liberalere Regelungsniveau der Richtlinie erreicht werden. Dies gewährleistet § 60 VGG.

538 So auch ganz deutlich in der VG-RL mit der Definition in Art. 3 lit. n), wonach es sich bei „'Online-Rechte an Musikwerken' [,um] die dem Urheber zustehenden Rechte an einem Musikwerk im Sinne der Artikel 2 und 3 der Richtlinie 2001/29/EG, die für die Bereitstellung eines Online-Dienstes erforderlich sind", handelt.

VGG)[539], der beiderseitigen Verhandlungspflicht (§ 36 VGG)[540] sowie der Tarifaufstellung und -gestaltung (§§ 36 ff. VGG). Die Tarifbestimmungen in §§ 38 ff. VGG betreffen den Kernbestand des Lizenzvertrages auf den sich der Abschlusszwang bezieht. Verwertungsgesellschaften sind gemäß § 38 VGG zur Aufstellung von Tarifen verpflichtet, die sich gemäß § 39 Abs. 1 VGG in ihrer Höhe am geldwerten Vorteil orientieren, der durch die Nutzung erlangt wird. Ausnahmen von dieser wirtschaftlichen Betrachtung des Nutzungswerts und damit der Tarifhöhe können gemäß § 39 Abs. 3 VGG für religiöse, kulturelle und soziale Belange gemacht werden. § 40 VGG enthält schließlich Sonderregelungen zur Bemessung der gesetzlichen Vergütungsansprüche und verweist damit direkt auf das Urheberrecht.

Von entscheidender Bedeutung für das Urheberrechtssystem ist das Recht der Nutzer zur Hinterlegung einer Lizenzgebühr. Die Vorschrift hilft eine „Nutzungsblockade“ durch Verwertungsgesellschaften zu verhindern.[541] Wie in der alten Regelung des § 11 Abs. 2 UrhWG kommt zwischen dem Nutzer und der Verwertungsgesellschaft eine Vereinbarung über die Zahlung der angemessenen Vergütung zustande, wenn der Nutzer den von ihm anerkannten Betrag beglichen und die streitige Differenz zur geforderten Vergütung unter Vorbehalt gezahlt oder hinterlegt hat.[542]

Nutzerpflichten finden sich dagegen in §§ 41 f. VGG, wo es um Auskunft und Nutzungsmeldung geht. Wichtige Vorschriften finden sich in Abschnitt 4 (§§ 48 ff. VGG) mit Vermutungsregelungen für Verwertungsgesellschaften im Bereich der Auskunftsansprüche, gesetzlichen Vergütungs-

539 Es handelt sich um eine zusätzliche Pflicht nach deutschem Recht. Gesamtverträge vertiefen die Kollektivierung des Urheber- bzw. Wahrnehmungsrechts und sollen den administrativen Aufwand reduzieren (*Freudenberg*, in: Götting/Lauber-Rönsberg/Rauer (Hrsg.), Beck'scher Online-Kommentar Urheberrecht, [39]2023, VGG § 35, Rn. 10 f.). So gesehen dienen sie der wesentlichen Aufgabe des Verwertungsgesellschaftssystems Transaktionskosten zu senken. Zugleich kann in dem „Recht auf Kollektivierung“ auf der Gegenseite ein Ausgleich der Verhandlungsmacht bestimmter Nutzerkreise gegenüber Verwertungsgesellschaften gesehen werden.

540 Eine allgemeine Verhandlungspflicht und damit einhergehend eine Informationspflicht als notwendige Voraussetzung für Verhandlungen sieht § 36 VGG vor. Verwertungsgesellschaften und Nutzer verhandeln nach Treu und Glauben und stellen sich gegenseitig die notwendigen Informationen zur Verfügung. Verwertungsgesellschaften sind gemäß § 36 Abs. 2 VGG zur Abgabe eines Lizenzangebots verpflichtet.

541 *Freudenberg*, in: Götting/Lauber-Rönsberg/Rauer (Hrsg.), Beck'scher Online-Kommentar Urheberrecht, [39]2023, VGG § 37, Rn. 2.

542 BGH, Urt. v. 27. 10. 2011 – I ZR 125/10, Rz. 12 – *Barmen Live* = GRUR 2012, 711. *Schulze*, in: Dreier/Schulze (Hrsg.), Urheberrechtsgesetz, [5]2015, § 11 UrhWG, Rn. 16 f.

ansprüche, dem Recht der Kabelweitersendung und im Bereich der vergriffenen Werke.

§§ 56 ff. VGG – und speziell für den Online-Musikbereich §§ 62 ff. VGG – enthalten allgemeine Pflichten der Verwertungsgesellschaften hinsichtlich Informationen und Transparenz. Sie ergänzen die besonderen Verpflichtungen der Verwertungsgesellschaft zur Information der Rechteinhaber.[543] Speziell §§ 56 ff. VGG betreffen Informationen der Allgemeinheit und begründen damit nicht per se individuelle Ansprüche. Die Kontrolle ihrer Einhaltung ist damit primär der Aufsicht überlassen. Gleichwohl ist nicht auszuschließen, dass sich auch diese allgemeinen Pflichten zu Verpflichtungen gegenüber individuellen Parteien verdichten und damit ein zivilrechtlich durchsetzbares subjektives Recht schaffen – dies ist für Einzelfälle zu prüfen. Diese Begrenzung zeigt sich auch in §§ 92, 94 und § 128 VGG, durch welche die Zuständigkeit der Schiedsstelle auf bestimmte Angelegenheit beschränkt wird.

c) Normen zur Regelung der Zusammenarbeit von Verwertungsgesellschaften

Im Zentrum der europäischen Harmonisierung des Wahrnehmungsrechts steht die Europäisierung der Verwertungsgesellschaften.[544] Der Ansatz des europäischen Gesetzgebers nimmt die Gegenseitigkeitsverträge der Verwertungsgesellschaften als Mittel zur Erleichterung des „Rechteflusses" in das Regulierungsprogram auf. Hierbei wird allerdings nicht mehr zwingend auf Gegenseitigkeit gesetzt, vielmehr sollen einseitige Beauftragungen zwischen den Gesellschaften gefördert werden. Die Repräsentation dient auch der Repertoirebündelung und damit der Erleichterung der (grenzüberschrei-

543 *Freudenberg*, in: Götting/Lauber-Rönsberg/Rauer (Hrsg.), Beck'scher Online-Kommentar Urheberrecht, [39]2023, VGG § 34, Rn. 1 f.

544 Bzw. zumindest einiger Verwertungsgesellschaften für die Wahrnehmung von „Online-Musikrechten".

545 So heißt es in Erwägungsgrund 11 der VG-RL: „Diese Richtlinie sollte Organisationen für die kollektive Rechtewahrnehmung in keiner Weise daran hindern, unter Einhaltung der in den Artikeln 101 und 102 des AEUV enthaltenen Wettbewerbsvorschriften mit anderen Organisationen für die kollektive Rechtewahrnehmung Repräsentationsvereinbarungen im Bereich der Rechtewahrnehmung abzuschließen, um die Verfahren zur Lizenzvergabe an die Nutzer zu gleichen, diskriminierungsfreien und transparenten Bedingungen zu erleichtern, auch im Hinblick auf die gemeinsame Fakturierung, zu verbessern und zu vereinfachen und um Mehrgebiets-

tenden) Rechteklärung.[545] Im deutschen VGG sind die Repräsentationsvereinbarungen in Abschnitt 3 des zweiten Teils (§§ 44–47) und hinsichtlich der Online-Musikrechte im dritten Teil (§§ 69–73) geregelt. § 44 VGG verlangt dabei zunächst eine Gleichbehandlung der Rechteinhaber durch die beauftragte Verwertungsgesellschaft. Ob der einzelne Rechteinhaber also unmittelbar oder nur über den Umweg einer Repräsentationsvereinbarung mit der lizenzierenden Verwertungsgesellschaft verbunden ist, darf grundsätzlich keine Rolle spielen.[546] Konkret bedeutet dies etwa, dass ohne Zustimmung der beauftragenden Verwertungsgesellschaft, jenseits der üblichen Verwaltungskosten keine zusätzlichen Abzüge vorgenommen werden dürfen (§ 45 VGG) und dass die Verteilung der Einnahmen aus den Rechten, welche die beauftragte Verwertungsgesellschaft auf Grundlage einer Repräsentationsvereinbarung wahrnimmt, grundsätzlich nach deren Verteilungsplan erfolgen soll (§ 46 Abs. 1 VGG).[547] § 47 VGG sieht schließlich umfangreiche Informationspflichten der beauftragten Verwertungsgesellschaft gegenüber der Beauftragenden vor.

Soweit es um die Vergabe von Online-Rechten an Musikwerken geht, gilt der strengere Rechtsrahmen der §§ 69 ff. VGG. § 69 Abs. 1 VGG enthält einen Repräsentationszwang für Verwertungsgesellschaften, „die bereits gebietsübergreifend Online-Rechte an Musikwerken für mindestens eine andere Verwertungsgesellschaft" vergeben oder anbieten, gegenüber jeder „Verwertungsgesellschaft, die selbst keine gebietsübergreifenden Online-Rechte an ihren Musikwerken vergibt oder anbietet". Hierdurch soll der Zugang zum System der Mehrgebietslizenzen im Online-Musikbereich für kleinere Verwertungsgesellschaften und Rechteinhaber gewährleistet werden, welche allein mit jenen verbunden bleiben möchten. Zugleich dient der Repräsentationszwang, wie aus Erwägungsgrund 44 der VG-RL deutlich wird, der Repertoirebündelung im Onlinebereich und damit der Erleichterung des Lizenzierungsprozesses.[548] Exklusivabreden in Ver-

lizenzen auch für Bereiche zu erteilen, die nicht zu den in Titel III dieser Richtlinie genannten Bereichen zählen."

546 *Freudenberg*, in: Götting/Lauber-Rönsberg/Rauer (Hrsg.), Beck'scher Online-Kommentar Urheberrecht, [39]2023, VGG § 44, Rn. 11. *Schulze*, in: Dreier/Schulze (Hrsg.), Urheberrechtsgesetz, [6]2018, VGG, § 69, Rn. 2 ff.

547 Die Verteilungsfragen werden aus kollisionsrechtlicher Sicht in *Teil 3, Kapitel 1, E, I.* ausführlich behandelt.

548 *Freudenberg*, in: Götting/Lauber-Rönsberg/Rauer (Hrsg.), Beck'scher Online-Kommentar Urheberrecht, [39]2023, VGG § 69, Rn. 2.

einbarungen über die Vergabe von Mehrgebietslizenzen sind nach § 69 Abs. 3 VGG unzulässig.[549]

Als Gegenstück zum Repräsentationszwang ist die beauftragende Verwertungsgesellschaft gemäß § 70 Abs. 1 VGG verpflichtet, der repräsentierenden Verwertungsgesellschaft alle Informationen zur Verfügung zu stellen, die für die gebietsübergreifende Vergabe von Online-Rechten erforderlich sind.[550] § 73 VGG enthält schließlich ein ähnliches Diskriminierungsverbot, wie es schon in §§ 44 ff. VGG vorgesehen ist. Demnach nimmt die beauftragte Verwertungsgesellschaft alle Rechte zu denselben Bedingungen wahr. Konkret bedeutet dies unter anderem, dass diese Rechte in alle Angebote der repräsentierenden Verwertungsgesellschaft aufgenommen werden und nicht mit zusätzlichen Verwaltungskosten belastet werden dürfen (Abs. 2 und 3).

Alle genannten Vorschriften sind primär privatrechtlich zu verstehen. Sie schaffen individuelle Rechtspositionen und damit subjektive Rechte der Verwertungsgesellschaften im Repräsentationsverhältnis. Da in § 44 ff. VGG die Rechteinhaber, deren Rechte über eine Repräsentationsvereinbarung wahrgenommen werden, Adressaten des Diskriminierungsverbots sind, stellt sich die Frage, ob sie neben den beauftragenden Verwertungsgesellschaften oder gar ausschließlich berechtigt sind, die Ansprüche auf Nichtdiskriminierung geltend zu machen. Dafür, dass zumindest auch die beauftragenden Verwertungsgesellschaften gegen Diskriminierungen aus eigenem Recht vorgehen können, spricht der systematische Zusammenhang der Regelungen, welche gerade das Verhältnis der Verwertungsgesellschaften untereinander in den Blick nehmen. Entsprechend sind die Regelungen zum Repräsentationsverhältnis in der VG-RL auch in Kapitel 3 unter dem Titel „Rechtewahrnehmung für andere Organisationen für die kollektive Rechtewahrnehmung“ zusammengefasst. Auch bei ökonomischer Betrachtung zeigt sich, dass eine Bündelung der Ansprüche auf

549 *Ders.*, in: Götting/Lauber-Rönsberg/Rauer (Hrsg.), Beck'scher Online-Kommentar Urheberrecht, ^{39}2023, VGG § 69, Rn. 11 ff.; siehe hierzu auch Erwägungsgrund 44 S. 4 und 5 der VG-RL. *Schulze*, in: Dreier/Schulze (Hrsg.), Urheberrechtsgesetz, ^{6}2018, VGG, § 69, Rn. 2 ff.

550 Die beauftragte Verwertungsgesellschaft kann der beauftragenden Gesellschaft gemäß § 70 Abs. 2 Nr. 1 VGG die Kosten in Rechnung stellen, welche für die Herstellung der Informationen zur Onlinevergabe entstanden sind oder nach Nr. 2 diejenigen Werke von der Wahrnehmung gar gänzlich ausschließen, zu denen nur unzureichende oder nicht verwendbare Informationen vorliegen. Über den wesentlichen Inhalt einer Repräsentationsvereinbarung informiert die beauftragende Verwertungsgesellschaft die mit ihr verbundenen Rechteinhaber (§ 71 VGG).

Nichtdiskriminierung bei der beauftragenden Verwertungsgesellschaft und eine Rechtsdurchsetzung durch sie als zentrale Interessenvertretung am effizientesten ist. Die beauftragende und die repräsentierende Verwertungsgesellschaft schließen den Vertrag und vereinbaren den wesentlichen Inhalt. Die Verwertungsgesellschaften haben schließlich die notwendige Expertise in der speziellen Materie des Verwertungsgesellschaftsrechts und können die Rechtslage daher am besten beurteilen.

Weniger klar ist, ob aus dem Diskriminierungsverbot und den spezielleren Verpflichtungen der §§ 45 f. VGG auch ein Anspruch individueller Rechteinhaber hervorgeht. Der Wortlaut spricht zunächst für eine derartige Interpretation, schließlich „darf die beauftragte Verwertungsgesellschaft die Rechtsinhaber *[...]* nicht diskriminieren". Dagegen spricht jedoch die systematische Stellung der Vorschriften sowohl im VGG als auch in der VG-RL in einem Bereich, der die Interaktion der Verwertungsgesellschaften untereinander betrifft. Die Rechteinhaber haben die Möglichkeit einer Verwertungsgesellschaft ihre Rechte zu entziehen, wenn diese nicht selbst am Modell der europäischen Direktlizenzierung teilnimmt (§ 72 VGG speziell für die Mehrgebietslizenzen und § 12 VGG allgemein). Sie sind damit durchaus geschützt und können, wenn sich ihre Verwertungsgesellschaft nicht hinreichend für eine diskriminierungsfreie Behandlung einsetzt, einen Wechsel herbeiführen. Ansprüche sollten ihnen daher – der Vertragsbeziehung folgend – gegen ihre eigene Verwertungsgesellschaft zustehen. Zu bedenken ist schließlich, dass es hinsichtlich der Diskriminierung im Repräsentationsverhältnis in erster Linie um das Verbot einer kollektiven Diskriminierung geht und damit alle Rechteinhaber gleichermaßen betroffen sind. Verwertungsgesellschaften handeln zum „kollektiven Nutzen" der Rechteinhaber (§ 2 Abs. 1 VGG) und können die kollektive Gleichbehandlung und Nichtdiskriminierung als zentrale Anlaufstelle der Rechteinhaber am besten wahren. Dies spiegelt auch die Tätigkeit der Verwertungsgesellschaften als Treuhänder am deutlichsten wider.

II. Fazit

Das Wahrnehmungsrecht ist von einer Durchmischung von Privatrecht und öffentlichem Recht geprägt. Die Struktur des Wahrnehmungsrechts zeigt aber sowohl auf europäischer als auch auf deutscher Ebene, dass die Verhältnisse der Parteien im System der kollektiven Rechtewahrnehmung besonders vor dem Hintergrund des Privatrechts beurteilt werden – Rechteinhaber, Rechtenutzer und die Verwertungsgesellschaften werden mit jeweils eigenen subjektiven Rechten ausgestattet. Unter welchen Voraussetzungen ein direkter Anspruch gegeben ist, ist dabei im Einzelfall zu prüfen. Die privatrechtlichen Rechtsbeziehungen der Verwertungsgesellschaften lassen sich in drei Richtungen unterteilen. Erstens bestehen Rechtsbeziehungen zwischen Verwertungsgesellschaften und Rechteinhabern, zweitens bestehen Rechtsbeziehungen zwischen Verwertungsgesellschaften und Rechtenutzern und drittens bestehen Rechtsbeziehungen zwischen den Verwertungsgesellschaften untereinander. In jeder dieser Beziehungen werden individuelle Rechtspositionen geschaffen, die mit den Mitteln des Privatrechts durchgesetzt werden können.

E. Ergebnis

Das Regulierungsmodell der VG-RL transportiert ein einseitiges, insbesondere auf die Stärkung der Position der Rechteinhaber ausgerichtetes Konzept von Wettbewerbsförderung und Europäisierung der Wahrnehmungstätigkeit. Die besondere Ökonomie der Verwertungsgesellschaften bewirkt sowohl auf der Wahrnehmungs- als auch auf der Lizenzseite strukturelle Abhängigkeiten. Während das Modell der *right-holders‘ option* bestehende Abhängigkeiten seitens der Rechteinhaber durch Einführung eines Wettbewerbskonzepts mindert, bleiben diese auf der Seite der Rechtenutzer grundsätzlich bestehen. Ihre Position mag sich gar verschlechtern, wenn sie nicht mehr davon ausgehen können, von einer Verwertungsgesellschaft – wenn auch territorial begrenzt – ein Gesamtrepertoire angeboten zu bekommen. Die VG-RL ist außerdem auf eine dritte Betätigung der Verwertungsgesellschaften angelegt: die Repräsentation. Sie ist nicht mehr auf Wechselseitigkeit, sondern auf Einseitigkeit ausgerichtet, worin sich die erwartete Marktverschiebung und Konzentration auf einige leistungsfähige und „pan-europäisch“ lizenzierende Gesellschaften äußert.

Für die Funktionsgewährleistung im Verwertungsgesellschaftssystems ist die Kontrolle der Institutionen von entscheidender Bedeutung. Sie ist für diese Arbeit relevant, weil auch das Privatrecht als eine zentrale Kontrollinstitution anzusehen ist. Über seine Anwendbarkeit im grenzüberschreitenden Bereich entscheidet das Kollisionsrecht. Dort, wo Einzelpositionen gegenüber den Verwertungsgesellschaften oder systemische Funktionen der Verwertungsgesellschaften bereits auf andere Weise geschützt werden, kann das Kollisionsrecht grundsätzlich liberaler ausfallen als dort, wo dies nicht der Fall ist. Liberalität im Kollisionsrecht meint in diesem Zusammenhang Tätigkeitsvereinfachungen zugunsten der Verwertungsgesellschaften, indem diese beispielsweise das geltende Recht wählen können oder zumindest mit nur einem Verwertungsgesellschaftsrecht konfrontiert werden, selbst wenn ihre Tätigkeit Bezug zu mehreren Staaten aufweist.

Drei Kontrollinstitutionen wirken auf die Tätigkeit der Verwertungsgesellschaften ein. Erstens das öffentliche Aufsichtsrecht, zweitens das Kartellrecht und drittens das Privatrecht. Als zusätzliche vierte Institution kann das System der internen Aufsicht der Verwertungsgesellschaften verstanden werden. Die Analyse legte zahlreiche Schwächen der klassischen Kontrollinstitutionen offen. Während die interne Aufsicht von vornherein nur die Interessen derjenigen Parteien schützen kann, die innerhalb der Aufsichtsgremien vertreten sind, zeigen sich im System der öffentlichen Aufsicht strukturelle Schwächen. Im grenzüberschreitenden Kontext innerhalb Europas führt das Sitzlandprinzip der Richtlinie dazu, dass die aufsichtsrechtliche Kontrolle nicht mehr uneingeschränkt am Marktort und damit am Mittelpunkt der betroffenen Interessen gewährleistet ist. Die Überprüfung des Verhaltens inländischer Verwertungsgesellschaften im Ausland ist nicht nur praktisch schwierig, zu befürchten ist außerdem, dass kein hinreichendes Interesse an der Kontrolle der Betätigung inländischer Verwertungsgesellschaften im Ausland besteht. Doch auch jenseits des Binnenmarkts ist die internationale Anwendbarkeit des aufsichtsrechtlichen Regelungsregimes nicht klar umschrieben. Das Kartellrecht schließlich leidet nicht nur unter praktischen Durchsetzungsschwierigkeiten, sondern ist auch strukturell mit den Besonderheiten des Urheberrechts überfordert. Rechtenutzer stehen überdies vor dem Problem, dass im Wettbewerbsmodell des „neuen Wahrnehmungssystems“ eine Marktbeherrschung nicht mehr ohne Weiteres anzunehmen ist, obwohl der angestrebte Wettbewerb im Modell der *right-holders‘ option* gerade nicht zu ihren Gunsten wirkt und ihre Abhängigkeit bezogen auf die Repertoires einer jeden Verwertungsgesellschaft nicht mindert.

Dies alles verdeutlicht die wachsende Relevanz des Privatrechts und der privaten Rechtsdurchsetzung für alle Beteiligten – gerade im grenzüberschreitenden Kontext. Der deutsche Fall zur Verlegerbeteiligung zeigte, dass systemverändernde Impulse vom konsequenten Gebrauch privatrechtlicher Rechtspositionen ausgehen können. Die notwenigen Rechtspositionen finden sich durchaus im europäischen bzw. deutschen Verwertungsgesellschaftsrecht. Das Verwertungsgesellschaftsrecht schafft spezifische Rechte und Pflichten für alle drei Rechtsverhältnisse. Die grenzüberschreitende

Anwendung des privatrechtlichen Regulierungssystems ist für seine Wirksamkeit von entscheidender Bedeutung. Um das Kollisionsrecht der kollektiven Rechtewahrnehmung wird es nun in *Teil 3* gehen.

Teil 3.
Entwicklung von Kollisionsnormen für das Wahrnehmungsrecht

Die Entwicklung von Kollisionsnormen für das Wahrnehmungsrecht gliedert sich in dieser Arbeit in zwei Kapitel. Zunächst wird in *Kapitel 1* ein „allgemeines Kollisionsrecht“ für internationale Sachverhalte ohne Berücksichtigung der Besonderheiten des Binnenmarkts erarbeitet. Ihm kommt eigenständige Relevanz zu, denn die grenzüberschreitende Lizenzierung beschränkt sich nicht auf den europäischen Markt. Vielmehr besteht längst ein Marktbedürfnis nach (nahezu) weltweiten Lizenzen und auch die Realität der Rechtevergabe – wenn auch in weiten Teilen noch nicht durch Verwertungsgesellschaften – geht längst über eng umfasste nationale Märkte hinaus.[551] Es bildet zugleich die Grundlage für die anschließende Untersuchung eines „Binnenmarktkollisionsrechts“ in *Kapitel 2*. Der digitale Binnenmarkt ist seit geraumer Zeit Gegenstand von Diskussionen und Reformen, wobei das Urheberrecht längst als Faktor territorialer Begrenzungen erkannt wurde.[552] Der fortschreitende *acquis communautaire* bewirkt ein weitreichendes Anerkennungsniveau, welches möglicherweise auf das Internationale Privatrecht ausstrahlt und daher eine eigenständige Behandlung des europäischen Themenkomplexes erfordert.

---

551 *Drexl*, Copyright, Competition and Development, 2013, S. 217. So ist bspw. die Schweiz ein naheliegender Markt für Mehrgebietslizenzen, aber auch darüber hinaus gibt es eine Nachfrage für zentrale Lizenzierungsstellen. Idealerweise richtet sich das Lizenzangebot nach der geographischen Ausrichtung der Diensteanbieter. Die erste über ICE erteilte Lizenz soll ca. 130 Territorien umfasst haben (*Langhoff/Radloff/Schmidt u.a.*, in: Heker/Riesenhuber (Hrsg.), Recht und Praxis der GEMA, [3]2018, Rn. 241). Siehe inzwischen auch den Bericht der Kommission „Report on the application of Directive 2014/26/EU on collective management of copyright and related rights and multi-territorial licensing of rights in musical works for online use in the internal market” (SWD(2021) 338 final), S. 4 ff.

552 So wurde bspw. bereits Anfang der 90er Jahre der grenzüberschreitende Zugang zu Satellitensendungen auf Grundlage der SatKab-RL (RL-93/83/EWG) auf sehr pragmatische Art und Weise vereinfacht.

Kapitel 1. Grundsätze für ein Kollisionsrecht jenseits des europäischen Binnenmarktkonzepts

A. Konzeptionelle Grundlagen der Anknüpfung

I. Methodische Grundlagen für die Entwicklung eines Kollisionsrechts der kollektiven Rechtewahrnehmung

1) Besonderheiten des Wirtschaftskollisionsrechts

Während es im allgemeinen Kollisionsrecht nach *Savigny* darum geht, den Sitz eines Rechtsverhältnisses und damit eine in sich logische, allgemeingültige und allseitig anwendbare Kollisionsregel zu finden,[553] ist das Wirtschaftsrecht bzw. das Wirtschaftskollisionsrecht davon geprägt, den ordnungspolitischen Charakter einer Regelungsmaterie zu erhalten und die ordnungspolitischen Interessen der Staaten gegeneinander abzugrenzen.[554] Diese ordnungspolitische Dimension des Wirtschaftsrechts rückt es einerseits in die Nähe zum öffentlichen Recht – dies machte auch eine Abgrenzung beider Rechtsgebiete im Hinblick auf das Verwertungsgesellschaftsrecht erforderlich –[555] und andererseits lässt es kollisionsrechtlich an Rechtsfiguren wie *Eingriffsnormen, positiver ordre public* oder *loi de police* denken – wenn es sich doch als Privatrecht erweist. Doch weisen diese Rechtsfiguren mehrere grundsätzliche Schwächen auf. Über Eingriffsnormen lassen sich in der Regel nur die ordnungspolitischen Interessen der *lex fori* berücksichtigen.[556] Sie haben immer nur Ausnahmecharakter

553 *Savigny*, System des heutigen Römischen Rechts VIII, 1849, S. 28 und 108, doch hat auch *Savigny* bereits die Gesetze „von streng positiver, zwingender Natur, die eben wegen dieser Natur zu jener freien Behandlung, unabhängig von den Gränzen verschiedener Staaten, nicht geeignet sind" von diesem System ausgenommen (*ders.*, System des heutigen Römischen Rechts VIII, 1849, S. 33).

554 *Basedow*, RabelsZ 52 (1986), 8, 8 ff.; schon gegenüber dem Begriff des „Wirtschaftskollisionsrechts" kritisch *Schurig*, RabelsZ 1990, 217, 227.

555 Siehe oben *Teil 2, Kapitel 2, D, I., 1.)*.

556 Art. 9 Abs. 3 Rom I-VO öffnet das IPR in begrenztem Maße auch für die Anwendung ausländischer Eingriffsnormen (hierzu insbesondere *Martiny*, in: von Hein (Hrsg.), MüKo IPR II, [8]2021, Rom I-VO, Art. 9, Rn. 41 ff. und 51 ff.; für ähnliche Probleme im Bereich des Finanzmarktrechts *Lehmann*, in: Zetzsche/Lehmann (Hrsg.),

und ihre Durchsetzung ist besonders zu begründen. Darüber hinaus sind sie stets einseitig, d.h. auf die punktuelle Durchsetzung eigener Wertungen beschränkt.[557] Das moderne Internationale Privatrecht zieht seine Stärke jedoch gerade daraus, dass es allseitig ausgestaltet ist, denn dies ermöglicht erstens eine Systembildung und führt zweitens zu einer „vernünftigen" Begrenzung der Anwendungsbestimmung, da ein inländischer Richter sich stets fragen muss, ob er auf einen entsprechenden Sachverhalt auch ausländisches Recht anwenden würde.[558] Diese Gegenseitigkeit verhindert die generelle „Tendenz, die Rationalität des eigenen Steuerungssystems soweit wie möglich auszudehnen"[559].

Die Rechtsfigur der Eingriffsnorm erscheint in weiten Bereichen des Wirtschaftsrechts jedoch auch deshalb eher unpassend, weil es im Wirtschaftsrecht nicht darum geht, durch punktuellen Eingriff einen empfundenen Mangel an materieller Gerechtigkeit zu korrigieren. Entscheidend ist vielmehr, auf der institutionellen Grundlage des Wirtschaftsrechts eine Infrastruktur für wirtschaftliches Verhalten und wirtschaftliche Entwicklung zu schaffen.[560] Dies zeigt sich gerade auch im Wahrnehmungsrecht, welches sich als ein System aufeinander bezugnehmender Regelungen zwischen Urheberrecht, Wettbewerbsrecht und einem besonderen Recht der Verwertungsgesellschaften darstellt und so komplexe Fragen der angren-

---

Grenzüberschreitende Finanzdienstleistungen, 2018, S. 1, Rn. 36 ff.). Problematisch ist nach wie vor die Behandlung von Eingriffsnormen anderer Staaten im Bereich der außervertraglichen Schuldverhältnisse (siehe hierzu insbesondere *Junker*, in: von Hein (Hrsg.), MüKo IPR II, ^{8}2021, Rom II-VO, Art. 16, Rn. 23 ff.). Für eine Offenheit gegenüber ausländischen Eingriffsnormen *Siehr*, RabelsZ 52 (1988), 41 ff.

557 *Kegel/Schurig*, Internationales Privatrecht, ^{9}2004, § 2 IV (S. 152 ff.); doch will *Schurig* aus den verallgemeinerbaren Interessenbewertungen, welche auch der kollisionsrechtlichen Behandlung ordnungspolitischer Normen zugrunde liegen, eine zumindest „potentielle Allseitigkeit" ableiten (*Schurig*, RabelsZ 1990, 217, 231 f.). Dies verweist dann auch wieder auf ihre Nähe zum öffentlichen Recht, welches stets nur seinen eigenen Anwendungsbereich festlegt (dazu *Lehmann*, in: Zetzsche/Lehmann (Hrsg.), Grenzüberschreitende Finanzdienstleistungen, 2018, S. 1, Rn. 9).

558 *Basedow*, RabelsZ 52 (1986), 8, 11 f.

559 *Mestmäcker*, in: Börner/Jahrreiß/Stern (Hrsg.), Einigkeit und Recht und Freiheit, 1984, S. 417, 418.

560 *Basedow*, RabelsZ 52 (1986), 8, 17 f. *Basedow* unterscheidet drei Bereiche des Kollisionsrechts mit unterschiedlichen Anknüpfungsgrundsätzen. Zunächst ein klassisches Kollisionsrecht (der Privatrechtsgesellschaft) mit allseitigen Anknüpfungen, zweitens ordnungspolitische Normen des Gruppenschutzes, welche restriktiv und einseitig nach dem Auswirkungsprinzip angeknüpft werden sollten und drittens Normen des Institutionenschutzes, für welche das Auswirkungsprinzip grundsätzlichere Geltung beansprucht (*ders.*, RabelsZ 52 (1986), 8, 27 ff.).

zenden Rechtsgebiete anzugehen versucht. Mit der Kollektivierung als Reaktion auf strukturelle Distributionsdefizite geht zugleich eine Wettbewerbsbeschränkung einher und die Verselbständigung der Institution Verwertungsgesellschaft als marktschaffende Institution zieht nicht zuletzt aufgrund ihrer besonderen Stellung in einem zweiseitigen Markt mit starken Monopolisierungstendenzen weiteren Regulierungsbedarf nach sich. Der Markt und somit die „Privatrechtsgesellschaft" können die benötigten ausgleichenden Effekte nicht herbeiführen.[561] Diese Funktion der Marktgestaltung können ordnungspolitische Normen in einem internationalen Umfeld nur erfüllen, wenn ihre kollisionsrechtliche Anknüpfung von der Wirkung her gedacht wird, die ein geregeltes Verhalten auf ein geschütztes Rechtsgut hat.[562] Dies zeigt sich sehr deutlich im wettbewerbsrechtlichen Kollisionsrecht. Doch weist das Auswirkungsprinzip vor allem darin Schwächen auf, Normkonflikte aufzulösen und für Rechtssicherheit zu sorgen, indem für die handelnden Parteien vorhersehbar ist, welches ordnungspolitische Regime sie zu befolgen haben.[563] *Basedow* leitet daraus ein „Nebeneinander von dezentraler Steuerung und staatlicher Ordnung in den gemischten Wirtschaftsformen der Gegenwart" und damit einen Methodendualismus ab.[564] Im Hinblick auf die vor allem schuldrechtlichen Beziehungen des Wirtschaftsverkehrs ist damit zu fragen, was der Disposition der „Privatrechtsgesellschaft" überlassen bleiben soll und was hingegen Teil „staatlicher Ordnung" ist.[565] Ein weitreichender Eingriff in die Privatautonomie der Beteiligten im System der kollektiven Rechtewahrnehmung, unter anderem mit Blick auf die freie Rechtswahl, könnte sich einerseits mit der urheberrechtlichen Nähe der Rechtsmaterie, andererseits aber mit ihrer kartellrechtlichen Dimension begründen lassen.

561 Zur Marktschaffungsfunktion *Teil 1, Kapitel 1, B. I.*; Zur Kontrolle der Verwertungsgesellschaften *Teil 2, Kapitel 2* und speziell zum Kartellrecht, *Teil 2, Kapitel 2,* C.

562 *Basedow*, RabelsZ 52 (1986), 8, 24.

563 *Ders.*, RabelsZ 52 (1986), 8, 24 f.

564 *Ders.*, RabelsZ 52 (1986), 8, 21.; hierzu kritisch *Kegel/Schurig*, Internationales Privatrecht, [9]2004, § 6 V (S. 324 f.) und *Schurig*, RabelsZ 1990, 217, 226 f. und 237.

565 Gedanklich erweist sich die kollisionsrechtliche Beschränkung der Privatautonomie, welche sich im Ausschluss der Rechtswahlfreiheit zeigt als verlängerter Arm der materiell-rechtlichen Beschränkung der Privatautonomie. Legt man hingegen ein objektiv-rechtliches Verständnis des IPR als Rechtsanwendungsrecht zugrunde, welches darauf bedacht ist das „örtlich beste Recht" zu berufen, so erweist sich die Rechtswahlfreiheit als Verlegenheitslösung, welche allein dem Zustand geschuldet ist, dass in Vertragssituationen objektiv kein „örtlich bestes Recht" gefunden werden kann (*Hellgardt*, RabelsZ 82 (2018), 654, 671 der Begriff der „Verlegenheitslösung" findet sich bereits bei *Kegel Kegel/Schurig, Internationales Privatrecht, [9]2004, S. 653*).

Ein methodisch andersartiges Kollisionsrecht für die „ordnungspolitische“ Regelungsmaterie des Wahrnehmungsrechts soll in dieser Arbeit nicht geschaffen werden. Zugleich erscheint aber die „mathematische“[566] Genauigkeit des klassischen Internationalen Privatrechts, welches doch stark auf familien- und erbrechtliche Sachverhalte fokussiert zu sein scheint, für die Behandlung wirtschaftsrechtlicher Fragen wenig geeignet. Doch lässt sich die eher auswirkungsbezogene Betrachtung mit anders gelagerten international privatrechtlichen Interessen begründen, die im Wirtschaftsrecht verstärkt von ordnungspolitischer Natur sind. Die Untersuchung nimmt den deutschen bzw. europäischen Rechtsrahmen für Verwertungsgesellschaften zum Ausgangspunkt der Überlegungen, weil hier die Beziehungen und potentiellen Rechtskonflikte (Rechtsverhältnisse) für einen deutschen Juristen am greifbarsten sind. Die hieran entwickelten Überlegungen lassen sich aber verallgemeinern, da ihnen allgemeine systematische Überlegungen und eine verallgemeinerbare Interessenabwägung zugrunde liegt.[567] Es sollen so Grundsätze für ein allseitiges Kollisionsrecht entwickelt werden.[568]

2) Keine Funktionsgewährleistung durch andere Kontrollinstitutionen

Eine Analyse im Hinblick auf Funktion und Funktionalität der Kontrollinstitutionen im Verwertungsgesellschaftsrechts hat die Schwächen des Kartellrechts und des Aufsichtsrechts aufgezeigt und ist ebenfalls bei der

---

566 Mit diesem Begriff *Basedow*, RabelsZ 52 (1986), 8.

567 So orientiert sich das zu entwickelnde Kollisionsrecht zwar insbesondere an den Vorschriften des VGG, es soll aber keine Anwendungsbestimmung allein dieser Vorschriften im Sinne der Statutenlehre vollzogen werden. Vielmehr zielt die Untersuchung auf die Entwicklung abstrakter, verallgemeinerbarer Grundsätze für typische Rechtsverhältnisse im Wahrnehmungsbereich (zur Nähe des „Wirtschaftskollisionsrecht“ zur Statutenlehre *Lehmann*, in: Zetzsche/Lehmann (Hrsg.), Grenzüberschreitende Finanzdienstleistungen, 2018, S. 1, Rn. 30; *Basedow*, RabelsZ 52 (1986), 8, 9 f.; allgemein *Kegel/Schurig*, Internationales Privatrecht, ^{9}2004, § 3 IX (S. 183 ff.)). Dabei lässt sich ein Rückfall in die kollisionsrechtlichen Verweisung auf Einzelnormen – oder kleinteilig typisierte Rechtsverhältnisse, die sich in Einzelnormen materialisieren – kaum vermeiden (zur US-Tradition der „rule selection“ *von Hein*, in: ders. (Hrsg.), IPR I, 72018, Rn.105).

568 Die Bildung allseitiger Kollisionsnormen will bspw. *Lehmann* für das internationale Finanzmarktrecht durch eine grundsätzliche Orientierung am Auswirkungsprinzip erreichen (*Lehmann*, in: Zetzsche/Lehmann (Hrsg.), Grenzüberschreitende Finanzdienstleistungen, 2018, S. 1, Rn. 93 ff.).

Entwicklung eines Kollisionsrechtssystems der kollektiven Rechtewahrnehmung zu berücksichtigen. Genauso hat die Analyse der Ökonomie der kollektiven Rechtewahrnehmung sowie die interessenbezogene Analyse der VG-RL eine grundsätzliche wettbewerbliche Ausrichtung der Verwertungsgesellschaften auf die Rechteinhaber gezeigt. Insofern strahlt die Analyse der Kontrollsituation von Verwertungsgesellschaften erstens auf das funktionale Verständnis einzelner Rechte und Pflichten aus und ist zweitens im Rahmen einer interessenbezogenen Analyse im Internationalen Privatrecht der kollektiven Rechtewahrnehmung zu berücksichtigen. Wo Parteiinteressen bereits durch eine andere Kontrollinstitution geschützt sind, kann die Anwendung des Privatrechts, etwa zugunsten der Verkehrsinteressen, liberaler ausfallen und die Vermeidung von Transaktionskosten durch die Anwendung nur eines Rechts oder durch Rechtswahlfreiheit begünstigen. Mit Blick auf den Wettbewerb als Kontrollinstitution sind die Unterschiede zwischen den jeweiligen Rechtsverhältnissen – Rechteinhaber auf der einen Seite, Rechtenutzer auf der anderen Seite – zu berücksichtigen.[569]

3) Berücksichtigungsfähigkeit von Interessen im Internationalen Privatrecht

Das Internationale Privatrecht präsentiert sich auf den ersten Blick sehr „formal-begrifflich", „rechtstechnisch" und „wertungsarm".[570] Jedoch sind auch die Kollisionsnormen des IPR vom Bemühen um eine angemessene Entscheidung eines privaten Rechtsfalls getragen. Dabei nehmen sie nicht die materielle, sondern die international privatrechtliche Gerechtigkeit in den Blick, indem sie aus dem Arsenal der in den „anerkannten" Rechtsordnungen zur Verfügung stehenden Rechtsnormen nach bestimmten Interessen die passende Rechtsnorm aussuchen.[571] Der Eindruck des „Rechtstechnischen" manifestiert sich vor allem in der europäischen Tradition des Internationalen Privatrechts, welches sich weniger durch die Anwendung methodischer Ansätze, sondern durch Entscheidungen auf der Grundlage geschriebener Rechtsregeln auszeichnet, die eine immer weitergehende

569 Dazu grundlegend *Drexl*, in: Leska (Hrsg.), Managing Copyright, 2023, S. 29, 33 f.

570 So *Kegel/Schurig*, Internationales Privatrecht, [9]2004, S. 130 und zur materiell-rechtlichen Wertungsjurisprudenz im Gegensatz zu den international-privatrechtlichen Interessen S. 132 f.

571 *Dies.*, Internationales Privatrecht, [9]2004, S. 53 f.

Ausdifferenzierung erfahren haben.[572] Doch auch hier stehen normative Erwägungen, insbesondere Interessenbewertungen hinter dem „geschriebenen IPR". Sie sind auf jeder Ebene zu berücksichtigen und vor allem dort, wo sich bislang keine feststehenden Rechtssätze herausgebildet haben. Im Zuge der Interessenjurisprudenz konnten verschiedene Interessengruppen zur näheren Bestimmung der „Natur"[573] oder des „Wesens des Rechtsverhältnisses"[574] herausgearbeitet werden. Dies sind namentlich die Partei-, Verkehrs- und Ordnungsinteressen.[575] Darüber hinaus spielen grundsätzlich auch materiell-privatrechtliche Interessen und öffentlich-rechtliche bzw. Staatsinteressen eine Rolle – dies jedoch häufig erst auf nachgelagerter Ebene.[576]

Nicht allein die Identifikation der Parteiinteressen ist maßgeblich, sondern ihr Schutz bzw. ihre Berücksichtigung in der Gesamtkonzeption von Kartellrecht, Aufsichtsrecht und materiellem Verwertungsgesellschaftsrecht, welches hier das Privatrecht meint und über dessen Anwendbarkeit im internationalen Kontext das Kollisionsrecht entscheidet. Zwar ist es grundsätzlich Aufgabe des Internationalen Privatrechts den „Sitz" oder den „Schwerpunkt" eines Rechtsverhältnisses zu suchen und damit nach dem „räumlich besten Recht" und nicht nach dem „sachlich besten Recht" zu forschen,[577] ein Kriterium dessen kann jedoch sein, welcher Staat und damit welche Rechtsordnung von einem Sachverhalt am stärksten betroffen

572 *Junker*, Internationales Privatrecht, ^{4}2021, § 4 Rn. 37 ff. und § 5 Rn. 11 f.

573 *Savigny*, System des heutigen Römischen Rechts VIII, 1849, S. 108.

574 *Scheuerle*, AcP 163 (1964), 429 ff.

575 *Kegel*, in: Hans Lewald (Hrsg.), Festschrift Hans Lewald, 1953, S. 259 ff.; *Kegel/Schurig*, Internationales Privatrecht, ^{9}2004, S. 130 ff.; *Junker*, Internationales Privatrecht, ^{4}2021, § 5 Rn. 23 ff.

576 *Kegel/Schurig*, Internationales Privatrecht, ^{9}2004, S. 145 ff.

577 *Dies.*, Internationales Privatrecht, ^{9}2004, S. 131 f. *Basedow* unterscheidet den Bereich des Wirtschaftskollisionsrechts, welcher von der Frage nach dem Anwendungsbereich ordnungspolitischer Normen des Inlands geprägt sei, vom allgemeinen Kollisionsrecht. Im Wirtschaftskollisionsrecht gehe es nicht darum den „Sitz" des Rechtsverhältnisses aufzuspüren, sondern darum herauszufinden, inwieweit ein Staat seine Normen auf grenzüberschreitende Sachverhalte ausdehnt, wie weit er also seine eigene Ordnungspolitik durchsetzt (*Basedow*, RabelsZ 52 (1986), 8, 8 f.). Trotz der schwerwiegenden Besonderheiten im Wirtschaftsrecht wird hier allerdings der Versuch unternommen allseitige Kollisionsnormen zu entwickeln, welche sich auf allgemeine Prinzipien und Bedürfnisse (also international-privatrechtliche Interessen) stützen und so gesehen zu einer Verallgemeinerung und zu einer allseitigen Anwendung fähig sind. Dabei kommt den ordnungspolitischen Interessen jedoch eine weitaus größere Bedeutung zu als in den klassischen Bereichen der Privatrechtswirtschaft.

ist und daher am ehesten ein Interesse daran hat, für die Beurteilung dieses Sachverhalts ein „sachlich gutes Recht" bereit zu stellen. Gleichzeitig kann in diesem Zusammenhang tatsächlicher Schutzbedarf berücksichtigt werden.

II. Grundsätzliche Systembildung – Rechtsverhältnisse und Statuten

1) Mögliche Statuten

In dieser Grundkonzeption eines Kollisionsrechts der kollektiven Rechtewahrnehmung kommt im engeren Sinne die Anwendung dreier Rechtsordnungen in Frage:

Zum einen kann im Gleichlauf mit der urheberrechtlichen Grundkollisionsregel, der *lex loci protectionis*, das Recht desjenigen Landes zur Anwendung gebracht werden, dem das wahrgenommene Urheberrecht unterliegt. Diese Anknüpfung würde die urheberrechtliche Territorialität auf die kollektive Rechtewahrnehmung übertragen, wenn sich die Tätigkeit einer Verwertungsgesellschaft auf (Urheber-)Rechte nach verschiedenen Rechtsordnungen bezieht. (Mindest-)Voraussetzung dessen ist, dass sich ein Urheberrecht identifizieren lässt, welches sodann für das gesamte Rechtsverhältnis das anwendbare Recht mitbestimmt. Dies kann erstens Fragen aus der Rechtsbeziehung der Verwertungsgesellschaften zu den Rechteinhabern, zweitens Fragen aus der Beziehung der Verwertungsgesellschaften zu den Rechtenutzern und drittens Fragen aus der Beziehung zwischen den Verwertungsgesellschaften betreffen.

Im konträren Modell würde auf die Verwertungsgesellschaft als die das Rechtsverhältnis prägende Institution abgestellt werden und einheitlich das „Recht der Verwertungsgesellschaft" zur Anwendung kommen. Als „Recht der Verwertungsgesellschaft" bietet sich vor allem das Recht des Landes an, in dem die Verwertungsgesellschaft ihren Sitz hat (Wahrnehmungsstatut). Auch dies lässt sich grundsätzlich für die Rechtsbeziehungen in alle drei Richtungen denken. Für lizenzbezogene Fragen – wie Lizenzierungsbedingungen, Repertoireinformation etc. – würde dann genauso das Recht desjenigen Landes gelten, in dem die Verwertungsgesellschaft ihren Sitz hat, wie für wahrnehmungsbezogene Fragen – etwa Wahrnehmungsbedingungen, Transparenz, Verteilung, Vertretung etc. Lediglich im Verhältnis der Verwertungsgesellschaften untereinander müsste man sich für ein Recht entscheiden.

Als dritte Variante könnte schließlich den Parteien die Rechtswahl überlassen werden. Auch dieses Modell kommt für die Rechtsverhältnisse in alle drei Richtungen in Betracht, vorausgesetzt den Rechtsbeziehungen liegt ein vertragliches Schuldverhältnis zugrunde.

Als weiteres Modell der einheitlichen Anknüpfung könnte auch der Bezug zum Rechteinhaber das anwendbare Recht stärker beeinflussen. Anwendbares Verwertungsgesellschaftsrecht wäre dann – je nach Anknüpfungsmoment – das Recht des Landes, indem der Rechteinhaber seinen Wohnsitz oder seine Niederlassung hat oder dem er angehört (Personalstatut). Dem erstgenannten Ansatz ähnlich, jedoch mit Orientierung am urheberrechtlichen Ursprungslandprinzip, könnte alternativ ein werkbezogener Ansatz gewählt werden, der das Recht desjenigen Landes zur Anwendung bringt, in dem das Werk geschaffen oder erstmalig veröffentlicht worden ist.[578]

2) Besondere Rechte und Pflichten im Verwertungsgesellschaftsrecht

Die Analyse des regulatorischen Privatrechts in *Teil 2, Kapitel 2, D*, hat eine Dreiteilung der typischen Rechte- und Pflichten im Verwertungsgesellschaftsrecht ergeben. Die hier benannten Verpflichtungen orientieren sich am VGG. Weitere Pflichten sind jedoch denkbar.

Aus dem Wahrnehmungsverhältnis bzw. der Beziehung zwischen Rechteinhaber und Verwertungsgesellschaft ist vor allem an die Bedingungen und Voraussetzungen des Zugangs zur kollektiven Rechtewahrnehmung zu denken. Hierzu gehören insbesondere:

- Der Wahrnehmungszwang wie er sich im deutschen Recht in § 9 VGG findet oder ähnliche Wahrnehmungsverpflichtungen.
- Die Voraussetzungen und Bedingungen der Mitgliedschaft, die Rechte der Mitglieder und die Rechte der sonstigen Wahrnehmungsberechtigten. Im deutschen Recht ist dies in § 13 und §§ 16 ff. VGG geregelt.
- Die Anforderungen hinsichtlich der Berechnung und der Verteilung der Einnahmen an die Wahrnehmungsberechtigten, inklusive der Abzugsfähigkeit von Gebühren und der Kürzungen zugunsten kultureller und sozialer Zwecke (§§ 23 ff. VGG).
- Schließlich sind die Rechte zur Beendigung des Wahrnehmungsverhältnisses und zum Entzug der Rechte hierzu zu zählen (§ 12 VGG).

578 Hierzu unter *C. II. 2.)*.

Das Lizenzierungsverhältnis ist von folgenden Kategorien von Rechten und Pflichten geprägt:

- Die Bedingungen des Vertragsschlusses, wozu insbesondere der Abschlusszwang und Tariffragen sowie die Pflicht Verhandlungen zu führen und die Pflicht zum Abschluss von Gesamtverträgen mit Nutzervereinigungen gehören. Im deutschen Wahrnehmungsrecht findet sich dies in §§ 34 ff. VGG.
- Die Informationspflichten, insbesondere in Bezug auf Repertoireauskunft durch die Verwertungsgesellschaften (§ 55 VGG) und Nutzungsauskunft bzw. Dokumentations- und Meldepflichten durch die Rechtenutzer (§§ 41 f. VGG).
- In dieses Verhältnis gehören auch die Vermutungsregelungen der §§ 48 ff. VGG, insbesondere bei der Wahrnehmung gesetzlicher Vergütungsansprüche.
- Schließlich können hierzu im weiteren Sinne auch die Nutzungsrechte bei Scheitern der Verhandlungen gezählt werden, wie sie im deutschen Recht in § 37 VGG geregelt sind.

Geht es um die Zusammenarbeit der Verwertungsgesellschaften, sind die Gegenseitigkeits- bzw. Repräsentationsverträge von entscheidender Bedeutung.

- § 69 VGG sieht einen Repräsentationszwang im Bereich der Vergabe von Online-Rechten an Musikwerken vor.
- Daneben sind die Diskriminierungsverbote der Rechteinhaber, welche lediglich im Rahmen der Repräsentation vertreten werden (§ 44 VGG), die Verteilung der Einnahmen aus „repräsentierten Werken“ (§ 46 VGG) und die Möglichkeiten, Abzüge auf diese Einnahmen vorzunehmen (§ 45 VGG) von großer Bedeutung.

B. Kollisionsrechtliche Vorgaben im speziellen Verwertungsgesellschaftsrecht

I. Das kollisionsrechtliche Konzept der VG-RL

Am Beginn der Analyse des Kollisionsrechts der kollektiven Rechtewahrnehmung steht die Frage, ob der europäische Gesetzgeber innerhalb der VG-RL ein eigenes kollisionsrechtliches Konzept verfolgt. Immerhin findet sich die Idee der Förderung von Mehrgebietslizenzen bereits im Titel der

Richtlinie und auch andere Rechtsakte der EU, welche die Aufhebung der territorialen Zersplitterung im Urheberrecht zum Ziel haben, bedienen sich eines kollisionsrechtlichen oder „quasi-kollisionsrechtlichen" Ansatzes.[579] Gleichwohl wird bei der Durchsicht der VG-RL schnell deutlich, dass diese auf die Vereinheitlichung nationaler Standards für Verwertungsgesellschaften in Europa setzt, die Europäisierung der Verwertungsgesellschaften also mit Mitteln der Rechtsangleichung und mit der Förderung von Wechselmöglichkeiten und Repertoireakkumulation bewirken möchte. Damit ist kein kollisionsrechtliches Konzept verbunden, welches die Territorialität der Urheberrechte zumindest auf Ebene der Verwertungsgesellschaften zu überlagern versucht.[580]

Ein kollisionsrechtlicher Ansatz könnte sich bestenfalls aus Art. 2 Abs. 1 VG-RL ergeben. Demnach gelten die Vorschriften der Richtlinie grundsätzlich für „alle Organisationen der kollektiven Rechtewahrnehmung mit Sitz in der Union". Für Art. 2 Abs. 1 VG-RL könnte im Umkehrschluss anzunehmen sein, dass die Vorgaben der Richtlinie gerade nicht für außereuropäische Verwertungsgesellschaften verbindlich sein sollen und die Mitgliedstaaten zu einer entsprechenden kollisionsrechtlichen Umsetzung verpflichtet sind.

Betrachtet man die Vorschrift allerdings in ihrer Gesamtheit, so wird schnell deutlich, dass sie eine Abgrenzung des sachlichen Anwendungsbereichs innerhalb der Regelungsmaterie der Richtlinie sucht. So wird derjenige Teil der VG-RL, der nicht für alle Organisationen der kollektiven Rechtewahrnehmung gilt – dies ist nach Art. 2 Abs. 2 VG-RL, Titel III und Art. 34 Abs. 2 sowie Art. 38 VG-RL – gegenüber einem allgemeinen Teil abgegrenzt. Der Regelungskomplex wird so in zwei Teile aufgespalten, die sich nicht auf eine räumliche Unterscheidung beziehen, sondern auf das Betätigungsfeld der Gesellschaften. Aus diesem Wechselspiel ergibt sich die

579 Zu denken ist vor allem an Art. 1 Abs. 1 Nr. 2 lit.b der RL 93/83/EWG. Siehe hierzu auch *Sutterer*, ZUM-RD 2017, 301, 306; *ders.*, in: Hennemann/Sattler (Hrsg.), Immaterialgüter und Digitalisierung, 2017, S. 145, 149 ff.

580 *Vučković*, IIC 2016, 28, 52 f.
In Erwägungsgrund 40 heißt es folgerichtig: „Im Online-Musiksektor, wo die kollektive Wahrnehmung von Urheberrechten auf Länderbasis nach wie vor die Norm ist, kommt es darauf an, die Voraussetzungen für möglichst effektive Lizenzierungsmethoden der Organisationen für die kollektive Rechtewahrnehmung in einem zunehmend länder-übergreifenden Kontext zu schaffen. Es sollten daher einheitliche Grundregeln für die kollektive länderübergreifende Lizenzierung [von] Urheberrechten an Musikwerken [...] durch Organisationen für die kollektive Rechtewahrnehmung aufgestellt werden."

Intention einer Bestimmung des sachlichen Anwendungsbereichs einzelner Vorschriften gegenüber speziellen Verwertungsgesellschaften. Eine räumliche Rechtsanwendungsbeschränkung kollisionsrechtlicher Art resultiert hieraus nicht.

Eine generelle Freistellung außereuropäischer Verwertungsgesellschaften von europäischen Standards scheint zugleich schon deshalb abwegig, weil sich die liberalisierende Konzeption der Richtlinie auf „in der Union ansässige" Verwertungsgesellschaften beschränkt.[581] Wie Erwägungsgrund 5 der Richtlinie zeigt, soll insbesondere durch Vereinheitlichung der Standards im administrativen Bereich der Verwertungsgesellschaften, etwa im Hinblick auf Transparenz, Information und Abrechnungsgenauigkeit, die effiziente Betätigung der Verwertungsgesellschaften sichergestellt und eine Basis für die Rechteinhaber geschaffen werden, die es ihnen auch praktisch ermöglicht ihr Wahlrecht auszuüben, wie es schon früh über die Grundfreiheiten und das Kartellrecht anerkannt wurde.[582] Durch Vereinheitlichung des Sachrechts[583] soll die tatsächliche Verwirklichung der Grundfreiheiten sowohl für Verwertungsgesellschaften[584] als auch für Rechteinhaber vereinfacht werden.[585]

581 Siehe insbesondere Erwägungsgrund 4 VG-RL.

582 Siehe etwa EuGH, C-7/82, ECLI:EU:C:1983:52 – *GVL/Kommission*, Rz. 56 sowie oben *Teil 1, Kapitel 2, B, I.* und *Teil 2, Kapitel 2, C, II.*

583 Erwägungsgrund 5 lautet: „Die nationalen Regelungen über die Funktionsweise von Organisationen für die kollektive Rechtewahrnehmung weichen stark voneinander ab, insbesondere was deren Transparenz und Rechenschaftspflicht gegenüber Mitgliedern und Rechtsinhabern betrifft. Dies hat in mehreren Fällen zu Schwierigkeiten – vor allem für ausländische Rechtsinhaber, wenn diese versuchen, ihre Rechte auszuüben – und zu einer mangelhaften Verwaltung des Aufkommens geführt. Mängel in der Funktionsweise von Organisationen für die kollektive Rechtewahrnehmung führen zu einer ineffizienten Verwertung von Urheber- und verwandten Schutzrechten im gesamten Binnenmarkt mit nachteiligen Folgen für die Mitglieder von Organisationen für die kollektive Rechtewahrnehmung, Rechtsinhaber und Nutzer"

584 Siehe Erwägungsgrund 4: „In der Union ansässige Organisationen für die kollektive Rechtewahrnehmung sollten bei der Vertretung für in einem anderen Mitgliedstaat wohnhaften oder ansässigen Rechtsinhabern oder bei der Vergabe von Lizenzen an in anderen Mitgliedstaaten wohnhafte oder ansässige Nutzer in den Genuss der in den Verträgen verankerten Freiheiten kommen."

585 Siehe Erwägungsgrund 19: „In Anbetracht der im AEUV verankerten Grundfreiheiten sollte die kollektive Wahrnehmung von Urheber- und verwandten Schutzrechten dazu führen, dass es einem Rechtsinhaber möglich ist, eine Organisation für die kollektive Rechtewahrnehmung frei zu wählen, [...]."

Umgekehrt kommt eine generelle Anwendung der Vorgaben der VG-RL auf außereuropäische Verwertungsgesellschaften aber schon deshalb nicht in Betracht, weil dies in derart pauschaler Form auf eine extraterritoriale Rechtsanwendung hinausliefe.[586] Eine generelle Freistellung außereuropäischer Verwertungsgesellschaften von der Geltung europäischer Standards ist damit aber ebenso wenig verbunden. So wird in Erwägungsgrund 10 der Richtlinie klargestellt, dass die Mitgliedstaaten nicht daran gehindert sein sollen, „dieselben oder vergleichbare Bestimmungen auf Organisationen für die kollektive Rechtewahrnehmung anzuwenden, die ihren Sitz außerhalb der Union haben, aber in dem jeweiligen Mitgliedstaat tätig sind". Es wird also zumindest ein minimaler Inlandsbezug, eine „Tätigkeit" im jeweiligen Mitgliedstaat, vorausgesetzt. Entsprechend müsste sich die Rechtsanwendung dann wohl auch auf die Kontrolle der inlandsbezogenen Tätigkeit begrenzen.

Ein klares Anwendungskonzept für grenzüberschreitende Sachverhalte geht aus dem europäischen Verwertungsgesellschaftenrecht also nicht hervor. Dies gilt umso mehr, als die VG-RL ausdrücklich keine Regelung des Kollisionsrechts intendiert, sondern im Gegenteil das Kollisionsrecht explizit offenlassen wollte.[587] So führt der europäische Gesetzgeber in Erwägungsgrund 56 der VG-RL selbst aus – und er kann insoweit durchaus wörtlich genommen werden –, dass „die Bestimmungen dieser Richtlinie die Anwendung [...] des Vertragsrechts, der Kollisionsnormen und der Vorschriften zur gerichtlichen Zuständigkeit im Rahmen des internationalen Privatrechts [...] unberührt [lassen]".[588]

Deutlich auch Art. 1 der VG-RL: „Diese Richtlinie legt die Anforderungen fest, die erforderlich sind, um eine ordnungsgemäße Wahrnehmung von Urheber- und verwandten Schutzrechten durch Organisationen für die kollektive Rechtewahrnehmung sicherzustellen. Sie regelt darüber hinaus die Anforderungen an die Vergabe von Mehrgebietslizenzen durch Organisationen für die kollektive Rechtewahrnehmung für Urheberrechte an Musikwerken für die Online- Nutzung."

586 Für Fragen der Umsetzung der Richtlinie ähnlich *Drexl*, MPI Stellungnahme VGG, 2015, Rn. 29.

587 Genauso verdeutlichte der EuGH im Hinblick auf die E-Commerce-RL, welche in Art. 1 Abs. 4 ebenfalls klarstellt, dass keine zusätzlichen Regeln des Internationalen Privatrechts geschaffen werden, dass eine kollisionsrechtliche Interpretation des Herkunftslandprinzips grundsätzlich nicht angebracht ist. Siehe hierzu *ders.*, MPI Stellungnahme VGG, 2015, Rn. 22; EuGH, Urt. v. 25.11.2011, Verb. Rs. C-509/09 und C-161/10, ECLI:EU:C:2011:685 – *eDate und Martínez*, Rn. 60.

588 So auch: *Vučković*, IIC 2016, 28, 52 f.; *Drexl*, MPI Stellungnahme VGG, 2015, Rn. 20 und *ders.*, in: Götz von Olenhusen/Gergen/Vogel (Hrsg.), Kreativität und Charakter, 2017, S. 227, 245.

In der Vergangenheit fand die grenzüberschreitende kollektive Rechtewahrnehmung kaum statt. Dies lag einerseits daran, dass Verwertungsgesellschaften selbst kaum ein Interesse hatten in ausländischen Märkten und Rechtsordnungen aktiv zu werden.[589] Andererseits hatten viele (Mitglied-)Staaten die unmittelbare Betätigung ausländischer Verwertungsgesellschaften im Inland durch ihr nationales Wahrnehmungsrecht erschwert oder gar verhindert. Dies erfolgte, wie in Deutschland, zumeist auf der Grundlage öffentlich-rechtlicher Erlaubnispflichten.[590] Die Erlaubnispflicht greift die Richtlinie in Art. 36 Abs. 1 und Erwägungsgrund 52 VG-RL für innereuropäische Verwertungsgesellschaften auf und erleichtert den Gesellschaften die grenzüberschreitende Betätigung im Binnenmarkt, insbesondere durch die Konzentration der aufsichtsrechtlichen Kontrolle im Sitzland. Die Liberalisierung der behördlichen Kontrolle im grenzüberschreitenden Bereich ist jedoch auf innereuropäische Verwertungsgesellschaften begrenzt. So lässt sich auch aus dem Sitzlandprinzip der Richtlinie, wie es in Art. 36 Abs. 1 und Art. 37 Abs. 2 zum Ausdruck kommt, keine allgemeingültige kollisionsrechtliche Vorwirkung ableiten.[591] Die grenzüberschreitende Betätigung jenseits von EU und EWR ist aber keinesfalls ausgeschlossen. Rechtskonflikte ergeben sich allein schon aus den grenzüberschreitenden Beziehungen im Gegenseitigkeitsverhältnis und auch im Innenverhältnis sind grenzüberschreitende Bezüge an der Tagesordnung. Doch auch im

---

589 Hierfür gibt es viele Gründe, die sicher zum Teil in der Territorialität der Rechte liegen (was eine materiell-rechtliche Expertise erfordert), zum Teil in den Marktgegebenheiten, die auf Konzentration hinauslaufen (was insbes. die Einrichtung eines aufwendigen Kontrollapparates beinhaltet – und zwar grds. auch im Online-Bereich, hierzu bspw. EuG, T-442/08, ECLI:EU:T:2013:188 – *CISAC/Kommission*, Rz. 137). Überdies waren die Gegenseitigkeitsverträge stets das bevorzugte Mittel, um zumindest eine Globalität mit Blick auf die Repertoires zu schaffen. Versuche die Tätigkeit innerhalb des Systems der Gegenseitigkeitsverträge zu internationalisieren gab es ebenfalls (siehe hierzu insbes. die Ausführungen zur IFPI-Simulcasting Vereinbarung in *Teil 1, Kapitel 2, C.* und *Teil 2, Kapitel 2 C. I.*). Ausführlich *Kling*, Gebietsübergreifende Vergabe von Online-Rechten an Musikwerken, 2017, S. 81 ff.

590 In Deutschland gab es zwar stets eine Erlaubnispflicht, die Erlaubnis konnten theoretisch aber auch ausländische Gesellschaften erhalten. In anderen Staaten gibt oder gab es jedoch durchaus Beschränkungen auf nationale Gesellschaften oder gesetzlich Monopole für die Rechtewahrnehmung im Inland (siehe bspw. für Südosteuropa *Mesevic*, Urheberrechtssysteme und kollektive Rechtewahrnehmung in Südosteuropa, 2015, S. 341 f. und S. 365 f. und nach wie vor § 3 Abs. 2 des österreichischen VerwGesG)

591 *Drexl*, in: Götz von Olenhusen/Gergen/Vogel (Hrsg.), Kreativität und Charakter, 2017, S. 227, 228 f. Hierzu auch zuvor, *Teil 2, Kapitel 2, B, IV.*

Außenverhältnis gibt es Direktlizenzierungsinitiativen über das Gebiet der EU oder des EWR hinaus.[592]

II. Das kollisionsrechtliche Konzept des VGG

Grundsätzlich lässt dies Spielraum für einen nationalen kollisionsrechtlichen Ansatz. Freilich müsste dieser im Einklang mit sonstigem europäischem Recht stehen. Zu denken ist dabei zunächst an das europäische Kollisionsrecht, namentlich an die Rom I- und die Rom II-Verordnungen. Außerdem müsste das Kollisionsrecht im Einklang mit der Gesamtkonzeption des europäischen Wahrnehmungsrechts und des europäischen Urheberrechts stehen. Fraglich ist daher zunächst, ob das VGG spezifisches Kollisionsrecht enthält. Zum alten Urheberrechtswahrnehmungsgesetz wurde bereits ausgeführt, dass es keine unmittelbaren Vorschriften des Internationalen Privatrechts vorsah. Allein eine allgemeine Orientierung am Territorialitätsprinzip war erkennbar, wobei diese sich unmittelbar nur auf die Anwendung der öffentlich-rechtlichen Vorschriften bezog.[593]

Bei Betrachtung des neuen Rechtsrahmens fällt zunächst ins Auge, dass der Gesetzgeber bei der Bestimmung des Anwendungsbereichs in § 1 VGG deutlich großzügiger ist, als er dies im UrhWG war. Erstens verzichtet die Regelung zum Anwendungsbereich zunächst auf die Erlaubnispflicht, die erst in den §§ 77 ff. VGG angesprochen wird und vereinfacht damit die Trennung von Privatrecht und öffentlichem Recht. Zweitens verzichtet er in § 1 VGG auf einen ausdrücklichen Bezug auf die Wahrnehmung „deutscher Rechte“ und schafft damit einen breiteren Spielraum für die Entwicklung eines kohärenten kollisionsrechtlichen Modells.[594] Dass der deutsche Gesetzgeber tatsächlich keine konkreten Vorwirkungen für ein Kollisionsrecht der kollektiven Rechtewahrnehmung schaffen wollte, zeigt sich auch in der Begründung des Regierungsentwurfs. Hier heißt es: „Privatrechtliche Sachverhalte mit Auslandsberührung sind grundsätzlich nach den Regeln des

592 Hierzu *Langhoff/Radloff/Schmidt u.a.*, in: Heker/Riesenhuber (Hrsg.), Recht und Praxis der GEMA, ^{3}2018, Rn. 241, etwas nebulös heißt es hier: “Stehen einer Lizenz keine rechtlichen Schranken der lokalen Gesetzgebung entgegen [dabei wird explizit auf die USA, Kanada und Argentinien verwiesen], wird eine Lizenz aber auch weit über Europa hinaus erteilt.“

593 *Teil 1, Kapitel 2, B, II.* Siehe hierzu auch *Alich*, GRUR Int. 2008, 996, 1002 f.

594 *Drexl*, MPI Stellungnahme VGG, 2015, Rn. 3; *ders.*, in: Götz von Olenhusen/Gergen/Vogel (Hrsg.), Kreativität und Charakter, 2017, S. 227, S. 244.

Internationalen Privatrechts zu beurteilen, wie etwa nach der Rom-I-Verordnung und der Rom-II-Verordnung für vertragliche und außervertragliche Schuldverhältnisse innerhalb der Europäischen Union. Das Gesetz sieht von der Anordnung eines Sonderkollisionsrechts ab. Die sachgerechte Anwendung der bestehenden kollisionsrechtlichen Bestimmungen und Prinzipien auch im Zusammenspiel mit der VG-Richtlinie bleibt vor diesem Hintergrund der Praxis überlassen."[595]

Aufgrund der weiten Formulierung, insbesondere in § 1 VGG, ist der Anwendungsbereich des deutschen Wahrnehmungsrechts nicht formal beschränkt. Seine Anwendung kommt zum Beispiel nicht nur dann in Betracht, wenn es um die Wahrnehmung deutscher Urheberrechte geht. Für die Anwendung ist zugleich nicht zwingend erforderlich, dass die Verwertungsgesellschaft ihren Sitz in Deutschland hat. Diese Kriterien mögen im Zusammenhang mit der aufsichtsrechtlichen Kontrolle – namentlich in § 77 Abs. 1 und § 82 VGG – eine Rolle spielen, diese nimmt jedoch nicht unmittelbar Einfluss auf die Anwendung des Privatrechts. Für dessen internationale Anwendbarkeit sind Inlandsbezüge erforderlich, die vom Gesetz nicht ausdrücklich umschrieben sind. Das VGG ist in dieser Beziehung entwicklungsoffen.

C. Das urheberrechtliche Kollisionsrecht als Basis des Kollisionsrechts der kollektiven Rechtewahrnehmung

I. Begründung der Anknüpfung nach dem Schutzlandprinzip

Ein grundsätzlicher Gleichlauf des Kollisionsrechts der kollektiven Rechtewahrnehmung mit dem urheberrechtlichen Kollisionsrecht könnte sich aus einem materiell-rechtlichen Zusammenhang beider Materien ergeben.

1) Das Verwertungsgesellschaftsrecht als Teil des materiellen Urheberrechts

Ganz offensichtlich ergibt sich zunächst eine Nähe des Verwertungsgesellschaftsrechts zum Urheberrecht daraus, dass die Urheberrechte den Gegenstand der Tätigkeit von Verwertungsgesellschaften bilden. Verwertungs-

595 Regierungsentwurf der Bunderegierung, Entwurf eines Gesetzes zur Umsetzung der Richtlinie 2014/26/EU, BT-Drs. 18/7223, S. 71.

gesellschaften sind nach wie vor die wichtigsten Schnittstellen, wenn es um die Lizenzierung von Nutzungen im Massenverkehr des Urheberrechts geht.[596] Daraus allein lässt sich jedoch keine generelle Überlagerung beider Materien ableiten und dies erlaubt auch noch keine Rückschlüsse auf die Übertragbarkeit kollisionsrechtlicher Annahmen innerhalb des einen Rechtsgebiet auf das andere. Eine formelle Trennung ist ohne Zweifel möglich. Das Urheberrecht als subjektives Recht schützt die ideellen und materiellen Interessen des Urhebers an seiner kreativen Schöpfung.[597] Es wird als das materielle Recht verstanden, welches unter anderem den Gegenstand, das Bestehen, den Umfang, die Dauer, die Inhaberschaft, die Übertragbarkeit und hiermit verwandte Fragen des Urheberrechts betrifft.[598] Das Verwertungsgesellschafsrecht wird dagegen als dasjenige Recht verstanden, welches die Gründung, die Betätigungen, die Pflichten, die Verantwortlichkeit und die Aufsicht der Verwertungsgesellschaften regelt.[599] Es geht dabei unter anderem um Fragen der Verteilung von Tantiemen aber auch um Machtausgleich und den Schutz einzelner Parteien.

a) Systematischer Zusammenhang

Als Gegenstand der Tätigkeit von Verwertungsgesellschaften kann das materielle Urheberrecht jedoch gleichfalls nicht ignoriert werden. Schließlich bestimmt es die Betätigung der Verwertungsgesellschaften sowohl auf Wahrnehmungs- als auch auf Lizenzierungsseite. Die Verknüpfung der Lizenzierungsseite mit der Wahrnehmungsseite und deren Abhängigkeit

---

596 Statt vieler *Schulze*, in: Dreier/Schulze (Hrsg.), Urheberrechtsgesetz, ^{6}2018, VGG, Vorb. Rn. 1.

597 *Schack*, Urheber- und Urhebervertragsrecht, ^{9}2019, Rn. 2.

598 Ähnliche Umgrenzungsversuche sprechen vom materiellen Urheberrecht als Materie zur Regelung des Schutzgegenstands des Urheberrecht, über die ursprünglichen Rechteinhaber (Urheber), über den Inhalt des Urheberrechts (persönlichkeitsrechtliche Befugnisse, ausschließliche Verwertungsrechte sowie gesetzliche Vergütungsansprüche) und über die zeitlichen und inhaltlichen Schranken des Urheberrechts (*Dietz*, GRUR Int. 2015, 309, 312); wieder andere sprechen vom Urheberrecht als die Summe der Rechtsnormen, die das Verhältnis des Urhebers zu seinem Werk regeln. Dazu gehöre die Regelung von Inhalt und Umfang des subjektiven Rechts, dessen Übertragbarkeit und die Folgen seiner Verletzung (*Schack*, Urheber- und Urhebervertragsrecht, ^{9}2019, Rn. 2 f.)

599 *Matulionytė*, JWIP 11 (2008), 467, 468. Zum UrhWG ähnlich *Schulze*, in: Dreier/Schulze (Hrsg.), Urheberrechtsgesetz, ^{6}2018, Vor. VGG, Rn. 3.

vom materiellen Urheberrecht zeigte sich beispielhaft in den Ausführungen zu den Grenzfällen zwischen individueller und kollektiver Rechtewahrnehmung.[600]

Grundsätzlich gilt, dass eine Unterscheidung zwischen individueller und kollektiver Rechtewahrnehmung danach erfolgt, ob eine individuelle Rechtevergabe möglich bzw. ökonomisch sinnvoll ist und andererseits danach, ob durch eine bestimmte Nutzung das Urheberpersönlichkeitsrecht betroffen ist oder ob es nur um Vergütungsinteressen geht.[601] Drei sehr spezielle Fallkategorien offenbarten dabei die Rückwirkungen des materiellen Urheberrechts auf das Wahrnehmungsrecht. Sie verdeutlichten, inwiefern spezifische nationale urheberrechtliche Wertungen die Praxis der kollektiven Rechtewahrnehmung unmittelbar beeinflussen.[602]

All dies hat wesentlichen Einfluss auf die Wahrnehmungspraxis der Verwertungsgesellschaften, da sie sowohl ihre Lizenzierungstätigkeit als auch die Wahrnehmungstätigkeit an den Anforderungen des materiellen Urheberrechts ausrichten müssen. Dies kann, wie die Fallbeispiele zeigen, kompliziert und aufwendig sein und verlangt eine jeweils marktortbezogene Expertise des Urheberrechts.[603] Aus deutscher Sicht stehen diese urheberrechtlichen Implikationen zunächst in Zusammenhang mit § 10 VGG, wonach für die Rechtewahrnehmung auf vertraglicher Grundlage die Zustimmung zur Wahrnehmung jedes einzelnen Rechts bei den Rechteinhabern einzuholen ist. Vor allem sind aber die Auswirkungen auf den Wahrnehmungs- und Abschlusszwang entscheidend. Nur dort, wo die kollektive Rechtewahrnehmung möglich oder gar vorgesehen ist, kann auch der Wahrnehmungszwang nach § 9 VGG greifen. Noch deutlicher wird die Verknüpfung des materiellen Urheberrechts mit dem Verwertungsgesellschaftsrecht anhand des Abschlusszwangs. Würde das materielle Urheberrecht nicht in den oben genannten Fällen aufgrund urheberpersönlichkeitsrechtlicher Einwirkungen, insbesondere im Zusammenhang mit dem

600 Siehe hierzu *Teil 1, Kapitel 1, C, I.*

601 Zur Abgrenzung zwischen reinen Cover-Versionen, bei denen die Rechte kollektiv wahrgenommen werden und Bearbeitungen nach § 23 UrhG, die aufgrund des Bezugs zum Urheberpersönlichkeitsrechts einer individuellen Lizenzierung bedürfen, siehe *Limper/Meyer*, in: Limper/Musiol (Hrsg.), Handbuch des Fachanwalts Urheber- und Medienrecht, 2010, Kapitel 5, Rn. 19 ff, Rn. 27.

602 BGH, Urt. v. 19. 1. 2006 – I ZR 5/03 – *Alpensinfonie*; BGH, Urt. v. 10.6.2009 – I ZR 226/06 – *Nutzung von Musik für Werbezwecke*; BGH, Urt. v. 18.12.2008 – I ZR 23/06 – *Klingeltöne für Mobiltelefone*. Siehe insgesamt *Teil 1, Kapitel 1, C., II., 4.).*

603 *Matulionytė*, JWIP 11 (2008), 467, 470 ff.

Bearbeitungsrecht nach § 23 UrhG, eine gesonderte Zustimmung der Urheber verlangen, unterlägen Verwertungsgesellschaften auch hier einem umfassenden Abschlusszwang – vorausgesetzt § 34 Abs. 1 VGG wäre anwendbar.[604]

Ganz ähnliche Verschränkungen von materiellem Urheberrecht und Verwertungsgesellschaftsrecht zeigten sich im Kapitel über die Fragmentierung der Rechte und speziell im *MyVideo-Verfahren*.[605] Die deutsche Besonderheit der Orientierung an Nutzungsarten bei der Lizenzierung der Rechte und die Unübertragbarkeit der Verwertungsrechte verhinderte eine Aufspaltung von Aufführungs- und Vervielfältigungsrechten mit Auswirkung auf die Lizenzierung von Onlinenutzungen im Musikbereich. Eine isolierte Herausnahme der Vervielfältigungsrechte aus dem Verwertungsgesellschaftssystem war hinsichtlich der deutschen Urheberrechte nicht möglich.

Das materielle Urheberrecht bezieht sich schließlich auch unmittelbar und ausdrücklich auf Verwertungsgesellschaften und damit auf das Verwertungsgesellschaftsrecht. Dies ist namentlich im Bereich der Schranken des Urheberrechts der Fall. So können die Vergütungsansprüche der §§ 54 bis 54c UrhG gemäß § 54h Abs. 1 UrhG explizit nur durch Verwertungsgesellschaften geltend gemacht werden, womit eine deutliche inhaltliche Überlagerung und Verschränkung beider Rechtsmaterien verbunden ist.

Bei der Tarifgestaltung im Bereich der Geräteabgabe wird diese Verschränkung beispielsweise anhand von § 40 VGG deutlich, welcher hinsichtlich der Vergütungshöhe einerseits auf das Urheberrechtsgesetz (§ 54a UrhG), andererseits auf § 93 und § 38 Abs. 2 VGG verweist. Die Vermutungsregelungen der §§ 48 ff. VGG haben unmittelbare Auswirkungen auf die Berechtigung zur Geltendmachung der gesetzlichen Vergütungsansprüche aus dem Urheberrechtsgesetz[606] und § 54h Abs. 3 UrhG verpflichtet die Verwertungsgesellschaften, eine gemeinsame Empfangsstelle festzulegen, die dann im Bundesanzeiger bekannt gemacht wird.[607] Noch deutlicher wird die gegenseitige Inbezugnahme von Urheberrecht und Verwertungsgesellschaftsrecht im Bereich der verwertungsgesellschaftspflichtigen Rechte.[608] Der Gesetzgeber baut bei der Ausgestaltung des materiellen Urhe-

604 Siehe zum alten Recht Anmerkung *Schulze*, BGH, GRUR 2009, 395, 400 f.

605 OLG München, Urt. v. 29. 4. 2010 – 29 U 3698/09 – *Videodateien (MyVideo)*. Siehe hierzu zuvor *Teil 1, Kapitel 1, C, II., 4.)*.

606 *Schulze*, in: Dreier/Schulze (Hrsg.), Urheberrechtsgesetz, ^{6}2018, VGG, § 49 Rn. 2 ff.

607 *Dreier*, in: Dreier/Schulze (Hrsg.), Urheberrechtsgesetz, ^{7}2022, § 54h UrhG, Rn. 4 ff.

608 Bspw. für die Weitersendung in § 20b Abs. 1 S. 1 UrhG.

berrechts notwendigerweise auf einem bestehenden und funktionierenden System auf.

b) Funktionaler Zusammenhang

Die enge Verbindung und Abhängigkeit von Wahrnehmungsrecht und materiellem Urheberrecht offenbart sich schließlich bei Betrachtung der funktionalen Zusammenhänge.[609] Die Untersuchung der Zwecke und Funktionen der Verwertungsgesellschaften zeigte, dass dem Verwertungsgesellschaftsrecht kein eigeständiger Zweck zukommt, vielmehr waren alle identifizierten Zwecke darauf ausgelegt, dem Urheberrecht in seinen vielen Facetten zur Geltung zu verhelfen.[610]

Die *Ermöglichungsfunktion*[611] des Verwertungsgesellschaftsrecht kennt verschiedene Ausprägungen. Ihr Ursprungsgedanke liegt – nach klassischem Verständnis – in der Überwindung prohibitiver Transaktionskosten, welche das Urheberrecht vor allem im Bereich der Massennutzung mit sich bringt. Die Transaktionskostenproblematik betrifft alle Parteien des urheberrechtlichen Werkschaffungs- und Nutzungsprozesses. Für die Rechteinhaber geht es namentlich um Kosten für die Nutzungskontrolle sowie Verhandlung und Durchsetzung von Nutzungsbedingungen. Für die Rechtenutzer geht es dagegen vor allem um die Erleichterung oder gar Ermöglichung der Rechteklärung (Zentralstellenfunktion). Zweitens zeigt sich die Ermöglichungsfunktion darin, dass Marktzugang auch für Repräsentanten von Nischenrepertoires geschaffen wird, was die faktische Ausübung des Urheberrechts auch für weniger populäre Inhalte erlaubt. Drittens wird ein zusätzlicher Markt für die Nutzung bzw. Verbreitung kreativer Güter auf nachgelagerter Ebene geschaffen. Dadurch, dass Verwertungsgesellschaften zur Lizenzierung verpflichtet sind und Exklusivvereinbarungen ausgeschlossenen werden, ist gewährleistet, dass kreative Inhalte durch verschiedene „Kanäle fließen" können. Insoweit kann von einer *Marktschaffungsfunktion* gesprochen werden.[612] Das Verwertungsgesellschaftssystem sichert

609 Zu einer funktionalen Verschränkung von Urheber- und Verwertungsgesellschaftsrecht ganz grundsätzlich auch *Miernicki*, Collective management of copyrights between competition, regulation and monopolism, 2017, 283 ff.; *Lunney*, in: Gervais (Hrsg.), Collective management of copyright and related rights, 2015, S. 319, 363.

610 Siehe *Teil 1, Kapitel 1, B., IV.*

611 Zur Transaktionskostenproblematik *Teil 1, Kapitel 1, B., I., 1.).*

612 Zur Marktschaffungsfunktion *Teil 1, Kapitel 1, B., I., 3.).*

den Urhebern somit auch in Bereichen der Massennutzung eine Vergütung, die zwar vom Urheberrecht mit der Gewährung des Ausschließlichkeitsrechts bezweckt ist, vom Ausschließlichkeitsrecht aber nicht gewährleistet werden kann (Vergütungssicherungsfunktion).[613]

Eine staatsnahe und zugleich urheberrechtsbezogene Aufgabe des Verwertungsgesellschaftssystems zeigte sich ferner in den Programmen der Kulturförderung und der sozialen Absicherung der Urheber.[614] So handelt es sich bei Einrichtungen wie der GEMA-Sozialkasse oder dem Autorenversorgungswerk der VG WORT um ergänzende Einrichtungen zur gesetzlichen Künstlersozialversicherung nach dem KSVG.[615]

Die Funktionsanalyse des Verwertungsgesellschaftssystems verdeutlichte jedoch auch, dass das Verwertungsgesellschaftsrecht insgesamt eine bedeutende Rolle beim Versuch des Interessenausgleichs im Urheberrecht einnimmt. Dieser Interessenausgleich erfolgt auf verschiedenen Ebenen.[616] Zwischen Urhebern und professionellen Verwertern, wie Verlagen, schafft das Kuriensystem der Verwertungsgesellschaften beispielsweise einen Kräfteausgleich, indem es den Urhebern die Möglichkeit gibt, ihre Interessen gemeinsam zu vertreten. Eine Vergütungssicherung der Urheber erfolgt u.a. über das Verbot des Vorausverzichts von gesetzlichen Vergütungsansprüchen (§ 63a UrhG), welche durch Verwertungsgesellschaften wahrgenommen werden.[617] Damit ergänzt das Verwertungsgesellschaftsrecht das Urhebervertragsrecht, welches trotz einer Reihe zwingender Vergütungsvorschriften die bezweckte finanzielle Beteiligung der Urheber oft nicht

---

613 Versteht man das Urheberrecht (auch) als gestaltbare Funktionsbedingung für Märkte (so insbes. *Leistner/Hansen*, GRUR 2008, 479, 482 und 484), so zählt die Regulierung der kollektiven Rechtewahrnehmung ebenfalls zu jener Gestaltung (wenn auch eher auf Ebene der Distribution).

614 Zur Praxis des Einzugs und der Verteilung der Ausgaben der Verwertungsgesellschaften für kulturelle und soziale Zwecke *Nérisson/Katzenberger*, GRUR Int. 2011, 283-295. Zu den sozialen und kulturellen Funktionen *Teil 1, Kapitel 1, B, II. und III.*

615 *Schulze*, in: Dreier/Schulze (Hrsg.), Urheberrechtsgesetz, [6]2018, VGG, § 32, Rn. 3 f.

616 Siehe hierzu die Ausführungen zur Interessenvielschichtigkeit im Urheberrecht *Teil 2, Kapitel 1, C, I.* Zum Interessenausgleich im Urheberrecht insbesondere *Metzger*, JZ 65 (2010), 929, 931; *Schack*, Urheber- und Urhebervertragsrecht, [9]2019, Rn. 9 ff.; mit verschiedenen Vorschlägen zu Schutzzweckklauseln, durch welche die Interessenvielfalt im Urheberrecht transparenter gemacht werden sollen *Leistner/Hansen*, GRUR 2008, 479, 486 und *Hansen*, Warum Urheberrecht?, 2009, S. 306 ff.

617 Siehe hierzu BGH, Urt. v. 21.4.2016 – I ZR 198/13 – *Verlegerbeteiligung* (BGHZ 210, 77–113).

sicherstellen kann.[618] Zwischen Rechteinhabern und Rechtenutzern zeigt sich der Interessenausgleich besonders deutlich im Abschlusszwang verbunden mit einer Tarifkontrolle. Hierdurch wird zugunsten der Nutzer ein breiter Werkzugang sichergestellt, der zugleich mit einer Vergütungssicherung der Rechteinhaber einhergeht. In diesem Konzept des Verwertungsgesellschaftsrechts offenbart sich besonders deutlich eine schrankenähnliche Funktion der kollektiven Rechtewahrnehmung, womit der regulatorische Charakter des Wahrnehmungsrechts zum Ausgleich regulatorischer Defizite im Urheberrecht sichtbar wird.[619]

c) Ableitungen

Alle angesprochenen Einzelaspekte verdeutlichen, dass ein Urheberrecht ohne Verwertungsgesellschaftssystem zwar denkbar wäre, seine Funktionsfähigkeit in vielen Bereichen jedoch an seine Grenzen käme. Umgekehrt gilt jedoch, dass das Verwertungsgesellschaftsrecht ohne Urheberrecht undenkbar ist. Das ist zunächst offensichtlich, weil die Urheberrechte der Gegenstand der kollektiven Wahrnehmung sind. Das Verwertungsgesellschaftsrecht ist aber vor allem deshalb ohne das Urheberrecht undenkbar, weil es auf die Funktionssicherung des Urheberrechts ausgelegt ist. Es dient der Entfaltung, Entwicklung und Ausgestaltung des Urheberrechts. Verwertungsgesellschaften sind zwar Organisationen, deren Entstehung auf die Initiative von Rechteinhabern zurückzuführen ist, sie haben sich jedoch zu einem wesentlichen Regulierungsinstrument des Urheberrechts weiterentwickelt.[620] Aus ähnlichen Grundannahmen hat z.B. *Dietz* ein fünf

618 *Schulze*, in: Dreier/Schulze (Hrsg.), Urheberrechtsgesetz, ^{7}2022, § 32, Rn. 1; *Metzger*, in: Obergfell (Hrsg.), Zehn Jahre reformiertes Urhebervertragsrecht, 2013, S. 37 ff.

619 *Gervais* baut die kollektive Rechtewahrnehmung entsprechend in das System der Urheberrechtsbeschränkungen ein. Am Beginn steht in diesem Modell das individuell ausgeübte Ausschließlichkeitsrecht, von welchem folgende Abstufungen vorgenommen werden: erstens die freiwillige kollektive Rechtewahrnehmung als *opt in*, zweitens die kollektive Rechtewahrnehmung mit erweitertem Repertoire (EKL) als *opt out*, drittens die Verwertungsgesellschaftspflicht, viertens die Zwangslizenz und fünftens die Ausnahmen. (*Gervais*, in: ders. (Hrsg.), Collective management of copyright and related rights, 2015, S. 3, 28) Ergänzen lässt sich das Modell auf Ebene der Zwangslizenz um vergütungspflichtige Schranken.

620 So mag ihrer Gründung die einseitige Idee des Schutzes der Vergütungsinteressen der Rechteinhaber zugrunde gelegen haben und hiervon mag zugleich ein reflexhafter Schutz der Werkzugangsinteressen der Rechtenutzer ausgegangen sein.

Säulenmodell entwickelt, in welchem das Verwertungsgesellschaftsrecht neben dem materiellen Urheberrecht, den verwandten Schutzrechten, dem Urhebervertragsrecht und der Rechtsdurchsetzung einen gleichwertigen Platz im Gesamtsystem des Urheberrechts einnimmt.[621]

2) Rückwirkungen der materiell-rechtlichen Verbindung von Urheberrecht und Verwertungsgesellschaftsrecht auf das Kollisionsrecht der kollektiven Rechtewahrnehmung

Fraglich ist, inwieweit die materiell-rechtliche Verbindung von Verwertungsgesellschaftsrecht und Urheberrecht Rückschlüsse auf das Kollisionsrecht der kollektiven Rechtewahrnehmung zulässt. Pauschal lässt sich das urheberrechtliche Kollisionsrecht wohl kaum auf das Verwertungsgesellschaftsrecht übertragen, denn es wurde zunächst lediglich festgestellt, dass das Verwertungsgesellschaftsrecht zwar ein Teil der Rechtsmaterie Urheberrecht ist, jedoch ist auch diese im Hinblick auf das Kollisionsrecht nicht homogen. Ganz generell werden z.B. materielles Urheberrecht und Urhebervertragsrecht kollisionsrechtlich unterschiedlich behandelt.[622] Vertragliche Beziehungen sind auch prägend für das Verhältnis der Verwertungsgesellschaften untereinander sowie zu Rechteinhabern und Rechtenutzern.

Zugleich hat die obige Analyse aber gezeigt, dass das materielle Urheberrecht von ganz entscheidender Bedeutung für das Verwertungsgesellschaftsrecht ist und das gilt vor allem im Hinblick auf die nationalen Besonderheiten, über deren Anwendung das urheberrechtliche Kollisionsrecht entscheidet. Zu diesen Besonderheiten gehören fundamentale Fragen des Urheberrechts wie beispielsweise die Übertragbarkeit des Rechts an sich, die Übertragbarkeit der Verwertungsrechte und die Ausrichtung an tatsächlichen Nutzungen, wenn es um die Rechtevergabe geht. Die Differenzierung von Verwertungsrechten, Nutzungsrechten und Nutzungsarten ist vor allem eine deutsche Besonderheit und unterscheidet sich

Längst sind sie aber ein bewusst eingesetztes Steuerungsinstrument des Interessenausgleichs im Urheberrecht. Siehe hierzu *Teil 1, Kapitel 1, A.*

621 *Dietz*, GRUR Int. 2015, 309, 312 ff.; *ders.*, in: Dümling/Kreile/Dietz u.a. (Hrsg.), Musik hat ihren Wert, 2003, S. 336 ff.; Speziell für das Musikurheberrecht wird gelegentlich vom materiellen Urheberrecht und dem Verwertungsgesellschaftsrecht als den zwei tragenden Säulen gesprochen (beispielhaft *Poll*, ZUM 2008, 500).

622 Dies nimmt Bezug auf die vorherrschende Spaltungstheorie, auf diese wird im Rahmen der Prüfung des urheberrechtlichen Kollisionsrechts näher eingegangen.

ganz wesentlich beispielsweise von der angelsächsischen Tradition der Lizenzierung von Verwertungsrechten und deren Konzentration auf das Aufführungsrecht und das mechanische Recht (Vervielfältigung) auf Lizenzierungsebene.[623] Die Anwendbarkeit der *lex loci protectionis* auf die urheberrechtliche Grundfrage steht dabei außer Zweifel, denn das Recht des Schutzlandes findet insbesondere Anwendung auf die Möglichkeit des Rechteinhabers, bestimmte Nutzungsrechte zu lizenzieren – also die Frage, welche im deutschen Recht maßgeblich unter § 31 Abs. 1 UrhG diskutiert wird. Die rechtliche Bewertung urheberrechtlicher Übertragungstatbestände wirkt sich dabei unmittelbar auf die Verwertungsgesellschaftspraxis und auf das Verwertungsgesellschaftsrecht aus, denn es stellt sich beispielsweise die Frage wie eine britische Verwertungsgesellschaft, die mit einem britischen Rechteinhaber die (weltweite) Wahrnehmung des „mechanischen Rechts" vereinbart hat, für etwaige Lizenzierungen in Deutschland zu behandeln ist. Zunächst ist dies sicherlich urheberrechtlich zu sehen und dabei zu hinterfragen, welche Rechte bzw. was für ein Recht von dieser Gesellschaft nun tatsächlich wahrgenommen wird. Daraus entstehen jedoch verwertungsgesellschaftsrechtliche Folgefragen; beispielsweise dahingehend, wie in diesen Konstellationen mit dem Abschlusszwang (§ 34 VGG), mit der Tarifaufstellungspflicht (§ 38 VGG) oder mit der Verteilung der Einnahmen (§§ 23 ff. VGG) umzugehen ist.[624]

---

623 Siehe zur Problematik der vertikalen Fragmentierung der Rechte, *Teil 1, Kapitel 1, C II., 4.)* und speziell zur *MyVideo*-Entscheidung, *Teil 1, Kapitel 1, C, II., 4.), b.)*.

624 Derartige Fragen ergeben sich gerade bei der grenzüberschreitenden Zusammenarbeit von Verwertungsgesellschaften. So ist die Schweizer Musikurheberverwertungsgesellschaft SUISA mit der GEMA durch Repertoireaustauschverträge in der Weise verbunden, dass die SUISA für Deutschland in dem Umfang Rechte vergeben kann, wie sie von der GEMA wahrgenommen werden (BGH, Urt. v. 18.12.2008 – I ZR 23/06 – *Klingeltöne für Mobiltelefone*). Hier wird der Zusammenhang zwischen materiellem Urheberrecht und der Tätigkeit von Verwertungsgesellschaften sehr deutlich. Das materielle Urheberrecht beeinflusst maßgeblich die Tätigkeit von Verwertungsgesellschaften. Die schweizerische SUISA kann die von der GEMA abgeleiteten Rechte nur in dem Maße wahrnehmen, wie sie zuvor der GEMA eingeräumt wurden. Hinsichtlich der Rechteeinräumung ist das nationale Urheberrecht maßgeblich. Dieses beherrscht beispielsweise die Fragen, inwieweit eine Rechteübertragung überhaupt möglich ist und welche Rechte einer Verwertungsgesellschaft überhaupt zur Wahrnehmung eingeräumt werden können – sind dies nur solche Rechte, bei denen eine individuelle Ausübung des Urheberrechts kaum möglich ist? Gehören hierzu auch Urheberpersönlichkeitsrechte? Kann das Bearbeitungsrecht von Verwertungsgesellschaften wahrgenommen werden? Zugleich ist das Urheberrecht für die Lizenzierung durch Verwertungsgesellschaften das maßgebliche Regelungsregime.

Schließlich kommt natürlich nur dort, wo ein materielles Recht anerkannt ist, auch eine Rechtewahrnehmung in Frage. So hat der EuGH bereits in einem Verfahren der EU-Kommission gegen die GVL eine Verpflichtung der GVL zur Wahrnehmung deutscher Leistungsschutzrechte ausländischer Rechteinhaber damit begründet, dass das materielle Recht im Hinblick auf die Leistungsschutzrechte nicht hinreichend vereinheitlicht war und ausländische Rechteinhaber diese Rechte daher nicht über ihre heimischen Verwertungsgesellschaften wahrnehmen lassen konnten.[625] Gleichwohl waren die ausländischen Künstler und Tonträgerhersteller Inhaber jener Rechte nach dem deutschen Urheberrechtsgesetz und damit in gleicher Weise wie inländische Rechteinhaber von einer kollektiven Verwertung abhängig.[626] Kommission und EuGH erreichten dieses Ergebnis durch Anwendung des europäischen Kartellrechts (Art. 86 EWG-Vertrag nun Art. 102 AEUV). Entscheidend ist aber zunächst die Feststellung, dass ausländischen Rechteinhaber die deutschen Rechte in gleicher Weise zustehen und sie daher in gleicher Weise von einer kollektiven Verwertung abhängen wie deutsche Rechteinhaber. Auf dieser Grundlage war das deutsche Wahrnehmungsrecht diskriminierend und sachfremd ausgestaltet, da es nicht die urheberrechtliche Situation betrachtete, sondern den Wahrnehmungsanspruch von einem Wohnsitz in Deutschland abhängig machte.[627]

---

625 EuGH, C-7/82, ECLI:EU:C:1983:52 – *GVL/Kommission*. Vorausgegangen war die Entscheidung der Kommission v. 29.19.1981 – 81/1030/EWG, ABl. 1981 L 370/49 ff. – *GVL*. In dem zugrundliegenden Fall kannten die ausländische Verwertungsgesellschaften die entsprechenden Rechte nicht und sahen ihre Einräumung daher in den Wahrnehmungsverträgen auch nicht vor, was sowohl eine unmittelbare Rechtewahrnehmung durch ausländische Gesellschaften in Deutschland als auch eine Abrechnung über das System der Gegenseitigkeitsverträge ausschloss. Freilich können die Wahrnehmungsverträge (oder der Inkassoauftrag für das Ausland) auch die Wahrnehmung von Rechten vorsehen, die nur nach ausländischem Recht bestehen. Teilweise wird dies auch gemacht (siehe bspw. § 1 des Inkassoauftrags für das Ausland der VG WORT, der sich zwar am deutschen UrhG orientiert, aber eine möglichst weitreichende Beauftragung bezweckt, um auch dem deutschen Recht fremde Ansprüche abzudecken (abrufbar unter https://www.vgwort.de/fileadmin/pdf/wahrnehmungsvertrag/Muster_Inkassoauftrag_2022.pdf, zuletzt abgerufen 25.3.2022)).

626 Kommission v. 29.19.1981 – 81/1030/EWG, ABl. 1981 L 370/49 ff., Rz. 11 – *GVL*. Siehe zum Vorstehenden auch *Drexl*, in: Götz von Olenhusen/Gergen/Vogel (Hrsg.), Kreativität und Charakter, 2017, S. 227, 236 f.

627 § 6 Abs. 1 S. 1 UrhWG in der Fassung vor dem 23.6.1995 lautete: „Die Verwertungsgesellschaft ist verpflichtet, die zu ihrem Tätigkeitsbereich gehörenden Rechte und Ansprüche auf Verlangen der Berechtigten zu angemessenen Bedingungen wahrzunehmen, wenn diese Deutsche im Sinne des Grundgesetzes sind oder ihren Wohn-

Als Ausgangspunkt für die Untersuchung des verwertungsgesellschaftlichen Kollisionsrecht kann das Urheberrecht aber vor allem deshalb genommen werden, weil beiden Rechtsmaterien ein ähnliches regulatorisches Konzept zugrunde liegt, das sich im formellen System der urheberrechtlichen Schranken zeigt, die sich oft direkt auf Verwertungsgesellschaften beziehen, und das sich in einem „informellen Schrankensystem" fortsetzt. So lässt sich die kollektive Rechtewahrnehmung im Zusammenhang mit dem Abschlusszwang und der Tarifbindung als informelle Schranke verstehen.[628] Ähnlich sah dies der EuGH in der *OSA*-Entscheidung von 2014, bei der die VG-RL zwar noch nicht in Kraft war, die Konzeption und die Ziele des europäischen Wahrnehmungsrechts aber sehr deutlich erkennbar waren. Der EuGH hob den Gleichlauf von Wahrnehmungsrecht mit dem Internationalen Urheberrecht indirekt hervor, indem er die nationale Tätigkeit von Verwertungsgesellschaften mit der Territorialität des Urheberrechts begründete und letztlich auch rechtfertigte.[629]

Schließlich stellt sich der zuvor dargestellte Funktionszusammenhang von Verwertungsgesellschaftsrecht und Urheberrecht als maßgebliches Argument für einen grundsätzlichen Gleichlauf der kollisionsrechtlichen Bewertung beider Materien dar. Wenn das Verwertungsgesellschaftsrecht der urheberrechtlichen Funktionsgewährung dient und sich hieraus ein eng aufeinander abgestimmtes und voneinander abhängiges rechtliches System entwickelt hat, liegt zunächst die Befürchtung nahe, dass eine unterschiedliche Anknüpfung, mithin ein kollisionsrechtliches Auseinanderfallen beider Materien, die Funktionsfähigkeit des Urheberrechts gefährdet. Aus dieser Perspektive offenbart sich das Verwertungsgesellschaftsrecht als verlängerter Arm des Urheberrechts.

Das materielle Urheberrecht ist schließlich für die Tätigkeit der Verwertungsgesellschaften von Bedeutung, weil sie dieses im Fall der Verletzung durchsetzen. In der Rechtsdurchsetzung können sie das nach dem Schutzlandprinzip anwendbare materielle Urheberrecht nicht ignorieren.

---

sitz im Geltungsbereich dieses Gesetzes haben und eine wirksame Wahrnehmung der Rechte oder Ansprüche anders nicht möglich ist."

628 Hierzu *Teil1, Kapitel 1, B,* und *Gervais*, in: ders. (Hrsg.), Collective management of copyright and related rights, 2015, S. 3, 28.

629 EuGH, C-351/12, ECLI:EU:C:2014:110 – *OSA*, Rz. 73 – konkret ging es um ein gesetzliches Wahrnehmungsmonopol.

3) Zwischenfazit

Das Verwertungsgesellschaftsrecht ist ein wesentlicher Teil des Urheberrechts. Es ermöglicht einzelne gesetzlich vorgesehene Nutzungen im Massenverkehr und dort, wo das Urheberrecht beschränkt wird, schafft es die Möglichkeiten des Ausgleichs und damit die Voraussetzung für die Urheberrechtsschranke. Das Verwertungsgesellschaftsrecht ist aber nicht nur im Bereich der Schranken eine wesentliche Stütze der Regulierung des Urheberrechts, auch jenseits des Schrankensystems kann es Verhandlungsungleichgewichte ausgleichen. Über Verwertungsgesellschaften soll vielfach ein Mittelweg zwischen Vergütungsinteresse der Rechteinhaber und Werkzugangsanspruch der Rechtenutzer geschaffen werden. Die enge Verbindung zwischen Verwertungsgesellschaftsrecht und Urheberrecht zeigte sich nicht zuletzt im Kapitel über die Fragmentierung der Rechte,[630] welches einerseits die Erleichterung im Rechtetransfer durch Verwertungsgesellschaften aufzeigen, andererseits für die nationalen Besonderheiten des materiellen Urheberrechts sensibilisieren sollte. Diese Besonderheiten können von Verwertungsgesellschaften nicht ignoriert werden, da sie ihre Tätigkeit am Wahrnehmungsgegenstand ausrichten müssen.

Aus diesem Funktionszusammenhang zwischen Urheberrecht und Verwertungsgesellschaftsrecht ergibt sich auch der grundlegende Ansatz für das Internationale Privatrecht zunächst von einem Gleichlauf des Internationalen Urheberrechts und des Internationalen Verwertungsgesellschaftsrechts auszugehen. Geht man davon aus, dass Verwertungsgesellschaften dem Urheberrecht zwar nicht zum Entstehen verhelfen, aber in vielen Bereichen wesentlich zur wirtschaftlichen Verwertung und Durchsetzung der Rechte beitragen, so scheint schließlich ein Regelungs- und Kontrollinteresse desjenigen Staates naheliegend, dessen Urheberrecht betroffen ist.

II. Das urheberrechtliche Kollisionsrecht

Aufgrund des festgestellten Funktionszusammenhangs zwischen Urheberrecht und Verwertungsgesellschaftsrecht wird das Internationale Urheberrecht als Ausgangspunkt für die Entwicklung eines Kollisionsrechts der kollektiven Rechtewahrnehmung betrachtet. Dabei ist bereits jetzt zu sehen, dass nicht alle Rechtsbeziehungen mit Beteiligung von Verwertungsgesell-

630 *Teil 1, Kapitel 1, C., II.*

schaften streng urheberrechtlich zu behandeln sind, sondern gleichsam z.B. die Vertragsverhältnisse eine wichtige Rolle spielen. Dieses Problem der Abgrenzung ähnelt im Ausgangspunkt aber der allgemeinen Abgrenzungsproblematik zwischen Urheberrecht und Urhebervertragsrecht. Die nachfolgende Analyse beginnt daher mit den Grundprinzipien des Internationalen Urheberrechts.

1) Grundlagen des Internationalen Urheberrechts

Die Basis aller Diskussionen um die kollisionsrechtliche Anknüpfung in Fragen des geistigen Eigentums bilden das immaterialgüterrechtliche Territorialitätsprinzip und sein Gegenspieler, das Universalitätsprinzip.[631] Als klassisches Verständnis vom Territorialitätsprinzip hat sich folgende Definition etabliert: Bestand und Inhalt der Immaterialgüterrechte werden nach den Gesetzen des Landes bestimmt, auf dessen Gebiet der Berechtigte alle anderen Personen von der Nutzung des Immaterialgutes ausschließen kann.[632] Streng genommen handelt es beim Territorialitätsprinzip nicht um eine Kollisionsregel im Sinne des Internationalen Privatrechts. Es besagt lediglich, dass die Wirkung der Gesetzgebung des Staates auf das Territorium dieses Staates begrenzt ist,[633] worin sich auch die Souveränität der Staaten äußert, ihr Immaterialgüterrecht selbst zu bestimmen[634].

631 *Kur*, in: Leible/Ohly (Hrsg.), Intellectual property and private international law, 2009, S. 1, 6.

632 Definition nach *Troller*, Das Internationale Privat- und Zivilprozessrecht im gewerblichen Rechtsschutz und Urheberrecht, ²1952, S. 48. Zum Territorialitätsprinzip in internationalen Konventionen siehe etwa: *Neumann*, Die Haftung der Intermediäre im Internationalen Immaterialgüterrecht, 2014, S. 38 ff.

633 *Welser*, in: Wandtke/Bullinger (Hrsg.), Praxiskommentar Urheberrecht, ⁶2022, Vor. §§ 120 ff., Rn. 5, *v. Welser* betont dabei, dass dem Territorialitätsprinzip keine Entscheidung zugunsten des kollisionsrechtlichen Schutzlandprinzip entnommen werden kann, sich aus dem Territorialitätsprinzip vielmehr keinerlei kollisionsrechtliche Schlüsse ziehen lassen. Dem kann insoweit widersprochen werden, als das Territorialitätsprinzip im Kontrast zum Universalitätsprinzip steht, welchem mit seiner Anknüpfung an das Ursprungsland klar kollisionsrechtlicher Gehalt zukommt. Das Territorialitätsprinzip enthält insoweit zumindest eine negative kollisionsrechtliche Aussage. *Drexl*, in: von Hein (Hrsg.), MüKo IPR II, ⁸2021, Rom II-VO Art. 8 Rn. 7; *Schulze*, in: Dreier/Schulze (Hrsg.), Urheberrechtsgesetz, ⁷2022, § 31 Rn. 30; *Sutterer*, in: Hennemann/Sattler (Hrsg.), Immaterialgüter und Digitalisierung, 2017, S. 145, 149 f.

634 *Kur*, in: Leible/Ohly (Hrsg.), Intellectual property and private international law, 2009, S. 1, 6.

Als sachrechtliches Prinzip kann der Territorialitätsgrundsatz die kollisionsrechtliche Schutzlandanknüpfung nicht begründen. Nur das Kollisionsrecht kann das Sachrecht bestimmen, nicht andersherum. Das Territorialitätsprinzip legt lediglich den räumlichen Geltungsbereich des Rechts fest. Entsprechend beschreibt das Territorialitätsprinzip weniger einen fundierten Rechtsgrundsatz als einen Zustand des Rechts.[635] Letztlich lässt sich mit *Spoendlin* das Territorialitätsprinzip sogar auf eine schlagwortartige Bezeichnung des Zustandes reduzieren, der „zwangsläufig aus der autonomen Gesetzgebungshoheit der einzelnen Staaten folgt und erst bruchstückhaft durch Rechtsangleichung überwunden worden ist".[636] Gleichwohl besteht eine enge Verbindung zwischen Schutzlandanknüpfung und Territorialitätsgrundsatz – Staaten, die im Urheberrecht dem Territorialitätsprinzip folgen, entscheiden sich kollisionsrechtlich für die Schutzlandanknüpfung.[637]

a) Die Lehre von der Territorialität der Immaterialgüterrechte

Immaterialgüterrechte sind qua ihrer Natur an keinem Ort belegen.[638] Den von nationalen Rechtsordnungen gewährten subjektiven Rechten steht die Ubiquität ihrer Schutzobjekte gegenüber. Sobald – um im Urheberrecht zu bleiben – ein Werk der Öffentlichkeit zugänglich gemacht wurde, verliert sein Schöpfer die tatsächliche Herrschaft über Nutzung und Verbreitung des Werkes. Das Schutzobjekt besteht an mehreren Orten zugleich und kann dementsprechend an mehreren Orten benutzt und verletzt werden.[639] Rechte, welche nicht wie das Sacheigentum einen Ort der Belegenheit kennen und damit einer klaren räumlichen Zuordnung unzugänglich sind, sind im Grundsatz nichts Neues. Gleiches ist hinreichend aus dem Schuldrecht bekannt. Eine Forderung kennt keine *rei sitae*. Da die Forderung

---

635 *Bollacher*, Internationales Privatrecht, Urheberrecht und Internet, 2005, S. 58; *Oppermann*, Die kollisionsrechtliche Anknüpfung internationaler Urheberrechtsverletzungen, 2011, S. 94.

636 *Spoendlin*, UFITA 1988, 11, 14.

637 *Drexl*, in: von Hein (Hrsg.), MüKo IPR II, ^{8}2021, Rom II-VO Art. 8 Rn. 14; *Nordemann-Schiffel*, in: Fromm/Nordemann (Hrsg.), Urheberrecht, ^{12}2018, UrhG, Vor. §§ 120 ff., Rn. 59; *Beier/Schricker/Ulmer*, GRUR Int. 1985, 104, 105; *Klass*, GRUR Int. 2007, 373, 379.

638 *Ulmer*, Die Immaterialgüterrechte im internationalen Privatrecht, 1975, S. 7.

639 *Rehbinder*, Urheberrecht, ^{16}2010, S. 2.

als relatives Recht stets nur Gläubiger und Schuldner bindet, bereitet die fehlende Lokalisierbarkeit kaum Probleme. Zugleich schafft die Relativität Raum für die Rechtswahl zwischen den Parteien (Art. 3 Rom I-VO).[640]

Anders verhält es sich mit den Immaterialgüterrechten. Obwohl auch sie keinen Ort der Belegenheit kennen – „einen situs, eine lex rei sitae des Urheberrechts, gibt es gerade nicht“[641] –, wirken sie als absolute Rechte gegenüber jedermann. Der absolute Charakter der Immaterialgüterrechte schafft eine inhaltliche Nähe zum Sacheigentum, ihre Ubiquität hingegen eine Nähe zur Forderung.[642] Neben die Besonderheit der Immaterialität der Rechte des geistigen Eigentums tritt eine weitere: Im Gegensatz zum Sacheigentum erscheint die Begründung und Zuordnung des geistigen Eigentums als etwas unnatürliches, künstliches.[643] So wird von manchen Vertretern auch von einer staatlichen Verleihung des Rechts gesprochen, welche den Wirkungsbereich des nationalen Schutzrechts notwendigerweise an das Territorium des verleihenden Staates bindet.[644] Vor allem diese Besonderheit ist es, die einer Überwindung der Abhängigkeit des Urheberrechts von einer Rechtsordnung schwierig macht.[645]

Die Territorialität des Urheberrechts wird jedoch von einer weiteren Begründung geleitet. Betrachtet man das Urheberrecht weniger idealistisch

640 *Schack*, Urheber- und Urhebervertragsrecht, [9]2019, Rn. 905.

641 *Ders.*, Urheber- und Urhebervertragsrecht, [9]2019, Rn. 905.

642 *Junker*, Anwendbares Recht und internationale Zuständigkeit bei Urheberrechtsverletzungen im Internet, 2002, S. 185.

643 Auch die Zuordnung und Begründung von Sacheigentum ist letztlich kein universelles Prinzip. So sieht *Schack* den Unterschied zwischen Anerkennung der Immaterialgüterrechte und Anerkennung des Sacheigentums nur als einen Graduellen. Der gesetzgeberische Spielraum bei der Ausgestaltung des immateriellen Urheberrechts sei im Gegensatz zum Spielraum bei der Ausgestaltung des Sacheigentums lediglich größer (*Schack*, Urheber- und Urhebervertragsrecht, [9]2019, Rn. 906).

644 *Stollwerck*, in: Götting/Lauber-Rönsberg/Rauer (Hrsg.), Beck'scher Online-Kommentar Urheberrecht, [39]2023, Internationales Urheberrecht Rn. 10. So spricht etwa *Hoth*, GRUR 1968, 64, 67 explizit von einem staatlichen Verleihungsakt. Bei *Hoth* geht es um Warenzeichen bzw. Markenrechte, welche einem Eintragungsverfahren unterliegen. Für Registerrechte ist der oben verwandte Begriff des „Verleihungsaktes“ passender.

645 Für Das Urheberrecht gilt das freilich nicht (Art. 5 Abs. 2 S. 1 RBÜ bestimmt die Formfreiheit der Entstehung und Ausübung des Urheberrechts für alle teilnehmenden Staaten. Im Gegensatz zu den Registerrechten, welche nach wie vor der staatlichen Mitwirkung bedürfen, entsteht das Urheberrecht kraft Schöpfungsakts. Entsprechend wirft *Schack* den Vertretern des Territorialitätsprinzips auch ein geistiges Verharren in den Denkmustern eines längst überwundenen Privilegienwesens vor (*Schack*, Urheber- und Urhebervertragsrecht, [9]2019, Rn. 912 ff.).

und nimmt eine utilitaristische und wettbewerbsgeprägte Rechtsperspektive ein, so dient das Urheberrecht der Wettbewerbsförderung auf der Ebene der Schöpfung geistiger Güter um den Preis einer Wettbewerbsbeschränkung auf der Ebene der Reproduktion, Distribution und öffentlichen Wiedergabe, eben jener Güter. So betrachtet fällt das Urheberrecht mit seiner wettbewerbsordnenden Funktion in den Bereich der Wettbewerbspolitik. Aus diesem Blickwinkel erscheint die Territorialität des Urheberrechts als logische Folge seines ordnungspolitischen Charakters.[646]

(1) Der Inländergleichbehandlungsgrundsatz in der RBÜ als völkerrechtliche Statuierung des Territorialitätsprinzips

Zur Begründung des Territorialitätsgrundsatzes und des Schutzlandprinzips wird teilweise auf das Konventionsrecht verwiesen.[647] Kernbestand des Konventionsrechts ist die Verpflichtung der Konventionsstaaten, im Rahmen der Gegenseitigkeit ausländischen Staatsangehörigen denselben Schutz durch das Immaterialgüterrecht zu gewähren wie ihren Inländern.[648] Aus diesem Grundsatz der Inländerbehandlung leiten bedeutende Stimmen in der juristischen Literatur eine kollisionsrechtliche Aussage zugunsten der Geltung des Schutzlandprinzips ab.[649] Für die kollisionsrechtli-

---

646 *Torremans*, EIPR 27 (2005), 220 ff.

647 Die wichtigen völkerrechtlichen Rechtsquellen des internationalen Immaterialgüterrechts sind für das Urheberrecht die Berner Übereinkunft aus dem Jahre 1886 (seit 1908 Revidierte Berner Übereinkunft – RBÜ) in ihrer Fassung von 1974 und für die gewerblichen Schutzrechte die Pariser Übereinkunft von 1883 (PVÜ) in ihrer Fassung von 1967. Daneben sind das WTO-Abkommen TRIPS (Agreement on Trade-Related Aspects of Intellectual Property Rights), welches neben RBÜ und PVÜ tritt und häufig auch als „Bern und Paris Plus Abkommen" bezeichnet wird sowie das WIPO-Urheberrechtsabkommen 1996 (bestehend aus WIPO Copyright Treaty (WCT) und WIPO Performance and Phonograms Treaty (WPPT)) zu nennen (*Drexl*, in: von Hein (Hrsg.), MüKo IPR II, ^{8}2021, Rom II-VO Art. 8 Rn. 29 ff. und Rn. 70; eine übersichtliche Darstellung der internationalen Konventionen zum Urheberrecht findet sich auch bei *Strömholm*, Copyright and the conflict of laws, 2010, S. 13 ff.).

648 Die Inländerbehandlung im Konventionsrecht tritt etwa in Art. 5 Abs. 1 und 3 S. 2 RBÜ, Art. 2 Abs. 1 PVÜ, Art. 2, 4 bis 6 Rom-Abkommen, Art. 4 UPOV-Abkommen und Art. 3 TRIPS, hervor.

649 So u.a.: *Ulmer*, Die Immaterialgüterrechte im internationalen Privatrecht, 1975, S. 1, 10 und 37 ff.; *Dreier*, in: Dreier/Schulze (Hrsg.), Urheberrechtsgesetz, ^{6}2018, Vor § 120, Rn. 28; *Drexl*, in: von Hein (Hrsg.), MüKo IPR II, ^{8}2021, Rom II-VO Art. 8 Rn. 70, 74; *ders.*, Entwicklungsmöglichkeiten des Urheberrechts im Rahmen

che Einordnung des Inländerbehandlungsgrundsatzes spricht der Wortlaut des Art. 5 Abs. 2 S. 2 RBÜ. Danach richtet sich der Umfang des Schutzes und die dem Urheber zustehenden Rechtsbehelfe „ausschließlich nach den Rechtsvorschriften des Landes, in dem der Schutz beansprucht wird“. Ersetzt man nun die Worte *in dem* durch die Worte *für das*, so handelt es sich um eine sprachlich korrekt formulierte Kollisionsnorm, welche auf das Sachrecht des Schutzlandes verweist.[650]

In seinem Grundsatz ist das Territorialitätsprinzip also weitgehend anerkannt und wird in internationalen Konventionen vorausgesetzt (vgl. insbesondere Art. 5 Abs. 2 S. 2 RBÜ). Ausländische Urheberrechte erwirbt der Urheber danach allein deshalb, weil sich der ausländische Staat konventionsrechtlich dazu verpflichtet hat, ihn in seinem Territorium den eigenen Staatsbürgern gleich zu behandeln bzw. aufgrund freiwilliger fremdenrechtlicher Regelung.[651] Aus diesen Überlegungen zur Territorialität des Urheberrechts folgt der Gedanke, dass der Urheber nicht etwa ein einheitliches überall anzuerkennendes Urheberrecht hat, sondern lediglich ein Bündel nationaler Urheberrechte auf sich vereinigt, deren einzelne Voraussetzungen und deren Inhalt sich nach dem jeweiligen nationalen Recht bestimmt, für dessen Gebiet Schutz beansprucht wird und nicht etwa nach einem weltweiten Schutzrecht.[652]

Der Territorialitätsgrundsatz führt also zu der Entstehung eines Bündels nationaler Rechte und somit zu einem rechtlichen Mosaik, welches von den Vertretern des Universalitätsprinzips als unpraktisch empfunden wird.[653] Kritiker monieren in erster Linie, dass die Verkehrsfähigkeit des Urheber-

---

des GATT, 1990, S. 38 f.; *Katzenberger/Reber*, in: Schricker/Loewenheim (Hrsg.), Urheberrecht, [5]2017, Vor §§ 120 ff, Rn. 125; *Nordemann-Schiffel*, in: Fromm/Nordemann (Hrsg.), Urheberrecht, [12]2018, Vor 120 ff., Rn. 59; *De Miguel Asensio, Pedro A.*, in: Leible/Ohly (Hrsg.), Intellectual property and private international law, 2009, S. 137, zu gewerblichen Schutzrechten S. 147, zum Urheberrecht S.149 f. und aus der Rechtsprechung exemplarisch Cour de cassation v. 10.4.2013, N°. 11-12508, ECLI:FR:CCASS:2013:C100347 – *Fabrice X v. ABC News Intercontinental* (übersetzte Leitsätze in GRUR Int. 2013, 955).

650 *Drexl*, in: von Hein (Hrsg.), MüKo IPR II, [8]2021, Rom II-VO Art. 8 Rn. 70; *Metzger*, JZ 65 (2010), 929, 933.

651 *Dreier*, in: Dreier/Schulze (Hrsg.), Urheberrechtsgesetz, [6]2018, Vor § 120, Rn. 28.

652 BGH, vom 24. 5. 2007 – I ZR 42/04 – *Staatsgeschenk*, Rz 18; BGH, vom 02.10.1997 – I ZR 88/95 – *Spielbankaffaire* (BGHZ 136, 380–393); BGH, vom 7. 11. 2002 – I ZR 175/00 – *Sender Felsberg*.

653 Eine Übersicht der Position bei *Drexl*, in: von Hein (Hrsg.), MüKo IPR II, [8]2021, Rom II-VO Art. 8 Rn. 9.

rechts unter der Zersplitterung *des einen Rechts* in mehrere Rechte leide.[654] Abhilfe versprechen sie sich von der Auflösung des Territorialitätsgrundsatzes zugunsten einer kollisionsrechtlichen Anknüpfung an das Ursprungsland.

(2) Das Universalitätsprinzip

Der Gegenspieler des Territorialitätsprinzips findet sich also in der Lehre von der Universalität des Urheberrechts. Die Idee der Universalität erfährt nicht zuletzt vor dem Hintergrund stark ausgeweiteter, grenzüberschreitender Nutzungsmöglichkeit im Internet seit Ende der neunziger Jahre eine Renaissance.[655] Zwar bildet nach wie vor das Territorialitätsprinzip die Grundlage gesetzgeberischer Tätigkeit, dennoch stehen die Vertreter des Universalitätsprinzips nicht ohne Argumente. Von besonderem Interesse sind die Grundlagen des Universalitätsprinzips und seine kollisionsrechtlichen Auswirkungen für diese Arbeit jedoch deshalb, weil ihm eine Verwandtschaft[656] zum europarechtlichen Ursprungs- bzw. Herkunftslandprinzip nachgesagt wird.

Die Frage nach der dogmatischen Einordnung des Universalitätsprinzips, ob sach- oder kollisionsrechtlich, ist komplex. Praktisch wird mit dem Universalitätsprinzip meist die Anerkennung der Rechtsinhaberschaft nach einem Recht verbunden – nach welchem, ist Gegenstand weiterer Diskussionen.[657] Da das Universalitätsprinzip die „einheitliche Anknüpfung" nur abstrakt befürwortet, dabei selbst aber keinen Anknüpfungsgegenstand nennt, kann es zwar als kollisionsrechtliches Prinzip der „einheitlichen Anknüpfung", nicht aber als Kollisionsnorm bezeichnet werden.[658]

Das Ursprungslandprinzip, die *lex originis*, wird aus dem Universalitätsprinzip abgeleitet. Es verbindet das Urheberrecht oder zumindest bestimm-

---

654 Der in Deutschland prominenteste Kritiker ist wohl *Heimo Schack*. Siehe exemplarisch: *Schack*, Urheber- und Urhebervertragsrecht, [9]2019, Rn. 1026 ff.

655 Siehe etwa: *ders.*, MMR 2000, 59, 62; *Klass*, GRUR Int. 2007, 373.

656 *Nordemann-Schiffel*, in: Fromm/Nordemann (Hrsg.), Urheberrecht, [12]2018, Vor 120 ff., Rn. 62.

657 So wird beispielsweise in den Kyoto Guidelines der ILA aus dem Jahr 2020 eine einheitliche Anknüpfung der Frage der Rechteinhaberschaft für das Urheberrecht empfohlen (Guideline 20(2)(a)). Die Guidelines zum anwendbaren Recht sind mit Kommentaren in JIPITEC, 12 (2021), S. 44 ff. abgedruckt.

658 *Drexl*, in: von Hein (Hrsg.), MüKo IPR II, 2021, Rom II-VO Art. 8, Rn. 16.

te urheberrechtliche Fragen einheitlich mit einer Rechtsordnung, und zwar derjenigen des Ursprungslands. Als Ursprungsland wird in der Regel das Land der ersten Veröffentlichung eines Werkes angesehen (unter Bezugnahme auf Art. 5 Abs. 4 RBÜ). Zum Teil wird dabei eine gespaltene Anknüpfung vorgeschlagen: Zum Schutz der Nutzer sollen Inhalt, Schranken und Erlöschen des Urheberrechts an das Recht des Schutzlandes angeknüpft werden, wohingegen u.a. für das Entstehen des Urheberrechts das Recht des Ursprungslands des Werks maßgeblich sein soll.[659] Als Begründungen werden unter anderem der universelle (menschenrechtlich geschützte) Kern des Urheberrechts, das kollisionsrechtliche Interesse an Rechtssicherheit und Vorhersehbarkeit sowie das Bedürfnis nach allgemeingültigen immaterialgüterrechtlichen Regelungen im globalen Markt angeführt.[660] Die starke persönlichkeitsrechtliche Prägung des Urheberrechts im kontinentaleuropäischen Bereich unterscheidet dieses deutlich von den gewerblichen Schutzrechten.[661]

b) Das Schutzlandprinzip

Die Anknüpfung an das Schutzlandprinzip findet sich auch im europäischen Kollisionsrecht des geistigen Eigentums. Art. 8 Abs. 1 Rom II-VO bestimmt, dass auf außervertragliche Schuldverhältnisse aus einer Verletzung von Rechten des geistigen Eigentums das Recht desjenigen Staates

---

659 *Welser*, in: Wandtke/Bullinger (Hrsg.), Praxiskommentar Urheberrecht, [6]2022, Vor §§ 120 ff. Rn. 11; *Schack*, MMR 2000, 59, 63; *Klass*, GRUR Int. 2007, 373; *Ginsburg*, GRUR Int. 2000, 97, 107 ff.; s. auch Cour de cassation GRUR Int. 1992, 304 – *John Huston II*; s. jetzt aber Cour de cassation v. 10.4.2013, N°. 11-12508, ECLI:FR:CCASS:2013:C100347 – *Fabrice X* (übersetzte Leitsätze in GRUR Int. 2013, 955). So auch Guideline 20(2)(a) der Kyoto Guidelines, wonach für Fragen der ersten Inhaberschaft, das Recht mit der engsten Verbindung zur Werkschöpfung anwendbar sein soll (i.d.R. das Land des gewöhnlichen Aufenthalts des Schöpfers); noch anders Article 3:201 der CLIP Principles.

660 *Lauber-Rönsberg*, in: Götting/Lauber-Rönsberg/Rauer (Hrsg.), Beck'scher Online-Kommentar Urheberrecht, [39]2023, Kollisionsrecht und internationale Zuständigkeit Rn. 10.

661 *Schack*, MMR 2000, 59, 62. Zur einheitlichen Anknüpfung der originären Rechtsinhaberschaft siehe auch *Birkmann*, Die Anknüpfung der originären Inhaberschaft am Urheberrecht, 2009, S. 215 ff. Zur Anknüpfung speziell siehe etwa den *most significant relationship* Ansatz (*Ginsburg*, JCSUSA Millenium Volume (2000), 265, 285)

anzuwenden ist, für den der Schutz beansprucht wird.[662] Gelegentlich werden Schutzlandanknüpfung und *lex loci delicti commissi* bzw. *lex loci delicti* für inhaltlich synonyme Anknüpfungsregeln gehalten. Unterschiede finden sich jedoch in der Konstruktion beider Regeln.[663] Denn während die *lex loci delicti* – mit ihrer Anknüpfung in Art. 4 Rom II-VO an das Recht des Erfolgsorts der deliktischen Handlung – bereits auf kollisionsrechtlicher Ebene die Feststellung des Begehungsorts der Rechtsverletzung erfordert, ist die Frage, ob tatsächlich eine Verletzungshandlung im Schutzland vorliegt bei der *lex loci protectionis* erst auf der Ebene des Sachrechts zu entscheiden. Dem Kläger erlaubt das prinzipiell die Wahl des anwendbaren Rechts, da er sich aussuchen kann auf welches nationale Schutzrecht er sich beruft. Natürlich wird er dabei die Erfolgsaussichten seiner Klage von Anfang an mitbedenken. Über das anwendbare Recht entscheidet im Fall der *lex loci protectionis* aber der Vortrag des Klägers.[664]

Der Anwendungsbereich von Art. 8 Rom II-VO erfasst den Schutzumfang des Rechts, seine Anspruchsvoraussetzungen und die Ausgestaltung des Urheberrechts.[665] Für all jene Fragen des Internationalen Urheber-

---

662 Die Rom II-VO enthält vier Bestimmungen zur Regelung des Kollisionsrechts der Immaterialgüterrechte. Drei davon beziehen sich auch auf das Urheberrecht (Art. 8 Abs. 2 Rom II-VO bezieht sich speziell auf gemeinschaftsweit einheitliche Schutzrechte und gilt dementsprechend nicht für das Urheberrecht). Die zentrale Regelung ist Art. 8 Abs. 1 Rom II-VO. Sie bestimmt die Anknüpfung an das Recht des Schutzlandes als europäische Kollisionsregel. Art. 8 Abs. 3 Rom II-VO ordnet den Ausschluss der Rechtswahl im Anwendungsbereich der immaterialgüterrechtlichen Anknüpfung an. Art. 13 Rom II-VO erstreckt schließlich den Anwendungsbereich von Art. 8 Rom II-VO auf Ansprüche aus Bereicherung, Geschäftsführung ohne Auftrag und Verschulden bei Vertragsverhandlungen (*Drexl*, in: von Hein (Hrsg.), MüKo IPR II, ^{8}2021, Rom II-VO Art. 8 Rn. 237).

663 (*ders.*, in: von Hein (Hrsg.), MüKo IPR II, ^{8}2021, Rom II-VO Art. 8 Rn. 12; *Matulionytė*, Law applicable to copyright, 2011, S. 58 ff.).

664 *Drexl*, in: von Hein (Hrsg.), MüKo IPR II, ^{8}2021, Rom II-VO Art. 8 Rn. 12; *Ullrich*, Urheberrecht und Satellitenrundfunk, 2009, S. 78 f.; sowie *Thorn*, in: Grüneberg (Hrsg.), Bürgerliches Gesetzbuch, ^{83}2023, IPR EGBGB, Art. 40 Rn. 4; *Grünberger*, ZVglRWiss 2009, 134, 148 f.; anderer Ansicht vor allem *Schack*, Urheber- und Urhebervertragsrecht, ^{9}2019, Rn. 1044 und Rn. 1051, der in der *lex loci protectionis* lediglich eine euphemistische Umschreibung für das Deliktsstatut sieht; *ders.*, GRUR Int. 1985, 523, 524; ebenso *Knörzer*, Das Urheberrecht im deutschen internationalen Privatrecht, 1992, S. 89.

665 *Drexl*, in: von Hein (Hrsg.), MüKo IPR II, ^{8}2021, Rom II-VO Art. 8 Rn. 176-185; *Spickhoff*, in: Bamberger/Roth (Hrsg.), Bürgerliches Gesetzbuch, ^{5}2023, Art. 8 Rom II-VO, Rn. 3; *Schack*, in: Baetge/von Hein/Hinden (Hrsg.), Die richtige Ordnung, 2008, S. 651, 656; *Obergfell*, IPRax 2005, 9, 12.

rechts, die weder dem Vertragsstatut der Rom I-VO noch Art. 8 Rom II-VO unterliegen, gilt das autonome Kollisionsrecht der Mitgliedstaaten.[666] Insbesondere für Fragen zum Bestand des Urheberrechts und der Rechtsinhaberschaft bleibt also das nationale Kollisionsrecht relevant.[667] Die nationale Sichtweise auf das Urheberrecht und die Entscheidung für oder gegen eine universelle Anknüpfung bleibt darüber hinaus für verwandte Fragen des Urheberrechts von Interesse und könnte sich auf die Anknüpfung der Pflichten der Verwertungsgesellschaften gegenüber Rechteinhabern und Nutzern auswirken.

Das urheberrechtliche Schutzlandprinzip wird von der Mehrheit der deutschen Urheberrechtswissenschaftler vertreten.[668] Auch die deutsche Rechtsprechung folgt mehrheitlich – wenn auch in der Regel ohne tiefere Auseinandersetzung und Begründung – dem Schutzlandprinzip; und zwar auch für Fragen der ersten Rechtsinhaberschaft.[669] Kritischer wird das Schutzlandprinzip teilweise im Ausland gesehen, wobei sich auch dort in keinem Land eine klare Linie zugunsten des Ursprungslandprinzips entwickelt hat. Lediglich in einzelnen Fragen des Urheberrechts, vornehmlich der ersten Rechtsinhaberschaft wird teilweise einheitlich an das Recht des

666 Zur Abgrenzung von Urheberrechts- und Vertragsstatut sogleich (*III., 2.)*).

667 Zu weiteren Details der Reichweite von Art. 8 Rom II-VO, siehe in diesem Kapitel *D, III.* Die Diskussion um die Reichweite der Anknüpfung von Art. 8 Rom II-VO und seine Abgrenzung zum autonomen Kollisionsrecht wird bei *Drexl*, in: von Hein (Hrsg.), MüKo IPR II, ⁸2021, Rom II-VO Art. 8 Rn. 176-185 behandelt.

668 Unter anderem: *ders.*, in: von Hein (Hrsg.), MüKo IPR II, ⁸2021, Rom II-VO Art. 8 Rn. 26; *Ulmer*, Die Immaterialgüterrechte im internationalen Privatrecht, 1975, Nr. 50 ff.; sehr deutlich *Obergfell*, IPRax 2005, 9, 13; *Hilty/Peukert*, GRUR Int. 2002, 643, 644; *Katzenberger*, in: Beier/Götting/Lehmann u.a. (Hrsg.), Urhebervertragsrecht, 1995, S. 225, 240 ff.; *Spindler*, IPRax 2003, 412, 413 ff.

669 Ohne nähere Begründung: OLG Frankfurt a. M., Urt. v. 8.6.2010 – 11 U 52/09; OLG Düsseldorf, v. 24.4.2007 – I-20 U 175/06 – *Drei Fragezeichen*; OLG Hamburg, 26.10.1978 – 3 U 69/78 – *ARRIVAL*. Mit unklarer Reichweite (etwa ob auch die erste Inhaberschaft betroffen): BGH, v. 22.1.2009 – I ZR 247/03 – *Le Corbusier II*; BGH, v. 15.2.2007 – I ZR 114/04 – *Wagenfeldleuchte* (BGHZ 171, 151–167). In Bezug auf § 31 Abs. 5 UrhG als Eingriffsnorm: BGH, v. 24.9.2014 – I ZR 35/11 – *Hi Hotel II*, Rz. 24 f. Zum Folgerecht: BGH, 16.6.1994 – I ZR 24/92 – *Folgerecht bei Auslandsbezug (Joseph Beuys)* (BGHZ 126, 252–260). Mit der Besonderheit, dass Filmwerke Gegenstand des Verfahrens waren und für diese Art. 14bis Abs. 2 a) RBÜ ausdrücklich die Bestimmung der Inhaberschaft des Urhebers nach dem Recht des Schutzlandes vorsieht: BGH Urt. v. 02.10.1997 – I ZR 88/95 – *Spielbankaffaire* (BGHZ 136, 380–393) und OLG München, v. 22.4.1999 – 29 U 5876/98 – *Recht am Drehbuch zu „M“*.

Staates der ersten Veröffentlichung oder ähnliche Kriterien angeknüpft.[670] Einige Staaten haben das urheberrechtliche Schutzlandprinzip mit unterschiedlicher Reichweite in ihrem Internationalen Privatrecht kodifiziert.[671] Zu den Staaten, die grundsätzlich eine Anknüpfung an das Recht des Schutzlandes vornehmen, gehören: Belgien, Deutschland, Großbritannien, Italien, Österreich.[672] Zu den Staaten, die vor allem was die Frage der (ersten) Rechtsinhaberschaft betrifft, einen universellen Ansatz bevorzugen, gehören insbesondere Portugal und die USA.[673]

670 Hierzu etwa *van Eechoud*, in: Drexl/Kur (Hrsg.), Intellectual property and private international law, 2005, S. 289, 296 f.

671 Eine Übersicht zur Rechtslage in einigen der wichtigsten Länder findet sich in einer Studie der Kommission aus dem Jahr 2000 (noch deutlich vor Inkrafttreten der Rom II-VO), siehe: EU Commission study ETD/99/B-3000/E/16 (2000), IP and the conflicts of law, Part I, S. 27 f. – online abrufbar unter: http://ec.europa.eu/internal_market/copyright/docs/studies/etd1999b53000e16_en.pdf (zuletzt abgerufen 01.12.2016).

672 Österreich sieht in Art. 34 Abs. 1 IPRG die Anknüpfung nach dem Schutzlandprinzip (*„nach dem Recht des Staates (…), in dem eine Benützungs- oder Verletzungshandlung gesetzt wird“*) für Fragen des Entstehens, des Inhalts und des Erlöschens von Immaterialgüterrechten vor. In Abs. 2 findet sich eine besondere Kollisionsregel für im Arbeitsverhältnis entstandene Immaterialgüterrechte. In der Rechtsprechung beispielhaft: OGH 17.6.1986, JBl 1986,656 = GRUR Int 1986, 728 (m. Anm. Hodik) – *Hotel-Video*. Auch Belgien wendet nach Art. 93 Abs. 1 des belgischen IPR (Loi portant le Code de droit international privé) grundsätzlich das Schutzlandprinzip auf Fragen des geistigen Eigentums an (*„Les droits de propriété intellectuelle sont régis par le droit de l'Etat pour le territoire duquel la protection de la propriété est demandée“*). Auf die engste Verbindung wird hingegen hinsichtlich der ursprünglichen Inhaberschaft eines gewerblichen Schutzrechts abgestellt. Großbritannien folgt grundsätzlich der *lex loci protectionis* (*Cornish*, GRUR Int. 1996, 285 ff.). Genauso Italien (siehe: EU Commission study ETD/99/B-3000/E/16 (2000), IP and the conflicts of law, Part I, S. 27 f).

673 In Portugal ist dies in Art. 48 des Zivilgesetzes (IPR-Teil) festgelegt (dazu *Miguel Asensio*, Conflict of Laws and the Internet, 2020, para. 4.104 sowie Kyoto Guidelines with Comments, in JIPITEC 12 (2021), 44, Rn. 14). In den USA wird etwa die Frage der ersten Inhaberschaft nach der *lex originis*, Fragen bzgl. der Verletzung selbst allerdings nach der der *lex loci delicti* entschieden (siehe bspw. U.S. Court of Appeals for the Second Circuit of August 27, 1998, 153 F.3d 82 – *Itar-Tass Russian News Agency v. Russian Kurier, Inc*; United States Court of Appeals for the Fifth Circuit (2003), 331 F.3d 472 – *Alameda Films v. Authors Rights Restorat*; United States Court of Appeals fort he Ninth Circuit (2004), 387 F.3d 1099 – *Laparade v. Ivanova*. Bislang scheint allerdings keine Rechtsprechung des Supreme Court vorzuliegen.). Die Situation in Frankreich ist nicht eindeutig. Traditionell scheint im Hinblick auf Fragen der Rechtsinhaberschaft ein universeller Ansatz verfolgt zu werden. Dieser wird teilweise aber durchbrochen, wo dies aus französischer Sicht zur wirksamen Durchsetzung des in Frankreich starken urheberpersönlich-

Neue Impulse hat die Anwendung des Universalitätsprinzips insbesondere für Fragen der originären Rechteinhaberschaft durch die Kyoto Guidelines der *ILA* erhalten.[674] Dabei zeichnen sich die Kyoto Guidelines gerade dadurch aus, dass sie sich in ihrer Argumentation weniger auf die dogmatischen Grundkonzepte der Universalisten stützen, sondern besonders die Marktbedürfnisse und die kollisionsrechtlichen Interessen in einer zunehmend auf globale Verbreitung angelegten Welt berücksichtigen. Speziell mit Blick auf die Frage der originären Rechteinhaberschaft gelangen die Kyoto Guidelines im Sinne der Verkehrsinteressen so zu einer einheitlichen Anknüpfung, wobei die Partei- und Ordnungsinteressen durch eine Ausweichregelung Berücksichtigung erfahren, wenn das Recht des Staates, für den Schutz beansprucht wird, die Unübertragbarkeit des Rechts vorsieht und die Durchsetzung dieser Rechtsgrundsätze auch bei internationalen Sachverhalten abgesichert werden soll.[675] Dadurch gelingt den Kyoto Guidelines eine Überwindung des langjährigen Streits zwischen Universalisten und Anhängern des Schutzlandprinzips.[676]

2) Übertragung der kollisionsrechtlichen Diskussion auf den Bereich der kollektiven Rechtewahrnehmung

Das urheberrechtliche Schutzlandprinzip wird in dieser Arbeit nicht grundsätzlich in Frage gestellt, die Auseinandersetzung mit dem Schutzlandprinzip einerseits und dem Ursprungslandprinzip andererseits beschränkt sich auf (urheberrechtliche) Bereiche, die im Tätigkeitsfeld von Verwertungsgesellschaften liegen. Dies ist für das Urheberrecht erstens der Bereich der Massenverwertung und zweitens der Bereich der Schranken.

---

keitsrechts nötig ist. Siehe exemplarisch: Cour de cassation, 28 Mai 1991, jur. 197 – *John Huston* = GRUR Int 1992, 304. Inzwischen hat sich die Cour de cassation jedoch selbst für Fragen der (ersten) Rechteinhaberschaft mit Verweis auf Art. 5 Abs. 2 RBÜ für eine Anwendung des Schutzlandprinzips ausgesprochen (Cour de cassation v. 10.4.2013, N°. 11–12508, ECLI:FR:CCASS:2013:C100347 – *Fabrice X v. ABC News Intercontinental* (übersetzte Leitsätze in GRUR Int. 2013, 955)).

674 *Sutterer*, GRUR Int. 2021, 969 ff.

675 Siehe hierzu Guideline 20(2)(a) und (b), mit Kommentierung der Mitwirkenden angedruckt in JIPITEC 12 (2021), 44 ff.

676 Hierzu auch *Drexl*, in: Kubis/Peifer/Raue u.a. (Hrsg.), Ius Vivum: Kunst - Internationales - Persönlichkeit, 2022, S. 123 ff..

a) Bewertung des Ursprungslandprinzips – bringt das Ursprungslandprinzip Erleichterung bei der grenzüberschreitenden Wahrnehmung von Rechten?

Das Ursprungslandprinzip verspricht mit seiner Konzentration auf ein Recht Vorteile gegenüber dem Schutzlandprinzip, welches mit seiner Mosaikbetrachtung für Schwierigkeiten bei der grenzüberschreitenden Nutzung des Urheberrechts verantwortlich gemacht wird.[677] Auch im internationalen Urhebervertragsrecht gilt – soweit eine Rechtswahl nicht vorliegt – das Recht des Wohnsitzortes bzw. des Orts der Hauptverwaltung derjenigen Vertragspartei, welche die vertragscharakteristische Leistung erbringt (Art. 4 Abs. 2 i.V.m. Art. 19 Abs. 1 Rom I-VO). Bei ausschließlichen Lizenzen, die mit einer Ausübungspflicht einhergehen, ist das in der Regel der Lizenznehmer und bei Geschäften, die von einem Verwerter in erheblichem Umfang wahrgenommen werden, der Verwerter.[678] Dies entspricht dem Interesse des Kaufmanns, seine Massengeschäfte möglichst nach nur einem Recht abwickeln zu können[679] und damit dem von *Kegel* beschriebenen *Prinzip der geringsten Störung*[680].

Die Begründung des mit dem Ursprungslandprinzip verwandten Universalitätsprinzip folgt unter anderem aus der Überlegung, dass es einen universellen, menschenrechtlich geschützten Kern des Urheberrechts gebe, der nach universeller Anerkennung verlange.[681] Die Hervorhebung des Schöpferprinzips im Urheberrecht erscheint aber gerade im Bereich der kollektiven Rechtewahrnehmung nicht angebracht, da sie gedanklich mit dem Urheberpersönlichkeitsrecht verbunden ist, welches in der kollektiven Rechtewahrnehmung kaum eine Rolle spielt.[682] Es sind andere Überlegungen des Ursprungslandprinzips, die eine nähere Untersuchung auf ihre Berücksichtigungswürdigkeit im Bereich der kollektiven Rechtewahrnehmung verdienen. So soll das Universalitätsprinzip den Rechtsverkehr vereinfachen und besser den Anforderungen der Globalisierung entspre-

677 Differenzierend: *ders.*, in: von Hein (Hrsg.), MüKo IPR II, ^{8}2021, Rom II-VO Art. 8 Rn. 21 f. und *Schack*, Urheber- und Urhebervertragsrecht, ^{9}2019, Rn. 1040.

678 Zu den Wirkungen des Vertragsstatuts sogleich unter *III. 2.), a.).*

679 *Schack*, in: Lorenz (Hrsg.), Festschrift für Andreas Heldrich zum 70. Geburtstag, 2005, S. 997, 999.

680 *Kegel/Schurig*, Internationales Privatrecht, ^{9}2004, S. 660; *Kropholler*, IPR, ^{6}2006, § 52 III 2.

681 *Schack*, Urheber- und Urhebervertragsrecht, ^{9}2019, Rn. 919 ff.

682 Siehe hierzu *Teil 1, Kapitel 1, C, I.*

chen als das Schutzlandprinzip.[683] Argumentativ wird für das Ursprungslandprinzip das kollisionsrechtliche Interesse an Rechtssicherheit und Vorhersehbarkeit sowie das Bedürfnis nach allgemeingültigen immaterialgüterrechtlichen Regelungen im globalen Markt angeführt.[684] Doch lässt sich gerade im urheberrechtliche Massenverkehr an diesem Gedanken zweifeln, womöglich wird hier das Prinzip der geringsten Störung tatsächlich eher durch das Schutzlandprinzip verwirklicht.

(1) Übertragung der Argumente für das Ursprungslandprinzip auf das Urheberrecht im Massenverkehr

Die Anwendung des Schutzlandprinzips mag aufgrund der mit ihr verbundenen Mosaikbetrachtung bei der Nutzung von Werken in mehreren Staaten zunächst unpraktisch erscheinen, sie führt jedoch grundsätzlich zur Vorhersehbarkeit in Bezug auf die Frage des anwendbaren Rechts.[685] Der Kläger weiß, dass er seine Aktivlegitimation nur nach dem Recht desjenigen Landes darlegen und beweisen muss, für das er Schutz begehrt. Für den Beklagten ist hingegen klar, dass er stets eine Erlaubnis für seine Nutzung von demjenigen Rechteinhaber benötigt, welcher sich nach dem Recht desjenigen Landes ermitteln lässt, für das die Nutzung erfolgen soll.[686] Das anwendbare Recht wird hierdurch transparent. Das Ursprungslandprinzip hat hingegen bisher keine klare Regelung für die Frage nach dem Ort des tatsächlichen Ursprungs geben können. Selbst wenn man hier pauschal auf den Ort der Erstveröffentlichung abstellen und dabei alle hiermit verbundenen praktischen Probleme ignorieren würde, ergäbe

683 *Drexl*, in: von Hein (Hrsg.), MüKo IPR II, [8]2021, Rom II-VO Art. 8 Rn. 21.

684 *Lauber-Rönsberg*, in: Götting/Lauber-Rönsberg/Rauer (Hrsg.), Beck'scher Online-Kommentar Urheberrecht, [39]2023, Kollisionsrecht und internationale Zuständigkeit Rn. 10. Auch Guideline 20 der Kyoto Guidelines stützt sich maßgeblich auf Überlegungen der Verkehrsfähigkeit und des Verkehrsschutzes und überwindet auf diese Weise festgefahrene Debatten um die (persönlichkeitsrechtliche) Natur des Urheberrechts.

685 Zu den Problemen im Hinblick auf die Gewährleistung von Rechtssicherheit, die jüngere Vorschläge des ALI oder der CLIP-Principles in Fällen von „ubiquitous infringements“ mit sich bringen: *Metzger*, JZ 65 (2010), 929, 935 und *ders.*, in: Basedow (Hrsg.), Intellectual property in the global arena, 2010, S. 157 ff. sowie *Dessemontet*, in: Basedow (Hrsg.), Intellectual property in the global arena, 2010, S. 31 ff.

686 *Grünberger*, ZVglRWiss 2009, 134, 162 f.

sich für den Nutzer keine echte Erleichterung.[687] Denn dieser müsste nun zweistufig ermitteln, wo das von der Nutzung betroffene Werk zum ersten Mal veröffentlicht wurde und im Anschluss hieran, wer nach dem Recht dieses Staates als Rechteinhaber anzusehen ist. Eine Erleichterung mag sich dann ergeben, wenn ein einziges Werk für eine weltweite Nutzung nachgefragt wird. Sie besteht aber dann nicht mehr, wenn ein ganzes Repertoire benötigt wird. Hier ergibt sich ein „Kollisionsrechtschaos", welches das der Schutzlandanknüpfung aufgrund der erforderlichen doppelten Prüfung – zunächst Ermittlung des Orts der Erstveröffentlichung, dann Ermittlung des Rechtsinhabers nach diesem Recht – sogar noch übertrifft. Der Ort der beabsichtigten Nutzung ist in aller Regel klar. Damit auch das anwendbare Recht.

Soweit mit einer gegenteiligen Anknüpfung bei Fragen des Sacheigentums argumentiert wird – Fragen nach der Verletzung des (Sach-)Eigentums bestimmen sich nach der *lex loci delicti*, Fragen danach wer Eigentümer einer Sache ist grundsätzlich nach der *lex rei sitae*[688] –, wird der wesentliche Charakter des Urheberrechts, seine Ubiquität, verkannt.[689] Dass der Vergleich mit der kollisionsrechtlichen Bewertung des Sacheigentums die Argumente der Vertreter eines universalen Ansatzes nicht trägt, vielmehr das Gegenteil nahelegt, zeigt sich ferner, wenn man die Überlegungen zur Anknüpfung des Sacheigentums weiterdenkt. Denn sobald die in Rede stehende Sache ihren Belegenheitsort ändert und in einen anderen Staat verbracht wird, kommt es zu einem Statutenwechsel – Fragen des Eigentums richten sich dann nach dem Recht des neuen Ortes, an dem sich die Sache nunmehr befindet.[690] Dies entspricht eher noch dem urheberrechtlichen Schutzlandprinzip, das sich implizit an der örtlichen Nut-

687 Die Kyoto Guidelines knüpfen an das Land der engsten Verbindung an, welches i.d.R. das Land des gewöhnlichen Aufenthalts des Schöpfers zum Zeitpunkt der Schöpfung sein soll (Guideline 20(2)(a)).

688 *Kropholler*, IPR, ^{6}2006, § 54 III (S. 554).

689 Anderer Ansicht insbesondere *Klass*, GRUR Int. 2007, 373, 381 und *Schack*, MMR 2000, 59, 60. Bei im Ausland befindlichen Gegenständen besteht kein Regelungsinteresse fremder Staaten. Anders ist dies beim Urheberrecht, denn dieses befindet sich im Grunde nirgendwo. Erst wenn es zu Nutzungshandlungen kommt und wenn eine Person sich auf das Urheberrecht beruft, tritt es in Erscheinung und befindet sich dann an (in) einem jeden Ort (Staat) an (in) welchem eine Nutzungshandlung stattfindet. Die Anwendung des Rechts nach erfolgter Lokalisierung unterschiedet sich daher gar nicht so sehr von der *lex rei sitae* (*Sutterer*, in: Hennemann/Sattler (Hrsg.), Immaterialgüter und Digitalisierung, 2017, S. 145, 149 ff.).

690 Dabei stützt sich das Kollisionsrecht in den Fällen des Statutenwechsels oft auf Hilfskonstruktionen, wie der Anerkennung wohlerworbener Rechte oder Umdeu-

zung des Rechts orientiert, welche als Pendant zur Belegenheit verstanden werden kann (s.o.). Die Rechtslage bei den Sachrechten im Internationalen Privatrecht weist also erstens eher eine Nähe zum Schutzlandprinzip auf und ist zweitens ihrerseits oft nicht so eindeutig wie dies im Sinne der Verkehrsinteressen wünschenswert wäre.

Im Bereich der kollektiven Rechtewahrnehmung gibt es jedoch einige Besonderheiten zu beachten. Zwar handelt es sich bei Rechten, die über Verwertungsgesellschaften gehandelt werden, um geradezu idealtypische Fälle des Massenverkehrs,[691] jedoch werden die Lizenzen über Verwertungsgesellschaften vermittelt, mithin über zentrale Akteure des Rechtetransfers. Unabhängig davon, ob Verwertungsgesellschaften tatsächlich (direkte) Mehrstaatenlizenzen vergeben oder sich weiterhin auf eine territoriale Direktlizenzierung beschränken, lassen sie sich von Rechteinhabern in der Regel die Weltrechte einräumen und müssen daher ihrerseits für jeden Rechteinhaber (oder Wahrnehmungsberechtigten) eine globale Rechteklärung vornehmen. Dabei kann sich die zentrale Anknüpfung an den Ort der Erstveröffentlichung oder an den Ort der Schöpfung des Werkes als praktisch und hilfreich erweisen. Zwar garantiert auch dies nicht, dass Verwertungsgesellschaften Fragen, wie die originäre Rechteinhaberschaft nur nach „ihrem Heimatrecht" prüfen müssen, genauso wie sich Urheber in der Vergangenheit jedoch meist an die Verwertungsgesellschaft im Land ihres Wohnsitzes gewendet haben, werden sich Urheber auch künftig in der Regel an die Verwertungsgesellschaft im Land ihres Wohnsitzes (zum Zeitpunkt der Schöpfung wie in Kyoto Guideline 20(2)(a)) wenden, um ihr die Weltrechte an einem oder mehreren Werken einzuräumen. Wenden sie sich hingegen an eine ausländische Verwertungsgesellschaft, so wird dies meist darin begründet sein, dass die ausländische Verwertungsgesellschaft besonders professionell und auch global agiert. Einer solchen Verwertungsgesellschaft ist dann aber auch eine Expertise des ausländischen Rechts zuzutrauen.

---

tungen bzw. Transpositionen. Über Inhalt und Wirkung der im Ausland erworbenen Rechte und Pflichten entscheidet aber grundsätzlich das neue Statut. Hierzu ausführlich *Kropholler*, IPR, ^{6}2006, § 54 III (S. 559 f.) und §27 (S. 187 ff.). *Kropholler* führt hier das Beispiel aus, dass ein in Frankreich bestehendes besitzloses Pfandrecht an einem LKW beim Grenzübertritt nach Deutschland auch hier anerkannt wird. Da das deutsche Recht aber kein besitzloses Pfandrecht im engeren Sinne kennt, finden die Vorschriften der Sicherungsübereignung Anwendung (siehe dazu insbes. BGH, v. 11-03-1991 – II ZR 88/90 – *Italienische Autohypothek*).

691 Siehe hierzu die Funktionen der kollektiven Rechtewahrnehmung in *Teil 1, Kapitel 1, B.*

Auf Nutzerseite ändert sich hingegen nicht viel. Nutzer wenden sich an eine Verwertungsgesellschaft, sofern diese ihnen eine Lizenz für alle relevante Nutzungsgebiete einräumen kann, andernfalls werden sie weiterhin eine territorial begrenzte Lizenzierung über eine Vielzahl von Verwertungsgesellschaften vornehmen. In keinem der Fälle wird ein Lizenznehmer die Berechtigung der Verwertungsgesellschaft zur Wahrnehmung im Bezug auf einzelne Rechte hinterfragen.[692] Damit birgt die Anwendung des Ursprungslandprinzips auf urheberrechtliche Fragen – insbesondere auf die Frage der originären Rechteinhaberschaft – ein Potential zur Erleichterung des Rechtsverkehrs im Bereich der kollektiven Rechtewahrnehmung. Denn es kann den Verwertungsgesellschaften selbst den Erwerb multiterritorialer Rechte vereinfachen und so ihre Stellung als Zentralstellen der Mehrstaatenlizenzierung stärken.

Geht es allein um die Bestimmung der originären Rechteinhaberschaft, greift der Verweis auf eine zentrale Rechtsordnung auch nicht in das Ordnungsinteresse der Staaten ein. Zwar weisen Fragen der Gewährung und Begrenzung von Rechten des geistigen Eigentums eine wirtschaftliche und wettbewerbliche Dimension auf, welche in den Bereich der Wettbewerbspolitik der Staaten fällt, doch drückt sich diese kaum in der originären Zuordnung des Rechts aus.[693] Geht es um die originäre Rechteinhaberschaft, kommen eher kulturelle Vorstellungen über das Urheberrecht und seine Funktionen zum Ausdruck, die mit dem Kunst- und Kulturverständnis sowie der Tradition der jeweiligen Nationalstaaten verbunden ist.[694] Beides,

---

692 Einen gutgläubigen Erwerb von Nutzungsrechten gibt es nach allg. Auffassung allerdings nicht. Der Schadensersatzanspruch setzt zwar Verschulden voraus, dabei unterliegen Verwerter aber einer sehr weitreichenden Prüfpflicht. Siehe exemplarisch *von Wolff/Bullinger*, in: Wandtke/Bullinger (Hrsg.), Praxiskommentar Urheberrecht, [6]2022, § 97, Rn. 52.

693 *Drexl*, in: von Hein (Hrsg.), MüKo IPR II, [8]2021, Rom II-VO Art. 8 Rn. 15 ff.; *ders.*, in: Torremans (Hrsg.), Copyright Law, 2007, S. 255, 260; *Landes/Posner*, JLS 18 (1989), 325, 326 ff.

694 *Metzger*, JZ 65 (2010), 929, 933. Gerade wenn es um Begrenzungen des Urheberrechts zur Gewährleistung seiner wirtschaftlichen Funktion oder um Begrenzungen aufgrund der Sozialbindung des (geistigen) Eigentums geht, haben die (Verbands-)Staaten nach wie vor einen relativ breiten Spielraum bei der Ausgestaltung des Rechts. Zur RBÜ exemplarisch *Schack*, Urheber- und Urhebervertragsrecht, [9]2019, Rn. 962 ff. Grundsätzlich ist auch die Frage der (ersten) Rechteinhaberschaft eng mit wirtschaftlichen und kulturellen Grundentscheidung der Staaten verbunden. So kann die Grundsatzfrage lauten, ob ein primär wirtschaftlich geprägtes Recht geschaffen wird, dessen Inhaberschaft von Beginn an den wirtschaftlich Verantwortlichen zusteht und das in seiner Verkehrsfähigkeit wie andere wirtschaft-

wirtschafts- und kulturpolitische Vorstellung, lassen sich jedoch auch innerhalb der einheitlichen Anknüpfung gesondert berücksichtigen, soweit sie zwingend ausgestaltet sind und nach Durchsetzung in internationalen Konstellationen verlangen. Mit diesem Ansatz schaffen auch die Kyoto Guidelines einen Brückenschlag zwischen Universalisten und Anhängern des Schutzlandprinzips.[695]

(2) Übertragung der Argumente für das Ursprungslandprinzip auf das Urheberrecht im schrankennahen Bereich

Entscheidender als die Frage der (ersten) Rechteinhaberschaft des Ausschließlichkeitsrechts ist im Bereich der kollektiven Rechtewahrnehmung jedoch die Anwendung des Ursprungslandprinzips auf all jene Bereiche, in denen das Urheberrecht als Regulierungsrecht und als Wettbewerbspolitik der Staaten in den Vordergrund rückt. Ganz eindeutig gehören hierzu der Inhalt und die Schranken des Urheberrechts.[696] In all diesen Fällen gilt unbestritten das Schutzlandprinzip. Inhalt und Schranken des Urheberrechts stellen ein aufeinander abgestimmtes System zum Ausgleich der Interessen zwischen Urhebern, Rechteinhabern, Werkvermittlern und Endnutzern dar. Eigentumsinteressen werden mit Zugangs-, Nutzungs- und Wettbewerbsinteressen Dritter in Einklang gebracht. Ihre Zugehörigkeit zum Kernbereich der nationalen Wirtschaftsordnung äußert sich in

---

liche Positionen behandelt wird; oder ob das Urheberrecht vor allem ein Recht der Schöpfer sein soll, in dem sich ihre Kreativität ausdrückt. Dies ist eine Frage des kulturellen Rechtsverständnisses, welche bei einheitlicher Anknüpfung des Urheberrechts der Regelungsbefugnis der Staaten weitgehend entzogen würde. Entsprechend sah sich die französische *Cour de cassation* dazu gezwungen, zur Durchsetzung des Urheberpersönlichkeitsrecht von einer einheitlichen Anknüpfung abzuweichen und trotz gegenteiligem Kollisionsrecht auf die Frage der Einwirkungsmöglichkeit des Urhebers bei Gestaltung seines Werkes französisches Recht zur Anwendung zu bringen (Cour de cassation, 28 Mai 1991, Joint les pourvois n° 89–19.725 et n° 89–19.522 – *John Huston*, Bulletin 1991 I N° 172 p. 113, inzwischen Cour de cassation v. 10.4.2013, N°. 11–12508, ECLI:FR:CCASS:2013:C100347 – *Fabrice X v. ABC News Intercontinental*).

695 Siehe die Ausweichklausel in Guideline 20(2)(b), mit Kommentierung veröffentlich in JIPITEC 12 (2021), 44, Rn. 19 f.

696 *Drexl*, in: von Hein (Hrsg.), MüKo IPR II, ^{8}2021, Rom II-VO Art. 8 Rn. 234; *Katzenberger/Metzger*, in: Schricker/Loewenheim (Hrsg.), Urheberrecht, ^{5}2017, Vor §§ 120 ff. Rn. 125; *Metzger*, JZ 65 (2010), 929, 934; *Schack*, Urheber- und Urhebervertragsrecht, ^{9}2019, Rn. 1046 f.

Deutschland unter anderem dadurch, dass sie im Zusammenhang mit dem verfassungsrechtlich geschützten Eigentum, der Inhaltsbestimmung und der Sozialbindung des Eigentums nach Art. 14 Abs. 1 bzw. Abs. 2 GG diskutiert werden.[697] Ein konkretes Beispiel europäischer Urheberrechtsregulierung vor dem Hintergrund sozialer und kultureller Erwägungen bei der auf die Tätigkeit von Verwertungsgesellschaften zurückgegriffen wird, ist Art. 5 der Vermiet- und Verleihrichtlinie (RL 2006/115/EG). Gemäß Art. 5 Abs. 1 haben Urheber und ausübende Künstler grundsätzlich einen Anspruch auf angemessene Vergütung. Dieser ist gemäß Abs. 2 unverzichtbar und kann gemäß Abs. 3 zur Wahrnehmung an Verwertungsgesellschaften überragen werden. Dadurch sollen die Urheber und ausübenden Künstler vor einem Ausverkauf ihrer Rechte bewahrt werden.[698]

b) Kollisionsrechtliche Ableitungen

Ein genereller Rückschluss vom urheberrechtlichen Kollisionsrecht auf das Kollisionsrecht der kollektiven Rechtewahrnehmung ist zwar nicht möglich, ein Gleichlauf scheint jedoch zunächst sinnvoll, da das Urheberrecht nicht nur der Tätigkeitsgegenstand der Verwertungsgesellschaften ist, sondern auch eine weitreichende inhaltliche Verflechtung beider Rechtsgebiete erkannt wurde.

Insbesondere im Bereich der Schranken ist die gegenseitige Inbezugnahme von Urheberrecht und Verwertungsgesellschaftsrecht offensichtlich. Verwertungsgesellschaften nehmen beim Versuch des Interessenausgleichs im Urheberrecht eine wesentliche Rolle ein und sie können in vielen Aspekten selbst den Schranken des Urheberrechts zugeordnet werden.[699] Dies gilt nicht nur dort, wo Verwertungsgesellschaften ausdrücklich in einer urheberrechtlichen Schrankenvorschrift angesprochen werden – etwa um gesetzliche Vergütungsansprüche wahrzunehmen –, sondern auch dort, wo eine Rechtewahrnehmung durch Verwertungsgesellschaften urheberrecht-

---

697 *Dreier*, in: Dreier/Schulze (Hrsg.), Urheberrechtsgesetz, ^{7}2022, Vor § 44a., Rn. 1 f. Zur Abkehr von einer naturrechtlich-rechtsphilosophischen Argumentation im Geistigen Eigentum, hin zum Verständnis des Geistigen Eigentums als rechtspolitisches Steuerungsinstrument ab der zweiten Hälfte des 19. Jahrhunderts *Klippel*, ZGE 7 (2015), 49, 64 ff.

698 Siehe auch Erwägungsgrund 12 der Richtlinie. Zur Vorgängerrichtlinie (92/100/EWG): *Drexl*, in: Torremans (Hrsg.), Copyright Law, 2007, S. 255, 262 f.; *Towse*, J Economic Surveys 20 (2006), 567, 573.

699 *Nérisson*, in: Liu/Hilty (Hrsg.), Remuneration of copyright owners, 2017, S. 71, 73 f.

lich nicht vorgesehen ist. Auf der Lizenzierungsseite kommt speziell dem Lizenzierungszwang und den damit in Zusammenhang stehenden Pflichten – also der Tarifbindung, Tarifkontrolle und den verschiedenen Informationspflichten – Schrankenqualität zu. Genauso wie im oben beschriebenen schrankennahen Bereich des Urheberrechts zeigt sich hier für das Verwertungsgesellschaftsrecht der Charakter als (nationale) Kultur- und Wettbewerbspolitik, welche durch die Anwendung des Ursprungslandprinzips unterlaufen würde. Zugleich ist die Geltung des Schutzlandprinzips nirgendwo so unumstritten wie im Bereich der Schranken. Hier wird der rechtspolitische und marktgestaltende Charakter des Urheberrechts am deutlichsten.

Geht es jedoch um den unmittelbaren Gleichlauf von internationalem Urheberrecht und internationalem Verwertungsgesellschaftsrecht aufgrund des Gegenstands der Tätigkeit von Verwertungsgesellschaften, so hat die Analyse gezeigt, dass ein universaler Ansatz im Urheberrecht auch auf Ebene der kollektiven Rechtewahrnehmung Vorteile bringen kann. Grundsätzlich kann eine einheitliche Anknüpfung im Urheberrecht die Rechtewahrnehmung vereinfachen, da Verwertungsgesellschaften nur noch einmal werkbezogen nach dem anwendbaren Sachrecht fragen müssen. Konkrete Rückschlüsse auf das Kollisionsrecht der kollektiven Rechtewahrnehmung lässt auch dies jedoch noch nicht zu. Denn erstens wurde das Prinzip der einheitlichen Anknüpfung nur für eng umgrenzte Fragen des Urheberrechts befürwortet, zweitens ist noch nicht gesagt, dass der herausgearbeitete Systemzusammenhang von Verwertungsgesellschaftsrecht und Urheberrecht einen zwingenden Gleichlauf erfordert und dass die kollisionsrechtliche Logik hinter beiden Bereichen deckungsgleich ist. Dennoch lassen sich die grundsätzlichen Denkansätze zur Begründung des Universalitätsprinzips auf die kollektive Rechtewahrnehmung übertragen. Dabei ist dann jedoch erstens an die Ebene der Verwertungsgesellschaften zu denken – sie stehen im Zentrum der Betrachtung und so sollte von ihnen und nicht vom Urheberrecht oder dem Schöpfer der Anknüpfungspunkt für einen „Ursprung" ausgehen –; zweitens ist nicht nur das Urheberrecht zu betrachten, sondern die Tätigkeit der Verwertungsgesellschaften, also Wahrnehmung, Lizenzierung, Einziehung, Verteilung etc. Denn auch aus Sicht der Verwertungsgesellschaften gilt durchaus, dass die Anwendung nur eines Rechts dem *Prinzip der geringsten Störung* am besten entspricht. Unterlägen Verwertungsgesellschaften nur einem regulierungsrechtlichen Rahmen und könnten auf dessen Grundlage grenzüberschreitend tätig werden, würde dies die Kosten für die Informationsbeschaffung in Bezug auf das Recht und die Kosten der Anpassung an das jeweilige Recht senken.[700] Dies betrifft die Anpassung an verschiedene Rechtsstandards im Handeln gegenüber den Nutzern und Rechteinhabern.[701]

Letztlich ist zu sehen, dass das „Sitzlandprinzip" auf Ebene der Verwertungsgesellschaften mit dem Ursprungslandprinzip im Urheberrecht zwar die Idee der einheitlichen Anknüpfung teilt, dabei ist der jeweilige Anknüpfungspunkt jedoch verschieden. Grundlegende Effizienzüberlegungen lassen sich teilweise übertragen, jedoch sind aufgrund der unterschiedlichen Anknüpfungspunkte auch die Anknüpfungsgegenstände streng voneinander abzugrenzen. Dies gilt unabhängig davon, ob man im Urheberrecht dem Schutz- oder dem Ursprungslandprinzip folgt. Zentral wird damit neben der Entwicklung von Statuten – sogleich wird es u.a. um ein mögliches Wahrnehmungsstatut gehen – ihre Abgrenzung gegeneinander und die Qualifikation der typischen Rechtsfragen im Verwertungsgesellschaftsrecht.

3) Zwischenfazit

Die vorgenommene Untersuchung hat ergeben, dass das internationale Urheberrecht nach wie vor von der Territorialität der Rechte geprägt ist und kollisionsrechtlich von der Anwendung des Schutzlandprinzips beherrscht

700 *Roth*, in: Dauner-Lieb (Hrsg.), Systemwechsel im europäischen Kollisionsrecht, 2002, S. 47, 56 f.

701 Zu den Mitglieder- und rechteinhaberbezogenen Pflichten zählen namentlich die Mitwirkungsrechte der Mitglieder, die Anforderungen an die Verteilung der Einnahmen, Transparenzpflichten gegenüber den Rechteinhabern und die Voraussetzungen der Kündigung des Wahrnehmungsvertrags. Hinsichtlich mancher dieser Fragen könnten unterschiedliche Standards, die bei grenzüberschreitender Tätigkeit mit der Übertragung der Prinzipien der *lex loci protectionis* kumulativ zur Anwendung kämen, sogar zu unauflösbaren Normwidersprüchen führen. Zu den nutzerbezogenen Pflichten gehören der Lizenzierungszwang und die Bedingungen der Lizenzierung, Informations- und Transparenzpflichten sowie die Vermutungen der Rechtewahrnehmung. Gerade der Abschlusszwang und die Tarifkontrolle sind materiell- und verfahrensrechtlich international unterschiedlich ausgestaltet. So gibt es selbst in jenen Staaten, die ein spezielles Regulierungsregime zur Tarifkontrolle entwickelt haben, sehr unterschiedliche Ansätze diese Kontrolle herbeizuführen. Gängig sind unter anderem Modelle der kollektiven Verhandlungen zwischen Verwertungsgesellschaften und Nutzervereinigungen, eine behördliche Kontrolle der Tarife, Systeme der Mediation und Schlichtung vor spezialisierten Schiedsgerichten in denen unterschiedliche Interessenvertreter repräsentiert werden, vor spezialisierten Gerichten oder in Mischformen dieser Varianten (*Drexl*, Copyright, Competition and Development, 2013, S. 246).

wird. Zugleich können sich Territorialität und *lex loci protectionis* vor dem Hintergrund europäischer und internationaler Verwertungsbedürfnisse als Erschwernis erweisen. Die kollisionsrechtliche Alternative im Urheberrecht, das Ursprungslandprinzip, wird daher von vielen Autoren als willkommener Gegenentwurf zur territorialen Zersplitterung der Rechte (und möglicherweise auch der Rechtewahrnehmung) aufgefasst. Unmittelbare Rückschlüsse auf das Kollisionsrecht der kollektiven Rechtewahrnehmung erlaubt dies aber nicht.

Was für diese Arbeit von Interesse bleibt, ist die Idee der einheitlichen Anknüpfung im urheberrechtlichen und urheberrechtsnahen Bereich. Die Grundidee der einheitlichen Anknüpfung zur Stärkung der Verkehrsfähigkeit der Rechte lässt sich durchaus auf die Ebene der Verwertungsgesellschaften übertragen, denn unzweifelhaft bedeutet die Anwendung nur eines regulierungsrechtlichen Rahmens eine Erleichterung für die grenzüberschreitende Betätigung von Verwertungsgesellschaften und folgt im Ausgangspunkt dem kollisionsrechtlichen *Prinzip der geringsten Störung*. Aufgrund der unterschiedlichen Anknüpfungspunkte sind auch die Anknüpfungsgegenstände streng voneinander abzugrenzen. Zentral wird damit neben der Entwicklung von Statuten, ihre Abgrenzung gegeneinander und vor allem die Qualifikation der typischen Rechtsfragen im Verwertungsgesellschaftsrecht.

Andererseits hat die Analyse eine Übertragung der kollisionsrechtlichen *lex loci protectionis* auf die Verwertungsgesellschaftsebene nahegelegt. Dies galt namentlich in jenen Bereichen, in denen die Funktionen der Verwertungsgesellschaften schrankenähnlich sind und in denen sich ihre Tätigkeit somit als besonders urheberrechtsnah erweist. Betrachtet man die maßgeblichen wirtschafts- und kulturpolitischen Argumente für die Anwendung der *lex loci protectionis*, welche auch von Vertretern des Ursprungslandprinzips – vor allem im Bereich der Schranken des Urheberrechts – anerkannt werden, zeigt sich eine weitgehende Übertragbarkeit des Gedankengerüsts auf das Verwertungsgesellschaftsrecht. Denn auch das Verwertungsgesellschaftsrecht ist eine Materie, welche dem Interessenausgleich im Urheberrecht dient und so ist der Rechtsrahmen für Verwertungsgesellschaften gleichsam von kultur- und wirtschaftspolitischen Erwägungen geprägt. Besonders deutlich wird dies bei den Verpflichtungen der Verwertungsgesellschaften gegenüber den Rechtenutzern, denen in ihrer Wirkung gleichfalls Schrankenqualität zukommt.

III. Alternative Statuten für die Bildung eines Kollisionsrechts der kollektiven Rechtewahrnehmung – Reichweite der Schutzlandanknüpfung im Urheberrecht

Zwar konzentrierten sich die vorherigen Ausführungen auf die Identifikation der Funktionszusammenhänge zwischen Urheberrecht und Verwertungsgesellschaftsrecht, aus denen sich die Annahme eines Gleichlaufs beider Materien in kollisionsrechtlicher Hinsicht ergeben kann, jedoch sind weitere Differenzierung bei der Betrachtung der Rechtsverhältnisse erforderlich. Materiell- wie kollisionsrechtlich ist das Wahrnehmungsrecht nicht lediglich der verlängerte Arm des Urheberrechts und nicht alle Rechtsbeziehungen der Verwertungsgesellschaften sind ausschließlich urheberrechtlich zu verstehen. Vielmehr sind sie vertraglich geprägt und zugleich lässt sich ihnen eine spezifische und eigenständige wahrnehmungsrechtliche Dimension entnehmen, die eine besondere kollisionsrechtliche Behandlung rechtfertigt. Die Rechtsmaterie Verwertungsgesellschaftsrecht steht auch selbständig und unabhängig neben dem Urheberrecht. Daraus ergibt sich, dass sich die kollektive Rechtewahrnehmung im Bereich dreier Statuten bewegt – dem Vertragsstatut, dem Urheberrechtsstatut und dem Wahrnehmungsstatut. Letzteres, das Wahrnehmungsstatut, ist ein bislang unbeschriebenes Statut.

1) Wahrnehmungsstatut

Der Geltungsbereich eines so begründeten Wahrnehmungsstatuts ist vor allem in Abgrenzung zum Urheberrechts- und zum Vertragsstatut zu entwickeln. Klar ist allerdings, dass das Wahrnehmungsstatut spezifisch verwertungsgesellschaftsrechtliche Verhältnisse aufgreifen sollte und sich dadurch vom allgemein anerkannten Gesellschaftsstatut oder Personalstatut der Gesellschaften unterscheidet. Im Gegensatz zum international privatrechtlichen Gesellschaftsstatut geht es beim Wahrnehmungsstatut nicht um typisch gesellschaftsrechtliche Fragen wie die Entstehung der Gesellschaft bzw. Kooperation, ihre Rechtsfähigkeit, die innere Verfassung, die internen Beziehungen zwischen der Gesellschaft und ihren Mitgliedern sowie deren Beziehung untereinander. Auch geht es nicht um die Vertretung nach außen, um Haftungsfragen oder die Auflösung, Abwicklung und Beendigung der Gesellschaft,[702] sondern um das besondere Treuhandverhältnis zwischen Rechteinhabern, sonstigen Berechtigten und der Verwertungsgesellschaft. Auch andere Rechtsbeziehungen der Verwertungsgesellschaften, insbesondere mit den Rechtenutzern, können vom Wahrnehmungsstatut erfasst werden. Dies ist im Verlauf der Arbeit näher zu untersuchen.[703]

Aus diesem in seiner Reichweite näher zu bestimmenden Wahrnehmungsstatut sollte eine Verweisung auf das Recht des Sitzlandes der Verwertungsgesellschaft folgen, wie sie auch weitestgehend dem öffentlich-rechtlichen Anwendungsbereich des Verwertungsgesellschaftsrechts zugrunde liegt.[704] Die Berufung auf das Recht des Sitzlandes der Verwertungsgesellschaft verwirklicht die Unterscheidung des Wahrnehmungsstatuts vom auswirkungsbezogenen Urheberrechtsstatut einerseits sowie vom Vertragsstatut andererseits und gibt ihm eigenständige Bedeutung. Die Anwendung des Sitzlandrechts zeigt sich liberaler als die Anwendung der *lex loci protectionis*, über die im grenzüberschreitenden Massenverkehr eine Vielzahl von Rechtsordnungen zur Anwendung kommen. Es ist zugleich strenger als das Vertragsstatut, weil die Wahl eines günstigeren Rechts nicht möglich ist.

2) Vertragsstatut

Verwertungsgesellschaften lassen sich Rechte zur kollektiven Wahrnehmung einräumen und lizenzieren diese an interessierte Nutzer. Grundsätzlich erfolgt dies in beiden Fällen auf der Grundlage vertraglicher Rechtsbeziehungen. Dies spricht für eine weitreichende Geltung des Vertragsstatuts im Verwertungsgesellschaftsrecht. Doch ist die Abgrenzung zwischen Urheberrecht und Urhebervertragsrecht sowie auf Kollisionsebene zwischen Urheberrechtsstatut und Vertragsstatut nicht einfach und weitgehend umstritten. Genauso scheint für Verwertungsgesellschaften unklar, welche Beziehungen sich auf vertragliche Schuldverhältnisse gründen und welche Rechte und Pflichten nicht vertraglicher Natur sind. Das Territorialitätsprinzip determiniert nur das *Urheberrecht als solches*, nicht das Vertrags-

---

702 *Kindler*, in: von Hein (Hrsg.), MüKo IPR II, ^{8}2021, IntGesR, Rn. 522.

703 Siehe insbes. Abschnitt *F.*

704 Für ein Wahrnehmungsstaut, welches auf das Sitzlandrecht der Verwertungsgesellschaft verweist auch *Drexl*, in: von Hein (Hrsg.), MüKo IPR II, ^{8}2021, Rom II-VO Art. 8 Rn. 248.

recht. Territorial sind die Rechte an sich, nicht die Verträge, welche sie betreffen.[705]

a) Wirkung des Vertragsstatuts

Für das internationale Urhebervertragsrecht gilt die privatrechtstypische Parteiautonomie.[706] Das bedeutet die Vertragsparteien können das auf den Vertrag anwendbare Recht nach Art. 3 Abs. 1 Rom I-VO frei wählen. Fehlt es an einer Rechtswahl, gilt das Recht des Staates, in welchem diejenige Vertragspartei, welche die charakteristische Leistung zu erbringen hat, ihren gewöhnlichen Aufenthalt oder ihre Hauptverwaltung hat (Art. 4 Abs. 2 i.V.m. 19 Abs. 1 Rom I-VO). Grundsätzlich wird die charakteristische Leistung bei Lizenzverträgen in der Gewährung der Lizenz oder Einräumung eines Nutzungsrechts gesehen, sodass das Recht des gewöhnlichen Aufenthaltsorts des Schutzrechtsinhabers bzw. Lizenzgebers anzuwenden ist.[707] Trifft den Rechteverwertern hingegen eine Ausübungspflicht, ist regelmäßig „sein Recht" anwendbar.[708] Außerdem kann die Masse der Rechtsgeschäfte eine Rolle spielen. So hat ein Verleger ein Interesse daran, die ihn betreffenden Massengeschäfte nach einer einzigen Rechtsordnung abwickeln zu können.[709] Allgemein, ohne zu differenzieren und ohne Besonderheiten zu berücksichtigen, gilt hinsichtlich der Vertragsverhältnisse der Verwertungsgesellschaften in beide Richtungen also nach Art. 4 Abs. 2 i.V.m. Art. 19 Abs. 1 Rom I-VO das Recht des Staates ihrer Hauptverwaltungen.[710] Denn

---

705 *Katzenberger*, in: Beier/Götting/Lehmann u.a. (Hrsg.), Urhebervertragsrecht, 1995, S. 225, 247 – *Katzenberger* spricht von dem *Urheberrecht als solches*.

706 *Dreier*, in: Dreier/Schulze (Hrsg.), Urheberrechtsgesetz, ^{6}2018, Vor. § 120, Rn. 49.

707 *Ders.*, in: Dreier/Schulze (Hrsg.), Urheberrechtsgesetz, ^{6}2018, Vor. § 120, Rn. 52.

708 *Schack*, Urheber- und Urhebervertragsrecht, ^{9}2019, Rn. 1287. Gleiches kann gelten, wenn ihm eine ausschließliche Lizenz eingeräumt wird, weil die in der Regel mit einer Ausübungsverpflichtung (Sorge für Herstellung, Vertrieb, Wiedergabe) das Vertragsverhältnis eher prägt) einhergeht (*Martiny*, in: von Hein (Hrsg.), MüKo IPR II, ^{8}2021, Rom I-VO, Art. 4, Rn. 253 *Raue*, in: Dreier/Schulze (Hrsg.), Urheberrechtsgesetz, ^{7}2022, Vor. §§ 120 ff UrhG, Rn. 74). Differenzierender gehen die Kyoto Guidelines in Guidelin2 22 vor.

709 *Kegel/Schurig*, Internationales Privatrecht, ^{9}2004, S. 660.

710 Findet sich keine Anknüpfung nach Abs. 2, so gilt Art. 4 Abs. 4 Rom I-VO – der Vertrag unterliegt dem Recht des Staates, zu dem er die engste Verbindung aufweist. In Einzelfällen kann schließlich Art. 4 Abs. 3 Rom I-VO trotz vertragscharakteristischer Leistung auf einer Seite greifen, wenn der Vertrag eine offensichtlich engere Verbindung zu einem anderen Staat aufweist. In der Entscheidung BGH, v.

für Verwertungsgesellschaften stellt sich die Rechtewahrnehmung gegenüber den Rechteinhabern als Massengeschäft dar. Zugleich sind sie zur Ausübung des Urheberrechts im Sinne der Wahrnehmung regelmäßig verpflichtet. Gleiches gilt gegenüber den Nutzern – auch ihnen gegenüber ist die Einräumung der Rechte ein Massengeschäft. Exklusivrechte (mit Ausübungspflicht) können über Verwertungsgesellschaften nicht erworben werden. Geht es um die kollektive Rechtewahrnehmung ist die vertragstypische Leistung nicht die Rechteeinräumung an die Gesellschaft, sondern die Wahrnehmungstätigkeit bzw. -dienstleistung der Verwertungsgesellschaften gegenüber dem Rechteinhaber. Nicht so leicht zu bestimmen ist die vertragscharakteristische Leistung im Fall der Gegenseitigkeitsverträgen zwischen Verwertungsgesellschaften, da beide Gesellschaft hier grundsätzlich gleiche Leistungen erbringen.[711]

Probleme bei der Beurteilung des urheberrechtlichen Vertragsstatuts können sich aufgrund potentieller Eingriffsnormen im Urhebervertragsrecht und aufgrund der Wechselwirkungen zwischen Internationalem Urheberrecht und Internationalem Urhebervertragsrecht ergeben. Zugleich sind der allgemeine ordre public-Vorbehalt nach Art. 6 EGBGB bzw. Art. 21 Rom I-VO und die angesprochenen Eingriffsnormen nach Art. 9 Rom I-VO die einzigen Möglichkeiten, inländische Vorschriften des Urhebervertragsrechts gegenüber einem frei gewählten oder objektiv bestimmten ausländischen Vertragsstatut durchzusetzen.[712] Als wenig wirksam erweisen sich diese Auffanginstrumente allerdings, wenn ein ausländisches Gericht mit einer urhebervertragsrechtlichen Streitigkeit befasst ist, da Gerichte grundsätzlich nur inländischen Eingriffsnormen zur Geltung verhelfen.[713] Durch

---

24.9.2014 – I ZR 35/11, Rz 43 – *Hi Hotel II* stellte der BGH nicht auf die vertragscharakteristische Leistung, sondern direkt auf den Ort der engsten Verbindung ab. Dies erfolgte jedoch auf Grundlage des alten Art. 28 EGBGB, der ein „flexibleres" Verhältnis zwischen dem Ort der „engsten Verbindung" und der „vertragscharakteristischen" Leistung vorsah. Der Ort der „engsten Verbindung" war nur in der Regel (bzw. nach Vermutung) derjenige des Aufenthalts der Person, welche die charakteristische Leistung zu erbringen hat. Art. 4 Abs. 3 Rom I-VO steht hingegen untergeordnet im Rangverhältnis mit Abs. 2 (*Martiny*, in: von Hein (Hrsg.), MüKo IPR II, [8]2021, Rom I-VO, Art. 4, Rn. 290).

711 Dazu unter G.

712 *Schack*, Urheber- und Urhebervertragsrecht, [9]2019, Rn. 1291. Hierzu auch *ders.*, in: Lorenz (Hrsg.), Festschrift für Andreas Heldrich zum 70. Geburtstag, 2005, S. 997 ff. und *Wille*, GRUR Int. 2008, 389 ff.

713 *Schack*, Urheber- und Urhebervertragsrecht, [9]2019, Rn. 1291; *Hilty/Peukert*, GRUR Int. 2002, 643, 657 f.

Eingriffsnormen lässt sich also nur in begrenztem Maße die Anwendung für solche Normen sicherstellen, „deren Einhaltung [...] als so entscheidend für die Wahrung [des] öffentlichen Interesses [...] angesehen wird, dass sie ungeachtet des [...] auf den Vertrag anzuwendenden Rechts auf alle Sachverhalte anzuwenden [sind], die in ihren Anwendungsbereich fallen" (Art. 9 Abs. 1 Rom I-VO).[714]

b) Abgrenzung vom Urheberrechtsstatut

Problematisch ist die Abgrenzung von Urheber- und Urhebervertragsrecht. Ganz allgemein lässt sich festhalten, dass das Urheberrechtsstatut für alle Fragen gilt, die das Entstehen, den Schutzbereich sowie die Verletzung des Rechts, einschließlich der sich daraus ergebenden Rechtsfolgen betreffen.[715] Für diese Arbeit von Bedeutung ist, dass nach h.M. der konkrete Inhalt des Verbotsrechts, das Erlöschen des Rechts und die Schranken von der Schutzlandanknüpfung des Art. 8 Abs. 1 Rom II-VO erfasst werden, da sie den Grund und Inhalt der Haftung im Sinne von Art. 15 lit. a Rom II-VO konstituieren.[716] Der Bestand des Urheberrechts selbst und Fragen der Rechtsinhaberschaft unterfallen nach h.M. dem autonomen Kollisions-

714 Zur Wirkung von Eingriffsnormen im Internationalen Wirtschaftsrecht *A, I., 1.).*

715 *Drexl*, in: von Hein (Hrsg.), MüKo IPR II, [8]2021, Rom II-VO Art. 8 Rn. 200. *Grünberger*, in: Hüßtege/Mansel (Hrsg.), Rom-Verordnungen, [3]2019, Art. 8 Rom II–VO, Rn. 49 ff. Dem Geltungsbereich von Art. 8 Abs. 1 Rom II-VO unterfallen insbesondere der Schutzumfang des Urheberrechts, die Anspruchsvoraussetzungen und die Ausgestaltung des Anspruchs. Er wird in Art. 15 Rom II-VO teilweise konkretisiert, wobei die dort aufgeführte Liste nicht abschließend ist.

716 Überzeugend *Leistner*, demzufolge abgrenzbare vorgelagerte Fragen, wie das Bestehen des Rechts, die erste Inhaberschaft sowie die Übertragung und Übertragbarkeit, nicht von Art. 8 Rom II-VO, sondern vom autonomen Kollisionsrecht erfasst werden (*Leistner*, in: Leible/Ohly (Hrsg.), Intellectual property and private international law, 2009, S. 97, 103 f.). Wohingegen sich insbes. *Grünberger* aufgrund der fehlenden Trennbarkeit von Grund und Inhalt der Haftung sowie Fragen des Inhalts und Umfangs des Rechts (insbesondere der Schranken) für einen weiteren Anwendungsbereich von Art. 8 Abs. I Rom II-VO ausspricht. Die verletzende Handlung bilde im Immaterialgüterrecht demnach eine Einheit mit Fragen des Inhalts und Umfangs des Rechts (*Grünberger*, in: Hüßtege/Mansel (Hrsg.), Rom-Verordnungen, [3]2019, Art. 8 Rom II–VO, Rn. 52 ff.).

recht und damit nach deutschem Verständnis ebenfalls grundsätzlich dem Schutzlandprinzip.[717]

Das Vertragsstatut entscheidet demgegenüber nach Art. 10 Abs. 1 Rom I-VO über das Zustandekommen und die Wirksamkeit des Vertrages. Es ist nach Art. 12 Rom I-VO für die Auslegung, die Erfüllung, die Folgen der Nichterfüllung, das Erlöschen und die Nichtigkeit des Vertrages sowie für die daraus resultierenden Rechtsfolgen verantwortlich.[718] Die Beurteilung von Willensmängeln unterliegt ebenfalls dem Vertragsstatut; bedingen sie die Anfechtbarkeit oder die Ungültigkeit des Vertrages, gilt dies sowohl für die Pflichten der Parteien als auch für die Übertragung und Einräumung von Rechten.[719] Sehr komplex ist die Beurteilung von Verfügungen über das Urheberrecht. Im Urheberrecht ist zwischen Verträgen über bloße Nutzungen im Sinne klassischer Lizenzverträge und Verträgen, die die Übertragung des Rechts zum Gegenstand haben, zu unterscheiden. Die Rechte und Pflichten der Parteien sind stets Gegenstand einer schuldrechtlichen Vereinbarung, geht es um die Übertragung von Rechten tritt jedoch eine dingliche Komponente in den Vordergrund. Diese Frage nach der nur schuldrechtlichen oder auch dinglichen Wirkung von Verträgen im Immaterialgüterrecht wird unter den Begriffen Trennungs- und Einheitstheorie diskutiert. Weitgehend anerkannt ist, dass über die Übertragbarkeit eines Rechts an sich in Parallele zur *lex loci protectionis* das Recht des Landes entscheidet, dessen Recht bzw. für das ein Recht übertragen werden soll.[720] Hinsichtlich der Art und Weise der Erfüllung ist nach Art. 12 Abs. 2 Rom I-VO jedoch das Recht des Erfüllungsortes zu berücksichtigen.[721] Dem Vertragsstatut zu entnehmen, sind schließlich gesetzliche Vermutungen sowie

---

717 *Welser*, in: Wandtke/Bullinger (Hrsg.), Praxiskommentar Urheberrecht, [6]2022, Vor §§ 120 ff. Rn. 4; *Drexl*, in: von Hein (Hrsg.), MüKo IPR II, [8]2021, Rom II-VO Art. 8 Rn. 184; *Leistner*, in: Leible/Ohly (Hrsg.), Intellectual property and private international law, 2009, S. 97, 103 f.

718 *Dreier*, in: Dreier/Schulze (Hrsg.), Urheberrechtsgesetz, [6]2018, Vor. § 120, Rn. 49; *Welser*, in: Wandtke/Bullinger (Hrsg.), Praxiskommentar Urheberrecht, [6]2022, Vor §§ 120 ff. Rn. 21; zur Abgrenzung vom Urheberrechtsstatut siehe OLG Düsseldorf ZUM 2006, 326, 328 – *Marcel Breuer*, wobei die Entscheidung noch zum EGBGB erging.

719 *Ulmer*, Die Immaterialgüterrechte im internationalen Privatrecht, 1975, S. 56 f. (Nr. 79 f.).

720 Hierzu etwa *Drexl*, in: von Hein (Hrsg.), MüKo IPR II, [8]2021, Rom II-VO Art. 8 Rn. 194 f. und *Grünberger*, ZVglRWiss 2009, 134, 164.

721 *Dreier*, in: Dreier/Schulze (Hrsg.), Urheberrechtsgesetz, [6]2018, Vor. § 120, Rn. 49.

Beweislastregelungen hinsichtlich vertraglicher Schuldverhältnisse (Art. 18 Abs. 1 Rom I-VO).[722]

Die detaillierte Abgrenzung der verschiedenen Statuten wird bei der kollisionsrechtlichen Einordnung der einzelnen Rechtsverhältnisse und der Qualifikation der konkreten Rechtsfragen vorgenommen. Dabei wird auch auf die komplizierte Abgrenzung des Vertragsstatuts vom Wahrnehmungsstatut eingegangen, die sich insbesondere im Innenverhältnis der Verwertungsgesellschaften als schwierig erweist, wenn Regelungen des Wahrnehmungsvertrags und Verteilungsplans auf besondere Anforderungen an die kollektive Rechtewahrnehmung stoßen, die sich aus dem Verwertungsgesellschaftsrecht (bspw. §§ 23 ff. VGG) oder dem Urheberrecht (bspw. § 27a Abs. 1 VGG i.V.m. § 63a Abs. 1 UrhG oder § 87k Abs. 1 S. 1 UrhG) ergeben.[723]

IV. Zusammenfassung

Von einer inhaltlichen Nähe zwischen Verwertungsgesellschaftsrecht und Urheberrecht – sowie von der Funktionsbezogenheit des Verwertungsgesellschaftsrechts auf das Urheberrecht – wurde zunächst auf einen kollisionsrechtlichen Gleichlauf beider Materien geschlossen. Doch wurde schnell deutlich, dass weitere Differenzierungen erforderlich sind. Denn erstens zeigt sich die Urheberrechtsbezogenheit des Verwertungsgesellschaftsrechts nicht bei allen Rechten und Pflichten gleichermaßen, zweitens erfordert auch das Internationale Urheberrecht eine Abgrenzung zum Vertragsrecht. Diese Abgrenzung ist für Verwertungsgesellschaften ebenfalls von Bedeutung, denn auch ihre Tätigkeit erfolgt vor dem Hintergrund vertraglich begründeter Rechtsbeziehungen. Drittens sind den Verwertungsgesellschaften Besonderheiten zu eigen, die sich kaum mit diesen beiden gängigen Kategorien des Kollisionsrechts – Urheberrechts- und Vertragsstatut – erfassen lassen. Viertens hat eine ergebnisorientierte Betrachtung die Schwächen von Urheberrechts- und Vertragsstatut aufgezeigt. Während ersteres zur Anwendung des strengen bzw. starren „Schutzlandrechts“ führt

722 *Katzenberger/Metzger*, in: Schricker/Loewenheim (Hrsg.), Urheberrecht, ⁵2017, Vor §§ 120 ff. Rn. 160 f. und *Ulmer*, Die Immaterialgüterrechte im internationalen Privatrecht, 1975, S. 56 f. (Nr. 79 f.), zum alten Kollisionsrecht des EGBGB, zum Neuen *Dreier*, in: Dreier/Schulze (Hrsg.), Urheberrechtsgesetz, ⁶2018, Vor. § 120, Rn. 49 und *Welser*, in: Wandtke/Bullinger (Hrsg.), Praxiskommentar Urheberrecht, ⁶2022, Vor §§ 120 ff. Rn. 21.

723 Dazu insbesondere Abschnitt *E. I.*

und somit die Handlungsmöglichkeiten der Verwertungsgesellschaften im grenzüberschreitenden Urheberrechtsverkehr verengt, bewirkt letzteres das Gegenteil. Durch Rechtswahlfreiheit entsteht zwar maximale Flexibilität, gleichfalls aber nur minimale Regulierungseffektivität. Das Wahrnehmungsstatut mit seiner Bezugnahme auf das Sitzlandrecht der Verwertungsgesellschaften könnte sich hingegen als ein Zwischenweg erweisen, der einerseits einen „unverrückbaren" Regulierungsrahmen zur Anwendung bringt und andererseits die Idee der einheitlichen Anknüpfung aufgreift.

Eine pauschale Lösung für die Gesamtmaterie „Verwertungsgesellschaftsrecht" gibt es nicht. Sie würde auch dem Wesen des Verwertungsgesellschaftsrechts als eine heterogene Rechtsmaterie, die inmitten verschiedener Regelungsinstitute steht, nicht gerecht werden. Eine Lösung kann sich daher nur für die einzelnen typisierten Rechte und Pflichten innerhalb der verwertungsgesellschaftlichen Rechtsbeziehungen und ihrer kollisionsrechtlichen Qualifikation ergeben.

D. Übertragung auf einzelne Rechte und Pflichten im Verwertungsgesellschaftsrecht – die Kontrahierungspflichten der Verwertungsgesellschaften

Am Beginn dieser typisierten Pflichten stehen die Kontrahierungspflichten der Verwertungsgesellschaften, die gleichsam den Kern des deutschen und, wenn auch in abgeschwächter Form, des europäischen Wahrnehmungsrechts bilden. Wahrnehmungs- und Abschlusszwang der Verwertungsgesellschaften lassen sich als die jeweiligen Ausgangspunkte der Regulierung im Lizenz- und Wahrnehmungsverhältnis verstehen. Sie haben funktionsprägenden Charakter für das gesamte Wahrnehmungsrecht. Ihnen liegt zugleich besonders deutlich die Annahme eines Wettbewerbsdefizits zugrunde, auf welches regulierungsrechtlich reagiert werden soll.

I. Konstellationen mit Auslandsbezug

Mehrere Konstellationen mit Auslandsbezug[724] sind denkbar: Hinsichtlich des Wahrnehmungsverhältnisses kann es darum gehen, dass ein Rechte-

724 Zum Auslandsbezug siehe etwa: *Martiny*, in: von Hein (Hrsg.), MüKo IPR II, [8]2021, Rom I-VO, Art. 1, Rn 23.

inhaber eine ausländische Verwertungsgesellschaft mit der Wahrnehmung seiner Rechte nur für das Inland (aus Sicht der Verwertungsgesellschaft) oder für mehrere Länder betrauen möchte. Ein Auslandsbezug liegt jedoch selbst dann vor, wenn die Verwertungsgesellschaft ihren Sitz im selben Staat hat wie der Rechteinhaber (wenn bspw. auf den Wohnsitz oder Aufenthalt Bezug genommen werden soll) und der Rechteinhaber die Verwertungsgesellschaft mit der Wahrnehmung von Rechten für das Ausland betraut bzw. betrauen möchte (Korrespondenzdienstleistung). Schon hier wird deutlich, dass es nicht nur auf den Ort der Niederlassung, die Staatsangehörigkeit, den Wohnsitz oder den Aufenthalt der Parteien ankommt, um den Auslandsbezug herzustellen, sondern genauso auf den Gegensand der Rechtewahrnehmung.

Genauso ergibt sich der Auslandsbezug im Lizenzverhältnis entweder auf Grund des Lizenzgegenstands oder durch die Parteien. Kollisionsrechtliche Fragen stellen sich daher entweder, wenn die Parteien (Verwertungsgesellschaft und Nutzer/Lizenznehmer) in unterschiedlichen Staaten ansässig sind, oder wenn es um die Lizenzierung von Nutzungen im Ausland (aus Parteiensicht) geht.[725]

II. Anknüpfung im Rahmen der Rom I-VO

Geht es um die kollisionsrechtliche Anknüpfung der Kontrahierungspflichten von Verwertungsgesellschaften, scheint auf den ersten Blick eine Anknüpfung nach Art. 10 Abs. 1 Rom I-VO naheliegend, der „das Zustandekommen des Vertrages" behandelt. Nach Art. 10 Rom I-VO beurteilt sich das Zustandekommen des Vertrags, seine Wirksamkeit oder die Wirksamkeit einzelner vertraglicher Bestimmungen grundsätzlich nach dem von den Parteien gewählten Recht (Art. 1 Abs. 1 S. 1 Rom I-VO) oder mangels Rechtswahl nach dem von Art. 4 Abs. 1 lit. b bzw. Abs. 2–4 Rom I-VO bestimmten Recht. Dies ist, wie gesehen, in der Regel das Recht des Staates,

725 Im Grunde lassen sich daraus drei Konstellationen bilden: (1) die Lizenzierung von Rechten für das Inland an einen Ausländer; (2) die Lizenzierung von Rechten für das Ausland an einen Inländer; (3) die Lizenzierung von Rechten für das Ausland an einen Ausländer, wobei sich In- und Ausland aus der Perspektive der Verwertungsgesellschaft ergeben.

in welchem die Verwertungsgesellschaft den Ort ihrer Hauptverwaltung hat (Art. 19 Abs. 1 Unterabsatz 1 Rom I-VO).[726]

Der Begriff des Zustandekommens bezieht sich auf den äußeren Vertragsabschlussmechanismus und umfasst unter anderem Fragen wie die Qualität der Willenserklärung, ihre Auslegungsregeln, das Wirksamwerden eines Angebots, die Wirkungsdauer und das Erlöschen des Angebots, die Möglichkeiten der Rücknahme und des Widerrufs eines Angebots sowie weitestgehend spiegelbildliche Fragen der Annahme.[727] Allen diesen Fragen ist gemeinsam, dass es um Modalitäten des Vertragsschlusses und seiner Wirksamkeit geht. Der Kontrahierungszwang bezieht sich hingegen auf eine gesetzliche Pflicht zum Vertragsschluss und ist diesem vorgelagert.[728] Es geht dabei nicht um die Art und Weise des Vertragsschlusses und auch nicht darum, wie bspw. mit einem geheimen Vorbehalt umzugehen ist, sondern um eine gesetzliche Pflicht, die Vertragsschlüsse ermöglichen oder vereinfachen will und darum, ein erkanntes Kräfteungleichgewicht durch eine einseitige Verpflichtung auszugleichen, indem ein Zustandekommen des Vertrages im Sinne von Art. 10 Abs. 1 Rom I-VO auf Wunsch der anderen Partei herbeizuführen ist. Dies zeigt schon, dass die Intention und Natur eines Kontrahierungszwangs eine gänzlich andere ist als diejenige der allgemeinen Regeln zum Vertragsschluss. Der Vertrag ist das zentrale rechtliche Instrument zur Ausübung der Privatautonomie und baut auf Freiwilligkeit, was sich sodann kollisionsrechtlich in der Rechtswahlfreiheit äußert. Die Modalitäten des Vertragsschlusses versuchen dieser Freiwilligkeit eine Form zu geben, in der sie sich typischerweise materialisiert. Der Kontrahierungszwang entzieht den Vertragsschluss hingegen der Privatautonomie zumindest einer Partei und enthält so die Intention einer Teilhabe oder Partizipation, die sich lediglich der Mittel des Vertrags bedient. Ließe sich eine solche Pflicht über die Privatautonomie, welche Art. 3 Abs. 1 Rom I-VO bei der Bestimmung des anwendbaren Vertragsrechts gewährt, abwählen, so liefe sie allzu leicht ins Leere und ihr regulatorischer Charakter ginge verloren. Eine Anknüpfung der Kontrahierungspflichten von Verwertungsgesellschaften nach Art. 10 Abs. 1 Rom I-VO kommt daher nicht in Betracht.

---

726 Siehe hierzu die Ausführungen im vorhergehenden Abschnitt innerhalb der Beschreibung des Vertragsstatuts.

727 *Ferrari*, in: Ferrari/Kieninger/Mankowski (Hrsg.), Internationales Vertragsrecht, [3]2018, § 10 Rom I-VO, Rn. 6 ff.;

728 *Drexl*, in: von Hein (Hrsg.), MüKo IPR II, [8]2021, Rom II-VO Art. 8 Rn. 246.

Genauso steht es um weniger eindeutige Pflichten, wie sie sich etwa in Diskriminierungsverboten beim Vertragsschluss äußern (in Art. 6 Abs. 2 der VG-RL ist der Wahrnehmungszwang als Diskriminierungsverbot ausgestaltet).

III. Anknüpfung im Rahmen der Rom II-VO

Geht es um gesetzliche Pflichten in Privatrechtsbeziehungen und ihre Nichteinhaltung, ist hingegen an das Deliktsrecht und aus kollisionsrechtlicher Sicht an Art. 4 Rom II-VO zu denken. Demnach ist auf ein außervertragliches Schuldverhältnis aus unerlaubter Handlung grundsätzlich das Recht des Staates anzuwenden, in dem der Schaden eintritt (Art. 4 Abs. 1 Rom II-VO). Unter den Deliktsbegriff lässt sich grundsätzlich jeder Sachverhalt fassen, der eine Schadensverwirklichung im Sinne einer Einbuße an materiellen oder immateriellen Gütern oder Werten betrifft, die nicht auf eine freiwillige Verpflichtung zurückzuführen ist. Er scheint insoweit sogar für die Verletzung spezieller Mitwirkungspflichten des Wirtschaftsprivatrechts offen.[729]

So recht passen mag der Begriff der unerlaubten Handlung für Fälle, in denen einer Pflicht zum Vertragsschluss nicht nachgekommen wird, indes nicht. Zwar versteht der EuGH den Begriff der unerlaubten Handlung weit, dennoch ist die „unerlaubte Handlung“ keine Auffangkategorie für Schuldverhältnisse, die sich weder als vertraglich darstellen noch in die Kategorien ungerechtfertigter Bereicherung oder Geschäftsführung ohne Auftrag einordnen lassen.[730] In der Missachtung der Pflicht zur Eingehung eines Wahrnehmungs- oder Lizenzvertrages liegt lediglich eine Weigerung an der wirtschaftlichen Auswertung der Immaterialgüterrechte mitzuwirken. Zugleich mag aber auch das immaterialgüterrechtliche Kollisionsrecht des europäischen Rechts, wie es in Art. 8 Abs. 1 Rom II-VO niedergelegt ist, nicht passen. Zwar geht es um die Verletzung einer gesetzlichen Pflicht und die Vorschrift gilt gerade für Ansprüche (gesetzliche Schuldverhältnisse), die sich aus der Verletzung der geschützten Rechte des geistigen Eigentums ergeben, jedoch resultiert der Anspruch nicht aus einer Haftungssituation,

729 *Junker*, in: von Hein (Hrsg.), MüKo IPR II, ^{8}2021, Rom II-VO, Art. 4, Rn. 15.
730 *Ders.*, in: von Hein (Hrsg.), MüKo IPR II, ^{8}2021, Rom II-VO, Art. 4, Rn. 13.

die mit Art. 2 Abs. 1 Rom II-VO vergleichbar wäre.[731] Die Missachtung zivilrechtlich ausgestalteter Pflichten für Verwertungsgesellschaften stellt keine Verletzung eines Immaterialgüterrechts dar. Wahrnehmungs- und Abschlusszwang sind keine Rechte des geistigen Eigentums, auch wenn eine enge systematische Verbindung zum Urheberrecht bzw. zur Ausübungsmöglichkeit des Urheberrechts bestehen mag.[732]

IV. Autonome Anknüpfung

Lässt sich schließlich aus dem allgemeinen Unionskollisionsrecht[733] keine Anknüpfung herleiten, so ist der nationale Gesetzgeber bei Gestaltung des Anwendungsbereichs grundsätzlich frei. Da das VGG die internationale Anwendung der privatrechtlichen Bestimmungen nicht selbst festlegt,[734] ist an eine Anknüpfung über das immaterialgüterrechtliche Schutzlandprinzip zu denken.

Ohne explizit eine kollisionsrechtliche Wirkung herbeiführen zu wollen, nahm der deutsche Gesetzgeber im alten Urheberrechtswahrnehmungsgesetz eine dem Schutzlandprinzip ähnliche Abgrenzung vor. Gemäß § 1 Abs. 1 UrhWG unterlag der Erlaubnispflicht, wer Rechte wahrnimmt, die sich aus dem deutschen Urheberrechtsgesetz ergeben. Hierbei handelte es sich zwar nicht um eine kollisionsrechtliche Regelung, weil die Erlaubnispflicht dem öffentlichen Recht zuzuordnen war, dennoch war hiermit eine geographische Begrenzung des Anwendungsbereichs des deutschen Wahrnehmungsrechts bezweckt und verbunden.[735] Insoweit schien sich

---

731 So auch *Drexl*, MPI Stellungnahme VGG, 2015, Rn. 24; *ders.*, in: von Hein (Hrsg.), MüKo IPR II, [8]2021, Rom II-VO Art. 8 Rn. 246.

732 Außerdem ist der wettbewerbliche Charakter der Kontrahierungspflichten nicht zu verkennen. Hierzu insbesondere *Mestmäcker/Schweitzer*, Europäisches Wettbewerbsrecht, [3]2014, § 33 sowie *Teil 1, Kapitel 2, C.*

733 Zu den kollisionsrechtlichen Vorgaben innerhalb der VG-RL siehe *Teil 3, Kapitel 1, B, I.*

734 Siehe hierzu *Teil 3, Kapitel 1, B, II.* So im Ergebnis auch *Drexl*, in: von Hein (Hrsg.), MüKo IPR II, [8]2021, Rom II-VO Art. 8 Rn. 161, 232; *ders.*, MPI Stellungnahme VGG, 2015, Rn. 24.

735 *Drexl*, in: von Hein (Hrsg.), MüKo IPR II, [8]2021, Rom II-VO Art. 8 Rn. 241. Zu einer kollisionsrechtlichen Betrachtung konnte man allenfalls dann gelangen, wenn man § 1 Abs. 1 UrhWG über seinen Wortlaut hinaus den Inhalt entnahm, das gesamte Urheberrechtswahrnehmungsgesetz – inklusive der privatrechtlichen Vorschriften – sei stets anwendbar, wenn eine „Verwertungsgesellschaft" Rechte nach dem Urheberrechtsgesetz wahrnimmt. Teilweise wurde die Vorschrift in derartiger Form

das UrhWG am immaterialgüterrechtlichen Territorialitätsgrundsatz zu orientieren und weist so auch eine Verbindung zum kollisionsrechtlichen Schutzlandprinzip auf.[736] Unter die gängigen urheberrechtlichen Fragestellungen, wie das Entstehen, den Schutzbereich sowie die Verletzung des Urheberrechts lassen sich Wahrnehmungs- und Abschlusszwang und ähnliche Instrumente des Wahrnehmungsrechts jedoch kaum subsumieren. Ihr Bezug zum Urheberrecht erschließt sich nur mittelbar aus einer systematischen und teleologischen Analyse der Rechtsbereiche und ihrer Normen. Dabei ist zwischen den Funktionen und Wirkungsweisen von Wahrnehmungszwang einerseits und Abschlusszwang andererseits zu unterscheiden.

1) Der Wahrnehmungszwang

Durch den Wahrnehmungszwang oder ähnlich gestaltete Diskriminierungsverbote bei der Rechtewahrnehmung soll der Zugang zum System der kollektiven Rechtewahrnehmung für alle Urheber gleichermaßen sichergestellt werden. Zugang zum System der kollektiven Rechtewahrnehmung kann für die Ausübung des Urheberrechts entscheidend sein.

a) Qualifikation auf Grundlage einer Funktionsanalyse

Die Analyse der Funktionen der kollektiven Rechtewahrnehmung hat gezeigt, dass die Kollektivierung des Urheberrechts diesem in vielen Bereichen erst zum gesetzlich intendierten Gebrauch verhilft. Das Urheberrecht ist zunächst als individuelles Ausschließlichkeitsrecht konzipiert und soll die materiellen und immateriellen Interessen des Urhebers schützen.[737] Dabei sind die Werknutzungskontrolle und die Lizenzierung von Werknutzungen – mithin die Wahrnehmung der materiellen Interessen des Urhebers – von Kosten geprägt, die im Bereich der Massennutzung des

---

wiedergegeben. Der Wortlaut der Norm nimmt jedoch eindeutig nur die Erlaubnispflicht in Bezug.

736 *Ders.*, MPI Stellungnahme VGG, 2015, Rn. 24. Die räumliche Begrenzung der Anwendung des öffentlichen Rechts nahm auch mittelbaren Einfluss auf das Privatrecht. Dies wurde etwa daran deutlich, dass die Möglichkeit zur gerichtlichen Durchsetzung privater Rechte von der Erlaubnis durch die deutsche Aufsichtsbehörde abhängig war. Siehe hierzu die prozessualen Hindernisse für die grenzüberschreitende Betätigung der Verwertungsgesellschaften in *Teil 1, Kapitel 2, D.*

737 *Schack*, Urheber- und Urhebervertragsrecht, [9]2019, Rn. 5 f.

Urheberrechts erst durch Kollektivierung auf ein Niveau gesenkt werden, welches einen Lizenzmarkt entstehen lässt.[738] Durch Überwindung prohibitiver Transaktionskosten wird die gesetzlich intendierte Nutzung gegen Vergütung erst ermöglicht.[739] Außerdem wird durch ein Verwertungsgesellschaftssystem, welches mit einem Wahrnehmungszwang ausgestattet ist, Marktzugang auch für Repräsentanten von Nischenrepertoires geschaffen, womit ihm auch eine kulturelle und soziale Funktion zu eigen ist.[740]

Doch kann diese Ermöglichung der wirtschaftlichen Ausübung des Rechts in Bereichen der Massennutzung als derart wesentlich für das Urheberrecht selbst angesehen werden, dass es diesem auch kollisionsrechtlich folgen sollte? Handelt es sich beim Zugangsanspruch zum System der kollektiven Rechtewahrnehmung um eine spezifisch urheberrechtliche Regelung? Muss der Wahrnehmungszwang als notwendiges Vehikel zur wirtschaftlichen Ausübung bzw. Ausgestaltung des Urheberrechts und damit als etwas spezifisch urheberrechtliches verstanden werden, nur weil Urheber in vielen Bereichen zur wirtschaftlichen Partizipation am Recht auf die kollektive Auswertung angewiesen sind?

Marktzugangsprobleme beim Handel von Rechten, Gütern oder Dienstleistungen sind an für sich nichts Neues. Sie bestehen auch in anderen Bereichen des Wirtschaftsverkehrs und werden besonders in neueren Entwicklungen der Digital- und Plattformwirtschaft sichtbar.[741] Hier erweisen sie sich vor allem als ein allgemeines wettbewerbliches Problem, welchem in erster Linie auch wettbewerbsrechtlich begegnet wird. Neben dem allgemeinen Wettbewerbsrecht bieten sich besondere sektorspezifische Regelungen an. So wurde bspw. mit § 20 DSGVO ein allgemeines Recht auf Datenportierung geschaffen, welches insbesondere dateninduzierten „lock-

738 Selbst die Ausübung des reinen Verbotsrechts, beispielsweise des Rechts der öffentlichen Wiedergabe nach § 15 Abs. 2 UrhG ist auf individueller Basis kaum möglich.

739 Zu den ökonomischen Funktionen, *Teil 1, Kapitel 1, C, I.* Allgemein zur Transaktionsökonomik etwa *Williamson*, The Journal of Law and Economics Vol. 22 (1979), 233 ff.. Siehe auch *Sutterer*, ZGE 2021, 281 ff.

740 Zu den kulturellen und sozialen Funktionen, *Teil 1, Kapitel 1, B, II und III.*

741 Ein Beispiel ist etwa der Amazon Marketplace (siehe Arbeitspapier des Bundeskartellamts, Marktmacht von Plattformen und Netzwerken, S. 35 f.). So erhöht die zunehmende Nutzung der Dienste von Informationsintermediären auch die Abhängigkeit der Produkt- und Dienstleistungsanbieter vom Zugang zu sowie der Sichtbarkeit auf eben jenen Plattformen. Vermittlungsplattformen erarbeiten sich so die Stellung sogenannter „Gatekeeper“ (*Schweitzer/Haucap/Kerber u.a.*, Modernisierung der Missbrauchsaufsicht für marktmächtige Unternehmen, August 2018, S. 8).

in“ Effekten vorbeugt und so den Anbieterwechsel, die Parallelnutzung mehrerer Dienste und den Marktzugang anderer Unternehmen in datengetriebene Märkte erleichtern soll.[742] Überwiegend wird dabei vertreten, dass die Vorschrift in erster Linie wettbewerbspolitische und verbraucherschützende Ziele verfolgt, wobei die datenschutzrechtliche Wirkung allenfalls als Nebeneffekt auftritt.[743] Dort, wo Art. 20 DSGVO etwa mangels Personenbezug der Daten nicht greift und auch andere spezialgesetzliche Regelungen fehlen, kann unter Umständen ein Zugang aus dem allgemeinen Wettbewerbsrecht abgeleitet werden.[744]

Genauso verhält es sich im Grundsatz mit dem Wahrnehmungszwang, der vor der Harmonisierung des Wahrnehmungsrechts auf europäischer Ebene überwiegend aus dem Kartellrecht abgeleitet wurde.[745] Zwar mag die kollektive Rechtewahrnehmung für Urheber in vielen Bereichen zur Vergütungserzielung essenziell sein und sich hieraus eine Abhängigkeit ableiten lassen, die womöglich die Schaffung eines Zugangsanspruchs über das Urheberrecht rechtfertigen würde, jedoch ist eine Regelung, die einen expliziten Zugangsanspruch der Rechteinhaber zum System der kollektiven Rechtewahrnehmung begründet, nicht per se als urheberrechtlich zu qualifizieren, sondern in erster Linie als eine wettbewerbsrechtliche Vorschrift.[746] *Mestmäcker* und *Schweitzer* sehen im Wahrnehmungs- und Ab-

742 *Peitz/Schweitzer*, NJW 2018, 275, 277 f.

743 Mit weiteren Nennungen *Herbst*, in: Kühling/Buchner (Hrsg.), Datenschutz-Grundverordnung BDSG, 32020, Art. 20 DS-GVO, Rn. 4.

744 Dabei bietet das deutsche Kartellrecht mit dem Verbot des Missbrauchs relativer Marktmacht (§ 20 Abs. 1 GWB) gegenüber Art. 102 AEUV einige Erleichterungen. Hierzu etwa *Peitz/Schweitzer*, NJW 2018, 275, 279 f. und zur kartellrechtlichen Begründung von Datenzugangspflichten *Schweitzer/Haucap/Kerber u.a.*, Modernisierung der Missbrauchsaufsicht für marktmächtige Unternehmen, August 2018, S. 128 ff. Besonders sind in diesem Zusammenhang freilich die neueren Reformen auf EU zu nennen, allen voran der Digital Market Act.

745 So bspw.: EuGH, C-127/73, ECLI:EU:C:1974:25 – *BRT II*; EuGH. Urt. v. 25.10.1979, C-22/79, ECLI:EU:C:1979:245 – *Greenwich Film Production*/SACEM; EuGH, C-7/82, ECLI:EU:C:1983:52 – *GVL/Kommission*. Zum Zusammenhang von Verwertungsgesellschaftsrecht und Kartellrecht und hieraus resultierender kollisionsrechtlicher Rückschlüsse siehe innerhalb dieses Kapitels unter *F, I.* und grundlegend *Teil 2, Kapitel 2, C.*

746 *Rehse*, ZUM 2013, 191, 192 bezeichnet das deutsche Wahrnehmungsrecht sogar als „Sonderkartellrecht“. Zu den Kontrahierungspflichten als wettbewerbspolitisch inspirierte Reglungen siehe *Drexl*, in: Götz von Olenhusen/Gergen/Vogel (Hrsg.), Kreativität und Charakter, 2017, S. 227, 230 ff. *Mestmäcker/Schweitzer* sehen im Wahrnehmungs- und Abschlusszwang (nach altem Recht) hingegen einen wichtigen Anwendungsfall von Art. 3 Abs. 3 Verordnung (EG) 1/2003 (VO 1/03), also von

schlusszwang (nach altem Recht) hingegen einen wichtigen Anwendungsfall von Art. 3 Abs. 3 Verordnung (EG) 1/2003 (VO 1/03), also von mitgliedstaatlichen Bestimmungen, die überwiegend wettbewerbsfremde Ziele verfolgen.[747] Dies mag auf die vielen Besonderheiten des Wahrnehmungsrechts zurückzuführen sein, tatsächlich ist die Regulierung in diesem Bereich zwar ohne Frage sektorspezifisch, sie ist nach hier vertretender Ansicht aber deutlich wettbewerbsrechtlich geprägt, was sich in der unmittelbaren Anwendung von Art. 102 AEUV durch den EuGH auf eben jene Fragen bestätigt.

b) Qualifikation auf Grundlage der kollisionsrechtlichen Interessen

Die Bestimmung des anwendbaren Rechts bzw. die Suche nach dem „Sitz" des Rechtsverhältnisses erfolgt maßgeblich interessengeleitet. Im Internationalen Privatrecht lassen sich die entscheidenden Interessen in drei Gruppen einteilen: Partei-, Verkehrs- und Ordnungsinteresse. Wesentliche Überlegungen für den international-privatrechtlichen Interessenausgleich finden sich bereits in der funktionalen Betrachtung des Wahrnehmungsrechts. Die dort anklingenden ordnungspolitischen Erwägungen legten zunächst einen auswirkungsbezogenen Ansatz nahe, wie er dem Internationalen Kartellrecht und gleichfalls dem Internationalen Urheberrecht zugrunde liegt. Doch schließt dies die Öffnung zugunsten liberalerer Ansätze nicht von vornherein aus, denn bislang wurden die Partei- und vor allem die Verkehrsinteressen, welche vor dem Hintergrund einer begrüßten Internationalisierung der Wahrnehmungstätigkeit ebenfalls Raum für sich beanspruchen, kaum berücksichtigt. Entstehender Wettbewerb auf Ebene der Verwertungsgesellschaften und die damit einhergehende Stärkung der Rechte-

---

mitgliedstaatlichen Bestimmungen, die überwiegend wettbewerbsfremde Ziele verfolgen. Dies mag auf die vielen Besonderheiten des Wahrnehmungsrechts zurückzuführen sein, tatsächlich ist die Regulierung in diesem Bereich zwar ohne Frage sektorspezifisch, sie ist nach hier vertretender Ansicht aber deutlich wettbewerbsrechtlich geprägt, was sich in der unmittelbaren Anwendung von Art. 102 AEUV durch den EuGH auf eben jene Fragen bestätigt.

747 Konkret gehe es dem Wahrnehmungszwang um die Gewährleistung der wirksamen Wahrnehmung von Urheberrechten zugunsten der Urheberberechtigten und dem Abschlusszwang um die Gewährleistung der berechtigten Interessen der Nutzer am Zugang zu Urheberrechten. *Mestmäcker/Schweitzer*, Europäisches Wettbewerbsrecht, ³2014, § 6, Rn. 40; *Rehbinder*, in: Immenga/Mestmäcker (Hrsg.), EU, ⁶2019, VO 1/2003 Art. 3, Rn. 48.

inhaberposition können sich so auf die grenzüberschreitende Anwendung eines Wahrnehmungszwangs auswirken, wobei innerhalb des Wahrnehmungszwangs zwischen der Wahrnehmung des Ausschließlichkeitsrechts einerseits sowie der Wahrnehmung gesetzlicher Vergütungsansprüche und verwertungsgesellschaftspflichtiger Rechte andererseits unterschieden werden muss.

c) Der Wahrnehmungszwang bei Wahrnehmung von gesetzlichen Vergütungsansprüchen und verwertungsgesellschaftspflichtigen Rechten

Von der allgemeinen Rechtewahrnehmung durch Verwertungsgesellschaften zu unterscheiden ist daher ihre Rolle gegenüber den Rechteinhabern in Bereichen, in denen die kollektive Rechtewahrnehmung zwingend ist und in denen die Kollektivierung explizit zur formellen Beschränkung des Ausschließlichkeitsrechts eingesetzt wird. Dies ist im deutschen Recht vor allem bei gesetzlichen Vergütungsansprüchen (wie § 54h Abs. 1 UrhG) und verwertungsgesellschaftspflichtigen Rechten (bspw. der Weitersendung nach § 20b Abs. 1 S. 1 UrhG) der Fall, die nur durch Verwertungsgesellschaften wahrgenommen werden können. Die Schranke[748] selbst unterfällt zweifellos dem Schutzlandprinzip. Doch ist auch die Partizipationsmöglichkeit am Vergütungsaufkommen durch die Rechteinhaber, die zumeist auf Grundlage eines Wahrnehmungsvertrags erfolgt, Teil der Schranke?

(1) Schranken als mehrseitig konzipierte Regulierungssysteme des Urheberrechts

Gesetzliche Vergütungsansprüche sind dadurch gekennzeichnet, dass Ausschließlichkeit auf Vergütung reduziert wird, wobei die Vergütung durch einen zentralen Akteur eingezogen wird.[749] In ähnlicher Weise wirken auch

748 Wird in dieser Arbeit von „Schranke“ gesprochen, so meint dies stets alle Einschränkungen des Ausschließlichkeitsrechts und bezieht sich nicht allein auf die in Abschnitt 6 UrhG aufgezählten „Schranken des Urheberrechts“ (auch in manchen Lehrbüchern wird zwischen Schranken und gesetzlichen Vergütungsansprüchen unterschieden, so bspw. *Schack*, Urheber- und Urhebervertragsrecht, [10]2021, §§ 14 und 15). Hier beinhaltet das dann maßgeblich die gesetzlichen Vergütungsansprüche und die Verwertungsgesellschaftspflichtigen Rechte.

749 *Dreier*, in: Dreier/Schulze (Hrsg.), Urheberrechtsgesetz, [7]2022, § 54, Rn. 1.

verwertungsgesellschaftspflichtige Rechte, zumindest dann, wenn Verwertungsgesellschaften ihrerseits einem Abschlusszwang und der Tarifkontrolle unterliegen. Insoweit lässt sich zwischen den verschiedenen Modellen der Einschränkung des Ausschließlichkeitsrechts weniger ein qualitativer, als vielmehr ein gradueller Unterschied ausmachen.[750] In beiden Fällen sind die Rechteinhaber bereits auf Grundlage des materiellen Urheberrechts unbedingt auf die Mitwirkung von Verwertungsgesellschaft angewiesen.[751] Doch spielt im Bereich der Schranken, speziell der gesetzlichen Vergütungsansprüche, nicht nur die besondere Abhängigkeit der Rechteinhaber von den Verwertungsgesellschaften eine Rolle, vielmehr könnte das Wesen der Schranke selbst den verwertungsgesellschaftlichen Zugangsanspruch erfassen oder begründen.

Für diesen Ansatz spricht, dass die gesetzlichen Vergütungsansprüche (und die Verwertungsgesellschaftspflicht) keine einseitig nutzerbezogenen Zugangsansprüche begründen, sondern gleichsam urheberbezogen, möglicherweise urheberbegünstigend, jedenfalls insgesamt ausgleichend wirken sollen. Dieser Ansatz, die Schranken des Urheberrechts als mehrseitiges Mittel des urheberrechtlichen Interessenausgleichs zu betrachten, entspricht einem moderneren Verständnis des Urheberrechts, in welchem Schranken als Marktregulierung verstanden werden können, die ihrerseits die Vergütungsinteressen der Rechteinhaber berücksichtigt. Urheberrechtsschranken wirken somit bewusst in beide oder mehrere Richtungen.[752] Die Vergütungssicherung kann so zum wesentlichen Bestandteil der im Interessenausgleich angestellten Wertungen werden.[753] Konsequenterweise ist dann jedoch auch der verwertungsgesellschaftsrechtliche Zugangsanspruch

750 Ganz grundsätzlich zu den Ebenen der Beschränkung des Ausschließlichkeitsrechts *Gervais*, in: ders. (Hrsg.), Collective management of copyright and related rights, 2015, S. 3, 28.

751 Nach § 54h Abs. 1 können die Ansprüche nach den §§ 54 bis § 54c, §§ 54e Abs. 2 und § 54g UrhG nur durch eine Verwertungsgesellschaft geltend gemacht werden.

752 Siehe etwa: BGH, Urt. v. 11. 7. 2002 – I ZR 255/00 – *Elektronischer Pressespiegel* = GRUR 963, 966 (BGHZ 151, 300–316); sowie grundlegend *Stieper*, Rechtfertigung, Rechtsnatur und Disponibilität der Schranken des Urheberrechts, 2009, S. 74 ff.; *Dreier*, in: Dreier/Schulze (Hrsg.), Urheberrechtsgesetz, ^{7}2022, Vor § 44a, Rn. 4; *Peifer*, GRUR 2009, 22, 25 f. Allgemein die Interessenvielschichtigkeit des Urheberrechts betonend etwa *Leistner/Hansen*, GRUR 2008, 479 ff.

753 Zur Rechtsnatur der Schranken grundlegend *Stieper*, Rechtfertigung, Rechtsnatur und Disponibilität der Schranken des Urheberrechts, 2009, S. 74 ff.; allgemein *Dreier*, in: Dreier/Schulze (Hrsg.), Urheberrechtsgesetz, ^{7}2022, Vor § 44a, Rn. 4; ähnlich, mit besonderem Augenmerk auf die „richtige" Methode der Berechnung von Vergütungsansprüchen *Riis*, IIC 51 (2020), 446, 452 ff.

als Voraussetzung der Vergütungspartizipation innerhalb der Schranke gemeinsam mit der Schranke selbst zu betrachten.

Genauso wie die Beschränkung – als erlaubte Nutzung gegen Entgelt – also dem urheberrechtlichen Schrankenbereich und kollisionsrechtlich dem Schutzlandprinzip zuzuordnen ist, kann die Vergütungssicherung der Rechteinhaber daher zur Urheberrechtsschranke gehören. Als notwendiger Bestandteil der Schranke unterliegt der Vergütungsanspruch, welcher den Urhebern über die Einschaltung von Verwertungsgesellschaften zugesichert wird, dann konsequenterweise ebenfalls dem Schutzlandprinzip. Die Sicherung des Vergütungsanspruchs gegen die Verwertungsgesellschaften kann dabei einen Kontrahierungszwang der Verwertungsgesellschaften im Hinblick auf die Wahrnehmung der gesetzlichen Vergütungsansprüche notwendig machen, der gemeinsam mit der Schranke kollisionsrechtlich nach dem Schutzlandprinzip anzuknüpfen wäre.

(2) Ausbleibender Wettbewerb

Zugleich präsentieren sich die nationalen Systeme der kollektiven Rechtewahrnehmung im Bereich der Schranken, namentlich der gesetzlichen Vergütungsansprüche, weniger offen für Modelle konkurrierender Verwertungsgesellschaften innerhalb eines nationalen Wahrnehmungsmarkts. Deutlich wird dies im deutschen Recht etwa anhand von § 49 Abs. 1 VGG, der eine Vermutung der Berechtigung von Verwertungsgesellschaften vorsieht, die gesetzliche Vergütungsansprüche wahrnehmen. Diese Vermutung wird in Abs. 2 jedoch zugleich auf den Fall beschränkt, dass die jeweilige Verwertungsgesellschaft alleinige Berechtigte zur Wahrnehmung dieser Ansprüche ist und den Anspruch andernfalls mit ihren Schwestergesellschaften gemeinschaftlich geltend macht. Erforderlich ist dies, um überhöhte oder mehrfache Belastungen der Verpflichteten auszuschließen.[754] Insoweit vermag ein kollisionsrechtlicher Gleichlauf zwischen Schranke und Zugang zum System der kollektiven Rechtewahrnehmung zur Effizienz des Systems beizutragen und entspricht damit den Verkehrsinteressen.

754 *Schulze*, in: Dreier/Schulze (Hrsg.), Urheberrechtsgesetz, ^{6}2018, VGG, § 49, Rn. 5 und BT-Drs. 10/837, 23.

(3) Regulatorische Einheitlichkeit mit dem Aufsichtsrecht

Dieser besonderen Rolle der Verwertungsgesellschaften im Bereich der gesetzlichen Vergütungsansprüche wird in § 77 Abs. 2 VGG Rechnung getragen, indem die grundsätzliche Erlaubnispflicht zur kollektiven Wahrnehmung deutscher Urheberrechte nach § 77 Abs. 1 VGG für die Wahrnehmung eben jener gesetzlichen Vergütungsansprüche auch auf europäische Gesellschaften erstreckt wird.[755] Wird dem Urheberrecht aber seine Ausschließlichkeit genommen und wird eine kollektive Rechtewahrnehmung zwingend angeordnet, so verlassen Verwertungsgesellschaften den Raum eines privatautonom begründeten Wahrnehmungsverhältnisses und übernehmen staatsnahe Aufgaben.[756] Mit der Ausgestaltung des Urheberrechts hin zu einer zwingenden Kollektivierung geht zugleich die Aufgabe einher, für ein funktionierendes System der Kollektivierung zu sorgen und entsprechenden Zugang zum System der kollektiven Rechtewahrnehmung für jeden einzelnen Rechteinhaber zu schaffen. Der Gesetzgeber, dem diese Aufgabe zukommt, ist zugleich der Gesetzgeber, auf den die Beschränkung des Urheberrechts zurückzuführen ist und so sprechen auch die Ordnungsinteressen dafür, dass sich die Zugangsansprüche im Bereich der verwertungsgesellschaftspflichtigen Rechte nach der *lex loci protectionis* richten.

Ein nationales Recht, dem eine Verwertungsgesellschaftspflicht fremd ist, kann unter Umständen genauso auf einen Zugangsanspruch der Urheber zu dem System der kollektiven Rechtewahrnehmung verzichten, doch ist ein solches System der kollektiven Rechtewahrnehmung ordnungspolitisch auch nur auf das eigene Urheberrecht abgestimmt und nicht auf ein ausländisches Urheberrecht, welches Kollektivierung voraussetzen mag bzw. innerhalb seines urheberrechtlichen Regulierungskonzepts bewusst nutzt.

(4) Notwenige Begrenzung der Anwendung des Schutzlandrechts

Die blinde Übertragung des Schutzlandprinzips auf die Wahrnehmung von Rechten im Bereich der Schranken kann gleichfalls nicht überzeu-

755 *Staats*, in: Dreier/Peifer/Specht (Hrsg.), Anwalt des Urheberrechts, 2017, S. 331, 336 f.

756 *Von Einem*, Verwertungsgesellschaften im deutschen und internationalen Musikrecht, 2007, 78 ff.; *Heindorf*, Die staatliche Aufsicht über Verwertungsgesellschaften, 2011, S. 136 ff.

gen. Denn erstens würden dann theoretisch ganz automatisch weltweit alle Rechtsordnungen zur Anwendung kommen, denn ein Wahrnehmungszwang bzw. die Bedingungen der Rechtewahrnehmung setzen die tatsächliche Rechtewahrnehmung ja nicht voraus, sondern sollen sie erst begründen. Zweitens – selbst wenn man hier ein begrenzendes Momentum zulassen würde – zeigt sich ganz praktisch, dass Verwertungsgesellschaften sich regelmäßig ausländische Rechte, insbesondere gesetzliche Vergütungsansprüche und verwertungsgesellschaftspflichtige Rechte, zur Wahrnehmung einräumen lassen, ohne die Rechtewahrnehmung im Außenverhältnis jedoch aktiv zu übernehmen. Vielmehr werden hierfür die Gegenseitigkeitsverträge eingesetzt, womit die Rechtewahrnehmung einen Charakter der Mittelbarkeit erhält.[757] Dieses System der Wahrnehmung über Schwestergesellschaften ist in den Bereichen des eingeschränkten Urheberrechts sogar besonders bedeutsam, weil bei der Einziehung der Vergütung und der Verwertungsgesellschaftspflicht besonders auf Konzentration gesetzt wird. So ist der zentrale Rechteerwerb oder der zentrale Einzug von Vergütung in der Regel Voraussetzung für die Funktionsfähigkeit der Schranke.[758] Eine Kollisionsregel die allein an „der Wahrnehmung", d.h. der Übertragung des Rechts im Innenverhältnis ansetzt, würde in diesem Fall eindeutig zu weit greifen.[759]

Eine Begrenzung des Anwendungsbereichs ließe sich freilich auf sachrechtlicher Ebene formulieren.[760] So sieht bspw. die VG-RL in Art. 5 Abs. 2 S. 2 die Möglichkeit der Verwertungsgesellschaften vor, die Rechtewahrnehmung aus „objektiv nachvollziehbaren Gründen" abzulehnen. Der deutsche Gesetzgeber wurde im Rahmen der Umsetzung im VGG noch deutlicher, indem er die Pflicht zur Rechtewahrnehmung ausdrücklich auf jene Gebiete (räumlich und sachlich) beschränkt, die zum Tätigkeitsbereich der

757 Siehe zu den Gegenseitigkeitsverträgen als „Kollisionsrechtsersatz" *Teil 1, Kapitel 2*.

758 Siehe auch zuvor die Ausführungen zum ausbleibenden Wettbewerb und zu § 49 VGG für das deutsche Recht.

759 Ganz ähnlich auch die Erlaubnispflicht nach § 77 Abs. 1 VGG, die ebenfalls allein an die Wahrnehmung der deutschen Rechte anknüpft. Wird das tatsächlich so gelesen, dass die Einräumung des deutschen Rechts an eine ausländische Gesellschaft schon genügt, so wird allgemein von einem Erfordernis der teleologischen Reduktion ausgegangen, welche die Erlaubnispflicht auf die „aktive Wahrnehmung in Deutschland" beschränkt (*Raue*, in: Dreier/Schulze (Hrsg.), Urheberrechtsgesetz, [7]2022, VGG, § 77 Rn. 4 und § 1 Rn. 12).

760 Zur Abgrenzung einer sogenannten selbstbegrenzenden Sachnorm von einer versteckten Kollisionsnorm *Lorenz*, in: Hau/Poseck (Hrsg.), BeckOK BGB, [61]2022, EGBGB Einl. IPR, Rn. 48.

Verwertungsgesellschaft gehören (§ 9 S. 1 Nr. 1 VGG).[761] Diese durchaus sinnvolle Eingrenzung der Reichweite des Wahrnehmungszwangs unter Berücksichtigung der ausländischen Interessenlage ist der europäischen Harmonisierung geschuldet, die regulatorisch von Beginn an von einer (potentiell) grenzüberschreitenden Rechtewahrnehmung ausging. Außereuropäische Regulierungsmodelle werden solche Differenzierungen jedoch kaum vornehmen, weshalb auch auf Kollisionsrechtsebene die Interessen anders zu berücksichtigen sind. Auch das alte UrhWG war nur auf die Wahrnehmung von Rechten nach dem deutschen Urheberrecht ausgerichtet (§ 1 Abs. 1 UrhWG), was zugleich die Reichweite des Wahrnehmungszwangs räumlich beschränkte (§ 6 UrhWG).[762] Gerade mit Blick auf kleinere Länder ist es aber zugleich nicht ausgeschlossen, dass inländische Verwertungsgesellschaften aufgelöst werden, weil die Urheber ihre Rechte erfolgreicheren ausländischen Verwertungsgesellschaften direkt anvertrauen.[763] Ausgehen werden solche Entwicklungen vermutlich eher von der Wahrnehmung der Ausschließlichkeitsrechte, bei denen ein Wettbewerb der Verwertungsgesellschaften die marktmäßige Position der Rechteinhaber in der Tat verbessern kann. Sodann kann dieser nationale Erosionsprozess aber auch den Bereich der gesetzlichen Vergütungsansprüche und verwertungsgesellschaftspflichtigen Rechte betreffen, ohne dass ein Wettbewerb ein potentielles Anwendungsdefizit des nationalen Rechts ausgleichen könnte. Denn wie gesehen ist dieser Bereich stärker auf Konzentration angewiesen als es im Urheberrecht ohnehin der Fall.

---

761 So ist eine Verwertungsgesellschaft nach § 9 VGG beispielsweise nur zum Abschluss von Wahrnehmungsverträgen über ausländische Rechte verpflichtet, wenn sie diese für das Ausland tatsächlich wahrnimmt. Sie kann nicht verpflichtet werden eigens im Ausland aktiv zu werden (*Raue*, in: Dreier/Schulze (Hrsg.), Urheberrechtsgesetz, [7]2022, § 9 VGG, Rn. 13). Diese Regelung geht zunächst einmal implizit von der Anwendung des Sitzlandrecht aus. Allerdings bezieht das deutsche Recht die ausländischen Rechte (bzw. den Auslandsbezug) in materiell-rechtlicher Hinsicht in sinnvoller Weise ein und beschränkt die Verpflichtung gleichzeitig.

762 *Schulze*, in: Dreier/Schulze (Hrsg.), Urheberrechtsgesetz, [5]2015, UrhWG, § 6 Rn. 7; *Freudenberg*, in: Götting/Lauber-Rönsberg/Rauer (Hrsg.), Beck'scher Online-Kommentar Urheberrecht, [39]2023, WahrnG, § 6 Rn. 6 f. und *Drexl*, MPI Stellungnahme VGG, 2015, Rn. 24 ff. Allerdings folgte auch diese Beschränkung dem wahrgenommenen Urheberrecht und orientierte sich nicht am Sitzland der Verwertungsgesellschaften. Rein tatsächlich hatten allerdings alle Verwertungsgesellschaften, die deutsche Urheberrechte aktiv wahrnahmen, ihren Sitz auch in Deutschland.

763 *Drexl*, Copyright, Competition and Development, 2013, 11.1.3.

Als Auffangregime für ein Anwendungsdefizit des nationalen Wahrnehmungs- und evtl. Urheberrechts, können das Aufsichtsrecht (bspw. mit Bedingungen an eine Tätigkeitserlaubnis, zu der die Wahrnehmungsverpflichtung gehört)[764] und das Kartellrecht[765] beitragen. Denn zweifellos nimmt eine Verwertungsgesellschaft, die allein zur aktiven Wahrnehmung der verwertungsgesellschaftspflichtigen Rechte befugt ist,[766] für diesen Markt eine beherrschende Stellung ein. Darin zeigt sich aber gerade auch die Abhängigkeit der Rechteinhaber, gleichzeitig wurden die Schwächen der angrenzenden Rechtsbereiche in *Teil 2, Kapitel 2* bereits aufgezeigt.

Deshalb ist es sinnvoll auch im Kollisionsrecht die besonderen Regulierungsinteressen der Staaten bei der Wahrnehmung von Rechten innerhalb des urheberrechtlichen Schrankenbereichs zu berücksichtigen und auch den Schutz der typischerweise schwächeren Partei zu gewährleisten. Allerdings bedarf es mit Blick auf die Verkehrsinteressen sowie zur Vermeidung von Regulierungswidersprüchen im Sinne von Normhäufungen eines zusätzlichen Anknüpfungspunkts bzw. Anknüpfungsmoments, um jene Fälle der indirekten Rechtewahrnehmung auszuschließen. Ein inländisches Regelungsinteresse beschränkt sich auf Fälle, in denen eine ausländische Verwertungsgesellschaft – wie es üblicherweise nur inländische Verwertungsgesellschaften tun – unmittelbar an der Auswertung verwertungsgesellschaftspflichtiger Rechte oder an der Wahrnehmung gesetzlicher Vergütungsansprüche im Inland teilnimmt.[767] Dadurch weist die kollisions-

---

764 So auch § 77 VGG der in Abs. 2 die Erlaubnis in jenen Bereichen abweichend von Abs. 1 auch für ausländische EU/EWR Gesellschaften vorsieht. Außereuropäische Gesellschaften unterliegen ohnehin der Erlaubnispflicht nach § 77 Abs. 1 VGG.

765 Auch das Innenverhältnis zwischen Verwertungsgesellschaften und Rechteinhabern war schon früh Gegenstand der kartellrechtlichen Kontrolle in der EU. Dabei ging es insbesondere um die Gewährung von Zugangsrechten und Nichtdiskriminierung (siehe insbes. EuGH, C-7/82, ECLI:EU:C:1983:52 – *GVL/Kommission* und die Ausführungen in *Teil 1, Kapitel 2, B.* Ein Zurückdrängen des hier vertretenen strengen IPR Ansatzes ließe sich mit der Wirkweise der ergänzenden Sicherungsregime, insbesondere des Kartellrechts begründen.

766 Im deutschen Recht bewirkt die Vermutungsregel nach § 49 VGG eine Konzentration und erleichtert den Rechteerwerb. Der deutsche Gesetzgeber geht also davon aus, dass gesetzliche Vergütungsansprüche nur von einer Verwertungsgesellschaft wahrgenommen werden und wenn dies nicht der Fall ist, die Verwertungsgesellschaften die Ansprüche gemeinsam geltend machen (Abs. 2).

767 *Drexl* sieht in der Anwendung eines inländischen Wahrnehmungszwangs auf ausländische Verwertungsgesellschaften einen Fall der unangemessenen extraterritorialen Rechtsanwendung (insbes. *Drexl*, MPI Stellungnahme VGG, 2015, Rn. 29). Dem ist für die Wahrnehmung des Ausschließlichkeitsrechts zuzustimmen, da hier insbe-

rechtliche Einschränkung in ihrer Struktur Ähnlichkeiten mit einer Vorhersehbarklausel (oder Kaleidoskopanknüpfung) auf, wie sie beispielsweise auch im Produkthaftungsrecht (Art. 5 Abs. 1 Rom II-VO) vorgesehen ist.[768]

(5) Zwischenergebnis

Die Besonderheiten im Bereich der Schranken des Urheberrechts sind auch auf Wahrnehmungsebene zu berücksichtigen. Dort, wo eine Schranke die individuelle Wahrnehmung des Urheberrechts ausschließt, gilt auch das nationale Wahrnehmungsrecht hinsichtlich der Bedingungen der kollektiven Wahrnehmung eben jener Rechte. Allerdings setzt dies einen zusätzlichen Marktbezug der wahrnehmenden Verwertungsgesellschaft voraus, der über die Wahrnehmung über Gegenseitigkeitsverträge hinausgeht. Die Verwertungsgesellschaft muss vielmehr aktiv an der Wahrnehmung beteiligt sein, mithin verwertungsgesellschaftspflichtige Rechte für das Nutzungsland selbst lizenzieren und Vergütungsansprüche, die auf das jeweilige nationale Urheberrecht entfallen, selbst aktiv einziehen.

Es lässt sich folgende Kollisionsregel formulieren:

Geht es um die Bedingungen der Wahrnehmung eines gesetzlichen Vergütungsanspruches oder eines in sonstiger Weise eingeschränkten Rechts, dessen Wahrnehmung zwingend durch Verwertungsgesellschaften zu erfolgen hat, so ist das Recht desjenigen Staates anzuwenden, für dessen Gebiet das Urheberrecht, das verwandte Schutzrecht oder der Vergütungsanspruch wahrgenommen werden soll. Satz 1 gilt nicht, sofern die Verwertungsgesellschaft das betreffende Recht oder den Vergütungsanspruch nicht für das jeweilige Gebiet aktiv und selbständig wahrnimmt.

---

sondere ein funktionierender Wettbewerb ein Gegengewicht bilden kann. Er nimmt allerdings auch nicht die Unterscheidung zwischen der Wahrnehmung beschränkter Rechte und der Wahrnehmung des Ausschließlichkeitsrechts vor und berücksichtigt auch nicht einen Unterschied zwischen der Mittelbarkeit der Rechtewahrnehmung im üblichen Falle der Wahrnehmung über Gegenseitigkeitsverträge und einer unmittelbare Rechtewahrnehmung.

768 *Von Hein*, in: ders. (Hrsg.), IPR I, ^{8}2020, Einl. IPR, Rn. 60; *Junker*, in: von Hein (Hrsg.), MüKo IPR II, 82021, Rom II-VO, Art. 5 Rom II-VO, Rn. 7.

d) Der Wahrnehmungszwang bei Wahrnehmung von Ausschließlichkeitsrechten

Grundsätzlich anders stellt sich die Betrachtung der Zugangsrechte zum System der kollektiven Rechtewahrnehmung bei der Wahrnehmung des Ausschließlichkeitsrechts dar.

(1) Keine zwingende Erforderlichkeit zur urheberrechtlichen Funktionsgewährleistung

Geht es um die kollektive Rechtewahrnehmung des Ausschließlichkeitsrechts, ist der funktionale Zusammenhang zum Urheberrechtstatut bzw. zum „Urheberrecht an sich“ weniger ausgeprägt. Zwar ist der kollektiven Rechtewahrnehmung stets eine spezifisch urheberrechtliche Dimension zu eigen, die sich vor allem im marktgestalterischen Einwirken der Kollektivierung zeigt, doch bezieht sich diese Form der Marktgestaltung vor allem auf den Lizenzzugang im Sinne der Nutzerinteressen. Die marktschaffende Funktion aus Perspektive der Rechteinhaber soll dabei nicht ignoriert werden. Für Rechteinhaber ist der Zugang zum System der kollektiven Rechtewahrnehmung immer dann wesentlich, wenn die individuelle Rechtewahrnehmung z.B. aus Effizienzgründen keine Alternative zur Kollektivierung verspricht.[769] Doch erweisen sich die Zugangsbedürfnisse auch nur insoweit als spezifisch urheberrechtlich, als sie mit der Nicht-Exklusivität in der Nutzung der Rechte und einer urheberrechtstypischen massenhaften Kleinstnutzung zusammenhängen.

(2) Verdrängung ordnungspolitischer Interessen im Wettbewerbssystem der „right-holders‘ option“

Zugangsprobleme offenbaren sich hingegen als ein primär wettbewerbliches Problem,[770] welches im wettbewerbsbasierten Modell der *right-holders‘ option* an Bedeutung verliert und dessen Lösung damit auch grund-

---

769 Zur Marktschaffungsfunktion, siehe *Teil 1, Kapitel 1, B, I, 3.).*

770 Auch wenn sich ein überschießender Zugangsanspruch mit dem Schutz sozialer und vor allem kultureller Interessen rechtfertigen lassen dürfte.

sätzlich dem Kartellrecht[771] und einer sektorspezifischen Regulierung der Verwertungsgesellschaften in ihrem Sitzland überlassen werden kann. Auf Grundlage ordnungspolitischer Interessen ist eine parallele Anwendung der urheberrechtlichen *lex loci protectionis* für Zugangsansprüche der Rechteinhaber zum System der kollektiven Rechteinhaber also nicht erforderlich.

(3) Öffnung für die stärkere Berücksichtigung von Partei- und Verkehrsinteressen

Hierdurch entsteht Raum für die stärkere Berücksichtigung der Partei- und Verkehrsinteressen, wobei der grenzüberschreitende Rechtsverkehr von Urheberrechten, welche kollektiv wahrgenommen werden, zunächst durch die Anwendung nur eines Rechts gefördert wird. Die Anwendung des Sitzlandrechts der Verwertungsgesellschaften kommt für keine der Parteien überraschend und schafft so Vorhersehbarkeit und Rechtssicherheit. Sie dient nicht zuletzt (jedenfalls in der EU) der Gewährleistung eines Gleichkaufs von staatlicher Aufsicht und privatrechtlicher Kontrolle.[772]

Die Parteiinteressen der Rechteinhaber erfahren zunächst durch die Erweiterung ihrer Optionen im Wettbewerbsmodell Schutz. So liegt die Ursache für einen kollisionsrechtlichen Fall in der Regel auch in der autonomen Entscheidung der Rechteinhaber, die sich von der Einschaltung einer ausländischen Gesellschaft Vorteile versprechen. Dort schließlich, wo dieser Schutz durch das Wettbewerbsverhältnis der Verwertungsgesellschaften nicht entsteht, wirft dies primär wettbewerbsrechtliche Fragen auf, welche auf Grundlage des Wettbewerbsrechts mit dem kollisionsrechtlichen Auswirkungsprinzip zu beantworten sind.[773]

Hierfür spricht auch der Wortlaut des § 9 S. 1 VGG, wonach eine Verwertungsgesellschaft, die dem Wahrnehmungszwang nach deutschem Recht unterliegt, nicht nur zur Wahrnehmung deutscher Urheberrechte verpflichtet ist, sondern „auf Verlangen des Rechtsinhabers Rechte seiner Wahl [...]

---

771 Das Kartellrecht folgt dabei seinerseits dem Auswirkungsprinzip (vgl. statt vieler *Mestmäcker/Schweitzer*, Europäisches Wettbewerbsrecht, ^{3}2014, § 7, Rn. 50 ff.). Zur Problematik der praktischen Durchsetzung von Zugangsansprüchen über das Kartellrecht siehe zuvor *Teil 2, Kapitel 2, C.* und *Drexl*, in: Leska (Hrsg.), Managing Copyright, 2023, S. 29, 43 f.

772 Zur Reichweite der Aufsicht im Internationalen Kontext *Teil 2, Kapitel 2, B, V.*

773 *Drexl*, in: Götz von Olenhusen/Gergen/Vogel (Hrsg.), Kreativität und Charakter, 2017, S. 227, 246 f.

in Gebieten seiner Wahl wahrzunehmen" hat, womit die Wahrnehmung ausländischer Urheberrechte deutlich vom Anwendungsbereich des VGG erfasst wird.[774] Nicht so deutlich geht aus der Vorschrift hervor, welche Verwertungsgesellschaft nun Adressatin des Wahrnehmungszwangs sein soll. Nach der obigen Analyse ist dies jede Verwertungsgesellschaft mit Sitz in Deutschland, was sich denklogisch nicht zuletzt daraus erschließt, dass andernfalls eine räumliche Umgrenzung des Anwendungsbereichs gänzlich fehlen würde und der deutsche Gesetzgeber die Anwendung des Wahrnehmungszwangs weltweit anordnen würde, unabhängig davon für welche Rechteinhaber und nach welchen Rechtsordnungen Rechte begründet sind.[775]

(4) Zwischenergebnis

Hinsichtlich der Bedingungen der Wahrnehmung gilt – soweit es nicht um die Wahrnehmung inhaltlich beschränkter Rechte geht – also das Wahrnehmungsstatut. Es lässt sich folgende Kollisionsregel formulieren:

Die Bedingungen der Wahrnehmung, insbesondere gesetzliche Wahrnehmungsverpflichtungen und Diskriminierungsverbote der Verwertungsgesellschaften gegenüber den Rechteinhabern, unterliegen dem Recht des Staates, in dem die Verwertungsgesellschaft ihren Sitz hat.

2) Ergebnis

Grundsätzlich gilt hinsichtlich der Bedingungen der Wahrnehmung also das Wahrnehmungsstatut. Ausnahmen bestehen für die Wahrnehmung gesetzlicher Vergütungsansprüche oder verwertungsgesellschaftspflichtiger Rechte. In diesen Fällen sollte das Urheberrechtsstatut auch über die Wahrnehmungsbedingungen – speziell über eine Wahrnehmungspflicht – hinsichtlich des eingeschränkten Rechts entscheiden.

Aus deutscher Sicht bedeutet dies, dass eine Verwertungsgesellschaft mit Sitz in Deutschland zunächst dem Wahrnehmungszwang nach § 9 VGG unterliegt. Sie ist also nicht nur verpflichtet, inländische Rechte wahrzu-

774 *Ders.*, in: Götz von Olenhusen/Gergen/Vogel (Hrsg.), Kreativität und Charakter, 2017, S. 227 ff.

775 *Ders.*, in: Götz von Olenhusen/Gergen/Vogel (Hrsg.), Kreativität und Charakter, 2017, S. 227, 244 sowie *ders.*, in: Kubis/Peifer/Raue u.a. (Hrsg.), Ius Vivum: Kunst - Internationales - Persönlichkeit, 2022, S. 123 ff..

nehmen, sondern auch ausländische Rechte. Jedenfalls in Deutschland und der EU gilt dies (materiell-rechtlich) zumindest sofern die jeweiligen Rechte – dies meint vor allem die Werkarten und sonstigen Schutzgegenstände sowie den territorialen Bezugspunkt der Rechte – zum Tätigkeitsbereich der Verwertungsgesellschaft gehören und der Wahrnehmung keine objektiven Gründe entgegenstehen (§ 9 S. 1 Nr. 1 und 2 VGG). Eine ausländische Verwertungsgesellschaft trifft diese Pflicht hingegen nicht. Für sie gilt das ausländische Wahrnehmungsrecht ihres Sitzlandes. Enthält auch dieses einen Wahrnehmungszwang, so gilt er grundsätzlich umfassend, also auch für die Wahrnehmung ausländischer Rechte (auf Ebene des materiellen Rechts kann die Geltung des Wahrnehmungszwangs für ausländische Rechte freilich ebenso eingeschränkt sein, was sinnvoll ist).

Die Besonderheiten im Bereich der Schranken des Urheberrechts sind auch auf Wahrnehmungsebene zu berücksichtigen. Dort, wo eine Schranke die individuelle Wahrnehmung des Urheberrechts ausschließt, gilt grundsätzlich auch das nationale Wahrnehmungsrecht hinsichtlich der Bedingungen der kollektiven Wahrnehmung eben jener Rechte. Am Beispiel der gesetzlichen Vergütungsansprüche aus der Privatkopievergütung in Deutschland nach § 54 Abs. 1 UrhG gilt der Wahrnehmungszwang des § 9 S. 1 VGG also gegenüber jeder Verwertungsgesellschaft, die diesen Anspruch in Deutschland wahrnimmt, unabhängig von ihrem tatsächlichen Sitz. Praktisch ist jedoch zu sehen, dass bereits § 77 Abs. 1 VGG die Betätigung ausländischer Verwertungsgesellschaften zur Wahrnehmung gesetzlicher Vergütungsansprüche in Deutschland erschwert. Nimmt eine deutsche Verwertungsgesellschaft hingegen ausländische gesetzliche Vergütungsansprüche wahr, so richten sich die Bedingungen der Wahrnehmung nach dem jeweiligen ausländischen Recht. Klarzustellen ist jedoch, dass eine mittelbare Wahrnehmung im Wege der Gegenseitigkeitsverträge nicht genügt, die Verwertungsgesellschaft muss vielmehr selbst auf dem Lizenzmarkt aktiv werden, bzw. den gesetzlichen Vergütungsanspruch selbst im Schutzland geltend machen.

Es lässt sich folgende Kollisionsregel formulieren:

(1) *Die Bedingungen der Wahrnehmung, insbesondere gesetzliche Wahrnehmungsverpflichtungen und Diskriminierungsverbote der Verwertungsgesellschaften gegenüber den Rechteinhabern, unterliegen dem Recht des Staates, in dem die Verwertungsgesellschaft ihren Sitz hat.*

(2) *Geht es um die Bedingungen der Wahrnehmung eines gesetzlichen Vergütungsanspruches oder eines in sonstiger Weise eingeschränkten Rechts,*

dessen Wahrnehmung zwingend durch Verwertungsgesellschaften zu erfolgen hat, so ist abweichend von Absatz 1 das Recht desjenigen Staates anzuwenden, für dessen Gebiet ein Urheberrecht oder ein verwandtes Schutzrecht wahrgenommen werden soll. Satz 1 gilt nicht, sofern die Verwertungsgesellschaft das betreffende Recht oder den Vergütungsanspruch nicht für das jeweilige Gebiet aktiv und selbständig wahrnimmt.

3) Der Abschlusszwang

Der Abschlusszwang der Verwertungsgesellschaften unterliegt grundsätzlich anderen Funktionsprämissen als der Wahrnehmungszwang, was sich auch kollisionsrechtlich auswirken kann.[776] Während es beim Wahrnehmungszwang um einen Anspruch auf Zugang zum System der kollektiven Rechtewahrnehmung für die Rechteinhaber, also um einen Weg zur Vermarktung kreativer Güter aus Sicht der Rechteinhaber geht, behandelt der Abschlusszwang Zugangsfragen zu Rechten, die von Verwertungsgesellschaften wahrgenommen werden, aus der Perspektive der Nutzer. Auch hier ist der wettbewerbsrechtliche Gehalt der Regelungen zur Sicherung des Repertoirezugangs unübersehbar,[777] zugleich tritt allerdings der urheberrechtliche Gehalt der Vorschriften deutlicher in den Vordergrund als es beim Wahrnehmungszwang der Fall ist. Urheberrecht sucht stets den

---

776 Das deutsche Recht kennt einen generellen Abschlusszwang in § 34 Abs. 1 VGG, die VG-RL ist in dieser Frage hingegen zurückhaltender. Nach Art. 16 Abs. 1 VG-RL besteht eine Verhandlungspflicht nach „Treu und Glauben“ und nach Abs. 2 sind die Lizenzbedingungen grundsätzlich auf objektive und diskriminierungsfreie Kriterien zu stützen. Im US-Recht sieht section 102 (d), (2), (A), (iii) des Music Modernization Act einen Lizenzierungszwang vor. Die Reform ist aufgegangen in 17 U.S.C. § 115(d)(2)(A)(iii). Hier heißt es: "(iii) A notice of license may only be rejected by the mechanical licensing collective if (I) the digital music provider or notice of license does not meet the requirements of this section or applicable regulations, in which case the requirements at issue shall be specified with reasonable particularity in the notice of rejection; or (II) the digital music provider has had a blanket license terminated by the mechanical licensing collective within the past 3 years pursuant to paragraph (4)(E).".

777 Dies spiegelt sich auch in der europäischen Rechtsprechung wider, die zahlreiche Zugangsfragen zu den Repertoires der Verwertungsgesellschaften in der Vergangenheit unter Art. 102 AEUV behandelt hat. EuGH, C-177/16, ECLI:EU:C:2017:689 – *AKKA/LAA*, Rz. 41, 42; EuGH, C-395/87, ECLI:EU:C:1989:319 – *Tournier*, Rz. 19 und wortgleich EuGH, verb. Rs. 110/88, 241/88 und 242/88, ECLI:EU:C:1989:326 – *Lucazeau*, Rz. 13; EuGH, C-52/07, ECLI:EU:C:2008:703 – *Kanal 5/STIM* und EuGH, C-351/12, ECLI:EU:C:2014:110 – *OSA*, Rz. 87.

Ausgleich (mindestens) zwischen Vergütungs- und Zugangsinteressen. Der Abschluss- oder Lizenzierungszwang der Verwertungsgesellschaften könnte dabei als wesentlicher Teil dieses Interessenausgleichs anzusehen sein.[778]

Eindeutig ist dies auch auf Lizenzebene bei den verwertungsgesellschaftspflichtigen Rechten, denn in diesem System werden Verwertungsgesellschaften ganz bewusst und ausdrücklich als Instrument des Interessenausgleichs im Urheberrecht eingesetzt. Sie sollen einerseits Vergütung sichern, andererseits aber den Lizenzierungsprozess vereinfachen und Transaktionskosten senken. Um der Funktion der Zugangssicherung zu entsprechen, kommt es zugleich maßgeblich auf die Gewährleistung der Angemessenheit der Lizenzbedingungen an. Doch auch jenseits der formellen Schranken des Urheberrechts erhält die Kollektivierung eine schrankenähnliche Wirkung, wenn sie zugleich mit einem Abschlusszwang versehen wird.[779]

Der Abschlusszwang nimmt eine zentralere Rolle im Lizenzverhältnis der Verwertungsgesellschaften ein als der Wahrnehmungszwang im Wahrnehmungsverhältnis. Er ist untrennbar mit den Fragen nach den Bedingungen der Lizenzierung und damit mit dem Bereich der Tarifkontrolle verbunden. Diese Fragen werden in der Arbeit zusammenhängend bearbeitet.[780] Nachfolgend soll es zunächst, um die Untersuchung des Kollisionsrechts der kollektiven Rechtewahrnehmung im Wahrnehmungsverhältnis gehen.

V. Zwischenergebnis

Abschlusszwang und Wahrnehmungszwang sind dem Vertragsstatut fremd. Beide Pflichten treffen den Kern des Verwertungsgesellschaftsrechts, welches dem Urheberrecht erst zu einer effektiven und wirtschaftlichen Verwertung verhilft. Gleichwohl ist zwischen beiden Pflichten zu unterscheiden. Während der Wahrnehmungszwang ein Zugangsproblem der Rechteinhaber zu Werkvermittlern lösen möchte, welches sich nicht wesentlich

778 Siehe hierzu die interessenbezogene Analyse der VG-RL im Modell der *right-holders' option. Teil 2, Kapitel 1, C.*

779 *Gervais* (Hrsg.), Collective management of copyright and related rights, 2015, 28 f.; *ders.*, (Re)structuring Copyright, 2017, 207 ff. Hierzu bereits oben, *Teil 1, Kapitel 1, C, III.*

780 Die Befassung mit den besonderen Verpflichtungen der Verwertungsgesellschaften im Lizenzverhältnis erfolgt in Abschnitt *F.*

von anderen Zugangsfragen in verschiedenen Bereichen des Wirtschaftsrechts unterscheidet, weist der Abschlusszwang tiefergehende urheberrechtssystemische Bezüge auf. Als wesentliches Vehikel zur Vereinfachung der Werknutzung ist der Abschlusszwang der Verwertungsgesellschaften ein Regelungsmodell, welches in seiner Wirkung und auch inhaltlich den Schranken des Urheberrechts zugeordnet werden kann. Es handelt sich um das zentrale Regulierungsinstrument im Lizenzverhältnis, das gemeinsam mit den sonstigen Rechtsbeziehungen zu den Nutzern im Anschluss an das Wahrnehmungsverhältnis geprüft wird.

Anderes gilt für den Wahrnehmungszwang. Dieser stellt sich eher als Reaktion auf ein allgemeines Zugangsproblem dar, wie es sich in vielen Bereichen des Wirtschaftsrechts findet und welches unter anderem auf ein wettbewerbliches Defizit verweist. Auch hier ist jedoch zu unterscheiden: denn dort, wo das Urheberrecht gesetzlich so ausgestaltet wird, dass es selbst oder ein das Ausschließlichkeitsrecht substituierender Vergütungsanspruch nur von einer Verwertungsgesellschaft wahrgenommen werden kann, baut das nationale urheberrechtliche Schrankensystem auf dem Bestehen von Verwertungsgesellschaften auf. Ein in diesem Kontext wirkender Zugangsanspruch zur kollektiven Rechtewahrnehmung kann als Teil der Schranke selbst betrachtet werden, durch welche dem Urheber das Ausschließlichkeitsrecht nicht ersatzlos genommen werden soll.

Dieses kollisionsrechtliche Ergebnis hat aus deutscher Sicht zur Konsequenz, dass ausländische Gesellschaften, wenn sie im Inland tätig werden, dem deutschen Wahrnehmungszwang grundsätzlichen nicht unterliegen. Eng umgrenzte Ausnahmen bestehen bei unmittelbarer Wahrnehmung von gesetzlichen Vergütungsansprüchen oder verwertungsgesellschaftspflichtigen Rechten im Inland.

E. Bewertung besonderer Verpflichtungen aus dem Wahrnehmungsverhältnis

Als grundlegendste Verpflichtung der Regelung des Innenverhältnisses der Verwertungsgesellschaften stand der Wahrnehmungszwang am Beginn der Prüfung. Er ist eng verbunden mit den Verteilungsfragen, denn in ihnen lassen sich spiegelbildliche Problemlagen erkennen, die einerseits auf Gleichbehandlungsfragen im Innenverhältnis der Verwertungsgesellschaften, andererseits auf spezielle urheberrechtliche Wertungen hinauslaufen. Die Verteilungspraxis der Verwertungsgesellschaften hat dabei seit den Entscheidungen *Reprobel* und *Verlegerbeteiligung* besondere Aufmerksamkeit auf sich gezogen und wird sachrechtlich kontrovers diskutiert. Von dieser Diskussion ignoriert wurde bislang die Problematik der Einnahmenverteilung in grenzüberschreitenden Systemen, bei der unterschiedliche Wertungen aufeinandertreffen können. Der Ausschluss der Verleger von Vergütungsansprüchen im Anschluss an *Reprobel* wurde als nicht sachgerecht empfunden, weshalb der europäische Gesetzgeber mit Art. 16 Abs. 1 DSM-RL die zuvor praktizierten Modelle der Verlegerbeteiligung wieder ermöglichen wollte. In Deutschland wurde die Regelung in § 63a UrhG und §§ 27a und 27b VGG umgesetzt, die nun eine Aufteilung des Vergütungsaufkommens zwischen Urheber und Verleger vorsehen.

I. Verteilung der Einnahmen durch Verwertungsgesellschaften

Ähnlich wie der Abschlusszwang die Frage nach den Bedingungen des Vertragsschlusses miteinschließt und damit auf die Tarifproblematik verweist, wirft auch der Wahrnehmungszwang die Frage nach den Bedingungen der Wahrnehmung und damit mittelbar die Frage nach der Beteiligung der Urheber an den Einnahmen der Verwertungsgesellschaften auf. Wenn Verwertungsgesellschaften mit allen Urhebern kontrahieren müssen, kann es ihnen dann überlassen sein, zwischen Urhebern hinsichtlich ihrer Beteiligung an den Einnahmen zu unterscheiden; können sie also bspw. die Beteiligung der Rechteinhaber vom kommerziellen Wert eines Repertoires oder der kommerziellen Erwartung an ein Repertoire abhängig machen?[781] Sollen Verwertungsgesellschaften bei der Verteilung zwischen verschiedenen Werkkategorien unterscheiden können?[782] Von besonderer Relevanz ist die Frage nach der Verteilung der Einnahmen zwischen den verschiedenen Kategorien von Rechteinhabern. Soll es den Verwertungsgesellschaften, dem Wahrnehmungsvertrag oder einer im Kuriensystem der Gesellschaften

781 Dies ließe sich bspw. damit begründen, dass die Verwaltungskosten für Nischenrepertoires verhältnismäßig höher liegen. In Deutschland wird die Unzulässigkeit der Differenzierung nach „Hittauglichkeit" aus dem Angemessenheitsgebot nach § 9 S. 2 VGG und dem Willkürverbot nach § 27 Abs. 1 VGG abgeleitet. Es gilt grundsätzlich das Leistungsprinzip, wonach jedem Berechtigten der Anteil an den Einnahmen zusteht, der den Einnahmen entspricht, die aus der Verwertung seiner Rechte – abzüglich Verwaltungskosten – erzielt wurden (*Riesenhuber*, in: Heker/Riesenhuber (Hrsg.), Recht und Praxis der GEMA, ³2018, Kapitel 6, Rn. 113 ff.)

782 In Deutschland wird z.B. zwischen den Bereichen der E- und der U-Musik unterschieden. Siehe hierzu *ders.*, GRUR 2014, 443 ff.; *Hertin*, GRUR 2013, 469 ff.; *Nérisson/Katzenberger*, GRUR Int. 2011, 283-295.

gefundenen Regelung überlassen sein, wie Einnahmen aufzuteilen sind, wenn (potentiell) mehrere Rechteinhaber – wie Urheber und Verlage – das Recht oder Teile am Recht für sich beanspruchen? Für diese Arbeit ist nicht die Beantwortung dieser Fragen entscheidend, sondern die Frage, welches nationale Recht die Antwort bereitstellen soll.

Der Problemkreis ist nicht zuletzt aufgrund unterschiedlicher Verteilungsszenarien mit einer jeweils unterschiedlichen Beteiligung nationaler Verwertungsgesellschaften komplex und unübersichtlich. Denkbare grenzüberschreitende Verteilungsmodelle werden daher zunächst dargestellt und anschließend einer kollisionsrechtlichen Analyse zugeführt. Davor lohnt sich ein Blick auf die besonderen Verteilungsvorgaben des deutschen und europäischen Wahrnehmungsrechts, auf die bisherige Praxis der Verteilung bei grenzüberschreitender Zusammenarbeit der Verwertungsgesellschaften (soweit ersichtlich) sowie auf die Problemlage, welche im Zusammenhang mit den Entscheidungen *Reprobel* und *Verlegerbeteiligung* auftrat.

1) Allgemeine Regelungen zur Verteilung der Einnahmen von Verwertungsgesellschaften

Im deutschen Wahrnehmungsrecht werden Verteilungsfragen in den §§ 23 ff. VGG geregelt. Gemäß § 23 S. 1 VGG hat „die Verwertungsgesellschaft [...] die Einnahmen aus den Rechten [...] nach Maßgabe dieses Unterabschnitts mit der gebotenen Sorgfalt einzuziehen, zu verwalten und zu verteilen, soweit dieses Gesetz nichts anderes bestimmt.“ § 24 VGG sieht die Verwaltung der Einnahmen in getrennten Konten vor und § 25 VGG enthält Sonderreglungen zur Anlage der Einnahmen. Von grundlegender Bedeutung ist § 26 VGG, wonach *die Verwertungsgesellschaft* die Einnahmen aus den Rechten nur für eng umgrenzte Zwecke verwenden darf, vor allem zur Verteilung an die Berechtigten und zur Deckung ihrer eigenen Verwaltungskosten. Die Abzüge zur Deckung der Verwaltungskosten müssen gemäß § 31 Abs. 2 VGG im Verhältnis zu den Leistungen der Verwertungsgesellschaft stehen und anhand objektiver Kriterien festgelegt werden und dürfen nicht über die „gerechtfertigten und belegten Verwaltungskosten“ hinausgehen. Nach § 27 Abs. 1 VGG sind Verwertungsgesellschaften verpflichtet, die Verteilung nach fest umschriebenen Regeln, also einem Verteilungsplan, vorzunehmen. Der Verteilungsplan muss den Anforderungen von § 26 VGG entsprechen und unterliegt einem Willkürverbot sowie grundsätzlich einem Angemessenheitsgebot, wobei unvermeidbare Pauschalierungen nicht ausgeschlossen sind.[783]

Die weiteren Vorschriften in diesem Abschnitt befassen sich mit Fragen der Verteilungsfrist (§ 28 VGG), der Feststellung der Berechtigten (§ 29 VGG), dem Umgang mit nichtverteilbaren Einnahmen (§ 30 VGG) und mit besonderen Problembereichen, wie der Verteilung von Einnahmen aus gesetzlichen Vergütungsansprüchen (§ 27a VGG) und den Abzügen für kulturelle und soziale Zwecke (§ 32 VGG). Ähnliche, wenngleich weniger detaillierte Regelungen zum Umgang und zur Verteilung der Einnahmen durch Verwertungsgesellschaften finden sich in Art. 12 und 13 der VG-RL. Sowohl § 27a Abs 1 VGG, als auch § 63a UrhG Abs. 2 erlauben nun die Verlegerbeteiligung bzw. räumen dem Verleger sogar einen gesetzlichen Beteiligungsanspruch ein.[784] Spätestens Art. 16 DSM-RL hat den Streit über die nationalen Befugnisse zur Verlegerbeteiligung beendet. § 27b VGG sieht eine Beteiligungsquote von 2/3 zugunsten der Urheber vor, von der die Verwertungsgesellschaften im Verteilungsplan abweichen können (dispositive Mindestquote). Dem lässt sich jedoch eine Wertung zugunsten einer stärkeren Beteiligung der Urheber entnehmen.[785]

2) Die bisherige Praxis der grenzüberschreitenden Verteilung durch Verwertungsgesellschaften über Gegenseitigkeitsverträge

Die Besonderheit des traditionellen Modells liegt darin, dass Verwertungsgesellschaften nur territorial umgrenzt in ihren Heimatmärkten lizensieren und damit ein Einklang zwischen Verteilungsregel und Einnahme aus dem nationalen Recht grundsätzlich gewährleistet ist. Eine Ausnahme resultiert aus dem System der Gegenseitigkeitsverträge[786], durch welche auch Einnahmen aus ausländischen Rechten – jedoch über den Umweg der Schwestergesellschaften – in das nationale Verteilungssystem Eingang erhalten.[787]

---

783 *Schulze*, in: Dreier/Schulze (Hrsg.), Urheberrechtsgesetz, ^{6}2018, VGG, § 27, Rn. 5 ff.

784 *Ders.*, in: Dreier/Schulze (Hrsg.), Urheberrechtsgesetz, ^{7}2022, § 63a UrhG, Rn. 10 ff.

785 *Raue*, in: Dreier/Schulze (Hrsg.), Urheberrechtsgesetz, ^{7}2022, § 27b VGG, Rn. 1 ff.

786 Zur Praxis der kollektiven Rechtewahrnehmung auf Basis der Gegenseitigkeitsverträge *Teil 1, Kapitel 2, B.*

787 Nicht relevant für die Verteilungsfragen bzw. für die Bestimmung des anwendbaren Rechts bei Verteilungsfragen ist hingegen die Staatsangehörig oder der Aufenthalt des Rechteinhabers.

Letzteres zeigt, dass das grundlegende Problem nicht neu ist. Die territoriale Begrenzung der Verwertungsgesellschaften beschränkte sich streng genommen auf die unmittelbare Lizenzierungsebene, während bei genauer Betrachtung seit jeher im Innenverhältnis Einnahmen aus der Verwertung ausländischer Rechte verteilt werden mussten.[788] Die Gegenseitigkeitsverträge werden über den Wahrnehmungsvertrag zum Bestandteil der unmittelbaren Beziehung von Verwertungsgesellschaft und Rechteinhaber bzw. Berechtigtem.[789]

Tatsächlich enthalten die Gegenseitigkeitsverträge bspw. im Bereich der Musikurheberrechte auch Regelungen zur Verteilung der Einnahmen für verschiedene Fallgruppen der Rechtewahrnehmung durch mehrere Verwertungsgesellschaften. Sie gehen zurück auf einen von der CISAC entwickelten Standardvertrag.[790] Die Vorgaben des CISAC-Standardvertrags werden bspw. im Muster zu den Gegenseitigkeitsverträgen der GEMA aufgegriffen.[791] Der CISAC-Standardvertrag enthält zunächst allgemeine Gleichbehandlungsgrundsätze für die Behandlung von Eigen- und Fremdrepertoire. In Art. 3 Abs. 1 des Vertrages heißt es: „[Die vertragschließenden Verwertungsgesellschaften verpflichten sich,] in ihren Verwaltungsgebieten die Rechte der Mitglieder der anderen Partei in der gleichen Weise und

788 Auch bzgl. der Lizenzvergabe lässt sich im Übrigen eine mittelbare Auslandstätigkeit darin sehen, dass Schwestergesellschaften über die Gegenseitigkeitsverträge zur Lizenzvergabe ermächtigt werden, dies stellt sich bei genauer Betrachtung als eine Lizenz über ausländische Rechte dar.

789 *Thiele/Paudtke Jürgen*, in: Heker/Riesenhuber (Hrsg.), Recht und Praxis der GEMA, [3]2018, Kapitel 14, Rn. 11 f. Teilweise wird auch von Berechtigungsvertrag (so bspw. bei der GEMA, siehe *Staudt/Welp/Hendel*, in: Heker/Riesenhuber (Hrsg.), Recht und Praxis der GEMA, [3]2018, S. 212, Kapitel 7) oder Inkassoauftrag (so bei der VG WORT) gesprochen (zu den Unterschieden und speziell zu den Besonderheiten des Inkassoauftrags *Heine*, in: Heine/Holzmüller (Hrsg.), VGG, 2019, § 44 Rn 20 f. und 23).

790 Siehe v.a. Art. 7 CISAC-Standardvertrag, zur Verfügung gestellt von der GEMA (abrufbar unter https://www.gema.de/fileadmin/user_upload/Gema/jahrbuch/2019_20/014_Gegenseitigkeitsvertr%C3%A4ge.pdf, zuletzt abgerufen am 3.1.2020). Hierzu: *Euhus*, Die Gegenseitigkeitsverträge der Verwertungsgesellschaften im Musikbereich, 2008, S. 131 f.; *Karbaum/Oeller Georg*, in: Becker/Riesenhuber/Kreile (Hrsg.), Recht und Praxis der GEMA, [2]2008, Kapitel 17 Rn. 50 ff.; *Thiele/Paudtke Jürgen*, in: Heker/Riesenhuber (Hrsg.), Recht und Praxis der GEMA, [3]2018, Kapitel 14, Rn. 19 f.

791 Zitiert wird nachfolgend aus dem Mustervertrag der GEMA gemäß CISAC-Standardvertrag (abrufbar unter: https://www.gema.de/fileadmin/user_upload/Gema/jahrbuch/2019_20/014_Gegenseitigkeitsvertr%C3%A4ge.pdf, zuletzt abgerufen a, 3.1.2020).

im gleichen Umfang zur Geltung zu bringen wie diejenigen ihrer eigenen Mitglieder, und zwar im Rahmen des gesetzlichen Schutzes, der dem ausländischen Werk in dem Land, wo der Schutz gefordert wird, gewährt wird;“ und weiter: „die vertragsschließenden Parteien verpflichten sich außerdem, auf jede nur mögliche Weise das Prinzip der Gleichheit zwischen den Mitgliedern der einen und der anderen Gesellschaft [...] aufrechtzuerhalten [...].“ So sollen die Verwertungsgesellschaften grundsätzlich die gleichen Tarife und die gleichen Inkasso- und Abrechnungsmethoden wie für Werke ihres eigenen Repertoires verwenden (Art. 3 Abs. 1 UAbs. 1 des CISAC-Standardvertrags).

Hinsichtlich der hier relevanten Zuteilung der Einnahmen bestehen Sonderregelungen in Art. 7 Abs. 2 des CISAC-Standardvertrages. Demnach erfolgt die Zuteilung grundsätzlich nach dem Verteilungsplan der abrechnenden Gesellschaft[792]. Unterscheiden lassen sich jedoch drei Szenarien, für welche der Vertrag besondere Abrechnungsmodelle vorsieht.

Gehören alle Bezugsberechtigten einer Verwertungsgesellschaft an, die jedoch nicht die abrechnende Gesellschaft ist, so wird der Gesamtbetrag der auf das Werk entfallenden Einnahmen an diese Gesellschaft ausgekehrt. Die Aufteilung wird dann nach den Verteilungsregelungen dieser Verwertungsgesellschaft vorgenommen (Art. 7 Abs. 2 lit. a) CISAC-Standardvertrag).

Für ein Werk, dessen Bezugsberechtigte nicht alle Mitglieder der gleichen Verwertungsgesellschaft sind, aber von denen auch kein Bezugsberechtigter Mitglied der abrechnenden Gesellschaft ist, werden die Gebühren entsprechend einer international vereinheitlichten Dokumentation *(fiche internationale)* abgerechnet. Nur wenn es innerhalb dieser Abrechnungsmethode Widersprüche gibt, richtet sich die Aufteilung nach dem Verteilungsplan der abrechnenden Verwertungsgesellschaft. Für den Fall, dass unterschiedliche Bezugsberechtigte einen gleichen Anteil beanspruchen, wird die Ausschüttung solange zurückgestellt, bis eine Einigung zwischen den Verwertungsgesellschaften gefunden wurde (Art. 7 Abs. 2 lit. b) CISAC-Standardvertrag).

Ist hingegen zumindest ein Bezugsberechtigter Mitglied der abrechnenden Verwertungsgesellschaft, kann diese die Abrechnung für das Werk

792 Der CISAC-Standardvertrag spricht von abrechnender Gesellschaft und meint damit diejenige Gesellschaft, die Einnahmen auf ein Werk erhält und diese gegenüber anderen Verwertungsgesellschaften abrechnen muss, weil sie die Berechtigten nicht (vollständig) selbst vertritt.

grundsätzlich nach ihrem eigenen Verteilungsplan vornehmen (Art. 7 Abs. 2 lit. c) CISAC-Standardvertrag).[793] Um sicherzustellen, dass die Urheber stets einen angemessenen Anteil an den Einnahmen erhalten, bestimmt schließlich Art. 7 Abs. 2 lit. d) des CISAC-Standardvertrags, dass der auf Verleger entfallende Anteil in keinem Fall höher sein darf als 50 % der auf das Werk entfallenden gesamten Gebühren bzw. Einnahmen.[794]

Die Verwertungsgesellschaften haben also auf vertraglicher Basis ein Regelungsmodell entwickelt, auf dessen Grundlage ein Ausgleich unterschiedlicher Verteilungssysteme gefunden werden kann. Diese Praxis berücksichtigt durchaus die Nähe einer Verteilungsfrage zu einem räumlichen Regelungsregime und nimmt dabei implizit eine „quasi international-privatrechtliche" Interessenabwägung vor. Dort, wo sich alle Rechteinhaber einer Verwertungsgesellschaft angeschlossen haben, wurde bzw. wird auch einheitlich deren Verteilungsplan als interessengerecht empfunden, er soll daher gelten. Erst wenn dies nicht der Fall ist, müssen Ausweichregelungen gefunden werden, die im Zweifel zur Verteilung nach den Regeln derjenigen Gesellschaft führen, welche die Abrechnung unmittelbar vornehmen muss.[795] Ob diese Vorgaben der CISAC bzw. die Praxis der Ge-

793 Häufig bedienen sich Verlage zur Rechteadministration im Ausland lokaler Subverlage. Diese Subverlage sind ihrerseits Mitglieder der jeweiligen nationalen Verwertungsgesellschaft und nehmen dabei in der Regel den Verlegeranteil aus der ausländischen Rechtewahrnehmung in Empfang (*Heyde*, Die grenzüberschreitende Lizenzierung von Online-Musikrechten in Europa, 2011, S. 192 f.; *Euhus*, Die Gegenseitigkeitsverträge der Verwertungsgesellschaften im Musikbereich, 2008, S. 119).

794 Ähnliche Vorgaben enthält der Verteilungsplan der VG WORT. Gemäß § 12 Nr. 1 lit. a) des Verteilungsplans erfolgt eine Ausschüttung an diejenige Verwertungsgesellschaft, die gegenüber der VG WORT erklärt hat, dass sie von den betreffenden Rechteinhabern mit der Rechtewahrnehmung beauftragt ist und die VG WORT entsprechend freistellt, soweit Einnahmen konkreten Werken und Nutzungen zugeordnet werden können.

795 Die Gegenseitigkeitsverträge werden über den Berechtigungsvertrag zum Bestandteil der unmittelbaren Beziehung von Verwertungsgesellschaft und Berechtigtem. Berechtigter kann zunächst nur der Rechteinhaber sein (§ 6 VGG). Wer Rechteinhaber ist, entscheidet das jeweils anwendbare Urheberrecht – geht es um Nutzungen in Deutschland also das deutsche Urheberrecht (§ 5 VGG spannt den Bogen allerdings zugunsten derjenigen Personen, die aufgrund eines Verwertungsvertrages berechtigt sind, weiter). Die Einnahmen, welche auf die Nutzung dieses Rechts entfallen, sind grundsätzlich an den Rechteinhaber auszuschütten, entweder unmittelbar oder über den Umweg der jeweils verbundenen Schwestergesellschaft (§ 26 Nr. 1 VGG). Wer Rechteinhaber ist, lässt sich aber oftmals nicht ohne Weiteres feststellen. Dies ist bspw. problematisch zwischen Urhebern und Verlagen, da bspw. § 1 des GEMA-Berechtigungsvertrags eine Vorausabtretung des Urhebers im Hinblick auf

genseitigkeitsverträge einer kollisionsrechtlichen Überprüfung standhalten, ist nachfolgend zu untersuchen. Denkbar – und im europäischen Wahrnehmungsrecht explizit vorgesehen – ist darüber hinaus eine unmittelbare Rechtewahrnehmung über Grenzen hinweg. Von besonderem Interesse ist in beiden Fällen die Behandlung urheberrechtlicher Besonderheiten, wie sie in den Entscheidungen *Reprobel* und *Verlegerbeteiligung* zutage getreten sind. Ihre Berücksichtigung im Falle grenzüberschreitender Rechtewahrnehmung wurde bislang nicht diskutiert und ist daher unklar.

3) Beschreibung des Grundproblems im nationalen Wahrnehmungsfall

Die Entscheidungen *Reprobel*[796] des EuGH und *Verlegerbeteiligung*[797] des BGH sind bereits der Sache nach umstritten und ihre praktischen Auswirkungen werden auf nationaler Ebene kontrovers diskutiert.[798] Da es in dieser Arbeit um das Kollisionsrecht geht, soll – soweit wie möglich – vermieden werden, inhaltlich Position zum materiellen Recht zu beziehen. Der Fall zeichnet jedoch die Grundproblematik vor, indem er verdeutlicht, inwieweit spezifisch urheberrechtliche Problemlagen auf die Verteilungsentscheidung durch Verwertungsgesellschaften einwirken können. Er kann damit zum Ausgangspunkt der Untersuchung herangezogen werden und als nationaler Beispielsfall dienen, von dem ausgehend sich die Problematik mit zunehmender internationaler Verstrickung verschärft.

---

sämtliche künftig entstehende Werke enthält. In der Regel folgt der Verlagsvertrag zeitlich dem Abschluss des Wahrnehmungsvertrags nach, was aufgrund des Prioritätsprinzips dazu führt, dass die Einräumung der Rechte von den Urhebern an die Verlage ins Leere läuft. Es findet lediglich ein subsidiärer Erwerb statt, der erst relevant und wirksam wird, wenn der Urheber den Wahrnehmungsvertrag kündigt und seine Rechte an ihn zurückfallen (hierzu ausführlich *Heyde*, Die grenzüberschreitende Lizenzierung von Online-Musikrechten in Europa, 2011, S. 188 ff. und *Ungern-Sternberg*, in: Ahrens/Bornkamm/Fezer u.a. (Hrsg.), Festschrift für Wolfgang Büscher, 2018, S. 265, 267 in Auseinandersetzung mit BGH, GRUR 2016, 596, Rn. 82 – *Verlegeranteil*; hierzu sehr kritisch *Riesenhuber*, ZUM 2018, 407, 408 f.). Die Beteiligung der Verlage als ebenfalls Berechtigte lässt sich so als Vertrag zugunsten Dritter zwischen Verwertungsgesellschaft und Urheber verstehen. Die Beteiligung weitere abgeleiteter Berechtigter würde auf Grundlage des Berechtigungsvertrags erfolgen, welcher sowohl den Verteilungsplan als auch die Gegenseitigkeitsverträge in die Vertragsbeziehung aufnimmt.

796 EuGH, C-572/13, ECLI:EU:C:2015:750 – *Reprobel* = ZUM 2016, 152.

797 BGH, Urt. v. 21.4.2016 – I ZR 198/13 – *Verlegerbeteiligung* (BGHZ 210, 77–113).

798 Siehe nur *Ungern-Sternberg*, in: Ahrens/Bornkamm/Fezer u.a. (Hrsg.), Festschrift für Wolfgang Büscher, 2018, S. 265 ff. sowie *ders.*, JurPC 105/2018 einerseits und *Riesenhuber*, ZUM 2018, 407 ff. andererseits.

a) Reprobel und Verlegerbeteiligung als Ausgangsfall eines Qualifikationsproblems

In diesem Ausgangsfall geht es um Urheberrechte, verwandte Schutzrechte und gesetzliche Vergütungsansprüche in Deutschland. Die Rechte werden von einer deutschen Verwertungsgesellschaft wahrgenommen, mit der alle potentiellen Rechteinhaber bzw. Berechtigten unmittelbar durch einen Wahrnehmungsvertrag verbunden sind. Folgender Beispielsfall ist denkbar:

Ein Schriftwerk wird von zwei Coautoren gemeinschaftlich verfasst, beide sind mit der VG WORT bereits durch einen Wahrnehmungsvertrag verbunden, welcher die ausschließliche Rechteeinräumung aller kollektiv wahrzunehmenden Rechte, bestehender und zukünftig geschaffener Werke vorsieht.[799] Das Werk wird von einem Verlag veröffentlicht. Auch der Verlagsvertrag sieht die typischen Rechteabtretungen vor und der Verlag ist seinerseits mit der VG WORT über einen Wahrnehmungsvertrag verbunden. Auch für dieses Wahrnehmungsverhältnis bestimmt der Wahrnehmungsvertrag eine Vorausabtretung aller Rechte.[800] Die Verwertungsgesellschaft nimmt die Rechte in Deutschland unmittelbar wahr, d.h. sie lizenziert Nutzungen[801] und zieht die Einnahmen aus gesetzlichen Vergütungsansprüchen, wie bspw. aus der Privatkopievergütung ein. Zur Regelung der Einnahmenverteilung hat die VG WORT einen Verteilungsplan entwickelt, welcher jeweils über die Wahrnehmungsverträge in das Vertragsverhältnis mit den Autoren einerseits und mit dem Verlag andererseits aufgenommen wird. Der Verteilungsplan sieht komplexe Aufteilungsregeln für verschiedene Werktypen und Nutzungsformen vor, in der Regel kommt es jedoch zu einer Aufteilung der Einnahmen zwischen Autoren und Verlag, wobei der Verlag meist einen Vergütungsanteil in Höhe von 30–50 % erhält (teilweise erhalten die Urheber auch 80 oder gar 100 %).[802]

799 So auch in § 2 des Mustervertrags der VG WORT, siehe Musterwahrnehmungsvertrag für Autoren (abrufbar unter: https://www.vgwort.de/fileadmin/pdf/wahrnehmungsvertrag/WV_Muster_Autor.pdf, zuletzt abgerufen am 16.4.2020).

800 § 2 des Mustervertrags der VG WORT.

801 Die Wahrnehmung von Ausschließlichkeitsrechten spielt im Wahrnehmungsbereich der VG WORT eigentlich kaum eine Rolle, soll hier aber angenommen werden, um einen vollständigen Fall zu konstruieren.

802 Siehe hierzu § 5 des Verteilungsplans der VG WORT in der Fassung vom 9. Juni 2018 (abrufbar unter: https://www.vgwort.de/fileadmin/pdf/verteilungsplan/Verteilungsplan_2018__f%C3%BCr_Aussch%C3%BCttungen_ab_2019_.pdf, zuletzt abgerufen am 16.4.2022). Mit angepassten und weiter ausdifferenzierten Verteilungsquoten nun § 5 des Verteilungsplans in der Fassung vom 10. Dezember

Bis zur viel beachteten Entscheidung im Fall der *Verlegerbeteiligung* erhielten die Verlage grundsätzlich auch 50 % an den Vergütungsansprüchen aus der Privatkopievergütung nach § 54 Abs. 1 UrhG.[803] Der BGH hielt diese Beteiligung für rechtswidrig, da sie mit den wesentlichen Grundgedanken des Gesetzes, namentlich § 7 S. 1 UrhWG nicht vereinbar sei. Im Anschluss erhielten die Urheber also grundsätzlich 100 % der verteilbaren Einnahmen aus den gesetzlichen Vergütungsansprüchen, was im Wesentlichen in § 4 des Verteilungsplans der VG WORT umgesetzt wurde. Demnach konnten die Verlage an den Einnahmen aus gesetzlichen Vergütungsansprüchen nur in Höhe der vorgesehenen Verteilungsquoten beteiligt werden, wenn der Urheber des verlegten Werks einer Beteiligung zugestimmt hat, oder der Verlag die entsprechenden Vergütungsansprüche seinerseits bei der VG WORT zur Wahrnehmung eingebracht hat.[804] Inzwischen wurde der Verteilungsplan nicht nur mit einer weiteren Ausdifferenzierung der Verteilungsquoten in § 5 angepasst, vielmehr sieht § 4 Abs. 1 seit Dezember 2021 in Umsetzung der neuen Regelungen des Urheber- und Wahrnehmungsrechts nun wieder eine originäre Beteiligung der Verlage vor („soweit ihnen oder einem anderen Verlag in der Lizenzkette, von dem der jeweilige Verlag seine Rechte ableitet, im Hinblick auf dieses Werk der jeweilige Urheber ein Recht eingeräumt hat, auf das sich die gesetzlich erlaubten Nutzungen nach Teil 1, 6. Abschnitt des Urheberrechtsgesetzes oder nach § 27 Abs. 2 UrhG beziehen"). Im Innenverhältnis zwischen den Coautoren wären die Einnahmen entsprechend ihrer kreativen Beiträge aufzuteilen (im Zweifel 50/50). Im Falle der Wahrnehmung von Ausschließlichkeitsrechten war die Rechtslage lange unklar.[805] Inzwischen ist auch hier eine Verteilung möglich.

2021 (abrufbar unter: https://www.vgwort.de/fileadmin/pdf/verteilungsplan/Verteilungsplan_Dezember_2021.pdf, zuletzt abgerufen a, 16.4.2022).

803 BGH, Urt. v. 21.4.2016 – I ZR 198/13 – *Verlegerbeteiligung* (BGHZ 210, 77–113).

804 Siehe § 4 Abs. 1 des Verteilungsplans in der Fassung vom 9. Juni 2018.

805 Die VG WORT nahm auch hier grundsätzlich eine Aufteilung zwischen Autoren und Verlegern vor (§ 5 des Verteilungsplans 2018). In § 3 Abs. 2 hieß es hierzu: „Im Bereich der Wahrnehmung ausschließlicher Nutzungsrechte an verlegten Werken besteht die Ausschüttungsberechtigung unabhängig davon, wer – Urheber oder Verlag – die Rechte bei der VG WORT zur Wahrnehmung eingebracht hat. Die Verteilung der entsprechenden Einnahmen erfolgt nach festen Anteilen gemäß den Regelungen von § 5." Vor dem Hintergrund der Geltung des Prioritätsprinzips geht die Abtretung von Ansprüchen an Verlage regelmäßig ins Leere, da diese bereits zuvor den Verwertungsgesellschaften zur Wahrnehmung eingeräumt wurden (*Heyde*, Die grenzüberschreitende Lizenzierung von Online-Musikrechten in Europa, 2011,

b) Die nationale Normenkollision als Spiegel des Qualifikationsproblems

Der BGH leitete das Verbot der Verlegerbeteiligung aus einer AGB-Kontrolle der Wahrnehmungsverträge ab (§ 307 Abs.1 S. 1, Abs. 2 Nr. 1 BGB). § 307 Abs. 1 S. 1, Abs. 2 Nr. 1 BGB fungierte so als Einfallstor zur Überprüfung der vertraglichen Regelungen am Maßstab gesetzlicher Grundgedanken – namentlich aus dem damaligen UrhWG.[806] Die Wertungen des BGH basierten jedoch nicht nur auf den Maßstäben des Wahrnehmungsrechts, sondern gleichfalls auf grundlegenden urheberrechtliche Überlegungen in Bezug auf die Abtretbarkeit und Übertragbarkeit der Vergütungsansprüche.

S. 153 ff.). Ob dies auch dazu führt, dass eine Aufteilung der Einnahmen zwischen Urhebern und Verlagen nicht möglich ist, da die Verlage nicht als Berechtigte angesehen werden können, wurde bislang nicht höchstinstanzlich entschieden. In diese Richtung ging jedoch das KG Teilurteil v. 14.11.2016, 24 U 96/14 = GRUR-RR 2017, 94, Rz. 23 – *Musikverlegeranteil*, hier heißt es: „die fehlende Berechtigung der Streithelferinnen der Bekl. ergibt sich schon aus der Unwirksamkeit der sie begünstigenden Bestimmungen des Verteilungsplans. Insoweit besteht auch kein Grund, zwischen den Erlösen aus der Verwertung urheberrechtlichen Nutzungsrechte und aus der Einziehung gesetzlicher Vergütungsansprüche zu unterscheiden. Maßgeblich bleibt nach der Rechtsprechung des BGH in beiden Fällen, dass es der Bekl. als Treuhänderin nicht gestattet ist, Nichtberechtigte an dem Vergütungsaufkommen zu beteiligen und dass Regelungen des Verteilungsplans, die feste Quoten für die Verlegerbeteiligung unabhängig davon vorsehen, ob und inwieweit die Einnahmen der Verwertungsgesellschaft auf der Wahrnehmung von Rechten oder Ansprüchen beruhen, die ihr von Verlegern eingeräumt oder übertragen worden sind, gegen das Willkürverbot des § 7 WahrnG aF (jetzt § 27 VGG) verstoßen und damit einer AGB-rechtlichen Inhaltskontrolle nicht standhalten." Auch wenn eine Übertragung der Rechtsprechung des BGH in dem Verfahren *Verlegerbeteiligung* naheliegend erscheint, ist doch funktionsbezogen zu sehen, dass die Orientierung am Prioritätsprinzip zumeist zu unbefriedigenden, zufälligen und einseitigen Ergebnissen führt. Unklar ist darüber hinaus die Bestimmung von Berechtigtem und Rechteinhaber nach §§ 5 und 6 des neuen VGG sowie die Bedeutung von § 27 Abs. 2 VGG. Dazu kontrovers einerseits *Ungern-Sternberg*, in: Ahrens/Bornkamm/Fezer u.a. (Hrsg.), Festschrift für Wolfgang Büscher, 2018, S. 265 ff. sowie *ders.*, JurPC 105/2018 und andererseits *Riesenhuber*, ZUM 2018, 407 ff. Inzwischen ist dieser Streit auf Grund der geänderten Rechtslage nur noch als historisch anzusehen. § 3 Abs. 2 wurde im Verteilungsplan vom 10. Dezember 2021 daher auch unverändert beibehalten.

806 Das Willkürverbot hinsichtlich der Verteilung der Einnahmen durch Verwertungsgesellschaften nach § 7 S. 1 UrhWG findet sich auch im neuen Recht wieder (§ 27 Abs. 1 VGG), darüber hinaus enthält das VGG in den §§ 23 ff. wesentlich detailliertere Vorgaben zu Verteilung der Einnahmen. Auf den gesetzlichen Grundgedanken des § 27 Abs. 1 VGG verweist auch das OLG Köln in einer neueren Entscheidung, welche den hier gewählten AGB-ansatz bestätigt (OLG Köln, Urt. v. 18.11.2022 – 6 U 57/22 (= GRUR 2023, 404)). Inzwischen erlaubt insbes. § 27a VGG die Aufteilung der Einnahmen.

Entscheidend für das Urteil war, dass die Verleger – nach Ansicht des BGH – kein eigenes Recht und auch keinen eigenen gesetzlichen Vergütungsanspruch in die Verwertungsgesellschaft eingebracht hatten. Damit, so der BGH, stehe ihnen auch kein Ausgleich und keine Vergütung zu.[807]

Einen internationalen Rechtskonflikt gibt es in diesem Fall aufgrund des fehlenden Auslandsbezugs nicht. Bestenfalls könnte man von einer nationalen Normenkollision sprechen, da nicht ganz deutlich wird, ob dieses Ergebnis wahrnehmungsrechtlich, vertragsrechtlich oder urheberrechtlich erzielt wurde – für das Kollisionsrecht kann diese Frage im Rahmen der Qualifikation entscheidend werden. Das Verhältnis der Verwertungsgesellschaften zu den Rechteinhabern wird zunächst vom Wahrnehmungsvertrag bestimmt. Hierin wird typischerweise auch geregelt, welche Rechte eingeräumt werden, welche Abzüge von Verwertungsgesellschaften vorgenommen werden dürfen und wer wieviel aus den Einnahmen erhält, wenn mehrere Rechteinhaber an einem wahrgenommen Recht zu beteiligen sind.[808] Es mag daher zunächst naheliegen, die Verteilung der Einnahmen mit dem Wahrnehmungsvertrag als eine vertragliche Regelung anzusehen. Spätestens wenn es aber um die Frage geht, wer als Rechteinhaber Ansprüche auf die Einnahmen ableiten kann – die sowohl in der *Reprobel*-Entscheidung[809] auf europäischer Ebene als auch in der Entscheidung *Verlegerbeteiligung*[810] im deutschen Recht maßgeblich war und mittelbar auch in der bereits besprochenen *MyVideo*-Entscheidung[811] eine Rolle spielte – weist das Problem eine urheberrechtliche Dimension auf. Dazwischen steht das Wahrnehmungsrecht als weitere zentrale Rechtsmaterie.

807 BGH, Urt. v. 21.4.2016 – I ZR 198/13, Rz. 39 ff. – *Verlegerbeteiligung.*

808 So wird der Umfang der Rechteeinräumung bspw. sehr detailliert im GEMA-Berechtigungsvertrag geregelt. In § 1 des Berechtigungsvertrages ist die Übertragung bereits bestehender und zukünftiger Rechte geregelt, § 2 regelt den Fall, dass über bestehende Rechte gegenwärtig nicht verfügt werden kann (GEMA-Berechtigungsvertrags in der Fassung von April 2016 (online abrufbar unter: https://www.gema.de/fileadmin/user_upload/Gema/Berechtigungsvertrag.pdf, zuletzt abgerufen a, 16.4.2020). Über § 6 a) Abs. 1 des Berechtigungsvertrags wird insbesondere der Verteilungsplan der GEMA (der GEMA Verteilungsplan 2018 ist unter folgendem Link abrufbar: https://www.gema.de/fileadmin/user_upload/Gema/jahrbuch/16_Verteilungsplan.pdf, zuletzt abgerufen am 16.4.2020) zum Gegenstand des Wahrnehmungsverhältnisses gemacht.

809 EuGH, C-572/13, EU:C:2015:750 – *Hewlett-Packard/Reprobel* = GRUR 2016, 55.

810 BGH, Urt. v. 21.4.2016 – I ZR 198/13 – *Verlegerbeteiligung* (BGHZ 210, 77–113).

811 OLG München, Urt. v. 29. 04. 2010 – 29 U 3698/09 – *MyVideo.*

4) Fallgruppen der grenzüberschreitenden Verteilung von Einnahmen durch Verwertungsgesellschaften

Da das beschriebene Verteilungsproblem vor allem im deutschen und im europäischen Recht wurzelte und die Verteilungspraxis der Verwertungsgesellschaften im Ausland anders ausfallen kann, stellt sich die Frage nach welchem Recht die Beziehungen der Verwertungsgesellschaften zu den Rechteinhaber zu beurteilen sind, wenn es um die Verteilung der Einnahmen in Fällen mit Auslandsberührung geht. Dies ist von großer Relevanz, da selbst im traditionellen System der grenzüberschreitenden Rechtewahrnehmung über Gegenseitigkeitsverträge die zu verteilenden Einnahmen grenzüberschreitend abgerechnet werden.[812] Dabei sind verschiedene Fallgruppen mit unterschiedlicher Auslandsberührung denkbar. Sie werden nachfolgend dargestellt.

a) Fallgruppe 1: Direkte Wahrnehmung von Urheberrechten und gesetzlichen Vergütungsansprüchen durch eine ausländische Verwertungsgesellschaft

Als erste Fallgruppe einer grenzüberschreitenden Rechtewahrnehmung ist der Fall einer ausländischen[813] Verwertungsgesellschaft denkbar, die in Deutschland unmittelbar Werknutzungen lizenziert sowie gesetzliche Vergütungsansprüche einzieht und an die Berechtigten verteilt. Alle potentiell Berechtigten, Verleger und Autoren, stehen in einem Wahrnehmungsverhältnis mit dieser ausländischen Verwertungsgesellschaft. Der Verteilungsplan sieht eine Beteiligung nach Quoten von 70/30[814] zugunsten der Verleger vor, das Wahrnehmungsrecht des Sitzlandes der Verwertungsgesellschaft enthält keine besonderen Regelungen zur Verteilung, überlässt sie also grundsätzlich der Vereinbarung im Wahrnehmungsverhältnis.

---

812 Siehe zuvor hinsichtlich der Abrechnung über das System der Gegenseitigkeitsverträge.

813 Gemeint sind hier zunächst außereuropäische Gesellschaften, da sich für europäische Gesellschaften Besonderheiten aufgrund weitreichender Harmonisierung und der Geltung des Herkunftslandprinzips ergeben können. Dies wird im nachfolgenden Kapitel untersucht.

814 Ob eine Beteiligung der Verleger i.H.v. 70 % mit deutschem Recht in Einklang stünde, ist zweifelhaft. Doch ist dies eine Frage des materiellen Rechts. Die VG WORT sieht regelmäßig eine deutlich höhere Beteiligung der Urheber vor (siehe Verteilungspläne oben). Es wurde bewusst eine extreme Verteilungsquote gewählt, um die Problemlage zu verdeutlichen.

Würde sich die Verteilungsfrage – mit dem Wahrnehmungs- oder Vertragsstatut (bei entsprechender Rechtswahl bzw. aufgrund fehlender Rechtswahl) – nach dem Recht des Sitzlandes der Verwertungsgesellschaft richten, so würde der Verleger grundsätzlich einen Anteil von 70 % an der Gesamtvergütung, die Urheber einen gemeinsamen Anteil von 30 % erhalten. Wäre hingegen – mit dem Urheberrechtsstatut – deutsches Recht anwendbar, so würden die Urheber hinsichtlich der Einnahmen aus den gesetzlichen Vergütungsansprüchen nach alter Rechtslage 100 % bekommen. Im neuen Recht ist keine feste Verteilungsquote vorgesehen, jedoch spricht § 27b VGG dafür, dass Urheber grundsätzlich stärker beteiligt werden sollen als Verleger. Die Verteilung soll sich außerdem nach dem Leistungsprinzip richten, was ebenfalls dafür spricht, dass ein höherer Anteil der Verleger (mit einer besonderen verlegerischen Leistung) begründet werden müsste.[815] Zwar haben sich insoweit noch keine Standards etabliert, jedoch ist zu vermuten, dass eine deutlich höhere Beteiligung der Verleger einen Verstoß gegen das Willkürverbot darstellen kann und in Deutschland auch nach dem neuen Recht nicht möglich wäre. Ebenfalls nach deutschem Recht würde sich die Verteilung der Einnahmen aus der Wahrnehmung des Ausschließlichkeitsrechts richten. Die praktische Konsequenz wäre, dass eine Verwertungsgesellschaft nicht mehr unbedingt einen einheitlichen Verteilungsplan festsetzen könnte.

b) Fallgruppe 2: Grenzüberschreitende Wahrnehmung über Gegenseitigkeitsverträge wobei alle (potentiellen) Rechteinhaber derselben Verwertungsgesellschaft angehören

Das klassischere und nach wie vor bedeutendste Modell der grenzüberschreitenden Rechtewahrnehmung erfolgt über den Umweg der Gegenseitigkeitsverträge. Auch die Verteilung der Einnahmen muss über mehrere Verwertungsgesellschaften und über deren Gegenseitigkeitsverträge gesteuert werden. Im Ausgangsfall sind alle (potentiellen) Rechteinhaber – Urheber und Verlage (sowie Inhaber von verwandten Schutzrechten) – einer ausländischen Verwertungsgesellschaft angeschlossen und räumen dieser ihre Rechte zur weltweiten Wahrnehmung ein. Die Wahrnehmung, also erstens Lizenzierung und zweitens Einziehung der gesetzlichen Vergü-

815 Siehe insbesondere *Raue*, in: Dreier/Schulze (Hrsg.), Urheberrechtsgesetz, [7]2022, VGG, § 27 Rn. 12 und § 27b Rn. 3.

tungsansprüche, nimmt die Verwertungsgesellschaft jedoch nur im Inland vor; im Ausland lässt sie sich von einer lokalen Verwertungsgesellschaft vertreten. Für die Geltendmachung der Rechte in Deutschland lässt sie sich also von der VG WORT repräsentieren, welche Lizenzen für Nutzungen in Deutschland vergibt und die gesetzlichen Vergütungsansprüche in Deutschland einzieht.

Verteilungskonflikte können auf zwei Ebenen relevant werden. Zunächst stellt sich die Frage wie – d.h. nach den Grundsätzen welchen nationalen Rechts – die VG WORT die Einnahmen an die ausländische Verwertungsgesellschaft weitergeben muss; anschließend, nach welchen Kriterien letztere die Einnahmen im Innenverhältnis zu den Wahrnehmungsberechtigten verteilen kann.[816] Problematisch ist in diesem Modell vor allem die Verteilungsfrage auf Ebene der ausländischen Verwertungsgesellschaft, da erst bei ihr die Aufteilung der Einnahmen vorgenommen werden muss. Die Problematik auf dieser Ebene ist letztlich mit derjenigen im vorhergehenden Szenario vergleichbar. Einziger Unterschied ist, dass die verteilende Gesellschaft nicht unmittelbar im Ausland tätig wurde.

c) Abwandlung von Fallgruppe 2: Die Rechteinhaber sind bei unterschiedlichen Verwertungsgesellschaften

Während die Verteilungsentscheidung der lizenzierenden deutschen Verwertungsgesellschaft im zuvor beschriebenen Modell unproblematisch erscheint – einzig möglicher Adressat ist die eine Schwestergesellschaft von

816 Wie gesehen, haben sich hierzu im Musikbereich von der CISAC koordinierte Standardverträge entwickelt durch welche die Einheitlichkeit der internationalen Aufteilung des Gebührenaufkommens sichergestellt werden soll. Gemäß Art. 7 Abs. 2 lit. a) des CISAC-Standardvertrags kehrt die abrechnende (mithin unmittelbar einziehende) Verwertungsgesellschaft den Gesamtbetrag der auf das jeweilige Werk entfallenden Einnahmen an die Gesellschaft aus, der alle Wahrnehmungsberechtigten angehören. Ähnliche Vorgaben enthält auch der Verteilungsplan der VG WORT. Gemäß § 12 Nr. 1 lit. a) des Verteilungsplans erfolgt eine Ausschüttung an diejenige Verwertungsgesellschaft, die gegenüber der VG WORT erklärt hat, dass sie von den betreffenden Rechteinhabern mit der Rechtewahrnehmung beauftragt ist und die VG WORT entsprechend freistellt. In denselben Bestimmungen der Verteilungspläne bzw. Gegenseitigkeitsverträge wird sodann festgelegt, dass eine einheitliche Aufteilung der Einnahmen nach den Verteilungsregeln derjenigen Verwertungsgesellschaft erfolgt, welche mit den Rechteinhabern in einer unmittelbaren Wahrnehmungsbeziehung steht.

der alle Rechte abgeleitet werden –, ergibt sich ein komplexeres Bild, wenn nicht alle Rechte von derselben Verwertungsgesellschaft abgeleitet werden können. So kann es durchaus vorkommen, dass Verlag und Autoren unterschiedlichen (nationalen) Verwertungsgesellschaften angehören und genauso ist es möglich, dass verschiedene Coautoren in unterschiedlichen Verwertungsgesellschaften organisiert sind.[817] Nimmt nun die VG WORT über Gegenseitigkeitsverträge alle werkbezogenen Rechte für Deutschland wahr, so muss sie bei der Abrechnung eine eigene Entscheidung treffen, wie die jeweiligen Verwertungsgesellschaften zu beteiligen sind.[818]

Folgt die Verteilung der Einnahmen dem tatsächlichen Rechtefluss, so würde sich die unterschiedliche Anknüpfung des Rechtsverhältnisses inhaltlich nicht auswirken. Denn die Orientierung am Rechtefluss, was die ausschließliche Beteiligung der Autoren zur Folge hätte, entspricht den urheberrechtlichen Wertungen des Schutzlandes. Sie entspricht zugleich grundsätzlich den verteilungs-, d.h. spezifisch wahrnehmungsrechtlichen Regelungen des VGG, welches über das Wahrnehmungsstatut für die Tätigkeit der VG WORT berufen wäre. Drittens würde das Vertragsstatut – mangels besonderer Rechtswahl – wohl ebenfalls zum deutschen Recht führen, da die VG WORT durch Lizenzierung, Einziehung und Verteilung die maßgebliche Dienstleistung erbringt (Art. 4 Abs. 2 Rom I-VO).

---

817 Es lässt sich folgender Fall bilden: Autor A gehört der Verwertungsgesellschaft des Landes A an und überträgt dieser seine Rechte im Wege der Vorausabtretung, genauso verfährt Coautor B mit der Verwertungsgesellschaft des Landes B. Der Verlag gehört schließlich der Verwertungsgesellschaft eines dritten Landes, C, an.

818 Die Gegenseitigkeitsverträge halten hierzu folgendes Lösungsmodell bereit: Die VG WORT folgt in ihrem Verteilungsplan dem tatsächlichen Rechtefluss. Sie schüttet gemäß § 12 Nr. 1 lit. a) des Verteilungsplans die Einnahmen an diejenige Verwertungsgesellschaft aus, welche die Vertretung eines konkreten Rechteinhabers anzeigt, soweit Nutzungen diesem Werk zugeordnet werden können. Gemäß Art. 7 Abs. 2 lit. b) des CISAC-Standardvertrags gilt Folgendes: „Für ein Werk, dessen Bezugsberechtigte nicht alle Mitglieder der gleichen Gesellschaft sind, aber von denen auch keiner Mitglied der abrechnenden Gesellschaft ist, werden die Gebühren entsprechend der *fiche internationale* abgerechnet (d. h. nach den von den Gesellschaften, deren Mitglieder die Bezugsberechtigten sind, übermittelten und gebilligten Karteikarten oder gleichwertige Deklarationen).
Wenn es sich um divergierende *fiches internationales* oder Deklarationen handelt, kann die abrechnende Gesellschaft die Gebühren entsprechend ihrem Verteilungsplan verteilen, vorbehaltlich des Falls, in dem unterschiedliche Bezugsberechtigte einen gleichen Anteil beanspruchen, der dann bis zu einer Einigung unter den interessierten Gesellschaften zurückgestellt werden kann."

d) Fallgruppe 3: Rechtewahrnehmung durch eine inländische Verwertungsgesellschaft in Deutschland, wobei nicht alle potentiellen Rechteinhaber dieser angeschlossen sind

Darüber hinaus sind gemischte Fallkonstellationen denkbar, so können etwa die Autoren der VG WORT angeschlossen sein, der Verleger hingegen einer ausländischen Verwertungsgesellschaft angehören. Für die VG WORT würde sich hier die Frage stellen, wie oder ob sie überhaupt Einnahmen an die ausländische Verwertungsgesellschaft überführen muss bzw. kann. Nach alter Rechtslage wäre letzteres jedenfalls für die Einnahmen aus den gesetzlichen Vergütungsansprüchen wohl nicht der Fall gewesen.

Für den umgekehrten Fall, dass der Verleger über einen Wahrnehmungsvertrag mit der VG WORT verbunden ist und die Autoren ausländischen Verwertungsgesellschaften angehören, würde nach der Rechtsprechung des BGH der Verleger ebenfalls nicht von den Einnahmen aus den gesetzlichen Vergütungsansprüchen profitieren, vielmehr wären diese vollständig an die Verwertungsgesellschaft(en) der Autoren zu überführen. Wahrnehmungs- und Urheberrechtsstatut führen in beiden Fällen zur Anwendung des deutschen Rechts.

5) Das anwendbare Recht hinsichtlich der Verteilung der Einnahmen aus der Wahrnehmung des Ausschließlichkeitsrechts

Die kollisionsrechtliche Untersuchung des Wahrnehmungszwangs hat gezeigt, dass sich die Rolle der Verwertungsgesellschaften bei der Wahrnehmung des Ausschließlichkeitsrechts und der Wahrnehmung verwertungsgesellschaftspflichtiger Rechte bzw. gesetzlicher Vergütungsansprüche unterscheidet. Eine entsprechend unterschiedliche kollisionsrechtliche Behandlung der Verteilungsfragen, je nachdem auf welcher Grundlage Einnahmen erzielt wurden, scheint daher nicht fernliegend. Die nachfolgende Untersuchung beginnt deshalb mit der Verteilung von Einnahmen aus der Wahrnehmung des Ausschließlichkeitsrechts. Dabei wird zunächst untersucht, ob eine systemische bzw. strukturelle Nähe zu einem der drei infrage kommenden Statute besteht. Anschließend werden die kollisionsrechtlichen Interessen näher beleuchtet. Für die Bewertung der kollisionsrechtlichen Interessen ist die jeweilige Wirkung der Anwendung von Urheberrechtsstatut, Vertragsstatut und Wahrnehmungsstatut entscheidend.

a) Strukturelle Nähe zum Urheberrechtsstatut

Zunächst scheint eine urheberrechtliche Qualifikation der Verteilungsfragen und damit die Geltung des jeweiligen Schutzlandrechts aufgrund des Funktionszusammenhangs von Urheber- und Wahrnehmungsrecht naheliegend. Namentlich ist dabei an die Vergütungssicherungsfunktion der Verwertungsgesellschaften zu denken.

(1) Reichweite von Art. 8 Abs. 1 Rom II-VO

Das Urheberrechtsstatut gilt für außervertragliche Schuldverhältnisse aus einer Verletzung von Rechten des geistigen Eigentums nach Art. 8 Abs. 1 Rom II-VO und für das sogenannte *Urheberrecht an sich.* Hierzu gehören insbesondere alle Fragen, die das Entstehen, den Schutzbereich oder die Verletzung des Rechts regeln.[819] Die Frage der Übertragbarkeit wird zwar nicht von Art. 8 Rom II-VO erfasst, sie unterfällt allerdings ebenfalls dem Schutzlandprinzip.[820] All diese Rechtsfragen weisen allerdings kaum eine Nähe zur Verteilung der Einnahmen auf. Urheberrechtliche Besonderheiten bestehen grundsätzlich nur insoweit, als die zu verteilenden Einnahmen aus einer Nutzung des Urheberrechts resultieren und zweitens mit den Verteilungsregeln die besagte Vergütungssicherungsfunktion der Verwertungsgesellschaften in den Vordergrund rückt, welche auch den Zwecken des Urheberrechts, namentlich der Förderung kreativer Leistungen und der Sicherung eines Auskommens für die Urheber entspricht.[821] Den typischen Fragen des Urheberrechtsstatuts, wie Entstehen, Schutzbereich und Übertragbarkeit des Rechts ist die Einnahmenverteilung aber nachgelagert. Sie erinnert auch eher an allgemeine wirtschaftsrechtliche Problemkreise. So gelten etwa für Finanzdienstleister besondere privatrechtliche Pflichten, ohne dass im grenzüberschreitenden Kontext der Finanzdienstleistungen

---

819 Hierzu bereits *Teil 3, Kapitel 1, C., II., 1.), b.).*

820 *Drexl*, in: von Hein (Hrsg.), MüKo IPR II, ^{8}2021, Rom II-VO Art. 8 Rn. 222 f. Siehe hierzu auch Guideline 19 der Kyoto-Guidelines.

821 Die angemessene Alimentation der Kreativen wird auch bei *Leistner* und *Hansen* zu den Begründungssträngen des Urheberrechts gezählt (*Leistner/Hansen*, GRUR 2008, 479, 482).

eine dem Urheberrechtsstatut ähnliche Konstruktion benötigt würde.[822] In der Tat sprechen auch die verwertungsgesellschaftsrechtlichen Verteilungsvorschriften im Kern einerseits die Vergütungssicherungsfunktion und andererseits die Treuhandfunktion der Verwertungsgesellschaften an – zwei Funktionen, die auch Finanzdienstleistern nicht fremd sind.

(2) Strukturelle Nähe aufgrund eines Funktionszusammenhangs

Das Verwertungssystem und das ihm zugrundeliegende Regulierungsrecht können dabei helfen Verhandlungsungleichgewichte auszugleichen. Sie dienen damit der Ergänzung des Urhebervertragsrechts. Vor allem die Urheber sollen von der Verwertung ihrer Werke profitieren und in hinreichendem Maße an den Einnahmen aus ihren Werken partizipieren.[823] Gleichzeitig lassen sich durch die Anwendung des Urheberrechtsstatuts die urheberrechtlichen Wertungen des Nutzungsstaates am konsequentesten umsetzen. Dort, wo der Gesetzgeber etwa die Position der Urheber gefährdet sieht und das Urheberrecht daher bewusst unabtretbar ausgestaltet oder über das Wahrnehmungsrecht allein die Urheber beteiligt sehen möchte, ließe sich diese Position auch international absichern und nicht, etwa durch die Einschaltung einer ausländischen Verwertungsgesellschaft, umgehen. Die Anwendung des Urheberrechtsstatuts führt zu einem international konsequenten Vorgehen im Sinne einer Einheitlichkeit der Verteilung, unabhängig davon, mit welcher Verwertungsgesellschaft ein Rechteinhaber verbunden ist. Die Verteilung würde klar orientiert am Recht des Schutzlandes erfolgen, womit sich auch Unsicherheiten bei der grenzüberschreitenden Verteilung über den Umweg der Gegenseitigkeitsverträge vermeiden ließen.

Doch verlangt auch das deutsche Urhebervertragsrecht keine zwingende Anwendung, nur weil deutsche Urheberrechte den Vertragsgegenstand bilden. Vielmehr gilt hier grundsätzlich das Vertragsstatut. Härten lassen sich bestenfalls über die Qualifikation einzelner Vorschriften als Eingriffsnormen ausgleichen.[824] Dies mag zwar den bezweckten Interessenausgleich im

822 Zur Kollisionsrechtsproblematik bei grenzüberschreitenden Finanzdienstleistungen siehe etwa: *Lehmann*, in: Zetzsche/Lehmann (Hrsg.), Grenzüberschreitende Finanzdienstleistungen, 2018, S. 1 ff.

823 *Schack*, Urheber- und Urhebervertragsrecht, ^{9}2019, Rn. 4 ff.; differenzierend *Leistner/Hansen*, GRUR 2008, 479, 482 ff.

824 *Dreier*, in: Dreier/Schulze (Hrsg.), Urheberrechtsgesetz, ^{6}2018, Vor § 120, Rn. 55.

Urheberrecht schwächen, dient aber einer Öffnung für den internationalen Rechtsverkehr. Von der Rechtswahl gehen nicht nur praktisch positive Effekte für den grenzüberschreitenden Rechtsverkehr aus, sie stärkt auch die Parteiautonomie und wurzelt in der Anerkennung der Gleichwertigkeit der Rechtsordnungen. Für die Parteien wird das geltende Recht vorhersehbar und im Idealfall wählen sie ein Recht, welches den beiderseitigen Interessen am nächsten kommt.[825] Die Problematik der Lokalisierung des Rechtsverhältnisses zeigt sich im Urhebervertragsrecht in ähnlicher Weise wie bei der Frage der Einnahmenverteilung, welcher der Wahrnehmungsvertrag zugrunde liegt.

(3) Die Auswirkungen der Anwendung des Urheberechtsstatuts

Auswirkungsbezogene Überlegungen sprechen ebenfalls gegen die Anwendung des Urheberrechtsstatuts und für eine schuldrechtliche oder wahrnehmungsrechtliche Qualifikation. Denn unter der Prämisse, dass eine grenzüberschreitende Rechtewahrnehmung gewünscht ist, erweist sich die Anwendung des Urheberrechtsstatuts als Hindernis dieses Ziels. Sie führt zu einer Normenhäufung und bewirkt damit eine kaum zu überwindende Komplexität, welche eine rechtskonforme grenzüberschreitende Betätigung der Verwertungsgesellschaften unmöglich machen könnte. Die Verwertungsgesellschaften müssten ihre Verteilungspläne jedem Wahrnehmungsrecht anpassen, für dessen Gebiet sie sich an der Rechtewahrnehmung beteiligen. Beachtet man jedoch die Doppelnatur des Wahrnehmungsrechts, so liegen Normkonflikte auf der Hand. Zumindest das europäische Wahrnehmungsrecht schafft nicht nur privatrechtliche Rechtspositionen, sondern enthält darüber hinaus (oder zu allererst) eine aufsichtsrechtliche Komponente. Die Aufsicht erfolgt aber am Sitzland der Verwertungsgesellschaft – was nicht bedeutet, dass eine Aufsicht im Lizenzstaat per se ausscheidet[826] – und die dortige Aufsichtsbehörde wird die Betätigung der Verwertungsgesellschaft grundsätzlich nicht anhand des ausländischen Rechts kontrollieren, sondern am Maßstab des eigenen Rechts.

825 *Kropholler*, IPR, [6]2006, § 40 III.
826 Dazu *Teil 2, Kapitel 2, B.*

(4) Exzessive Rechtsanwendung bei Geltung des Urheberrechtsstatuts

Die grundsätzliche Ungeeignetheit des Urheberrechtsstatuts wird durch die Analyse der Verteilung der Einnahmen im klassischen Modell der Gegenseitigkeitsverträge bestätigt. Denn konsequenterweise müsste sich auch hier die Einnahmenverteilung in Anlehnung an die urheberrechtliche *lex loci protectionis* nach dem Recht desjenigen Staates richten, aus welchem die Einnahmen stammen. Dies bedeutet, dass auch Verwertungsgesellschaften, die nicht unmittelbar an einem ausländischen Markt teilnehmen, ihre Tätigkeit dem Recht dieses Staates anpassen müssten. In der Vergangenheit wurde hingegen eine andere Praxis gewählt. Die Verwertungsgesellschaften behalfen sich mit einem Standardvertragswerk, welches die Nähe der Rechtsverhältnisse zu einem bestimmten Markt implizit berücksichtigt.[827]

b) Anwendung des Vertragsstatuts

Tatsächlich basiert die Rechtsbeziehung zwischen Rechteinhaber und Verwertungsgesellschaft in erster Linie auf dem Wahrnehmungsvertrag, was für die Anwendung des Vertragsstatuts der Rom I-VO spricht. Der sachliche Anwendungsbereich der Rom I-VO erstreckt sich auf alle vertraglichen Schuldverhältnisse in Zivil- und Handelssachen, die eine Verbindung zu mehreren Staaten aufweisen (Art. 1 Abs. 1 Rom I-VO). Der Begriff des Schuldverhältnisses orientiert sich an dem weiten Vertragsbegriff des EuGH zu Art. 7 Nr. 1 lit. a) Brüssel Ia-VO.[828] Demnach genügt es bereits, „dass eine von einer Person gegenüber einer anderen freiwillig eingegangene Verpflichtung bestimmt werden kann, auf die sich die Klage stützt."[829] Dies ist hier grundsätzlich der Fall, denn die Verteilungsbestimmungen der Verwertungsgesellschaften werden – etwa in Gestalt des Verteilungsplans – über den Wahrnehmungsvertrag in das Wahrnehmungsverhältnis einbezogen.[830] Für den Wahrnehmungsvertrag gelten allerdings nicht nur die

827 Siehe hierzu die Ausführungen zu den CISAC-Standardverträgen oben und allgemein *Euhus*, Die Gegenseitigkeitsverträge der Verwertungsgesellschaften im Musikbereich, 2008, S. 131 ff.

828 *Junker*, Internationales Privatrecht, [4]2021, § 15, Rn. 10 ff.

829 EuGH, Urteil C-26/91, ECLI:EU:C:1992:268, Rn. 15 – *Handtke/TMCS* und EuGH, Urteil C-27/02, ECLI:EU:C:2005:33, Rn. 51 – *Engler/Janus Versand.*

830 Siehe hierzu bspw. § 6 des GEMA-Berechtigungsvertrags in der Fassung von April 2016, durch welchen der Verteilungsplan der GEMA in den Vertrag einbezogen wird

besonderen Vorschiften des Wahrnehmungsrechts, sondern auch allgemeine Regelungen des Vertragsrechts bzw. der vertragsrechtlichen Kontrolle, insbesondere die AGB-Kontrolle.[831] Gleichzeitig erscheint die Rechtswahlfreiheit, welche Art. 3 Abs. 1 Rom I-VO grundsätzlich gewährt, zu offen. Sie wird dem Regulierungsbedürfnis des Wahrnehmungsrechts kaum gerecht. Fehlstellungen könnten sich bestenfalls und auf unbefriedigende Weise durch die Behandlung der Vorschriften als Eingriffsnormen korrigieren lassen.

c) Anwendung des Wahrnehmungsstatuts

(1) Allgemeine Wirkungen

Zuletzt käme eine Anwendung des Wahrnehmungsstatuts, welches spezifisch wahrnehmungsrechtliche Verhältnisse erfasst und auf das Sitzlandrecht der jeweiligen Verwertungsgesellschaft verweist, in Betracht. Die Verteilungspläne der Verwertungsgesellschaften würden stets nur am Maßstab des Wahrnehmungsrechts ihres Sitzlandes überprüft werden. Eine deutsche Regelung, die dazu führt, dass Verwertungsgesellschaften die Einnahmen aus den Ausschließlichkeitsrechten allein an die Urheber und nicht mehr anteilig an die Verleger ausschütten können, müsste im Ausland grundsätzlich nicht berücksichtigt werden bzw. würde dann nicht gelten, wenn die Verteilung durch eine Verwertungsgesellschaft erfolgt, die ihren Sitz im Ausland hat.

Dies betrifft zunächst den Fall, dass die ausländische Verwertungsgesellschaft unmittelbar Einnahmen aus der Verwertung deutscher Urheberrechte erzielt. Der ausländische Verteilungsmaßstab wäre bei Anwendung des

(der GEMA Verteilungsplan 2018 ist unter folgendem Link abrufbar: https://www.gema.de/fileadmin/user_upload/Gema/jahrbuch/16_Verteilungsplan.pdf, zuletzt abgerufen am 16.4.2020). Dies gilt jedenfalls für Deutschland, doch auch ausländische Verwertungsgesellschaften haben grds. interne Verteilungsbestimmungen mit ähnlichem Gehalt (bspw. für Südosteuropa siehe *Mesevic*, Urheberrechtssysteme und kollektive Rechtewahrnehmung in Südosteuropa, 2015, S. 444 ff.).

831 *Riesenhuber*, in: Becker/Riesenhuber/Kreile (Hrsg.), Recht und Praxis der GEMA, ^{2}2008, Kapitel 9 Rn. 89 ff. und *ders.*, Die Auslegung und Kontrolle des Wahrnehmungsvertrags, 2004, S. 8. Auch der BGH stütze seine Entscheidung im Verfahren um die Verlegerbeteiligung auf eine AGB-Kontrolle der Wahrnehmungsverträge (BGH, Urt. v. 21.4.2016 – I ZR 198/13, – *Verlegerbeteiligung*, dazu bereits *Teil 3, Kapitel 1, E, I., 3.), b.)*).

Wahrnehmungsstatuts jedoch grundsätzlich auch dann entscheidend, wenn die Verteilung aus einer mittelbaren Einnahmenerzielung unter Zwischenschaltung der deutschen Verwertungsgesellschaft erfolgt. Hier besteht allerdings die Besonderheit, dass die deutsche Verwertungsgesellschaft unter Umständen ebenfalls eine eigene, nicht unbedingt endgültige Verteilungsentscheidung treffen muss. Insoweit wäre sie zunächst an die Grundätze des deutschen Wahrnehmungsrechts, insbesondere an das Willkürverbot gebunden, da das Wahrnehmungsstatut für sie zum deutschen Wahrnehmungsrecht führt.

(2) Die Wirkungen im Gegenseitigkeits- bzw. Repräsentationsverhältnis

Eine eigene Verteilungsentscheidung muss jedoch nur dann getroffen werden, wenn nicht ohne Weiteres der Gesamtbetrag der Einnahmen, die auf eine Werknutzung entfallen, an eine Verwertungsgesellschaft ausbezahlt werden kann, sondern bereits auf Ebene der unmittelbar wahrnehmenden Gesellschaft differenziert werden muss. Im obigen Beispiel ist dies dann der Fall, wenn die Verleger und Autoren als potentiell Berechtigte unterschiedlichen Verwertungsgesellschaften angehören (Fallgruppe 2 Abwandlung).

(a) Kollisionsrechtliche Wertungen innerhalb der Gegenseitigkeitsverträge

Entscheidend ist dann zunächst der Inhalt der Gegenseitigkeitsverträge – im Musikbereich also die Regelung aus Art. 7 des CISAC-Standardvertrags. Zwar handelt es sich hierbei um eine vertragliche Regelung, bei Geltung des Wahrnehmungsstatuts muss sie aber dennoch den Maßstäben des deutschen Wahrnehmungsrechts entsprechen. Das deutsche Wahrnehmungsrecht kann dabei über den Umweg von § 307 Abs. 1 S. 1, Abs. 2 Nr. 1 BGB[832] oder über ähnliche öffnende Vorschriften zur Kontrolle der Wahrnehmung im Gegenseitigkeits- oder Repräsentationsverhältnis herangezogen werden. Grundsätzlich verweist Art. 7 des CISAC-Standardvertrags auch auf die Verteilungsregelungen der unmittelbar abrechnenden Gesellschaft, es sei denn alle Bezugsberechtigten gehören der gleichen Schwestergesellschaft an (Art. 7 Abs. 2 lit. a)). Damit vollziehen die Standardverträge implizit die

832 Wie im Verfahren etwa um die *Verlegerbeteiligung* siehe BGH, Urt. v. 21.4.2016 – I ZR 198/13.

maßgeblichen kollisionsrechtlichen Wertungen. Diese Wertungen scheinen auch in § 23 S. 1 VGG angelegt zu sein, wonach Verwertungsgesellschaften insbesondere die Einnahmen aus den Rechten, die sie auf Grundlage einer Repräsentationsvereinbarung wahrnehmen, nach den Maßgaben des deutschen Wahrnehmungsrechts einzuziehen, zu verwalten und zu verteilen haben.

(b) § 46 Abs. 1 VGG als Verweis auf das Wahrnehmungsstatut

§ 46 Abs. 1 VGG konkretisiert die Frage der Verteilung im Repräsentationsverhältnis bzw. bei Wahrnehmung auf Grundlage eines Gegenseitigkeitsvertrags und scheint dabei ebenfalls eine kollisionsrechtliche Lösung bereitzuhalten, die auf das jeweilige Wahrnehmungsrecht der konkret mit einer Verteilungsfrage konfrontierten Verwertungsgesellschaft verweist. Soweit die Verwertungsgesellschaften in der Repräsentationsvereinbarung keine abweichenden Vereinbarungen treffen, ist für die Verteilung der Einnahmen aus den Rechten der Verteilungsplan der beauftragten Verwertungsgesellschaft maßgeblich. Gemäß § 46 Abs. 1 S. 2 VGG findet die Möglichkeit abweichende Regelungen zu vereinbaren für die deutsche Verwertungsgesellschaften ihre Grenze im wahrnehmungsrechtlichen Willkürverbot.

(3) Absicherung des Willkürverbots durch gesonderte Anknüpfung des Berechtigtenbegriffs bzw. der Rechteinhaberschaft

Ähnlich wie im Fall der *Verlegerbeteiligung* nach altem Recht kann wohl auch im neuen Recht eine Überschreitung des Willkürverbots dann angenommen werden, wenn eine Verwertungsgesellschaft Nichtberechtigte an der Einnahmenerzielung beteiligt. Nach dem deutschen Wahrnehmungsrecht ist die Unterscheidung von Berechtigten und Nichtberechtigten derzeit unklar.[833] Als materiell-rechtliche Frage ist sie hier aber auch nicht ent-

833 Wer bezugsberechtigt in diesem Sinne ist, wurde bislang nicht untersucht. Es erscheint naheliegend, diese Frage urheberrechtlich zu verstehen, da es um eine Vergütung aufgrund der Einräumung eines urheberrechtlichen Nutzungsrechts bzw. auf der Grundlage gesetzlicher Vergütungsansprüche geht. Das deutsche Wahrnehmungsrecht greift den Begriff des (Bezugs-)Berechtigten in § 6 VGG auf, schafft dabei aber zusätzliche Unsicherheit (siehe etwa die Diskussion zwischen *Ungern-Sternberg* und *Riesenhuber*: *Ungern-Sternberg*, in: Ahrens/Bornkamm/Fezer u.a.

scheidend. Jedenfalls erweisen sich Rechteinhaber nach dem Urheberrecht stets auch als Berechtigte und in der Regel verweist das materielle Wahrnehmungsrecht auch auf diesen Begriff.[834] Die Verwertungsgesellschaften sind entsprechend gehalten, im Repräsentationsverhältnis dem tatsächlichen Rechtefluss zu folgen.

Wer Rechteinhaber ist, ist eine Vorfrage, und zwar eine materiell-rechtliche Vorfrage.[835] Materiell-rechtliche Vorfragen sind nach h.M. grundsätzlich nach dem Internationalen Privatrecht der *lex causae*, also dem Kollisionsrecht, welchem die Hauptfrage unterfällt, anzuknüpfen.[836] Zumindest das deutsche Internationale Privatrecht beantwortet die Frage der Rechteinhaberschaft nach dem jeweiligen Schutzlandrecht. Geht es also um die Verteilung von Vergütungen, die aus der Nutzung des deutschen Rechts resultieren, ist entscheidend, wer Rechteinhaber nach deutschem Recht ist und dies sind regelmäßig nicht die Verlage.[837]

(Hrsg.), Festschrift für Wolfgang Büscher, 2018, S. 265, 269 ff.; *Ungern-Sternberg*, JurPC 105/2018 und *Riesenhuber*, ZUM 2018, 407 ff.). Berechtigter ist demnach „jeder Rechtsinhaber, der auf gesetzlicher oder vertraglicher Grundlage in einem unmittelbaren Wahrnehmungsverhältnis zu einer der in § 1 genannten Organisationen steht", wobei allerdings der Begriff des Rechteinhabers in § 5 VGG ebenfalls eine eigene Definition erhält, welche den Rechteinhaberbegriff des Urheberrechts erweitert. Rechteinhaber i.S.v. § 5 Abs. 1 VGG „ist jede natürliche oder juristische Person, die Inhaber eines Urheberrechts oder verwandten Schutzrechts ist oder die gesetzlich oder aufgrund eines Rechteverwertungsvertrags Anspruch auf einen Anteil an den Einnahmen aus diesen Rechten hat". Diese Öffnung des Rechteinhaberbegriffs bezweckt augenscheinlich den Kreis der Berechtigten um professionelle Rechteverwerter wie Verlage, Filmproduzenten, Sender etc. zu erweitern. Sie deckt sich zwar mit der Begriffsbestimmung in Art. 3 lit. c) der VG-RL, doch ist das Verhältnis zum urheberrechtlichen und vor allem zum unionsrechtlichen Rechteinhaberbegriff, wie er insbesondere in der InfoSoc-RL zum Ausdruck kommt, bislang ungeklärt (*Schulze*, in: Dreier/Schulze (Hrsg.), Urheberrechtsgesetz, ^{6}2018, § 5 VGG, Rn. 3; für eine Öffnung des Berechtigtenbegriffs auf Grundlage der VG-RL *Staats*, ZUM 2014, 470, 471).

834 Bspw. aus dem europäischen Rechtsrahmen Art. 13 abs. 1 VG-RL; in Deutschland in § 5 Abs. 1 VGG; außerhalb Europas: Art. 44 und 49 Abs. 3 des Schweizer Urheberrechtsgesetzes und Chapter VII, Art. 33 para. 3 (iii) and Art. 35 para. 2 of the Indian Copyright Act 1957 (No. 14 of 1957) (as last amended by Act No. 27 of 2012).

835 Zum Begriff der Vorfrage ausführlich *Bernitt*, Die Anknüpfung von Vorfragen im europäischen Kollisionsrecht, 2012, S. 9 ff.

836 Im Einzelnen umstritten: *Junker*, Internationales Privatrecht, ^{4}2021, § 10 Rn. 8 ff. für eine selbständige Anknüpfung nach dem IPR der *lex fori* hingegen *Kegel/Schurig*, Internationales Privatrecht, ^{9}2004, § 9 II, S. 376 ff.

837 Eine weitere Beteiligung der Verlage könnte sich auf Grundlage von § 5 Abs. 1 Hs. 2 ergeben, wonach Rechteinhaber auch juristische oder natürliche Personen sein

Gleichzeitig kann die Frage der Rechteinhaberschaft im grenzüberschreitenden Kontext schwierig zu beantworten sein. Dies gilt besonders dann, wenn mehrere Schöpfer an der Erschaffung eines Werkes beteiligt sind. Deutlich wurde dies in der Abwandlung des dritten Verteilungsszenarios, in welchem auch die Autoren unterschiedlichen Verwertungsgesellschaften angeschlossen sind. Die rechtliche Behandlung von Werken mehrerer Schöpfer kann so zu einer komplexen Frage für Verwertungsgesellschaften werden.[838]

(4) Zusammenfassung

Das Wahrnehmungsstatut bringt zunächst für jede Verwertungsgesellschaft das Recht ihres Sitzlandes zur Anwendung. Bei der Abwicklung von Einnahmen über das Gegenseitigkeitsverhältnis würde eine deutsche Verwertungsgesellschaft (zumindest nach der Rechtslage vor Umsetzung von Art. 16 Abs. 1 DSM-RL) also – dem Rechtefluss folgend – Einnahmen nur an die Verwertungsgesellschaft der Autoren ausschütten. Eine Verwertungsgesellschaft, die Verleger vertritt, ginge hingegen leer aus. Die interne Verteilung innerhalb der ausländischen Schwestergesellschaft würde sich

können, die aufgrund eines Rechteverwertungsvertrags Anspruch auf einen Anteil an den Einnahmen aus diesen Rechten haben. Dies ist allerdings umstritten und als eine Frage des materiellen Rechts hier nicht entscheidend (dazu insbesondere *Riesenhuber*, ZUM 2018, 407 ff.; *Ungern-Sternberg*, in: Ahrens/Bornkamm/Fezer u.a. (Hrsg.), Festschrift für Wolfgang Büscher, 2018, S. 265 ff.; *Ungern-Sternberg*, JurPC 105/2018). Zum Prioritätsprinzips insbes. *Heyde*, Die grenzüberschreitende Lizenzierung von Online-Musikrechten in Europa, 2011, S. 153 ff.

838 Auch wenn die meisten Urheberrechtsordnungen mit demselben oder einem ähnlichen Begriff der Urheberschaft arbeiten, kann es zu Divergenzen kommen. Es sind verschiedene Varianten der rechtlichen Würdigung eines jeden Beitrags denkbar. Zunächst ist eine selbständige, isolierte Betrachtung der einzelnen Leistung möglich. Wird die Schöpfungshöhe für einen individuellen Beitrag erbracht, entstünde ein individuelles Urheberrecht. In Kontrast dazu kann man die Beiträge aller Beteiligten als Teile eines (nur) einheitlichen Werkes betrachten. Abhängig von der Verbindung der Beiträge zum Gesamtwerk kann auch dieses unterschiedlich qualifiziert werden: als Werk entstanden aus Zusammenarbeit – *oeuvre de collaboration* oder als Kollektivwerk – *oeuvre collective*. Siehe zur Co- und Miturheberschaft etwa *Torremans*, EIPR 27 (2005), 220, 223, 223; zur Unterscheidung zwischen *oeuvre de collaboration* und *oeuvre collective Fischer*, Perspektiven für ein europäisches Urheberrecht, 2014, S. 278; und *Geiger*, in: Hilty/Geiger (Hrsg.), Impulse für eine europäische Harmonisierung des Urheberrechts/Perspectives d'harmonisation du droit d'auteur en Europe, 2007, S. 519, 520.

sodann nach deren Sitzlandrecht bestimmen. Dabei kann deutsches Recht jedoch mittelbar relevant werden, sofern das ausländische Wahrnehmungsrecht seinerseits nach der Rechteinhaberschaft fragt. Diese wäre dann als Vorfrage zu behandeln und nach dem IPR der *lex causae* anzuknüpfen.

Nicht wesentlich anders fällt das Ergebnis bei unmittelbarer Rechtewahrnehmung einer ausländischen Verwertungsgesellschaft in Deutschland aus. Da keine inländische Verwertungsgesellschaft zwischengeschaltet ist, kommt auch kein inländisches Wahrnehmungsrecht zur Anwendung. Die Verteilung richtet sich vielmehr allein nach dem Sitzlandrecht der Verwertungsgesellschaft, welche die Rechteinhaber vertritt. Da nur diese Verwertungsgesellschaft die entscheidenden Rechte wahrnimmt, kann auch nur sie eine Lizenzierung im Ausland vornehmen.[839] Wer Rechteinhaber ist, kann sich im Verteilungsverhältnis erneut als Vorfrage stellen, die – soweit die *lex causae* dies nach der *lex loci protectionis* behandelt – nach deutschem Recht als Recht des Schutzlandes bzw. Lizenzlandes zu beantworten ist.

d) Zwischenergebnis

Die praktische Überprüfung der Statuten anhand der beschriebenen Fallgruppen offenbarte bei allen drei kollisionsrechtlichen Konzepten Schwächen. Vor allem die Anwendung des Urheberrechtsstatuts führte zu einer Verwicklung der Rechte, die sich kaum auflösen lässt. In manchen Fällen führte sie gar zu einer Normhäufung, die eine Konformität der Verwertungsgesellschaften mit allen anwendbaren Rechtsordnungen unmöglich macht. Am flexibelsten erwies sich freilich die Anwendung des Vertragsstatuts. Diese Flexibilität hat zugleich aber zur Folge, dass zwingende Rechtsstandards allzu leicht unterlaufen werden können bzw. einzelfallbezogen über Eingriffsnormen aufgefangen werden müssten. Nicht ohne Komplexität kam auch die Anwendung des Wahrnehmungsstatuts aus, da auch dieses letztlich – soweit das vom Wahrnehmungsstatut berufene Recht mit den Begriffen „Rechteinhaber“ oder „Berechtigter“ arbeitet – zu einer verschachtelten Prüfung führt. Entscheidend kommt es im Kollisionsrecht auf die kollisionsrechtlichen Interessen an. Nur über ihre Berücksichtigung

839 Hierin zeigen sich auch die Konsequenzen aus dem *MyVideo*-Verfahren, wonach CELAS keine Nutzungsrechte erworben hatte und ihr daher auch kein Verbotsrecht zustand. Konsequenterweise ist CELAS dann auch nicht am Vergütungsaufkommen der GEMA zu beteiligen (*Teil 1, Kapitel 1, C, II., 4.), b.)*).

lässt sich der „Sitz des Rechtsverhältnisses" und eine sachgerechte Lösung finden.

e) Analyse der kollisionsrechtlichen Interessen

Im Internationalen Privatrecht lassen sich die entscheidenden Interessen in drei Gruppen einteilen: Partei-, Verkehrs- und Ordnungsinteresse. Sie sind nicht ohne Überschneidungen, zielen jedoch alle in unterschiedliche Richtungen. Im Urheberrecht und im Internationalen Wirtschaftsrecht sind es zunächst die Ordnungsinteressen, die besondere Berücksichtigung verlangen.[840] Hierhin gehört auch die Funktionssicherung des Systems der kollektiven Rechtewahrnehmung, welches freilich nicht nur ordnungspolitischer Natur ist, sondern gleichfalls im Partei- und im Verkehrsinteresse liegt – dienen die Verwertungsgesellschaften doch gerade einer Vereinfachung des Urheberrechtsverkehrs. Aufgrund ihrer überragenden Bedeutung im regulatorischen Privatrecht stehen die Ordnungsinteressen am Beginn der Analyse.

(1) Ordnungsinteresse

(a) Typische Nähe zum Regulierungssubjekt und Vermeidung von Normwidersprüchen

Dem klassischen Internationalen Privatrecht folgend zielt das Ordnungsinteresse zunächst darauf ab, Normwidersprüche zu vermeiden, ein leicht ermittelbares Recht anzuwenden und zu einer durchsetzbaren Entscheidung zu gelangen.[841] Die beiden letztgenannten Punkte sprechen klar für die Anwendung des Sitzlandrechts der Verwertungsgesellschaften, denn dieses ist dem entscheidenden Rechtssubjekt – der Verwertungsgesellschaft – räumlich das nächste. Ansprüche gegen Verwertungsgesellschaften sind im Sitzland außerdem leicht durchsetzbar. Auch Normwidersprüche drohen so kaum. Dies gilt zunächst im Hinblick auf das Privatrecht selbst – so führt die Anwendung nur eines Rechts, und zwar des Rechts am Sitzland der Verwertungsgesellschaft, kaum zu hinkenden Rechtsverhältnissen. So-

840 Siehe hierzu „die Besonderheiten eines Wirtschaftskollisionsrechts" bei *Teil 3, Kapitel 1, A, I., 1.)*.

841 *Junker*, Internationales Privatrecht, ^{4}2021, § 5 Rn. 29.

dann gilt dies hinsichtlich des Zusammenspiels von aufsichtsrechtlicher Kontrolle und privatrechtlichen Verpflichtungen, denn auch die Aufsicht über Verwertungsgesellschaften erfolgt schwerpunktmäßig im jeweiligen Sitzland. Ganz ausschließen lassen sich Normwidersprüche in komplexen Fallkonstellationen wie den oben skizierten allerdings kaum.

(b) Auflösung des auswirkungsbezogenen Regulierungsinteresses im Wahrnehmungsverhältnis

Dieser Arbeit liegt allerdings noch ein anderes Verständnis des international-privatrechtlichen Ordnungsinteresses zugrunde. Dieses ist besser mit dem Terminus „ordnungspolitisches Interesse" umschrieben. Im Bereich des regulatorischen Privatrechts besteht ein grundsätzlich anerkennenswertes Interesse derjenigen Staaten, auf deren Territorium oder auf deren Markt sich eine wirtschaftliche Betätigung auswirkt, für diese den Ordnungsrahmen zu formulieren.[842] Dieses auswirkungsbezogene Ordnungsinteresse besteht für die Betätigung der Verwertungsgesellschaften grundsätzlich nicht nur in ihrem Sitzstaat, sondern auf allen Märkten, an denen eine Verwertungsgesellschaft teilnimmt. Der Auswirkungsgedanke wird gleichfalls in der urheberrechtlichen *lex loci protectionis* und im Internationalen Wettbewerbsrecht gespiegelt, doch lässt sich eine Abstufung des Interessenschwerpunkts zwischen Lizenzierungs- und Wahrnehmungsverhältnis vornehmen. Im Wahrnehmungsverhältnis löst sich der Marktbezug zunehmend auf und wird mehr und mehr zu einer Frage der individuellen Rechtsposition der Rechteinhaber gegenüber den Verwertungsgesellschaften. Ein deutsches Regulierungsinteresse an der Verteilung der Einnahmen einer ausländischen Verwertungsgesellschaft gegenüber einem ausländischen Rechteinhaber lässt sich kaum begründen. Das Allgemeininteresse an der Funktionssicherung der kollektiven Rechtewahrnehmung zerfällt in unterschiedliche Parteiinteressen der Rechteinhaber und zugleich lässt sich der staatliche Regulierungswille durch die öffentlich-rechtliche Komponente des Verwertungsgesellschaftsrechts auffangen. Das Aufsichtsrecht kann einen abstrakten Interessenausgleich schaffen und ist jenseits der EU-Verwertungsgesellschaften auch nicht durch das Sitzlandprinzip zwingend begrenzt. Das „Sitzlandprinzip" ist aber für die Wahrnehmungsbezie-

---

842 Teilweise auch Staatsinteressen genannt, wobei dann schnell der Übergang zu den Eingriffsnormen vollzogen wird (*Kegel/Schurig*, Internationales Privatrecht, ^{9}2004, § 2, IV., S. 148 ff.) und *Teil 3, Kapitel 1, A, I., 3.).*

hungen ein grundsätzlich sinnvolles Rechtsanwendungsprinzip. Durch die Verknüpfung mit dem international-privatrechtlichen Wahrnehmungsstatut wird ein grundsätzlicher Gleichlauf zwischen privatrechtlichen und den zu erfüllenden öffentlichen Rechten und Pflichten in dem Staat gewährleistet, in welchem zumindest schwerpunktmäßig die Beaufsichtigung erfolgt. Die Anwendung des Wahrnehmungsstatuts berücksichtigt mithin die ordnungspolitische Nähe im Sitzland der Verwertungsgesellschaft.

(2) Parteiinteresse

(a) Parteienschutz durch Vorhersehbarkeit des anwendbaren Rechts

Zum Parteiinteresse gehört zunächst einmal das Interesse sich nicht mit einem fremden Recht auseinandersetzen zu müssen, sondern die Sicherheit zu haben, nur mit dem eigenen, in der Regel wohl bekannten Recht, konfrontiert zu sein.[843] Dieses Interesse berücksichtigt das Wahrnehmungsstatut aus Sicht der Verwertungsgesellschaften, welche sich nur auf die Geltung eines Rechts und dabei auf die Geltung eines ihnen wohl bekannten Rechts einstellen müssen. Hierdurch lässt sich ihr Verwaltungsaufwand minimieren, die Verhältnisse werden überschaubar und die Rechtslage vorhersehbar. Mittelbar liegt ein geringer Verwaltungsaufwand der Verwertungsgesellschaften auch im Interesse der Rechteinhaber, da Kosteneinsparungen auch geringere Abzüge vom Vergütungsaufkommen nach sich ziehen dürften.

Das Recht des Sitzlandes der Verwertungsgesellschaften ist jedoch zumeist auch den Rechteinhabern das räumlich nächste, sofern davon ausgegangen werden kann, dass die meisten Rechteinhaber ihrer inländischen Verwertungsgesellschaft verbunden bleiben. In dieser klassischen Konstellation ist die Nähe des Rechtsverhältnisses zum Wahrnehmungsrecht dieses Staates – zumindest was die Wahrnehmungsbeziehung anbelangt – offensichtlich. Allein wenn Verwertungsgesellschaften und Rechteinhaber unterschiedlichen Staaten angehören, ist der "Sitz des Rechtsverhältnisses" nicht mehr so eindeutig zu lokalisieren. Doch ist die stärkere Auslandsberührung in diesen Fällen zumeist auf eine Initiative der Rechteinhaber zurückzuführen, welche sich vom Wechsel zu einer ausländischen Verwer-

843 *Junker*, Internationales Privatrecht, ^{4}2021, § 5, Rn. 24 f.; *Kegel/Schurig*, Internationales Privatrecht, ^{9}2004, § 2 II., S. 135 f.

tungsgesellschaft Vorteile versprechen. Dies lässt sich mittelbar sogar als eine Rechtswahl der Wahrnehmungsberechtigten verstehen. Ihnen kann der Umgang mit einem ausländischen Wahrnehmungsrecht dann auch zugemutet werden.

(b) Parteienschutz durch Wahlfreiheit

Für diese Arbeit ist aber nicht allein die Identifikation der Parteiinteressen maßgeblich, sondern ihr Schutz bzw. ihre Berücksichtigung in der Gesamtkonzeption von Kartellrecht, Aufsichtsrecht und Privatrecht. Parteienschutz kann durch andere Kontrollinstitutionen gewährleistet werden, wobei hier die Analyse zeigte, dass das öffentliche Aufsichtsrecht sich schon aufgrund fehlender individueller Ansprüche auf behördliches Einschreiten wenig eignet[844] und auch das Kartellrecht an Bedeutung verliert.[845] Der Bedeutungsverlust des Kartellrechts ist jedoch nicht zuletzt auf eine geringere Abhängigkeit der Rechteinhaber von einzelnen Verwertungsgesellschaften zurückzuführen und rechtfertigt damit gleichzeitig einen geringeren Schutz dieser Partei. Dieser Gedanke manifestiert sich im Wettbewerbsmodell des neuen Wahrnehmungsrechts (zumindest nach europäischer Konzeption), welches auch weniger Schutz der vermeintlich schwächeren Partei erlaubt, deren Rechtsposition gerade durch die Wahlfreiheit Stärkung erfährt.[846]

(c) Parteienschutz durch selbständige Anknüpfung der Frage der Rechteinhaberschaft und der Abtretbarkeit von Rechten

Hinzu tritt eine weitere Überlegung. Wahrnehmungsberechtigt sind nach den meisten Rechtsordnungen nur die Rechteinhaber, sodass ihnen grundsätzlich kein Verlust ihrer Rechtsposition droht. Durch die Qualifizierung der Rechteinhaberschaft als Vorfrage, welche nach dem Urheberrechtsstatut anzuknüpfen ist, werden die wesentlichen ordnungspolitischen Ziele des Urheberrechts in das Verwertungsgesellschaftsrecht getragen, womit die Kontrolle über ihre Rechte weiterhin bei den Rechteinhabern verbleibt. Zu einer Aushöhlung der urheberrechtlichen Maßstäbe im Hinblick auf

844 Siehe *Teil 2, Kapitel 2, B, I und III.* Dies gilt zumindest in Deutschland.
845 Siehe *Teil 2, Kapitel 2, C., II.*
846 Siehe *Teil 2, Kapitel 2, C., II.*

Schutz und finanzielle Beteiligung der Autoren kann es auf diese Weise nicht kommen.[847]

(3) Verkehrsinteressen

Damit strahlt die Analyse der Kontrollsituation von Verwertungsgesellschaften auf das funktionale Verständnis einzelner Rechte und Pflichten aus und schafft Raum, innerhalb der kollisionsrechtlichen Bewertung die Verkehrsinteressen stärker zu berücksichtigen. Wo Parteiinteressen bereits durch eine andere Kontrollinstitution oder eine verbesserte „Marktposition" geschützt sind, kann die Anwendung des Privatrechts, etwa zugunsten der Verkehrsinteressen, liberaler ausfallen und die Vermeidung von Transaktionskosten durch die Anwendung nur eines Rechts oder durch Rechtswahlfreiheit begünstigen.[848]

Soll insbesondere im Onlinebereich die Internationalisierung der Kulturwirtschaft durch internationale Lizenzierung über Verwertungsgesellschaften gefördert werden, so ist eine Vereinfachung der regulatorischen Anforderungen durch die einheitliche Anwendung eines Rechts Voraussetzung. Diese wird durch die Anwendung des Sitzlandrechts im Innenverhältnis der Verwertungsgesellschaften auf Grundlage des Wahrnehmungsstatuts geschaffen.

(4) Zwischenergebnis

Die maßgeblichen kollisionsrechtlichen Interessen sprechen für die Geltung des Wahrnehmungsstatuts und damit für die Anwendung des Sitzlandrechts der Verwertungsgesellschaften. Im Sitzland besteht die räumliche Nähe zum Regulierungssubjekt, was Vorhersehbarkeit und eine vergleichsweise einfache Rechtsdurchsetzung der Ansprüche gewährleistet. Das auswirkungsbezogene Regulierungsinteresse löst sich im Wahrnehmungsverhältnis zunehmend auf, da die tatsächlichen Marktauswirkungen weiniger spürbar werden. Auch Partei- und Verkehrsinteressen sprechen letztlich für die Anwendung des Sitzlandrechts in Verteilungsfragen. Parteiinteressen lassen sich durch erweiterte Marktmöglichkeiten der Rechte-

847 Siehe *Teil 3, Kapitel 1, E, I., 5.), c.), (3).*

848 Zu den Verkehrsinteressen, *Junker*, Internationales Privatrecht, ^{4}2021, § 5, Rn. 26 ff. und *Kegel/Schurig*, Internationales Privatrecht, ^{9}2004, § 2 II., S. 137 ff.

inhaber schützen. Die Geltung nur eines und dabei eines vorhersehbaren Rechts liegt im Interesse des Rechtsverkehrs.

f) Kollisionsrechtliche Bewertung von § 46 VGG

Schließlich stellt sich die Frage, ob § 46 VGG eine eigene und womöglich abweichende kollisionsrechtliche Wertung zu entnehmen ist. Wie dargestellt scheint § 46 Abs. 1 VGG im Repräsentationsverhältnis von der Geltung des Wahrnehmungsrechts (wörtlich *des Verteilungsplans*) des Sitzlandes der beauftragten Verwertungsgesellschaft auszugehen und damit eine dem Wahrnehmungstattut entsprechende Lösung zu vollziehen.[849] Nicht hinreichend klar ist jedoch, ob die Vorschrift (in Teilen) auch auf den Verteilungsplan der beauftragenden – gemeint ist die ausländische – Verwertungsgesellschaft anwendbar ist. Darauf scheint die Regelung zur Verteilungsfrist in Absatz 3 hinzuweisen, wonach die beauftragende Verwertungsgesellschaft die Verteilungsfrist nach § 28 VGG so zu bestimmen hat, dass die Einnahmen aus den Rechten spätestens sechs Monate nach Erhalt an die von ihr vertretenen Berechtigten verteilt werden. Dies hätte eine Abkehr vom Wahrnehmungsstatut und eine Erstreckung des deutschen Rechts auf das interne Rechtsverhältnis zwischen einer ausländischen Verwertungsgesellschaft und den von ihr Vertretenen zur Folge.

Als Negativbeispiel bestätigt ein so verstandenes Kollisionsrecht den Ansatz, das Wahrnehmungsverhältnis an das Wahrnehmungsstatut anzuknüpfen. Denn eine Erstreckung des deutschen Rechts auf ein ausländisches Wahrnehmungsverhältnis ist in den meisten Fällen nicht interessengerecht. Weder die Ordnungsinteressen noch die Partei- oder Verkehrsinteressen können ein solches Ergebnis stützen. Im Gegenteil für eine so gestaltete Anwendung deutschen Wahrnehmungsrechts auf ein ausländisches Wahrnehmungsverhältnis fehlt jeder Bezugspunkt. Für die ausländischen Rechteinhaber ist die Anwendung deutschen Wahrnehmungsrechts nicht vorhersehbar und es bietet ihnen auch kaum Vorteile. Dem Ordnungsinteresse ist ebenfalls an einer klaren Regelung und vor allem an einer Vermeidung hinkender Rechtsverhältnisse gelegen. Sofern man die Fristenregelung in § 46 Abs. 3 VGG tatsächlich als Anwendungsbefehl des deutschen Rechts auf die Verteilungsfrist einer ausländischen Verwertungsgesellschaft versteht, werden Normenkonflikte allerdings geradezu provoziert.

---

849 Siehe *Teil 3, Kapitel 1, E, I., 5.), c.), (2), (b).*

Schließlich besteht kein ordnungspolitisches Interesse an der Regelung der Verteilungsstruktur ausländischer Verwertungsgesellschaften gegenüber den von ihnen vertretenen Berechtigten. Dies zeigt gerade die Fristenregelung aus § 46 Abs. 3 VGG. Die Einnahmen mögen zwar aus der Verwertung deutscher Urheberrechte stammen, sie werden jedoch von einer ausländischen Verwertungsgesellschaft verteilt, die überdies nicht unmittelbar am deutschen Markt teilnimmt. Aus welchem Grund sollte hier die Verteilungsfrist des deutschen Rechts gelten? Im traditionellen Netz der Gegenseitigkeitsverträge werden die Weltrechte in Deutschland wahrgenommen und konsequenterweise müssten dann weltweit alle Verwertungsgesellschaften die deutsche Regelung zumindest hinsichtlich der Einnahmen aus dem deutschen Urheberrecht befolgen. Dies kann nicht die Intention sein, welche § 46 Abs. 3 VGG zugrunde liegt. Es scheint sich vielmehr um eine rein materiell-rechtlich zu verstehende Übernahme von Art. 13 Abs. 1 VG-RL zu handeln, wobei Art. 13 Abs. 1 VG-RL nur einen Mindeststandard für europäische Verwertungsgesellschaften hinsichtlich der Verteilung von Einnahmen aus Repräsentationsvereinbarungen schaffen möchte. Zu denken wäre an eine Auslegung als gesetzliche Pflicht der beauftragten (inländischen) Gesellschaft, die beauftragende (ausländischen) Gesellschaft im Rahmen des Repräsentationsvertrages an die Fristen i.S. der §§ 46 Abs. 3 und 28 VGG zu binden.[850]

g) Ergebnis

Die Verteilungsfragen sind mit dem Wahrnehmungszwang eng verbunden. Während der Wahrnehmungszwang das „Ob" der Rechtewahrnehmung betrifft, beziehen sich die Verteilungsfragen auf die Art und Weise der Rechtewahrnehmung. Es handelt sich hierbei um einen der maßgeblichen Regelungsbereiche zur Ausgestaltung des Innenverhältnisses der Verwertungsgesellschaften, in welchem die Vergütungssicherungsfunktion der kollektiven Rechtewahrnehmung deutlich zum Vorschein kommt. Detaillierte Regelungen zur Verteilung der Einnahmen durch Verwertungsgesellschaften sind ihrer treuhänderischen Stellung geschuldet. Ferner dienen sie der Ergänzung des Urhebervertragsrechts, indem mit den Mitteln des Verwer-

850 Zum Inhalt von § 46 VGG (freilich ohne kollisionsrechtliche Fragestellung) insbes. *Heine*, in: Heine/Holzmüller (Hrsg.), VGG, 2019, § 46 Rn. 12 f. und *Reinbothe*, in: Schricker/Loewenheim (Hrsg.), Urheberrecht, ⁶2020, VGG, § 46, Rn. 5

tungsgesellschaftsrechts versucht wird der Verhandlungsdisparität zwischen Urhebern und Verwertern entgegenzuwirken.

Bereits in der Vergangenheit erfolgte die kollektive Rechtewahrnehmung grenzüberschreitend. Die Verwertungsgesellschaften suchten vertragliche Lösungen, um Unterschieden im Wahrnehmungsverhältnis zu begegnen. Diese vertraglichen Regelungen vollzogen implizit eine kollisionsrechtliche Wertung, die weitgehend dem Wahrnehmungsstatut entspricht. Das Wahrnehmungsstatut beruft das Sitzlandrecht der Verwertungsgesellschaften. Es berücksichtigt dadurch die Nähe einer Rechtsordnung zu einem Wahrnehmungsverhältnis und schafft mit der einheitlichen Anknüpfung am Recht des Sitzlandes die Voraussetzung für eine Internationalisierung der Verwertungsgesellschaften. Die Parteiinteressen der Rechteinhaber werden einerseits durch ihr Wahlrecht und andererseits durch die Bestimmung der Vorfrage der Rechteinhaberschaft nach dem Urheberrechtsstatut geschützt. Letzteres garantiert ihnen, dass sie diese Eigenschaft nicht über eine wahrnehmungsrechtliche „Fehlstellung“ verlieren können.

6) Das anwendbare Recht hinsichtlich der Verteilung der Einnahmen aus der Wahrnehmung gesetzlicher Vergütungsansprüche und verwertungsgesellschaftspflichtiger Rechte

Grundsätzlich ist die Verteilung der Einnahmen der Verwertungsgesellschaften also als eine wahrnehmungsrechtliche Frage des Innenverhältnisses der Verwertungsgesellschaften zu qualifizieren und unterfällt damit dem Wahrnehmungsstatut. Dieser Ansatz unterscheidet zunächst nicht danach, auf welcher Grundlage die Einnahmen erzielt wurden. Im Bereich der gesetzlichen Vergütungsansprüche und verwertungsgesellschaftspflichtige Rechte gelten jedoch einige Besonderheit, welche eine abweichende kollisionsrechtliche Behandlung nach sich ziehen könnten. So hat die bereits eingangs erfolgte Untersuchung des Wahrnehmungszwangs gezeigt, dass innerhalb des Wahrnehmungsverhältnisses kollisionsrechtlich eine Unterscheidung geboten ist, je nachdem, ob es sich um die Wahrnehmung des Ausschließlichkeitsrechts oder um die Wahrnehmung beschränkter Rechte handelt.[851] Auch auf materiell-rechtlicher Ebene zeigen sich Eigenheiten, die einer Öffnung des Systems in kollisionsrechtlicher Hinsicht entgegenstehen könnten.

---

851 *Teil 3, Kapitel 1, D, 1.).*

So besteht bei gesetzlichen Vergütungsansprüchen grundsätzlich ein besonderes Bedürfnis nach einer einheitlichen Festlegung der Vergütung. In Deutschland sind die Verwertungsgesellschaften dazu aufgefordert, mit den Nutzern bzw. Nutzerverbänden Tarife auszuhandeln (§§54a, 54h UrhG; § 40 VGG - ehemals § 13a UrhWG). In der Regel bilden die Verwertungsgesellschaften hierzu zentrale Inkassostellen, welche für mehrere Gesellschaften tätig werden.[852] Dies betrifft zwar zunächst das Verhältnis zwischen Verwertungsgesellschaften und Nutzern, wirkt jedoch schon allein insoweit auf das Wahrnehmungsverhältnis zurück, als die Rechtewahrnehmung in verstärktem Maße mit Konzentration einhergeht. Der grenzüberschreitenden Betätigung von Verwertungsgesellschaften steht das nationale Recht insgesamt weniger offen gegenüber, wenn es um die Wahrnehmung gesetzlicher Vergütungsansprüche geht. So benötigen selbst Verwertungsgesellschaften mit Sitz in der EU gemäß § 77 Abs. 2 VGG eine Erlaubnis der deutschen Aufsichtsbehörde, wenn sie gesetzliche Vergütungsansprüche in Deutschland wahrnehmen möchten.[853] Schließlich haben die Entscheidungen *Reprobel* und *Verlegerbeteiligung* Besonderheiten der Verteilung von Einnahmen aus gesetzlichen Vergütungsansprüchen aufgedeckt, die sich auf das Kollisionsrecht auswirken könnten.[854] Entscheidend ist nicht zuletzt das zugrunde zulegende Schrankenverständnis.

a) Einheitliche Qualifikation des Wahrnehmungsverhältnisses

Für eine insgesamt einheitliche Lösung spricht vor dem Hintergrund der Befürwortung einer Öffnung des Wahrnehmungsrechts für die Internationalisierung der kollektiven Rechtewahrnehmung, insbesondere die zuvor

852 Zur Zusammenarbeit der deutschen Verwertungsgesellschaften bei der Wahrnehmung gesetzlicher Vergütungsansprüche ausführlich *Müller*, in: Heker/Riesenhuber (Hrsg.), Recht und Praxis der GEMA, ^{3}2018, Kapitel 13, Rn. 8-31.

853 Hierzu kritisch *Peifer*, GRUR 2015, 27, 33. Dies wird teilweise auch aus Erwägungsgrund 13 der VG-RL abgeleitet, so auch *Staats*, ZUM 2014, 470, 471.

854 Zu gesetzlichen Vergütungsansprüchen und verwertungsgesellschaftsrechtlichen Besonderheiten siehe auch: *Drexl*, in: Purnhagen/Micklitz (Hrsg.), Varieties of European Economic Law and Regulation, 2014, S. 459, 481 ff.; *ders.*, in: Torremans (Hrsg.), Copyright Law, 2007, S. 255, 262 f.; *Trumpke*, Exklusivität und Kollektivierung, 2016, 386 ff.; *Heinemann*, Die Verteilungspraxis der Verwertungsgesellschaften, 2017; *Heyde*, Die grenzüberschreitende Lizenzierung von Online-Musikrechten in Europa, 2011, S. 192 f. und S. 201 f.

beschriebene Vereinfachung des Rechtsverkehrs.[855] Genauso wie sich die Verteilung der Einnahmen aus der Verwertung des Ausschließlichkeitsrechts als eine dem Urheberrecht nachgelagerte Frage darstellt, könnte auch die Verteilung der Einnahmen aus der Wahrnehmung gesetzlicher Vergütungsansprüche als nachgelagerte Frage der Schranke und damit im Kern wahrnehmungsrechtlich zu qualifizieren sein. Wer im Einzelfall originärer oder abgeleiteter Rechteinhaber des Vergütungsanspruchs ist, wird als Vorfrage eigenständig Relevanz entfalten, wenn das jeweils berufene nationale Wahrnehmungsrecht hierauf abstellt. So lassen sich die Wertungen der *lex loci protectionis* berücksichtigen, ohne dass eine kollisionsrechtliche Sonderanknüpfung erforderlich würde. Die Inhaber der nationalen Vergütungsansprüche haben es in diesem Modell selbst in der Hand, ein für sie nachteiliges Wahrnehmungsverhältnis zu beenden. Sie können eine Verwertungsgesellschaft wählen, die ihnen – sei es aufgrund des Wahrnehmungsvertrages oder aufgrund einer gesetzlichen Verpflichtung – eine größtmögliche Beteiligung verspricht.

In dieses System fügt sich die BGH-Entscheidung zur *Verlegerbeteiligung* ein, in welcher der BGH den Wahrnehmungsvertrag auf einen Verstoß gegen das deutsche Wahrnehmungsrecht hin untersuchte. Der BGH kam zu dem Ergebnis, dass die wahrnehmungsvertragliche Regelung der VG WORT zur Verlegerbeteiligung nach § 307 Abs. 1, Abs. 2 Nr. 1 BGB unwirksam war, da sie das wahrnehmungsrechtliche Willkürverbot (§ 7 UrhWG – jetzt § 27 VGG) missachtete, indem auch Nichtberechtigte – sprich nicht lediglich Rechteinhaber – an den Einnahmen beteiligt wurden. Dass die Verleger selbst keine Rechteinhaber sind – was in diesem Modell bei einem internationalen Sachverhalt als Vorfrage gesondert anzuknüpfen wäre – ergab sich daraus, dass die Ansprüche nach § 54 Abs. 1 UrhG originär nur den Urhebern zustehen und zugleich nicht im Voraus abtretbar sind (§ 64a S. 1 UrhG). Hinsichtlich der Vergütungsansprüche aus dem deutschen Recht müsste auch jedes andere Wahrnehmungsrecht zu diesem Ergebnis kommen, wenn es seinerseits voraussetzt, dass allein Rechteinhaber an Einnahmen der Verwertungsgesellschaften zu beteiligen sind und den Begriff des Rechteinhabers urheberrechtlich versteht.

---

855 Mit weiteren Argumenten, siehe Ergebnis zur Verteilung der Einnahmen aus der Wahrnehmung des Ausschließlichkeitsrechts *Teil 3, Kapitel 1, E, I, 5, g.).*

b) Urheberrechtliche Qualifikation des Wahrnehmungsverhältnisses im Bereich der Schranken mit Erstreckung auf die Einnahmenverteilung

(1) Reichweite der Schrankenregelung – der inhaltliche Zusammenhang von Beschränkung und Vergütung

Der EuGH scheint die Reichweite der Schrankenregelung allerdings anders zu verstehen. In der Entscheidung *Amazon.com International Sales*[856] (*Amazon*) hob er nicht nur die Territorialität des Vergütungsanspruchs aus Art. 5 Abs. 2 lit. b) Info-Soc-RL hervor, indem er darauf abstellte, dass die Vergütungspflicht dort anfalle, wo die Beschränkung des Ausschließlichkeitsrechts sich tatsächlich mindernd auf das Vergütungsaufkommen der Urheber auswirkt und sich ihnen somit als Schaden offenbart;[857] er betonte vor allem die Verpflichtung desjenigen Staates, der eine Schranke zugunsten der Privatkopie eingeführt hat, zu gewährleisten, dass der finanzielle Ausgleich erhoben wird und den Inhabern des ausschließlichen Vervielfältigungsrechts tatsächlich zugutekommt.[858] Insoweit treffe die Mitgliedstaaten eine *Ergebnispflicht.*[859]

In der Entscheidung *Reprobel* griff der EuGH die Frage der Verteilung der Einnahmen bzw. des „gerechten Ausgleichs“ aus der Privatkopieschranke schließlich direkt auf und stellte klar, dass eine Verlegerbeteiligung an diesen Einnahmen zumindest dann nicht in Einklang mit den Vorgaben der InfoSoc-RL steht, wenn sie zu einer Schmälerung des Ausgleichsanspruchs der Urheber führt. Denn nur diese seien Inhaber des Vervielfältigungsrechts nach Art. 2 der InfoSoc-RL. Dabei treffe die Mitgliedstaaten, wenn sie eine Beschränkung des Vervielfältigungsrechts nach Art. 5 Abs. 2 lit. a) und b) InfoSoc-RL vornehmen, die Verpflichtung dafür Sorge zu tragen, dass die Inhaber des Vervielfältigungsrechts auch tatsächlich den gerechten Ausgleich erhalten,[860] was seinerseits gedanklich die *Ergebnispflicht* aus der *Amazon*-Entscheidung aufgreift.[861]

856 EuGH, C-521/11, ECLI:EU:C:2013:515 – *Amazon.com International Sales.*
857 EuGH, C-521/11, Rz. 58 f. Die Bezugnahme des Schadens schafft zugleich eine Nähe zur Urheberrechtsverletzung Art. 8 Abs. 1 Rom II-VO.
858 EuGH, C-521/11, Rz. 56–64.
859 So ausdrücklich in EuGH, C-521/11, Rz. 60 und bereits zuvor EuGH, C-462/09, ECLI:EU:C:2011:397 – *Stichting de Thuiskopie*, Rz. 34 sowie EuGH, C-277/10, ECLI:EU:C:2012:65 – *Luksan*, Rz. 106.
860 EuGH, C-572/13, ECLI:EU:C:2015:750 – *Reprobel*, Rz. 46.
861 EuGH, C-521/11, Rz. 60.

Wie dieses Ergebnis erzielt wird, ob durch eine ausdrückliche Regelung innerhalb der Urheberrechtsschranke selbst oder mittelbar durch eine wahrnehmungsrechtliche Vorschrift – und sei dies nur auf Grundlage der Interpretation des wahrnehmungsrechtlichen Willkürverbots – ist unerheblich und erweist sie als bloße „Etikettierung". Entscheidend ist vielmehr der inhaltliche Zusammenhang von Beschränkung des Ausschließlichkeitsrechts und Vergütungs- bzw. Kompensationsergebnis, den der EuGH deutlich hervorhebt.[862] So erweitern die Entscheidungen *Amazon* und *Reprobel* den regelungsspezifischen Inhalt der Schranke von Fragen nach dem Gegenstand der Beschränkung, der Höhe des angemessenen Ausgleichs (Vergütung) und den konkreten Vergütungsschuldnern[863] hin zur Frage, wer an der Vergütung partizipieren darf und wem kein Vergütungsanspruch zusteht.[864] Die Privatkopie stellt sich in diesem Verständnis als eine Verletzung des absoluten Vervielfältigungsrechts des Urhebers – also der Befugnis, die Vervielfältigung „auf jede Art und Weise und in jeder Form ganz oder teilweise zu verbieten" – dar und entzieht sich zugleich einer rechtsgeschäftlichen Konzeption (auch) hinsichtlich der wirtschaftlichen Partizipation.[865]

(2) Erweiterte Schrankenfunktion

Dogmatisch lässt sich der „Eingriff" in ein außereuropäisches Wahrnehmungsverhältnis dadurch rechtfertigen, dass die Beschränkung des Ausschließlichkeitsrechts im Kern eine Marktregulierung darstellt, aufgrund

862 Auch die belgische Regierung hatte sich auf den Standpunkt gestellt, dass sich die gesetzliche Beteiligung der Verleger nicht auf die InfoSoc-RL stützt, sondern sich als ein kulturpolitischer Ausgleich *sui generis* darstellt (siehe Schlussanträge GA *Cruz Villalón* (ECLI:EU:C:2015:389) Rz. 132 ff.). Dieser Argumentation sind weder der Generalanwalt noch der EuGH gefolgt, wenn die Verlegerbeteiligung im Ergebnis zu einer Kürzung des angemessenen Ausgleichs der Urheber führt. Dies zeigt den inneren Zusammenhang von Schranke und Vergütungsergebnis, inklusive Vergütungsrichtung.

863 Diese waren etwa Gegenstand der Entscheidungen EuGH, C-467/08, ECLI:EU:C:2010:620 – *Padawan*; EuGH, C-462/09, ECLI:EU:C:2011:397 – *Stichting de Thuiskopie*; EuGH, C-470/14, ECLI:EU:C:2016:418 – *EGEDA u.a.*; EuGH, C-521/11, ECLI:EU:C:2013:515 – *Amazon.com International Sales*.

864 Ähnlich auch bereits zuvor EuGH, C-277/10, ECLI:EU:C:2012:65 – *Luksan*, Rz. 96 ff.

865 So im Ausgang auch *Riesenhuber*, GRUR 2013, 582, 583 f.

derer nicht nur die Nutzung vereinfacht, sondern zugleich die Partizipation am Recht geregelt wird. Beschränkungen des Urheberrechts mögen zwar primär zugunsten einer Vereinfachung der Nutzung erfolgen und damit Nutzerinteresse schützen, sie können aber gleichzeitig auch einer Vergütungssicherung dienen.[866] Urheberrechtsschranken wirken damit in mehrere Richtungen. Als Vergütungsansprüche erlauben sie einen vereinfachten Zugang für die Nutzer. Sie sichern jedoch zugleich Vergütung, wobei die Frage der Partizipation an der erzielten Vergütung selbst Gegenstand der Schranke sein kann. Entsprechend lässt sich die Verteilungsfrage der markt- und wettbewerbsregulierenden Funktion des Urheberrechts zuordnen. Sie ist damit Teil der Ausgestaltung der Schranke.

(3) Die besondere Rolle der Verwertungsgesellschaften im Bereich der Schranken

Verwertungsgesellschaftsrechtlich lässt sich der weiterreichende Eingriff in die Selbstregulierung der Wahrnehmungssubjekte sowie die Einwirkung auf ein ausländisches Wahrnehmungsregime damit rechtfertigen, dass Verwertungsgesellschaften im Bereich der Schranken ein primär privatautonom begründetes Wahrnehmungsverhältnis verlassen und staatsnahe Aufgaben übernehmen,[867] wobei der Staat, dessen Aufgaben übernommen werden,

---

866 So hat der BGH etwa in der Entscheidung *elektronischer Pressespiegel* von dem Postulat Abstand genommen, dass Schranken zwingend eng auszulegen seien. Vielmehr sei „bei der Frage einer ausnahmsweise extensiven Auslegung einer Schrankenbestimmung zu berücksichtigen, wie sich die Geltung der Schranke auf die Interessen des Urhebers auswirkt. Insofern können für eine Schranke, die eine unentgeltliche Nutzung ermöglicht, andere Kriterien maßgeblich sein als im Falle einer gesetzlichen Lizenz, bei dem das urheberrechtliche Ausschließlichkeitsrecht lediglich zu einem Vergütungsanspruch herabgestuft wird. Danach spielt es für die Auslegung der Schrankenregelung auch eine Rolle, wenn ausnahmsweise die Anwendung der Schranke den Urheber günstiger stellt als die Geltung des Ausschließlichkeitsrechts." (BGH, Urt. v. 11. 7. 2002 – I ZR 255/00 – *Elektronischer Pressespiegel* = GRUR 963, 966 (BGHZ 151, 300–316)). Vor diesem Hintergrund lassen sich gesetzliche Vergütungsansprüche auch als Reaktion auf ein Marktversagen verstehen, wobei sie das Urheberrecht zugunsten der Vergütungssicherung der Rechteinhaber ausgestalten. Grundlegend *Stieper*, Rechtfertigung, Rechtsnatur und Disponibilität der Schranken des Urheberrechts, 2009, S. 74 ff.; *Dreier*, in: Dreier/Schulze (Hrsg.), Urheberrechtsgesetz, ^{7}2022, Vor § 44a, Rn. 4; *Peifer*, GRUR 2009, 22, 25 f.

867 *Teil 1, Kapitel 1, B, II und III.* Zur Anwendung der Strukturtheorie und Funktionsschutztheorie auf die verwertungsgesellschaftsrechtliche Aufsicht, siehe: *Heindorf,*

derjenige ist, der die Schrankenbestimmung erlässt und ausgestaltet. Gegenüber der Union sind die Mitgliedstaaten verpflichtet, ein effektives und funktionierendes System einzurichten, um den Ausgleich der Rechteinhaber für die Beschränkung ihres Ausschließlichkeitsrechts sicherzustellen, was gewisse Aufsichts- und Überwachungspflichten zwingend erforderlich macht.[868] Daher spricht das Ordnungs- bzw. ordnungspolitische Interesse für die Anwendung des Urheberrechtsstatuts.

Sogar noch enger sieht *Schulze* diesen Funktionszusammenhang zwischen Urheberrecht und Verwertungsgesellschaftsrecht bei den gesetzlichen Vergütungsansprüchen. Demnach komme es gar nicht so sehr auf die formelle Frage der Übertragbarkeit des Vergütungsanspruchs an, vielmehr sei es per se die Aufgabe der Verwertungsgesellschaften, sich hier in den Dienst der Urheber zu stellen. Denn die Ansprüche sollen weder vom Urheber noch von einem Dritten, sondern nur durch eine Verwertungsgesellschaft geltend gemacht werden können. „Der Grundsatz des Urheberrechts, den Urheber tunlichst an allen Nutzungen seines Werkes wirtschaftlich angemessen zu beteiligen, sowie der Grundsatz des Urheberrechtswahrnehmungsgesetzes, die Einnahmen willkürfrei und nach festen Regeln an sämtliche Berechtigte angemessen zu verteilen (§ 27 VGG), müssen deshalb im Zusammenhang gesehen werden. Der Urheber soll eine angemessene Beteiligung erhalten (§ 54h Abs. 2)." Zu diesem Zweck sei sein Anspruch nur durch eine Verwertungsgesellschaft realisierbar. „Dadurch dass der Gesetzgeber die Vergütungsansprüche zugunsten der Berechtigten, insbesondere der Urheber, gewissermaßen in der Hand der Verwertungsgesellschaft entstehen ließ (ähnlich BGH GRUR 2009, 480 Rn. 9 – *Kopierläden II*) und gleichzeitig sowohl im Urheberrechtswahrnehmungsgesetz als auch im Urheberrechtsgesetz eine willkürfreie und angemessene Verteilung der Erlöse an jeden Berechtigten festschrieb, hat er bestimmt, dass solche Ansprüche an Vertragspartner des Urhebers, die keinem Willkürverbot iSv § 27 VVG und keinem Angemessenheitsgebot iSv § 54h Abs. 2 unterliegen, überhaupt nicht abtretbar sind." Vielmehr seien diese Ansprüche von vornherein an eine Verwertungsgesellschaft gebunden und insoweit der Dispo-

---

Die staatliche Aufsicht über Verwertungsgesellschaften, 2011, S. 134 f.; *von Einem*, Verwertungsgesellschaften im deutschen und internationalen Musikrecht, 2007, 78 ff.

868 Art. 5 Abs. 2 lit. a) und b) sowie Erwägungsgründe 35 ff. Info-Soc-RL.

sitionsbefugnis des Urhebers und auch Dritter entzogen.[869] Dass bei diesem Verständnis der Zusammenhang von Wahrnehmungsrecht (Willkürverbot) und Urheberrecht auch kollisionsrechtliche Konsequenzen haben muss, ist naheliegend. Denn einem ausländischen Wahrnehmungsrechts können diese Funktionen gänzlich fremd sein, womit all die von *Schulze* herausgearbeiteten Funktionen und Zwecke gefährdet würden.

(4) Zweifelhafte Erforderlichkeit der Vergütungssicherung durch grenzüberschreitende Durchsetzung urheberrechtlicher Wertungen

Entscheidet das Recht des Sitzlandes der Verwertungsgesellschaft über die Verteilung der Einnahmen an die Berechtigten – insbesondere darüber, ob die Privatkopievergütung (auch) Verlegern oder anderen Nichtrechteinhabern zugutekommen soll –, kann in der Tat die Verteilungsintention des nationalen Urheberrechts unterlaufen werden.[870] Voraussetzung dessen ist jedoch stets, dass das Recht des Landes, aus dem sich die Vergütung ergibt, eine zwingende Verteilungsentscheidung treffen möchte. Als Reaktion auf die Problematik rund um die Verlegerbeteiligung erlaubt Art. 16 DSM-RL es den Mitgliedstaaten nun, eigenständige Regelungen zur Beteiligung der Verleger an Einnahmen aus gesetzlichen Vergütungsansprüchen zu erlassen (Art. 16 DSM-RL). Im deutschen Recht hat dies seinen Niederschlag insbesondere in § 63a UrhG und §§ 27a und b VGG gefunden, wonach die Verlegerbeteiligung nun möglich ist, bzw. dem Verleger sogar ein gesetzlichen Beteiligungsanspruch eingeräumt wird.[871] Damit verliert die Problematik zumindest aus deutscher Sicht an Bedeutung.[872]

Es fragt sich daher, ob verbleibende (theoretische) Grenzfälle einen derart tiefen Eingriff in ein ausländisches Wahrnehmungsverhältnis recht-

869 Siehe für den gesamten Absatz *Schulze*, in: Dreier/Schulze (Hrsg.), Urheberrechtsgesetz, [7]2022, § 63a UrhG, Rn. 6.

870 Der Urheber bzw. Rechteinhaber hätte hingegen die Möglichkeit eine Verwertungsgesellschaft zu wählen, die ihm günstige Bedingungen verspricht. Als Rechteinhaber nach dem Schutzlandrecht kann er sein Recht wahrnehmungsbezogen „im- bzw. exportieren".

871 *Schulze*, in: Dreier/Schulze (Hrsg.), Urheberrechtsgesetz, [7]2022, § 63a UrhG, Rn. 10 ff.

872 Gleichwohl können auch weiterhin einzelne Mitgliedstaaten von der Beteiligungsfähigkeit der Verleger bewusst absehen. Unklar ist, ob einzelne Mitgliedstaaten sich tatsächlich so entschieden haben. Hierzu auch *Drexl*, in: Kubis/Peifer/Raue u.a. (Hrsg.), Ius Vivum: Kunst - Internationales - Persönlichkeit, 2022, S. 123, 134.

fertigen können. Denn wie die vorhergehende Untersuchung zeigte, ist die Anwendung des Wahrnehmungsstatuts in aller Regel sachgerecht. Sie schafft Vorhersehbarkeit des anwendbaren Rechts und stärkt die Verkehrsfähigkeit im Urheberrecht. Effizienzvorteile, die sich aus der Anwendung eines Rechts ergeben, entsprechen den Interessen aller Beteiligten am System der kollektiven Rechtewahrnehmung (Parteiinteressen).[873]

Gehören alle Berechtigten derselben Verwertungsgesellschaft an, so besteht grundsätzlich auch die engste Verbindung zum Recht des Sitzlandes dieser Verwertungsgesellschaft, und zwar selbst dann, wenn diese Verwertungsgesellschaft aus ihrer Sicht ausländische Vergütungsansprüche wahrnimmt. Gehören beide „Berechtigte" unterschiedlichen Verwertungsgesellschaften an, von denen keine die einziehende Gesellschaft ist, so muss bereits die einziehende Verwertungsgesellschaft eine Verteilungsentscheidung treffen. Im Grunde kann sie insoweit, dem Rechtefluss folgend, die volle Summe an die Verwertungsgesellschaft des Rechteinhabers ausschütten, der in der Regel der Urheber ist. Nur wenn das Sitzlandrecht jener Verwertungsgesellschaft eine Aufteilung erlaubt, kann es überhaupt zu einer Verlegerbeteiligung kommen. Zu einem gewissen Grad hat es der Urheber damit selbst in der Hand durch die Wahl der Verwertungsgesellschaft und ggf. den „Im- oder Export" seines Rechts, eine Rechtsordnung zur Anwendung zu bringen, die seine Interessen hinreichend wahrt oder seine urheberrechtlichen Vergütungsansprüche zumindest nicht unterläuft.[874] Damit besteht auch ein hinreichender Parteienschutz zugunsten des Urhebers.[875]

Es verbleibt jedoch ein dogmatisches Störgefühl, wenn so fundamentale urheber- und wahrnehmungsrechtliche Entscheidungen wie im Fall der Verlegerbeteiligung dadurch unterlaufen werden können, dass die Parteien

---

873 Siehe hierzu *ders.*, in: Kubis/Peifer/Raue u.a. (Hrsg.), Ius Vivum: Kunst - Internationales - Persönlichkeit, 2022, S. 123, 133 ff. Deshalb unternimmt Kyoto Guideline 27(1)(b)(iv) diese Unterscheidung nicht.

874 Denn sowohl für die Frage der Rechteinhaberschaft als auch für die Frage der Abtretbarkeit des Rechts gilt grundsätzlich das Urheberrechtsstatut. So auch die Kyoto Guidelines (Guideline 19 für die Übertragbarkeit) mit einer innovativen Vorschrift hinsichtlich der Rechteinhaberschaft in Guideline 20(2). Sie bewirkt eine einheitliche Anknüpfung am Ort mit der engsten Verbindung zur Entstehung des Werkes, ohne dabei die Interessen des Schutzlandes aus dem Auge zu verlieren (Abs. 2). Hierzu auch *ders.*, in: Kubis/Peifer/Raue u.a. (Hrsg.), Ius Vivum: Kunst - Internationales - Persönlichkeit, 2022, S. 123 ff. und *Sutterer*, GRUR Int. 2021, 969 ff.

875 Mit ähnlichen Fallbeispielen und einem ähnlichen Ergebnis *Drexl*, in: Kubis/Peifer/Raue u.a. (Hrsg.), Ius Vivum: Kunst - Internationales - Persönlichkeit, 2022, S. 123, S. 134 f.

(insbesondere die Urheber) einer ausländischen Verwertungsgesellschaft angehören oder eine ausländische Verwertungsgesellschaft wählen. Dabei geht es nicht um eine inhaltliche Befürwortung des jeweiligen Ergebnisses, sondern schlicht um die Möglichkeit, die Wirkungen einer so maßgeblichen Entscheidung zu unterlaufen, wodurch die Ordnungsinteressen des Schutzlandes beeinträchtigt werden können. Denkt man das alternative Modell der Anknüpfung an das Sitzland der Verwertungsgesellschaft konsequent zu Ende, zeigt sich das regulatorische Vakuum deutlich. Wäre im deutschen Fall der *Verlegerbeteiligung* nicht die VG WORT die einziehende Verwertungsgesellschaft gewesen, sondern beispielsweise die österreichische Litera-Mechana, so hätte der BGH die Unwirksamkeit des Verteilungsplans nicht nach deutschen (Wahrnehmungs-)Recht feststellen können. Wäre im Fall *Reprobel* nicht die belgische Verwertungsgesellschaft mit der Einziehung und Verteilung der Einnahmen aus gesetzlichen Vergütungsansprüchen beauftragt gewesen, sondern eine außereuropäische Verwertungsgesellschaft, so hätte nicht einmal der EuGH auf Basis der InfoSoc-RL über die Zulässigkeit der Verlegerbeteiligung entscheiden können. Zugegebenermaßen sind das eher theoretische Fälle, zumal die unmittelbare Einziehung gesetzlicher Vergütungsansprüche in den meisten Ländern streng reglementiert ist (insbesondere ist sie an ein aufsichtsrechtliches Zulassungsverfahren gebunden, welches in Deutschland nach § 77 Abs. 2 sogar für Verwertungsgesellschaften mit Sitz in einem anderen Mitgliedstaat gilt). Kommt es aber zu einer unmittelbaren Wahrnehmung von gesetzlichen Vergütungsansprüchen und verwertungsgesellschaftspflichtigen Rechten über Ländergrenzen hinweg, so kann das Sitzlandrecht der einziehenden und verteilenden Verwertungsgesellschaft nicht als das sachnächste zur Regelung dieser Frage angesehen werden. Da ein starkes Interesse an einer Zentralisierung der Tätigkeit der Verwertungsgesellschaften in diesem Bereich besteht – in Deutschland wird eine gemeinsame Geltendmachung der Ansprüche der Verwertungsgesellschaften gefördert (§ 49 Abs. 2 VGG) – wird regelmäßig auch keine Wahlfreiheit der Rechteinhaber gegeben sein. Insbesondere die zuvor angemerkte Möglichkeit zum „Im- und Export" ihrer Vergütungsansprüche besteht dann faktisch nicht mehr.

Die gilt jedoch nur gegenüber der unmittelbar einziehenden Verwertungsgesellschaften. Erfolgt die Verteilung der Einnahmen nur mittelbar über das Netz der Gegenseitigkeitsverträge, wird sie von der Beziehung der Verwertungsgesellschaften untereinander überlagert. Zwei Argumente sprechen dafür in diesem Fall nur das Sitzlandrecht der auskehrenden Verwertungsgesellschaft für die bei ihr anfallende Verteilungsentscheidung zur Anwendung zu bringen: Erstens würde eine Berücksichtigungspflicht ausländischer Rechtsstandards das Verkehrsinteresse in erheblichem Maße stören, weil eine Verwertungsgesellschaften eine Vielzahl ausländischer Verteilungsregeln berücksichtigen müsste, obwohl sie dazu kaum Veranlassung geboten hat – insbesondere hat sie keinen unmittelbaren Auslandsbezug hergestellt. Zweitens bleibt insoweit der Schutz der Rechteinhaber durch die Vorfragenanknüpfung effektiv bestehen, weil sie stets ihre Rechte unmittelbar der einziehenden Verwertungsgesellschaft einräumen können, um eine Ausschüttung nach den Standards des Schutzlandrechts sicherzustellen.

Es wird daher versucht eine möglichst enge Begrenzung der Geltung des Wahrnehmungsstatuts für Fälle der unmittelbaren Einziehung durch ausländische Verwertungsgesellschaften zu formulieren. Denn es erscheint zweifelhaft, ob sich derartige Konstellationen über das Institut der Eingriffsnorm auffangen lassen, deren Verwirklichung grundsätzlich einen Gerichtsstand[876] in dem Land voraussetzt, dessen grundlegenden (urheberrechtlichen) Wertungen zur Geltung verholfen werden soll.[877]

876 Problematisch ist die Begründung eines Gerichtsstands im Schutzland. Grundsätzlich sind (EU-)Verwertungsgesellschaften nach der allgemeinen Regel des Art. 4 Abs. 1 i.V.m. Art. 63 Abs. 1 Brüssel Ia-VO in ihrem Sitzland zu verklagen. Der besondere Gerichtsstand des vertraglichen Erfüllungsortes (Art. 7 Nr. 1 Brüssel Ia-VO) wird für die Dienstleistungen der Verwertungsgesellschaften i.d.R. ebenso in ihr Sitzland führen. Dass für all jene Rechteinhaber, die keinen Wahrnehmungsvertrag mit der einziehenden Verwertungsgesellschaft geschlossen haben, der Gerichtsstand der unerlaubten Handlung eine Klage in dem Land ermöglicht, aus dem die Einnahmen aus gesetzlichen Vergütungsansprüchen resultieren, ist nicht ausgeschlossen. Umgekehrt, bei einer Klage von Verwertungsgesellschaften gegen einen Schuldner eines gesetzlichen Vergütungsanspruchs ist das jedenfalls möglich (siehe hierzu EuGH, C-572/14 (ECLI:EU:C:2016:286) – *Austro-Mechana/Amazon*, Rn. 27 ff. zur weiten Auslegung des deliktischen Gerichtsstands im Bereich der Immaterialgüterrechte *Grünberger*, in: Hüßtege/Mansel (Hrsg.), Rom-Verordnungen, ^{3}2019, Rom II, Art. 8, Rn. 73 f.).

877 Über Eingriffsnormen lassen sich in der Regel nur die ordnungspolitischen Interessen der *lex fori* berücksichtigen. Art. 9 Abs. 3 Rom I-VO öffnet das IPR in begrenztem Maße auch für die Anwendung ausländischer Eingriffsnormen (hierzu insbesondere *Martiny*, in: von Hein (Hrsg.), MüKo IPR II, ^{8}2021, Rom I-VO, Art. 9, Rn. 41 ff. und 51 ff.; für ähnliche Probleme im Bereich des Finanzmarktrechts *Lehmann*, in: Zetzsche/Lehmann (Hrsg.), Grenzüberschreitende Finanzdienstleistungen, 2018, S. 1, Rn. 36 ff.). Problematisch ist nach wie vor die Behandlung von Eingriffsnormen anderer Staaten im Bereich der außervertraglichen Schuldverhältnisse (siehe hierzu insbesondere *Junker*, in: von Hein (Hrsg.), MüKo IPR II, ^{8}2021, Rom II-VO, Art. 16, Rn. 23 ff.). Für eine Offenheit gegenüber ausländischen Eingriffsnormen *Siehr*, RabelsZ 52 (1988), 41 ff.

c) Fazit

Die Frage der Verteilung der Einnahmen aus gesetzlichen Vergütungsansprüchen und verwertungsgesellschaftspflichtigen Rechten kann sich in Ausnahmefällen als immaterialgüterrechtliche Frage erweisen, welche mit dem Urheberrechtsstatut der *lex loci protectionis* unterfällt. Für die *Privatkopieschranke* nach Art. 5 Abs. 2 lit. a) und b) InfoSoc-RL hat dies der EuGH deutlich gemacht. Betont wurde in Bezug auf die Schrankenregelungen der Mitgliedstaaten mehrfach eine *Ergebnispflicht*, die sich nicht in der Erhebung der Einnahmen erschöpft. Entscheidend ist der inhaltliche Zusammenhang von Beschränkung des Ausschließlichkeitsrechts und Vergütungs- bzw. Kompensationsergebnis. So erweitern die Entscheidungen *Amazon* und *Reprobel* den regelungsspezifischen Inhalt der Schranke auf die Frage, wer an der Vergütung partizipieren darf und wem kein Vergütungsanspruch zusteht. Dies entspricht einem moderneren Verständnis des Urheberrechts, in welchem Schranken nicht nur als Zugangsmechanismus zugunsten der Rechtenutzer angesehen werden, sondern als generelle Marktregulierung, mit der auch auf ein Marktversagen, welches die Vergütungssicherung der Urheber bedroht, reagiert werden kann. Zwar ist die Vergütungssicherungsfunktion als Teil der Schranke selbst grundsätzlich immaterialgüterrechtlich zu qualifizieren, womit auch der verwertungsgesellschaftsrechtliche Verteilungsmechanismus der schrankenimmanenten Vergütungssicherungsfunktion zugeordnet werden kann. Jedoch rechtfertigt dies in der Regel keinen Eingriff in ein ausländisches Wahrnehmungsverhältnis. Denn grundsätzlich ist es der Rechteinhaber – dessen urheberrechtliche Position sich nach der *lex loci protectionis* richtet – der im Wahrnehmungsstatut das geltende Recht durch die Wahl der Verwertungsgesellschaft bestimmen kann. Am Sitz der ausschüttenden Verwertungsgesellschaft besteht daher auch grundsätzlich der Sitz des Rechtsverhältnisses. In der Regel sollte das Wahrnehmungsstatut daher auch Fragen der Verteilung von Einnahmen aus gesetzlichen Vergütungsansprüchen und verwertungsgesellschaftspflichtigen Rechten erfassen. Dies gilt zumindest dann, wenn die Einnahmen nicht direkt von der ausschüttenden Verwertungsgesellschaft im Schutzland eingezogen wurden. Ausnahmefälle bleiben denkbar, für sie wird versucht eine eng umgrenzte Ausweichklausel zu formulieren.[878]

878 Die Kyoto Guidelines verzichten auf diese Differenzierung (siehe Guideline 27(1)(a)(iv)).

7) Ergebnis

Es lässt sich folgende Kollisionsregel bilden:

(1) Die Berechnung der Einnahmen der Verwertungsgesellschaft und ihre Verteilung an die Berechtigten unterliegt dem Recht des Staates, in dem die Verwertungsgesellschaft ihren Sitz hat.

(2) Geht es um Einnahmen aus gesetzlichen Vergütungsansprüchen oder verwertungsgesellschaftspflichtigen Rechten, an deren Einziehung eine Verwertungsgesellschaft unmittelbar mitgewirkt hat, soll das zuständige Gericht auf Fragen der Berechnung und Verteilung das Recht desjenigen Landes anwenden, aus dessen nationalem Urheberrecht die Einnahmen entstanden sind, sofern das Urheberrecht jenes Landes, eine zwingende Verteilungsregelung vorsieht von der die Parteien nicht durch Vereinbarung abweichen können und deren internationale Durchsetzung aus der Sicht dieses Rechts zwingend erforderlich ist.

II. Repertoirerückzugsrechte

Im deutschen Verwertungsgesellschaftsrecht sieht § 12 VGG ein Recht zur Beendigung des Wahrnehmungsverhältnisses oder zum Entzug einzelner Rechte und Kategorien von Rechten zugunsten der Wahrnehmungsberechtigten vor. Die Vorschrift geht auf Art. 5 Abs. 4 der VG-RL zurück und ist ein wesentlicher Bestandteil des neuen Wahrnehmungsmodells, in welchem Verwertungsgesellschaften in Wettbewerb um die Rechteinhaber treten und in welchem die Rechteinhaber bestimmte Verwertungsgesellschaften zur Repräsentation ihres Gesamtrepertoires oder (territorialer) Teile ihres Repertoires wählen. Hierdurch soll insbesondere die Repertoireakkumulationen bei einigen besonders leistungsfähigen Verwertungsgesellschaften gefördert werden.[879] § 10 VGG regelt in Umsetzung von Art. 5 Abs. 7 der VG-RL die Pflicht der Verwertungsgesellschaften zur umfassenden Einholung und Dokumentation der Zustimmung der Rechteinhaber zur Wahrnehmung jedes einzelnen Rechts. Auch dies dient nicht zuletzt einer

879 Hierzu: *Freudenberg*, in: Götting/Lauber-Rönsberg/Rauer (Hrsg.), Beck'scher Online-Kommentar Urheberrecht, [39]2023, VGG § 12, Rn. 1 ff. In diesen Kontext gehört auch § 72 VGG als spezielle Regelung zu Online-Rechten an Musikwerken und deren grenzüberschreitender Vergabe. Hierzu auch *Kling*, Gebietsübergreifende Vergabe von Online-Rechten an Musikwerken, 2017, 199 ff.

zusätzlichen Flexibilisierung und der Verwirklichung des Wahlrechts der Rechteinhaber.[880]

Die Vorschrift enthält bereits auf den ersten Blick einen deutlichen Bezug zum Vertragsrecht, denn § 12 VGG erfordert explizit eine Regelung zur Beendigung des Wahrnehmungsverhältnisses oder zum (teilweisen) Rechteentzug in den Wahrnehmungsbedingungen der Verwertungsgesellschaften. Dies spricht zunächst auch für eine vertragliche Einordnung der Pflicht, was zur Folge hätte, dass sich die Durchsetzung der Verpflichtung des deutschen bzw. europäischen Rechts gegen eine anderweitige Rechtswahl allenfalls über eine Einordnung als Eingriffsnorm retten ließe. Doch bevor man sich Gedanken darüber macht, ob eine Vorschrift als Eingriffsnorm über ihren eigentlichen kollisionsrechtlichen Anwendungsbereich hinaus Geltung erlangen sollte, ist eine Untersuchung der potentiellen Anknüpfungsgegenstände und eine Qualifikation der Frage vorzunehmen. Gilt überhaupt das Vertragsstaut oder ist nicht vielleicht das Wahrnehmungs- oder das Urheberrechtsstatut anwendbar? Dabei ist aus deutscher Sicht der europäische Rechtsrahmen der VG-RL heranzuziehen, denn seinen Vorgaben ist weitestgehend zur Geltung zu verhelfen (Art. 4 Abs. 3 EUV). Die Intention des europäischen Repertoirerückzugsrechts ist damit maßgeblich für die Qualifikation dieser Konstruktion.

1) Kollisionsrechtliche Verortung im (Urheber-)Vertragsstatut

Allgemein wird das Rücktrittsrecht des Gläubigers unter das Vertragsstatut nach Art. 1 Abs. 1; Art. 12 Abs. 1 lit. c) Rom I-VO subsumiert.[881] Jedoch bezieht sich Art. 12 Abs. 1 lit. c) Rom I-VO auf die Folgen der vollständigen oder teilweisen Nichterfüllung einer Verpflichtung, mithin auf Fälle der Vertragsverletzung. Damit baut das „allgemeine Rücktrittsrecht" denklogisch auf der Struktur des bestehenden Schuldverhältnisses auf. Um eine Folge der Vertragsverletzung geht es beim wahrnehmungsrechtlichen Anspruch jedoch gerade nicht, vielmehr besteht das Repertoirerückzugsrecht unabhängig vom Leistungsverhalten einer Verwertungsgesellschaft. Es stärkt zwar die Rechteinhaber und versetzt sie in eine Position, in der sie auf eine Schlechtleistung der Verwertungsgesellschaften reagieren

880 Mit umfassender Kritik hieran, *Nérisson*, in: von Lewinski (Hrsg.), Remuneration for the use of works, 2017, S. 259 ff.

881 Beispielsweise *Spellenberg*, in: von Hein (Hrsg.), MüKo IPR II, ^{8}2021, Rom I-VO, Art. 12, Rn. 81.

können, doch ist die Schlechtleistung selbst nicht Voraussetzung des Repertoirerückzugsrechts. Dem Repertoirerückzugsrecht liegt zunächst die Idee des Ausgleichs von Machtungleichgewichten zugrunde, darüber hinaus offenbart sich in ihm aber eine marktgestalterische Intention. Diese liegt in der Repertoireakkumulation im grenzüberschreitenden Kontext – ihr Mittel ist die Stärkung der Rechtsposition der Rechteinhaber im System der *right-holders' option.*

Zugleich scheint eine Verwandtschaft des Repertoirerückrufrechts der Rechteinhaber zum Rückrufrecht der Urheber gegenüber abgeleiteten Rechteinhabern nach §§ 41, 42 UrhG oder § 34 Abs. 3 S. 2 UrhG naheliegend. Auch hier ist die kollisionsrechtliche Behandlung, wie im Folgenden dargestellt wird, umstritten. Von der Auseinandersetzung mit der bekannten Problematik des urheberrechtlichen Rückrufrechts ist daher ein Erkenntnisgewinn für die Behandlung des Rechts aus § 12 VGG zu erhoffen.

a) Kollisionsrechtliche Behandlung der urheberrechtlichen Rückrufrechte (§§ 41, 42 und § 34 Abs. 3 S. 2 UrhG)

Gemäß § 41 Abs. 1 S. 1 UrhG kann der Urheber ein Nutzungsrecht zurückrufen, wenn der Inhaber des ausschließlichen Nutzungsrechts das Recht nicht oder nur unzureichend ausübt und dadurch die berechtigten Interessen des Urhebers erheblich verletzt werden. Dieses Recht ist grundsätzlich unabdingbar und der Rückruf bewirkt das Erlöschen des Nutzungsrechts (§ 41 Abs. 5 UrhG). Ein entsprechend wirkendes Rückrufrecht steht dem Urheber gegen den Inhaber eines Nutzungsrechts gemäß § 42 Abs. 1 und 5 UrhG zu, wenn das Werk seiner Überzeugung nicht mehr entspricht und ihm deshalb die Verwertung des Werkes nicht mehr zugemutet werden kann.

Die Vorschriften sind dem Abschnitt über den „*Rechtsverkehr im Urheberrecht*" angegliedert und finden sich damit im Kontext des Urhebervertragsrechts. Diese Verortung kann allerdings bestenfalls Indiz, nicht aber Begründung dafür sein, dass die Rückrufrechte dem Vertragsstatut unterfallen würden.[882] Viele der Vorschriften in §§ 31 ff. UrhG liegen im Grenzbereich zwischen Verpflichtung und Verfügung und so ist auch bei anderen

---

882 *Dreier*, in: Dreier/Schulze (Hrsg.), Urheberrechtsgesetz, ^{6}2018, Vorb. §§ 120 ff, Rn. 49 ff.; *Katzenberger/Metzger*, in: Schricker/Loewenheim (Hrsg.), Urheberrecht, ^{5}2017, Vor §§ 120 ff. Rn. 153 ff.

Regelungen in §§ 31 ff. UrhG der vertragliche Charakter umstritten. Teilweise werden sie auch als in ihrem Wesen vertragsrechtlich charakterisiert, dann jedoch als Eingriffsnormen behandelt.[883]

Im Hinblick auf die Einordnung von §§ 32, 32a, 31 Abs. 5, 31a, 32c, 34 f., 37, und §§ 39 ff. UrhG scheint die Mehrheit der Autoren sehr klar von einer vertraglichen Einordnung auszugehen. Umstritten ist hierin lediglich die Frage, ob die Vorschriften (des Urhebervertragsrechts) als Eingriffsnormen zu charakterisieren sind, um sie so gegenüber einer anderweitigen Rechtswahl durchzusetzen. Während dies für die Vorschriften der §§ 32 und 32a UrhG weitgehend so gesehen wird,[884] geht eine Mehrheit der

883 Hinsichtlich der Behandlung als Eingriffsnormen zurückhaltend: *Drexl*, in: von Hein (Hrsg.), MüKo IPR II, [8]2021, Rom II-VO Art. 8 Rn. 226 und 260; warum der Rückgriff auf das Institut der Eigriffnormen grundsätzlich vermieden wird, wurde zuvor dargelegt (in diesem Kapitel unter *A, I., 1.)*).

884 *Ders.*, in: von Hein (Hrsg.), MüKo IPR II, [8]2021, Rom II-VO Art. 8 Rn. 260. Für die Einordnung als Eingriffsnorm von §§ 32 und 32a UrhG u.a.: *Dreier*, in: Dreier/Schulze (Hrsg.), Urheberrechtsgesetz, [6]2018, Vor § 120, Rn. 55; *Welser*, in: Wandtke/Bullinger (Hrsg.), Praxiskommentar Urheberrecht, [6]2022, § 32b, Rn.2; *Nordemann-Schiffel*, in: Fromm/Nordemann (Hrsg.), Urheberrecht, [12]2018, Vor §§ 120 ff., Rn. 8, wohl auch *Katzenberger*, in: Schricker/Loewenheim (Hrsg.), Urheberrecht, [5]2017, § 32b, Rn. 33 f. *Katzenberger/Metzger*, in: Schricker/Loewenheim (Hrsg.), Urheberrecht, [5]2017, Vor §§ 120 ff. Rn. 165 f., allerdings erkennt *Katzenberger* das Problematische Verhältnis zwischen § 32b UrhG und Art. 9 Rom I-VO in seiner Anmerkung zur Entscheidung des BGH in *Hi Hotel II* (BGH GRUR 2015, 264, 268, – *Hi Hotel II*, siehe *Katzenberger*, GRUR Int. 64 (2015), 381, 382 f.*)*.

885 So *Welser*, in: Wandtke/Bullinger (Hrsg.), Praxiskommentar Urheberrecht, [6]2022, § 32b, Rn.2; BGH GRUR 2015, 264 – *Hi Hotel II*; *Hilty/Peukert*, GRUR Int. 2002, 643, 664; *Nordemann-Schiffel*, in: Fromm/Nordemann (Hrsg.), Urheberrecht, [12]2018, Vor §§ 120 ff., Rn. 8; als bloße Auslegungsregel wird § 31 Abs. 5 von *Ulmer* (*Ulmer*, Die Immaterialgüterrechte im internationalen Privatrecht, 1975, S. 57 (Nr.80)) gesehen sowie *Drexl*, in: von Hein (Hrsg.), MüKo IPR II, [8]2021, Rom II-VO Art. 8 Rn. 260. Anderer Ansicht sind insbesondere *Dreier*, in: Dreier/Schulze (Hrsg.), Urheberrechtsgesetz, [6]2018, Vor § 120, Rn. 55; *Katzenberger*, in: Schricker/Loewenheim (Hrsg.), Urheberrecht, [4]2010, § 32b, Rn. 33f. und Vor. §§ 120 ff. Rn. 166 ff.

886 *Wille*, GRUR Int. 2008, 389, 391.

887 Eingriffsnorm ablehnend: *Welser*, in: Wandtke/Bullinger (Hrsg.), Praxiskommentar Urheberrecht, [6]2022, § 32b, Rn.2; *Hilty/Peukert*, GRUR Int. 2002, 643, 664; *Nordemann-Schiffel*, in: Fromm/Nordemann (Hrsg.), Urheberrecht, [12]2018, Vor §§ 120 ff., Rn. 8. Andere Ansicht *Katzenberger*, in: Schricker/Loewenheim (Hrsg.), Urheberrecht, [4]2010, § 32b, Rn. 33f. und Vor. §§ 120 ff. Rn. 166 ff. *Wille* (*Wille*, GRUR Int. 2008, 389, 391) hingegen sieht in § 32c UrhG einen gesetzlichen Vergütungsanspruch und unterstellt die Vorschrift insgesamt dem Urheberrechtsstatut.

Autoren für § 31 Abs. 5[885], § 31a[886], § 32c[887], §§ 34 f.[888], § 37[889] und §§ 39 ff. UrhG davon aus, dass ihnen keine Qualität als Eingriffsnormen zukommt. Problematisch ist jedoch, dass dies meist aus einem Umkehrschluss zu § 32b UrhG abgeleitet wird.[890] Tatsächlich sind Eingriffsnormen im Kontext des harmonisierten europäischen Kollisionsrechts der vertraglichen Schuldverhältnisse kritisch zu sehen. Solange sich der BGH wie in seiner *Hi Hotel II*-Entscheidung auf den Standpunkt stellt, dass Eingriffsnormen zwingend dem öffentlichen Interesse dienen müssen (dies steht im Einklang mit Art. 9 Rom I-VO) und ein solches Interesse bei § 31 Abs. 5 UrhG nicht gegeben sei, da nur der Schutz des einzelnen Urhebers – mithin ein Individualschutz – im Fokus der Norm stehe, lässt sich etwas Abweichendes nur schwer für die oben zitierten Normen begründen.[891]

---

888 Eingriffsnorm ablehnend: *Welser*, in: Wandtke/Bullinger (Hrsg.), Praxiskommentar Urheberrecht, [6]2022, § 32b, Rn.2; *Hilty/Peukert*, GRUR Int. 2002, 643, 664; *Nordemann-Schiffel*, in: Fromm/Nordemann (Hrsg.), Urheberrecht, [12]2018, Vor §§ 120 ff., Rn. 8. Andere Ansicht *Katzenberger*, in: Schricker/Loewenheim (Hrsg.), Urheberrecht, [4]2010, § 32b, Rn. 33f. und Vor. §§ 120 ff. Rn. 166 ff.

889 Eingriffsnorm ablehnend: *Welser*, in: Wandtke/Bullinger (Hrsg.), Praxiskommentar Urheberrecht, [6]2022, § 32b, Rn.2; *Hilty/Peukert*, GRUR Int. 2002, 643, 664; *Nordemann-Schiffel*, in: Fromm/Nordemann (Hrsg.), Urheberrecht, [12]2018, Vor §§ 120 ff., Rn. 8.

890 So etwa: *Nordemann-Schiffel*, in: Fromm/Nordemann (Hrsg.), Urheberrecht, [12]2018, Vor §§ 120 ff., Rn. 8; *Welser*, in: Wandtke/Bullinger (Hrsg.), Praxiskommentar Urheberrecht, [6]2022, § 32b, Rn.2; *Hilty/Peukert*, GRUR Int. 2002, 643, 650.

891 Die Vorschriften sind bereits nach dem Wortlaut von § 32b UrhG „IPR-fest". Nachdem inzwischen allerdings nicht mehr nationales Kollisionsrecht, sondern die Rom I-VO Maßstab des Internationales Privatrechts der Vertragsverhältnisse ist, ist nicht mehr allein die Einordnung nach dem Willen des nationalen Gesetzgebers ausschlaggebend. Es kommt darauf an, ob die §§ 32 und 32a UrhG als Eingriffsnormen nach Art. 9 Abs. 1 Rom I-VO verstanden werden können. Dies ist aufgrund ihrer vor allem individualschützenden Intention sehr zweifelhaft. Die Berücksichtigung von Eingriffsnormen stört den bezweckten kollisionsrechtlichen Gleichlauf der Rom I-VO in den Mitgliedstaaten. Sie sind daher eng auszulegen und stets an der Definition des Art. 9 Abs. 1 Rom I-VO zu messen. Für § 31 Abs. 5 UrhG hat der BGH in seiner Entscheidung *Hi Hotel II* (BGH GRUR 2015, 264 – *Hi Hotel II*) festgestellt, dass es sich mangels übergeordneten öffentlichen Interesses nicht um eine Eingriffsnorm handelt. Die dort getroffenen Feststellungen können auf die Einordnung der §§ 32 und 32a UrhG übertragen werden, da sie sich in Schutzzweck und Schutzrichtung nicht von § 31 Abs. 5 UrhG unterscheiden (siehe hierzu *Katzenberger*, GRUR Int. 64 (2015), 381, 382 f.). Allein der geäußerte Wille des nationalen Gesetzgebers kann das Kollisionsrecht im harmonisierten Bereich – worum es sich bei der ausdrücklichen Qualifizierung als Eingriffsnorm letztlich handelt – nicht begründen. Aufgrund des Vorrangs der Rom I-VO vor dem nationalen Kollisionsrecht wäre daher § 32b UrhG nicht mehr anzuwenden. Klärung in

Interessant ist vor allem die Qualifikation von § 31 UrhG als fundamentale Norm des Urheberrechtstransfers in Deutschland und die Qualifikation der spezielleren Verhältnisse in §§ 32c und 34 Abs. 1 S. 1 UrhG. Wie bereits im Rahmen der Auseinandersetzung mit der *MyVideo*-Entscheidung dargelegt, unterliegt die Frage nach der Übertragbarkeit des Urheberrechts dem Urheberrechtsstatut. Hierunter fallen auch Fragen der Lizenzierbarkeit, also der Möglichkeit des Rechteinhabers bestimmte Nutzungen zu lizenzieren, wie sie in § 31 Abs. 1 UrhG angelegt sind.[892] Auch der Umfang der Berechtigung, die aus der Einräumung von Nutzungsrechten hervorgeht (§ 31 Abs. 2 und 3 UrhG), entscheidet sich nach dem Urheberrechtsstatut.[893] In diesen Kontext gehört auch § 34 Abs. 1 S. 1 UrhG, wonach ein Nutzungsrecht nur mit Zustimmung des Urhebers übertragen werden kann.[894] Was die Vergütung für später bekannt gewordene Nutzungsarten nach § 32c UrhG betrifft, so ist diese wohl als gesetzlicher Vergütungsanspruch zu qualifizieren und unterfällt damit grundsätzlich ebenfalls dem Urheberrechtsstatut.[895]

Geht es nun um die Rückrufrechte der §§ 41 und 42 UrhG sowie des § 34 Abs. 3 S. 2 und 3 UrhG, spricht auch vieles für ein dingliches Verständnis der Vorschriften und damit für die Einordnung als Vorschriften der

dieser Sache kann jedoch nur der EuGH herbeiführen (*Drexl*, in: von Hein (Hrsg.), MüKo IPR II, [8]2021, Rom II-VO Art. 8 Rn. 260.).

892 So auch das OLG München im *MyVideo-Verfahren* (Urt. v. 29. 04. 2010 – 29 U 3698/09 – *MyVideo*). Zur Auseinandersetzung und zum anwendbaren Recht siehe *Teil 1, Kapitel 1, C, II., 4.), b.).*

893 *Drexl*, in: von Hein (Hrsg.), MüKo IPR II, [8]2021, Rom II-VO Art. 8 Rn. 222 ff.; *Katzenberger/Metzger*, in: Schricker/Loewenheim (Hrsg.), Urheberrecht, [5]2017, Vor §§ 120 ff. Vor §§ 120 ff., Rn. 125 und 153.

894 *Drexl*, in: von Hein (Hrsg.), MüKo IPR II, [8]2021, Rom II-VO Art. 8 Rn. 226; *Schack*, in: Lorenz (Hrsg.), Festschrift für Andreas Heldrich zum 70. Geburtstag, 2005, S. 997, 1001; *Katzenberger/Metzger*, in: Schricker/Loewenheim (Hrsg.), Urheberrecht, [5]2017, Vor §§ 120 ff. Vor §§ 120 ff., Rn. 153.

895 So bereits in der Gesetzesbegründung (BT-Drs. 16/1828, 22, 25) und; *Wille*, GRUR Int. 2008, 389, 391; Teilweise wird auch danach differenziert, ob für die konkrete Nutzungsart bereits eine Vergütung vereinbart wurde, dann sei diese vertragliche Regelung charakterisierend, andernfalls handele es sich um einen gesetzlichen Vergütungsanspruch, so *Wandtke*, in: Wandtke/Bullinger (Hrsg.), Praxiskommentar Urheberrecht, [6]2022, § 32c, Rn. 11 ff. Gesetzliche Vergütungsansprüche gehören zum Kernbestandteil des Urheberrechts, da sie ähnlich der Frage nach dem Umfang des Urheberrechts selbst Teil der absoluten Rechtsposition des Urhebers sind (*Wille*, GRUR Int. 2008, 389, 391; ähnlich auch *Hilty/Peukert*, GRUR Int. 2002, 643, 645). Ihnen ist zugleich eine Schrankenfunktion immanent, wenn sie den ausgleichenden Teil einer inhaltlichen Beschränkung des Ausschließlichkeitsrechts darstellen.

Übertragbarkeit bzw. des Rechtetransfers, womit eine Qualifikation unter das Urheberrechtsstatut einhergeht. Die Ausübung des Rückrufrechts nach § 34 Abs. 3 S. 2 UrhG hat den automatischen Rückfall der Rechte an den Urheber zur Folge, der Rückruf hat damit Wirkung *inter omnes*.[896] Noch deutlicher wird der dingliche Charakter bei den Rückrufrechten der §§ 41 f. UrhG. Gemäß § 41 Abs. 5 und § 42 Abs. 5 UrhG erlischt das Nutzungsrecht mit Wirksamwerden des Rückrufs.[897] Damit gilt für diese Rückrufrechte konsequenterweise die *lex loci protectionis*.

b) Übertragung der Überlegungen auf das verwertungsgesellschaftsrechtliche Rückrufrecht

Zunächst scheint eine Übertragung der Überlegungen zum urheberrechtlichen Rückrufrecht auf das verwertungsgesellschaftsrechtliche Rückrufrecht naheliegend. Schließlich handelt es sich auch bei letzterem der Sache nach um ein besonderes urheberrechtliches Rückrufrecht bzw. ein Recht zum Rückruf von Urheberrechten. Folglich wäre es nur logisch auch dieses Rückrufrecht in einer systematischen Einheit mit §§ 41 f und § 34 Abs. 3 UrhG zu sehen. Doch geht bereits aus dem Wortlaut von § 12 Abs. 1 VGG hervor, dass es sich um eine Pflicht der Verwertungsgesellschaften handelt, welche diese innerhalb ihrer Wahrnehmungsbedingungen umzusetzen haben. Verpflichtet wird die Verwertungsgesellschaft, berechtigt wird der Urheber (bzw. Rechteinhaber) hingegen nur mittelbar, und zwar durch ein vertragliches Recht, welches von Seiten der Verwertungsgesellschaften einzuräumen ist. Verdeutlicht wird der vertragliche Charakter durch § 12 Abs. 2 VGG, wonach die Wahrnehmungsbedingungen bestimmen können, „dass die Beendigung des Wahrnehmungsverhältnisses oder der Rechteentzug erst zum Ende des Geschäftsjahres wirksam werden“. Das Recht zum teilweisen Rückzug des Repertoires soll gleichzeitig nur soweit bestehen, wie eine weitere Wahrnehmung des verbliebenen Teils für die Verwertungsgesellschaft wirtschaftlich noch tragbar ist (Erwägungsgrund 19 Abs. 2 VG-

896 *Schulze*, in: Dreier/Schulze (Hrsg.), Urheberrechtsgesetz, ^{6}2018, § 34 Rn. 39; Ein dingliches Nutzungsrecht fällt an den Urheber zurück, ein schuldrechtlcihes Nutzungsrecht erlischt, so *Ohly*, in: Schricker/Loewenheim (Hrsg.), Urheberrecht, ^{5}2017, § 34, Rn. 45.

897 Siehe hierzu auch *Schack*, Urheber- und Urhebervertragsrecht, ^{9}2019, Rn. 634 und BGH GRUR 2009, 946 Rz 22 – *Reifen Progressiv*.

RL).[898] Die Richtlinie enthält dabei keine Vorgaben zur dinglichen Umsetzung des Repertoirerückzugsrechts.[899]

c) Qualifikation

(1) Kollisionsrechtliche Interessen – auswirkungsbezogene Betrachtung

Betrachtet man sodann die Konsequenzen einer dinglichen Einordnung des Repertoirerückzugsrechts und damit einer urheberrechtlichen Qualifikation, wird schnell deutlich, dass diese im Verwertungsgesellschaftssystem keinen Platz hat. So hätte die Geltung des Urheberrechtsstatuts aus deutscher Sicht zur Folge, dass allein das „deutsche Urheberrecht" den Verwertungsgesellschaften entzogen werden könnte. Ausländische Urheberrechte, welche in der Regel über den Wahrnehmungsvertrag ebenfalls eingeräumt werden, würden nicht hierunter fallen. Während also ein Rechteinhaber, unabhängig davon, welchem Land er angehört, einer Verwertungsgesellschaft, unabhängig davon, wo sie ihren Sitz hat, zwar das deutsche Recht unter den Voraussetzungen des § 12 VGG entziehen könnte, würden die ausländischen Rechte bei der Verwertungsgesellschaft verbleiben, sofern das ausländische Recht oder der Wahrnehmungsvertrag nicht ebenfalls ein so gestaltetes Recht vorsieht.[900]

Den Verkehrsinteressen widerspricht ein solches Konzept, denn es wäre zunächst überaus unpraktisch und würde die Verwertungsgesellschaften in ihrer grenzüberschreitenden Betätigung erheblich stören. Sie müssten ihre Wahrnehmungsbedingungen hinsichtlich der Rückrufmöglichkeit einer jeden Rechtsordnung anpassen, für welche sie Rechte wahrzunehmen bereit

898 *Schulze*, in: Dreier/Schulze (Hrsg.), Urheberrechtsgesetz, ^{6}2018, § 12 VGG, 3.

899 Zwar ist in Art. 5 Abs. 4 VG-RL der Repertoireentzug klar als Recht der Rechteinhaber angelegt, doch findet sich auch hier ein Hinweis auf die Umsetzung innerhalb des Wahrnehmungsvertrags. Erwägungsgrund 19 Abs. 2 der VG-RL sieht schließlich vor, dass die Grundsätze der Rechtewahrnehmung der Verwertungsgesellschaften, insbesondere welche Kategorien von Rechten wahrgenommen werden sollen, in der Mitgliederhauptversammlung entwickelt werden. Die Rechteinhaber sollen dann ihrerseits ggf. mit einem Repertoireentzug auf eine Entwicklung reagieren können.

900 Im Geltungsbereich der VG-RL wäre dies der Fall, doch wäre auch sie in ihrer Wirkung dann auf europäische Urheberrechte beschränkt. Zur Förderung des in der Richtlinie angelegten Binnenmarktkonzepts würde dies wohl genügen, denn die gewünschte Repertoireakkumulation könnte für die europäischen Rechte auf dieser Grundlage erreicht werden. Online-Musikdienste könnten dann vereinfacht Angebote für den europäischen Markt bereitstellen.

sind. Für die Rechteinhaber wären die legitimen Rechtsposition gegenüber den Verwertungsgesellschaften kaum überschaubar und so würden sie von einer solchen Einordnung des Rückzugsrechts wohl kaum profitieren.

(2) Gesetzgeberische Intention des Geltungs- und Wirkungsrahmens

So zeigt sich im deutschen und europäischen Wahrnehmungsrecht, dass ein gegenteiliges Modell bezweckt und im Recht angelegt ist. § 12 Abs. 1 VGG sieht genauso wie Art. 5 Abs. 4 VG-RL das Recht vor, das Repertoire insbesondere im Hinblick auf bestimmte Gebiete zu entziehen. Darin äußert sich gerade der universelle Charakter des neuen Wahrnehmungsrechts, welches auf grenzüberschreitende Betätigung ausgelegt sein soll und damit löst sich das Wahrnehmungsrecht aber zugleich von der Abhängigkeit zum territorialen Urheberrecht. Denn um eine Bestimmung, welche dem Urheberrechtsstatut unterfällt, kann es sich nicht mehr handeln. Diese wäre in ihrer Wirkung auf das deutsche Urheberrecht beschränkt. Urheberrechtliche Vorschriften für ausländische Rechte kann der deutsche Gesetzgeber nicht erlassen. Der Repertoireentzug ausländischer Rechte würde sich dagegen nach den Rechtsordnungen des jeweiligen Landes richten, auf welches sich das betreffende Repertoire bezieht. So sind es vor allem die Konsequenzen, welche eine Qualifikation unter das Urheberrechtsstatut mit sich brächte, die nicht mit der Intention der Vorschrift in Einklang stehen.

(3) Kollisionsrechtliche Verortung zwischen Wahrnehmungs- und Vertragsstatut

Das Repertoirerückzugsrecht ist daher nicht spezifisch urheberrechtlich zu qualifizieren. Vieles spricht hingegen für eine vertragsrechtliche Qualifikation. Doch wird die vertragliche Qualifikation ihrerseits nicht dem regulatorischen Charakter und der marktgestaltenden Funktion der Vereinfachung des Repertoirerückzugs gerecht. Sie gewährleistet weder eine einheitliche Anwendung des Rechts noch einen Gleichlauf mit den jeweiligen Verpflichtungen im Privat- und Aufsichtsrecht. So erweist sich das Repertoirerückzugsrecht als eine typische Regelung des Wahrnehmungsverhältnisses, welche sich nach dem Sitzlandrecht der Verwertungsgesellschaft, mithin dem Wahrnehmungsstatut beurteilt. Dies gewährleistet eine Gleichbehandlung der Repertoires unabhängig davon, auf welches Territorium sie sich beziehen. Ferner sichert eine Beurteilung nach dem Sitzlandrecht eine einheitliche Durchsetzung gegen die Verwertungsgesellschaften.

Der Schwerpunkt der Wahrnehmungsbeziehung liegt im Sitzland der Verwertungsgesellschaft. Dieses Recht ist für die Beteiligten vorhersehbar und garantiert den Verwertungsgesellschaften die Einheitlichkeit der Rechtsanwendung, insbesondere im Hinblick auf eine möglicherweise weiterhin bestehende aufsichtsrechtliche Kontrolle. Doch auch den Rechteinhabern ist mit einer einheitlichen Geltung des Rechts des Sitzlandes der Verwertungsgesellschaften gedient, denn auch aus ihrer Sicht würde eine territoriale Lösung in Bezug auf das jeweilige Urheberrecht zu Rechtsunsicherheit führen. Im Modell der *right-holders' option* stehen der Anwendung des Rechts des Sitzlandes der Verwertungsgesellschaften auch keine Parteiinteressen entgegen, da diese sich gerade durch die Wahlfreiheit der Rechteinhaber hinreichend absichern lassen, wobei die Wahlfreiheit natürlich (zum Teil) von der Möglichkeit der Repertoirenutzung abhängt.

2) Ergebnis

Das verwertungsgesellschaftsrechtliche Repertoirerückzugsrecht, wie es sich im deutschen Wahrnehmungsrecht in § 12 VGG findet, erinnert zunächst an die urheberrechtlichen Rückrufrechte der §§ 41 f. und § 34 Abs. 3 UrhG. Letztere enthalten ein Rückrufrecht mit dinglicher Wirkung, welches – begrenzt auf das deutsche Urheberrecht – *inter omnes* wirkt und einen automatischen Rückfall an den Urheber bzw. ein Erlöschen des Nutzungsrechts nach sich zieht. Die Vorschriften weisen bei genauerer Betrachtung erhebliche Unterschiede auf, welche sich zunächst im Wortlaut äußern, wonach das wahrnehmungsrechtliche Repertoirerückzugsrecht zunächst eine Pflicht der Verwertungsgesellschaften zur Umsetzung innerhalb der Wahrnehmungsverträge begründet. Die Anwendung des Urheberrechtsstatuts würde dabei der intendierten Wirkung des Repertoirerückzugsrechts im internationalen Kontext nicht gerecht werden. Beschränkt auf das jeweilige nationale Recht würde das Entzugsrecht eine Unübersichtlichkeit nach sich ziehen, die einer Internationalisierung der Rechtewahrnehmung im Weg stünde. So wäre die Umsetzung eines einheitlichen Anspruchs gegen Verwertungsgesellschaften auf Rückzug verschiedener gebietsbezogener Rechte nicht umzusetzen. Das Repertoirerückzugsrecht unterfällt daher konsequenterweise nicht dem Urheberrechtsstatut, sondern dem Wahrnehmungsstatut.

Es lässt sich folgende Kollisionsregel formulieren:

Die Beendigung des Wahrnehmungsverhältnisses, insbesondere im Hinblick auf gesetzliche Repertoirerückzugsrechte und ähnliche Rechte zur Beendigung des Wahrnehmungsverhältnisses und des Entzugs der Rechte in ihrer Gesamtheit oder in Teilen, unterliegt dem Recht des Staates, in dem die Verwertungsgesellschaft ihren Sitz hat.

III. Voraussetzungen und Bedingung der Mitgliedschaft in den Verwertungsgesellschaften sowie Mitwirkungsrechte der Berechtigten

Eine weitere typische Frage des Innenverhältnisses der Verwertungsgesellschaften betrifft die Voraussetzungen und Bedingungen der Mitgliedschaft in den Organisationen sowie die damit verbundenen Mitwirkungsrechte der Berechtigten innerhalb der Gremien der Verwertungsgesellschaften.

Im deutschen Recht ist dies in § 13 und §§ 16 ff VGG geregelt. Gemäß § 13 Abs. 1 S. 1 VGG müssen insbesondere Berechtigte als Mitglieder aufgenommen werden, wenn sie die Bedingungen der Mitgliedschaft erfüllen. Die Mitgliedschaftsbedingungen müssen ihrerseits objektiv, transparent und nichtdiskriminierend sein. § 16 VGG verpflichtet die Verwertungsgesellschaften, in ihren Statuten[901] angemessene und wirksame Verfahren der Mitwirkung von Mitgliedern und von Berechtigten an den Entscheidungen der Verwertungsgesellschaft vorzusehen. Dabei müssen die verschiedenen Kategorien von Mitgliedern und Berechtigten[902] fair und ausgewogen vertreten sein. § 17 und § 18 VGG beziehen sich auf die Mitgliederhauptversammlung. Themen, über welche zwingend in der Mitgliederhauptversammlung zu entscheiden ist, finden sich in § 17 Abs. 1 S. 2 VGG.[903] Besondere Rechte der Mitgliederhauptversammlung in Bezug auf die Organe der

901 Der Begriff des Statuts garantiert eine rechtsformneutrale Anwendung des VGG. Je nachdem welche Rechtsform die Verwertungsgesellschaft konkret hat, muss sie eine Satzung (Verein), einen Gesellschaftsvertrag (GmbH) oder eine sonstige Grundlage für ihr Handeln aufstellen (*Schulze*, in: Dreier/Schulze (Hrsg.), Urheberrechtsgesetz, ^{6}2018, VGG, § 13, Rn. 2).

902 Wie beispielsweise Urheber von Werken der Musik, Verleger, Tonträgerhersteller oder ausübende Künstler.

903 Hierbei geht es insbesondere um Fragen der Ausgestaltung der Verwertungsgesellschaften in ihren Statuten, um Verteilungsfragen, die Geldanlage durch die Verwertungsgesellschaften, die Wahrnehmungsbedingungen und um Tarife.

Verwertungsgesellschaften finden sich schließlich in § 18 VGG.[904] Sowohl die Mitgliedschaftsrechte als auch die Mitwirkungsrechte der Berechtigten dienen nicht zuletzt der Funktionssicherung des Verwertungsgesellschaftssystems.

1) Bedingungen der Mitgliedschaft

a) Qualifikation

Die Bedingungen der Mitgliedschaft, wie sie sich in § 13 VGG des deutschen Wahrnehmungsrechts finden, weisen eine Parallele zum Wahrnehmungszwang der Verwertungsgesellschaften auf. Auch § 13 VGG sieht einen Aufnahmezwang für diejenigen Berechtigten vor, die die Bedingungen der Mitgliedschaft erfüllen.[905] Insoweit lässt sich die Pflicht zur Aufnahme als Mitglied der Verwertungsgesellschaft als eine Verlängerung des allgemeinen Kontrahierungszwangs der Verwertungsgesellschaften gegenüber den Rechteinhabern verstehen. Gleichwohl bleibt die Bedeutung des Aufnahmerechts in die Organisationsgremien der Verwertungsgesellschaften für die Ausübung des Urheberrechts hinter derjenigen des Wahrnehmungszwangs zurück. Eine Grundvoraussetzung für die „Ausübung des Urheberrechts an sich" ist die formelle Aufnahme als Mitglied in die Verwertungsgesellschaft jedenfalls nicht.

Einige der Überlegungen zur kollisionsrechtlichen Behandlung des Wahrnehmungszwangs lassen sich dennoch auf die Mitgliedschaftsrechte übertragen. Entscheidend ist zunächst, dass es sich um Regelungen des Innenverhältnisses der Verwertungsgesellschaften handelt. Dabei löst sich die Mitgliedschaft in der Organisation „Verwertungsgesellschaft" jedoch vom wahrzunehmenden Urheberrecht ab. Ganz plastisch kommt dies in § 7 Nr. 2 VGG (und Art. 3 lit. d sowie ErwG 14 der VG-RL) zum Ausdruck, wonach selbst Nichtrechteinhaber, wie Gewerkschaften, Verbände und Vereinigungen von Rechteinhabern, Mitglieder einer Verwertungsgesellschaft

904 Dabei geht es insbesondere um die Ernennung und Entlassung der Mitglieder des Aufsichtsrats, der Mitglieder des Verwaltungsrats und der Mitglieder eines besonderen Aufsichtsgremiums.

905 BT-Drs. 18/7223, 75; *Sandberger*, in: Götz von Olenhusen/Gergen/Vogel (Hrsg.), Kreativität und Charakter, 2017, S. 307, 315; *Raue*, in: Dreier/Schulze (Hrsg.), Urheberrechtsgesetz, ^{7}2022, VGG, § 13 Rn. 6.

werden können.[906] Im Gegensatz zum wahrgenommenen Recht (Wahrnehmungszwang) kommt außerdem keine gespaltene Mitgliedschaft für die Ausübung einiger spezieller, territorial umgrenzter Rechte in Betracht. Entweder ein Rechteinhaber oder eine Vereinigung ist Mitglied einer Verwertungsgesellschaft oder nicht – er oder sie kann dies jedoch nicht lediglich mit Blick auf einzelne Urheberrechte sein. Eine einheitliche Anknüpfung der Bedingungen der Mitgliedschaft ist daher erforderlich. Zugleich entzieht sich der Aufnahmezwang einer vertragsrechtlichen Qualifikation, da er als Zwang der Dispositionsfreiheit der Parteien entzogen ist.

b) Zwischenergebnis

Der Aufnahmezwang und die Bedingungen der Mitgliedschaft sowie die Mitgliedschaftsrechte unterfallen daher mit dem Wahrnehmungsstatut dem Recht des Sitzlandes der Verwertungsgesellschaften. Im Sitzland der Verwertungsgesellschaft offenbart sich der Schwerpunkt des Rechtsverhältnisses und die Anknüpfung ist denklogisch einheitlich. Aus ordnungspolitischer Perspektive ist damit auch ein Gleichlauf mit der staatlichen Aufsicht über die jeweilige Gesellschaft sichergestellt.

2) Grundsätze der Mitwirkung und Organisationsstruktur der Verwertungsgesellschaft

a) Qualifikation

Die einzelnen Mitgliedschaftsrechte und die Struktur der Entscheidungsfindung und Organisation innerhalb der Verwertungsgesellschaften, wie sie in §§ 16 ff. VGG niedergelegt sind, betreffen ebenfalls den Kern des Innenverhältnisses der Verwertungsgesellschaften. Zugleich zeigt sich in ihnen eine typische Regelungsmaterie des Gesellschaftsrechts, welches – mit dem Gesellschaftsstatut – im Internationalen Privatrecht typischerweise Fragen der Entstehung der Gesellschaft bzw. Kooperation, ihre Rechtsfähigkeit, die innere Verfassung, die internen Beziehungen zwischen der Gesellschaft und ihren Mitgliedern und deren Beziehung untereinander umfasst.[907] Auch

906 *Gerlach*, in: Wandtke/Bullinger (Hrsg.), Praxiskommentar Urheberrecht, ^{6}2022, VGG, § 7, Rn. 3.

907 *Kindler*, in: von Hein (Hrsg.), MüKo IPR II, ^{8}2021, IntGesR, Rn. 522.

hier geht es um die Etablierung einer Mitgliederhauptversammlung, die Befugnisse der Mitgliederhauptversammlung (§§ 17, 18 VGG) und deren Durchführung (§ 19 VGG), mithin um Fragen der inneren Verfassung der Gesellschaft, der Entscheidungsfindung innerhalb der Gesellschaft sowie der Beziehung zwischen der Gesellschaft und ihren Mitgliedern (Fragen der Organisationsverfassung).[908]

(1) Die Rolle Gesellschaftsstatuts

Nach deutscher Auffassung herrscht im autonomen Internationalen Gesellschaftsrecht – jenseits von Sachverhalten mit Binnenmarktbezug – nach wie vor die Sitztheorie, womit die Gesellschaft derjenigen Rechtsordnung unterliegt, welche am Ort ihrer tatsächlichen Verwaltung gilt.[909] Insoweit kommt es zu einem kollisionsrechtlichen Gleichlauf mit dem Wahrnehmungsstatut und auf eine Entscheidung, ob die Mitwirkungsrechte im Innenverhältnis nun dem Gesellschafts- oder dem Wahrnehmungsstatut unterfallen aus deutscher Sicht nicht an. Relevant wird diese Entscheidungen also nur für diejenigen Staaten, die ihrerseits der Gründungstheorie folgen. Hierzu zählen vor allem die Staaten mit anglo-amerikanischer Rechtstradition.[910]

Nach der Gründungstheorie unterliegt das Gesellschaftsstatut dem Recht desjenigen Staates, nach dessen Recht die Gesellschaft gegründet wurde. Entscheidend wird damit der in der Satzung bestimmte Sitz, womit im Ergebnis das Recht desjenigen Staates gilt, in dem die Gesellschaft im Handelsregister eingetragen ist. Durch die Wahl des Satzungssitzes können die Gesellschafter – unabhängig vom späteren Tätigkeitsschwerpunkt der Gesellschaft – auch das Gesellschaftsrecht wählen, dem die Gesellschaft unter-

908 *Wall*, in: Hausmann/Odersky/Schäuble u.a. (Hrsg.), Internationales Privatrecht in der Notar- und Gestaltungspraxis, ^{4}2021, § 19, Rn. 13.

909 Mit weiteren Verweisen *Kindler*, in: von Hein (Hrsg.), MüKo IPR II, ^{8}2021, IntGesR, Rn. 5 und Rn. 420 ff. und für die Bestimmung des relevanten Sitzes Rn. 455 ff. sowie zuletzt BGHZ 178, 192 – *Trabrennbahn* = NJW 2009.

910 Im kontinentaleuropäischen Raum außerdem etwa die Niederlande, Liechtenstein und die Schweiz. *Eidenmüller*, ZIP 2002, 2233, 2234; *Wall*, in: Hausmann/Odersky/Schäuble u.a. (Hrsg.), Internationales Privatrecht in der Notar- und Gestaltungspraxis, ^{4}2021, § 18, Rn. 13.

stehen soll.[911] Im Verwertungsgesellschaftssystem kann dies zu Problemen führen, denn auf diese Weise könnten sich auch Verwertungsgesellschaften unangenehmen Verpflichtungen im Innenverhältnis entziehen.

(2) Die Grundsätze der Mitwirkung als wahrnehmungsspezifische Regelungen

Von spezieller Bedeutung für das System der kollektiven Rechtewahrnehmung ist jedoch, dass mit einem Modell, welches, wie die Gründungstheorie, ein Auseinanderfallen des Sitzes der Verwertungsgesellschaft und des geltenden Rechtsrahmens für besondere Verpflichtungen in der organisatorischen Struktur der Verwertungsgesellschaft zulässt, ein strukturelles Problem einhergeht, welches sich aus dem Nebeneinander von aufsichtsrechtlicher und privatrechtlicher Kontrolle ergibt. Die Staatsaufsicht über die Verwertungsgesellschaften – sofern eine solche in dem jeweiligen Staat besteht – erfolgt zumindest schwerpunktmäßig im Sitzland der Verwertungsgesellschaft. Ein Gleichlauf beider Regelungssysteme ist daher wünschenswert und aufgrund drohender Normwidersprüche sogar essenziell. Um den Gleichlauf zwischen Staatsaufsicht und anwendbarem Privatrecht auch für Staaten, die der Gründungstheorie folgen, sicherzustellen, wäre die Anwendung des Wahrnehmungsstatuts für besondere wahrnehmungsrechtliche Fragen der Organisationsverfassung von Vorteil.

Rechtsdogmatisch ließe sich dies damit rechtfertigen, dass die beschriebenen Verpflichtungen der Organisationsverfassung, wie sie im deutschen Recht in §§ 16 ff. VGG niedergelegt sind, über eine gesellschaftsrechtliche Organisationsverfassung hinausgehen, die sich unabhängig vom sachlichen Tätigkeitsbereich einer Gesellschaft auf deren Struktur bezieht. Die besonderen Mitwirkungspflichten der §§ 16 ff. VGG gelten gerade nicht für alle Gesellschaften, die sich für eine bestimmte Organisationsform entschieden haben, sondern umgekehrt, allein für Gesellschaften, „deren ausschließlicher oder hauptsächlicher Zweck es ist, für Rechnung mehrerer Rechtsinhaber Urheberrechte oder verwandte Schutzrechte zu deren kollektiven Nutzen wahrzunehmen, gleichviel, ob in eigenem oder in fremdem Namen" (§ 2 Abs. 1 VGG) – und zwar unabhängig von ihrer gesellschaftsrechtlichen Organisationsstruktur. So gesehen zeigen sich in den Verpflichtungen der

911 *Wall*, in: Hausmann/Odersky/Schäuble u.a. (Hrsg.), Internationales Privatrecht in der Notar- und Gestaltungspraxis, ^{4}2021, § 18, Rn. 11.

§§ 16 ff. VGG keine Regelungen des Gesellschaftsrechts, sondern wahrnehmungsrechtliche Besonderheiten. Diese sind im besonderen Schutz des Wahrnehmungsverhältnisses begründet und finden ihre Grundlage einerseits in der Sicherstellung der Treuhandfunktion der Verwertungsgesellschaften und andererseits in der Sicherstellung der besonderen Rolle von Verwertungsgesellschaften für das Urheberrechtssystem.

Nach deutschem Recht bestehen keine Vorgaben hinsichtlich der Rechtsform der Verwertungsgesellschaften.[912] Sie können frei wählen. Entsprechend finden sind in Deutschland auch Verwertungsgesellschaften unterschiedlicher Rechtsform. Während beispielsweise GEMA und VG WORT in der Rechtform des wirtschaftlichen Vereins nach § 22 BGB bestehen, hat sich die GVL für die Rechtsform der GmbH entschieden. Auch der europäische Richtliniengeber enthält sich in Erwägungsgrund 14 der VG-RL ausdrücklich der Vorgabe einer bestimmten Rechtsform und ruft die Mitgliedstaaten lediglich dazu auf, geeignete Maßnahmen zu ergreifen, um zu verhindern, dass die Pflichten der Richtlinie durch die Wahl der Rechtsform umgangen werden. Dies ist jedoch international nicht zwingend und es ist durchaus vorstellbar, dass eine Rechtsordnung einschränkende Vorgaben hinsichtlich der möglichen Rechtsformen für Verwertungsgesellschaften macht. In Polen beispielsweise mussten Verwertungsgesellschaften zumindest nach altem Recht zwingend in der Rechtform des Vereins geführt werden.[913] Derartige Beschränkungen scheinen zunächst ihre Grundlage im Gesellschaftsrecht zu haben. Doch auch hier gilt mit der obigen Argumentation, dass der Grund für die Beschränkungen in den Besonderheiten des Wahrnehmungsrechts zu finden ist und es sich entsprechend um Fragen handelt, die sich nach dem Wahrnehmungsstatut richten, mithin von der Rechtsordnung des Sitzlandes der jeweiligen Verwertungsgesellschaft entschieden werden sollten.

---

912 *Schulze*, in: Dreier/Schulze (Hrsg.), Urheberrechtsgesetz, [6]2018, VGG, § 2, Rn. 2.

913 *Kępiński*, in: Riesenhuber (Hrsg.), Wahrnehmungsrecht in Polen, Deutschland und Europa, 2006, S. 9, 14 f. auch nach neuem Recht scheint man in Polen gemäß Art. 104 Abs. 1, Abs. 2 S. 1 des polnischen Urheberrechtsgesetzes weiterhin von der Organisationsform des Vereins auszugehen.

b) Zwischenergebnis

Auch die Grundsätze der Mitwirkung und Organisationsstruktur der Verwertungsgesellschaft unterfallen daher – mit dem Wahrnehmungsstatut – dem Recht des Sitzlandes der jeweiligen Verwertungsgesellschaft.

3) Ergebnis

Sowohl die Bedingungen der Mitgliedschaft als auch die Mitwirkungsrechte und die Organisationsstruktur der Verwertungsgesellschaften unterfallen als typische Regelungen des Innenverhältnisses der Verwertungsgesellschaften dem Wahrnehmungsstatut. Die Bedingungen der Mitgliedschaft konstituieren im deutschen Recht einen Anspruch auf Mitgliedschaft, der dem Wahrnehmungszwang der Verwertungsgesellschaften ähnelt. Die Organisationstruktur der Verwertungsgesellschaften ist keine Frage des Gesellschaftsstatuts, sondern ebenfalls eine des Wahrnehmungsstatuts, da sich in ihm allein wahrnehmungsrechtliche Besonderheiten zeigen und ein Gleichlauf mit dem Schwerpunkt der staatlichen Aufsicht sinnvoll ist.

Es lässt sich folgende Kollisionsregel formulieren:

Die Bedingungen der Mitgliedschaft in einer Verwertungsgesellschaft, Beschränkungen bei der Wahl der Rechtsform, ihre organisatorische Struktur, die Mitwirkungsmöglichkeiten der Mitglieder und Berechtigten sowie ähnliche Besonderheiten der Entscheidungsfindung innerhalb der Verwertungsgesellschaften unterliegen dem Recht des Staates, in dem die Verwertungsgesellschaft ihren Sitz hat.

IV. Verwandte Plichten, die ebenfalls dem Wahrnehmungsstatut unterfallen

Abschließend sollen noch einzelne verwandte und weniger eigenständige Pflichten, welche ebenfalls dem Wahrnehmungsstatut unterfallen, benannt werden. Im deutschen Wahrnehmungsrecht sind dies insbesondere die Informationspflichten gegenüber den Rechteinhabern und die Pflichten der Verwertungsgesellschaften zur Rechnungslegung sowie zur Erstellung eines Transparenzberichts.

1) Die kollisionsrechtliche Behandlung der Informationspflichten

a) Der Ordnungsrahmen im deutschen Recht

Nach deutschem Recht sind Verwertungsgesellschaften insbesondere dazu verpflichtet, die Rechteinhaber vor der Eingehung eines Wahrnehmungsverhältnisses über die Bedingungen der Wahrnehmung (§ 9 VGG), über die Rechte zur Beendigung des Wahrnehmungsverhältnisses (§ 12 VGG) und über die Möglichkeit zur Repertoirenutzung für nicht kommerzielle Nutzungen (§ 11 VGG) zu informieren (§ 53 Abs. Nr. 1 VGG). Sie sind darüber hinaus verpflichtet, über die Abzüge von den Einnahmen aus den Rechten, einschließlich der Abzüge zur Deckung der Verwaltungskosten zu informieren (§ 53 Abs. Nr. 2 VGG) und haben gemäß § 53 Abs. 2 die Rechte nach §§ 9 bis 12 VGG in ihr Statut oder in ihre Wahrnehmungsbedingungen aufzunehmen.

§ 54 VGG enthält einen ausführlichen Katalog von Informationspflichten gegenüber den Berechtigten. Demnach sind Verwertungsgesellschaften insbesondere verpflichtet, die Berechtigten regelmäßig über die Einnahmen, deren Verteilung, Abzüge und den Umgang mit noch nicht ausgeschütteten Einnahmen in Kenntnis zu setzen. § 55 VGG enthält besondere werkbezogene Informationspflichten, insbesondere hinsichtlich des Repertoireumfangs und der Territorien, für die Rechte wahrgenommen werden. Die Verpflichtungen nach § 55 Abs. 1 VGG bestehen gegenüber den Rechteinhabern, gegenüber anderen Verwertungsgesellschaften und gegenüber Nutzern. § 56 VGG enthält schließlich einen umfassenden Informationspflichtenkatalog gegenüber der Allgemeinheit. Die aufgelisteten Informationsthemen sind auf der Internetseite der Verwertungsgesellschaften zu veröffentlichen.

b) Qualifikation

Die Informationspflichten sind mannigfaltig. Eine kollisionsrechtliche Untersuchung jeder einzelnen Pflicht ist jedoch nicht notwendig, denn ausreichend ist es, die jeweilige spezielle Informationspflicht in ihrem Sinnzusammenhang mit einer der „Hauptpflichten“ zu sehen und so einem Rechtsverhältnis zuzuordnen. So wird bei der Betrachtung der einzelnen Pflichten aus den Katalogen der §§ 54–56 VGG schnell deutlich, dass sie nicht isoliert stehen, sondern die Ausübung der besonderen Rechte von

Rechteinhaber, Nutzern, Schwestergesellschaften und der Allgemeinheit sicherstellen sollen. Die Informationspflichten über die Bedingungen der Rechtewahrnehmung und die Rechte zur Beendigung des Wahrnehmungsverhältnisses, wie sie in § 53 Abs. 1 Nr. 1 VGG vorgesehen sind, dienen augenscheinlich gerade der Ausübung des Wahrnehmungszwangs und des Repertoirerückzugsrechts zugunsten der Rechteinhaber. Da für beide das Wahrnehmungsstatut gilt, erstreckt sich dieses konsequenterweise auch auf die vorgeschalteten Informationspflichten. Die Informationspflichten aus § 54 VGG, welche sich mit der Verteilung und dem Umgang der Einnahmen befassen, sollten dann zur Geltung kommen, wenn für die Verteilungsfrage selbst deutsches Recht gilt. Die werkbezogenen Informationspflichten sollten zumindest dann dem Wahrnehmungsstatut unterfallen, wenn sie das Verhältnis zu den Rechteinhabern betreffen. Für die Informationspflichten im Bereich der gesetzlichen Vergütungsansprüche sollte dies grundsätzlich auch gelten. Eine Ausnahme kann bestenfalls dann angenommen werden, wenn die Information für die Ausübung bzw. Partizipation am Vergütungsanspruch wesentlich ist und damit als Teil der Schranke selbst angesehen werden kann.

Die Informationspflichten gegenüber der Allgemeinheit lassen sich ebenfalls am besten im Sitzland der Verwertungsgesellschaften verwirklichen und kontrollieren, da diese auch stark von einer aufsichtsrechtlichen Kontrolle abhängig sind.[914]

c) Zwischenergebnis

Die Mehrheit der Informationspflichten der Verwertungsgesellschaften unterliegt damit dem Wahrnehmungsstatut. Für einzelne besondere Informationspflichten, die zur Verwirklichung eines Rechts dienen, dessen Verhältnis nach dem Urheberrechtsstatut anzuknüpfen ist, dürfte (ggf. zusätzlich) auch dieses Recht maßgeblich sein. Dies gilt jedoch nur in Ausnahmefällen. Stets sind die Informationspflichten auch kollisionsrechtlich im Gesamtzusammenhang mit den Hauptrechten und Pflichten zu sehen, deren Verwirklichung sie dienen.

---

914 Zur Struktur der Aufsicht und deren Handeln im öffentlichen Interesse *Teil 2, Kapitel 2, B, I.*

2) Rechnungslegung und Transparenzbericht

Dieses Modell gilt ebenso für die Pflichten aus dem deutschen Recht hinsichtlich der Rechnungslegung bzw. des Jahresabschlusses und Lageberichts nach § 57 VGG sowie des jährlichen Transparenzberichts nach § 58 VGG. Sie betreffen, wie die Organisationspflichten aus §§ 16 ff., den Kern des Innenverhältnisses der Verwertungsgesellschaften und ergänzen diese. Genau wie die Grundsätze der Mitwirkung und der Organisationsstruktur der Verwertungsgesellschaft sollten sie daher dem Recht des Sitzlandes der Verwertungsgesellschaft unterfallen.[915]

3) Ergebnis

Informationspflichten der Verwertungsgesellschaften können in verschiedenen Kontexten auftreten. Dabei stehen sie in der Regel nicht für sich, sondern dienen der Verwirklichung einer Hauptpflicht. So dienen repertoirebezogene Informationspflichten vor allem den Zugangsinteressen der Nutzer und sollten kollisionsrechtlich in dieses Rechtsverhältnis eingebunden werden. Die Mehrheit der Informationspflichten, wie sie das deutsche bzw. europäische Recht enthält, dient der Verwirklichung einer speziellen Wahrnehmungspflicht bzw. Pflicht im Innenverhältnis der Verwertungsgesellschaft. Folgerichtig sollten daher auch die entsprechenden Informationspflichten dem Wahrnehmungsstatut unterliegen. Die Informationspflichten sind also nicht isoliert zu betrachten, sondern im Zusammenhang mit der jeweiligen Hauptpflicht, welcher sie konkret dienen. Ist eine solche nicht erkennbar, so ist zumindest nach dem Adressatenkreis zu unterscheiden. Hinsichtlich der rechteinhaberbezogenen Pflichten im Innenverhältnis hat die Untersuchung eine weitgehende Geltung des Wahrnehmungsstatuts offengelegt.

Informationspflichten im Interesse der Allgemeinheit sollten schließlich ebenfalls dem Wahrnehmungsstatut unterfallen, weil sie sich am besten im Gleichklang mit einer aufsichtsrechtlichen Kontrolle verwirklichen lassen. Etwaige Pflichten zur Rechnungslegung und zur Erstellung und Veröffentlichung eines Transparenzberichts unterfallen gleichfalls dem Wahrnehmungsstatut.

---

915 Siehe zuvor *III. 2.)*.

Die Formulierung eines eigenständigen kollisionsrechtlichen Satzes ist aufgrund der Abhängigkeit der genannten Pflichten zu einer Hauptpflicht nicht erforderlich.

V. Zusammenfassung und Ergebnis für die Pflichten aus dem Wahrnehmungsverhältnis

Abschluss- und Wahrnehmungszwang sind dem Vertragsstatut fremd. Beide Pflichten treffen den Kern des Verwertungsgesellschaftsrechts, welches dem Urheberrecht erst zu einer effektiven Verwertung verhilft. Gleichwohl ist zwischen beiden Pflichten zu unterscheiden. Während der Wahrnehmungszwang ein Zugangsproblem der Rechteinhaber zu Werkvermittlern lösen möchte, welches sich nicht wesentlich von anderen Zugangsfragen in verschiedenen Bereichen des Wirtschaftsrechts unterscheidet, weist der Abschlusszwang deutlichere urheberrechtssystemische Dimensionen auf. Auf Grund dieser Unterschiedlichkeit erfolgte eine getrennte Untersuchung, die sich zunächst umfassend dem Wahrnehmungsverhältnis widmete.

Doch ist auch innerhalb des Wahrnehmungszwangs zu unterscheiden. Denn dort, wo das Urheberrecht gesetzlich derart beschränkt wird, dass das Recht selbst oder ein das Ausschließlichkeitsrecht substituierender Vergütungsanspruch nur von einer Verwertungsgesellschaft wahrgenommen werden kann, baut das nationale urheberrechtliche Schrankensystem auf dem notwendigen Bestehen von Verwertungsgesellschaften auf. Ein in diesem Kontext wirkender Zugangsanspruch zur kollektiven Rechtewahrnehmung kann so als Teil der Schranke betrachtet werden, die dem Urheber das Ausschließlichkeitsrecht nicht ersatzlos nehmen möchte. Der Wahrnehmungszwang unterliegt dann dem Urheberrechtsstatut.

Eng verbunden mit dem Wahrnehmungszwang sind die Verteilungsfragen im Wahrnehmungsrecht. Bereits in der Vergangenheit erfolgte die kollektive Rechtewahrnehmung grenzüberschreitend. Dabei wurden potentielle Rechtskonflikte jedoch durch Gegenseitigkeitsverträge und die damit verbundene Mittelbarkeit der grenzüberschreitenden Betätigung verdeckt. Die Verwertungsgesellschaften entwickelten vertragliche Lösungen, welche implizit eine kollisionsrechtliche Wertung vollzogen, die weitgehend dem Wahrnehmungsstatut entspricht.

Das Wahrnehmungsstatut bildet auch hier das grundsätzliche kollisionsrechtliche Modell zur rechtlichen Beurteilung von Verteilungsfragen. Es berücksichtigt die Nähe einer Rechtsordnung zu einem Wahrnehmungsverhältnis und schafft mit der einheitlichen Anknüpfung am Recht des Sitzlandes die Voraussetzung für eine Internationalisierung der Verwertungsgesellschaften. Die Parteiinteressen der Rechteinhaber werden einerseits durch ihr Wahlrecht im Hinblick auf die Verwertungsgesellschaften selbst geschützt und andererseits durch die Anknüpfung der Vorfrage der Rechteinhaberschaft nach dem Urheberrechtsstatut, welche ihnen garantiert, dass sie diese Eigenschaft nicht über eine wahrnehmungsrechtliche „Fehlstellung" verlieren können.

Besonderheiten gelten für die Verteilung von Einnahmen aus gesetzlichen Vergütungsansprüchen. In Ausnahmefällen kann sich eine Verteilungsfrage als im Kern immaterialgüterrechtliche Frage erweisen, welche mit dem Urheberrechtsstatut der *lex loci protectionis* unterfällt, wenn von einer Verteilungsregelung durch die Parteien nicht abgewichen werden kann und ihre internationale Durchsetzung aus Sicht des Staates, nach dessen Recht die Vergütung entstanden ist, zwingend erforderlich ist. Für die *Privatkopieschranke* nach Art. 5 Abs. 2 lit. a) und b) InfoSoc-RL hat dies der EuGH deutlich gemacht. Betont wurde in Bezug auf die Schrankenregelungen der Mitgliedstaaten mehrfach eine *Ergebnispflicht*, die sich nicht in der Erhebung der Einnahmen erschöpft. So erweitern die Entscheidungen *Amazon* und *Reprobel* den regelungsspezifischen Inhalt der Schranke auf die Frage danach, wer an der Vergütung partizipieren darf und wem kein Vergütungsanspruch zusteht. Art. 16 DSM-RL erlaubt nun allerdings die Verlegerbeteiligung.

Das verwertungsgesellschaftsrechtliche Repertoirerückzugsrecht ist wahrnehmungsrechtlich zu qualifizieren. Sowohl die Bedingungen der Mitgliedschaft als auch die Mitwirkungsrechte und die Organisationsstruktur der Verwertungsgesellschaften unterfallen als typische Regelungen des Innenverhältnisses der Verwertungsgesellschaften ebenfalls dem Wahrnehmungsstatut.

Informationspflichten der Verwertungsgesellschaften können in verschiedenen Kontexten auftreten. Dabei stehen sie in der Regel nicht für sich, sondern dienen der Verwirklichung einer Hauptpflicht. Die Informationspflichten sind daher nicht isoliert zu betrachten, sondern im Zusammenhang mit der jeweiligen Hauptpflicht. Ist eine solche nicht erkennbar, so ist zumindest nach dem Adressatenkreis zu unterscheiden. Für rechteinhaberbezogene Informationen gilt dann eher das Sitzlandrecht. Auch Informationspflichten, welche im Interesse der Allgemeinheit bestehen, sollten dem Wahrnehmungsstatut unterfallen, weil sie sich am besten im Gleichklang mit einer aufsichtsrechtlichen Kontrolle verwirklichen lassen.

F. Bewertung der besonderen Verpflichtungen aus dem Lizenzverhältnis

Den Pflichten aus dem Innen- bzw. Wahrnehmungsverhältnis der Verwertungsgesellschaften stehen die Pflichten aus dem Außenverhältnis gegenüber, die sich allesamt um Lizenzfragen drehen. Das Verhältnis zwischen Verwertungsgesellschaften und Nutzern – hiervon zu unterscheiden ist das Verhältnis der Verwertungsgesellschaften untereinander – wird auch Lizenz- bzw. Lizenzierungsverhältnis genannt, womit dessen wesentlicher Charakter bereits umschrieben ist. Den kollisionsrechtlichen Interessen der Verwertungsgesellschaften stehen hier die kollisionsrechtlichen Interessen der Nutzer gegenüber und so unterscheidet sich der Lizenzmarkt vom Wahrnehmungsmarkt auch in kollisionsrechtlicher Hinsicht. Ihm sind eigene Mechanismen zu eigen, die ordnungspolitisch sowie über die Partei- und Verkehrsinteressen zu berücksichtigen sind. Dies zeigte sich bereits am Beginn dieses Abschnitts bei der vorläufigen Analyse der Kernbereiche des Verwertungsgesellschaftsrechts, dem Wahrnehmungs- und dem Abschlusszwang.[916] Während der Wahrnehmungszwang, zumindest hinsichtlich der Wahrnehmung des Ausschließlichkeitsrechts, dem Wahrnehmungsstatut unterfällt, treten beim Abschlusszwang die urheber- und wettbewerbsrechtlichen bzw. marktgestalterischen Eigenschaften stärker in den Vordergrund. Entsprechend wurde die Vermutung geäußert, dass dies auch eine abweichende kollisionsrechtliche Behandlung erfordere.

Inwieweit das Recht des Schutzlandes für das Lizenzverhältnis gelten soll, wird nachfolgend untersucht, wobei sich mögliche Rechte und Pflichten im Lizenzierungsverhältnis folgendermaßen kategorisieren lassen:

Am Beginn stehen die Bedingungen des Vertragsschlusses, wozu insbesondere der Abschlusszwang, Tariffragen sowie die Pflicht, Verhandlungen zu führen und die Pflicht zum Abschluss von Gesamtverträgen mit Nutzervereinigungen gehören. Im deutschen Wahrnehmungsrecht findet sich dies in §§ 34 ff. VGG. Schließlich können hierzu im weiteren Sinne auch die Nutzungsrechte bei einem Scheitern der Verhandlungen, wie sie im deutschen Recht in § 37 VGG geregelt sind, gezählt werden.

Daneben stehen die Informationspflichten, insbesondere in Bezug auf Repertoireauskunft durch die Verwertungsgesellschaften (§ 55 VGG) sowie nutzerseitige Pflichten zur Nutzungsauskunft bzw. Dokumentations- und Meldepflichten (§§ 41 f. VGG).

916 Siehe hierzu die Ausführungen bei *D, IV.* in diesem Kapitel.

Zum Rechtsverhältnis zwischen Verwertungsgesellschaften und Nutzern gehören schließlich die Vermutungsregelungen der §§ 48 ff. VGG, insbesondere bei der Wahrnehmung gesetzlicher Vergütungsansprüche.

I. Der Abschlusszwang und verwandte Pflichten

1) Die funktionale Einheitlichkeit der Regulierung der Lizenzzugangsbedingungen

Im Zentrum des deutschen und europäischen Wahrnehmungsrecht steht nutzerseitig der Abschlusszwang. Er eröffnet den Katalog der Regelungen zum Außenverhältnis der Verwertungsgesellschaften (§§ 34 ff. VGG) im deutschen Recht und steht auch am Beginn der Regelung des Verhältnisses der Verwertungsgesellschaften zu den Nutzern in Kapitel 4 der VG-RL. Im europäischen Recht wurde der Abschlusszwang allerdings lediglich als Verhandlungspflicht (Art. 16 Abs. 1 VG-RL) und als Pflicht zur Anwendung objektiver und diskriminierungsfreier Kriterien bei der Lizenzvergabe (Art. 16 abs. 2 VG-RL) formuliert. Durch den Abschlusszwang soll jedermann ermöglicht werden, die von der Verwertungsgesellschaft wahrgenommenen Rechte zu erwerben. Der Abschlusszwang erweist sich so gesehen auch als Gegengewicht zur besonderen Marktstellung der Verwertungsgesellschaften.[917] Der Abschlusszwang steht dabei lediglich am Beginn eines Kataloges zur Regelung des Außen- oder Lizenzverhältnisses der Verwertungsgesellschaften, welcher besondere Pflichten der Verwertungsgesellschaften zur Ausfüllung der allgemeinen Kontrahierungspflicht behandelt. Die besonderen Vorschriften konkretisieren einerseits die Bedingungen der Kontrahierungspflicht bzw. des Diskriminierungsverbots, indem etwa die Tarifaufstellung und Tarifgestaltung geregelt wird (§§ 38, 39 VGG und Art. 16 Abs. 2 UAbs. 2 VG-RL), andererseits wird das materielle Verfahren zur Erzielung „angemessener Bedingungen“ und zur Realisierung einer Gleichbehandlung durch besondere Verpflichtungen näher ausgestaltet. Zu letzterem gehören die Pflicht zum Abschluss von Gesamtverträgen mit Nutzervereinigungen – ein „kollektiver Abschlusszwang“ –, die Mög-

917 *Schulze*, in: Dreier/Schulze (Hrsg.), Urheberrechtsgesetz, ^{6}2018, VGG, § 34, Rn. 1 ff. Zu den Kontrahierungspflichten als wettbewerbsrechtlich inspirierte Regelungen *Drexl*, in: Götz von Olenhusen/Gergen/Vogel (Hrsg.), Kreativität und Charakter, 2017, S. 227 ff.

lichkeit der Hinterlegung oder Zahlung unter Vorbehalt bei anhaltendem Streit über die Vergütungshöhe (§ 37 VGG) sowie die Möglichkeiten der Tarifkontrolle, insbesondere nach §§ 40 Abs. 1, 93 VGG und § 38 VGG.[918] Klar ist damit, dass alle diese besonderen Verpflichtungen eine sachrechtliche Einheit bilden, welche sich die Kontrolle der Zugangsbedingungen zu den Repertoires der Verwertungsgesellschaften zur Aufgabe macht und die aufgrund des inhaltlichen Funktionszusammenhangs auch kollisionsrechtlich einheitlich anzuknüpfen sind. § 37 VGG vervollständigt dieses System in der praktischen Rechtsdurchsetzung, denn gemäß § 37 VGG gelten die Nutzungsrechte selbst bei einem Scheitern der Verhandlungen über die Vergütungshöhe als eingeräumt, wenn die Vergütung in Höhe des vom Nutzer anerkannten Betrages an die Verwertungsgesellschaft gezahlt worden ist und in Höhe der darüber hinausgehenden Forderung unter Vorbehalt an die Verwertungsgesellschaft gezahlt oder zu ihren Gunsten hinterlegt worden ist.

2) Die kollisionsrechtliche Ausgangslage nach dem alten Recht

Zur Frage der Verpflichtung, Gesamtverträge in einem grenzüberschreitenden Kontext abzuschließen, bezog das OLG München im Jahr 2006 Stellung.[919] Gegenstand des Verfahrens war das Begehren eines französischen Diskothekenverbands, von der GEMA einen Gesamtvertrag über die Nutzung eines englischsprachigen Popmusikrepertoires zu erhalten. Der Verband stützte sich dabei maßgeblich auf die Verpflichtungen, welche sich aus dem deutschen Wahrnehmungsrecht, vor allem aus §§ 11 und 12 UrhWG, ergaben. Die Musik sollte in französischen Diskotheken gespielt werden, die Nutzung also in Frankreich erfolgen. Das OLG München lehnte die Klage insbesondere mit der Begründung fehlender Aktivlegitimation ab. Der Verband könne sich nicht auf § 12 UrhWG berufen, denn danach „kann der Anspruch auf Abschluss eines Gesamtvertrags nur von Vereinigungen

918 Dabei soll die Tarifaufstellungspflicht nach § 38 VGG keinen individuellen Anspruch begründen können. Der Werknutzer könne lediglich die Einräumung von Rechten zu angemessenen Bedingungen nach § 34 VGG verlangen und notfalls die Vergütung nur unter Vorbehalt i.S.v. § 37 bezahlen. Verstößt eine Verwertungsgesellschaft gegen die Tarifaufstellungspflicht, so sei dieser Verstoß allein durch die Aufsichtsbehörde sanktionierbar (so *Schulze*, in: Dreier/Schulze (Hrsg.), Urheberrechtsgesetz, ^{6}2018, VGG, § 38, Rn. 3 Mit weiterem Verweis auf BGH, Urt. v. 27.10.2011 – I ZR 175/10 – *Bochumer Weihnachtsmarkt* = GRUR 2012, 715 Rn. 19).

919 OLG München, Urt. v. 9.3.2006 – 6 WG 01/04 = ZUM, 2006, 466.

geltend gemacht werden, deren Mitglieder nach dem Urheberrechtsgesetz geschützte Werke oder Leistungen nutzen oder zur Zahlung von Vergütungen nach dem Urheberrechtsgesetz verpflichtet sind." Dies habe zur Folge, dass der Kontrahierungszwang insgesamt nur gegenüber Vereinigungen bestehe, deren Mitglieder nach dem deutschen Urheberrechtsgesetz geschützte Werke nutzen.[920] In der Tat bezog sich § 12 UrhWG ausdrücklich auf Rechte nach dem Urheberrechtsgesetz und nahm damit implizit eine territoriale Beschränkung seines Anwendungsbereichs vor. Eine derartige Beschränkung auf Rechte nach dem Urheberrechtsgesetz fehlt im neuen Recht, § 35 VGG ist insoweit offen formuliert.[921]

3) Qualifikation

Erneut kommt vor allem eine Anwendung des Urheberrechts- oder des Wahrnehmungsstatuts in Frage, ggf. kann auch das Vertragsstatut eine Rolle spielen. Die Qualifikation erfolgt in erster Linie auf der Basis einer Funktionsanalyse. Dabei wird die Rolle der Repertoirezugangsregelungen im Gesamtsystem von Urheberrecht, Kartellrecht und Wahrnehmungsrecht näher untersucht. Ausgehend davon lassen sich die kollisionsrechtlichen Interessen bestimmen und bewerten.

920 Darin liege auch kein Verstoß gegen das allgemeine europäische Diskriminierungsverbot – so das OLG München – denn die Beklagte unterliege dem Kontrahierungszwang auch gegenüber einer ausländischen Vereinigung, solange es um die Nutzung von Rechten in Deutschland geht. Insoweit finde eine Gleichbehandlung von deutschen und ausländischen Vereinigungen statt. Für die Nutzungen in Frankreich könne die Beklagte auch einer deutschen Nutzervereinigung keine Nutzung gewähren, womit das maßgebliche Anknüpfungskriterium für die ablehnende Haltung der Beklagten nicht der Umstand sei, dass es sich beim Kläger um eine ausländische Vereinigung handelt, sondern der Umstand, dass der Ort der beabsichtigten Nutzung nicht im innerstaatlichen Bereich liegt." (OLG München, Urt. v. 9.3.2006 – 6 WG 01/04 = ZUM, 2006, 466, 473).

921 Zur kollisionsrechtlichen Neutralität des VGG siehe auch den Regierungsentwurf der Bunderegierung, Entwurf eines Gesetzes zur Umsetzung der Richtlinie 2014/26/EU, BT-Drs. 18/7223, S. 71 und oben unter *B, II.*

a) Die marktgestaltende und schrankenähnliche Funktion der Zugangssicherung zu den Repertoires

Die Funktionsanalyse des Verwertungsgesellschaftssystems legte insbesondere ökonomische Vorteile der Kollektivierung offen. Die Bündelung der Rechte bei den Verwertungsgesellschaften schafft einen Vorteil für Nutzer, die sich nur an eine Gesellschaft wenden müssen und im besten Fall eine Blankettlizenz erhalten.[922] Kostenreduzierungen im Hinblick auf Verhandlungs- und Entscheidungsaufwand lassen sich auch auf die Tarifbindung der Verwertungsgesellschaften zurückführen und auf ihre Verpflichtung, Verträge zu einheitlichen Bedingungen abzuschließen. Die Tarifbindung und der Abschlusszwang der Verwertungsgesellschaften machen individuelle Verhandlungen überflüssig. Dies senkt einerseits die Transaktionskosten, schafft aber gleichzeitig ein Problem der Preisfindung, da eine marktmäßige Ressourcenallokation nicht ungehindert stattfinden kann. Dies macht alternative Mechanismen der Preiskontrolle erforderlich.[923] Blankettlizenzen sorgen dafür, dass die Nutzung nicht mehr im Detail spezifiziert werden muss und die spontane Gestaltung eines Programms möglich wird.[924]

Die Kollektivierung der Rechte wirkt zwar auf der Ebene der Ausübung des Ausschließlichkeitsrechts wettbewerbsbeschränkend, sie enthält jedoch den Vorteil der Förderung eines kreativen Wettbewerbs auf der nachgelagerten Ebene der Anbieter kreativer Inhalte und erhält so eine marktgestaltende Funktion.[925] Indem Verwertungsgesellschaften ein Gesamtrepertoire bereitstellen, ermöglichen sie also das Aufkommen nachgelagerter Märkte, welches sich in reichhaltigen Angeboten etwa auf dem Rundfunk,- Tonträger- und Onlinemarkt widerspiegelt.[926] Das Gesamtrepertoire ist damit

922 *Hansen/Schmidt-Bischoffshausen*, GRUR Int. 2007, 461, 470; zu den Blankettlizenzen und kartellrechtlichen Überlegungen *Hemphill*, Colum. J.L. & Arts 34 (2011), 645, 647 f.

923 *Spindler*, ZUM 2014, 91, 92 f.

924 Siehe hierzu die Ausführungen zu den ökonomischen Funktionen der Verwertungsgesellschaften und besonders zur Transaktionskosten- und Informationsökonomik in *Teil 1, Kapitel 1, B, I., 1.)*.

925 *Drexl*, in: Torremans (Hrsg.), Copyright Law, 2007, S. 255, 273 ff. und generell *Teil 2, Kapitel 1*.

926 In der Bereitstellung von Gesamtrepertoires zu einheitlichen Bedingungen (*blanket licences*) sah der U.S. Supreme Court das maßgebliche Argument dafür, dass die kooperative Festsetzung der Preise nicht gegen das Kartellverbot verstößt. Die Vermittlung von Blankettlizenzen sei notwendig zur Vermeidung tausender

mehr als die Summe seiner Teile. Es ist ein neues Produkt, das es ohne Verwertungsgesellschaften in dieser Vielfalt wohl nicht gäbe.[927] Die Kollektivierung des Urheberrechts fügt sich auf diese Weise in das komplexe System der urheberrechtlichen Schranken ein, welches einerseits Vergütungssicherung und andererseits Werkzugang gewährleisten soll und seinerseits als marktgestalterisches Instrument des Urheberrechts angesehen werden kann.[928] „Unbegrenzt" ist das Recht lediglich bei voller individueller Ausübung. Bereits die freiwillige Kollektivierung bedeutet im Zusammenhang mit dem Kontrahierungszwang eine Einschränkung des Rechts und lässt sich somit als niedrigschwelligen Eingriff in die Eigentumsposition der Urheber verstehen.[929] Formelle Beschränkungen finden sich erst bei der Verwertungsgesellschaftspflicht, bei den vergütungspflichtigen Schranken und der Zwangslizenz.[930] Erst danach werden auch die Vergütungsinteressen

---

individueller Vertragsverhandlungen, deren Führung praktisch unmöglich sei. Die Verwertungsgesellschaft ASCAP habe einen Markt geschaffen, auf dem einzelne Komponisten wesensmäßig nicht in der Lage seien, am Wettbewerb mit voller Wirkung teilzunehmen (*BMI v. ASCAP*, 441 U.S. 1, 99 (1979)).

927 *Mestmäcker/Schweitzer*, Europäisches Wettbewerbsrecht, [3]2014, § 33 Rn. 7.

928 *Drexl*, in: Torremans (Hrsg.), Copyright Law, 2007, S. 255 ff. So lassen sich insbesondere gesetzliche Vergütungsansprüche auch als Reaktion auf ein Marktversagen verstehen, wobei sie das Urheberrecht zugunsten der Vergütungssicherung der Rechteinhaber ausgestalten. Grundlegend *Stieper*, Rechtfertigung, Rechtsnatur und Disponibilität der Schranken des Urheberrechts, 2009, S. 74 ff.; *Dreier*, in: Dreier/Schulze (Hrsg.), Urheberrechtsgesetz, [7]2022, Vor § 44a, Rn. 4; *Peifer*, GRUR 2009, 22, 25 f. Auch die Kollektivierung erfolgte ursprünglich rechteinhaberseitig als eine Reaktion auf ein Marktversagen, sie entwickelte sich weiter und wurde zu einem wesentlichen Regulierungs- und Marktsteuerungsinstrument im Urheberrecht, welches nicht zuletzt die Nutzerinteressen einbezieht (siehe *Teil 1, Kapitel 1*).

929 Hierzu gehört grds. auch die *erweiterte kollektive Lizenz* (EKL), da auch sie mit der Möglichkeit zum *opt out* auf Freiwilligkeit beruht (*Ficsor*, in: Gervais (Hrsg.), Collective management of copyright and related rights, 2015, S. 31, 74 f.). Da das *opt out* stärker auf die Ausschließlichkeit des Rechts einwirkt als ein *opt in*, kann es auch auf eine Stufe zwischen freiwilliger kollektiver Rechtewahrnehmung und Verwertungsgesellschaftspflicht gestellt werden (so auch *Gervais*, in: ders. (Hrsg.), Collective management of copyright and related rights, 2015, S. 3, 28). Umfassend zu den (kollisionsrechtlichen) Besonderheiten der EKL *Sutterer*, GRUR 2021, 662 ff. sowie zu den Vermutungen in diesem Abschnitt unter *III.* und sodann ausführlich in Kapitel 3.

930 Im Zusammenhang mit dem Kontrahierungszwang von Verwertungsgesellschaften ergeben sich kaum Unterschiede innerhalb der verschiedenen Beschränkungsformen. Insbesondere die Verwertungsgesellschaftspflicht wandelt sich in „eine Art Zwangslizenz", wenn die Verwertungsgesellschaften zugleich einem Abschlusszwang unterliegen (so auch: *Geiger*, GRUR Int. 2008, 459-468, 467; *Pflüger*, Gerechter Ausgleich und angemessene Vergütung, 2017, S. 60; *Plate*, Die Verwertungsgesell-

der Rechteinhaber mit vergütungsfreien Schranken wesentlich beeinträchtigt.[931]

Die Konzeption der Regelung des Lizenzzugangs zu den Repertoires der Verwertungsgesellschaften hat ihre Wurzeln also einerseits in spezifisch urheberrechtlichen Erwägungen, die sich auf eine Funktionssicherung des Urheberrechts richten, indem Verwertungsgesellschaften als Lizenzzugangssysteme eingesetzt wurden (Rechteclearingstellen), welche die Einführung formeller Schranken ersetzen können; andererseits wurzelt die Konzeption des Repertoirezugangs in spezifisch wettbewerbsrechtlichen Erwägungen. Beides gemeinsam kann als Kern möglicher Regulierung im Markt der Kreativgüter angesehen werden. Dabei lohnt sich eine nähere Betrachtung der Funktionsanlehnung der Lizenzzugangssicherung an die jeweiligen Systeme.

(1) Die urheberrechtliche Funktion

(a) Verwertungsgesellschaften als Institutionen zur Vermittlung von Repertoirezugang – das Modell der „Mechanical Licensing Collective" in den USA

Jüngstes Beispiel des Einsatzes von Verwertungsgesellschaften als Rechteclearingstellen und damit als Institutionen zur Vereinfachung des Repertoirezugangs und zur Schaffung von Rechtssicherheit beim Umgang mit Musikrechten ist die Einrichtung einer sogenannten „Mechanical Licensing Collective" in den USA. Sie vergibt Blankettlizenzen für digitale Nutzungen im Musikbereich.[932] Um den Zugang zu Musikwerken und musikalischen Aufnahmen zu erleichtern, sieht das US-amerikanische Recht unter bestimmten Voraussetzungen die Möglichkeit zum Erwerb einer Zwangslizenz für die Herstellung und den Vertrieb von Aufnahmen an nicht-bühnenmäßigen musikalischen Werken vor (subsection (a)). Es erleichtert diesen Prozess der Lizenzierung zugleich weiter, indem es Anbietern von Online-Musikdiensten („digital music providers") erlaubt, eine

---

schaftspflicht für urheberrechtliche Vergütungsansprüche und ausschließliche Verwertungsrechte, 2003, 205 f.).

931 *Gervais*, in: ders. (Hrsg.), Collective management of copyright and related rights, 2015, S. 3, 28 f.

932 Siehe nun nach der Reform durch den MMA nun 17 U.S.C. § 115(d)(2)(A)(iii).

Blankettlizenz der Rechteinhaber durch eine eigens hierzu gegründete Verwertungsgesellschaft („Mechanical Licensing Collective") zu erwerben. Diese Lizenz umfasst auch alle Vervielfältigungshandlungen, die für die Bereitstellung eines Online-Musikdienstes erforderlich sind und begegnet damit Problemen, welche im anglo-amerikanischen Rechtsraum aus der Trennung der Aufführungs- und Vervielfältigungsrechte für Onlinedienste hervorgehen.[933] In diesem Beispiel zeigt sich, dass Verwertungsgesellschaften auf Nutzerseite vor allem dazu dienen, Schwierigkeiten zu begegnen, die sich aus der Schaffung von Ausschließlichkeitsrechten für die Nutzung kultureller Güter und damit für die Kulturkommunikation ergeben. Aus diesem Blickwinkel wirken Verwertungsgesellschaften wie Urheberrechtsschranken. Besonders deutlich wird dies anhand der Verpflichtungen, die den Verwertungsgesellschaften bei der Lizenzierung der Werke auferlegt werden.

Zugleich hat eine Regelung, wie diejenige in den USA, eine marktgestaltende Funktion. Um einen legalen Markt für digitale Musikdienste zu fördern, ist die Senkung der Transaktionskosten und die Gewährleistung von Rechtssicherheit bei der Lizenzierung bzw. bei der Bereitstellung der Werke erforderlich.[934] Hierzu lassen sich Verwertungsgesellschaften als Rechteclearingstellen einsetzen, die durch das Angebot von Blankettlizenzen und der Beschränkung von Exklusivität einem nachgelagerten Markt

---

933 In Subsection (d), (1), (B), (ii) des Gesetzesenturfs heißt es hierzu: "A blanket license [...] includes the making and distribution of server, intermediate, archival, and incidental reproductions of musical works that are reasonable and necessary for the digital music provider to engage in covered activities licensed [...]".

934 So sah sich beispielsweise der Online-Musikdienst Spotify vermehrt Klagen wegen unzureichender Lizenzierung ausgesetzt, die teilweise erhebliche und existenzgefährdende Ausmaße annahmen (siehe hierzu bspw. die Reuters Meldung: "*Spotify hit with $1.6 billion copyright lawsuit*" (online abrufbar unter https://www.reuters.com/article/us-spotify-lawsuit/spotify-hit-with-1-6-billion-copyright-lawsuit-idUSKBN1ER1RX, zul. abgerufen 17.4.2020). Auf derartige Probleme beim Rechteerwerb will auch die Reform reagieren: "The Committee has regularly heard from various parties in the music industry that the existing music licensing system does not functionally work to meet the needs of the digital music economy where commercial services strive to have available to their customers as much music as possible. Song-by-song licensing negotiations increase the transaction costs to the extent that only a limited amount of music would be worth engaging in such licensing discussions, depriving artists of revenue for less popular works and encouraging piracy of such works by customers looking for such music." Siehe, Committee Report of Mr. Goodlatte, House of Representatives, 115–651, p. 5 (online abrufbar unter: https://www.congress.gov/115/crpt/hrpt651/CRPT-115hrpt651.pdf, zul. abgerufen 17.4.2020).

zur Entstehung verhelfen.[935] Dabei beeinflusst ein so ausgestaltetes Verwertungsgesellschaftsrecht das Wettbewerbskonzept auf diesem nachgelagerten Markt, indem es die Qualitätsauswahl weitgehend an die Akteure auf dem Markt der Dienstevermittler abgibt. Dies lässt einen kreativen und zugleich dynamischen Wettbewerb auf der Ebene der Kulturvermittlung entstehen, welcher dem Urheberrecht mehr entspricht als übliche Konzepte des Effizienzwettbewerbs oder der allokativen Effizienz.[936]

(b) Verwertungsgesellschaften als Institutionen zur Vermittlung von Repertoirezugang – das Beispiel MyVideo

Die angesprochene Entstehung einer neuen Verwertungsgesellschaft in den USA zur Vermittlung der sogenannten mechanischen Rechte ruft zugleich die in Teil I der Arbeit behandelte *MyVideo*-Entscheidung im deutschen Recht in Erinnerung.[937] Hier ging es unmittelbar um die „Aufspaltbarkeit" der für die Bereitstellung eines Online-Musikdienstes erforderlichen Rechte – jeweils in einen Katalog der Wiedergaberechte und der Vervielfältigungsrechte. Durch dieses Konzept wird eine zusätzliche Lizenzierung der Vervielfältigungsrechte neben der Lizenzierung der Wiedergaberechte erforderlich. Diese Form der Rechtefragmentierung schafft eine Werknutzungskontrolle, die im System der kollektiven Rechtewahrnehmung grundsätzlich entfällt und wirkt sich damit mittelbar auf das Lizenzzugangssystem im Urheberrecht aus.

Die *MyVideo*-Entscheidung zeigte nicht nur die Eigenschaft der Kollektivierung als originäres Mittel der Ausgestaltung des Urheberrechts, welches als kultur- und wettbewerbspolitisches Instrument von Land zu Land variieren mag,[938] sie legte auch das Zusammenwirken spezifisch urheber-

---

935 Dieser Zweck der Marktschaffung wird auch in Erwägungsgrund 44 der VG-RL angesprochen.

936 *Drexl*, in: Torremans (Hrsg.), Copyright Law, 2007, S. 255, 266, 273 f.; Zum dynamischen Wettbewerb im Gegensatz zum Substitutionswettbewerb auch *ders.*, Zugang zu standardessenziellen Patenten als moderne Regulierungsaufgabe: Wie reagiert das EU-Kartellrecht auf Patentkriege zwischen chinesischen Unternehmen?, 2014, 32 f.; siehe hierzu auch *Teil 1, Kapitel 1, B, II.*

937 Siehe *Teil 1, Kapitel 1, C, II, 4.), b.).*

938 So gesehen nutzt die Regulierung der Verwertungsgesellschaften ökonomischen Zwang zur Kollektivierung im Bereich der sogenannten kleinen Rechte dazu, über den Abschlusszwang der Verwertungsgesellschaften den Werkzugang umfassend zu regeln, um so zu einem Interessenausgleich im Urheberrecht beizutragen.

rechtlicher Fragen mit der Tätigkeit von Verwertungsgesellschaften auf Lizenzierungsebene offen. Verwertungsgesellschaften sind bei der Lizenzierung der Rechte unmittelbar an die jeweilige nationale Ausgestaltung des Urheberrechts gebunden, welche sich ohne Zweifel kollisionsrechtlich nach der *lex loci protectionis* richtet.[939] Die Frage, inwieweit Verwertungsrechte aufspaltbar bzw. übertragbar sind und wie sich dies auf die Lizenzierung bestimmter Nutzungsarten auswirkt, erfordert marktspezifische Kenntnisse und dürfte insoweit die grenzüberschreitende Verkehrsfähigkeit des Urheberrechts hemmen. Ist bereits auf dieser Ebene die Berücksichtigung des Rechts des Nutzungslandes erforderlich, so bewirkt eine darüberhinausgehende Berücksichtigung des Verwertungsgesellschaftsrechts des Nutzungslandes für Fragen des Abschlusszwangs und der Tarifbindungen kaum zusätzlichen Aufwand, vielmehr ist die Tariffrage gerade auch abhängig vom spezifischen Gehalt und der Reichweite eines Nutzungsrechts, die sich nach dem nationalen Urheberrecht bestimmen.[940]

(c) Zusammenhang zu den urheberrechtlichen Verletzungstatbeständen und der Anknüpfung nach Art. 8 Abs. 1 Rom II-VO

Das Recht zur Hinterlegung oder Zahlung unter Vorbehalt nach § 37 VGG erweist sich dabei als besonders schrankennahe Vorschrift und offenbart zugleich eine Nähe zu den Kerntatbeständen des Urheberrechts – der unerlaubten Verwertung urheberrechtlich geschützter Werke nach § 106 UrhG und dem Anspruch auf Unterlassung und Schadensersatz nach § 97 Abs. 1 UrhG, welche mit Art. 8 Abs. 1 Rom II-VO ihrerseits der *lex loci protectionis* unterfallen. Denn selbst ohne eine „förmliche“ bzw. erfolgreiche Lizenzierung kommt es zu keiner Urheberrechtsverletzung, obwohl

---

939 OLG München, Urt. v. 29. 04. 2010 – 29 U 3698/09 – *MyVideo*, mit weiterem Verweis v.a. auf BGH Urt. v. 02.10.1997 – I ZR 88/95 – *Spielbankaffaire* (BGHZ 136, 380–393) und *Ullrich*, ZUM 2010, 311, 321; deshalb kann auch die Schlussfolgerung von *Müller*, britische Gerichte würden das Recht ohnehin anders als das OLG München beurteilen, nicht überzeugen (*Müller*, ZUM 2011, 13, 20); ähnlich auch *Heyde*, Die grenzüberschreitende Lizenzierung von Online-Musikrechten in Europa, 2011, S. 238.

940 Siehe hierzu auch EuGH, C-402/85, ECLI:EU:C:1987:197 – *Basset*. In Frankreich setzte sich die Vergütung für die Vorführung von Musikwerken i.H.v. 8,25 % des Bruttoumsatzes aus einer Vergütung von 6,60 % für „die Veräußerung des Vorführrechts“ und einer „‚zusätzliche[n]‘ Vervielfältigungsgebühr von 1,65 %“ zusammen. In Deutschland würde man hingegen einen einheitlichen Tarif für die Nutzung formulieren.

eine urheberrechtlich relevante Verwertungshandlung i.S.v. § 106 Abs. 1 und §§ 15 ff. UrhG stattfindet, wenn ein streitiger Mehrbetrag für die Nutzung hinterlegt worden ist (§ 37 VGG). Es handelt sich somit um einen der „gesetzlich zugelassenen Fälle" nach § 106 Abs. 1 UrhG. Denklogisch kann die privilegierte Nutzung bzw. der Ausschluss der Haftung für lizenzlose Nutzungen nur soweit gelten, wie der Haftungsrahmen des deutschen Urheberrechtsgesetzes selbst gilt.

(d) Zwischenergebnis zur urheberrechtlichen Qualifizierung

Der Abschlusszwang und verwandte Modelle der Zugangssicherung zu Rechten, welche von Verwertungsgesellschaften wahrgenommen werden, sind als im Kern urheberrechtlich zu qualifizieren.

(2) Zusammenhang von Abschlusszwang und Kartellrecht

Die historische Untersuchung des Verwertungsgesellschaftssystems und ganz besonders die Analyse des Kartellrechts als wesentliches Kontrollmittel der Verwertungsgesellschaften legte außerdem den Zusammenhang jener beiden Materien offen.[941] Solange kein europäischer Rahmen für das Wahrnehmungsrecht bestand, war es vor allem das Kartellrecht, welches zur Entwicklung eines wettbewerbsorientierten Wahrnehmungsrecht beigetragen hat.[942] Insbesondere die Kontrahierungsverpflichtungen und

---

941 Zur historischen Untersuchung *Teil 1, Kapitel 1, A, II.*; zur kartellrechtlichen Kontrolle *Teil 2, Kapitel 2, C.* Grundlegend zu dieser Thematik *Drexl*, in: Leska (Hrsg.), Managing Copyright, 2023, S. 29, 41 f.

942 In Bezug auf Art. 102 AEUV sind folgende Entscheidungen europäischer Organe zu nennen: Kommission, Entscheidung vom 2. Juni 1971, 71/224/EWG, IV/26.760, Abl. EG Nr. L 134 v. 20. Juni 1971, S. 15 – *GEMA I*; EuGH, C-127/73, ECLI:EU:C:1974:25 – *BRT II*; EuGH, C-22/79, ECLI:EU:C:1979:245 – *Greenwich Film Production*; Kommission, Entscheidung v. 4. Dezember 1981, 82/204/EWG, IV/29.971, ABl. Nr. L 94 vom 8. April 1982, S. 12 – *GEMA III*; EuGH, C-7/82, ECLI:EU:C:1983:52 – *GVL/Kommission*; EuGH, C-402/85, ECLI:EU:C:1987:197 – *Basset*; EuGH, verb. Rs. 110/88, 241/88 und 242/88, ECLI:EU:C:1989:326 – *Lucazeau*; EuGH, C-395/87, ECLI:EU:C:1989:319 – *Tournier*; Kommission, Entscheidung v. 12. August 2001, COMP/C2/37.219, MR-Int 2006, 69 – *Daft Punk*; EuGH, C-52/07, ECLI:EU:C:2008:703 – *Kanal 5/STIM*; EuGH, C-351/12, ECLI:EU:C:2014:110 – *OSA* und EuGH, C-177/16, ECLI:EU:C:2017:689 – *AKKA/LAA*.

Diskriminierungsverbote fungieren als Bindeglied zwischen Wettbewerbspolitik und privatrechtlicher Rechtsdurchsetzung.[943] Wie tiefgreifend die kartellrechtliche Verwurzelung des deutschen Wahrnehmungsrechts von Beginn an war, zeigt die Begründung des Entwurfs eines Gesetzes über Verwertungsgesellschaften auf dem Gebiet des Urheberrechts von 1962, wo der Gesetzgeber ausdrücklich auf mangelnde wettbewerbliche Wirkungen zugunsten der Rechtenutzer selbst für den Fall hinwies, dass mehrere Verwertungsgesellschaften für dieselbe Kategorie von Rechten im Markt tätig sind.[944] Darin äußert sich ein klassisches Problem von Kulturmärkten, in denen Güter kaum substituierbar sind, sondern einander eher vervollständigen und ergänzen.[945]

Doch nicht nur hier, sondern auf mehreren Ebenen führen die ökonomischen Grundvoraussetzungen der kollektiven Rechtewahrnehmung zu wettbewerbsrechtlichen Problemen. Unterscheiden lassen sich grundsätzlich drei Fragenbereiche: Erstens ist bereits die Einbringung der Rechte in ein kollektives Verwertungssystem aus kartellrechtlicher Sicht kritisch zu betrachten. Denn mit der Beteiligung in Verwertungsgesellschaften drücken Urheber-, Leistungsschutzberechtigte und ihre Verlage ihren Willen zur Koordinierung in Form einer Vereinbarung zwischen Unternehmen aus. Soweit eine wirtschaftliche Verwertung der Rechte erfolgt, sind nicht nur etwa Verlage und Tonstudios als Unternehmer anzusehen, sondern

---

Aus dem deutschen Recht seien nur zwei Urteile jüngeren Datums genannt, welche den Zusammenhang der Kontrahierungspflichten mit dem Wettbewerbsrecht hervorheben: OLG München, Urt. v. 9.3.2006 - 6 WG 01/04 = ZUM, 2006, 466, 472; BGH, Urt. v. 22.4.2009 - I ZR 5/07 (BGHZ 181, 1–12) und in Österreich etwa OGH, Urt. v. 12.4.2011 - 4 Ob 222/10s 0 ZUM-RD 2012, 230, 233.

943 *Drexl*, in: Götz von Olenhusen/Gergen/Vogel (Hrsg.), Kreativität und Charakter, 2017, S. 227, 230; *Drexl*, in: Torremans (Hrsg.), Copyright Law, 2007, S. 255 ff.; *Drexl*, in: ders. (Hrsg.), Research Handbook on Competition and Intellectual Property Law, 2008, 27.53; *Drexl*, in: 50 Jahre GVL, 2011, S. 11 ff.

944 Siehe Entwurf eines Gesetzes über Verwertungsgesellschaften auf dem Gebiet des Urheberrechts vom 23.3.1962, BT-Drs. 4/273, S. 17 und hierzu auch *Drexl*, in: Götz von Olenhusen/Gergen/Vogel (Hrsg.), Kreativität und Charakter, 2017, S. 227, 232 f.

945 In Extrempositionen wurde angenommen, dass kreative Werke aufgrund ihrer Eigenart - Individualität und Originalität - aus Sicht der Marktgegenseite nicht austauschbar und damit nicht Teil eines übergeordneten Marktes seien (so bereits *Wawretzko*, UFITA 31 (1960), 287, 298). Zur Repertoiresubstituierbarkeit auch *Janik/Tiwisina*, ZUM 2013, 177, 180; *Lichtenegger*, Verwertungsgesellschaften, Kartellverbot und Neue Medien, 2014, S.152 ff., S. 172 f., S. 371 ff.; *Drexl/Nérisson/Trumpke u.a.*, IIC 44 (2013), 322, Rn. 9; *Drexl*, in: Torremans (Hrsg.), Copyright Law, 2007, S. 255, 267 f. Zur Verschiebung der Marktlogik im Bereich der Kulturindustrie *Reckwitz*, Die Gesellschaft der Singularitäten, 2017, 150 ff.

jeder Urheber- und Leistungsschutzberechtigte.[946] Diese Vereinbarung bezweckt auch eine spürbare Beschränkung des Wettbewerbs der Rechteinhaber um Nutzer, was besonders bei der Festsetzung der Tarife deutlich wird, die letztlich einen Ausschluss des Preiswettbewerbs herbeiführen.[947] Die kollektive Wahrnehmung der Rechte erweist sich damit als grundsätzlich rechtfertigungsbedürftiger Eingriff in das Kartellverbot des Art. 101 Abs. 1 AEUV. Eine Rechtfertigung bzw. eine Freistellung vom Kartellverbot kann daher nur unter den vier kumulativen Voraussetzungen des Art. 101 Abs. 3 AEUV erfolgen, was vor allem die Generierung von „*Effizienzvorteilen*" und eine „*Verbraucherbeteiligung*" beinhaltet.[948] Zweitens ist die Zusammenarbeit der Verwertungsgesellschaften im Rahmen der Gegenseitigkeitsverträge im Hinblick auf Art. 101 AEUV zu beurteilen.[949] Drittens schließlich ist die Missbrauchskontrolle nach Art. 102 AEUV ein zentraler Baustein bei der Regulierung von Verwertungsgesellschaften. Die Charakterisierung als marktbeherrschende Unternehmen i.S.v. Art. 102 Abs. 1 AEUV muss individuell vorgenommen werden. Dies kann im neuen wettbewerbsbasierten Verwertungsgesellschaftsmodell zu Unsicherheiten führen, welche die Kontrolle der Verwertungsgesellschaften zusätzlich erschweren, obwohl sich an der faktischen Abhängigkeit der Nutzer von einer jeden Verwertungsgesell-

946 Demgegenüber kritisch: *Hemphill*, Colum. J.L. & Arts 34 (2011), 645 ff.; sehr ausführlich, mit besonderem Augenmerk auf den Onlinebereich: *Lichtenegger*, Verwertungsgesellschaften, Kartellverbot und Neue Medien, 2014. Die Anwendung des Kartellrechtes gegenüber Verwertungsgesellschaften wird auch bei *Drexl*, Copyright, Competition and Development, 2013, S. 210 ff. beleuchtet.

947 *Lichtenegger*, Verwertungsgesellschaften, Kartellverbot und Neue Medien, 2014, S. 362 ff. Dies gilt zumindest dort, wo Rechteinhaber gleicher Rechtekategorien und Sparten in einer Verwertungsgesellschaft miteinander verbunden sind und grundsätzlich in der Lage wären ihre Rechte – zumindest gegenüber einigen großen Verwertern – selbst wahrzunehmen.

948 *Ders.*, Verwertungsgesellschaften, Kartellverbot und Neue Medien, 2014, S. 410 ff. Die ökonomische Analyse zeigte, dass der Zusammenschluss der Rechteinhaber auch für Nutzer von Vorteil ist und selbst die Bildung von Tarifen aus Nutzerperspektive nicht per se unwillkommen ist – vorausgesetzt die Tarife sind „angemessen", was außerhalb einer marktmäßigen Preisbildung kaum beurteilt werden kann. Hierin bestehen erhebliche Zweifel, wenn die Fragmentierung der Rechte auf vertikaler Ebene dazu führen kann, dass für die Lizenzierung einer wirtschaftlich einheitlichen Nutzung zusätzlich zur individuell erwirkten Lizenz eine Lizenz bei einer Verwertungsgesellschaft erforderlich wird. Dies wurde angesprochen in der Diskussion um die Rechtefragmentierung und in der Auseinandersetzung mit dem *MyVideo-Verfahren* (siehe *Teil 1, Kapitel 1, C, II. 4.*)).

949 Siehe *Teil 1, Kapitel 2, C* und hierzu grundlegend EuGH, C-395/87, ECLI:EU:C:1989:319 – *Tournier*.

schaft, die ein jeweils relevantes Repertoire exklusiv wahrnimmt, nichts ändert.[950]

Die europäischen Wettbewerbsvorschriften haben den Zweck, die Offenheit der Märkte zu schützen und dem Wettbewerb als dynamischem Prozess der Entdeckungserfahrung Raum zu verschaffen.[951] Das Kartellrecht richtet sich unmittelbar an die Unternehmen, indem es sie daran hindert, die Öffnung der Märkte, wie sie vom Binnenmarkt und den Grundfreiheiten angestrebt werden, durch privatwirtschaftliches wettbewerbsbeschränkendes Handeln zu unterlaufen.[952] Der Marktöffnung dienen jedoch gerade auch der Abschlusszwang, die Tarifbindung, die Verpflichtung zum Abschluss von Gesamtverträgen und – im neuen Wahrnehmungsrecht – die Verpflichtung zur oder zumindest die Erleichterung der Repräsentation der Verwertungsgesellschaften untereinander.[953] So gesehen ist die Regulierung des Repertoirezugangs als Reaktion auf die besondere marktmäßige Stellung der Verwertungsgesellschaften zu verstehen. Über dieses reaktive Konzept hinaus stellt die Repertoirezugangsregulierung jedoch ein praktisches und proaktives Mittel dar, die Konzentration von Marktmacht auf Ebene der Verwertungsgesellschaften dazu zu nutzen, einen dynamischen Markt auf nachgelagerter Ebene zu fördern. Durch die Vereinfachung des *Rechteclearings* und den Ausschluss von Exklusivität auf der Ebene nachgelagerter Dienste lässt sich der Marktzugang für neue Dienste vereinfachen. Denn je größer der Aufwand für das Rechteclearing als wesentliche Voraussetzung für die Entwicklung eines Dienstes ist, desto größer sind die Marktzutrittsbarrieren für neue Anbieter. Gerade im Onlinebereich sind in den letzten Jahren viele innovative Angebote entstanden. Grundvoraussetzung für die Entwicklungsdynamik neuer Musikdienste im Onlinebereich ist nicht zuletzt der einfache und diskriminierungsfreie Zugang zu Rechten. Offenheit der Märkte bedeutet hier vor allem Offenheit nachgelagerter

---

950 Siehe *Teil 2, Kapitel 2, C.* Zur Problematik eingeschränkten Wettbewerbs auf der Nutzerseite siehe bspw. *Handke/Stepan/Towse*, in: Drexl (Hrsg.), Research Handbook on Competition and Intellectual Property Law, 2008, S. 373, 396, mit dem Beispiel des staatlichen Rundfunks und den Universitäten, die den Urhebern und Verlagen bzw. ihren Verwertungsgesellschaften in Fragen der Kopiervergütung im Wissenschaftsbereich gemeinsam gegenüberstehen.

951 *Meessen/Kersting*, in: Loewenheim/Meessen/Riesenkampff u.a. (Hrsg.), Kartellrecht, [4]2020, Einführung, Rn. 6 ff.; *Bunte*, in: Langen/Bunte (Hrsg.), Kommentar zum deutschen und europäischen Kartellrecht, [13]2018, Einleitung, Rn. 35 f.

952 *Immenga/Mestmäcker*, in: dies. (Hrsg.), Wettbewerbsrecht, [5]2012, Einleitung, Teil B Rn. 17 ff.

953 So im Ergebnis auch *Vučković*, IIC 2016, 28, 53.

Märkte und die Förderung kreativen Wettbewerbs auf Ebene der nachgelagerten Märkte durch Ausschluss von Exklusivität. Hierin zeigt sich ganz deutlich die wettbewerbsrechtliche Prägung von Abschlusszwang, Tarifbindung und weiterer Modelle zur Zugangssicherung der Nutzer, welche unmittelbar marktgestalterischen Effekt hat.

b) Die kollisionsrechtlichen Interessen

Es bleiben vor diesem Hintergrund die Verkehrsinteressen, welche für die Anwendung nur eines Rechts – des Rechts des Sitzlandes der Verwertungsgesellschaften – im grenzüberschreitenden Kontext sprechen. Liegt die Förderung grenzüberschreitender Lizenzen durch Verwertungsgesellschaften im Sinne der Erleichterung des Rechtsverkehrs im Urheberrecht, scheint diese Erleichterung vor allem dann erreichbar, wenn Verwertungsgesellschaften sich nicht einer Vielzahl national unterschiedlicher Regelungen ausgesetzt sehen.[954] Doch liegt es im Wesen der Immaterialgüterrechte, dass sie territorial sind. Selbst innerhalb Europas ist eine territoriale Rechtevergabe nach wie vor eher die Regel als die Ausnahme.[955] Zugleich werden Tarife typischerweise territorialen bzw. regionalen Besonderheiten angepasst, welche sich nicht zuletzt nach der Kaufkraft der Bevölkerung eines nationalen Marktes richtet.[956] Dies hat selbst der EuGH für nationale Preisdifferenzen im Binnenmarkt nicht ausgeschlossen, sondern vielmehr als ein Kriterium der Preiskontrolle nach dem Kartellrecht anerkannt.[957] Territo-

---

954 Im Sinne der Erleichterung des Rechtsverkehrs liegt ohnehin vor allem die Bereitstellung der *One-Stop-Shops*, unter Umständen selbst dann, wenn die zentrale Rechteklärung national beschränkt ist (siehe beispielsweise *Drexl/Nérisson/Trumpke u.a.*, IIC 44 (2013), 322, para. 9).

955 *Sutterer*, in: Hennemann/Sattler (Hrsg.), Immaterialgüter und Digitalisierung, 2017, S. 145 ff.

956 So im Ergebnis auch *Vučković*, IIC 2016, 28, 53.

957 Zu den Kriterien eines nationalen Preisvergleiches können demnach u. a. die Verbrauchsgewohnheiten und andere ökonomische oder soziokulturelle Gesichtspunkte zählen wie das Bruttoinlandsprodukt pro Kopf und das kulturelle und historische Erbe. Siehe dazu auch zuletzt die Vergleichskriterien in der Entscheidung EuGH, C-177/16, ECLI:EU:C:2017:689 – *AKKA/LAA*, Rz. 40 ff. Demnach „kann ein solcher Vergleich aussagekräftig sein, sofern, [...] die Referenzmitgliedstaaten nach objektiven, geeigneten und überprüfbaren Kriterien ausgewählt werden. [...] Zu diesen Kriterien können u. a. die Verbrauchsgewohnheiten und andere ökonomische oder soziokulturelle Gesichtspunkte zählen wie das Bruttoinlandsprodukt pro Kopf und das kulturelle und historische Erbe." (Rz. 41, 42).

rialität mag im Einzelfall die Kosten für die Klärung und Anpassung an unterschiedliche Rechtslagen sowie die Kosten der Rechtsverfolgung erhöhen. Sie bietet aber zugleich Schutz vor extraterritorialer Anwendung überbordender oder auch zurückgebliebener Schutzstandards. Internationales Urheberrecht und Internationales Kartellrecht verfolgen hier ein einheitliches Konzept, welches ebenfalls – entsprechend dem Auswirkungsprinzip – für jeden betroffenen Markt das jeweilige lokale Recht zur Anwendung beruft.[958] Die Anwendung dieses Rechts ist keinesfalls überraschend, sondern für alle Beteiligten vorhersehbar und gerade auch im Interesse der typischerweise schwächeren Partei. Das Auswirkungsprinzip definiert in dieser Konstellation den Sitz des Rechtsverhältnisses auf sinnvolle Weise, indem es dem Schwerpunkt der Interessen folgt bzw. fähig ist, die Interessen zu lokalisieren. Damit geht ein Nebeneffekt einher, der in seinen Wirkungen kaum überschätzt werden kann: das Auswirkungsprinzip setzt in Konstellationen wie der vorliegenden auch für den Gesetzgeber einen Anreiz zur Entwicklung eines ausgewogenen, ausgleichenden Rechts, denn mit den Auswirkungen seiner Rechtsgestaltung muss er stets selbst leben. So beugt dieses Prinzip einem Deregulierungswettbewerb vor, der dahingehend tendieren könnte, mittels eines Minimums an Regulierung die Niederlassung von Verwertungsgesellschaften im eigenen Land zu begünstigen.

So sind es vor allem Ordnungsinteressen bzw. ordnungspolitische Erwägungen, die zu einem auswirkungsbezogenen Ansatz führen. Sie wurden zuvor ausführlich behandelt. Zugangsansprüche der Nutzer gegenüber den Verwertungsgesellschaften haben unmittelbar marktgestaltenden Charakter im wettbewerbsrechtlichen Sinne. Sie reagieren auf die spezifischen Marktmechanismen der kollektiven Rechtewahrnehmung, indem sie Marktmacht kontrollieren; zugleich machen sie sich dieselben Marktmechanismen zunutze, indem sie Exklusivität begrenzen und damit Dynamik im Sinne eines kreativen Wettbewerbs auf nachgelagerten Märkten befördern. Sie haben auch marktgestalterischen Charakter im urheberrechtlichen Sinne, denn die Kollektivierung der Rechte verbunden mit Zugangsansprüchen der Nutzer wirkt wie eine Schranke im Urheberrecht und sie vermag formelle urheberrechtliche Schranken zu ersetzen. Sie dient unmittelbar dem Interessenausgleich im Urheberrecht.

Nicht ersetzbar ist ein auswirkungsbezogener Ansatz im Privatrecht der kollektiven Rechtewahrnehmung, wenn es um die Zugangsansprüche der

958 *Metzger*, JZ 65 (2010), 929, 934 mit Verweis auf Art. 6 Abs. 3 lit. a) Rom II-VO. Zum Auswirkungsprinzip *Eckel*, GRUR Int. 2017, 948, 958 f.

Nutzer geht. Denn weder wirkt sich der Wettbewerb der Verwertungsgesellschaften unmittelbar nutzerbegünstigend aus, verringert also Abhängigkeit und macht Kontrolle entbehrlich, noch lässt sich die erforderliche Kontrolle der Verwertungsgesellschaften allein mit den Mitteln des Kartellrechts oder über eine staatliche Aufsicht gewährleisten. Wie die Analyse der Kontrollebenen der Verwertungsgesellschaften zeigte, kann keine der alternativen Rechtsinstitutionen ein regulatorisches Defizit in der Anwendung des Privatrechts ausgleichen.

4) Ergebnis

Damit folgt die Anknüpfung von nutzerbezogenen Zugangsregelungen einem auswirkungsbezogenen Ansatz. Es lässt sich folgende Kollisionsregel formulieren:

(1) Die Bedingungen des Zugangs zu Urheberrechten und verwandten Schutzrechten, welche von einer Verwertungsgesellschaft wahrgenommen werden, unterliegen dem Recht des Staates, für dessen Gebiet eine Lizenzierung erfolgen soll.

(2) Zu den Bedingungen des Rechtezugangs gehören insbesondere:
   1. der Abschlusszwang, Diskriminierungsverbote und Verhandlungspflichten,
   2. die Tarife sowie
   3. die Verpflichtung zum Abschluss von Gesamtverträgen.

(3) Die Befugnis zur und die Bedingungen der Nutzung ohne Lizenz – etwa bei Scheitern der Verhandlungen – unterliegen ebenfalls dem Recht des Staates, für den eine Nutzung der Urheberrechte oder verwandten Schutzrechte erfolgt oder erfolgen soll.

II. Informations- und Auskunftsansprüche

1) Informationspflichten der Verwertungsgesellschaften

a) Qualifikation

Das VGG sieht verschiedene Informationsrechte und Informationspflichten der Verwertungsgesellschaften gegenüber den Rechtenutzern vor. Bereits zuvor wurde festgestellt, dass zumindest die Informationspflichten innerhalb des Wahrnehmungsverhältnisses kein eigenständiges kollisionsrechtliches Dasein führen, sondern stets im Zusammenhang mit der jeweiligen Hauptpflicht zu sehen sind.[959] Aufgrund ihrer besonderen Bedeutung für die Lizenzierung erfolgt an dieser Stelle nochmals eine genauere Qualifikation, wobei die Pflichten aus § 55 VGG im Vordergrund stehen. § 55 VGG gibt den Rechtenutzern bzw. potentiellen Rechtenutzern einen Auskunftsanspruch, welcher sich insbesondere auf den Werkkatalog der Verwertungsgesellschaften in inhaltlicher und räumlicher Hinsicht erstreckt. In der VG-RL sind diese Fragen in ganz ähnlicher Weise in Art. 20 und Art. 25 aufgenommen. Da es im Urheberrecht keinen gutgläubigen Erwerb der Rechte gibt, liegt es grundsätzlich an den Nutzern, vorab für die umfassende und erfolgreiche Lizenzierung zu sorgen.[960] Vor diesem Hintergrund dient der Auskunftsanspruch auch der Schadloshaltung der Rechtenutzer für den Fall, dass sie trotz versuchter Rechteklärung über eine Verwertungsgesellschaft für eine Urheberrechtsverletzung haften. Fehlt der Verwertungsgesellschaft trotz gegenteiliger Auskunft die Verfügungsbefugnis, bleibt dem Lizenznehmer die Möglichkeit, bei ihr Regress zu nehmen.[961] Einen Ausschluss der Haftung nach § 97 Abs. 2 S. 1 UrhG i.V.m. § 276 Abs. 2 BGB bewirkt auch die versuchte Rechteklärung über die Verwertungsgesellschaften regelmäßig nicht, er ist aber auch nicht völlig ausgeschlossen.[962] Vor diesem Hintergrund zeigt sich in den Repertoireauskunftspflichten der Verwertungsgesellschaften eine enge Verbindung zum urheberrechtlichen Haftungsregime und damit zu den außervertraglichen Schuldverhältnissen aus einer Verletzung von Rechten des geistigen Eigentums nach Art. 8 Abs. 1 Rom II-VO.

Zugleich kommt den Repertoireauskunftsansprüchen eine grundsätzliche Bedeutung bei der Vereinfachung des Rechteclearings zu. Umfassen-

---

959 Siehe in diesem Kapitel, unter *D II 5.) a.)*. Hier wird allgemein die Verbindung zwischen einer speziellen Informationspflicht und einer Hauptpflicht, auf die sie sich bezieht, begründet.

960 BGH, Urt. v. 23.4.1998, I ZR 205/95 – *Bruce Springsteen* = ZUM 1998, 934, 937; BGH, Urt. v. 10.10.1991, I ZR 147/89 – *Bedienungsanweisung* = GRUR 1993, 34, 36 sowie zum gutgläubigen Erwerb: BGH, Urt. v. 21.11.1958, I ZR 98/57 – *Der Heiligenhof* = GRUR 1959, 200 insgesamt siehe *Schulze*, in: Dreier/Schulze (Hrsg.), Urheberrechtsgesetz, 62018, VGG, § 55, Rn. 2.

961 *Ders.*, in: Dreier/Schulze (Hrsg.), Urheberrechtsgesetz, 62018, VGG, § 55, Rn. 3 und *Specht*, in: Dreier/Schulze (Hrsg.), Urheberrechtsgesetz, 62018, UrhG, § 97, Rn. 78.

962 OLG München, Urt. v. 16.9.2010, 29 U 2131/10 – *Pflicht zur Vorlage einer Rechtekette* = ZUM-RD 2011, 94 ff.; *Specht*, in: Dreier/Schulze (Hrsg.), Urheberrechtsgesetz, 62018, UrhG, 3 97, Rn. 78.

de Werkkataloge sollen für die Nutzer eine Transparenz schaffen, welche durch die Zersplitterung der Repertoires im Rahmen des anvisierten Wettbewerbsmodells um die Rechteinhaber verloren ging. Besonders deutlich wird dies anhand der strengeren Transparenz- und Informationspflichten für Verwertungsgesellschaften, die Mehrgebietslizenzen für Online-Rechte an Musikwerken vergeben, die in Art. 25 VG-RL eigens geregelt wurden.

b) Ergebnis

Die Informationspflichten sollten daher sowohl vor dem Hintergrund der Haftungsfragen als auch vor dem Hintergrund der markgestaltenden Funktion im Hinblick auf die Vereinfachung des Rechteclearings und damit auf Zugangsfragen zu Rechten des geistigen Eigentums dem Urheberrechtsstatut unterfallen. Es bietet sich folgende Regelung an:

Die Informationspflichten der Verwertungsgesellschaften gegenüber den Rechtenutzern, insbesondere im Hinblick auf die wahrgenommenen Rechte oder die bereitgestellten Tarife unterliegen dem Recht des Staates, für dessen Gebiet eine werkbezogene Information verlangt wird.

2) Auskunftsansprüche der Verwertungsgesellschaften gegenüber Nutzern

a) Qualifikation

Sowohl die VG-RL als auch das VGG kennen jedoch auch Auskunftspflichten der Rechtenutzer. Im VGG sind diese in §§ 41 f. geregelt. Gemäß § 41 Abs. 1 VGG kann die Verwertungsgesellschaft vom Nutzer zum Zwecke der Einziehung der Einnahmen und deren Verteilung Auskunft über die jeweilige Werknutzung verlangen. Hierfür sollen die Verwertungsgesellschaften angemessene Regelungen in den Nutzungsverträgen vorsehen (§ 41 Abs. 2 VGG). Nach § 42 VGG treffen Veranstalter, die urheberrechtlich geschützte Werke öffentlich wiedergeben, weiterreichende Meldepflichten.[963] Die Richtlinie sieht selbst gewisse Auskunftspflichten der Nutzer gegenüber Verwertungsgesellschaften vor (siehe insbesondere Erwägungsgrund 33 und Art. 17 VG-RL). Zugleich heißt es in Erwägungsgrund 33 der VG-RL, dass nationale Rechtsvorschriften über Auskunftsansprüche der Verwer-

963 Näheres siehe Kommentierung bei *Schulze*, in: Dreier/Schulze (Hrsg.), Urheberrechtsgesetz, ^{6}2018, VGG, § 41 und § 42.

tungsgesellschaften gegenüber Nutzern von der Richtlinie nicht berührt werden. Abweichende und vor allem strengere Vorschriften sind also möglich.

Geht es um die Frage nach welchem Recht sich diese Ansprüche im internationalen Kontext richten, so kann dies nur das Recht des jeweiligen Schutzlandes sein, da es mittelbar um Auskunftsansprüche aus dem Urheberrecht geht. Insoweit stellen sich die Auskunftsansprüche nach dem VGG als spezielle Auskunftsansprüche im Sinne von §§ 101, 102a UrhG dar. Die Auskunft dient der Kontrolle, ob eine Verletzung vorliegt und in welchem Umfang diese erfolgte. Darüber hinaus geht es um die Berechnung von Gebühren und um Verteilungsfragen. Ersteres ist eng verwandt mit der Urheberrechtsverletzung selbst und rückt so in die Nähe von Art. 8 Abs. 1 Rom II-VO. Die *lex loci protectionis* erfasst neben Grund und Umfang der Haftung auch Fragen zu den materiell-rechtlichen Rechtsfolgen in allen Ausprägungen, insbesondere zu Unterlassung, Beseitigung, Vernichtung, Schadensbemessung, Verjährung und Auskunft.[964]

b) Ergebnis

Es lässt sich folgende Kollisionsregel formulieren:

Die Informationspflichten der Rechtenutzer gegenüber den Verwertungsgesellschaften, insbesondere im Hinblick auf erfolgte Repertoirenutzungen, unterliegen dem Recht des Staates, für dessen Gebiet eine werkbezogene Information verlangt wird.

III. Vermutungsregelungen

1) Der Rechtsrahmen – die unterschiedlichen Vermutungsregelungen

Das Verwertungsgesellschaftsrecht kennt verschiedene Vermutungsregelungen zugunsten der Verwertungsgesellschaften. Diese können allgemeiner oder besonderer Art sein.[965] Gemäß § 48 VGG wird vermutet, dass die

964 *Weller/Nordmeier*, in: Spindler/Schuster/Döpkens (Hrsg.), Recht der elektronischen Medien, ^{3}2015, Rom II, Art. 8, Rn. 7; *Drexl*, in: von Hein (Hrsg.), MüKo IPR II, ^{8}2021, Rom II-VO Art. 8 Rn. 235.

965 Eng verwandt mit der Regelung zu den verwaisten Werken und als Vermutungsregelung für Verwertungsgesellschaften in diesem Kontext von großer Bedeutung ist

Verwertungsgesellschaft die Rechte aller Rechteinhaber wahrnimmt, wenn sie einen Auskunftsanspruch geltend macht, der nur durch eine Verwertungsgesellschaft geltend gemacht werden kann – hier stellt sich die Frage wer „*die*[se] *Verwertungsgesellschaft*" im internationalen Kontext sein soll.

Gemäß § 49 Abs. 1 VGG gilt die Vermutung der Wahrnehmungsbefugnis auch bei Geltendmachung bestimmter Vergütungsansprüche nach dem Urheberrechtsgesetz. Einschränkungen finden sich in Abs. 2, wenn mehrere Verwertungsgesellschaften zur Geltendmachung des Anspruchs berechtigt sind. In diesem Fall gilt die Vermutung nur bei gemeinsamem Handeln der Verwertungsgesellschaften. § 50 VGG sieht schließlich Besonderheiten für die Wahrnehmung der Rechte der Kabelweitersendung im Sinne des § 20b Abs. 1 S. 1 UrhG vor. Das Recht der Kabelweitersendung ist gemäß § 20b Abs. 1 S. 1 UrhG verwertungsgesellschaftspflichtig, womit sich die Sachbefugnis der Verwertungsgesellschaft per Gesetz auf das Verbotsrecht selbst erstreckt. Ein Wahrnehmungsvertrag ist mithin entbehrlich und die Wahrnehmungsbefugnis der Verwertungsgesellschaft braucht nicht mehr vermutet zu werden, sie ist vielmehr unwiderleglich gegeben.[966] Nehmen mehrere Verwertungsgesellschaften Rechte dieser Art wahr, gelten sie gemäß § 50 Abs. 1 S. 2 VGG als gemeinsam berechtigt, sofern der jeweilig Rechteinhaber bzw. Außenseiter nicht eine bestimmte Verwertungsgesellschaft – gleichwohl ohne einen Wahrnehmungsvertrag abzuschließen – auswählt.[967]

Bei den Vermutungsregeln nach §§ 48 und 49 VGG handelt es sich um widerlegbare Vermutungen der Aktivlegitimation der Verwertungsgesellschaften, mithin um eine Beweislastumkehr für diese Frage.[968] Mit § 50 VGG wird die Wahrnehmungsbefugnis der Verwertungsgesellschaften für die Außenseiterrechte bei der Kabelweitersendung fingiert.[969] Hiervon zu

---

die erweiterte kollektive Lizenz bzw. extended collective licence (EKL). Sie wird in Kapitel 3 näher behandelt (zur EKL siehe umfassend *Trumpke*, Exklusivität und Kollektivierung, 2016). Dort wird auch auf den wichtigen Bereich der vergriffenen Werke eingegangen, welcher im neuen europäischen Modell auf der Kollektivierung aufbaut. Die Regelung der vergriffenen Werke wird unter § 51 VGG angesprochen. Die wesentlichen Fragen stellen sich bei den Vermutungsregelungen nicht auf Ebene des IPR, sondern auf Ebene der inhaltlichen Ausgestaltung, insbesondere in Verbindung mit dem europäischen Herkunfts- bzw. Sitzlandprinzip.

966 *Schulze*, in: Dreier/Schulze (Hrsg.), Urheberrechtsgesetz, ^{6}2018, VGG, § 50, Rn. 1 und amtliche Begründung., BT-Drs. 13/4796, S. 16.

967 *Ders.*, in: Dreier/Schulze (Hrsg.), Urheberrechtsgesetz, ^{6}2018, VGG, § 50, Rn. 5.

968 *Staats*, ZUM 2019, 703, 704.

969 *Schulze*, in: Dreier/Schulze (Hrsg.), Urheberrechtsgesetz, ^{6}2018, VGG, § 48, Rn. 1

unterscheiden ist die sogenannte GEMA-Vermutung in Deutschland, welche sich in der Rechtsprechung schon früh herausgebildet hat und welche eine tatsächliche Vermutung der Wahrnehmungsbefugnis dahingehend beinhaltet, dass die GEMA alle Aufführungsrechte sowie die sogenannten mechanischen Rechte an in- und ausländischer Tanz- und Unterhaltungsmusik in Deutschland hält.[970] Die GEMA-Vermutung erleichtert den Verwertungsgesellschaften damit die praktische Rechtsdurchsetzung.[971]

2) Qualifikation

Die oben aufgeworfene Frage, welche Verwertungsgesellschaft nun eigentlich gemeint sein soll, ist strenggenommen keine IPR Frage, da sie schon von der Geltung des deutschen Wahrnehmungsrechts ausgeht und dieses nur zu interpretieren versucht. Für diese Arbeit von Interesse ist nur, welches Wahrnehmungsrecht für derartige Fragen gilt. Klar ist, dass eine solche Vermutungsregelung nicht dem Sitzlandrecht der Verwertungsgesellschaft unterliegen kann. Denn dieses ist dem Wesen der Frage, welche sich gerade auf ein räumlich umgrenztes Urheberrecht bezieht, fremd. Naheliegend ist daher die Anwendung der *lex loci protectionis*, denn diese verbindet in sinnvoller Weise die Vermutung mit dem räumlichen Geltungsbereich des Urheberrechts, um welches es im konkreten Fall geht.

a) Der rechtliche Charakter der Vermutungsregelungen

Als Beweislastregelungen bzw. gesetzliche Vermutungen unterfallen die Regelungen § 292 S.1 ZPO. Sie haben also prozessuale Wirkung. Prozessuale Fragen unterfallen klassischerweise der *lex fori*. Was unter diesem Gesichtspunkt als rein prozessuale Frage zu behandeln ist, bleibt allerdings eine Frage der spezifischen Qualifikation. Zu differenzieren ist vor allem beim

---

970 KG, UFITA 11 (1938), ff und KG, UFITA 12 (1939), 133. Später dann insbesondere die Entscheidungen BGH, I ZR 53/83 – *Zweitverwertung auf Videocassetten – (GEMA-Vermutung I)* (BGHZ 95, 274–284) und BGH, I ZR 35/83 – *Vorführung pornographischer Filme – (GEMA Vermutung II)* (BGHZ 95, 285–294).

971 Siehe hierzu umfassend: *Riesenhuber*, in: Heker/Riesenhuber (Hrsg.), Recht und Praxis der GEMA, [3]2018, Kapitel 11, Rn. 5 ff. und *Schulze*, in: Dreier/Schulze (Hrsg.), Urheberrechtsgesetz, [6]2018, VGG, § 48, Rn. 4 ff.

Beweisrecht, unumstritten unterfällt in Gänze nur das Beweisverfahren der *lex fori*.[972]

(1) Gesetzliche Vermutungen

Geht es um Vermutungen, so wird zwischen gesetzlichen und tatsächlichen Vermutungen unterschieden. Während die gesetzlichen Vermutungen – zumindest dann, wenn sie unwiderleglich sind – nahezu unbestritten der *lex causae* unterfallen,[973] ist der Begründungsaufwand bei widerleglichen gesetzlichen Vermutungen höher. Was für die unwiderlegliche Vermutung gilt, gilt erst recht für die gesetzliche Fiktion, denn die fingierte Tatsache entspricht nicht einmal der Lebenswirklichkeit, wohingegen dies bei der unwiderleglichen Vermutung zumindest offenbleibt. Fiktionen haben damit keine Beweiswirkung, sondern verändern den gesetzlichen Tatbestand, indem sie die Wahrheitsermittlung verkürzen.[974]

Doch auch für widerlegbare gesetzliche Vermutungen wurde eine kollisionsrechtliche Zuständigkeit der *lex causae* in der Vergangenheit damit begründet, dass es sich um materiell-rechtlich verflochtene Regelungen handelt. Die materiell-rechtliche Verflechtung ergebe sich daraus, dass die Beweisvermutung ebenfalls eine Verkürzung der Wahrheitsermittlung ermöglichen soll, indem der Nachweis anderer Tatbestandsmerkmale als der von der materiell-rechtlichen Norm aufgestellten für den Eintritt der konkreten Rechtsfolge ausreicht.[975] Inzwischen sind die Beweisregeln im europäischen Kollisionsrecht vereinheitlicht. Gemäß Art. 22 Abs. 1 Rom II-VO ist das für das außervertragliche Schuldverhältnis maßgebliche Recht

972 Differenzierend *Schack*, Internationales Zivilverfahrensrecht, ^{8}2021, Rn 52 f. und 806 ff.; *Coester-Waltjen*, Internationales Beweisrecht, 1983, Rn. 416; *Bücken*, Internationales Beweisrecht im Europäischen internationalen Schuldrecht, 2016, S. 38 f.

973 Mit der unwiderlegbaren Vermutung schafft der Gesetzgeber eine Regelung, die er genauso über das „klassische materielle Recht" erreichen könnte. Hier *Coester-Waltjen*, Internationales Beweisrecht, 1983, Rn. 309 f. mit weiteren Nennungen zu ausländischen Rechtsordnungen.

974 *Bücken*, Internationales Beweisrecht im Europäischen internationalen Schuldrecht, 2016, S. 97 ff. Um eine solche Fiktion handelt es sich wohl hinsichtlich der Außenseiterrechte bei der Kabelweitersendung nach § 50 Abs. 1 S. 1 VGG, in die Nähe einer Fiktion rücken die Regelungen zu den vergriffenen Werden nach § 51 VGG (*Staats*, ZUM 2019, 703, 704 und 707 f.).

975 *Coester-Waltjen*, Internationales Beweisrecht, 1983, Rn. 328.

auch insoweit anzuwenden, als es für außervertragliche Schuldverhältnisse gesetzliche Vermutungen aufstellt oder die Beweislast verteilt. Entsprechendes gilt gemäß Art. 18 Abs. 1 Rom I-VO für das für vertragliche Schuldverhältnisse maßgebliche Recht.[976]

Damit unterfallen die gesetzlichen Vermutungen, wie sie im deutschen Recht in §§ 48 f. VGG zu finden sind, sowie die gesetzliche Fiktion aus § 50 Abs. 1 VGG der *lex causae.*

(2) Tatsächliche Vermutungen – die „GEMA-Vermutung"

Problematischer ist der kollisionsrechtliche Umgang mit einer tatsächlichen Vermutung, wie sie sich in der GEMA-Vermutung zeigt. Tatsächliche Vermutungen beruhen nicht auf Gesetz, sondern auf der Lebenserfahrung, welche die Typisierung eines Sachverhalts mit beweisrechtlicher Wirkung begründet. Diese Erfahrungssätze über typische Geschehensabläufe könnten als Teil der Beweiswürdigung selbst (§ 286 ZPO) zu verstehen sein und damit als „Domäne des Richters" der *lex fori* unterfallen.[977] Doch verkennt dies die typischen Verstrickungen auch des Anscheinsbeweises und der tatsächlichen Vermutung mit dem materiellen Recht. So kommt der tatsächlichen Vermutung ebenso wie der gesetzlichen eine materiell-rechtliche Wirkung als Mittel zur Erleichterung der Rechtsdurchsetzung zu. Sie erhält so eine funktionale Nähe zu den Regelungen von Art. 18 Abs. 1 Rom I-VO und Art. 22 Abs. 1 Rom II-VO.[978] Für das Verwertungsgesellschaftsrecht wird dies besonders deutlich, da die tatsächliche Wahrneh-

976 Für die gesetzliche Fiktion ergibt sich dies bereits unmittelbar aus Art. 15 Rom II-VO bzw. Art. 12 Rom I-VO. *Bücken*, Internationales Beweisrecht im Europäischen internationalen Schuldrecht, 2016, S. 98 f. mit weiteren Nennungen.

977 So insbes. *Thole*, IPRax 2010, 285, 287 und *Schack*, Internationales Zivilverfahrensrecht, [8]2021, Rn. 800.

978 So *Bücken*, Internationales Beweisrecht im Europäischen internationalen Schuldrecht, 2016, S. 286 f.; *Junker*, in: von Hein (Hrsg.), MüKo IPR II, [8]2021, Rom II-VO, Art. 22, Rn. 8 *Spellenberg*, in: von Hein (Hrsg.), MüKo IPR II, [8]2021, Rom I-VO, Art. 18, Rn. 25 f.; *Coester-Waltjen*, Internationales Beweisrecht, 1983, Rn. 349 ff. Ohne dieser Frage auf den Grund zu gehen, hat der EuGH festgestellt, dass Art. 3 Abs. 1 der Richtlinie 2001/29 und Art. 8 Abs. 2 der Richtlinie 2006/115/EG einer rumänischen Regelung entgegenstehen, wonach das Vorhandensein von Lautsprechersystemen in Beförderungsmitteln eine widerlegliche Vermutung der öffentlichen Wiedergabe von Musikwerken begründet. Damit ging er stillschweigend (aber zu Recht) von einer materiell-rechtlichen Wirkung jener Vermutung aus (siehe EuGH, verb. Rs. C-775/21 und C-826/21, ECLI:EU:C:2023:307 – *Blue Air Aviation*).

mungsvermutung der GEMA ihre Begründung in den Voraussetzungen des nationalen Wahrnehmungs- und Urheberrechts hat, welches insgesamt auf das Wahrnehmungsmonopol ausgelegt ist oder zumindest war. Die Zukunft der tatsächlichen Vermutungen für die Wahrnehmung deutscher Rechte[979] wird sich daher auch weiterhin im deutschen Recht zeigen und weniger durch die Beweiswürdigung eines ausländischen Richters ermitteln lassen.[980]

Alle diese Vermutungen, seien sie nun gesetzlich oder tatsächlich oder gar eine gesetzliche Fiktion, unterfallen daher der *lex causae.*

b) Bestimmung der lex causae

Die *lex causae* kann aber in diesem Fall nur die *lex loci protectionis* sein, denn es handelt sich um Regelungen, die das Urheberrecht inhaltlich ausgestalten. Es ist eine Frage des nationalen Urheberrechts, ob es der Kollektivierung ein solches Gewicht verleiht, dass Vermutungen einen Platz haben. Als systematische Erleichterung der Rechtsdurchsetzung im Urheberrecht fügen sie sich auch in den Anwendungsbereich von Art. 8 Abs. 1 Rom II-VO ein.

Besonders deutlich wird die urheberrechtliche Qualifikation bei besonderen Vermutungsregelungen, wie sie sich etwa in § 51 VGG für vergriffene Werke finden. Die Schrankenqualität der Vorschrift ist offensichtlich.[981] Daher ist auch eindeutig, dass die in Abs. 1 und Abs. 3 ausgesprochene Wahrnehmungsvermutung in Anwendung der *lex loci protectionis* nur gilt, soweit sich die Rechteeinräumung durch die Verwertungsgesellschaft auf die Nut-

---

979 So bezweifelt beispielsweise *Poll* die Zukunft der GEMA-Vermutung im Wettbewerbsmodell, *Poll*, KR 2015, 166.

980 Dass es sich im Übrigen weniger um eine Vermutung handelt, die auf der tatsächlichen Repräsentanz und einer damit einhergehenden Verletzungs- bzw. Nutzungswahrscheinlichkeit des Werkkatalogs beruht, zeigt der BGH in seiner neueren Rechtsprechung. In der Entscheidung BGH, Urt. v. 28.7.2022 – I ZR 141/20 – *Elektronischer Pressespiegel II*, Rn. 125 (= GRUR 2022, 1427, 1440) betont er, dass „die Zubilligung eines Anspruchs auf Grundauskunft hingegen im Wesen des Systems der Wahrnehmung von Urheberrechten durch Verwertungsgesellschaften begründet liegt, das dadurch geprägt ist, dass die GEMA als Verwertungsgesellschaft die Interessen der ihr angeschlossenen Urheber wahrt und die Urheberrechte lediglich treuhänderisch innehat".

981 Siehe beispielsweise *Schulze*, in: Dreier/Schulze (Hrsg.), Urheberrechtsgesetz, [6]2018, VGG, § 51, Rn. 1 ff.

zung von Rechten nach dem deutschen Urheberrechtsgesetz bezieht. Für erweiterte kollektive Lizenzen sieht nun Art. 12 Abs. 1 der DSM-RL eine territoriale Beschränkung der Modelle auf *„die Nutzung in ihrem Hoheitsgebiet* [dasjenige des jeweiligen Mitgliedsstaates]" vor.[982]

Problematisch sind allerdings zwei besondere Fragen: Erstens, welche Werke sind erfasst – erstreckt sich § 51 Abs. 1 Nr. 1 VGG auch auf ausländische Werke?[983] Zweitens, welche Verwertungsgesellschaft gilt als wahrnehmungsberechtigt und aufbauend auf die vorherige Frage, kann dies für ausländische Werke eine ausländische Verwertungsgesellschaft sein? Da es sich hierbei um keine kollisionsrechtliche Frage handelt, braucht sie an dieser Stelle nicht beantwortet zu werden. Sie kann aber in die Nähe des Kollisionsrechts rücken, was gerade im europäischen Raum durch die Geltung von Herkunfts-, Sitzland- oder Ursprungslandprinzip nicht fernliegend erscheint. Darauf wird im folgenden Kapitel eingegangen.[984]

3) Ergebnis

Es lässt sich folgende Kollisionsregel formulieren:

Gesetzliche oder tatsächliche Vermutungen der (werkbezogenen) Wahrnehmungsbefugnis von Verwertungsgesellschaften sowie die Möglichkeit und die Voraussetzungen der Wahrnehmung von Rechten ohne Zustimmung der Rechteinhaber unterliegen dem Recht des Staates, auf dessen Urheberrecht oder verwandtes Schutzrecht sich die Vermutung oder die tatsächliche Wahrnehmung bezieht.

IV. Zusammenfassung und Ergebnis

Die Rechte und Pflichten der Verwertungsgesellschaften, welche sich auf das Lizenzverhältnis beziehen, folgen insgesamt einem auswirkungsbezogenen Ansatz, welcher zur Anwendung der *lex loci protectionis* führt. Sie sind urheberrechtlich zu qualifizieren, da ihnen eine spezifische Ausgestaltung des Urheberrechts zugrunde liegt, wie sie sich in ganz ähnlicher Weise in den Schranken des Urheberrechts zeigt. So ergänzen die besonderen

---

982 Unzweifelhaft für diese Form der Beschränkung der territorialen Wirkung auch *Staats*, ZUM 2019, 703, 710.

983 *Schulze*, in: Dreier/Schulze (Hrsg.), Urheberrechtsgesetz, [6]2018, VGG, § 51, Rn. 15.

984 In Kapitel 3.

Pflichten der Verwertungsgesellschaften, wie bspw. der Abschlusszwang, die Tarifbindung und die Vermutungen der Rechtewahrnehmung, spezifische Schrankenregelungen oder ersetzen gar eine ansonsten erforderliche formelle Beschränkung des Urheberrechts. Die Zugangserleichterungen zu den Repertoires gestalten Märkte, die von der Nutzung von Urheberrechten und verwandten Schutzrechten abhängen. Genauso wie urheberrechtliche Prinzipien liegen den Zugangsansprüchen wettbewerbliche Prinzipien zu Grunde, worin sich der auswirkungsbezogene Ansatz bestätigt.

G. Bewertung der besonderen Verpflichtungen der Verwertungsgesellschaften untereinander – Das Gegenseitigkeits- und Repräsentationsverhältnis

I. Grundsätzliche Anwendung des Vertragsstatuts

Auch das Gegenseitigkeitsverhältnis der Verwertungsgesellschaften wirft kollisionsrechtliche Fragen auf. Es erscheint zunächst unproblematisch, denn die Zusammenarbeit der Verwertungsgesellschaften über sogenannte Gegenseitigkeitsverträge intendiert bereits die Geltung des Vertragsstatuts für Fragen innerhalb dieses Rechtsverhältnisses. Dies wurde bereits bei der Beschreibung der *Wirkung der Anwendung des Vertragsstatuts* in diesem Kapitel (*C, III., 2.), a.)*) ausgeführt. Die Vertragsparteien können das auf den Vertrag anwendbare Recht nach Art. 3 Abs. 1 Rom I-VO frei wählen. Soweit die Parteien keine Rechtswahl getroffen haben, unterliegt der Vertrag dem Recht des Staates, in dem die Vertragspartei, welche die für den Vertrag charakteristische Leistung zu erbringen hat, ihren gewöhnlichen Aufenthalt oder ihre Hauptverwaltung hat (Art. 4 Abs. 2 i.V.m. 19 Abs. 1 Rom I-VO). Im Gegenseitigkeitsverhältnis ist die Ermittlung der vertragscharakteristischen Leistung schwierig. Im Fall der Repräsentation ist es in der Regel allerdings die repräsentierende Verwertungsgesellschaft, welche die vertragscharakteristische Leistung erbringt. Kann im Gegenseitigkeitsverhältnis nicht eine Verwertungsgesellschaft gefunden werden, welche in Erfüllung des Vertrages mehr oder die bedeutenderen Wahrnehmungstätigkeiten vornimmt, so scheint es fast unmöglich einen einheitlichen Schwerpunkt oder eine engste Verbindung des Rechtsverhältnisses zu lokalisieren.[985]

---

985 Siehe auch Zwischenergebnis bei *Euhus*, Die Gegenseitigkeitsverträge der Verwertungsgesellschaften im Musikbereich, 2008, S. 43 *Euhus* befürwortet sodann eine

Bedeutender für diese Arbeit ist jedoch die Beurteilung der speziellen Verpflichtungen der Verwertungsgesellschaften im System des Kollisionsrechts. Die Frage der Verteilung der Einnahmen wurde bereits ausführlich behandelt, wobei explizit das Verteilungssystem über mehrere Verwertungsgesellschaften eingeschlossen wurde (§ 46 VGG). Sie richtet sich grundsätzlich – für Besonderheiten siehe den behandelnden Abschnitt[986] – nach dem Wahrnehmungsstatut, also dem Sitzlandrecht derjenigen Verwertungsgesellschaft, welche eine Verteilungsentscheidung treffen muss. Gleiches gilt für die übrigen Pflichten, die im deutschen Recht in §§ 45–47 VGG geregelt sind. Noch nicht beurteilt wurden Repräsentationsverpflichtungen.

II. Qualifikation des Repräsentationszwangs

Das deutsche Recht kennt in Umsetzung der Richtlinie (Art. 30 VG-RL) nun einen Repräsentationszwang in § 69 Abs. 1 VGG, der sich allerdings auf die gebietsübergreifende Lizenzierung von Online-Rechten an Musikwerken beschränkt (Mehrstaatenlizenzierung). Repräsentationsvereinbarung nach Art. 29 Abs. 1 der VG-RL bzw. § 69 Abs. 3 VGG müssen nicht-exklusiver Natur sein.[987] Die Wahrnehmung des repräsentierten Repertoires erfolgt gemäß § 73 Abs. 1 VGG zu denselben Bedingungen wie die Wahr-

---

Aufspaltung des Vertrags in wesensbestimmende Teile (*ders.*, Die Gegenseitigkeitsverträge der Verwertungsgesellschaften im Musikbereich, 2008, S. 44 ff.). Diese Lösung scheint praktikabel, sie ist in der Rom I-VO allerdings nicht mehr vorgesehen (*Martiny*, in: von Hein (Hrsg.), MüKo IPR II, [8]2021, Rom I-VO, Art. 4, Rn. 317). Dann wäre wohl ähnlich wie im neuen Modell nach der jeweiligen Repräsentation zu fragen.

986 In diesem Kapitel unter *E, I.*

987 Da Exklusivabreden in Vereinbarungen über die Vergabe von Mehrgebietslizenzen die Wahlmöglichkeiten sowohl von Nutzern, die sich eine Mehrgebietslizenz beschaffen wollen, als auch von Organisationen für die kollektive Rechtewahrnehmung, die länderübergreifende Verwaltungsleistungen für ihr Repertoire suchen, einschränken würden und diese zudem aus kartellrechtlicher Perspektive kritisch zu sehen sind, sind sie nach § 69 Abs. 3 VGG unzulässig. *Freudenberg*, in: Götting/Lauber-Rönsberg/Rauer (Hrsg.), Beck'scher Online-Kommentar Urheberrecht, [39]2023, VGG § 69, Rn. 11 ff.; siehe hierzu auch Erwägungsgrund 44 S. 4 und 5 der VG-RL. *Schulze*, in: Dreier/Schulze (Hrsg.), Urheberrechtsgesetz, [6]2018, VGG, § 69, Rn. 2 ff. *Kling*, Gebietsübergreifende Vergabe von Online-Rechten an Musikwerken, 2017, S. 200.

nehmung des eigenen Repertoires.[988] Fraglich ist der räumliche Geltungsbereich derartiger Verpflichtungen zur Wahrnehmung von Repertoires anderer Verwertungsgesellschaften.

1) Vergleich mit dem Wahrnehmungszwang

Der Repräsentationszwang und die Pflicht zur „diskriminierungsfreien" Wahrnehmung erinnert zunächst an den Wahrnehmungszwang und die Diskriminierungsverbote der Verwertungsgesellschaften gegenüber den Rechteinhaber.

Zwar sind Verwertungsgesellschaften nach deutschem bzw. europäischem Recht keine Rechteinhaber im Sinne des VGG (§ 5 Abs. 2 VGG bzw. Art. 3 lit. c VG-RL), dies hat jedoch vor allem gesetzessystematische Gründe. So dient ein wesentlicher Teil des Wahrnehmungsrechts gerade der Gestaltung des Rechtsverhältnisses zwischen Rechteinhabern und Verwertungsgesellschaften, was eine formelle Trennung erforderlich macht. Gleichzeitig wird hierdurch das wesentliche Charaktermerkmal der Verwertungsgesellschaft betont, für fremde Rechteinhaber Urheberrechte zu deren kollektiven Nutzen wahrzunehmen, ohne dabei zugleich selbst Inhaber derartiger Rechte zu sein.[989] Die Konstellation und auch die Interessensituation scheint innerhalb des Verhältnisses der Verwertungsgesellschaften beim Repräsentationszwang und zwischen Verwertungsgesellschaft und Rechteinhaber beim Wahrnehmungszwang jedoch sehr ähnlich. Dies legt die Vermutung nahe, dass sich die Argumente für die Geltung des Wahrnehmungsstatuts hinsichtlich des Wahrnehmungszwangs auf den Repräsentationszwang übertragen lassen.

Genau wie beim Wahrnehmungszwang geht es um das – nunmehr mit anderen Akteuren ausgestaltete – Innenverhältnis der Verwertungsgesellschaften, in welchem sich das Wahrnehmungsverhältnis von seinem Bezug zum „Urheberrecht an sich" löst. Wettbewerbsrechtliche Zugangsfragen dominieren hier die gedankliche Konzeption, doch konnten diese sich auch bei der Qualifikation des Wahrnehmungszwangs nicht zugunsten einer auswirkungsbezogenen räumlichen Rechtsanwendung durchsetzen. Stehen sich zwei Verwertungsgesellschaften gegenüber, so nimmt dies grundsätz-

988 *Kling*, Gebietsübergreifende Vergabe von Online-Rechten an Musikwerken, 2017, 203 f.

989 *Freudenberg*, in: Götting/Lauber-Rönsberg/Rauer (Hrsg.), Beck'scher Online-Kommentar Urheberrecht, ^{39}2023, VGG VGG, § 5, Rn. 10.

lich auch positiven Einfluss auf das Kräftegleichgewicht der sich gegenüberstehenden Parteien, was in diesem Verständnis erst recht Spielraum für eine liberalere räumliche Rechtsanwendung schafft. Auch wenn diejenige Verwertungsgesellschaft, welche Mehrstaatenlizenzen vergibt und bereits als „Hub-Gesellschaft" agiert, typischerweise größer und marktmächtiger sein mag, äußert sich das Machtungleichgewicht nicht bereits in den strukturellen Eigenschaften der Akteure. Zugangsprobleme zum System der Rechtewahrnehmung, seien sie nun national oder international, verlieren für Rechteinhaber im Modell der *right-holders' option* an Bedeutung und erweisen sich als wettbewerbliche Probleme allgemeinerer Art, denen grundsätzlich mit dem allgemeinen Wettbewerbsrecht begegnet werden kann.[990]

2) Bedeutung der Repertoireakkumulation

Eine weiterreichende marktgestaltende Funktion der Repräsentationspflichten kann allenfalls in der bezweckten Repertoireakkumulation bzw. Re-Aggregierung der Repertoires gesehen werden, welche negative Effekte des auf die Rechteinhaber ausgerichteten Wettbewerbsmodells auszugleichen versucht, um so den Lizenzierungsprozess zugunsten der Rechtenutzer grenzüberschreitend zu vereinfachen.[991] Dies lässt seinerseits an die Qualifikation der Repertoirerückzugsrechte denken, welche ebenso der Repertoireakkumulation dienen sollen. Doch auch die Repertoirerückzugsrechte sollen nach hier vertretener Ansicht einheitlich dem Wahrnehmungsstatut unterliegen, insbesondere um eine Rechtszersplitterung aus Sicht der Akteure zu vermeiden.[992]

3) Auswirkungsbezogene Betrachtungen

Schließlich lässt der Wortlaut der Regelung des Repräsentationszwangs im Gegensatz zur Formulierung in § 9 S. 1 VGG zwar keine unmittelbaren Rückschlüsse auf einen intendierten räumlichen Anwendungsbereich zu,

990 Siehe hierzu die Ausführungen beim Wahrnehmungszwang in diesem Kapitel (*D., IV., 1.), d.), (2)*) und zur kartellrechtlichen Kontrolle (*Teil 2, Kapitel 2, C*).

991 *Polak*, in: Wittmann (Hrsg.), Verwertungsgesellschaftengesetz 2016, 2018, § 60; *Kling*, Gebietsübergreifende Vergabe von Online-Rechten an Musikwerken, 2017, S. 199.

992 Zu den Repertoirerückzugsrechten siehe *E, II.* in diesem Kapitel.

denn § 69 VGG verzichtet auf eine ausdrückliche Nennung der freien Wahl der Wahrnehmungsgebiete. Die Intention der Vorschrift offenbart aber in gleicher Weise wie § 9 VGG eine Loslösung von der territorialen Beschränkung des Urheberrechts, denn die Repräsentation ist nicht monoterritorial ausgestaltet. Bei § 69 VGG geht es schon im Ausgangspunkt um Rechte für mehrere Territorien bzw. um „gebietsübergreifende Online-Rechte an Musikwerken".

Dies wird bei Betrachtung der Wirkungsweise des jeweiligen Statuts deutlich. Während bei Geltung des Wahrnehmungsstatuts eine Verwertungsgesellschaft mit Sitz in Deutschland unter den Voraussetzungen des § 69 VGG grundsätzlich alle Rechte ihrer Schwestergesellschaften ohne Rücksicht auf ein bestimmtes Territorium wahrnehmen muss – sofern sie für das jeweilige Gebiet (nur) bereits entsprechende Lizenzen vergibt –, würde sich diese Verpflichtung bei der Anwendung des Urheberrechtsstatuts auf die Lizenzierung in Deutschland beschränken. Der gewünschte multiterritoriale Hub würde wahrnehmungsrechtlich auf eine „multiterritoriale" (sprich „monoterritoriale") Lizenzierung allein für Deutschland hinauslaufen, wohingegen sich die Voraussetzungen des „Hub-Zugangs" für die bezweckte Lizenzierung in anderen Ländern nach deren jeweiligem Wahrnehmungs- oder Urheberrecht richten. Die Anwendung des Urheberrechtsstatuts würde den bezweckten Effekt also gerade nicht herbeiführen, sondern den Urheberrechtsverkehr über die Grenzen hinweg hemmen und die Rechtsanpassungskosten der „Hub-Gesellschaften" erhöhen.

Ein Deregulierungswettlauf dahingehend, dass manche Staaten zur Förderung ihrer eigenen Verwertungsgesellschaften zu einer Systemliberalisierung greifen könnten, droht gleichzeitig kaum bzw. scheint kaum bedrohliche Effekte zu haben. Denn potentielle „Hub-Gesellschaften" haben einen eigenen Anreiz, anderen Gesellschaften die Repräsentation anzubieten, da die so erwirkte Repertoirebündelung die eigene Attraktivität gegenüber den Nutzern erhöht und typischerweise Effizienzvorteile bringt. Wirken sich Kräfteungleichgewichte hingegen zulasten kleiner Gesellschaften aus, so bleibt grundsätzlich das Kartellrecht ein Maßstab zur Zugangskontrolle auch hinsichtlich der Repräsentation. Für Repräsentationspflichten der Verwertungsgesellschaften kann also grundsätzlich das Wahrnehmungsstatut zur Anwendung kommen.

III. Ergebnis

Das Gegenseitigkeits- und Repräsentationsverhältnis der Verwertungsgesellschaften ist von vertraglichen Verpflichtungen geprägt, für welche grundsätzlich mit dem Vertragsstatut die freie Rechtswahl gilt. Fehlt eine Rechtswahl, so ist die Ermittlung der vertragscharakteristischen Leistung im Gegenseitigkeitsverhältnis problematisch. Bei der einseitigen Beauftragung, also der Repräsentation, erbringt in der Regel die repräsentierende Verwertungsgesellschaft die vertragscharakteristische Leistung.

Die besondere wahrnehmungsrechtliche Verpflichtung zur Repräsentation unterfällt – wie die Wahrnehmungspflicht gegenüber den Rechteinhabern und die Repertoirerückzugsrechte – grundsätzlich dem Wahrnehmungsstatut. Die Anwendung einer einheitlichen Verpflichtung zur Repräsentation unabhängig vom jeweiligen räumlichen Geltungsbereich eines wahrzunehmenden Rechts entspricht am ehesten der Zielsetzung in § 69 VGG, die eine Akkumulierung territorial unterschiedlicher Repertoires bezweckt.

Es lässt sich folgende Kollisionsregel formulieren:

Repräsentationspflichten oder besondere gesetzliche Bedingungen der Repräsentation der Verwertungsgesellschaften gegenüber anderen Verwertungsgesellschaften unterliegen dem Recht des Staates, in dem die repräsentierende oder die für eine Repräsentation angefragte Gesellschaft ihren Sitz hat.

H. Kollisionsrechtliche Behandlung der Verwertungsgesellschaftseigenschaft

I. Die Bedeutung für den Anwendungsbereich des Verwertungsgesellschaftsrechts

Von großer Bedeutung ist schließlich die kollisionsrechtliche Behandlung der Frage, was überhaupt eine Verwertungsgesellschaft ist bzw. wann es sich bei einer „lizenzierenden Organisation" um eine Verwertungsgesellschaft handelt. Von der Beantwortung dieser Frage hängt letztlich die gesamte rechtliche Beurteilung der jeweiligen Tätigkeiten ab. Aus deutscher Sicht schränkt § 1 VGG den sachlichen Anwendungsbereich des Verwertungsgesellschaftsrechts auf die „Wahrnehmung von Urheberrechten und verwandten Schutzrechten durch Verwertungsgesellschaften, abhängige und unabhängige Verwertungseinrichtungen", ein. Was unter einer Verwertungsgesellschaft oder einer abhängigen bzw. unabhängigen Verwertungseinrichtung zu verstehen ist, definieren wiederum §§ 2, 3 und 4 VGG. Werden die einzelnen Tatbestandsmerkmale des deutschen bzw. europäischen Rechtsrahmens weit ausgelegt, so kann sich ein sachlicher Anwendungsbereich ergeben, der zu einer Regulierung bislang nicht vom Wahrnehmungsrecht erfasster Organisationen führt.[993]

Es scheint allerdings fraglich, ob es sich dabei überhaupt um ein Rechtsverhältnis handelt, welches die Frage nach dem räumlichen geltenden Recht aufwirft. Schließlich geht es allein um die Definition von Verwertungsgesellschaften bzw. um die Eröffnung eines spezifischen Regulierungsrahmens aufgrund einer definierten Tätigkeit einer Organisation.[994]

II. Kollisionsrechtliche Behandlung als Vor- oder Teilfrage

Dies erinnert an die Abgrenzung von Vor- und Teilfragen im Internationalen Privatrecht. Während es bei der Vorfrage um die „Frage nach dem Inhalt eines präjudiziellen Rechtsverhältnisses“[995] oder um die Frage nach dem Bestand eines präjudiziellen Rechtsverhältnisses[996] geht, ist für die Teilfrage charakteristisch, dass sie lediglich unselbständige Bestandteile einer Rechtsfigur abbildet und daher nicht selbst als individueller Gegenstand einer Hauptfrage in Betracht kommt.[997] Vorfragen treten im Konflikt um eine Hauptfrage zwar ebenfalls nur als eine Voraussetzung für deren Beantwortung auf, sie sind jedoch materiell-rechtlich von dieser unabhän-

---

993 So vertritt etwa *Kling* eine denkbar weite Interpretation des Anwendungsbereichs (*Kling*, Gebietsübergreifende Vergabe von Online-Rechten an Musikwerken, 2017, S. 164 ff. und S. 178 ff.). Nicht zuletzt könnte nach ihrer Auffassung ein Dienst, wie ihn YouTube erbringt, als unabhängige Verwertungseinrichtung angesehen werden.

994 Zur Struktur und zum Wesen von Kollisionsnormen siehe etwa *Kegel/Schurig*, Internationales Privatrecht, ^{9}2004, § 6 II. Zu Tatbestandsmerkmalen, die innerhalb Rechtsverhältnisses gesondert angeknüpft werden bereits *Serick*, RabelsZ 18 (1953), 633, 634.

995 *Wengler*, RabelsZ 8 (1934), 148, 149.

996 *Schmidt*, RC 1992, 305, 324; *Füllemann*, Die Vorfrage im internationalen Privatrecht, 1977, S. 6 bzw., als kombinierender Definitionsversuch, um die „Entscheidung über das Bestehen, Nichtbestehen oder den Inhalt eines anderen Rechtsverhältnisses“ (*Melchior*, Die Grundlagen des deutschen internationalen Privatrechts, 2016, S. 246)

997 *Bernitt*, Die Anknüpfung von Vorfragen im europäischen Kollisionsrecht, 2012, S. 10 f. und 18 f.; *von Hein*, in: ders. (Hrsg.), IPR I, ^{7}2018, Rn. 103 und 160; *Kegel/Schurig*, Internationales Privatrecht, ^{9}2004, § 9, II. 1.

gig, also zur Verselbständigung fähig. Folglich können sie in einem anderen Konflikt als Hauptfrage auftauchen.[998]

Die unterschiedliche Charakteristik von Vor- und Teilfrage nimmt Einfluss auf deren jeweilige kollisionsrechtliche Behandlung. Da die Vorfrage selbst Hauptfrage sein kann und damit potentiell eigenständige Relevanz entfaltet, ist sie auch nie ohne eine eigenständige kollisionsrechtliche Anknüpfung zu beantworten.[999] Bei der Teilfrage liegt dies anders, denn sie kann gerade nicht unabhängig von der Hauptfrage auftreten und damit selbständige kollisionsrechtliche Relevanz entfalten. Sie unterliegt daher, sofern keine speziellen gesetzlichen Kollisionsnormen für sie vorgesehen sind, in der Regel dem materiellen Recht der Hauptfrage.[1000]

Die hier aufgeworfene Frage, ob eine eigenständige kollisionsrechtliche Lösung für die Frage der Verwertungsgesellschaftseigenschaft notwendig ist, weist Parallelen zur Teilfrage auf. Typische Konstellationen der Teilfrage, welche im EGBGB kollisionsrechtlich geregelt sind und damit nach dem gesetzgeberischen Willen ein von der Hauptfrage unabhängiges Dasein führen, betreffen etwa die Rechts- und Geschäftsfähigkeit (Art. 7 EGBGB), die Form von Rechtsgeschäften (Art. 11 EGBGB) und die Stellvertretung (Art. 8 EGBGB).[1001] Auch wird (gesetzgeberisch) auf eine gesonderte Anknüpfung von Fragen wie der Deliktsfähigkeit im Rahmen des Deliktstatuts, der Erb- und Testierfähigkeit im Rahmen des Erbstatuts und der Ehefähigkeit im Rahmen des Ehestatuts meist verzichtet. Sie werden in der Regel als unselbständiger Teil der Hauptfrage behandelt.[1002] Auch die Frage, ob eine Organisation die Tätigkeit einer Verwertungsgesellschaft ausübt, bzw. was eine Verwertungsgesellschaft ist, stellt sich als eine Frage der Eigenschaft der Organisation dar, welche den Fragen nach der Delikts- oder Geschäftsfähigkeit nicht unähnlich ist. Entscheidend ist daher, ob die Bestimmung der Verwertungsgesellschaftseigenschaft auch in Bezug auf

---

998 *Von Hein*, in: ders. (Hrsg.), IPR I, [7]2018, Rn. 160.

999 Siehe nur: *Junker*, Internationales Privatrecht, [4]2021, § 10, Rn. 4 f. und *Kegel/Schurig*, Internationales Privatrecht, [9]2004, § 10, Rn. 4 f. Umstritten ist dann lediglich, ob eine selbständige Anknüpfung nach den Kollisionsregeln der *lex fori* oder eine unselbständige, nach den Kollisionsregeln der *lex causae* erfolgen soll.

1000 *Bernitt*, Die Anknüpfung von Vorfragen im europäischen Kollisionsrecht, 2012, S. 11; *Kegel/Schurig*, Internationales Privatrecht, [9]2004, § 9 II. 1.; *von Hein*, in: ders. (Hrsg.), IPR I, [7]2018, Rn. 103, kritisch *Junker*, Internationales Privatrecht, [4]2021, § 10, Rn. 39 ff.

1001 *Junker*, Internationales Privatrecht, [4]2021, § 10, Rn. 40 f.

1002 *Kegel/Schurig*, Internationales Privatrecht, [9]2004, § 9, II. 1. Und kritisch hinterfragend *Serick*, RabelsZ 18 (1953), 633, 634 f.

andere Fragen eine Eigenständigkeit entwickeln kann, die es rechtfertigt, sie kollisionsrechtlich eigenständig zu behandeln.[1003] Sinnvoll wäre dies, wenn die Frage nach dem Status einer Organisation – ob Verwertungsgesellschaft oder nicht – in unterschiedlichen Konstellationen auftritt und ein Bedürfnis danach besteht, dies einheitlich und unabhängig vom jeweiligen Kontext zu klären.

Ob eine Organisation als Verwertungsgesellschaft oder sonstige Verwertungseinrichtung (i.S. des deutschen oder europäischen Rechtsrahmens) einzuordnen ist, ist am Beginn einer jeden Prüfung der speziell auf Verwertungsgesellschaften zugeschnittenen Verpflichtungen zu untersuchen. Eine darüberhinausgehende Bedeutung kommt dem hingegen nicht zu. Wird die Statusfrage nun nicht gesondert als Vorfrage angeknüpft, sondern stets nach dem Recht desjenigen Landes entschieden, welches für die Hauptfrage gilt, so kann es dazu kommen, dass dieselbe Organisation hinsichtlich mancher Fragen[1004] als Verwertungsgesellschaft behandelt wird, hinsichtlich anderer Fragen[1005] hingegen nicht. Wird der Status also nicht einheitlich – d.h. nicht als kontextunabhängige Vorfrage – bestimmt, so ist er nicht statisch, sondern abhängig vom jeweiligen kollisionsrechtlichen Ergebnis der Hauptfrage. Normwidersprüche, die sich aus dieser Abhängigkeit zur Hauptfrage ergeben, können unangenehme Folgen haben und dem Prinzip einer klaren Ordnung durch das Recht widersprechen. So hat etwa die Gültigkeit der Ehe (was hingegen eine Vorfrage darstellt) viele unterschiedliche Folgen – beispielsweise auf die persönlichen Ehewirkungen, das Ehegüterrecht, die Scheidung, die Abstammungsvermutung und die Rechtsstellung der Kinder sowie auf das gesetzliche Erbrecht. Würde die Frage nach der Ehegültigkeit nun jeweils dem Kollisionsrecht der Hauptfrage unterworfen, so könnte die Ehe in manchen Fällen bestehen, in anderen nicht, je nachdem wonach gerade in der Hauptsache gefragt wird. Dieses Ergebnis widerspricht dem inneren Entscheidungseinklang und der Ordnungsaufgabe des Rechts. Die Abhängigkeit des Status vom Kontext der konkreten Frage schafft dann einen kaum zu vermittelnden Zustand „juristischer Schizophrenie".[1006]

1003 *Kegel/Schurig*, Internationales Privatrecht, [9]2004, § 9, II. 1.

1004 Für die – wie beim Wahrnehmungszwang – das Recht des Sitzlandes der Verwertungsgesellschaft gilt.

1005 Für die – wie beim Lizenzierungszwang – das Recht desjenigen Staates gilt, für den eine Lizenz beansprucht wird.

1006 Mit diesen Worten *Kegel/Schurig*, Internationales Privatrecht, [9]2004, § 9, II. 1. mit Verweis auf *W. Goldschmidt*.

Bei der Frage nach dem Status einer Verwertungsgesellschaft liegt dies anders. Er ist ohnehin künstlich und als Regulierungsmittel des Wirtschaftsrechts notwendigerweise kontextabhängig. Umgekehrt gedacht: Wäre der Status einer Verwertungsgesellschaft, unabhängig von der Hauptfrage kollisionsrechtlich einheitlich zu bestimmen, so käme hierfür wohl am ehesten das Recht des Sitzlandes der betreffenden Organisation in Betracht. Hat dieses nun eine denkbar enge Definition, so wäre beispielsweise der deutsche Regulierungsrahmen sachlich nicht anwendbar, selbst wenn das Kollisionsrecht für die Hauptfrage – bspw. eine Lizenzierungspflicht – deutsches Recht berufen und es sich bei der Organisation nach der Definition der §§ 2 ff. VGG aus deutscher Sicht um eine Verwertungsgesellschaft handeln würde. Umgekehrt mag ein ausländischer Regulierungsrahmen kaum besondere inhaltliche Pflichten für Verwertungsgesellschaften vorsehen, dafür aber eine Reihe von Organisationen einbeziehen, die nach deutschem Recht nicht als Verwertungsgesellschaften behandelt würden. Dann wären die teilweise sehr strengen Vorschriften des deutschen Wahrnehmungsrechts auch für Organisationen anwendbar, die aus gutem Grund sachlich von der Regulierung durch das VGG ausgenommen sind. Der sachliche Anwendungsbereich und damit die Definition der Verwertungsgesellschaften korrespondiert also unweigerlich mit dem jeweiligen Inhalt der Regulierung, weshalb allein ein kollisionsrechtlicher Gleichlauf beider zu einem ausgewogenen Ergebnis führt. Die einheitliche Feststellung des Status ist auch keinesfalls notwendig, da es für grenzüberschreitend tätige Organisationen – anders als etwa in familienrechtlichen Verhältnissen – keinesfalls überraschend ist, in verschiedenen Kontexten nach unterschiedlichen Maßstäben behandelt oder gar definiert zu werden. Da die Bestimmung des Status im Verwertungsgesellschaftsrecht keine andere Funktion hat, als den besonderen nationalen Pflichtenkatalog für Verwertungsgesellschaften sachlich zu öffnen oder geschlossen zu halten, kann es keine autonome kollisionsrechtliche Beurteilung des Status geben, vielmehr ist die Beurteilung des Status stets abhängig vom anwendbaren Recht der Hauptfrage, um die es eigentlich geht.

III. Ergebnis

Die Frage nach der Verwertungsgesellschaftseigenschaft ist keine kollisionsrechtliche Vorfrage. Sie weist hingegen die Merkmale der Teilfrage auf. Für die Teilfrage ist bezeichnend, dass sie keine selbstständige kollisionsrechtliche Bedeutung hat, sondern allein im Zusammenhang mit einer Hauptfrage auftritt. Dies ist auch bei der Frage nach der Verwertungsgesellschaftseigenschaft, mithin nach dem Status einer Lizenzorganisation, der Fall – sie stellt sich nie isoliert, sondern stets nur im Zusammenhang mit einer Hauptfrage. Ihr kommt so gesehen auch kein eigener normativer Gehalt im Sinne des Internationalen Privatrechts zu. Alle normativen international-privatrechtlichen Erwägungen stecken in der Hauptfrage und so ergibt sich aus der gesetzlichen Definition auch keine eigene Rechtsfolge, außer derjenigen der sachlichen An- oder Unanwendbarkeit eines besonderen Regulierungsrahmens. Zugleich hängt die materiell-rechtliche Frage der Anwendbarkeit des Regulierungsrechts für Verwertungsgesellschaften eng mit der inhaltlichen Ausgestaltung des Regulierungsrechts zusammen und damit mit dem Gegenstand, nach dessen Anknüpfung die Hauptfrage sucht. Beide sind aufeinander abgestimmt und sollten nicht kollisionsrechtlich auseinandergerissen werden.

Für die Frage nach der Verwertungsgesellschaftseigenschaft ist daher keine eigenständige kollisionsrechtliche Lösung erforderlich. Sie ist vielmehr nach dem jeweiligen Recht zu beantworten, welches auch für die Hauptfrage gilt.

I. Gesamtergebnis

I. Zusammenfassung

Weder das VGG noch die europäische Verwertungsgesellschaftenrichtlinie halten ein eigenständiges kollisionsrechtliches Konzept für die grenzüberschreitende kollektive Rechtewahrnehmung bereit, obwohl mit der Reform des Wahrnehmungsrechts eine Internationalisierung (zumindest Europäisierung) der Wahrnehmung verbunden sein sollte. Das Kollisionsrecht war daher auf andere Weise zu ermitteln. Dabei erfolgte insbesondere eine Orientierung an den Funktionen der Verwertungsgesellschaften sowie des Verwertungsgesellschaftsrechts und dessen systematischer Verankerung zwischen Urheber-, Wettbewerbs- und Vertragsrecht, wobei auch das parallel bestehende öffentliche Aufsichtsrecht mit seiner ganz eigenen Konzeption der räumlichen Anwendung berücksichtigt wurde. Die Rechtsbeziehungen der Verwertungsgesellschaften beruhen in erster Linie auf Verträgen, was zunächst dafür spricht, die Rechtsverhältnisse unter das Vertragsstatut zu subsumieren. Hieraus würde allerdings eine grundsätzliche Rechtswahlfreiheit resultieren, die ihrerseits dem regulatorischen Charakter des Wahrnehmungsrechts und dessen funktionaler Zuordnung zu anderen Rechtsbereichen nicht gerecht würde. So sollten die Ausführungen verdeutlichen, dass dem Verwertungsgesellschaftsrecht vor allem eine dem Urheberrecht dienende Funktion zukommt. Diese äußert sich zunächst in verschiedenen transaktionskostenbezogenen Vorteilen, welche den Urheberrechtsverkehr in vielen Bereichen erst ermöglichen, zumindest jedoch vereinfachen. Zugleich wurde auf kulturelle und soziale Aspekte der Kollektivierung hingewiesen. Das Verwertungsgesellschaftsrecht bewirkt – oder versucht –, einen Kräfte- und Interessenausgleich auf verschiedenen Ebenen des Urheberrechts zu bewirken und kann so als Ergänzung des Urhebervertragsrechts und als Ergänzung oder Voraussetzung der urheberrechtlichen Schranken verstanden werden. Über Verwertungsgesellschaften soll ein Mittelweg zwischen Vergütungsinteressen der Urheber – zugleich ein Weg zur ausgleichenden Verteilung innerhalb der verschiedenen Kategorien von Rechteinhabern – und dem Werkzugangsanspruch der Rechtenutzer geschaffen werden. Aus diesem Funktionszusammenhang ergab sich zunächst ein vermuteter Gleichlauf zwischen internationalem Urheber- und internationalem Verwertungsgesellschaftsrecht. Diesen auswirkungsbezogenen kollisionsrechtlichen Ansatz bestätigten die wettbewerblichen Dimensionen des Verwertungsgesellschaftsrechts.

Als zusätzliches liberaleres Statut zwischen *lex loci protectionis* und Rechtswahlfreiheit wurde das Wahrnehmungsstatut entwickelt, welches zum Recht des Sitzlandes der jeweiligen Verwertungsgesellschaft führt. Es nimmt dabei auch aufsichtsrechtliche Strukturen auf und erinnert zugleich an das kollisionsrechtlich bekannte Gesellschaftsstatut. Doch im Gegensatz zum Gesellschaftsstatut geht es beim Wahrnehmungsstatut nicht um typisch gesellschaftsrechtliche Fragen, wie die Entstehung der Gesellschaft bzw. Kooperation, ihre Rechtsfähigkeit und innere Verfassung. Auch geht es nicht um die Vertretung nach außen, Haftungsfragen oder um die Abwicklung der Gesellschaft. Es geht vielmehr um spezifisch verwertungsgesellschaftsrechtliche Verhältnisse, wie sie sich beispielsweise im Treuhandverhältnis zwischen Rechteinhabern und der Verwertungsgesellschaft zeigen.

Im Ausgangspunkt wurde nach der Tätigkeitsrichtung der Verwertungsgesellschaften unterschieden, woraus sich drei übergeordnete Rechtsverhältnisse ergaben: das Wahrnehmungsverhältnis, das Lizenzverhältnis und das Gegenseitigkeitsverhältnis. Während das Wahrnehmungsverhältnis grundsätzlich vom Wahrnehmungsstatut beherrscht wird, wurde für das Lizenzverhältnis ein auswirkungsbezogener Ansatz gewählt. Ausgangspunkt war die Abgrenzung von Wahrnehmungs- und Abschlusszwang auch in ihren jeweiligen urheberrechtlichen Funktionen. Der Wahrnehmungszwang erwies sich als eine Reaktion auf allgemeine wettbewerbliche Zugangsprobleme, welchen grundsätzlich mit dem Wettbewerbsrecht selbst (auswirkungsbezogen) begegnet werden kann. Dieser liberalere Ansatz dient der Förderung der grenzüberschreitenden Betätigung der Verwertungsgesellschaften, beschränkt sich jedoch grundsätzlich auf die Wahrnehmung des Ausschließlichkeitsrechts. Denn im Bereich der verwertungsgesellschaftspflichtigen Rechte und der gesetzlichen Vergütungsansprüche nehmen die Verwertungsgesellschaften eine andere Rolle ein, die sich unmittelbar auf die Funktionsgewährleistung des Urheberrechts in seiner gesetzlichen Konzeption bezieht. Diese Unterscheidung findet ihre Fortsetzung bei der Verteilung der Einnahmen durch Verwertungsgesellschaften, wobei sich jede urheberrechtliche Qualifikation als Eingriff in ein ausländisches Wahrnehmungsverhältnis darstellt, was aus Sicht der Verwertungsgesellschaften erheblichen organisatorischen Aufwand bedeutet (Verkehrsinteressen). Der Rückgriff auf das Urheberrechtsstatut erfolgt daher zurückhaltend und beschränkt sich auf Fälle, in denen das nationale Urheberrecht, auf dessen Grundlage die Einnahmen entstanden sind, selbst eine zwingende Verteilungsregelung vorsieht von der die Parteien nicht durch Vereinbarung abweichen können und deren internationale Durchsetzung aus Sicht des Staates, nach dessen Recht die Vergütung entstanden ist, zwingend erforderlich ist.

Das Lizenzverhältnis, insbesondere der Abschluss- bzw. Lizenzierungszwang und die damit verbundene Tarifkontrolle, reflektiert eine andere Funktion der Verwertungsgesellschaften im System des Urheber- und Wahrnehmungsrechts. Als wesentliches Vehikel zur Vereinfachung der Werknutzung findet sich in ihnen ein Regelungskonzept, welches als Antwort auf strukturelle Probleme im Zusammenhang mit der Konzeption des Urheberrechts als Ausschließlichkeitsrecht und damit in seiner Wirkungsweise als eine Alternative zum formalen Schrankenkonzept im Urheberrecht verstanden werden kann. Wettbewerbliche Prinzipien liegen den Zugangsansprüchen ebenso zugrunde wie urheberrechtliche. Zugleich kann auf die strenge Anwendung des Auswirkungsprinzips auf Lizenzebene nicht verzichtet werden, da der Wettbewerb der Verwertungsgesellschaften um attraktive Repertoires die Abhängigkeit der Nutzer nicht verringert. Rechte und Pflichten der Verwertungsgesellschaften, welche sich auf das Lizenzverhältnis beziehen, folgen daher insgesamt einem auswirkungsbezogenen Ansatz, welcher zur Anwendung der *lex loci protectionis* führt.

Das Gegenseitigkeitsverhältnis ist schließlich vertragsrechtlich geprägt. Allein für eng umgrenzte Rechte und Pflichten wird ein weniger offenes Kollisionsrecht befürwortet. Besonders der Repräsentationszwang wurde dabei untersucht. Ihm kommt einerseits eine marktgestaltende Funktion zu, doch überwog hier die Nähe zum Wahrnehmungszwang gegenüber den Rechteinhabern, was zur Anwendung des Sitzlandrechts führte.

Die Frage der Definition von Verwertungsgesellschaften erweist sich nicht als kollisionsrechtliche Vorfrage, sondern als akzessorisch anzuknüpfende Teilfrage. Sie erfährt keine eigenständige Relevanz, sondern dient allein der Eröffnung des Anwendungsbereichs einer speziellen Rechtsmaterie, welche ihrerseits besondere Verpflichtungen einführt und damit Rechtsverhältnisse begründet, nach deren kollisionsrechtlicher Behandlung allein zu fragen ist.

II. Darstellung der kollisionsrechtlichen Vorschläge

Das Rechtsverhältnis zwischen Verwertungsgesellschaften und Rechteinhabern

Die Bedingungen der Wahrnehmung

(1) *Die Bedingungen der Wahrnehmung, insbesondere gesetzliche Wahrnehmungsverpflichtungen und Diskriminierungsverbote der Verwertungsgesellschaften gegenüber den Rechteinhabern, unterliegen dem Recht des Staates, in dem die Verwertungsgesellschaft ihren Sitz hat.*

(2) *Geht es um die Bedingungen der Wahrnehmung eines gesetzlichen Vergütungsanspruches oder eines in sonstiger Weise eingeschränkten Rechts, dessen Wahrnehmung zwingend durch Verwertungsgesellschaften zu erfolgen hat, so ist abweichend von Absatz 1 das Recht desjenigen Staates anzuwenden, für dessen Gebiet ein Urheberrecht oder ein verwandtes Schutzrecht wahrgenommen werden soll. Satz 1 gilt nicht, sofern die Verwertungsgesellschaft das betreffende Recht oder den Vergütungsanspruch nicht für das jeweilige Gebiet aktiv und selbständig wahrnimmt.*

Die Struktur der Verwertungsgesellschaft und die Rechte der Mitglieder

Die Bedingungen der Mitgliedschaft in einer Verwertungsgesellschaft, Beschränkungen bei der Wahl der Rechtsform, ihre organisatorische Struktur, die Mitwirkungsmöglichkeiten der Mitglieder und Berechtigten sowie ähnliche Besonderheiten der Entscheidungsfindung innerhalb der Verwertungsge-

sellschaften unterliegen dem Recht des Staates, in dem die Verwertungsgesellschaft ihren Sitz hat.

Die Einnahmen der Verwertungsgesellschaften

(1) *Die Berechnung der Einnahmen der Verwertungsgesellschaft und ihre Verteilung an die Berechtigten unterliegt dem Recht des Staates, in dem die Verwertungsgesellschaft ihren Sitz hat.*
(2) *Geht es um Einnahmen aus gesetzlichen Vergütungsansprüchen oder verwertungsgesellschaftspflichtigen Rechten, an deren Einziehung eine Verwertungsgesellschaft unmittelbar mitgewirkt hat, soll das zuständige Gericht auf Fragen der Berechnung und Verteilung das Recht desjenigen Landes anwenden, aus dessen nationalem Urheberrecht die Einnahmen entstanden sind, sofern das Urheberrecht jenes Landes, eine zwingende Verteilungsregelung vorsieht von der die Parteien nicht durch Vereinbarung abweichen können und deren internationale Durchsetzung aus der Sicht dieses Rechts zwingend erforderlich ist.*

Die Beendigung der Rechtewahrnehmung

Die Beendigung des Wahrnehmungsverhältnisses, insbesondere im Hinblick auf gesetzliche Repertoirerückzugsrechte und ähnliche Rechte zur Beendigung des Wahrnehmungsverhältnisses und des Entzugs der Rechte in ihrer Gesamtheit oder in Teilen, unterliegt dem Recht des Staates, in dem die Verwertungsgesellschaft ihren Sitz hat.

Die Rechtsverhältnisse zwischen Verwertungsgesellschaften und Nutzern

Der Zugang zu Rechten

(1) *Die Bedingungen des Zugangs zu Urheberrechten und verwandten Schutzrechten, welche von einer Verwertungsgesellschaft wahrgenommen werden, unterliegen dem Recht des Staates, für dessen Gebiet eine Lizenzierung erfolgen soll.*
(2) *Zu den Bedingungen des Rechtezugangs gehören insbesondere:*
   1. *der Abschlusszwang, Diskriminierungsverbote und Verhandlungspflichten,*
   2. *die Tarife sowie*
   3. *die Verpflichtung zum Abschluss von Gesamtverträgen.*
(3) *Die Befugnis zur und die Bedingungen der Nutzung ohne Lizenz – etwa bei Scheitern der Verhandlungen – unterliegen ebenfalls dem Recht*

des Staates, für den eine Nutzung der Urheberrechte oder verwandten Schutzrechte erfolgt oder erfolgen soll.

Informationspflichten

Die Informationspflichten der Verwertungsgesellschaften gegenüber den Rechtenutzern, insbesondere im Hinblick auf die wahrgenommenen Rechte oder die bereitgestellten Tarife, unterliegen dem Recht des Staates, für dessen Gebiet eine werkbezogene Information verlangt wird.
Die Informationspflichten der Rechtenutzer gegenüber den Verwertungsgesellschaften, insbesondere im Hinblick auf erfolgte Repertoirenutzungen, unterliegen dem Recht des Staates, für dessen Gebiet eine werkbezogene Information verlangt wird.

Vermutungen der Wahrnehmungsbefugnis

Gesetzliche oder tatsächliche Vermutungen der (werkbezogenen) Wahrnehmungsbefugnis von Verwertungsgesellschaften sowie die Möglichkeit und die Voraussetzungen der Wahrnehmung von Rechten ohne Zustimmung der Rechteinhaber unterliegen dem Recht des Staates, auf dessen Urheberrecht oder verwandtes Schutzrecht sich die Vermutung oder die tatsächliche Wahrnehmung bezieht.

Die Rechtsverhältnisse zwischen Verwertungsgesellschaften

Repräsentationspflichten oder besondere gesetzliche Bedingungen der Repräsentation der Verwertungsgesellschaften gegenüber anderen Verwertungsgesellschaften unterliegen dem Recht des Staates, in dem die repräsentierende oder die für eine Repräsentation angefragte Gesellschaft ihren Sitz hat.

Kapitel 2. Korrekturen des kollisionsrechtlichen Ergebnisses durch das Herkunftslandprinzip – ein neues Binnenmarktkollisionsrecht?

A. Ausgangsbetrachtung

Die Untersuchung des Kollisionsrechts der kollektiven Rechtewahrnehmung führte zur Entstehung eines differenzierenden kollisionsrechtlichen Konzepts, in welchem sich manche Rechte und Pflichten der Verwertungsgesellschaften bzw. rechtliche Standards verwertungsgesellschaftlichen Handelns aus dem Recht des Staates ergeben, in welchem die betreffende Verwertungsgesellschaft ihren Sitz hat, andere aus dem Recht desjenigen Staates, dessen Urheberrecht betroffen ist. Auch die Rechtswahlfreiheit durch Geltung des Vertragsstatuts erhielt Raum.

Die VG-Richtlinie führt zur Angleichung des nationalen Verwertungsgesellschaftsrechts in Europa, wobei für die meisten Bereiche lediglich eine Mindestharmonisierung vorgesehen ist.[1007] Im Ergebnis bleiben nach wie vor 26 eigenständige Rechtsordnungen zur Regelung der Materie „Verwertungsgesellschaftsrecht" in der EU bestehen, inhaltlich stehen sie jedoch auf dem gemeinsamen Fundament der VG-RL. Ziel der VG-RL ist die Etablierung eines „koordinierten" Systems nationaler Vorschriften zur kollektiven Rechtewahrnehmung (ErwG. 8) und die Sicherung hoher Leistungsstandards der Verwertungsgesellschaften (ErwG. 9). Auf dieser Grundlage soll sodann dem übergeordneten Zweck – der Förderung des Binnenmarkts für kreative Güter – Rechnung getragen werden. Das Binnenmarktkonzept mündet so in der Idee der Förderung „paneuropäischer" Lizenzen, vergeben durch Verwertungsgesellschaften. Mittel zur Erreichung dieses Zwecks ist einerseits der inhaltliche Ansatz der VG-RL selbst (u.a. die Repertoirebündelung bei einigen leistungsfähigen Verwertungsgesellschaften zur Vergabe in mehreren Ländern), andererseits sollen Verwertungsgesellschaften bei ihrer grenzüberschreitenden Betätigung möglichst geringen Störungen ausgesetzt sein. Störung meint in diesem Zusammenhang auch die Störung durch Recht bzw. die Störung, die dadurch entstehen

1007 Siehe Erwägungsgründe 9, 20, 27, 29 und 40.

kann, dass Verwertungsgesellschaften ihre Tätigkeit an mehreren nationalen Rechtsordnungen ausrichten müssen, sobald sie mit ihnen „räumlich in Kontakt treten". Dabei vermindert zuerst die Rechtsangleichung Reibungen, welche durch die Geltung mehrerer Rechtsordnungen entstehen – ähnliche Standards erleichtern die Anpassung an die nationalen Systeme.[1008]

Die VG-RL geht jedoch weiter. In Artikel 36 und 37 der VG-RL erfolgt eine Konzentration der behördlichen Kontrolle im Sitzland der Verwertungsgesellschaften. Dies betrifft zunächst das System der aufsichtsrechtlichen Kontrolle. Doch auch von unterschiedlichen privatrechtlichen Standards bzw. Standards, die mit den Mitteln des Privatrechts durchgesetzt werden können, gehen potentielle „Störungen" für die freie europaweite Betätigung der Gesellschaften aus. Bereits in Teil 2 der Arbeit wurde festgestellt, dass die VG-RL privatrechtliche Rechte und Pflichten schafft. In Teil 3 Kapitel 1 wurde außerdem festgestellt, dass die VG-RL kein eigenständiges formelles Konzept eines Internationalen Privatrechts der kollektiven Rechtewahrnehmung verfolgt bzw. hierbei keine unmittelbaren Vorgaben macht. Das im vorangegangenen Kapitel erarbeitete allgemeine Kollisionsrecht bildet daher auch hier den Ausgangspunkt der Betrachtung. Gleichwohl scheinen Anpassungen aufgrund des Binnenmarktkonzepts für innereuropäische Sachverhalte nicht ausgeschlossen. Sie sind abhängig von der konkreten Bedeutung und Reichweite des in der Verwertungsgesellschaftsrichtlinie und anderen europäischen Rechtsakten angelegten – und nicht zuletzt des primärrechtlichen – Sitz- bzw. Herkunftslandprinzips.[1009]

1008 *Thünken*, Das kollisionsrechtliche Herkunftslandprinzip, 2003, S. 34. Siehe auch Erwägungsgründe 38–40.

1009 Die verwendete Terminologie ist uneinheitlich. In Deutschland ist der Begriff *Herkunftslandprinzip* am gebräuchlichsten. Er wird auch hier meist verwendet, wenn die Thematik abstrakt oder im Kontext anderer europäischer Rechtsakte behandelt wird. Die VG-RL bezieht sich hingegen auf das Sitzland der Verwertungsgesellschaft. Diese Terminologie wird aufgenommen und im Zusammenhang mit Verwertungsgesellschaften daher meist von *Sitzlandprinzip* gesprochen. Um spezifisch kollisionsrechtliches Vokabular zu vermeiden, bevorzugen andere Autoren den Begriff der *gegenseitigen Anerkennung* (in Anlehnung an die englische Terminologie – *mutual recognition*) (*Drexl*, in: von Hein (Hrsg.), MüKo IPR II, [8]2021, Rom II-VO Art. 6 Rn. 45 ff.). Geht es um das Sekundärrecht, ist häufig auch der Begriff *Binnenmarktklausel* anzutreffen. Dabei handelt es sich nicht um gleichwertige, alternativ verwendbare Schlagworte, vielmehr transportiert jede Begrifflichkeit einen anderen Inhalt oder rückt zumindest eine spezifische Bedeutung in den Vordergrund. Der Begriff *Sitzlandprinzip* unterscheidet sich jedoch nicht per se vom *Herkunftslandprinzip,* welches seinerseits an die Niederlassung bzw. Ansässigkeit im Herkunftsland (teilweise aber auch nur an die Herkunft einer

Bereits die dogmatische Einordnung des Herkunftslandprinzips ist umstritten. Sie steht am Beginn der Untersuchungen in diesem Kapitel. Der Streit um die Frage, ob das europäische Herkunftslandprinzip eine „versteckte Kollisionsregel" enthält, wird in Grundzügen dargestellt. Dabei stellt sich die Frage, inwieweit die Tätigkeit der Verwertungsgesellschaften diesem Prinzip unterfällt. Enthält die VG-RL eine „Binnenmarktklausel" mit Wirkung für das anwendbare Privatrecht und/oder fällt die Wahrnehmungstätigkeit der Verwertungsgesellschaften in den Anwendungsbereich der Dienstleistungs- oder E-Commerce-Richtlinie? Schließlich ist nach den praktischen Folgen der Anwendung der verschiedenen „Binnenmarktmechanismen" für die Rechtsanwendung im europäischen Rechtsverkehr der Verwertungsgesellschaften zu fragen.

B. Bedeutung des Herkunftslandprinzips und seine Wirkung auf das Kollisionsrecht

I. Das Herkunftslandprinzip – von der Erfassung verwaltungsrechtlicher Kontrollen zur Erstreckung auf zivilrechtliche Fragen

Seine Grundlage findet das europäische Herkunftslandprinzip in der *Dassonville* Entscheidung des EuGH.[1010] So enthält die *Dassonville*-Formel schon den wesentlichen Grundsatz, dass Waren, die bereits in einem Mitgliedstaat legal vermarktet worden sind, in anderen Mitgliedstaaten nicht vom Verkehr ausgeschlossen werden dürfen, wenn es dafür keine besondere Rechtfertigung gibt.[1011] Noch deutlicher wurde der EuGH in seiner berühmtesten Entscheidung *Cassis de Dijon* von 1979, in der er ausführte, dass es „[…] keinen stichhaltigen Grund dafür [gibt], zu verhindern, daß in einem Mitgliedstaat rechtmäßig hergestellte und in den Verkehr gebrachte

---

Ware oder Dienstleistung) anknüpft und daher ebenso gut mit *Niederlassungs- Ansässigkeits-* oder eben *Sitzlandprinzip* beschrieben wäre (*Mankowski*, IPRax 2002, 257 ff.; zum Begriff auch *Ohly*, in: Ohly/Sosnitza/Köhler u.a. (Hrsg.), Gesetz gegen den unlauteren Wettbewerb, [8]2023, Einf. C, Rn. 65 und inhaltlich als „Kontrolle an der Quelle" bezeichnet von *Glöckner*, WRP 2005, 195 ff.). Für die Definition der Niederlassung kann grds. auf den Begriff der „Ansässigkeit" in Art. 56 AEUV bzw. den der „Niederlassung" in Art. 49 AEUV zurückgegriffen werden (*Thünken*, Das kollisionsrechtliche Herkunftslandprinzip, 2003, S. 24).

1010 EuGH, C-8/74, ECLI:EU:C:1974:82 – *Dassonville.*

1011 *Basedow*, RabelsZ 1995, 1, 7.

alkoholische Getränke in die anderen Mitgliedstaaten eingeführt werden [...]."[1012]

Bezog sich die binnenmarktfreundliche Auslegung der Grundfreiheiten zunächst auf die Regelungen des Importstaates über das Inverkehrbringen und die Vermarktung von Waren und Dienstleistungen,[1013] folgte schon bald eine anfangs kaum wahrgenommene Erstreckung auf das Privatrecht, vor allem auf das Wirtschaftsprivatrecht. Die anfängliche Beschränkung auf den Bereich des Wirtschaftsaufsichtsrechts überrascht nicht, ist es doch primäres Ziel, des aus den Grundfreiheiten abgeleiteten Herkunftslandprinzips Mehrfachzuständigkeiten abzubauen, was mit einer horizontalen Kompetenzverlagerung hin zum Herkunftsstaat einhergeht.[1014] Sodann war besonders das Lauterkeitsrecht als Marktverhaltensrecht früh Gegenstand von Beanstandungen durch den EuGH.[1015] Aus deutscher Sicht liegt hierin eine

---

1012 EuGH, C-120/78, ECLI:EU:C:1979:42, Rz. 14 – *Cassis de Dijon.*

1013 Oft ging es hierbei um nationale Produktstandards und Vorschriften zur Produktsicherheit. Die Entscheidung *Dassonville* bezog sich auf das belgische Erfordernis eines amtlichen Echtheitszertifikats für die Einfuhr und den Vertrieb von Branntwein, der eine anerkannte Ursprungsbezeichnung trägt. Hierbei handelte es sich um eine öffentlich-rechtliche Bestimmung zur Kontrolle von Produktstandards. In der Entscheidung *Cassis de Dijon* ging es um eine deutsche Vorschrift, die den Alkoholgehalt von „Likören" auf mindestens 32 % festsetzte.

1014 *Roth*, RabelsZ 55 (1991), 623, 666.

1015 Hierzu gehören einige der bekanntesten Entscheidungen aus der Rechtsprechung des EuGH zu den Grundfreiheiten. In Bezug auf die Warenverkehrsfreiheit sind dies u.a.: EuGH, C-120/78, ECLI:EU:C:1979:42 – *Cassis de Dijon*; EuGH, C-286/81, ECLI:EU:C:1982:438 – *Oosthoek* (zur Anwendbarkeit eines niederländischen Verbots von Zugaben beim Import von Lexika aus Belgien); EuGH, C-362/88, ECLI:EU:C:1990:102 – *GB-Inno* (ein belgischer Supermarkt verteilte Werbeprospekte in Luxemburg, die gegen lauterkeitsrechtliche Angabeverbote verstießen); EuGH, C-126/91, ECLI:EU:C:1993:191 – *Yves Rocher* (zum Verbot des blickfangmäßigen Eigenpreisvergleich); EuGH, C-267/91 und 268/91, ECLI:EU:C:1993:905 – *Keck und Mithouard* (über das französische Verbot des Warenverkaufs unter Einstandspreis); als Entscheidungen, die sich mit dem lauterkeitsrechtlichen Irreführungs- und Werbeverboten beschäftigen, sind weiterhin zu nennen: EuGH, C-315/92, ECLI:EU:C:1994:34 – *Clinique*; EuGH, C-470/93, ECLI:EU:C:1995:224 – *Mars*; EuGH, C-368/95, ECLI:EU:C:1997:325 – *Vereinigte Familiapress* und EuGH, C-405/98, ECLI:EU:C:2001:135 – *Gourmet International.* Im Bereich der Mediendienste auch EuGH, C-34/95, ECLI:EU:C:1997:344 – *De Agostini*; EuGH, C-244/06, ECLI:EU:C:2008:85 – *Dynamic Medien* (bzgl. Jugendschutz). Außerdem sind folgende Entscheidungen hervorzuheben: EuGH C-275/92, ECLI:EU:C:1994:11 – *Schindler*; EuGH, C-384/93, ECLI:EU:C:1995:126 – *Alpine Investments*; EuGH, C-62/79, ECLI:EU:C:1980:84 – *Coditel I*; EuGH, C-403/08 und C-429/08, ECLI:EU:C:2011:631 – *FAPL und Murphy.*

klare Erstreckung des Herkunftslandprinzips auf das Privatrecht. Jedoch sind im Bereich des Wirtschaftsrechts Privatrecht und öffentliches Recht häufig funktionsäquivalent. Die Zuordnung solcher Regelungen zum privaten oder öffentlichen Recht ist abhängig von unterschiedlichen Rechtstraditionen der Mitgliedstaaten. Spezifisches Marktverhaltensrecht wie das Lauterkeitsrecht wird beispielsweise in Frankreich bevorzugt dem Straf- und Ordnungswidrigkeitenrecht zugeordnet,[1016] während im deutschen und österreichischen Recht eine Zuordnung zum Privatrecht erfolgt.[1017]

II. Unterscheidung zwischen dem sekundärrechtlich und dem primärrechtlich verankerten Herkunftslandprinzip sowie dem primärrechtlichen Herkunftslandprinzip im koordinierten Bereich.

Seinen Ursprung hat das Herkunftslandprinzip also in den Grundfreiheiten. Hier liegt der dogmatische Ausgangspunkt aller weiteren Überlegungen zur Neuausrichtung der Binnenmarktstrategie, welche weniger den steinigen Weg der Rechtsvereinheitlichungen gehen sollte.[1018] Mit der Kombina-

---

1016 Grundsätze zum Mitbewerberschutz wurden von französischen Gerichten seit Mitte des 19. Jahrhunderts auf der Grundlage der deliktsrechtlichen Generalklausel (Art 1382 Code civil) entwickelt. Der im *Code de la consommation* geregelte Verbraucherschutz ist hingegen weitgehend dem Straf- und Verwaltungsrecht zuzuordnen. Umfassende Marktverhaltensgesetze zum Schutz von Mitbewerbern und Verbrauchern werden in Schweden, Norwegen und Dänemark in erster Linie durch einen sog. Verbraucherombudsmann und die Verbraucherschutzbehörde durchgesetzt. Eine Sonderrolle nimmt das britische Recht ein, dem lauterkeitsrechtliche Regelungen grundsätzlich fremd sind. Einzelne Regelungsaspekte des Lauterkeitsrechts finden sich hier im (nichtkodifizierten) Deliktsrecht wieder, andere sind in Verbraucherschutzgesetzen enthalten, die mit den Mitteln des Straf- und Verwaltungsrechts durchgesetzt werden. Eine besondere Rolle spielt in Großbritannien die freiwillige Werbeselbstkontrolle. Vgl. *Ohly*, in: Ohly/Sosnitza/Köhler u.a. (Hrsg.), Gesetz gegen den unlauteren Wettbewerb, [8]2023, Einf. B., Rn. 31.

1017 Hierzu *Drasch*, Das Herkunftslandprinzip im internationalen Privatrecht, 1997, S. 211. Das Lauterkeitsrecht zählt zu den sonderprivatrechtlichen Regelungen, welche die Vorschriften des BGB überlagern. Es ist durch die privatrechtliche Durchsetzung von Verhaltensnormen geprägt. Siehe auch: *Poelzig*, Normdurchsetzung durch Privatrecht, 2012, S. 76 f.; *Köhler*, in: Köhler/Bornkamm/Feddersen (Hrsg.), Gesetz gegen den unlauteren Wettbewerb, [42]2023, Einl., Rn. 7.1; *Ohly*, in: Ohly/Sosnitza/Köhler u.a. (Hrsg.), Gesetz gegen den unlauteren Wettbewerb, [8]2023, Einf. A., Rn. 5.

1018 Zur Genese des Binnenmarktziels siehe *Körber*, Grundfreiheiten und Privatrecht, 2004, S. 27 f.

tion aus schrittweiser Rechtsangleichung und der gegenseitigen Anerkennung bzw. dem Herkunftslandprinzip war eine binnenmarktdynamische Alternative gefunden.[1019] Die Untersuchung beginnt daher mit dem primärrechtlichen Herkunftslandprinzip und widmet sich anschließend dem Herkunftslandprinzip der ECRL und der Dienstleistungsrichtlinie.[1020]

1) Das primärrechtliche Herkunftslandprinzip und seine kollisionsrechtliche Wirkung

Ausgangspunkt der Entwicklung eines Modells, welches später unter dem Begriff des *Herkunftslandprinzips* erfasst wurde, war die Rechtsprechung des EuGH in der Rechtssache *Dassonville*.[1021] Die anschließende Entscheidung *Cassis de Dijon* führte zu einer Anpassung und Konkretisierung, vor allem aber zu einer Ausweitung der Gründe zur Rechtfertigung beschränkender Maßnahmen. Der EuGH war zur Überzeugung gelangt, dass angesichts kaum möglicher Rechtsangleichung der gemeinsame Markt nur funktionieren könne, wenn die Mitgliedstaaten Vorschriften im Bereich der Warenproduktion als grundsätzlich gleichwertig akzeptieren und keine weiteren rechtlichen Anforderungen stellen.[1022] Entscheidendes Merkmal und Korrektiv zur Etablierung des Herkunftslandprinzips war die gleichzeitige Einführung weiterer Rechtfertigungsmöglichkeiten von Beschränkungen durch zwingende Gründe des Allgemeinwohls. Diese stehen unter der Voraussetzung der Verhältnismäßigkeit. Bezogen auf die Warenverkehrsfreiheit lässt sich das gefundene Prinzip folgendermaßen zusammenfassen:

1019 *Streinz*, Europarecht, [10]2016, Rn. 972.

1020 Letztlich wird sich zeigen, dass eine Dreiteilung des Herkunftslandprinzips vorgenommen werden kann. Erstens, das „echte" sekundärrechtliche Herkunftslandprinzip, in dem das Sekundärrecht das Beschränkungsverbot anordnet (Bspw. Art. 3 Abs. 2 E-Commerce-RL; Art. 16 Abs. 1 und 2 Dienstleistungsrichtlinie; Art. 3 AMD-RL); zweitens, das primärrechtliche Herkunftslandprinzip im koordinierten Bereich; drittens, das primärrechtliche Herkunftslandprinzip im nicht koordinierten Bereich. Siehe hierzu sogleich unter *B, II., 6.)*.

1021 Nach *Körber* ist die Verwirklichung des Herkunftslandprinzips für den „Gemeinschaftsgesetzgeber wie EuGH lediglich eine Möglichkeit zur Verwirklichung des Binnenmarktes, die sie ergreifen können, aber nicht müssen." Der Binnenmarkt sei entsprechend nur in dem Umfang primärrechtlich durch das Herkunftslandprinzip geprägt, in dem ihm der EuGH Bedeutung für die Grundfreiheitenkontrolle nationaler Normen beimisst (*Körber*, Grundfreiheiten und Privatrecht, 2004, S. 29).

1022 *Drexl*, in: von Hein (Hrsg.), MüKo IPR II, [8]2021, Rom II-VO Art. 6 Rn. 45 ff.

Eine entsprechend den Bestimmungen des Herkunftslandes produzierte und angebotene Ware besitzt Verkehrsfähigkeit im gesamten Binnenmarkt, es sei denn, es bestehen gute Gründe, ihr die Verkehrsfähigkeit zu versagen.[1023]

a) Die Geltung des Herkunftslandrechts als kollisionsrechtlicher Ausgangspunkt

Fraglich ist, ob diesem grundsätzlichen Prinzip der gegenseitigen Anerkennung eine kollisionsrechtliche Wirkung entnommen werden kann. Zunächst vertrat *Bernhard*[1024] die Auffassung, dass auf dem Boden der Grundfreiheiten grundsätzlich das ausländische Recht als das Recht der Herkunft einer Ware oder Dienstleistung zur Anwendung kommen solle. Die in der Rechtsache *Cassis de Dijon* entwickelte Verhältnismäßigkeitsprüfung werde aus kollisionsrechtlicher Sicht zum Vorbehalt im Sinne eines *ordre public*.[1025] Am Beginn der kollisionsrechtlichen Betrachtung steht nach dieser Ansicht also das Recht des Herkunftslandes, dessen Anwendung nur dann unterbleibt, wenn es mit den berechtigten Belangen des Importstaates unvereinbar ist.[1026] Diese Ansicht verkennt bereits, dass es keinesfalls zwingend zur Anwendung des Rechts des Herkunftslandes kommen muss. Vielmehr kommen auch ausländische Anbieter in den Genuss einer liberaleren Rechtsordnung im Bestimmungsland.[1027]

b) Das Herkunftslandprinzip als kollisionsrechtlicher favor

Entsprechend nimmt eine andere, verbreitetere Ansicht einen Vergleich mit dem kollisionsrechtlichen Günstigkeitsprinzip vor und überwindet da-

1023 *Steindorff*, ZHR 150 (1986), 687, 689.
1024 *Bernhard*, EuZW 1992, 437 ff.
1025 *Ders.*, EuZW 1992, 437, 440.
1026 *Thünken* sieht im Herkunftslandprinzip eine Parallele zu den *statuta personalia*, welche als Ausnahmen von der Geltung des strengen Territorialitätsprinzips entwickelt worden waren. Beides, die Statutenlehre und das Herkunftslandprinzip, bezweckten eine kollisionsrechtliche Entlastung zugunsten wirtschaftlicher Verflechtung (*Thünken*, Das kollisionsrechtliche Herkunftslandprinzip, 2003, 34 f.).
1027 *Basedow*, RabelsZ 1995, 1, 16. *Basedow* spricht auch von einem *favor venditoris* bzw. einem *favor offerentis*.

mit die Schwächen dieses Modells. Demnach enthalten die Grundfreiheiten, insbesondere Art. 34 AEUV, versteckte Kollisionsnormen, die in ihrer Wirkung entsprechend einem kollisionsrechtlichen *favor*[1028] das anwendbare Recht nach einem Günstigkeitsvergleich zwischen Marktortrecht und dem Recht des Ursprungslandes bestimmen.[1029] Der Rechtsanwendungsvorbehalt unter der Voraussetzung der Gebotenheit aufgrund zwingender Gründe des Allgemeinwohls sei – auch nach dieser Ansicht – im Sinne eines kollisionsrechtlichen *ordre-public* zu verstehen. Die Anwendung des *ordre-public* Vorbehalts habe dabei restriktiv zu erfolgen und sich auf das unbedingt notwendige „Eingriffsmaß" zu beschränken.[1030] Dies zum einen auf Ebene der Anerkennung ausländischer Gerichtsentscheidungen[1031] – einem ausländischen Urteil darf die inländische Wirkung nur insoweit versagt werden, wie dies erforderlich ist –, zum anderen auf der Ebene der Rechtsanwendung – das Ergebnis ausländischer Rechtsanwendung[1032] darf nur dort und nur soweit korrigiert werden, wie dies erforderlich ist.[1033]

1028 Der *favor* zeichnet sich durch einen kollisionsrechtlichen Günstigkeitsvergleich aus. Der Richter wählt anhand einer materiell-rechtlichen Ergebnisvorgabe zwischen genau bezeichneten Rechtsordnungen, welche ihm gleichrangig zur Auswahl gestellt sind. Dabei soll in der Regel der Bestand eines Rechtsverhältnisses oder die Begründung eines Status oder Anspruchs begünstigt werden (*Kropholler*, IPR, ^{6}2006, § 20 II 1).

1029 Unter anderem: *Basedow*, RabelsZ 1995, 1, 15 ff.; *ders.*, in: Schnyder/Reichert-Facilides (Hrsg.), Internationales Verbraucherschutzrecht, 1995, S. 11, 20; *Jayme/Kohler*, IPRax 1991, 361, 369; *Remien*, JZ 1994, 349, 350; *Drasch*, Das Herkunftslandprinzip im internationalen Privatrecht, 1997, 244 ff.

1030 *Kropholler*, IPR, ^{6}2006, § 36 II 3 bzgl. des materiellen ordre-public; § 60 IV 2 bzgl. des ordre-public bei der Anerkennung ausländischer Entscheidungen.

1031 Exemplarisch BGH, v. 4.6.1992 – IX ZR 149/91 = NJW 1992, 3096. Der BGH hatte die Anerkennung eines amerikanischen Strafschadensersatzurteils nur insoweit versagt, wie es durch die Anerkennung der *punitive damages* gegen den deutschen *ordre-public*-Vorbehalt verstieß.

1032 In der Regel geht es um Korrekturen des Ergebnisses bei der Anwendung ausländischen materiellen Rechts, in Einzelfällen kann auch die Korrektur ausländischen Kollisionsrechts der Gegenstand des ordre-public sein (etwa, wenn ein *Renvoi* durch eine gleichheitswidrige Kollisionsnorm des fremden Rechts ausgesprochen wird).

1033 *Basedow*, RabelsZ 1995, 1, 21 f.

c) Das Herkunftslandprinzip als eigenständiges Modell

Tatsächlich scheint ein Vergleich mit der Konstruktion des *favor* zunächst naheliegend. Doch trifft auch sie nicht den Kern der Wirkung der Grundfreiheiten, wie sie der EuGH entwickelte. Der EuGH nimmt selbst keine kollisionsrechtliche Anknüpfung vor. Er überprüft auch nicht das kollisionsrechtliche Vorgehen nationaler Gerichte, sondern betrachtet lediglich das Ergebnis des jeweils berufenen nationalen Sachrechts und überprüft dieses sodann auf seine Vereinbarkeit mit den Grundfreiheiten. Eine Beschränkung der Grundfreiheiten liegt demnach nur vor, wenn ein Dienstleistungserbringer oder Anbieter von Waren zum Opfer einer doppelten Belastung in dem Sinne wird, als dass er seine Tätigkeit an den Erfordernissen zweier Rechtsordnungen ausrichten muss, von denen eine jede (die des Herkunftslandes und die des Bestimmungslandes) gleichartige Vorschriften enthält, die dasselbe Ziel verfolgen. Der EuGH stellt die Frage nach dem anwendbaren Recht also nicht, vielmehr nimmt er das kollisionsrechtliche Ergebnis des vorlegenden Gerichts – in der Annahme, dass dieses sein Internationales Privatrecht (das IPR des Forums) korrekt angewandt hat – hin.[1034] Der EuGH prüft lediglich die Auswirkung des für anwendbar gehaltenen Sachrechts anhand der Grundfreiheiten.[1035] Das Kollisionsrecht beruft ein oder mehrere Rechtsordnungen zur Entscheidung einer juristischen Frage. Das primärrechtliche Herkunftslandprinzip zieht das Recht des Ursprungslandes jedoch bestenfalls als einen Vergleichspunkt heran. Der Aussagegehalt des Herkunftslandprinzips ist in erster Linie derjenige, dass der Rechtsanwender im Bestimmungsland bei der Anwendung seines Rechts zu berücksichtigen hat, dass die jeweils in Frage stehende wirtschaftliche Tätigkeit bereits Gegenstand von Kontrolle und Regulierung im Land ihres Ursprungs war und diese Kontrolle als grundsätzlich gleichwertig anzuerkennen ist.[1036] Entsprechend nimmt der EuGH keinen abstrakten Vergleich zwischen dem Recht des Herkunfts- und dem Recht des Bestimmungslands vor, was seinerseits gegen die kollisionsrechtliche Einordnung des Herkunftslandprinzips als *favor offerentis* spricht.[1037]

1034 *Baere*, MJ 2004, 287, 297 f.

1035 *Bernhard*, EuZW 1992, 437, 440.

1036 *Baere*, MJ 2004, 287, 301. Ähnlich auch *Körber*, Grundfreiheiten und Privatrecht, 2004, 447 ff.

1037 *Baere*, MJ 2004, 287, 304 f. und umfassend *Drexl*, in: von Hein (Hrsg.), MüKo IPR II, [8]2021, Rom II-VO Art. 6 Rn. 47-55.

Ein weiterer bedeutender Unterschied findet sich in den Auswirkungen der „Beiziehung" fremden Rechts. Erklärt das Internationale Privatrecht ausländisches Recht für anwendbar, so erstreckt sich die Anknüpfung in der Regel auf Tatbestand und Rechtsfolge. Anders verhält es sich im System des primärrechtlichen Herkunftslandprinzips. Kommt es zu einem Rechtsverstoß gegen das, unter Berücksichtigung des Herkunftslandprinzips, berufene Sachrecht, so richten sich die Folgen des Verstoßes keinesfalls nach dem Recht des Herkunftslandes, sondern nach demjenigen des Bestimmungslandes. Dies gilt etwa für strafrechtliche Sanktionen,[1038] aber auch für zivilrechtliche Folgen. Erhebt eine Partei etwa Schadensersatzklage gegen einen ausländischen Dienstleistungserbringer und führt das Internationale Privatrecht des Forums zur Geltung des Rechts des Bestimmungslandes, so wird der mit der Sache betraute Richter prüfen, ob der Tatbestand der Norm einer Korrektur unterliegt, nicht jedoch, ob die in der Folge angeordnete Sanktion einer Kontrolle bedarf.[1039]

Schließlich ist zu sehen, dass der EuGH nicht einseitig auf das Recht des Dienstleistungserbringers oder Warenanbieters abstellt. Die Binnenmarktrelevanz auf Anbieterseite tritt zwar häufig in den Vordergrund, dies ist aber nicht zwingend. Warenverkehrs- und Dienstleistungsfreiheit werden in der Rechtsprechung auch als Nachfrager oder Verbraucherrechte interpretiert.[1040] So hat der EuGH in verschiedenen Entscheidungen betont, dass die Inanspruchnahme von Dienstleistungen ebenso der Dienstleistungsfrei-

1038 EuGH, C-369/96 und C-376/96, ECLI:EU:C:1999:575 – *Arblade (Leloup)*, Rn. 43 ff. Der EuGH prüfte, ob die Anwendung einer inländischen Strafvorschrift bzw. die Strafverfolgung wegen Verstoßes gegen Vorschriften zum Arbeitnehmerschutz einen Verstoß gegen die Grundfreiheiten darstellen kann. Dabei geht es aber nur darum, ob der strafrechtliche Regelungsgehalt zur Anwendung gebracht werden kann. Damit die Strafverfolgung wegen eines Verstoßes gegen „Bestimmungen gerechtfertigt ist, müssen diese hinreichend genau und zugänglich sein, um einem solchen Arbeitgeber in der Praxis die Feststellung, welche Verpflichtungen er beachten müßte, nicht unmöglich oder übermäßig schwer zu machen." Der EuGH wendet das Recht des Herkunftslandes nicht auf Rechtsfolgenseite an und nimmt hier keine Korrektur vor. (In EuGH C-348/96, EU:C:1999:6 – *Donatella Calfa*, hat der EuGH einmal festgestellt, dass eine griechische strafrechtliche Sanktion, die mit einer lebenslangen Ausweisung aus Griechenland verbunden ist, gegen die Dienstleistungsfreiheit verstößt. Mit dem hier diskutierten Problem der dogmatischen Bedeutung des Herkunftslandprinzips hat dies aber nichts zu tun.)

1039 *Baere*, MJ 2004, 287, 302.

1040 *Basedow*, RabelsZ 1995, 1, 18.

heit unterfällt[1041] und dass es etwa Verbrauchern zu ermöglichen sei, im Ausland unter denselben Bedingungen einzukaufen wie Einheimischen (als Ausdruck der Warenverkehrsfreiheit).[1042] Die Frage nach dem Herkunftsland ist also auch eine Frage der Perspektive.[1043]

Dies führt zu folgender Überlegung: Knüpft das IPR der lex fori bereits an das Recht des Herkunftslandes an, kommt eine Verschiebung des Regulierungsmaßstabes dieses Rechts bzw. ein Günstigkeitsvergleich mit dem Recht des Bestimmungslandes nicht in Betracht. Tatsächlich bewirkt dies eine Benachteiligung ausländischer Anbieter gegenüber ihren inländischen Konkurrenten im Empfangsstaat. Gleichwohl kommt es grundsätzlich nicht zur Korrektur des Regulierungsmaßstabes nach den Wertungen des Bestimmungslandrechts, denn die Schlechterstellung der ausländischen Anbieter beruht in diesen Fällen in der Regel auf den Restriktionen ihres Heimatrechts, was eine Korrektur im Sinne der gegenseitigen Anerkennung unmöglich macht. Derartige Formen der Schlechterstellung stehen, wenn es um Waren geht, einer Ausfuhrbeschränkung nach Art. 35 AEUV näher als einer Einfuhrbeschränkung.[1044] Anderes kann grundsätzlich nur dann angenommen werden, wenn das berufene Kollisionsrecht (in der Regel das des Marktorts) diskriminierend wirkt.[1045]

1041 EuGH, C-286/82 und 26/83, EU:C:1984:35 – *Graziana Luisi und Giuseppe Carbone v. Ministerio del Tesoro*; EuGH C-186/87, EU:C:1989:47 – *Ian William Cowan v. Trésor Public.*

1042 EuGH, C-362/88, ECLI:EU:C:1990:102 – *GB-Inno.* Allerdings erschöpft sich der „Binnenmarktschutz" für Verbraucher in der diskriminierungsfreien Anwendung des Marktortrechts. Zu den Exportbeschränkungen bei Waren siehe auch: EuGH, C-15/79, EU:C:1979:253 – *Groenveld BV v. Produktschap voor vee en vlees.* Bzgl. der Anwendung strengerer Verhaltensregeln für Inländer im Ausland (bzw. in diesem Fall „auf hoher See") siehe EuGH, C-379/92, EU:C:1994:296 – *Peralta.* Siehe auch *Baere,* MJ 2004, 287, 300 f.

1043 Zu sehen ist allerdings, dass die eigentlichen Träger der wirtschaftlichen Integration Europas die Anbieter sind, nicht die Nachfrager. Entsprechend kommt die „Liberalisierung" aufgrund des Herkunftslandprinzips vor allem den Anbietern zugute. So auch *Basedow,* RabelsZ 1995, 1, 18. Kritisch gegenüber der Hervorhebung der Anbieter bei der Binnenmarktintegration: *Baere,* MJ 2004, 287, 304.

1044 *Basedow,* RabelsZ 1995, 1, 17. Zur Dienstleistungsfreiheit siehe EuGH, C-384/93, ECLI:EU:C:1995:126 – *Alpine Investments.*

1045 *Roth,* RabelsZ 55 (1991), 623, 645 f. – *Roth* nennt als Beispiel eines diskriminierenden Kollisionsrechts das deutsche internationale Deliktsrecht nach Art. 40 Abs. 1 S. 1 und 2 EGBGB. Demnach unterliegen Ansprüche aus unerlaubter Handlung dem Recht des Staates, in dem der Ersatzpflichtige gehandelt hat; alternativ kann auch das Recht desjenigen Staates berufen sein, in welchem der Erfolg eingetreten ist. Diese alternative Anknüpfung verbindet *Roth* mit dem Beispiel der Produkt-

d) Fazit

Die kollisionsrechtliche Einordnung des primärrechtlichen Herkunftslandprinzips stößt vor allem auf drei Bedenken: irritierend wirkt zunächst die Möglichkeit der Rechtfertigung, sie mag sich teilweise im international privatrechtlichen *ordre public* Vorbehalt spiegeln, steht dogmatisch und sachlich bei genauerer Betrachtung aber auf anderen Füßen. Der zweite Grund findet sich in der Anwendung des Herkunftslandprinzips durch den EuGH selbst. Das Vorgehen des EuGH entspricht gerade nicht dem inhaltlichen Rechtsvergleich möglicherweise anwendbarer Rechtsordnungen, wie er kollisionsrechtlich geboten wäre. Drittens spricht ein Vergleich der rechtlichen Konsequenzen, die das Herkunftslandprinzip bewirkt und derjenigen, die Folge der Anwendung fremden Rechts nach dem Internationalen Privatrecht sind, gegen ein kollisionsrechtliches Verständnis des Herkunftslandprinzips.[1046] Das Internationale Privatrecht folgt einem anderen System. Dennoch wurden in der Vergangenheit verschiedene Meinungen vertreten, deren Interpretation des Herkunftslandprinzips teilweise fortwirken. Festhalten lässt sich außerdem, dass der Günstigkeitsvergleich nur zum Tragen kommt, wenn das Kollisionsrecht das Recht des Bestimmungslandes beruft. In diesem Fall kann sich der Warenexporteur bzw. Dienstleistungserbringer bei liberalerem Recht des Herkunftslands auf dieses berufen und so unter Umständen eine Korrektur des Rechts des Bestimmungslandes bewirken (wenn dieses zu einer doppelten Kontrolle führen würde, die ihrerseits nicht gerechtfertigt wäre). Kommt das Kollisionsrecht aber zu dem Ergebnis, dass das Recht des Ursprungslands gilt, so bleibt dem

---

haftung. Geht es um Importprodukte, fallen Handlungs- und Erfolgsort auseinander und dem Geschädigten stehen zwei Rechtsordnungen zur Verfügung, von denen er die strengere wählen wird. Bei einheimischen Produkten ist dies nicht der Fall. Tatsächlich kann sich hieraus eine Haftungsbegünstigung und damit ein Wettbewerbsvorteil für einheimische Produkte ergeben. Schuld ist das Kollisionsrecht, nicht das Sachrecht. Dadurch, dass Art. 40 EGBGB weitgehend in der Rom II-VO – die keine alternative Anknüpfung vorsieht (siehe etwa Art. 4 Rom II-VO; Produkthaftung ist in Art. 5 Abs. 1 Rom II-VO mittels einer Anknüpfungsleiter geregelt) – aufgegangen ist, hat sich dieses Problem zwischenzeitig erledigt.

1046 Als vierter Grund mag anzunehmen sein, dass speziell das unionsrechtliche Kollisionsrecht auf Art. 81 Abs. 2 lit. c) AUEV beruht und somit seinerseits nicht in erster Linie der Verwirklichung des Binnenmarkts dient, sondern Bestandteil des Raumes der Freiheit, der Sicherheit und des Rechts (vgl. Art. 3 Abs. 2 EUV) ist (dazu *Wagner*, RabelsZ 79 (2015), 521, 522 ff.; *Hellgardt*, RabelsZ 82 (2018), 654, 667 f.).

Exporteur der Günstigkeitsvergleich grundsätzlich versagt. Er bleibt an sein Heimatrecht gebunden, es sei denn, dies stellt sich als Diskriminierung dar.

2) Das sekundärrechtliche Herkunftslandprinzip

Was für das primärrechtliche Herkunftslandprinzip gilt, muss nicht notwendigerweise für das sekundärrechtliche Herkunftslandprinzip gelten. Ein einheitliches sekundärrechtliches Herkunftslandprinzip gibt es allerdings nicht. Vielmehr ist jeder Sekundärrechtsakt gesondert auf mögliche kollisionsrechtliche Wirkungen hin zu überprüfen.[1047] Von besonderem Interesse für diese Arbeit sind die ECRL und die Dienstleistungsrichtlinie. Bei beiden Richtlinien wird die Wirkung des jeweiligen Herkunftslandprinzips kontrovers diskutiert. Speziell im Hinblick auf die Dienstleistungsrichtlinie kommt außerdem eine Anwendung auf die Tätigkeiten von Verwertungsgesellschaften in Betracht.

a) Das Herkunftslandprinzip in der E-Commerce-Richtlinie

Das Herkunftslandprinzip in der E-Commerce-Richtlinie (ECRL)[1048] wurde in den einzelnen Mitgliedstaaten auf verschiedene Weise umgesetzt: Österreich[1049], Luxemburg[1050] und Frankreich[1051] etwa behandeln das Herkunftslandprinzip der ECRL als kollisionsrechtliches Prinzip und wählten

---

1047 *Baere*, MJ 2004, 287, 305 f.; *Roth*, RabelsZ 55 (1991), 623, 668.

1048 Richtlinie 2000/31/EG des Europäischen Parlaments und des Rates vom 8. Juni 2000 über bestimmte rechtliche Aspekte der Dienste der Informationsgesellschaft, insbesondere des elektronischen Geschäftsverkehrs im Binnenmarkt (ABl. L 178 vom 17.7.2000, S. 1–16).

1049 § 20 Abs. 1 ECG lautet: „Im koordinierten Bereich (§ 3 Z 8) richten sich die rechtlichen Anforderungen an einen in einem Mitgliedstaat niedergelassenen Diensteanbieter nach dem Recht dieses Staats."

1050 Art. 2 Abs. 4 Loi relative au commerce électronique lautet: „La loi du lieu d'établissement du prestataire de services de la société de l'information s'applique aux prestataires et aux services qu'ils prestent, sans préjudice de la liberté des parties de choisir le droit applicable à leur contrat."

1051 Art. 17 Loi pour la confiance dans l'économie numérique lautet: „L'activité définie à l'article 14 est soumise à la loi de l'Etat membre sur le territoire duquel la personne qui l'exerce est établie, sous réserve de la commune intention de cette personne et de celle à qui sont destinés les biens ou services."

eine entsprechende Umsetzung.[1052] Dänemark[1053] und die Niederlande[1054] behandeln es sachrechtlich. [1055] Die Positionen der Mitgliedstaaten spiegeln den Streitstand in der Literatur wider.[1056] Sie reichen von einer insgesamt kollisionsrechtlichen Qualifikation im Sinne einer Sachnormverweisung sowie einer Regelung über die internationale Zuständigkeit der Gerichte[1057] bis hin zu einem rein sachrechtlichen Verständnis.[1058] Ausgangspunkt der Verwirrung um die Einordnung des Herkunftslandprinzips ist Art. 3 der ECRL. Gemäß Art. 3 Abs. 1 ECRL trägt jeder Mitgliedstaat dafür Sorge, dass die Dienste der Informationsgesellschaft, die von einem in seinem Hoheitsgebiet niedergelassenen Diensteanbieter erbracht werden, den in diesem Mitgliedstaat geltenden innerstaatlichen Vorschriften entsprechen, die in den koordinierten Bereich fallen. Im Gegenzug dürfen die Mitgliedstaaten gemäß Art. 3 Abs. 2 ECRL – sprich die Empfangsstaaten – den freien Verkehr von Diensten der Informationsgesellschaft aus einem anderen Mitgliedstaat nicht aus Gründen einschränken, die ihrerseits in den koordinierten Bereich fallen. Dieses Regelungsmodell klingt tatsächlich stark nach einem kollisionsrechtlichen Konzept, in welchem eine bestimmte Regelungsmaterie, nämlich die des „koordinierten Bereichs", dem Recht des Staates der Niederlassung des Diensteanbieters unterfallen soll und eben nicht dem Recht des Empfangs- bzw. Aufnahmestaates. Zugleich legt der europäische Richtliniengeber allerdings hier, wie z.B. auch in der VG-RL,

1052 *Mankowski*, IPRax 2002, 257, 262.

1053 Die Umsetzung in Dänemark erfolgte nach dem Gesetz Nr. 227 vom 22.4.2002 (Lov nr 227 af 22/04/2002). § 3 statuiert die Pflicht dänischer Diensteanbieter im koordinierten Bereich im Einklang mit dänischem Recht zu handeln, auch wenn der Dienst ausschließlich auf andere Mitgliedstaaten oder andere Staaten des EWR ausgerichtet ist. Kernvorschrift ist § 4 mit folgendem Wortlaut: „En tjenesteyder, der er etableret i et andet land inden for Den Europæiske Union/Det Europæiske Økonomiske Samarbejdsområde, og som leverer en informationssamfundstjeneste, er undtaget fra overholdelse af danske regler inden for det koordinerede område, jf. § 2, nr. 8, selv om tjenesten retter sig mod Danmark, jf. dog §§ 5 og 6."

1054 Siehe Art. 5 des Niederländischen Änderungsgesetz vom 13.5.2004 (PbEG L 178 – Aanpassingswet richtlijn inzake elektronische handel).

1055 *Jayme/Kohler*, IPRax 2002, 461, 463.

1056 M.w.N. *Spickhoff*, in: Bamberger/Roth (Hrsg.), Bürgerliches Gesetzbuch, ^{5}2023, Art. 40 EGBGB, Rn. 5.

1057 *Mankowski*, IPRax 2002, 257, 257 ff.; *Spickhoff*, in: Leible (Hrsg.), Die Bedeutung des internationalen Privatrechts im Zeitalter der neuen Medien, 2003, S. 89, 117 ff.; *Thünken*, IPRax 2001, 15, 19 f.; *Sonnenberger*, IPRax 2003, 104, 108 f.

1058 OLG Hamburg MMR 2010, 185; *Sack*, WRP 2002, 271; *Ohly*, GRUR Int. 2001, 899 ff.; *Drexl*, in: von Hein (Hrsg.), MüKo IPR II, ^{8}2021, Rom II-VO Art. 6 Rn. 80 ff.

Wert auf die Feststellung, dass die Richtlinie „weder zusätzliche Regeln im Bereich des internationalen Privatrechts [schafft], noch [...] sich mit der Zuständigkeit der Gerichte [befasst]“ (Art. 1 Abs. 4 ECRL)[1059]. Diese offensichtliche Widersprüchlichkeit[1060] hat wenig überraschend den akademischen Diskurs angeregt.[1061]

Klarheit konnte der EuGH in der Entscheidung *eDate und Martínez*[1062] schaffen. Hier machte der EuGH deutlich, dass Art. 3 ECRL keine Umsetzung in Form einer speziellen Kollisionsregel verlangt. Betreffend die Regelung zu den Kontrollpflichten des Sitzstaates nach Art. 3 Abs. 1 ECRL führt der EuGH aus, dass „eine Auslegung der Binnenmarktregel des Art. 3 Abs. 1 der Richtlinie dahin, dass sie zu einer Anwendung des im Sitzmitgliedstaat geltenden Sachrechts führt, nicht ihre Einordnung als Regel im Bereich des Internationalen Privatrechts nach sich zieht. Dieser Absatz verpflichtet die Mitgliedstaaten nämlich in erster Linie dazu, dafür Sorge zu tragen, dass die

---

1059 Dieselbe Aussage findet sich in Erwägungsgrund 23 der Richtlinie.

1060 *Ohly*, GRUR Int. 2001, 899, 900 zieht zur Veranschaulichung der widersprüchlichen Vorgehensweise des Richtliniengebers das bekannte Bild des Malers René Magritte *„Ceci n'est pas une pipe“* heran.

1061 Folgende Ansichten lassen sich hervorheben: (1) *Bernreuther* sieht im Herkunftslandprinzip der ECRL eine Regelung über den Ort der Rechtsdurchsetzung, also der internationalen Zuständigkeit. Einem nationalen Gericht sei es verwehrt „die Auseinandersetzung mit dem Recht des Herkunftslandes zu regeln“ (so ausdrücklich *Bernreuther*, WRP 2001, 384, 385; siehe auch *ders.*, WRP 2001, 513, 515). (2) Eine zweite Ansicht sieht im Herkunftslandprinzip der ECRL eine einseitige Verweisung auf das Sachrecht des Herkunftslandes (allen voran *Mankowski*, GRUR Int. 1999, 909, 912 f.; *ders.*, IPRax 2004, 385 ff.; *ders.*, ZVglRWiss 100 (2001), 137, 140 f.; *ders.*, IPRax 2002, 257 ff.; *ders.*, in: Heermann/Schlingloff (Hrsg.), MüKo (UWG), ³2020, Teil II, Int. Wettb. Rn 48 ff.; außerdem: *Hausmann/Obergfell*, in: Fezer/Büscher/Obergfell (Hrsg.), Internationales Lauterkeitsrecht, lauterkeitsrechtliche Spezialthemen, Geschichte - Sytematik - Grundlagen, ³2016, Einl. I UWG Rn. 134 ff. und *Thünken*, IPRax 2001, 15, 20 ff.). Inhaltlich entspricht dies der bereits im Zusammenhang mit dem primärrechtlichen Herkunftslandprinzip dargestellten Auffassung, sie ist aus denselben Gründen abzulehnen. (3) Ebenso wenig im Einklang mit der ECRL steht eine dritte Ansicht, welche im Herkunftslandprinzip eine kollisionsrechtliche Gesamtverweisung sieht (*Hoeren*, MMR 1999, 192, 195.). (4) Schließlich finden sich auch im Zusammenhang mit der ECRL zahlreiche Vertreter, welche Art. 3 Abs. 2 und Art. 1 Abs. 1 und 2 ECRL eine kollisionsrechtliche Aussage im Sinne des Günstigkeitsprinzips entnehmen möchten (*Fezer/Koos*, IPRax 2000, 349, 351; wohl auch im Sinne des Günstigkeitsprinzips *Jayme/Kohler*, IPRax 2001, 501, 502 f.; *Lurger/Vallant*, RIW 2002, 188, 195 f.; *Spindler*, IPRax 2001, 400, 401 f.).

1062 EuGH, Verb. Rs. C-509/09 und C-161/10, ECLI:EU:C:2011:685 – *eDate und Martínez.*

Dienste der Informationsgesellschaft, die von einem in ihrem Hoheitsgebiet niedergelassenen Diensteanbieter erbracht werden, den in diesen Mitgliedstaaten geltenden innerstaatlichen Vorschriften entsprechen, die in den koordinierten Bereich fallen. Die Auferlegung einer solchen Verpflichtung weist nicht die Merkmale einer Kollisionsregel auf, die dazu bestimmt wäre, einen spezifischen Konflikt zwischen mehreren zur Anwendung berufenen Rechtsordnungen zu lösen."[1063] Aber auch in Bezug auf das Beschränkungsverbot des aufnehmenden Mitgliedstaates sieht der EuGH keine Kollisionsregel, welche die Anwendung inländischen Sachrechts ausschließen würde. „Zum anderen untersagt Art. 3 Abs. 2 der Richtlinie den Mitgliedstaaten, den freien Verkehr von Diensten der Informationsgesellschaft aus einem anderen Mitgliedstaat aus Gründen einzuschränken, die in den koordinierten Bereich fallen. Aus Art. 1 Abs. 4 in Verbindung mit dem 23. Erwägungsgrund der Richtlinie folgt dagegen, dass es den Aufnahmemitgliedstaaten grundsätzlich freisteht, das anwendbare Sachrecht anhand ihres Internationalen Privatrechts zu bestimmen, soweit sich daraus keine Einschränkung der Freiheit zur Erbringung von Diensten des elektronischen Geschäftsverkehrs ergibt."[1064]

Die Mitgliedstaaten sind also lediglich dazu verpflichtet, im koordinierten Bereich sicherzustellen, dass Anbieter von Diensten des elektronischen Geschäftsverkehrs keinen strengeren Anforderungen unterliegen, als sie das im Sitzmitgliedstaat des jeweiligen Anbieters geltende Sachrecht vorsieht. Hier tritt die sachrechtliche Interpretation des Herkunftslandprinzips durch den EuGH deutlich zu Tage. Sachrechtliche Standards sind anzugleichen, das Maß der Kontrolle am Marktort ist mit dem Maß der Kontrolle im Herkunftsland in Einklang zu bringen und ggf. abzusenken.

Zuzugeben ist jedoch, dass der EuGH eine kollisionsrechtliche Umsetzung der ECRL nicht ausschloss.[1065] Ein „favorähnliches" Modell, wie es in einigen Mitgliedstaaten vorgesehen ist, erscheint als mögliche Alternative zum Modell der sachrechtlichen Ergebniskorrektur.[1066] Betrachtet man

---

1063 EuGH, Verb. Rs. C-509/09 und C-161/10, ECLI:EU:C:2011:685 – *eDate und Martínez*, Rn. 61.

1064 EuGH, Verb. Rs. C-509/09 und C-161/10, ECLI:EU:C:2011:685 – *eDate und Martínez*, Rn. 62.

1065 Hierzu auch *Picht*, GRUR Int. 2013, 19, 21.

1066 Teilweise wird eine Ausnahme vom Herkunftslandprinzip der ECRL für Fälle befürwortet, in denen ein Internetauftritt nur auf den ausländischen Vertrieb bezogen ist. Da keinerlei sitzlandbezogene Distribution erfolge, fände das Heimatrecht unter „normalen Umständen" keine Anwendung und es entstehe demzufolge auch

den Regelungsrahmen des Internationalen Privatrechts, welcher auf Unionsebene im hier interessierenden Bereich vor allem durch die Rom II-VO geprägt ist, so scheint ein Modell der kollisionsrechtlichen Umsetzung zwar nicht ausgeschlossen, aber störend. Die Rom II-VO ist für Fragen des anwendbaren Rechts bei außervertraglichen Schuldverhältnissen nicht abschließend. Sie kann einerseits durch weiteres europäisches Sekundärrecht ergänzt, andererseits von nationalem Recht verdrängt werden, welches auf der Grundlage völkerrechtlicher Verpflichtungen ergangen ist.[1067] Zugleich behalten die Mitgliedstaaten nach Art. 16 Rom II-VO die Möglichkeit, in bestimmten Fällen ihr zwingendes materielles Recht entgegen der vorgesehenen Rechtsanwendung des Internationalen Privatrechts durchzusetzen (Eingriffsnormen).[1068] Auch besteht keine europäische Normenhierarchie in dem Sinne, dass Verordnungen aufgrund ihrer unmittelbaren Geltung den umsetzungsbedürftigen Richtlinien vorgehen.[1069] Allerdings würde die kollisionsrechtliche Einordnung des Herkunftslandprinzips der ECRL ein einheitliches System stören, ohne dass hierfür eine Notwendigkeit bestünde. Dies findet auch eine Stütze in Erwägungsgrund 35 Rom II-VO, wo die Intention des europäischen Gesetzgebers deutlich wird, mit der Rom II-VO ein weitgehend geschlossenes System für das Internationale Privatrecht zu

---

nicht die belastende Multiplikation unterschiedlicher nationaler Anforderungen. Allein diese stelle aber die in der ECRL adressierte Beschränkung dar. Ohne die Beschränkung entfalle auch die Notwendigkeit dem Diensteanbieter den Schutz seines heimatrechtlichen Rechtsstandards zu gewähren (*Drexl*, in: von Hein (Hrsg.), MüKo IPR II, [8]2021, Rom II-VO Art. 6 Rn. 79). Es handelt sich im Ergebnis um eine teleologische Reduktion der ECRL, um klaren Missbrauchsfällen vorzubeugen. Sie wäre in einem kollisionsrechtlichen Konzept kaum umzusetzen.

1067 Siehe unter anderem Erwägungsgrund 36 Rom II-VO, der die internationalen Verpflichtungen der Mitgliedstaaten anerkennt: „um die internationalen Verpflichtungen, die die Mitgliedstaaten eingegangen sind, zu wahren, darf sich die Verordnung nicht auf internationale Übereinkommen auswirken, denen ein oder mehrere Mitgliedstaaten zum Zeitpunkt der Annahme dieser Verordnung angehören. [...]" Siehe auch die Verordnung (EG) Nr. 662/2009 des Europäischen Parlaments und des Rates vom 13. Juli 2009 zur Einführung eines Verfahrens für die Aushandlung und den Abschluss von Abkommen zwischen Mitgliedstaaten und Drittstaaten über spezifische Fragen des auf vertragliche und außervertragliche Schuldverhältnisse anzuwendenden Rechts, welche spezielle Fragen hierzu regelt.

1068 Da das Herkunftsladprinzip – kollisionsrechtlich verstanden – aber zur Geltung ausländischen Rechts führt, kann es nicht als nationale Durchbrechung im Sinne des Art. 16 Rom II-VO verstanden werden.

1069 *Streinz*, Europarecht, [10]2016, Rn. 469; *Bievert*, in: Schwarze/Becker/Hatje u.a. (Hrsg.), EU-Kommentar, [4]2019, Art. 288 Rn. 11 f.

schaffen, welches nur in Ausnahmefällen durch weiteres Sekundärrecht ergänzt werden soll.[1070]

b) Das Herkunftslandprinzip in der Dienstleistungsrichtlinie

Kernstück der Dienstleistungsrichtlinie[1071] ist Art. 16. Demnach gewährleistet der Mitgliedstaat, in dem die Dienstleistung erbracht wird, die freie Aufnahme und freie Ausübung von Dienstleistungstätigkeiten innerhalb seines Hoheitsgebiets. Die Mitgliedstaaten dürfen dabei die Aufnahme oder Ausübung einer Dienstleistungstätigkeit in ihrem Hoheitsgebiet nicht von Anforderungen abhängig machen, die gegen Grundsätze der Nichtdiskriminierung, Erforderlichkeit und Verhältnismäßigkeit verstoßen. Ursprünglich war eine deutlich tiefgreifendere Verwirklichung des Herkunftslandprinzips für Dienstleistungen vorgesehen. Das Herkunftslandprinzip in der Dienstleistungsrichtlinie wurde jedoch nach langem Streit und deutlicher Kritik aus Politik und Wissenschaft erheblich entschärft.[1072] Art. 16 Abs. 1 des Rechtlinienvorschlags sah vor, „dass Dienstleistungserbringer lediglich den Bestimmungen ihres Herkunftsstaates unterliegen, die vom koordinierten Bereich erfasst sind". Das strenge Herkunftslandprinzip sollte sich auf das Verhalten der Dienstleistungserbringer, die Qualität oder den Inhalt der Dienstleistung, die Werbung, die Verträge und Fragen der Haftung erstrecken. Das Herkunftslandprinzip des Richtlinienentwurfs in der oben dargestellten Gestaltung hätte wohl unmittelbaren Einfluss auf die kollisionsrechtliche Anknüpfung genommen.[1073] Art. 16 der schließlich im Dezember 2006 im EU-Amtsblatt veröffentlichten Dienstleistungs-

1070 Erwägungsgrund 35: „Die Aufteilung der Kollisionsnormen auf zahlreiche Rechtsakte sowie Unterschiede zwischen diesen Normen sollten vermieden werden. Diese Verordnung schließt jedoch die Möglichkeit der Aufnahme von Kollisionsnormen für außervertragliche Schuldverhältnisse in Vorschriften des Gemeinschaftsrechts in Bezug auf besondere Gegenstände nicht aus."

1071 Richtlinie 2006/123/EG des Europäischen Parlaments und des Rates vom 12. Dezember 2006 über Dienstleistungen im Binnenmarkt (ABl. L 376 vom 27.12.2006, S. 36–68).

1072 Zur Kritik siehe insbesondere *Basedow*, EuZW 2004, 423 f.; *Deinert*, EWS 2006, 445, 448; weniger kritisch *Mankowski*, IPRax 2004, 385 ff.

1073 *Drexl*, in: von Hein (Hrsg.), MüKo IPR II, [8]2021, Rom II-VO Art. 6 Rn. 93; *Trumpke*, Exklusivität und Kollektivierung, 2016, S. 370 ff.; *Kuhn*, Die Verwirklichung des freien Dienstleistungsverkehrs im Spannungsfeld von wirtschaftlicher Handlungsfreiheit und Sozialgestaltung, 2013, S. 154 f.

richtlinie verpflichtet nach Abs. 1 S. 2 nunmehr denjenigen Mitgliedstaat, in dem die Dienstleistung erbracht wird, lediglich zur Gewährleistung der freien Aufnahme und freien Ausübung von Dienstleistungstätigkeiten innerhalb seines Hoheitsgebiets. Darüber hinaus sieht Art. 16 der Dienstleistungsrichtlinie bloß Grundsätze der Dienstleistungsfreiheit vor, welche sich an der Rechtsprechung des EuGH zur Dienstleistungsfreiheit orientieren.[1074] Art. 16 Abs. 2 der Dienstleistungsrichtlinie enthält schließlich einen Negativkatalog von verbotenen Anforderungen. Hierzu zählt nach lit. b namentlich die Verpflichtung eines in einem anderen Mitgliedstaat niedergelassenen Dienstleistungserbringers bei den Behörden des Ziellandes eine Genehmigung einzuholen.[1075] Eine ähnliche Stoßrichtung hat Art. 36 der VG-RL, wenn er die nationalen Aufsichtsbehörden des Sitzlandes (alleinig) für die Kontrolle der im jeweiligen Land niedergelassenen Verwertungsgesellschaften in die Pflicht nimmt. Gleichwohl sind damit zunächst nur öffentlich-rechtliche Genehmigungspflichten angesprochen, wie sie sich auch für den Bereich der Verwertungsgesellschaften in §§ 75 ff. VGG niedergeschlagen haben. Im Grundsatz bleibt auch im Rahmen der Dienstleistungsrichtlinie die Möglichkeit der Rechtfertigung von Beschränkungen, wenn auch in gemindertem Maße, bestehen. Allgemeine Rechtfertigungsgründe des Bestimmungslandes werden nochmals in Absatz 3 umrissen. Insgesamt bleibt die Perspektive jene des Bestimmungslandes und zielt auf den Abbau dortiger Beschränkungen.[1076] Genau wie den Grundfreiheiten kann auch der Dienstleistungsrichtlinie kein kollisionsrechtlicher Charakter entnommen werden.[1077] Mit Blick auf die Anwendbarkeit der Dienstleistungsrichtlinie auf Verwertungsgesellschaften ist die *OSA*-Entscheidung des EuGH entscheidend.[1078] Sie wird sogleich besprochen, wenn es um die konkreten Einwirkungen von Sitz- und Herkunftslandprinzip auf die Rechte und Pflichten der Verwertungsgesellschaften im Binnenmarkt geht (Abschnitt C.).

1074 *Holoubek*, in: Schwarze/Becker/Hatje u.a. (Hrsg.), EU-Kommentar, [4]2019, Art. 56, 57 AEUV, Rn. 138.

1075 Nach h.M. sind jedoch auch Beschränkungen in diesem Bereich rechtfertigungsfähig (siehe insbes. *Kuhn*, Die Verwirklichung des freien Dienstleistungsverkehrs im Spannungsfeld von wirtschaftlicher Handlungsfreiheit und Sozialgestaltung, 2013, S. 190).

1076 *Mankowski*, in: Heermann/Schlingloff (Hrsg.), MüKo (UWG), [3]2020, Grundlagen, Teil II, Rn. 120a.

1077 *Drexl*, in: von Hein (Hrsg.), MüKo IPR II, [8]2021, Rom II-VO Art. 6 Rn. 94.

1078 EuGH, C-351/12, ECLI:EU:C:2014:110 – *OSA*.

c) Das Herkunftslandprinzip der AVMD-RL

Demgegenüber wird das Herkunftslandprinzip der Richtlinie über audiovisuelle Mediendienste (RL 2010/13/EU – AVMD-RL)[1079] tatsächlich kollisionsrechtlich verstanden.[1080] Art. 2 Abs. 1 AVMD-RL konzentriert die Kontrolle der Mediendiensteanbieter grundsätzlich in ihrem Sitzland.[1081] In Art. 3 Abs. 1 der Richtlinie heißt es außerdem: „Die Mitgliedstaaten gewährleisten den freien Empfang und behindern nicht die Weiterverbreitung von audiovisuellen Mediendiensten aus anderen Mitgliedstaaten in ihrem Hoheitsgebiet aus Gründen, die Bereiche betreffen, die durch diese Richtlinie koordiniert sind." Zugleich sieht Art. 3 Abs. 2 AVMD-RL nur sehr eingeschränkte Möglichkeiten der Mitgliedstaaten vor, den Empfang von Mediendiensten aus anderen Mitgliedstaaten einzuschränken. Die starke Beschränkung der Untersagungsmöglichkeit eines im Sendeland erlaubten Verhaltens soll Doppelkontrolle vermeiden. Diese Lösung realisiert nach überwiegender Ansicht ein eigenes positives Anknüpfungskonzept zugunsten des Rechts des Sendelands.[1082]

Inhaltlich geht es der AVMD-RL vor allem darum, einen gemeinsamen Markt für die Herstellung und Verbreitung von Programmen zu schaffen (Erwägungsgrund 2). Gegenstand der AVMD-RL sind einerseits klassische, linear ausgestaltete Fernsehprogramme, andererseits Mediendienste auf Abruf und ähnliche Formate (Art. 1 Abs. 1 lit. a) i)).

d) Fazit

Das Herkunftslandprinzip der ECRL ist nicht zwingend kollisionsrechtlich zu interpretieren. Auch in ihm äußert sich zunächst ein Denkmodell, welches aus dem Blickwinkel des öffentlichen Rechts Hindernisse für

1079 ABl. L 95 vom 15.4.2010, S. 1–24, geändert durch Richtlinie (EU) 2018/1808, ABl. L 303 vom 28.11.2018, S. 69–92.

1080 So die h.M., siehe beispielhaft *Mankowski*, in: Heermann/Schlingloff (Hrsg.), MüKo (UWG), 32020, IntWettbR Rn. 56 und 98 ff. und *Mazziotti*, Colum. J.L. & Arts 2018, 533, 533, 536..

1081 Nach Art. 2 Abs. 2 unterliegen diejenigen Mediendiensteanbieter der Rechtshoheit eines Mitgliedstaats, die gemäß Absatz 3 in diesem Mitgliedstaat niedergelassen sind (lit. a). Lit. b bezieht Ausnahmen nach Absatz 4 mit ein, wonach es um die Nutzung von Satellitenstationen in Mitgliedstaaten geht.

1082 *Mankowski*, in: Heermann/Schlingloff (Hrsg.), MüKo (UWG), ^{3}2020, IntWettbR Rn. 98

den grenzüberschreitenden Verkehr aufzuheben versucht. Anders lassen sich die widersprüchlichen Aussagen zwischen Art. 3 Abs. 1 und 2 sowie Art. 1 Abs. 4 ECRL kaum erklären. Dies bedeutet allerdings nicht, dass die ECRL die konkrete Anwendung des jeweiligen nationalen Privatrechts tatsächlich unberührt lässt. Ganz im Gegenteil, sind doch die Rechtsverhältnisse des E-Commerce maßgeblich von Privatrechtsbeziehungen geprägt und diese wiederrum Gegenstand nationaler Rechtssetzung, die sich im Binnenmarkt als Verkehrshindernis darstellen kann.

Die inhaltliche Ähnlichkeit zu einem kollisionsrechtlichen *favor* liegt auf der Hand, doch ist dieser Rückgriff auf das Internationale Privatrecht nicht nur systemstörend, sondern auch unnötig. Er ist systemstörend, weil das kollisionsrechtliche Modell im harmonisierten Internationalen Privatrecht der Union selbst keine Grundlage gefunden hat. Er ist systemstörend, weil auch die anerkannten Ausnahmen für die „Geltung des Herkunftslandrechts" dann einen unnötigen Umweg über Rechtsmodelle, wie dasjenige der Eingriffsnorm, nehmen müssten, was den Bruch mit der „Neutralität des Internationalen Privatrecht" vertiefen würde. Er ist schließlich allein schon deshalb systemstörend, weil er bereits innerhalb der ECRL ausdrücklich nicht vorgesehen ist (Art. 1 Abs. 4 ECRL). Unnötig ist der Rückgriff auf das Kollisionsrecht, weil ein ähnlicher Effekt über eine Anpassung des nationalen, materiell-rechtlichen Regelungsmaßstabes bewirkt werden kann. Dies schafft auch Erleichterung für den Richter, der grundsätzlich sein eigenes Recht anwenden kann und lediglich mit einer möglichen Anpassung in der Rechtsanwendung konfrontiert ist.

Die sachrechtliche Interpretation des Herkunftslandprinzips der ECRL wurde schließlich vom EuGH in der Rechtssache *eDate und Martínez* bestätigt. Das Herkunftslandprinzip stellt sich so als ein zu berücksichtigendes Faktum dar, welches die Verhältnismäßigkeitsprüfung bei der Anwendung strengerer nationaler Regelungen maßgeblich beeinflusst. Es fungiert als sachrechtliche Rechtsanwendungsschranke und steht so in der Tradition des „Anwendungsvorrangs" europäischen Rechts.

Was die Dienstleistungsrichtlinie angeht, ist Art. 16 die zentrale Vorschrift. Nachdem im ursprüngliche Richtlinienvorschlag in der Tat ein kollisionsrechtliches Konzept vorgesehen war, wonach „Dienstleistungserbringer lediglich den Bestimmungen ihres Herkunftsstaates unterliegen" sollten, wurde die Vorschrift im Laufe des Gesetzgebungsprozess deutlich entschärft.[1083] Mit der generellen Pflicht des Mitgliedstaates, in dem die Dienstleistung erbracht wird, zur Gewährleistung der freien Aufnahme und freien Ausübung der Dienstleistungstätigkeit unterscheidet sich Art. 16 Abs. 1 der Dienstleistungsrichtlinie nicht strukturell von der primärrechtlichen Dienstleistungsfreiheit. Hervorzuheben sind die eingeschränkten Rechtfertigungsmöglichkeiten von beschränkenden Anforderungen, die nach Art. 16 Abs. 1 S. 3 nicht gegen die Grundsätze der Nichtdiskriminierung (lit. a), der Erforderlichkeit (lit. b) und der Verhältnismäßigkeit (lit. c) verstoßen dürfen. Schließlich umreißt Absatz 3 die residualen Spielräume des Bestimmungslandes. Insgesamt bleibt die Perspektive jene des Bestimmungslandes und zielt auf den Abbau dortiger Beschränkungen.

Dass es auch Sekundarrechtsakte gibt, die ein Herkunftslandprinzip mit kollisionsrechtlicher Wirkung enthalten, zeigte das Beispiel der AVMD-RL. Die Konzentration der Kontrolle im Sitzland des Mediendiensteanbieters wird mehrheitlich kollisionsrechtlich verstanden.

3) Gemeinsame Prinzipien

Trotz aller Unterschiede zwischen dem primärrechtlichen Herkunftslandprinzip einerseits und dem Herkunftslandprinzip innerhalb der jeweiligen Sekundärrechtsakte andererseits sowie der Heterogenität letzterer untereinander lassen sich grundlegende Gemeinsamkeiten erkennen. Stets dient das Herkunftslandprinzip einer mehr oder weniger weitreichenden Liberalisierung und der Förderung des Freiverkehrs im Binnenmarkt. Dazu wird die Rechtsanwendung des Bestimmungslandes auf verschiedene Arten beschränkt. Zunächst mag dies das öffentliche Recht betreffen, die Beschränkung der Rechtsanwendung erstreckt sich jedoch schnell auf das Privatrecht, was sich besonders in jenen Rechtsbereichen zeigt, die zwar die Durchsetzungsmechanismen des Privatrechts wählen, in ihrem Kern aber – wie das Lauterkeitsrecht – (Markt-)Verhaltensregeln einführen, die gleichfalls dem öffentlichen Recht zugeordnet werden könnten.[1084]

Diesem Liberalisierungsgedanken ist gleichzeitig immanent, dass er nur dann Geltung beansprucht, wenn das (klassische) Kollisionsrecht, das Recht des Marktortes oder zumindest ein vom Herkunftsland abweichen-

---

1083 Anschaulich zum Gesetzgebungsprozess *ders.*, in: Heermann/Schlingloff (Hrsg.), MüKo (UWG), [3]2020, Grundlagen, Teil II, Rn. 112 ff.

1084 *Ohly*, in: Ohly/Sosnitza/Köhler u.a. (Hrsg.), Gesetz gegen den unlauteren Wettbewerb, [8]2023, A. Entwicklung, Rn. 5 ff.

des nationales Recht zur Regelung eines Sachverhalts für anwendbar erklärt. Nur dann können vom „(Bestimmungsland-)Recht" den Freiverkehr hemmende Wirkungen ausgehen. In der Diskussion um die Interpretation des Herkunftslandprinzips als kollisionsrechtlichen *favor* wurde dies deutlich. Sie hilft insoweit zum grundlegenden Verständnis des Prinzips, als dieser *favor* erst nach einer „vorgelagerten kollisionsrechtlichen Prüfung" Geltung beansprucht, und zwar dann, wenn das Marktortrecht berufen wäre und sodann, wenn dieses strenger ausfällt als das Herkunftslandrecht.

4) Rückschlüsse auf das Sitzlandprinzip der VG-RL

Bereits zuvor, am Beginn von *Teil 3, Kapitel 1*, wurde festgestellt, dass die VG-RL selbst kein kollisionsrechtliches Konzept verfolgt. Insoweit spricht Erwägungsgrund 56 der VG-RL eine eindeutige Sprache: „Die Bestimmungen [der] Richtlinie lassen die Anwendung des [...] Internationalen Privatrechts [...] unberührt". Auch im Zusammenhang mit der ECRL hat eine ganz ähnliche Formulierung dazu geführt, dass der EuGH eine kollisionsrechtliche Umsetzung für nicht erforderlich hielt.[1085] Gleichwohl ist das Sitzlandprinzip in der VG-RL deutlich ausgeprägt und es wurde bislang nicht geklärt, inwieweit sich dieses auf die privatrechtlichen Rechte und Pflichten der Verwertungsgesellschaften im Binnenmarkt auswirkt. Klar ist, dass eine unmittelbar kollisionsrechtliche Wirkung nicht in Betracht kommt, nicht klar ist hingegen die Wirkung auf die Korrektur des sachrechtlichen Kontrollmaßstabes, also eine Korrektur der Rechtsanwendung sozusagen auf zweiter Ebene, namentlich zur besagten Förderung des Freiverkehrs.

Das Sitzlandprinzip der VG-RL ist, wie die Konzeption in Art. 36 Abs. 1 und Art. 37 Abs. 2 zeigt, zunächst verwaltungsrechtlich geprägt.[1086] So gingen in der Vergangenheit die territorialen Beschränkungen der Verwertungsgesellschaften auch zu allererst vom Verwaltungsrecht aus. Dies einerseits dadurch, dass eine Zulassung durch die nationale Verwaltungsbehörde erforderlich war und diese den ausländischen Verwertungsgesellschaften entweder nicht gewährt wurde oder die Verwertungsgesellschaften gar nicht erst versuchten, eine Erlaubnis zu erlangen; andererseits bewirkte

1085 EuGH, Verb. Rs. C-509/09 und C-161/10, ECLI:EU:C:2011:685 – *eDate und Martínez*, Rz. 61 f.

1086 So auch *Drexl*, MPI Stellungnahme VGG, 2015, Rz. 18 ff.

die zunächst verwaltungsrechtliche Zulassungspflicht mittelbare Tätigkeitshindernisse mit Wirkung für das Privatrecht, wenn den Verwertungsgesellschaften bei der Geltendmachung von Ansprüchen etwa die Aktivlegitimation aberkannt wurde.[1087]

Ein Vergleich zur Interpretation des Herkunftslandprinzips der ECRL verstärkt diesen Eindruck, denn kaum ein Bereich hat ein derartiges Potential zur Verwirklichung des Binnenmarkts in Bezug auf den Waren- und Dienstleistungsverkehr wie der E-Commerce. Als Hindernis für die grenzüberschreitende Entwicklung des E-Commerce erweisen sich dabei verschiedenste Arten von Rechtsvorschriften, seien diese öffentlich-rechtlich – mit zusätzlichen Aufsichtsmaßnahmen verbunden – oder auch rein privatrechtlich. In beiden Fällen können Unterschiede im Recht die länderspezifische Anpassung etwa eines Webshops erforderlich machen.[1088] Obwohl der hemmende Einfluss privatrechtlicher Standards offensichtlich ist, entschied der EuGH, dass die ECRL keinen unmittelbaren Einfluss auf das Internationale Privatrecht nimmt.[1089] Dabei sind die vom Recht ausgehenden Hindernisse im Bereich des E-Commerce doch wesentlich unmittelbarer und zugleich unübersichtlicher als dies im Verwertungsgesellschaftsrecht der Fall ist. Das Verwertungsgesellschaftsrecht beschränkt sich notwendigerweise auf einen eng umgrenzten Bereich. Der „koordinierte Bereich" der ECRL dagegen umfasst nach Art. 2 lit. h) ein kaum abgrenz-

1087 Zu den nationalen Wahrnehmungsmonopolen, siehe *Teil 1, Kapitel 2, B*; zur fehlenden Aktivlegitimation, *Teil 1, Kapitel 2, D*.

1088 Dafür ist eine Vereinheitlichung der Kontrollmaßstäbe besonders erforderlich. Schon früh wurden unterschiedliche rechtliche Anforderungen an den E-Commerce als wesentliches Entwicklungshindernis für einen Binnenmarkt in diesem Bereich erkannt. Dies hat die Kommission in ihrer Strategie für den digitalen Binnenmarkt in Europa ausdrücklich festgestellt (COM(2015) 192 final): „Um die richtigen Bedingungen für einen EU-weiten, florierenden Online-Handel zu schaffen, wird die Kommission, wie in ihrem Arbeitsprogramm für 2015 angekündigt, einen geänderten Rechtsetzungsvorschlag vorlegen, der es den Verkäufern erlaubt, auf ihr innerstaatliches Recht zurückzugreifen, und der die wesentlichen Rechte und Pflichten der Vertragsparteien eines Kaufvertrags weiter harmonisiert. Erreicht wird dies vor allem durch die Einführung von Abhilfen für den Fall der Nichterfüllung und durch eine angemessene gesetzliche Mindestgewährleistungsfrist. Auf diese Weise soll sichergestellt werden, dass Händler im Binnenmarkt nicht durch Unterschiede zwischen den nationalen verbindlichen Normen des Verbrauchervertragsrechts oder durch Unterschiede bei den warenspezifischen Vorschriften (z. B. Kennzeichnung) von grenzüberschreitenden Geschäften abgehalten werden."

1089 Bzw. keine kollisionsrechtliche Umsetzung erfordert.

bares Spektrum an Tätigkeiten, wobei diese Tätigkeiten wiederum von zahlreichen, verstreuten rechtlichen „Anforderungen“ geprägt werden.[1090] So können nationale privatrechtliche Bestimmungen aus gänzlich verschiedenen Bereichen des Rechts einen Anbieter von Waren oder Dienstleistungen dazu zwingen, seinen Webshop landesspezifisch auszugestalten. Aus Verbrauchersicht droht damit zugleich eine negative Anpassung des Angebots und der Preise.[1091] Im Verwertungsgesellschaftsrecht scheinen die Anpassungsschwierigkeiten weniger drängend. Das Verwertungsgesellschaftsrecht richtet sich an sehr spezielle bzw. spezialisierte Akteure, die ohnehin in einem stark regulierten Umfeld tätig sind. Dabei ergeben sich ähnliche Organisationsstrukturen der Akteure nicht zuletzt aufgrund der Ähnlichkeit ihrer Betätigung und aufgrund der langen Tradition internationaler Zusammenarbeit. Erkennbare Unterschiede im Recht hingegen sind insbesondere auf unterschiedliche Traditionen und Wertungen in angrenzenden Rechtsbereichen, namentlich dem Urheber- und Kartellrecht, zurückzuführen.[1092] Eine Verwertungsgesellschaft, die grenzüberschreitend tätig ist, kann wohl mit größerer Leichtigkeit strengere Bestimmungen des „Ziellandes“ beispielsweise hinsichtlich Repertoiretransparenz umsetzen, als dies ein (mittelständisches) Handelsunternehmen hinsichtlich seines Webshops leisten könnte.

Auch ein Vergleich mit dem Herkunftslandprinzip der Richtlinie über audiovisuelle Mediendienste (RL 2010/13/EU – AVMD-RL) kann für das Verständnis des Sitzlandprinzips der VG-RL hilfreich sein. Das Herkunftslandprinzip der AVMD-RL wird in der Tat mehrheitlich kollisionsrechtlich verstanden.[1093] Gegenstand der AVMD-RL sind einerseits klassische,

1090 So umfasst der E-Commerce verschiedenste Tätigkeiten wie den elektronischen Handel mit Waren und Dienstleistungen, Online-Lieferungen digitaler Inhalte, den elektronischen Zahlungsverkehr, kommerzielle Auktionen, öffentliche Auftragsvergabe und verschiedene Formen der Absatzförderung (siehe beispielsweise *Blasi*, Das Herkunftslandprinzip der Fernseh- und der E-Commerce-Richtlinie, 2004, S. 276; *Brettschneider*, Das Herkunftslandprinzip und mögliche Alternativen aus ökonomischer Sicht, 2015, S. 448 ff.).

1091 Siehe etwa *Brettschneider*, Das Herkunftslandprinzip und mögliche Alternativen aus ökonomischer Sicht, 2015, S. 452 ff.

1092 Siehe umfassend *Drexl*, Copyright, Competition and Development, 2013, unter Abschnitt 11.

1093 So beispielhaft *Mankowski*, in: Heermann/Schlingloff (Hrsg.), MüKo (UWG), [3]2020, IntWettbR Rn. 56 und 98 ff. und *Mazziotti*, Colum. J.L. & Arts 2018, 533, 533, 536.In Art. 3 Abs. 1 der Richtlinie heißt es: „Die Mitgliedstaaten gewährleisten den freien Empfang und behindern nicht die Weiterverbreitung von audiovisuellen

linear gestaltete Fernsehprogramme, andererseits Mediendienste auf Abruf und ähnliche Formate (Art. 1 Abs. 1 lit. a) i)). Nun zeigt sich gerade bei den programmartigen, kuratierten Beiträgen, dass eine Berücksichtigung länderspezifischer Besonderheiten und Anforderungen aus verschiedenen Bereichen des Rechts kaum möglich ist. Denn eine Fernsehsendung ist ihrem Wesen nach unteilbar.[1094] Soll sie grenzüberschreitend ausgestrahlt werden und gelten dabei jeweils national unterschiedliche Rechtsstandards, so muss der gesamten Sendung notwendigerweise der strengste Standard zugrunde gelegt werden.[1095] Im Bereich der Verwertungsgesellschaften ist dies nicht der Fall. Ihre Dienstleistungen können durchaus national unterschiedlich ausgerichtet werden. Entsprechend lässt sich folgern, dass zur Verwirklichung grenzüberschreitender „Sendungen" eine kollisionsrechtliche Lösung, welche dem Herkunfts- oder Ursprungslandprinzip folgt, dringender erforderlich ist als im Bereich der kollektiven Rechtewahrnehmung. Sie ist geradezu eine Voraussetzung für die Entstehung grenzüberschreitender (Programm-)Dienstleistungen, während die Anwendung nur eines Rechts die grenzüberschreitende Betätigung der Verwertungsgesellschaften zwar erleichtern würde, jedoch nicht deren unbedingte Voraussetzung ist. Im Gegenteil, ganz andere Gründe wurden für die territoriale Tätigkeitsbegrenzung der Verwertungsgesellschaften identifiziert. Sie erfolgte teilweise freiwillig bzw. aufgrund der besonderen Marktgegebenheiten, indem sich Verwertungsgesellschaften bewusst auf das System der Gegenseitigkeitsverträge zurückzogen. Vor allem war es jedoch das Verwertungsgesellschaftsrecht in seiner öffentlich-rechtlichen Dimension, welches ausländische Verwertungsgesellschaften oder überhaupt ein Nebeneinander mehrerer Verwertungsgesellschaften in einem sich überlagernden Bereich direkt oder indirekt ausschloss.[1096]

Diese Komponente des öffentlichen Aufsichtsregimes ist in der VG-RL klar angesprochen und in Art. 36 Abs. 1 sowie Art. 37 Abs. 2 VG-RL Gegenstand des Sitzlandprinzips. Damit ist der bedeutendste Schritt hin zu

Mediendiensten aus anderen Mitgliedstaaten in ihrem Hoheitsgebiet aus Gründen, die Bereiche betreffen, die durch diese Richtlinie koordiniert sind."

1094 Dies gilt zumindest für klassische TV-Sendungen und mag im Bereich des „Smart-TV" anders zu beurteilen sein.

1095 Sofern dies überhaupt möglich ist, denkbar sind auch widersprüchliche, also miteinander unvereinbare nationale Rechtsstandards. Zur Unteilbarkeit von Fernsehprogrammen siehe etwa *Blasi*, Das Herkunftslandprinzip der Fernseh- und der E-Commerce-Richtlinie, 2004, S. 56 ff.

1096 Siehe insgesamt hierzu *Teil 1, Kapitel 2.*

einem Binnenmarkt für Dienstleistungen der kollektiven Rechtewahrnehmung getan. Dieser Ansatz trägt der Gesamtkomposition des harmonisierten Wahrnehmungsrechts Rechnung, in welchem erstens, das Internationale Privatrecht explizit unberührt bleibt (Erwägungsgrund 56), zweitens, die Kontrollerleichterungen konzeptionell auf die öffentliche Aufsicht bezogen sind (Art. 36 ff VG-RL) und drittens, ein komplexes Zusammenspiel zwischen Urheberrecht, Verwertungsgesellschaftsrecht und Wettbewerbsrecht zu erkennen ist.

Zuletzt wird dieser Ansatz auch durch den Vergleich mit der Dienstleistungsrichtlinie bestätigt. Diese verfolgt ein zweispuriges Konzept, in welchem in Art. 9 Dienstleistungsrichtlinie zunächst nationale Genehmigungsregelungen eingeschränkt werden und in Art. 16 eine weitergehende Gewährleistung der Aufnahme und Ausübung ausländischer Dienstleistungsaktivitäten mit Wirkungen für das Privatrecht erfolgt. Diese Zweispurigkeit fehlt der VG-RL gerade, welche das Sitzlandprinzip ausdrücklich nur auf die verwaltungsrechtliche Kontrolle bezieht. Die Dienstleistungsrichtlinie schafft darüber hinaus in Art. 16 Abs. 3 ein abgestuftes Konzept der Rechtfertigung für die Anwendung nationaler Anforderungen auf Dienstleistungen mit Binnenmarktbezug, welches die Rechtsprechung zum Beschränkungsverbot des freien Dienstleistungsverbot aus Art. 56 Abs. 1 AEUV aufnimmt und konkretisiert. Eine derartige Regelung findet sich in der VG-RL nicht. Damit würde die Annahme eines richtlinienimmanenten Sitzlandlandprinzips mit Wirkungen für das Privatrecht gerade kein ausgewogenes Konzept ermöglichen, in welchem nationale Besonderheiten berücksichtigt werden könnten, soweit sie sich rechtfertigen lassen.[1097]

5) Bedeutung des Harmonisierungsgrades der VG-RL für die Rechtfertigung von Beschränkungen der Dienstleistungsfreiheit

Die Harmonisierung durch die VG-RL kann aber auch dann berücksichtigt werden, wenn die Überprüfung der Anwendung nationaler Standards des Privatrechts gegenüber ausländischen Verwertungsgesellschaften nicht unmittelbar anhand der VG-RL – und einem hier zu suchenden Sitzlandprin-

1097 Auch die AVMD-RL enthält in Art. 3 Abs. 2 und 4 Ausnahmen, welche es dem Aufnahmestaat erlauben den Empfang eines ausländischen Mediendienstes einzuschränken. Sie umfassen insbesondere die klassischen Rechtfertigungsgründe des Schutzes der öffentlichen Ordnung, der öffentlichen Gesundheit, Sicherheit und des Verbraucherschutzes, wenn auch in eingeschränktem Maße.

zip – erfolgt, sondern nur anhand der Grundfreiheiten. Denn dem Harmonisierungsstand in einem Rechtsbereich kann durchaus eine allgemeine Bedeutung für das Sitzlandprinzip in Form der gegenseitigen Anerkennung ausländischen Rechts und ausländischer Standards entnommen werden.[1098] In diesem Modell erweist sich die Rechtsangleichung als Voraussetzung der Liberalisierung in Form gegenseitiger Anerkennung. Denn dort, wo Standards einander angeglichen sind, ist der Weg zur Anerkennung des ausländischen Standards naturgemäß kürzer und der Effekt der Anerkennung eines ausländischen Standards wirkt weniger verzerrend. Das Prinzip der gegenseitigen Anerkennung verlangt gerade nach einem im Mindestmaß harmonisierten Rechtsrahmen und die Annährung der Rechtsordnungen wird so zu seiner Voraussetzung.[1099] Davon ausgehend führt das Prinzip der gegenseitigen Anerkennung zu einem der Rechtsvereinheitlichung ebenbürtigem Niveau der Binnenmarktdynamik.[1100]

1098 So entschied der EuGH schon früh, dass ein zusätzliches Genehmigungserfordernis nicht notwendig ist, „wenn der in einem anderen Mitgliedstaat ansässige Leistende dort eine Genehmigung besitzt, die unter Voraussetzungen erteilt worden ist, welche mit denen des Staates, in dem die Leistung erbracht wird, vergleichbar sind, und in jenem Staat die gesamte Vermittlungstätigkeit des Büros ohne Rücksicht darauf, in welchem Mitgliedstaat die Leistung erbracht werden soll, einer angemessenen Beaufsichtigung unterstellt ist." (EuGH, 18.1.1979, C-110/78, ECLI:EU:C:1979:8 – *Ministère public u.a./Van Wesemael*, Rz. 30). Die Vergleichbarkeit der angesprochenen Voraussetzungen kann grundsätzlich spätestens dann angenommen werden, wenn eine europäische (Mindest-)Harmonisierung gemeinsame Standards herbeigeführt hat. Ähnlich auch *Leistner*, Konsolidierung und Entwicklungsperspektive des europäischen Urheberreechts, 2008, S. 8 f.

1099 *Basedow*, RabelsZ 1995, 1, 4 f. Sekundärrechtsakte bezwecken dabei nicht zwingend eine Vollharmonisierung, vielmehr genügt oft ein Mindestmaß an Rechtsangleichung. Zugleich erleichtert die Abstandnahme von einer Vollharmonisierung es dem europäischen Gesetzgeber, trotz forcierter Binnenmarktstrategie dem in Art. 5 EUV festgeschriebenen Subsidiaritätsgrundsatz gerecht zu werden (*Baere*, MJ 2004, 287, 288).

1100 Als Vorteil dieser Vorgehensweise gegenüber dem Erlass unmittelbar wirkender Verordnungen wird unter anderem die größere Rücksichtnahme auf nationale Traditionen genannt. So bleibt den Mitgliedstaaten die Möglichkeit, bei Umsetzung von Richtlinien die Regelungsziele in ihr nationales dogmatisches System einzubetten (*Köndgen/Mörsdorf*, in: Riesenhuber (Hrsg.), European Legal Methodology, ²2021, § 6 Rn. 44). Als weitere Vorteile dezentraler Rechtssetzung werden genannt: die bessere Berücksichtigung heterogener Präferenzen und Bedingungen durch räumlich differenzierende Regelungen; Dezentralität erleichtere es, lokales Wissen für die Rechtssetzung fruchtbar zu machen; Dezentralität im Recht fördere aufgrund des Wettbewerbs der Regelungssysteme die Innovationskraft der Rechtssysteme (*Franck*, in: Riesenhuber (Hrsg.), European Legal Methodology,

Mittel der Rechtsangleichung ist also die Einebnung mehr oder weniger großer Unterschiede auf ein mehr oder weniger einheitliches Niveau. Ziel ist die Angleichung auf ein Maß, welches es den Mitgliedstaaten erlaubt, gegenüber weiterhin abweichenden Standards und Wettbewerbsbedingungen anderer Mitgliedsstaaten Toleranz zu üben.[1101] Die Anwendung strengerer nationaler Vorschriften mit beschränkender Wirkung ist dann nicht ausgeschlossen, sie erweist sich jedoch häufig als unnötig bzw. als nicht erforderlich. Mindestharmonisierung schließt die Beschränkungsmöglichkeit der Grundfreiheiten also nicht aus. Das Maß der Harmonisierung ist jedoch auf Rechtfertigungsebene zu berücksichtigen, indem die Erforderlichkeit der Durchsetzung strengerer Regelungen vor dem Hintergrund eines bestehenden Mindestschutzes zu hinterfragen ist. So entsteht ein flexibles System, in welchem zwischen Voll- und Mindestharmonisierung unterschieden werden kann und der Harmonisierungsgrad zugleich auf Ebene der Grundfreiheiten Berücksichtigung findet.[1102]

III. Zusammenfassung

Ein einheitliches europäisches Herkunftslandprinzip gibt es nicht. Vielmehr ist zunächst zwischen dem primärrechtlichen und dem sekundärrechtlichen Herkunftslandprinzip zu unterscheiden, wobei auch innerhalb der Sekundärrechtsakte der Europäischen Union differenziert werden muss. Einige wirken sich kollisionsrechtlich aus, andere nicht.[1103] Zu den

---

^{2}2021, § 5 Rn. 24 ff.); Prozesse des Experimentierens sollen dabei helfen, das Problem mangelnden Wissens – welches den Gesetzgeber wie jeden Marktteilnehmer betrifft – zu überwinden (*Hayek*, Die Irrtümer des Konstruktivismus und die Grundlagen legitimer Kritik gesellschaftlicher Gebilde, 1975.); kleinere Einheiten sollen schließlich eine einfachere und schnellere Anpassung an sich wandelnde Gegebenheiten ermöglichen (*Franck*, in: Riesenhuber (Hrsg.), European Legal Methodology, ^{2}2021, § 5 Rn. 27).

1101 *Basedow*, in: Schnyder/Reichert-Facilides (Hrsg.), Internationales Verbraucherschutzrecht, 1995, S. 11, 18.

1102 Der Harmonisierungsstand kann in diesem System auf Rechtfertigungsebene berücksichtigt werden, indem ihm ein besonderes Begründungsbedürfnis für die Erforderlichkeit der Anwendung und Durchsetzung strengerer nationaler Standards gegenüber ausländischen Dienstleistungserbringern im Binnenmarkt entnommen wird. Ähnlich auch *Körber*, Grundfreiheiten und Privatrecht, 2004, 90 ff.

1103 Positivbeispiele für ein kollisionsrechtlich verstandenes Herkunftslandprinzip wurden nicht näher beschrieben. Sie sind selten und keinesfalls unumstritten. Angesprochen wurde lediglich Art. 3 Abs. 1 AVMD-RL.

Grundfreiheiten lässt sich sagen, dass sie keinen kollisionsrechtlichen Gehalt aufweisen. Ihre Aufgabe liegt in der Korrektur des inländischen Rechts im Wege der gegenseitigen Anerkennung. Eine Rechtfertigung abweichender Vorschriften ist stets möglich. Gleiches gilt für die Mehrheit der Sekundärrechtsakte. Näher untersucht wurden die Dienstleistungsrichtlinie und die ECRL. Die Dienstleistungsrichtlinie kodifiziert in Art. 16 lediglich Grundsätze der Dienstleistungsfreiheit, die sich an die Rechtsprechung zur Dienstleistungsfreiheit nach Art. 56 AEUV anlehnen, diese fortführen und eine Rechtfertigung der Beschränkung jedenfalls im Grundsatz nicht ausschließen. Entsprechend gilt bei ihr, wie bei den Grundfreiheiten, das Herkunftslandprinzip sachrechtlich. Schwieriger ist die Beurteilung der ECRL. Trotz stark eingeschränkter Rechtfertigungsmöglichkeit im koordinierten Bereich und der verwirrenden Terminologie in Art. 3 ECRL lässt sich das Herkunftslandprinzip aber auch hier nach dem Vorbild des primärrechtlichen Herkunftslandprinzips als Grundsatz des Freiverkehrs verstehen. Entscheidend ist auch bei der Verankerung des Herkunftslandprinzips im Sekundärrecht, dass es nicht in der Tradition des Internationalen Privatrechts eine Rechtsordnung zur Lösung einer juristischen Frage beruft, sondern den Freiverkehr durch das Verbot doppelter Kontrollen fördern möchte. Wer eine Tätigkeit im koordinierten Bereich aufnimmt, soll nur die Anforderungen einhalten müssen, die sein Heimatrecht an ihn stellt. Ist das Recht des Bestimmungslands hingegen günstiger, so bedarf es keiner Korrektur und kann unangepasst auf die Tätigkeit aus dem Ausland angewandt werden. Bestätigung hat diese Auffassung durch den EuGH in der Rechtssache *eDate und Martínez* erfahren.

Auch wenn der VG-RL eindeutig keine unmittelbar kollisionsrechtliche Wirkung zukommt, kann sie das zuvor entwickelte kollisionsrechtliche Ergebnis für den Binnenmarkt mittelbar beeinflussen. Dabei verengt der erreichte Harmonisierungsstand im Bereich der kollektiven Rechtewahrnehmung die Rechtfertigungsmöglichkeiten von Beschränkungen, welche über die Anwendung nationaler Privatrechtsstandards für die Dienstleistungstätigkeit der Verwertungsgesellschaften im Binnenmarkt ausgehen.[1104] Einwirkungen auf das Sachrecht sind damit möglich und naheliegend. Die Frage wie diese Wirkungen sich konkret entfalten, lässt sich in der

1104 Zur Harmonisierungstiefe siehe insbes. *Teil 2, Kapitel 1.* Die meisten Teile der Richtlinie unterliegen nur einer Mindestharmonisierung, siehe insbes. ErwG 9 für Teil II der VG-RL. Außerdem ErwG 27, 29 und ErwG 40 für die Mehrgebietslizenzen im Online-Musikbereich.

abstrakten Untersuchung kaum beantworten. Sie ist am ehesten anhand der einzelnen Betätigungen und der Rechte und Pflichten, welche diese Betätigungen bestimmen, zu beurteilen. Bereits jetzt lässt sich aber sagen, dass nur jene Rechte und Pflichten betroffen sind, für die nicht bereits kollisionsrechtlich das Sitzlandrecht gilt.

IV. Zwischenergebnis: Vom Sitz- bzw. Herkunftslandprinzip (potentiell) betroffene Rechte und Pflichten

Dies bedeutet, dass der Einfluss des Sitzlandprinzips der VG-RL und des Primärrechts allein für jene Rechte und Pflichten untersucht werden muss, die zuvor an das Recht des Schutzlandes angeknüpft wurden. Von Bedeutung sind die Folgenden:

(1) Die Berechnung und Verteilung der Einnahmen der Verwertungsgesellschaft aus gesetzlichen Vergütungsansprüchen oder verwertungsgesellschaftspflichtigen Rechten, an deren Einziehung eine Verwertungsgesellschaft unmittelbar mitgewirkt hat, sofern das Recht des Landes aus dessen Urheberrecht die Einnahmen entstanden sind, eine zwingende Verteilungsregelung vorsieht von der die Parteien nicht durch Vereinbarung abweichen können und deren internationale Durchsetzung aus der Sicht dieses Rechts zwingend erforderlich ist.
(2) Die Bedingungen der Wahrnehmung eines gesetzlichen Vergütungsanspruches oder eines in sonstiger Weise eingeschränkten Rechts, dessen Wahrnehmung zwingend durch Verwertungsgesellschaften zu erfolgen hat.
(3) Die Bedingungen des Zugangs zu Urheberrechten und verwandten Schutzrechten, die von Verwertungsgesellschaften wahrgenommen werden.
(4) Die Befugnis zur und die Bedingungen der Nutzung ohne Lizenz.
(5) Die (werkbezogenen) Informationspflichten der Verwertungsgesellschaften gegenüber den Rechtenutzern, insbesondere im Hinblick auf die wahrgenommenen Rechte oder die bereitgestellten Tarife.
(6) Gesetzliche oder tatsächliche Vermutungen der (werkbezogenen) Wahrnehmungsbefugnis von Verwertungsgesellschaften sowie die Möglichkeit und die Voraussetzungen der Wahrnehmung von Rechten ohne Zustimmung der Rechteinhaber.

C. Konkrete Einwirkungen von Sitz- und Herkunftslandprinzip auf die Rechte und Pflichten der Verwertungsgesellschaften im Binnenmarkt

I. Ausgangspunkt der Untersuchung

1) Leitende Prinzipien für die Untersuchung der Reichweite des Sitz- und Herkunftslandprinzips

Grundlage der Betrachtung ist zunächst die VG-RL selbst, und insoweit ist festzustellen, dass der europäische Rechtsrahmen beeindruckende Regelungstiefe erfahren hat. Die VG-RL sieht bereits umfassende und detaillierte Maßstäbe der Regulierung verwertungsgesellschaftlichen Handelns vor. Sie bildet damit grundsätzlich ein Fundament, auf welches die Anwendung des Sitzlandprinzips aufbauen kann – inwieweit im Detail bleibt zu untersuchen.

Gleichzeitig – und dies ist mindestens ebenso bedeutend – ist der Harmonisierungsstand in angrenzenden Bereichen zu berücksichtigen. Die diesem Kapitel vorausgegangene Entwicklung eines allgemeinen Kollisionsrechts der kollektiven Rechtewahrnehmung beruhte vor allem auf einer funktionalen Analyse des Verwertungsgesellschaftsrechts. Sie stand unter folgender Prämisse: Genauso wenig wie Verwertungsgesellschaften eine unabhängige Funktion erfüllen, lässt sich dem Verwertungsgesellschaftsrecht eine solche entnehmen. Damit sind nicht etwa die in den Erwägungsgründen 8 und 9 der VG-RL genannten Ziele gemeint,[1105] sie mag man formell als „Zweck" oder eben „Ziel" des Gesetzes ansehen (die VG-RL ist der Rechtsrahmen, welcher die Regulierung der Betätigung von Verwertungsgesellschaften zur Aufgabe hat), wichtiger erscheint aber, dass stets, wenn die Regulierungsmaterie des Wahrnehmungsrechts angesprochen wird, ihr eigentlicher Bezug zu angrenzenden Gebieten, namentlich dem Urheberrecht, hervorgehoben wird. So zeigt schon Erwägungsgrund 1 der VG-RL, dass es im Kern um Urheberrecht und Wettbewerbsrecht geht, wenn es ganz am Beginn des Rechtsakts heißt: „Die bestehenden Unionsrichtlinien zu den Urheber- und verwandten Schutzrechten gewähren Rechtsinhabern schon jetzt ein hohes Maß an Schutz und bieten einen Regelungsrahmen, in dem die Verwertung von durch diese Rechte geschützten Inhalten statt-

---

1105 So spricht Erwägungsgrund 9 davon, dass es Ziel der Richtlinie sei, die „Anforderungen an Organisationen für die kollektive Rechtewahrnehmung festzulegen, um hohe Standards für die Leistungsstrukturen, das Finanzmanagement, die Transparenz und das Berichtswesen zu gewährleisten".

finden kann. Diese Richtlinien tragen zur Förderung und Bewahrung der Kreativität bei. In einem Binnenmarkt, in dem es keine Wettbewerbsverzerrungen gibt, stößt der Schutz von Innovationen und geistiger Schöpfung auch Investitionen in innovative Dienstleistungen und Produkte an."

Entsprechend wurde am Beginn der Arbeit aufgezeigt, dass Verwertungsgesellschaften kein in sich geschlossenes System bilden und entsprechend auch das Verwertungsgesellschaftsrecht nicht als geschlossenes Rechtssystem verstanden werden kann. Es steht nicht nur in Interaktion mit angrenzenden Rechtsbereichen – wie dies im Recht stets der Fall ist –, sondern hat seine eigentliche Funktion in der Effektuierung angrenzender Rechtssysteme, welche vor allem das Urheberrecht und das Kartellrecht sind. Darauf – im Wesentlichen – stützte sich die vorangegangene Untersuchung und führte so in Anlehnung an das kartellrechtliche Auswirkungsprinzip und an die urheberrechtliche *lex loci protectionis* zu einem Kollisionsrecht, welches nur in umgrenzten Teilen das Sitzlandrecht zur Anwendung bringen kann.

Für Binnenmarktsachverhalte bedeutet dies entsprechend, dass nicht nur gemeinsame Standards des Verwertungsgesellschaftsrechts zu berücksichtigen sind, sondern vor allem auch die gemeinsamen Standards im Urheberrecht Gründe für das „Prinzip der gegenseitigen Anerkennung" oder fehlende gemeinsame Standards Rechtfertigungen für ein gegenteiliges Prinzip der „Nichtanerkennung" bieten können.

2) Geltung der Dienstleistungsrichtlinie

Bevor mit der eigentlichen Prüfung der Beschränkung der Dienstleistungsfreiheit in Bezug auf einzelne Tätigkeiten der Verwertungsgesellschaften innerhalb des rechtlichen Systems der kollektiven Rechtewahrnehmung begonnen werden kann, ist zu prüfen, ob die Dienstleistungsrichtlinie mit ihren bereits formell engeren Möglichkeiten der Rechtfertigung von beschränkenden Anforderungen auf die Tätigkeit von Verwertungsgesellschaften anwendbar ist.

Die VG-Richtlinie schweigt zu dieser Frage, was zu erheblichen Unsicherheiten geführt hat. Nach Ansicht der Kommission stand die Anwendung von Art. 16 der Dienstleistungsrichtlinie auf die Tätigkeit von Verwertungsgesellschaften zunächst außer Zweifel.[1106] Eine Bezugnahme auf die

1106 Europäische Kommission, Handbuch zur Umsetzung der Dienstleistungsrichtlinie, S. 49; *Drexl*, MPI Stellungnahme VGG, 2015, Rn. 14.

Dienstleistungsrichtlinie in den Erwägungsgründen der VG-RL war nach den Vorstellungen der Kommission ursprünglich vorgesehen, hätte aber nach ihrer Auffassung nur klarstellenden Charakter gehabt.[1107] Nachdem im Laufe des Gesetzgebungsprozesses an der Anwendung der Dienstleistungsrichtlinie auf Verwertungsgesellschaften erhebliche Kritik geäußert wurde, einigte man sich darauf, den entsprechenden Passus aus den Erwägungsgründen zu streichen bzw. nicht zu übernehmen.

Kurz nach Annahme der Richtlinie durch den europäischen Gesetzgeber hatte der EuGH allerdings in der Rechtssache *OSA*[1108] die Frage zu klären, ob insbesondere Art. 16 der Dienstleistungsrichtlinie einer Regelung eines Mitgliedstaates entgegensteht, die die kollektive Wahrnehmung der Urheberrechte an bestimmten geschützten Werken im Hoheitsgebiet dieses Mitgliedstaates einer einzigen Verwertungsgesellschaft vorbehält und dadurch Nutzer dieser Werke, wie die im Ausgangsverfahren betroffene Kureinrichtung, daran hindert, die Dienstleistungen einer in einem anderen Mitgliedstaat niedergelassenen Verwertungsgesellschaft in Anspruch zu nehmen.[1109] Dies verneinte der Gerichtshof kurz und knapp mit der Begründung, dass Art. 16 der Dienstleistungsrichtlinie auf urheberrechtsbezogene Dienstleistungen gemäß Art. 17 Nr. 11 der Richtlinie keine Anwendung finde.[1110] Der EuGH entzieht damit die Tätigkeiten der Verwertungsgesellschaften insgesamt dem Anwendungsbereich von Art. 16 der Dienstleistungsrichtlinie, denn alle Aufgaben der Verwertungsgesellschaften sind urheberrechtsbezogen. Namentlich gilt dies für die im Fall *OSA* angesprochenen Lizenzdienstleistungen. Doch auch die Wahrnehmungsdienstleistungen der Verwertungsgesellschaften sind urheberrechtsbezogen, da sie den Rechteinhabern die Ausübung ihrer Urheberrechte ermöglichen und in vielen

---

1107 Ein entsprechender Hinweis auf die Anwendbarkeit der Dienstleistungsrichtlinie fand sich in Erwägungsgrund 3 des Kommissionsvorschlages von 2012.

1108 EuGH, C-351/12, ECLI:EU:C:2014:110 – *OSA*.

1109 So die 3. Vorlagefrage.

1110 EuGH, *OSA*, Rz. 64 ff. So auch die Schlussanträge der Generalanwältin *Sharpston*: „Jedenfalls muss diese Tätigkeit meiner Ansicht nach vom Anwendungsbereich des Art. 16 der Richtlinie 2006/123 (der Bestimmung, zu deren Auslegung das vorlegende Gericht Hinweise erbittet) ausgenommen sein, soweit sie in den Bereich der Urheberrechte und verwandten Schutzrechte fällt, die in Art. 17 Nr. 11 der Richtlinie aufgeführt sind. Obgleich die Vorschrift ihrem Wortlaut nach nur Rechte erfasst, ist offenkundig, dass sie sich tatsächlich auf Dienstleistungen im Zusammenhang mit solchen Rechten beziehen muss, da nur Dienstleistungen von der Anwendbarkeit des Art. 16 ausgenommen sein können. Darüber hinaus bestimmt Art. 1 Abs. 3, dass die Richtlinie nicht die Abschaffung von Monopolen betrifft." Schlussanträge, C-351/12, ECLI:EU:C:2013:749 – *OSA*.

Bereichen die urheberrechtliche Wertschöpfung und Vergütungssicherung herstellen. Gegenstand der Rechtsbeziehung zwischen Rechteinhabern und Verwertungsgesellschaften sind schließlich ebenfalls Urheberrechte.

Im Fall *OSA* beschäftigte sich der EuGH darüber hinaus mit der Frage, ob die oben dargestellte tschechische Regelung mit der Dienstleistungsfreiheit nach Art. 56 AEUV in Einklang steht. Der Gerichtshof bejahte dies im Anschluss an eine umfassende Rechtfertigungsprüfung.[1111] Dieses Ergebnis verdient durchaus Beachtung für die nun anstehende Prüfung. Dabei ist jedoch zu bedenken, dass das Urteil auf die nun zu prüfenden Betätigungen der Verwertungsgesellschaften in doppelter Hinsicht nur begrenzt übertragbar ist. Erstens handelt es sich bei der *OSA*-Entscheidung hinsichtlich der Vereinbarkeit mit Art. 56 AEUV lediglich um eine Momentaufnahme.[1112] Ein anderes Ergebnis bzgl. der Tätigkeiten von Verwertungsgesellschaften ist nach der erfolgten Harmonisierung und den oben dargestellten Prinzipien gerade nicht ausgeschlossen. Zweitens bezog sich das Urteil lediglich auf Lizenzdienstleistungen der Verwertungsgesellschaften.[1113] Für Wahrnehmungsdienstleistungen wurde aber bereits im allgemeinen Kollisionsrecht grundsätzlich ein liberalerer Ansatz gewählt.[1114]

3) Der Rahmen der Dienstleistungsfreiheit

a) Anwendungsbereich

Ohne Weiteres ist der Anwendungsbereich der Dienstleistungsfreiheit nach Art. 56 ff. AEUV eröffnet.[1115] Gemäß Artikel 57 Abs. 1 AEUV fallen unter

---

1111 EuGH, *OSA*, Rz. 72 ff.

1112 EuGH, *OSA*, Rz. 76; der EuGH bezog seine Ausführungen ausdrücklich auf den gegenwärtigen Stand des Unionsrechts.

1113 Deklaratorisch bezog sich der EuGH aber auch auf Wahrnehmungsdienstleistungen (EuGH, *OSA*, Rz. 59 f.)

1114 Siehe hierzu das vorherige Kapitel.

1115 In *OSA* machte der EuGH sehr deutlich, dass die Tätigkeit der Verwertungsgesellschaften insgesamt eine Dienstleistung im Sinne des Primärrechts darstellt, was ausdrücklich ihre Tätigkeit gegenüber den Rechteinhabern einschließe (Rz. 59 und 60). „Die Tätigkeiten von Verwertungsgesellschaften unterliegen den Bestimmungen der Art. 56 ff. AEUV über den freien Dienstleistungsverkehr (vgl. in diesem Sinne Urteile vom 25. Oktober 1979, Greenwich Film Production, 22/79, Slg. 1979, 3275, Rn. 12, vom 2. März 1983, GVL/Kommission, 7/82, Slg. 1983, 483, Rn. 38, sowie vom 20. Oktober 1993, Phil Collins u. a., C-92/92 und C-326/92, Slg. 1993, I-5145, Rn. 24) Dies gilt nicht nur für die Beziehungen zwischen einer

den Dienstleistungsbegriff Leistungen, die in der Regel gegen Entgelt erbracht werden, soweit sie nicht den Vorschriften über den freien Waren- und Kapitalverkehr und über die Freizügigkeit der Personen unterliegen. Problematisch mag dabei die Frage der Entgeltlichkeit sein, speziell wenn es um die Betrachtung der rechteinhaberbezogenen Leistungen geht. Denn es gehört zu den Wesensmerkmalen der Verwertungsgesellschaften, dass sie „nicht auf Gewinnerzielung ausgerichtet" sind (Art. 3(a)(ii) VG-RL und § 2 Abs. 2 Nr. 1 VGG). Doch wird das Tatbestandsmerkmal in Art. 57 Abs. 1 AEUV weit ausgelegt und die Entgeltlichkeit der Leistung wird nur „in der Regel" verlangt.[1116] Entscheidend ist der Charakter einer wirtschaftlich bedeutsamen Leistung, mithin einer Leistung mit wirtschaftlichem Wert für die Rechteinhaber (oder Nutzer) als Dienstleistungsempfänger.[1117]

Für die Betätigungen der Verwertungsgesellschaften bedeutet dies, dass sie generell der Dienstleistungsfreiheit unterfallen, sofern ihre Tätigkeit – zumindest potentiell – grenzüberschreitend erfolgt.[1118] Vier Varianten der Grenzüberschreitung sind denkbar, erstens die Grenzüberschreitung des Leistenden (aktive Dienstleistungsfreiheit), zweitens die Grenzüberschreitung des Leistungsempfängers (passive Dienstleistungsfreiheit), drittens die auslandsbezogene Dienstleistung und viertens die Grenzüberschreitung der Leistung selbst (Korrespondenzdienstleistung).[1119] Im Falle der Verwer-

---

Verwertungsgesellschaft und einem Inhaber von Urheberrechten, wie sich dies aus der in der vorigen Randnummer angeführten Rechtsprechung ergibt, sondern auch für die Beziehungen zwischen einer Verwertungsgesellschaft, wie OSA, und einem Nutzer geschützter Werke, wie der Kureinrichtung, um die es im Ausgangsverfahren geht." EuGH, C-351/12, ECLI:EU:C:2014:110 – *OSA*, Rz. 59 f. mit Verweis auf die weiteren Entscheidungen.

1116 Zu dieser Problematik ausführlich *Heyde*, Die grenzüberschreitende Lizenzierung von Online-Musikrechten in Europa, 2011, 349 ff. Siehe außerdem *Drexl*, MPI Stellungnahme VGG, 2015, Rn. 7 ff.

1117 *Holoubek*, in: Schwarze/Becker/Hatje u.a. (Hrsg.), EU-Kommentar, [4]2019, Art. 56, 57 AEUV, Rn. 19 f.

1118 *Müller-Graff*, in: Streinz/Michl/Bings u.a. (Hrsg.), EUV/AEUV, [3]2018, Art. 56, Rn. 31 f.

1119 *Holoubek*, in: Schwarze/Becker/Hatje u.a. (Hrsg.), EU-Kommentar, [4]2019, Art. 56, 57 AEUV, Rn. 38 ff. Teilweise wird auch nur zwischen aktiver, passiver und Korrespondenzdienstleistung unterschieden, so bspw. *Müller-Graff*, in: Streinz/Michl/Bings u.a. (Hrsg.), EUV/AEUV, [3]2018, Art. 56, Rn. 33 f. EuGH, C-198/89, ECLI:EU:C:1991:79 – *Kommission / Griechenland*, Rz. 9 f. („Artikel 59 [greift] immer dann ein, wenn ein Leistungserbringer Dienstleistungen in einem anderen Mitgliedstaat als demjenigen anbietet, in dem er niedergelassen ist, und zwar unabhängig vom Niederlassungsort der Empfänger dieser Dienstleistungen" (Rz. 10)).

tungsgesellschaften steht bei der grenzüberschreitenden Lizenzierung oder der Wahrnehmung ausländischer Rechte die Korrespondenzdienstleistung im Vordergrund.

b) Diskriminierungs- und Beschränkungsverbot

Art. 56 AEUV statuiert sowohl ein Diskriminierungs- als auch ein Beschränkungsverbot.[1120] Während es beim Diskriminierungsverbot um offene Diskriminierungen anhand der Staatsangehörigkeit und um versteckte oder mittelbare Diskriminierungen aufgrund von Merkmalen geht, die typischerweise mit der Staatsangehörigkeit verbunden sind, bezieht sich das Beschränkungsverbot allgemein auf Maßnahmen, die geeignet sind, die Ausübung einer grenzüberschreitenden Dienstleistung zu „unterbinden, behindern oder weniger attraktiv zu machen".[1121] Relevanz erfährt diese Unterscheidung vor allem für die Anforderungen an die Rechtfertigung, da offene Diskriminierungen nur gemäß Art. 62 i.V.m. Art. 52 AEUV legitimiert werden können, während eine Rechtfertigung versteckter Diskriminierungen und besonders der unterschiedslosen Beschränkungen auch unter dem Aspekt der „zwingenden Gründe des Allgemeinwohls" möglich ist.[1122] Verdeckte Diskriminierungen enthalten typischerweise Wohnsitzkriterien, Sprachkriterien oder im Wirtschaftsrecht Niederlassungskriterien.[1123] Bezogen auf das Feld der Verwertungsgesellschaften liegen sie typischerweise vor, wenn ein nationales Zulassungssystem eine Niederlassung oder gar eine Verlegung des Hauptsitzes ins Inland erfordert.[1124] Da es in dieser

1120 Siehe nur *Müller-Graff*, in: Streinz/Michl/Bings u.a. (Hrsg.), EUV/AEUV, ^{3}2018, Art. 56, Rn. 70 ff.

1121 Gängige Rechtsprechung des EuGH, siehe beispielsweise EuGH, 25.6.1991, C-76/90, ECLI:EU:C:1991:331 – *Säger*, Rz.12; EuGH, 30.11.1995, C-55/94, ECLI:EU:C:1995:411 – *Gebhard*, Rz. 37 und EuGH, 20.2.2001, C-205/99, ECLI:EU:C:2001:107 – *Analir*, Rz. 21

1122 Siehe exemplarisch *Müller-Graff*, in: Streinz/Michl/Bings u.a. (Hrsg.), EUV/AEUV, ^{3}2018, Art.56, Rz. 76.

1123 *Ders.*, in: Streinz/Michl/Bings u.a. (Hrsg.), EUV/AEUV, ^{3}2018, Art. 57, Rn. 77 f.

1124 Zu der Frage, ob ein gesetzliches Monopol (weiterhin zu Niederlassungs- und Rechtsformerfordernissen sowie Erlaubnisvorbehalten) der Verwertungsgesellschaften unter dem Aspekt der Dienstleistungsfreiheit zulässig ist, ausführlich z.B. *Heyde*, Die grenzüberschreitende Lizenzierung von Online-Musikrechten in Europa, 2011, 357 ff. *Heyde* steht diesem Modell ablehnend gegenüber, eine nationale Monopolstellung der Verwertungsgesellschaften lasse sich nicht rechtfertigen. Seine Ausführungen beziehen sich auf die Rechtslage vor Inkrafttreten der VG-

Arbeit um die privatrechtlichen Rechte und Pflichten der Verwertungsgesellschaften und deren Auswirkungen auf Betätigungsfreiheiten im Binnenmarkt geht, spielen solche Beschränkungen keine Rolle. Grundsätzlich ist das nationale Zulassungssystem gegenüber ausländischen Binnenmarkgesellschaften im deutschen Recht aufgehoben (§ 77 Abs. 2 VGG). Eine Ausnahme besteht für die Wahrnehmung gesetzlicher Vergütungsansprüche und anderer beschränkter Rechte (§ 77 Abs. 2 Nr. 1–3 VGG). Von einem inländischen Sitz ist sie generell nicht abhängig.

Für diese Arbeit entscheidend sind die Beschränkungen, die von national unterschiedlichen privatrechtlichen Standards ausgehen, soweit sie nach dem Internationalen Privatrecht abweichend vom Sitzlandrecht anwendbar sind und die Verwertungsgesellschaften so grundsätzlich zur Anpassung an unterschiedliche Regelungssysteme zwingen. Das Beschränkungsverbot des Art. 56 AEUV umfasst grundsätzlich alle Maßnahmen, die geeignet sind, eine grenzüberschreitende Leistungserbringung weniger attraktiv zu machen[1125] oder die Erbringung von Dienstleistungen zwischen Mitgliedstaaten im Ergebnis gegenüber Leistungen innerhalb eines Landes zu erschweren.[1126] Es bedarf dabei weder eines bestimmten Ausmaßes der Behinderung noch eines Spürbarkeitserfordernisses, jedoch muss die Behinderungseignung einer Maßnahme hinreichend substantiiert sein, was gänzlich ungewisse und mittelbare Behinderungen ausnimmt.[1127] Nicht per se unter das Beschränkungsverbot fällt die bloße Existenz unterschiedlicher Regelungsniveaus zwischen den Mitgliedstaaten,[1128] wobei hier eine Abgrenzung schwierig ist, denn durchaus beschränkend wirken sich Doppelbelastungen aus, die typischerweise auf unterschiedlichen Regelungs-

RL. Dies lässt im Hinblick auf die Argumentation einen Erst-Recht-Schluss zu – sofern man ihr folgen mag. Anders entschied der EuGH jedoch im Fall *OSA* – ebenfalls vor Inkrafttreten der VG-RL – im Hinblick auf ein nationales Wahrnehmungsmonopol, welches die kollektive Wahrnehmung von Urheberrechten an bestimmten geschützten Werken im Hoheitsgebiet eines Mitgliedstaates (hier Tschechien) einer einzigen Verwertungsgesellschaft vorbehält (EuGH, C-351/12, ECLI:EU:C:2014:110 – *OSA*).

1125 Siehe exemplarisch EuGH, C-55/94, ECLI:EU:C:1995:411 – *Gebhard*, Rz. 37.

1126 Exemplarisch EuGH, C-381/93, ECLI:EU:C:1994:370 – *Kommission/Frankreich* (Hafengebühren), Rz. 17.

1127 M.w.N. *Müller-Graff*, in: Streinz/Michl/Bings u.a. (Hrsg.), EUV/AEUV, ^{3}2018, Art. 56, Rn. 87.

1128 EuGH, C-379/92, ECLI:EU:C:1994:296 – *Peralta*, Rz. 48, 50 und EuGH, C-384/93, ECLI:EU:C:1995:126 – *Alpine Investments*, Rz. 27.

niveaus basieren.[1129] Klassische Fälle jenseits der Zulassungserfordernisse waren in der Vergangenheit im Bereich der Ausübungsmodalitäten die speziellen und unterschiedlichen Werberegelungen bzw. -verbote der Mitgliedstaaten.[1130]

Grundsätzlich sind mitgliedstaatliche Bestimmungen, die erstens den spezifischen Marktzugang für ausländische Dienstleistungen nicht behindern, zweitens für alle Wirtschaftsteilnehmer nach erfolgtem Marktzutritt unterschiedslos gelten und drittens inländische Dienstleistungen und ausländische (Binnenmarkt-)Dienstleistungen auch tatsächlich in gleicher Weise betreffen, keine verbotenen Dienstleistungsbeschränkungen.[1131] Gleichwohl kann eine Behinderung des Dienstleistungsverkehrs selbst in Konstellationen gefunden werden, die den Marktzutritt mittelbar erschweren. Hierzu zählen insbesondere nationale Anforderungen an die Ausübung und den Inhalt einer Dienstleistung im Aufnahmestaat, sofern sie dazu führen, dass der Dienstleistungserbringer seine Dienstleistung zu modifizieren hätte, wollte er an diesem Markt teilnehmen.[1132] Dabei scheint es sich wiederum um die typischen Fälle zu handeln, welche mit dem Begriff der Doppelbelastung verbunden werden. Die Unterschiedlichkeit der nationalen Regulierung von Verwertungsgesellschaften – auch in Bereichen jenseits der öffentlichen Aufsicht und besonderer Zulassungserfordernisse – identifizierte der europäische Gesetzgeber als Binnenmarkthindernis und zugleich als Gewährleistungsproblem hinreichender Schutzstandards, wobei der Fokus des Binnenmarktproblems teilweise weniger auf die aktive grenzüberschreitende Betätigung der Verwertungsgesellschaften gelegt

1129 *Müller-Graff*, in: Streinz/Michl/Bings u.a. (Hrsg.), EUV/AEUV, ^{3}2018, Art. 56, Rn. 87 und 91. Die Grundfreiheiten haben nicht den Zweck, die Träger jener Freiheiten grundsätzlich von jeglichen Mitgliedstaatlichen Belastungen freizustellen, sie sollen den Wirtschaftsteilnehmern im Binnenmarkt vielmehr einen ungehinderten Zugang zu den nationalen Märkten verschaffen (*Heyde*, Die grenzüberschreitende Lizenzierung von Online-Musikrechten in Europa, 2011, 353 f.).

1130 Mit übersichtlicher Darstellung des Entscheidungskanons, *Müller-Graff*, in: Streinz/Michl/Bings u.a. (Hrsg.), EUV/AEUV, ^{3}2018, Art. 56 Rn. 94.

1131 *Heyde*, Die grenzüberschreitende Lizenzierung von Online-Musikrechten in Europa, 2011, 354 f.; So auch GA *Lenz*, in EuGH, C-379/92, ECLI:EU:C:1994:191 – *Peralta*, Rz. 88.

1132 *Ders.*, Die grenzüberschreitende Lizenzierung von Online-Musikrechten in Europa, 2011, S. 354.

wurde, sondern eher auf die Schwierigkeit der Rechteinhaber ihre Rechte (grenzüberschreitend) auszuüben.[1133]

Welche der Regelungen im Verwertungsgesellschaftssystem konkret eine die Dienstleistungsfreiheit beschränkende Doppelbelastung darstellen, lässt sich im Abstrakten nicht bestimmen. Es ist vielmehr eine Überprüfung der konkreten Regelungen vorzunehmen, wobei eine Beschränkung zunächst naheliegend erscheint. Denn es lässt sich grundsätzlich festhalten, dass der EuGH an die Frage, ob eine Beschränkung der Dienstleistungsfreiheit vorliegt, keine allzu hohen Anforderungen stellt. Im Zweifel liegt diese vor und ihre Zulässigkeit ist dann eine Frage der konkreten Rechtfertigung.

c) Maßgaben an die Rechtfertigung

Bereits jetzt lässt sich festhalten, dass keine der möglichen Beschränkungen in den Bereich der Diskriminierung ausländischer Dienstleistungsanbieter fällt. Es handelt sich – hier geht es ausschließlich um die privatrechtlichen Rechte und Pflichten der Verwertungsgesellschaften – um Ausübungsregelungen, die zwar unterschiedslos gelten, die Verwertungsgesellschaften jedoch möglicherweise zur Anpassung ihrer Tätigkeit zwingen, je nachdem auf welches Land sie ihre Dienstleistungstätigkeit ausrichten.[1134] Für derartige Beschränkungen sieht das Unionsrecht die Möglichkeit der Rechtfertigung auch durch zwingende Gründe des Allgemeinwohls vor.[1135] Hierzu zählen insbesondere die Grundrechte, die Lauterkeit des Handelsverkehrs, der Grundsatz der Rechtsicherheit, der Schutz der Verbraucher

1133 Siehe hierzu insbesondere Erwägungsgrund 5 der VG-RL: „Die nationalen Regelungen über die Funktionsweise von Organisationen für die kollektive Rechtewahrnehmung weichen stark voneinander ab, insbesondere was deren Transparenz und Rechenschaftspflicht gegenüber Mitgliedern und Rechtsinhabern betrifft. Dies hat in mehreren Fällen zu Schwierigkeiten – vor allem für ausländische Rechtsinhaber, wenn diese versuchen, ihre Rechte auszuüben – [...] geführt. Mängel in der Funktionsweise von Organisationen für die kollektive Rechtewahrnehmung führen zu einer ineffizienten Verwertung von Urheber- und verwandten Schutzrechten im gesamten Binnenmarkt mit nachteiligen Folgen für die Mitglieder von Organisationen für die kollektive Rechtewahrnehmung, Rechtsinhaber und Nutzer."

1134 Freilich kommt dies auf die konkrete Ausgestaltung der nationalen Vorschrift an. Die Prüfung orientiert sich hier am VGG.

1135 *Holoubek*, in: Schwarze/Becker/Hatje u.a. (Hrsg.), EU-Kommentar, ^{4}2019, Art. 56, 57, Rn. 111 f.

und der Schutz des geistigen Eigentums.[1136] Außerdem wurde die Kulturpolitik als Rechtfertigungsgrund anerkannt, was insbesondere die Erhaltung des nationalen, historischen und künstlerischen Erbes,[1137] den Schutz der Meinungsfreiheit[1138] und den Schutz der Medienvielfalt[1139] sowie der Programmqualität des Rundfunks[1140] umfasst.[1141] Der Katalog der Rechtfertigungsgründe ist nicht abschließend; nicht zu ihnen gehört allerdings der gesamte Kreis der Wirtschaftspolitik im engeren Sinne.[1142]

Grundsätzlich ist ein Mitgliedstaat in einem gewissen Rahmen frei, auf der Rechtsfolgenseite das Schutzformat nach seinem angestrebten Schutzziel zu wählen, soweit er zuvor auf der Tatbestandsseite die Gefahr- und Risikolage zutreffend ermittelt und beurteilt hat. Der Spielraum der Mitgliedstaaten bei der Wahl der Schutzform eines angestrebten Ziels ist dabei tendenziell umso größer, je eher Sachverhalte betroffen sind, die über den Kreis der Wirtschaftspolitik im engeren Sinne hinausgehen. Allein der Umstand, dass in einem anderen Mitgliedstaat weniger strenge Vorschriften gelten, bedeutet nicht per se, dass die in Rede stehenden Vorschriften unverhältnismäßig sind.[1143] Wie bereits zuvor betont, verengt aber eine Harmonisierung die Möglichkeit zur Rechtfertigung der Anwendung darüber hinausgehender Standards auf ausländische Binnenmarktdienstleister, und zwar selbst dann, wenn die harmonisierende Richtlinie abweichende nationale Vorschriften grundsätzlich zulässt. Denn insoweit wurde bereits ein

1136 *Ders.*, in: Schwarze/Becker/Hatje u.a. (Hrsg.), EU-Kommentar, ^{4}2019, Art. 56, 57, Rn. 114 f. *Müller-Graff*, in: Streinz/Michl/Bings u.a. (Hrsg.), EUV/AEUV, ^{3}2018, Art. 56, Rn. 107.

1137 EuGH, C-154/89, ECLI:EU:C:1991:76 – *Kommission/Frankreich* (Fremdenführerurteile), Rz. 17.

1138 EuGH, C-353/89, ECLI:EU:C:1991:325 – *Kommission/Niederlande* (Mediawet), Rz.30; EuGH, C-11/95, ECLI:EU:C:1996:316 – *Kommission/Belgien*, Rz. 54 und EuGH, C-260/89, ECLI:EU:C:1991:254 – *ERT/DEP*, Rz. 44.

1139 EuGH, C-368/95, ECLI:EU:C:1997:325 – *Familiapress* (allerdings den Warenverkehr betreffend).

1140 EuGH, C-288/89, ECLI:EU:C:1991:323 – *Gauda*, Rz. 23.

1141 *Holoubek*, in: Schwarze/Becker/Hatje u.a. (Hrsg.), EU-Kommentar, ^{4}2019, Art. 56, 57, Rn. 115.

1142 *Müller-Graff*, in: Streinz/Michl/Bings u.a. (Hrsg.), EUV/AEUV, ^{3}2018, Art. 56, Rn. 108.

1143 *Heyde*, Die grenzüberschreitende Lizenzierung von Online-Musikrechten in Europa, 2011, S. 356; EuGH, C-384/93, ECLI:EU:C:1995:126 – *Alpine Investments*, Rz. 51.

gemeinsamer Schutzstandard geschaffen, der einen hinreichenden Schutz zu indizieren vermag.[1144]

4) Zwischenfazit

Art 16 der Dienstleistungsrichtlinie ist gegenüber dem Handeln von Verwertungsgesellschaften nicht anwendbar. Die Tätigkeit der Verwertungsgesellschaften ist in allen Bereich urheberrechtsbezogen und der EuGH entschied, dass die Ausnahme von der Geltung des Art. 16 der Dienstleistungsrichtlinie, welche sich nach Art. 17 Nr. 11 auf Urheberrechte und verwandte Schutzrechte bezieht, notwendigerweise urheberrechtsbezogene Dienstleistungen meint.

Anwendbar ist hingegen die primärrechtliche Dienstleistungsfreiheit (Art. 56 ff. AEUV). Sie erfasst die gesamte Tätigkeit der Verwertungsgesellschaften im Binnenmarkt. Die einzelnen Rechte und Pflichten, welche nach der vorangegangenen Prüfung nicht bereits dem Sitzlandrecht unterfallen, sind daher auf ihre beschränkende Wirkung hin zu überprüfen. Der Beschränkungsbegriff der Dienstleistungsfreiheit ist äußerst weit zu verstehen und umfasst gerade auch Doppelbelastungen, die unterschiedslos gelten. Entscheidend ist eine Erschwerung des Marktzutritts und so scheint es naheliegend, dass allein die drohende Anpassung an mehrere Rechtsstandards die Ausübung der grenzüberschreitenden Dienstleistungsfreiheit weniger attraktiv macht.

Auf Rechtfertigungsebene ist zunächst das Maß des konkreten Eingriffs zu berücksichtigen. Da die möglichen Beschränkungen des nationalen Verwertungsgesellschaftsrechts jedenfalls nicht offen diskriminierend sind, ist eine Rechtfertigung unter den ergänzenden Gründen des zwingenden Allgemeinwohls möglich, wozu insbesondere das geistige Eigentum und kulturelle Fragen zählen. Innerhalb der Prüfung einer etwaigen Rechtfertigung ist die Berücksichtigung des Harmonisierungsstands entscheidend. Denn dort, wo der europäische Gesetzgeber bereits einen gemeinsamen (Mindest-)Standard geschaffen hat, ist grundsätzlich auch davon auszugehen, dass ein nationales Abweichen mit Wirkung gegenüber ausländischen Gesellschaften nicht zwingend erforderlich ist – zumindest aber einem erhöhten Begründungsaufwand unterliegt.

Die Untersuchung im ersten und zweiten Teil dieser Arbeit sollte das Wesen der kollektiven Rechtewahrnehmung und ihrer zentralen Institutio-

---

1144 So in diesem Kapitel unter *B. II. 6.).*

nen, den Verwertungsgesellschaften offenlegen. Hierbei zeigte sich, dass das Verwertungsgesellschaftsrecht mit den Bereichen des Kartell- und Urheberrechts nicht nur eng verknüpft ist, sondern einen abhängigen Teil jener Systeme bildet. Daher ist im Rahmen einer Rechtfertigungsprüfung nicht nur der Harmonisierungsstand im Verwertungsgesellschaftsrecht – also die VG-RL –, sondern vor allem auch im Urheberrecht zu berücksichtigen.

II. Verteilung der Einnahmen der Verwertungsgesellschaften aus gesetzlichen Vergütungsansprüchen und verwertungsgesellschaftspflichtigen Rechten

1) Ergebnis der kollisionsrechtlichen Untersuchung und Fragestellung für Binnenmarktsachverhalte

Als typische Regulierung des Innenverhältnisses der Verwertungsgesellschaften wurden allgemeine Verteilungsfragen kollisionsrechtlich mit dem Wahrnehmungsstatut verbunden. Das Wahrnehmungsstatut beruft das Sitzlandrecht der Verwertungsgesellschaften und berücksichtigt dabei die Nähe einer Rechtsordnung zu dem konkreten Wahrnehmungsverhältnis.[1145] Zugleich verschafft es den Verwertungsgesellschaften den notwenigen Raum für internationale Betätigungen und führt zu einer vorhersehbaren Anwendung des Rechts. Über die Verkehrsinteressen hinaus erfahren auch die Ordnungs- und Parteiinteressen hinreichende Berücksichtigung. Die Anbindung an das Wahrnehmungsstatut entspricht dem Gedanken der Vereinfachung grenzüberschreitender Tätigkeit, wie er auch im Sitzlandprinzip der VG-Richtlinie zum Ausdruck kommt.

Dieses kollisionsrechtliche Ergebnis konnte für die Verteilung von Einnahmen aus gesetzlichen Vergütungsansprüchen (oder verwertungsgesellschaftspflichtigen Rechten) jedoch nicht aufrechterhalten werden.[1146] Eingeschränkt wurde die Durchbrechung der Geltung des Wahrnehmungsstatus insbesondere durch ein Unmittelbarkeitskriterium, wonach die Verteilungs-

1145 Der Anknüpfungsgegenstand (Verteilung von Einnahmen durch Verwertungsgesellschaften) unterliegt also grundsätzlich dem Recht des Staates, in dem die Verwertungsgesellschaft ihren Sitz hat.

1146 Dies gilt zumindest für jene Fälle, in denen die Schranke, aus der die Vergütung resultiert, selbst zwingende Vorgaben zur Verteilung der Einnahmen macht, von denen die Parteien nicht durch Vertrag abweichen können und deren internationale Durchsetzung aus Sicht des Schutzlandes zwingend erforderlich ist.

standards nur gegenüber einer ausländischen Verwertungsgesellschaft gelten, die unmittelbar die Wahrnehmung jener Rechte im Ausland vornimmt.

Als Konsequenz müssen Verwertungsgesellschaften, die unmittelbar im Ausland verwertungsgesellschaftspflichtige Rechte und gesetzliche Vergütungsansprüche wahrnehmen, die dort zwingend geltenden Verteilungsstandards beachten. Sowohl die Dienstleistungsfreiheit als auch die VG-RL haben jedoch die freie Ausübung wirtschaftlicher Tätigkeiten im Binnenmarkt zum Ziel. Das Sitz- oder Herkunftslandprinzip setzt auf eine gegenseitige Anerkennung der Rechts- und Kontrollstandards der Mitgliedstaaten, mit dem Ziel der Vermeidung doppelter Kontrollen. Es stellt sich daher die Frage, ob sich Verwertungsgesellschaften im Binnenmarkt nicht auf die bereits bestehenden Verpflichtungen (und Kontrollen) in ihrem Sitzland berufen können, um die Durchsetzung strengerer Standards des Bestimmungslandes[1147] ihnen gegenüber zu verhindern.

2) Beschränkung

Entwickelt wurde dieses kollisionsrechtliche Modell maßgeblich auf Grundlage einer Analyse der *Reprographie-* und *Privatkopieschranke* nach Art. 5 Abs. 2 lit. a) und b) InfoSoc-RL. Die vom EuGH begründete *Ergebnispflicht* führte – nach der vorgenommenen Analyse – zu einer Verbindung von Vergütungserhebung und Vergütungsausschüttung bzw. -verteilung. Dieser inhaltliche Zusammenhang zwischen der Beschränkung des Ausschließlichkeitsrechts und dem Vergütungs- bzw. Kompensationsergebnis wurde gerade aus dem europäischen Recht und der Rechtsprechung des EuGH zu typischen Binnenmarktsachverhalten abgeleitet. Es fragt sich gleichwohl, ob eine nationale Vorschrift, die besondere Vorgaben an die Verteilung macht und gegenüber einer ausländischen Verwertungsgesellschaft durchgesetzt werden soll, die andernfalls einen einheitlichen Verteilungsstandard anwenden könnte, eine Beschränkung der Dienstleistungsfreiheit der Verwertungsgesellschaften bewirkt.

Ausgehend von dem zuvor beschriebenen weiten Beschränkungsbegriff innerhalb der primärrechtlich garantierten Dienstleistungsfreiheit werden grundsätzlich alle Maßnahmen erfasst, die geeignet sind, eine grenzüberschreitende Leistungserbringung weniger attraktiv zu machen.[1148]

1147 Hier das Land, dem das wahrgenommene Urheberrecht unterfällt.

1148 EuGH, C-55/94, ECLI:EU:C:1995:411 – *Gebhard*, Rz. 37.

Dazu gehören namentlich Doppelstandards, die dazu führen, dass ein grenzüberschreitender Dienstleistungserbringer mehrere unterschiedliche Rechtsstandards einhalten muss, was zu hören Rechtsanpassungs- und damit zu höheren Verwaltungskosten führt.[1149] Entscheidend ist also, ob von einer nationalen Verteilungsregelung, die in Anwendung der *lex loci protectionis* auf Fragen der Verteilung von gesetzlichen Vergütungsansprüchen auch gegenüber einer ausländischen Verwertungsgesellschaft gelten soll, eine Erschwerung des Marktzugangs ausgehen kann.

Tatsächlich führt das Nebeneinander verschiedener Regelungen der Einnahmenverteilung zu einem erheblichem Verwaltungsaufwand. Die kollisionsrechtliche Prüfung und die Darstellung anhand unterschiedlicher Verteilungsszenarien zeigte ein komplexes System, in welchem sich die Komplexität durch Überschneidung anzuwendender Rechtsmaßstäbe weiter erhöht. Die kumulative Anwendung der nationalen Verteilungsregimes wurde als Hindernis für eine gewünschte Internationalisierung der Verwertungsgesellschaften identifiziert, was sich auch auf ihre Betätigung im Binnenmarkt negativ auswirkt, sofern trotz Harmonisierung unterschiedliche Standards tatsächlich bestehen bleiben.[1150]

Die Anforderungen an die Rechtfertigung sind dabei nicht zuletzt abhängig vom Maß der Beschränkung. Insoweit ist zu sehen, dass Verwertungsgesellschaften zwar nach den Maßgaben von Art. 8 Abs. 5 der VG-RL ohnehin dazu verpflichtet sind, die Grundsätze der Verteilung von der Mitgliederhauptversammlung beschließen zu lassen, was letztlich auf die Aufstellung eines Verteilungsplans hinauslaufen dürfte. Die Einnahmen einer im Binnenmarkt tätigen Verwertungsgesellschaft könnten dann jedoch – vorausgesetzt das jeweils berufene nationale Recht macht besondere Vorgaben – nicht mehr aus einem gemeinsamen Topf nach einheitlichen Regelungen ausgeschüttet werden. Sie müssten getrennt verbucht werden und es müssten unterschiedliche Verteilungspläne beschlossen werden, welche die Herkunft der Einnahmen und die jeweils geltenden Rechtsstandards berücksichtigen. Hinzu kommt, dass die Verteilungsquoten in der Regel gesetzlich nicht klar definiert sind und so den Verwertungsgesellschaften einerseits ein Handlungs- und Ermessensspielraum zustehen mag, diese Unklarheit jedoch andererseits das Risiko einer Verteilung entgegen der gesetzlichen Vorschriften erhöht. Die Fälle *Reprobel* und *Verlegerbeteiligung*

1149 So bspw. *Dietz/Streinz*, EuR 50 (2015), 50, 68; *Müller-Graff*, in: Streinz/Michl/Bings u.a. (Hrsg.), EUV/AEUV, ^{3}2018, Art. 56, Rn. 91.

1150 *Teil 3, Kapitel 1, E, I., 5.), e.).*

haben gezeigt, dass eine langjährige Rechtspraxis (mehr oder weniger) überraschend gekippt werden kann, wenn einzelne Rechteinhaber konsequent hiergegen vorgehen. Dieses Risiko der Verteilung nach rechtlich unzulässigen Quoten steigt mit der Anzahl der zu berücksichtigenden Rechtsordnungen. Die vom Privatrecht ausgehenden Beschränkungen sind daher nicht von der Hand zu weisen und als Beschränkung der Ausübung der Binnenmarktfreiheit der Verwertungsgesellschaft keinesfalls marginal, sondern tatsächlich dazu geeignet, insbesondere kleinere Verwertungsgesellschaften, welche sich weder eine zusätzliche Komplexität in der Buchhaltung noch ein zusätzliches Haftungsrisiko leisten können, von der Ausübung ihrer Dienstleistungsfreiheit im Binnenmarkt abzuhalten.[1151]

Die Durchsetzung bspw. der deutschen Verteilungsvorschriften[1152] gegenüber einer ausländischen Verwertungsgesellschaft würde sich damit als ein nicht unerheblicher Eingriff in die Selbstregulierung der Wahrnehmungssubjekte darstellen. Sie würde die einheitliche Anwendung von Verteilungsstandards unterbinden und die betroffene Verwertungsgesellschaft dazu zwingen, parallele Abrechnungssysteme einzuführen. Einer Verwertungsgesellschaft würde dies die grenzüberschreitende Betätigung im Binnenmarkt erschweren, selbst wenn sie sich auf die Verteilung der Einnahmen bei unmittelbarer Wahrnehmung eines ausländischen gesetzlichen Vergütungsanspruchs beschränkt. Dies bedeutet einen Eingriff in die Dienstleistungsfreiheit, der nicht nur marginal ist, sondern Verwertungsgesellschaften von der Ausübung ihrer Dienstleistungsfreiheit tatsächlich abhalten kann.

3) Rechtfertigung

Die Beschränkung kann nur gerechtfertigt sein, wenn sie zwingenden Gründen des Allgemeininteresses entspricht, geeignet ist, die Erreichung des mit ihr verfolgten, im Allgemeininteresse liegenden Ziels zu gewährleisten, und nicht über das hinausgeht was zur Erreichung dieses Ziels erfor-

1151 Es ist jedoch gleichzeitig zu sehen, dass die Durchbrechung des Wahrnehmungsstatuts nur für eng umgrenzte Fälle und vor allem nur bei unmittelbarer Betätigung im Ausland erfolgt. Gerade die unmittelbare Auslandsbetätigung ist von kleinen Verwertungsgesellschaften jedoch ohnehin nicht zu erwarten. Im Gegenteil, eher noch wurde das Kollisionsrecht so ausgestaltet, weil große, marktmächtige Verwertungsgesellschaften ihre Pendants in kleinen Mitgliedstaaten verdrängen könnten, womit ein Regulierungsinteresse gegenüber der ausländischen Verwertungsgesellschaft entsteht.

1152 Zumal vor der Liberalisierung in Umsetzung von Art. 16 DSM-RL.

derlich ist.[1153] Als Rechtfertigungsgründe eignen sich wie gesehen insbesondere die Rechte des geistigen Eigentums, der Schutz kultureller Vielfalt, die Grundrechte, die Lauterkeit des Handelsverkehrs und der Grundsatz der Rechtsicherheit.

a) Legitimer Zweck: Der Schutz der Rechte des geistigen Eigentums als Rechtfertigungsgrund

Der Rechtfertigungsgrund der Schutzrechte des geistigen Eigentums stellt zumeist auf klassische Fälle der Ausschließlichkeit im Hinblick auf die Vermarktung geistiger Leistungen ab. Ihnen wird seit langem, etwa über den Grundsatz der europäischen Erschöpfung eine Grenze gesetzt. Der EuGH reduziert die Anwendung des Rechtfertigungsgrundes dabei auf den Schutz jener Aspekte des Immaterialgüterrechts eines Rechteinhabers, die den spezifischen Gegenstand des jeweiligen Schutzrechts ausmachen.[1154] Dabei wird der spezifische Gegenstand der Schutzrechte primär in ihrer Kommerzialisierung gesehen und beim Urheberrecht zusätzlich in Bereichen des Urheberpersönlichkeitsrechts. Unterschieden wurde nach der Rechtsprechung des EuGH zunächst zwischen dem *Bestand* und der *Ausübung* der Schutzrechte, während ersterer von den unionsrechtlichen Regelungen unberührt bleiben soll, fällt die Ausübung durchaus in den Anwendungsbereich der Grundfreiheiten und des Wettbewerbsrechts.[1155] Eine Abgrenzung erscheint in der Tat schwierig. *Heinemann* sieht in diesem Abgrenzungskriterium vor allem eine politische Funktion, die darin liege, die grundsätzliche Erfassung der Schutzrechtsausübung unter die europäischen Wettbewerbsregelungen abzusichern, ohne dabei die Gestaltungskompetenz der Mitgliedstaaten bei der Ausgestaltung ihrer Schutzrechtssysteme grundsätzlich in Frage zu stellen.[1156] Die unscharfen Begriffspaare des *Bestands* und der *Ausübung* der Immaterialgüterrechte rücken in der neueren Rechtsprechung in den Hintergrund. Nach wie vor wird allerdings

1153 Siehe nur EuGH, C-351/12, ECLI:EU:C:2014:110 – *OSA*, Rz. 70 und EuGH, C-403/08 und C-429/08, ECLI:EU:C:2011:631 – *FAPL und Murphy*, Rz. 93.

1154 EuGH, C-78/70, ECLI:EU:C:1971:59 – *Deutsche Grammophon*, Rn. 11 f.

1155 EuGH, C-78/70, ECLI:EU:C:1971:59 – *Deutsche Grammophon*, Rn. 11 f.; siehe auch *Jaeger*, Materielles Europarecht, 2017, 80 f. und vor allem *Engels*, Die Vereinbarkeit der territorialen Aufspaltung von Verwertungsrechten mit den europäischen Binnenmarktregeln, 2016, 104 ff. mit weiteren Ausführungen und Verweisen.

1156 *Heinemann*, Immaterialgüterschutz in der Wettbewerbsordnung, 2002, S. 197.

an dem ebenso wenig trennscharfen Begriff des spezifischen Gegenstands der Immaterialgüterrechte festgehalten.[1157] Für das Urheberrecht hat der EuGH festgestellt, dass der spezifische Gegenstand des Schutzrechts darin bestehe, „den Schutz der Persönlichkeitsrechte und der wirtschaftlichen Rechte ihrer Inhaber zu gewährleisten."[1158] Auf wirtschaftlicher Ebene wird dabei speziell das Interesse der Urheber an der Sicherstellung einer angemessenen Vergütung für die Bereitstellung bzw. Nutzung ihrer Werke angesehen.[1159]

Auch wenn die Frage der Verteilung von Einnahmen aus gesetzlichen Vergütungsansprüchen durch die Verwertungsgesellschaften kaum den klassischen Fällen von *Bestand* und *Ausübung* entspricht – da beide meist auf die Vermarktung und Vermarktungsfähigkeit ausschließlicher Schutzrechte abzielen –, scheinen die speziellen Verteilungsregelungen doch einen Platz im Rechtfertigungstatbestand des Schutzes des geistigen Eigentums zu finden. Zwar ist das Schutzrecht hier bereits beschränkt, indem es einer individuellen *Ausübung* entzogen wird, doch liegt in der Beschränkung gerade eine gesetzliche Ausgestaltung des Urheberrechts, also eine Regelung über den *Bestand* des Urheberrechts. Genauso wie hierunter die Begründung der Schutzrechte fällt, müssen auch deren Einschränkungen darunterfallen. Nicht umsonst ist die Anwendung der *lex loci protectionis* nirgends so unumstritten, wie im Bereich der Schranken, welche ein maßgebliches Instrument der gesellschaftlichen Ausgestaltung des Urheberrechts darstellen.

Die vorangegangene Analyse des Kollisionsrechts legte für die Verteilungsfragen gerade offen, dass die Verteilung der Einnahmen aus gesetzlichen Vergütungsansprüchen – besonders auch nach der Rechtsprechung des EuGH – als eine Frage der Schranke selbst verstanden werden kann. Die Beschränkung im klassischen Sinne einer Zugangsregelung verbindet sich hier mit der Vergütungssicherung – Beschränkung und Vergütungssicherung erweisen sich als zwei Seiten derselben Medaille. Dabei wird die Vergütungssicherung über eine zwingende Verteilungsregelung im Verwertungsgesellschaftssystem gewährleistet.[1160] Zuletzt spielen die Begriffspaare

1157 So EuGH, C-403/08 und C-429/08, ECLI:EU:C:2011:631 – *FAPL und Murphy*, Rz. 106 ff.

1158 EuGH, C-92/92, ECLI:EU:C:1993:847 – *Collins*, Rz. 20.

1159 Dazu ausführlich, *Engels*, Die Vereinbarkeit der territorialen Aufspaltung von Verwertungsrechten mit den europäischen Binnenmarktregeln, 2016, 114 ff.

1160 *Teil 3, Kapitel 1, E, I., 6.), b.).*

Bestand und *Inhalt* der Schutzrechte auch im allgemeinen Kollisionsrecht eine tragende Rolle und werden zur Definition des Territorialitätsgrundsatzes herangezogen, der auch vom EuGH anerkannt wird.[1161] Zu vermuten ist daher, dass der EuGH sich in seiner Konzeption von *Bestand* und *Ausübung* bzw. des *spezifischen Gegenstands der Immaterialgüterrechte*, implizit auch auf die Kernfragen der Territorialität bezieht. Jene Verteilungsfragen, die hier eine Rolle spielen, wurden jedoch auch zuvor dem Urheberrechtsstatut unterstellt. Die Interpretation des spezifischen Gegenstands des Urheberrechts durch den EuGH als Interesse an der Sicherstellung einer angemessenen Vergütung für die Bereitstellung geschützter Werke bestätigt schließlich diesen Gedanken.

Ist das Ziel einer nationalen Regelung, die über die Kollisionsnorm zur Anwendung gebracht wird, die Vergütungssicherung der Urheber, so stellt dies grundsätzlich einen anerkannten unionsrechtlichen Schutzzweck dar, der insbesondere im Ziel der Sicherung einer angemessenen Vergütung in Erwägungsgrund 10 der InfoSoc-RL zum Ausdruck kommt. Geht es um verwertungsgesellschaftspflichtige Rechte und gesetzliche Vergütungsansprüche, kommt den Verwertungsgesellschaften nicht nur die Aufgabe zu, Werkzugang zu ermöglichen, sondern auch die Sicherstellung der Einkommen der Urheber (oder Berechtigten) zu gewährleisten (Einkommenssicherungsfunktion).[1162]

b) Geeignetheit

Die Anwendung der nationalen Rechtsstandards des Schutzlandes ist dazu geeignet, die Wirksamkeit der urheberrechtlichen Wertungen – mithin den *Gegenstand* des Urheberrechts – und die Vergütung jener Berechtig-

---

1161 Demnach besagt der immaterialgüterrechtliche Territorialitätsgrundsatz, dass *Bestand* und *Inhalt* der Immaterialgüterrechte nach den Gesetzen des Landes bestimmt werden, auf dessen Gebiet der Berechtigte alle anderen Personen von der Nutzung des Immaterialgutes ausschließen kann (Def. nach *Troller*, Das Internationale Privat- und Zivilprozessrecht im gewerblichen Rechtsschutz und Urheberrecht, ^{2}1952, S. 48). Zur Anerkennung des Territorialitätsgrundsatzes durch den EuGH vgl. nur EuGH, C-192/04, ECLI:EU:C:2005:475 – *Lagardère/SPRE*, Rz. 46.

1162 Vgl. beispielhaft zur Vermiet- und Verleihrichtlinie (Richtlinie 92/100/EWG, ABl. L 346 vom 27.11.1992, S. 61–66) EuGH, C-36/05, ECLI:EU:C:2006:672 – *Kommission / Spanien*, Rz. 26: „Die Richtlinie soll nach ihrem Hauptziel [...] gewährleisten, dass Urheber und ausübende Künstler ein angemessenes Einkommen erhalten[...]".

ter sicherzustellen, die vom Vergütungsanspruch profitieren sollen.[1163] Dies zeigten gerade die im vorangegangenen Kapitel angestellten Überlegungen, welche zu einer Ausnahme von der Geltung des Wahrnehmungsstatuts geführt haben, und insoweit lassen sich kollisionsrechtliche Überlegungen, die auf der Sicherung der Partei- und Ordnungsinteressen beruhen, auch auf Binnenmarktfragen übertragen, deren Beschränkung sich aus ähnlichen Gründen rechtfertigen lässt.[1164] Soweit urheberrechtliche Distributionsentscheidungen (Verteilungswertungen) über das Wahrnehmungsrecht verwirklicht werden, kann die Anwendung des Wahrnehmungsstatuts auch bei unmittelbarer Betätigung einer Verwertungsgesellschaft im Ausland disruptive Wirkungen entfalten. Für das Schutzland wäre es effektiv nicht mehr möglich, eigene Verteilungsentscheidungen zu treffen, die nicht nur wahrnehmungsrechtlich relevant sind, sondern ein wesentliches Einflussmittel zur Herstellung des urheberrechtlichen Interessenausgleichs darstellen. Gerade in diesen Fragen sind Wahrnehmungsrecht und materielles Urheberecht eng aufeinander abgestimmte Systeme einer einheitlichen Regulierung. Die Durchsetzung einer inländischen Verteilungsregelung gegenüber einer ausländischen Verwertungsgesellschaft kann geeignet sein, den urheberrechtlichen Interessenausgleich zu fördern und die Vergütungssicherung einzelner urheberrechtlicher Gruppen zu gewährleisten.[1165]

c) Erforderlichkeit

Was die Erforderlichkeit betrifft, so findet sich eine Einschränkung bereits in der Kollisionsregel selbst, die voraussetzt, dass die Durchsetzung der nationalen Verteilungsregelung „aus Sicht des Staates, nach dessen Recht die Vergütung entstanden ist, zwingend erforderlich ist". Die Anwendung einer

---

1163 Zum Anspruch auf angemessene Vergütung als Kern des „spezifischen Gegenstands des Urheberrechts" *Engels*, Die Vereinbarkeit der territorialen Aufspaltung von Verwertungsrechten mit den europäischen Binnenmarktregeln, 2016, S. 114 ff.

1164 *Teil 3, Kapitel 1, E, I., 6.), c.).*

1165 Zu beachten ist insoweit aber die Qualifikation der Rechteinhaberschaft als Vorfrage *Teil 3, Kapitel 1, E, I., 5.), e.), (2), (c)* und *6.), b.), (2)*. Siehe auch die Ausführungen des EuGH in der Rechtssache *OSA* hinsichtlich der nationalen Lizenztätigkeit der Verwertungsgesellschaften. Demnach gebe es keine andere „Methode, mit der das gleiche Schutzniveau für die Urheberrechte erreicht werden könnte, als diejenige [...], die auf einem territorial aufgeteilten Schutz und damit auch einer territorial aufgeteilten Kontrolle dieser Rechte beruht und in deren Rahmen sich eine Regelung wie die im Ausgangsverfahren fragliche einfügt." (EuGH, C-351/12, ECLI:EU:C:2014:110 – *OSA*, Rz. 76).

mitgliedstaatlichen Sachnorm zur Bestimmung der Einnahmenverteilung gegenüber einer ausländischen Verwertungsgesellschaft ist also ihrerseits bereits durch ein Kriterium der Erforderlichkeit begrenzt. Eine weitere Selbstbeschränkung folgt aus dem Unmittelbarkeitserfordernis.

Zweifel an der unionsrechtlichen Erforderlichkeit begründet aber vor allem der fortgeschrittene Harmonisierungsgrad sowohl im Verwertungsgesellschaftsrecht[1166] als auch im Urheberrecht[1167]. Harmonisierungsmaßnahmen in beiden Bereichen könnten die Erforderlichkeit der Durchsetzung eines nationalen Verteilungsstandards entfallen lassen. Schließlich hatten eben jene Harmonisierungsmaßnahmen nicht zuletzt die Steigerung der Verkehrsfähigkeit der Urheberrechte zum Ziel. Die vorangegangene Analyse des kollisionsrechtlichen Umgangs mit verwertungsgesellschaftsrechtlichen Verteilungsfragen zeigte jedoch, dass gerade die Verkehrsinteressen, die im Binnenmarkt von überragender Bedeutung sind, gegen eine Anwendung und Durchsetzung nationaler Rechtsstandards sprechen, was insbesondere ihre Angemessenheit in Frage stellen kann.

(1) Der Harmonisierungsstand zur Verteilung der Einnahmen im Wahrnehmungsrecht

Vor diesem Hintergrund und vor dem Hintergrund der gesamten Regelungstiefe der VG-RL scheint es daher überraschend, dass der europäische Gesetzgeber den Fragen der Einnahmenverteilung nicht mehr Raum gegeben hat. Die VG-RL selbst enthält kaum inhaltliche Vorgaben zur Verteilung der Einnahmen durch Verwertungsgesellschaften – zumindest soweit es nicht um spezielle Fragen etwa der Verteilungsfrist oder der Pflicht zur Ermittlung der Rechteinhaber geht. Art. 13 Abs. 1 der VG-RL verweist hinsichtlich der Einnahmenverteilung auf Art. 8 Abs. 5 lit. a) VG-RL, wonach die Mitgliederhauptversammlung über die allgemeinen Grundsätze der Verteilung der den Rechteinhabern zustehenden Beträge entscheidet. Diese Regelungskonzeption ist denkbar offen und aus ihr lässt sich kaum eine besondere Pflicht zur Beteiligung bestimmter Gruppen an den Einnahmen aus gesetzlichen Vergütungsansprüchen ableiten. Lediglich implizit macht

1166 Siehe insbesondere Erwägungsgründe 1, 18 und 38 der VG-RL.

1167 Bzgl. des Urheberrechts siehe etwa Erwägungsgründe 1–3, 6 und 7 der InfoSocRL. Außerdem sieht nunmehr Art. 16 der DSM-RL die Möglichkeit zur nationalen Regelung vor (s.o.).

die Richtlinie deutlich, dass die Einnahmen (allein?) den Rechteinhabern zustehen. Unterschiedlich fällt sodann die jeweilige Umsetzung ins nationale Recht aus. So findet sich beispielsweise in Österreich eine Regelung, die es den Verwertungsgesellschaften explizit erlaubt, bei der Verteilung der Einnahmen auch Inhaber lediglich abgeleiteter Rechte zu berücksichtigen, unabhängig davon, wer die Rechte in die Verwertungsgesellschaft eingebracht hat (§ 34 Abs. 1 des österreichischen VerwGesG). Im Anschluss an die EuGH-Rechtsprechung zur Beteiligung der Verleger an gesetzlichen Vergütungsansprüchen wird die Vorschrift teilweise als eine Legitimation zur vertraglichen Abtretung der gesetzlichen Vergütungsansprüche gelesen.[1168]

Zuletzt werden die Verteilungsfragen hinsichtlich der Einnahmen aus den Ausgleichsregelungen der InfoSoc-RL auch direkt in Erwägungsgrund 13 der VG-RL angesprochen. Obwohl Erwägungsgrund 9 der Richtlinie die Festlegung strengerer Vorschriften für Verwertungsgesellschaften grundsätzlich nur für die jeweils ortsansässigen Gesellschaften zulässt, überlässt es die Richtlinie den Mitgliedstaaten, selbstständig Regelungen für die Verteilung der Einnahmen aus dem angemessenen Ausgleich mit Wirkung in ihrem Hoheitsgebiet festzulegen. Auch hierin bestätigt sich die Rechtsprechung des EuGH zu den Fragen des angemessenen Ausgleichs, mithin der territoriale und schrankenbezogene Ansatz der Verteilungsfrage selbst. Die Verteilungsfrage im Bereich der Schranken entzieht sich also weitestgehend dem Regelungsbereich der Verwertungsgesellschaftsrichtlinie.

(2) Der Harmonisierungsstand der urheberrechtlichen Schranken

Zunächst ist festzustellen, dass die europäische Harmonisierung im Bereich des materiellen Urheberrechts – abgesehen von wenigen Ausnahmen, die, wie die SatKab-RL (Richtlinie 93/83/EWG), die Anwendung des urheberrechtlichen Kollisionsrechts zumindest mittelbar beeinflussten –[1169] zu keiner Änderung des urheberrechtlichen Kollisionsrechts geführt hat und

1168 So *Fischer*, in: Wittmann (Hrsg.), Verwertungsgesellschaftengesetz 2016, 2018, § 34, Rn. 8.

1169 *Sutterer*, in: Hennemann/Sattler (Hrsg.), Immaterialgüter und Digitalisierung, 2017, S. 145 ff.;

auch das Herkunftslandprinzip nur sehr begrenzt zur Geltung brachte.[1170] Klar ist aber, dass dort, wo eine europäische Vorschrift – und sei dies auch nur eine umsetzungsbedürftige Vorschrift – Vorgaben zur Verteilung der Einnahmen macht, diese zu berücksichtigen sind.

Speziell was die urheberrechtlichen Schranken anbelangt, führte die InfoSoc-RL zu einer weitreichenden Harmonisierung. Auf ihr beruht auch die hier interessierende Reprographie- und Privatkopievergütung. Inwieweit die Harmonisierung in diesem Bereich abschließend bzw. vollständig erfolgte, ist unklar.[1171] Klar ist lediglich, dass die InfoSoc-RL die in ihr geregelten Verwertungsrechte vollharmonisierte und die Auflistung der möglichen Ausnahmen und Beschränkungen der Rechte in Art. 5 der Richtlinie abschließend ist (Erwägungsgrund 32). Außerdem bleibt es, abgesehen von der Ausnahme in Art. 5 Abs. 1 InfoSoc-RL, den Mitgliedstaaten überlassen, ob und welche der zulässigen Schrankenregelungen sie umsetzen.[1172] Entscheidet sich ein Mitgliedstaat aber für die Umsetzung, so muss diese grundsätzlich vollständig und in kohärenter Weise erfolgen.[1173] Im Umkehrschluss folgt daraus aber nicht, dass es nur eine mögliche Art und Weise der Umsetzung gibt und damit ein einheitliches Regelungsregime unter jenen Mitgliedstaaten besteht, die sich zur Umsetzung einer Schranke entschieden haben.[1174] Vielmehr zeigten und zeigen sich nach wie vor bei der

---

1170 So wird die Praxis der Marktabschottung auf Basis von Schutzrechten weitgehend hingenommen, wobei die wohl bedeutendste Ausnahme hier im Grundsatz der europäischen Erschöpfung gesehen werden kann (siehe überblickshaft *Dreier*, in: Dreier/Schulze (Hrsg.), Urheberrechtsgesetz, 72022, Einl., Rn. 49; zu weiteren Mitteln der Binnenmarktförderung „gegen die Territorialität der Schutzrechte", *Sutterer*, in: Hennemann/Sattler (Hrsg.), Immaterialgüter und Digitalisierung, 2017, S. 145 ff.)

1171 Zum europäischen Konzept des gerechten Ausgleichs und der angemessenen Vergütung sowie nach wie vor bestehenden Unklarheiten und nationalen Spielräumen ausführlich *Riis*, IIC 51 (2020), 446, 457 ff.

1172 *Lüft*, in: Wandtke/Bullinger (Hrsg.), Praxiskommentar Urheberrecht, ^{6}2022, Vor §§ 44a ff., Rn. 5.

1173 Siehe etwa EuGH, C-201/13, ECLI:EU:C:2014:2132 – *Deckmyn und Vrijheidsfonds*; BGH, Vorlagebeschluss v. 27.7.2017 – I ZR 228/15 – *Reformistischer Aufbruch*, Rz. 24 = GRUR 2017, 1027.

1174 Hier scheint nach wie vor keine hinreichende Rechtssicherheit zu bestehen, siehe z.B. *Dreier*, in: Dreier/Schulze (Hrsg.), Urheberrechtsgesetz, ^{7}2022, Vor § 44a, Rn. 4; *Lüft*, in: Wandtke/Bullinger (Hrsg.), Praxiskommentar Urheberrecht, ^{6}2022, Vor §§ 44a ff., Rn. 5 f.; siehe auch EuGH, C-462/09, ECLI:EU:C:2011:397 – *Stichting de Thuiskopie*, wo es in Rz. 23 heißt: „Zur Beantwortung der Frage, wer als Schuldner des gerechten Ausgleichs zu betrachten ist, ist festzustellen, dass die Bestimmungen der Richtlinie 2001/29 nicht ausdrücklich die Frage regeln, wer

Erhebung und Verteilung von Einnahmen aus gesetzlichen Vergütungsansprüchen erhebliche Unterschiede zwischen den Mitgliedstaaten.[1175]

(3) Art. 16 DSM-RL

Konkret wurde die Frage der Verlegerbeteiligung nun in Art. 16 DSM-RL aufgegriffen. Hierdurch sollen (empfundene) Fehlstellungen, welche aus der Rechtsprechung des EuGH in *Reprobel* resultierten, korrigiert werden können. Die Umsetzung von Art. 16 DSM-RL ist jedoch nur fakultativ.[1176] Deutschland hat von der Umsetzungsmöglichkeit Gebrauch gemacht, nicht zuletzt um das System einheitlicher Verwertungsgesellschaften, in denen

---

diesen Ausgleich zu zahlen hat, so dass die Mitgliedstaaten bei der Bestimmung der Person, die diesen angemessenen Ausgleich zu zahlen hat, über ein weites Ermessen verfügen."

1175 Die Rechtsangleichung erfolgt zumindest schrittweise durch harmonisierende Rechtsprechung des EuGH, so hat sich dieser bspw. gegen die Finanzierung des gerechten Ausgleichs aus Steuermitteln gestellt (EuGH, C-470/14, ECLI:EU:C:2016:418 – *EGEDA/ Administración del Estado u.a.*), gleichzeitig ist aber bspw. die Erhebung bei multifunktionalen Datenträgern nicht zwingend einheitlich, vielmehr „können [die Mitgliedstaaten] eine Befreiung von der Zahlung des gerechten Ausgleichs für Art. 5 Abs. 2 Buchst. b RL 2001/29/EG für bestimmte Situationen vorsehen, sofern den Rechtsinhabern in diesen Situationen nur ein geringfügiger Nachteil entsteht" (EuGH, Urt. v. 05.3.2015, C-463/12, ECLI:EU:C:2015:144 – *Copydan Båndkopi*, Rz. 62). Individuellen Spielraum bei der Umsetzung von Art. 5 Abs. 2 lit. b) der InfoSoc-RL sah der EuGH auch in der Entscheidung, EuGH, C-521/11, ECLI:EU:C:2013:515 – *Amazon.com International Sales* (und zur Verteilung führte er innerhalb dieser Entscheidung aus: „Die Hälfte des Erlöses des gerechten Ausgleichs darf an zu Gunsten der Bezugsberechtigten geschaffenen soziale und kulturelle Einrichtungen ausgezahlt werden, sofern diese sozialen und kulturellen Einrichtungen tatsächlich den Berechtigten zugutekommen und die Funktionsmodalitäten dieser Einrichtungen nicht diskriminierend sind."), gleichwohl betonte er in der Entscheidung C-467/08, ECLI:EU:C:2010:620 – *Padawan SL/ SGAE*, dass „der Begriff gerechter Ausgleich in Art. 5 Abs. 2 Buchst. b RL 2001/29/EG [...] ein autonomer Begriff des Unionsrechts [sei], der in allen Mitgliedstaaten, die eine Ausnahme für Privatkopien eingeführt haben, einheitlich auszulegen ist, unabhängig von deren Befugnis, innerhalb der vom Unionsrecht, insbesondere von dieser Richtlinie, auferlegten Grenzen die Form, die Art und Weise der Zahlung und Erhebung sowie die Höhe dieses gerechten Ausgleichs festzulegen".

1176 Art. 16 Abs. 1: „Die Mitgliedstaaten können festlegen [...]".

Urheber und Verleger gleichermaßen vertreten sind, zukunftsfähig zu machen.[1177]

Der europäische Gesetzgeber hat das Problem (zumindest das offensichtliche nach *Reprobel*) erkannt und sich dafür entschieden, nicht den Weg einer einheitlichen Lösung zu gehen, sondern den Mitgliedstaaten die Wahl der Umsetzung zu überlassen. Ein einheitliches Harmonisierungsniveau wurde hierdurch jedenfalls nicht geschaffen, vielmehr spricht aus Art. 16 die Anerkennung der Unterschiedlichkeit der mitgliedstaatlichen Lösungen.

(4) Ableitungen zur Erstreckung des Sitzlandprinzips auf originär urheberrechtliche Verteilungsfragen im Binnenmarkt

Soweit eine Verteilungsanordnung auf zwingende Vorgaben des europäischen Rechts zurückzuführen ist, ist ihre Berücksichtigung auch auf nationaler Ebene obligatorisch. Interessant war insoweit vor allem die *Reprobel* Entscheidung aus dem Jahr 2015. Dort entschied der EuGH, dass Art. 5 Abs. 2 lit. a) und b) InfoSoc-RL nationalen Rechtsvorschriften entgegenstehen, „die es dem Mitgliedstaat gestatten, einen Teil des den Rechtsinhabern zustehenden gerechten Ausgleichs den Verlegern der von den Urhebern geschaffenen Werke zu gewähren, ohne dass die Verleger verpflichtet sind, die Urheber auch nur indirekt in den Genuss des ihnen vorenthaltenen Teils des Ausgleichs kommen zu lassen." Für den gerechten Ausgleich, wie er Gegenstand der *Reprobel* Entscheidung war, bedeutete dies, dass die Verteilungsentscheidung durch eine jede Verwertungsgesellschaft zu vollziehen ist, welche Einnahmen aus dem belgischen gesetzlichen Vergütungsanspruch zu verteilen hat.[1178] Doch ist diese Situation auf Grund

1177 Noch sind nicht alle Mitgliedstaaten ihrer Umsetzungsverpflichtung der DSM-RL nachgekommen. Es ist daher unklar, inwiefern die Mitgliedstaaten auch von der Möglichkeit der Verlegerbeteiligung Gebrauch machen werden. Siehe hierzu die Pressemitteilung der Kommission vom 16.5.2022 zur verspäteten Umsetzung einiger Mitgliedstaaten: „Copyright: Commission urges Member States to fully transpose EU copyright rules into national law" (online abrufbar unter: https://ec.europa.eu/commission/presscorner/detail/EN/IP_22_2692, zuletzt abgerufen am 7.6.2022).

1178 EuGH, C-572/13, ECLI:EU:C:2015:750 – *Reprobel*. Als allgemeingültige Aussage zu Art. 5 Abs. 2 InfoSoc-RL sind genauer gesagt die rechtlichen Wertungen der InfoSoc-RL, wie sie vom EuGH u.a. in *Reprobel* herausgearbeitet wurden, überall dort umzusetzen und einzuhalten, wo die Schranke eingeführt wurde.

der ausdrücklichen Möglichkeit zur Beteiligung der Verleger durch Art. 16 DSM-RL nun aufgelöst.

Fraglich ist allein, wie mit nationalen Regelungen umzugehen ist, die sich als überschießend erweisen und so den Bereich der zwingenden europäischen Vorgaben – in diesem Fall von Art. 5 Abs. 2 lit. a) und b) InfoSoc-RL – verlassen. Zunächst ist dies eine materiell-rechtliche Frage der Auslegung des europäischen Rechts. Für die Schranken der InfoSoc-RL scheint das nicht abschließend geklärt. Insbesondere zur Privatkopie wurde teilweise angenommen, dass allein das belgische Modell der gesetzlichen Beteiligung europarechtswidrig war, wohingegen das deutsche Modell der „privatautonom legitimierten Verlegerbeteiligung" im Einklang mit den Vorgaben der InfoSoc-RL erfolgte.[1179] Angenommen dies wäre der Fall und das vom BGH ausgesprochene Verbot wäre deshalb seinerseits nicht gleich europarechtswidrig,[1180] müsste dann dieser strengere Maßstab des deutschen Rechts auch für eine Verwertungsgesellschaft mit Sitz in einem anderen Mitgliedstaat gelten, die unmittelbar Einnahmen aus dem gesetzlichen Vergütungsanspruch nach deutschem Recht erhält und zu verteilen hat?

(a) Rückschlüsse aus der OSA-Entscheidung

Aufschlussreich ist insoweit die *OSA*-Entscheidung des EuGH von 2014. Denn auch hier hob der EuGH den Gleichlauf des Wahrnehmungsrechts, konkret eines gesetzlichen Wahrnehmungsmonopols, mit dem internationalem Urheberrecht indirekt hervor, indem er die nationale Tätigkeit von Verwertungsgesellschaften mit der Territorialität des Urheberrechts

1179 So wohl *Riesenhuber*, EuZW 2016, 16 ff.; *ders.*, ZUM 2018, 407 ff. Auf diesen Streit kommt es für die Zukunft nicht mehr an, weil es Art. 16 der DSM-RL (RL 2019/790/EU) den Mitgliedstaaten nun ausdrücklich ermöglicht, gesetzlich eine Verlegerbeteiligung einzuführen. Da die Einführung der Verlegerbeteiligung aber fakultativ ist, erlangen rechtliche Unterschiede der Verlegerbeteiligung neue Bedeutung. Die Grundsatzfrage, inwieweit die Möglichkeit der Beteiligung von Verlegern an gesetzlichen Vergütungsansprüchen oder deren Verbot von ausländischen Verwertungsgesellschaften bei der Verteilung der Einnahmen zu berücksichtigen ist, bleibt also relevant.

1180 BGH, Urteil vom 21.4.2016 – I ZR 198/13 – *Verlegerbeteiligung* (BGHZ 210, 77–113); gemeint ist, dass beides, sowohl die Verlegerbeteiligung wie sie in Deutschland traditionell erfolgte als auch das in der Entscheidung ausgesprochene Verbot der Beteiligung, im Einklang mit der InfoSoc-RL stehen könnte.

begründete und letztlich auch rechtfertigte.[1181] Zwar bezog sich die *OSA*-Entscheidung auf die Fragen, ob Art. 16 der Dienstleistungsrichtlinie auf Lizenzdienstleistungen von Verwertungsgesellschaften anwendbar ist und ob ein nationales Wahrnehmungsmonopol im Einklang mit der Dienstleistungsfreiheit stehen kann, die Überlegungen lassen sich jedoch zumindest auf jene Wahrnehmungsdienstleistungen übertragen, die zuvor urheberrechtlich qualifiziert wurden. Denn auch hier kommt es zu einer untrennbaren Verschränkung von Urheberrecht und Verwertungsgesellschaftsrecht. Mehr noch, wie dargestellt, dient das Verwertungsgesellschaftsrecht in diesem Bereich allein der Umsetzung einer urheberrechtlichen Wertung und ist damit nicht nur „urheberrechtsbezogen“[1182], sondern ließe sich besser als „urheberrechtsvollziehende“ Dienstleistung beschreiben. So gesehen müssen diese Wahrnehmungstätigkeiten ebenfalls – oder erst recht – über Art. 17 Nr. 11 dem Anwendungsbereich von Art. 16 der Dienstleistungsrichtlinie entzogen sein und eine nationale Vorschrift, welche einen Verteilungsstandard auch gegenüber einer ausländischen Verwertungsgesellschaft durchsetzt, verstößt nicht gegen Art. 16 der Dienstleistungsrichtlinie.

(b) Auswirkungen

Ein Binnenmarktvorteil lässt sich einer großzügigeren Anwendung des Sitzlandprinzips schließlich kaum entnehmen. Die Mitgliedstaaten sind bei der Erlaubnis zur Einziehung gesetzlicher Vergütungsansprüche gegenüber den Verwertungsgesellschaften strenger als bei der Wahrnehmung der Ausschließlichkeitsrechte. In Deutschland benötigen gemäß Art. 77 Abs. 2 VGG auch Verwertungsgesellschaften mit Sitz in einem anderen Mitgliedstaat der Europäischen Union (insbesondere) für die Wahrnehmung der in § 49 Abs. 1 VGG genannten gesetzlichen Vergütungsansprüche eine Erlaubnis.[1183] Nimmt man hingegen an, dass auch der Aufsicht die Durchset-

1181 EuGH, C-351/12, ECLI:EU:C:2014:110 – *OSA*, Rz. 73. Damals war die VG-RL zwar noch nicht in Kraft, die Ziele und die Konzeption des europäischen Wahrnehmungsrechts war hingegen bereits deutlich erkennbar.

1182 So der EuGH in C-351/12, ECLI:EU:C:2014:110 – *OSA*, Rz. 65.

1183 Nähere Ausführungen bei *Schulze*, in: Dreier/Schulze (Hrsg.), Urheberrechtsgesetz, [6]2018, VGG § 77, Rn. 6 f.; *Staats*, in: Wandtke/Bullinger (Hrsg.), Praxiskommentar Urheberrecht, [6]2022, VGG, § 77, Rn. 12 ff. In Österreich geht die Erlaubnispflicht – dort Genehmigungspflicht genannt – insgesamt deutlich weiter. Dort benötigen gemäß § 3 Abs. 1 des österreichischen VerwGesG alle Verwertungsgesell-

zung eines nationalen Verteilungsstandards gegenüber einer ausländischen Verwertungsgesellschaft, die im Inland unmittelbar gesetzliche Vergütungsansprüche einzieht, versagt wäre, würde vor allem ein Verlust der ausgleichenden Mechanismen des Urheberrechts drohen und so könnten die urheberrechtlichen Bewertungen dessen, was als „faire Vergütung" anzusehen ist und wem diese gebührt, unterlaufen werden.[1184] Art. 16 DSM-RL bestätigt insofern eher die Entscheidungshoheit der Mitgliedstaaten in Distributionsfragen und schafft gerade kein zusätzliches Harmonisierungsniveau mit Binnenmarkteffekt. Fragen der Distribution können für den urheberrechtlichen Interessenausgleich, der nicht nur zwischen Rechtenutzern und Rechteinhabern stattfindet, sondern gleichfalls verschiedene Kategorien von Rechteinhabern in den Blick nimmt, entscheidend sein. Die Durchsetzung eines solchen nationalen Standards kann dann jedoch auch gegenüber ausländischen Verwertungsgesellschaften erforderlich sein, da andernfalls die aufeinander abgestimmten gesetzlichen Distributionsentscheidung des Urheberrechts nicht greifen können.

(c) Rückwirkungen auf das Richtlinienkonzept

In der Richtlinie klingt die urheberrechtsbegründete Ausnahme für den Bereich der gesetzlichen Vergütungsansprüche daher ebenfalls an: Gemäß Erwägungsgrund 12 der VG-RL gilt diese zwar für alle Organisationen für die kollektive Rechtewahrnehmung, sie „lässt jedoch die Regelungen für die Wahrnehmung von Rechten in den Mitgliedstaaten, wie [...] die verpflichtende kollektive Rechtewahrnehmung und die gesetzlichen Vermutungen in Bezug auf die Vertretung und Übertragung von Rechten an Organisationen

schaften, die Rechte nach dem österreichischen Urheberrecht wahrnehmen einer Genehmigung – ausgeschlossen sind nach Abs. 3 allein europäische Gesellschaften, für die Rechtewahrnehmung im Bereich von Mehrgebietslizenzen für Online-Musik-Rechte (*Walter*, VerwGesG '16, 2017, § 3, II.); *Staats*, in: Wandtke/Bullinger (Hrsg.), Praxiskommentar Urheberrecht, ^{6}2022, VGG, § 77, Rn. 15).

1184 Zu den unterschiedlichen Begriffenen „angemessene Vergütung" und „gerechter Ausgleich" sowie der unterschiedlichen Berechnungsmethoden innerhalb dieser Konzepte *Riis*, IIC 51 (2020), 446, 457 ff. Hier geht es nicht darum, dass der Ausschluss der Verleger als interessengerecht angesehen wird, sondern allein darum, dass die Mechanismen des Urheberechts auf nationaler Ebene im Idealfall so angepasst sind, dass ein Interessenausgleich stattfinden kann.

für die kollektive Rechtewahrnehmung, unberührt".[1185] Der europäische Gesetzgeber versucht also zu vermeiden, dass urheberrechtliche Fragestellungen von verwertungsgesellschaftsrechtlichen Fragestellungen überlagert werden. Diese Gefahr geht aber besonders von den Wirkungen des Sitzlandprinzips aus, dessen Übertragung auf das Urheberrecht systemstörend wirken könnte.

Zuletzt werden die Verteilungsfragen hinsichtlich der Einnahmen aus den eingeschränkten Rechten in Erwägungsgrund 13 der VG-RL direkt angesprochen. Die Richtlinie überlässt es den Mitgliedstaaten, Regelungen für die Verteilung der Einnahmen aus dem angemessenen Ausgleich mit Wirkung in ihrem Hoheitsgebiet festzulegen. Auch hierin bestätigt sich die Rechtsprechung des EuGH zu den Fragen des angemessenen Ausgleichs und der territoriale und schrankenbezogene Ansatz der Verteilungsfrage selbst. Wobei sich die Einschränkung „mit Wirkung in ihrem Hoheitsgebiet" notwendigerweise auf die urheberrechtlichen Wirkungen bezieht.

Vor dem Hintergrund des Schutzes der Funktionsfähigkeit des Urheberrechts und der Vergütungssicherung derjenigen Rechteinhaber, welche das Urheberrecht bestimmt, erweist sich die Anwendung der jeweiligen nationalen Standards auf die speziellen Verteilungsfragen innerhalb der gesetzlichen Vergütungsansprüche als gerechtfertigte Beschränkung eines zwar merklichen, jedoch sachlich eng umgrenzten Eingriffs in die Dienstleistungsfreiheit der Verwertungsgesellschaften.

4) Zusammenfassung

Die VG-RL regelt Fragen der Einnahmenverteilung von Verwertungsgesellschaften nur oberflächlich und berücksichtigt urheberrechtliche Besonderheiten überhaupt nicht. Im Gegenteil, in Erwägungsgrund 12 klingt an, dass die nationalen Regelungen zur verpflichtenden kollektiven Rechtewahrnehmung und für die Wahrnehmung von Rechten in den Mitgliedstaaten, die sich auf gesetzliche Vermutungsregelungen beziehen, unberührt bleiben.

Das Sitzlandprinzip mit seiner Anpassung der rechtlichen Standards auf ein niedrigeres Niveau passt bereits deshalb nicht auf urheberrechtliche Sachverhalte, weil sich ein einseitig begünstigender Faktor bzw. Rechtsmaßstab, auf welchen das jeweilige Recht abgesenkt werden könnte, im Urheberrecht kaum finden lässt. Entsprechend lässt sich auch sonst keine

---

1185 Hierzu auch *Staats*, in: Wandtke/Bullinger (Hrsg.), Praxiskommentar Urheberrecht, [6]2022, VGG, § 77, Rn. 14.

eindeutige Geltung des Sitz- oder Herkunftslandprinzips im Urheberrecht erkennen und die Verteilungsfragen, um die es hier geht, wurden zuvor urheberrechtlich qualifiziert. Auch in der *OSA*-Entscheidung gab der EuGH der urheberrechtlichen Territorialität den Vorrang gegenüber der Liberalisierung durch die Dienstleistungsrichtlinie und die Dienstleistungsfreiheit. Diese Gedanken lassen sich auf die VG-RL übertragen. Zuletzt wurden positive Binnenmarkteffekte, welche von der Geltung des Sitzlandprinzips ausgehen könnten, für die Frage der Einnahmenverteilung angezweifelt.

Die Anwendung eines strengeren oder abweichenden inländischen Verteilungsmaßstabs auf eine ausländischen Verwertungsgesellschaft, die im Inland gesetzliche Vergütungsansprüche einzieht, bewirkt eine Beschränkung der Dienstleistungsfreiheit. Die Pflicht zur Beachtung unterschiedlicher Verteilungsstandards ist für Verwertungsgesellschaften mit einem erheblichen organisatorischen Mehraufwand verbunden (Rechtsanpassungskosten), wodurch Verwertungsgesellschaft praktisch vom Gebrauch ihrer Grundfreiheiten im Binnenmarkt abgehalten werden können. Eine solche Beschränkung kann sich jedoch unter dem Gesichtspunkt des Schutzes des geistigen Eigentums als gerechtfertigt erweisen, wenn sie sachlich eng umgrenzt ist und sich nur auf solche Verteilungsanordnungen bezieht, die sich aus (gesetzlichen) Vergütungsansprüchen (und verwertungsgesellschaftspflichtigen Rechten) ergeben und vom Urheberrecht selbst zwingend vorgesehen sind. Sie dient dabei dem Schutz wesentlicher urheberrechtlicher Wertungen, mithin dem Bestand des Urheberrechts und der Vergütungssicherung der Rechteinhaber. Die VG-RL lässt eine sachliche Regelung der Frage vermissen und schafft daher keinen gemeinsamen Rahmen, der Grundlage einer weitreichenderen Anerkennung ausländischer Rechtsstandards sein kann.

Ist eine Verteilungsreglung also erst einmal im Kern als urheberrechtlich qualifiziert worden, so kann auch das Sitzlandprinzip der VG-Richtlinie nicht zur Absenkung der materiell-rechtlichen Standards des Urheberrechts bezogen auf Verteilungsfragen führen. Obwohl die Anwendung eines nationalen Verteilungsstandards auf eine ausländische Verwertungsgesellschaft eine Beschränkung der Dienstleistungsfreiheit bewirkt, kann sie sich als gerechtfertigt erweisen. Vorausgesetzt sie ist sachlich eng umgrenzt und dazu geeignet, negative Effekte auf die Vergütungssicherung der Rechteinhaber zu verhindern und so das Urheberrecht in seiner Funktionsfähigkeit zu wahren.

5) Ergebnis

Das Sitzlandprinzip der VG-RL sowie die Grundfreiheiten stehen der Durchsetzung zwingender nationaler Verteilungsstandards gegenüber ausländischen Verwertungsgesellschaften, die unmittelbar zur Einziehung gesetzlicher Vergütungsansprüche (oder Lizenzierung verwertungsgesellschaftspflichtiger Rechte) im Inland tätig werden, grundsätzlich nicht entgegen. Es besteht keine generelle Pflicht zur Anerkennung ausländischer Rechtsstandards.

III. Die Bedingungen der Wahrnehmung eines gesetzlichen Vergütungsanspruchs oder eines in sonstiger Weise eingeschränkten Rechts

1) Ergebnis der kollisionsrechtlichen Untersuchung

Die vorangegangene Analyse des allgemeinen Kollisionsrechts hat zu einem differenzierenden Ansatz geführt. Während die Bedingungen der Wahrnehmung des Ausschließlichkeitsrechts dem Wahrnehmungsstatut unterfallen, gilt für die Wahrnehmung gesetzlicher Vergütungsansprüche das Recht, welchem der gesetzliche Vergütungsanspruch selbst unterfällt, mithin das Urheberrechtsstatut. Die Parallele zur kollisionsrechtlichen Behandlung der Verteilungsfragen ist offensichtlich und der kollisionsrechtliche Gleichlauf mit den Verteilungsfragen erfolgte auch nicht zufällig, er stützte sich auf ähnliche Argumente. So wurde zunächst eine besondere Abhängigkeit der Rechteinhaber von den Verwertungsgesellschaften im Bereich der verwertungsgesellschaftspflichtigen Rechte identifiziert. Eine Alternative in Form der individuellen Rechtewahrnehmung besteht für die Rechteinhaber nicht. Die Funktionsfähigkeit der Schranke hängt nicht zuletzt von der Konzentration auf wenige Akteure ab, da die urheberrechtstypische Diffusion gerade überwunden werden soll. Schließlich wurde die staatsnahe Rolle betont, welche Verwertungsgesellschaften im Bereich des beschränkten Rechts einnehmen.[1186]

1186 *Teil 3, Kapitel 1, D, IV., 1.), c.).*

2) Beschränkung

Die Anwendung einer inländischen Wahrnehmungsverpflichtung auf eine ausländische Verwertungsgesellschaft stellt auch im Bereich der verwertungsgesellschaftspflichtigen Rechte eine Beschränkung der Dienstleistungsfreiheit der Verwertungsgesellschaften dar. Ausgehend von dem zuvor beschriebenen weiten Beschränkungsbegriff innerhalb der primärrechtlich garantierten Dienstleistungsfreiheit werden grundsätzlich alle Maßnahmen erfasst, die geeignet sind, eine grenzüberschreitende Leistungserbringung weniger attraktiv zu machen.[1187] Dazu gehören namentlich Doppelstandards, die dazu führen, dass ein Dienstleistungserbringer - will er grenzüberschreitend tätig werden - mehrere unterschiedliche Rechtsstandards einhalten muss, was zu höheren Rechtsanpassungs- und damit zu höheren Verwaltungskosten führt.[1188] Weichen die Verpflichtungen zur Wahrnehmung der gesetzlichen Vergütungsansprüche der Rechteinhaber national voneinander ab, so hat dies Rechtsanpassungskosten für jene Verwertungsgesellschaften zur Folge, die Dienstleistungen in verschiedenen Mitgliedstaaten ausüben möchten.[1189]

3) Rechtfertigung

Als anerkannter Rechtfertigungsgrund kommt erneut der Schutz der Rechte des geistigen Eigentums in Betracht. In der Tat ist die kollektive Rechtewahrnehmung im Bereich der gesetzlichen Vergütungsansprüche selbst Teil des Urheberrechts und gehört damit zum *Bestand* bzw. zur *Ausgestaltung* der Schutzrechte. Insoweit kann auf die Ausführungen im allgemeinen Kollisionsrecht[1190] und auf die Ausführungen zum legitimen Zweck bei den Verteilungsfragen[1191] verwiesen werden. In der Vergangenheit wurden die

---

1187 EuGH, C-55/94, ECLI:EU:C:1995:411 - *Gebhard*, Rz. 37.

1188 *Müller-Graff*, in: Streinz/Michl/Bings u.a. (Hrsg.), EUV/AEUV, ^{3}2018, Art. 56, Rn. 91.

1189 Zugegebenermaßen lässt sich hier auf Grund des klar formulierten Kontrahierungszwangs der VG-RL bereits eine mögliche Beschränkung anzweifeln. Denn Art. 5 Abs. 2 VG-RL ist klar gefasst und lässt wenig Umsetzungsspielraum, mithin wenig Raum für die Belastung mit Doppelstandards. Derselbe Grund lässt nach der hier verfolgten Prüfung die Erforderlichkeit der Durchsetzung abweichender Standards des Schutzlandes entfallen (dazu sogleich).

1190 *Teil 3, Kapitel 1, E, I., 6.), b.).*

1191 In diesem Kapitel: *V., 2.), b.), (1).*

Zugangsansprüche der Rechteinhaber zum System der kollektiven Rechtewahrnehmung in Europa überdies vor allem über das Kartellrecht begründet.[1192]

Hinsichtlich der Erforderlichkeit und der Verhältnismäßigkeit sind jedoch einige Besonderheiten zu berücksichtigen. Die erste Besonderheit liegt gerade im besagten kartellrechtlichen Ursprung des Wahrnehmungszwangs und so hat sich auch auf dem Boden europäischer Rechtsprechung bereits eine recht klare europäische Linie zur Verpflichtung der Verwertungsgesellschaften zur Aufnahme ausländischer Rechteinhaber und zur Wahrnehmung ihres Repertoires entwickelt.[1193] Diese Rechtsgrundsätze bilden bereits ein Vehikel, welches grundsätzlich geeignet ist, individuelle Ansprüche zu begründen.[1194]

a) Hinreichender Schutz durch Harmonisierung

Vor allem spricht die VG-RL den Wahrnehmungszwang aber selbst in Art. 5 Abs. 2 sehr deutlich an und schafft so einen Rahmen für die einheitliche oder zumindest hinreichende Berücksichtigung eines europäischen Wahrnehmungszwangs. Gemäß Art. 5 Abs. 2 VG-RL haben die Rechteinhaber das Recht, „eine Organisation für die kollektive Rechtewahrnehmung ihrer Wahl mit der Wahrnehmung von Rechten, von Kategorien von Rechten oder von Arten von Werken und sonstigen Schutzgegenständen ihrer Wahl in den Gebieten ihrer Wahl ungeachtet des Mitgliedstaats der Staatsangehörigkeit, des Wohnsitzes oder der Niederlassung der Organisation für die kollektive Rechtewahrnehmung beziehungsweise des Rechtsinhabers zu

1192 So bspw.: EuGH, C-127/73, ECLI:EU:C:1974:25 – *BRT II*; EuGH. C-22/79, ECLI:EU:C:1979:245 – *Greenwich Film Production/SACEM*; EuGH, C-7/82, ECLI:EU:C:1983:52 – *GVL/Kommission.*

1193 Siehe die zuvor genannt den Entscheidungen. Außerdem *Drexl*, in: Götz von Olenhusen/Gergen/Vogel (Hrsg.), Kreativität und Charakter, 2017, S. 227, 234 ff.

1194 Zweifel mögen aufgrund des neuen Wettbewerbsmodells des europäischen Wahrnehmungsrechts bestehen (*Teil 2, C, III.*). Gleichwohl wird man kaum generell die Notwendigkeit einer Kontrahierungspflicht der Verwertungsgesellschaften gegenüber den Rechteinhabern in Frage stellen können (so scheinbar *Gerlach*, in: Wandtke/Bullinger (Hrsg.), Praxiskommentar Urheberrecht, ^{6}2022, VGG, § 9, Rn. 2). Vielmehr bleiben grundsätzliche Abhängigkeiten bestehen und wenn die kartellrechtlichen Durchsetzungsmechanismen aufgrund des Wettbewerbsmodells zweifelhaft werden, gewinnen spezielle Ansprüche des sektorspezifischen Regulierungsrechts eher noch an Bedeutung.

beauftragen." Die Verwertungsgesellschaften dürfen solche Anfragen nur aus „objektiv nachvollziehbaren Gründen ablehnen" und sind andernfalls „verpflichtet, Rechte, Kategorien von Rechten oder Arten von Werken und sonstige Schutzgegenstände, die in ihren Tätigkeitsbereich fallen, wahrzunehmen." Art. 5 Abs. 2 trägt damit bereits alle Merkmale eines Wahrnehmungszwangs in sich. Zweifelhaft könnte allein die Frage sein, ob die Richtlinie auch einen privatrechtlichen Anspruch der Rechteinhaber gegenüber den Verwertungsgesellschaften schafft.[1195] Doch spricht die Vorschrift auch insoweit eine eindeutige Sprache. Es gehört überdies zu den anerkannten Grundsätzen des Unionsrechts, dass ein Recht des Begünstigten, die Einhaltung der Verpflichtung einzuklagen, anzuerkennen ist, wenn das Unionsrecht eine eindeutige Verpflichtung enthält.[1196]

Zwar mag insoweit immer noch Spielraum für eine individuelle und in Teilen abweichende Umsetzung des Wahrnehmungszwangs bestehen, dieser kann aber die grundsätzliche Konzeption von Art. 5 Abs. 2 VG-RL und seine Verdichtung zu einem Wahrnehmungszwang nicht in Frage stellen. So weicht die deutsche Vorschrift in Art. 9 VGG im Wortlaut zwar stark von Art. 5 Abs. 2 VG-RL ab, und sie mag überschießend sein, Art. 5 Abs. 2 VG-RL schafft jedoch bereits einen gemeinsamen Rechtsstandard unter den die Mitgliedstaaten nicht abfallen dürfen.[1197] Die Rechte der Rechteinhaber sind also hinreichend abgesichert und die Verpflichtungen der Verwertungsgesellschaften tragen auch ihrer „staatsnahen Rolle" im Bereich der gesetzlichen Vergütungsansprüche Rechnung.

b) Rechtliche Einheit von Schranke und Wahrnehmungsverpflichtung

Zuletzt bleibt noch das dogmatische Argument der Einheit von Schranke und Wahrnehmungsverpflichtung. Es kann zwar nicht völlig außer Acht gelassen werden, doch sprechen zwei Gründe gegen seine strikte Umsetzung. Zunächst ist der Zusammenhang von Schranke und Wahrnehmungsverpflichtung nicht so eng und unmittelbar wie zwischen einem gesetzlichem Vergütungsanspruch und dessen Verteilung. Denn der Wahr-

1195 Zur privatrechtlichen Ausgestaltung des Wahrnehmungsrechts *Teil 2, Kapitel 2, D, I.*

1196 Mit weiteren Argumenten: *Drexl*, in: Götz von Olenhusen/Gergen/Vogel (Hrsg.), Kreativität und Charakter, 2017, S. 227, 241.

1197 Siehe Erwägungsgrund 9 der VG-RL.

nehmungszwang stellt in erster Linie eine Reaktion auf ein allgemeines Wettbewerbsproblem dar, welches sich im Bereich der Schranken aufgrund der urheberrechtlichen Besonderheiten verstärkt.[1198] Hinzu kommt zugegebenermaßen die gewünschte Konzentration bei der Wahrnehmung gesetzlicher Vergütungsansprüche, die letztlich auch Voraussetzung für deren Wirksamkeit ist und sich in Regelungen wie § 49 VGG manifestiert.[1199] Doch lässt sich auch hier die Grundkonzeption wettbewerbsrechtlich verstehen.[1200]

Die maßgebliche Frage, ob die Durchsetzung des nationalen Wahrnehmungszwangs gegenüber ausländischen EU-Verwertungsgesellschaften notwendig ist, um das System der gesetzlichen Vergütungsansprüche aufrechtzuerhalten, ist vor allem eine praktische und ergebnisorientierte Frage. Die Notwendigkeit oder Erforderlichkeit entfällt nämlich grundsätzlich dann, wenn die Absicherung durch einen europäischen Mindeststandard tatsächlich ausreicht, um einerseits die individuellen Rechtspositionen zu schützen und andererseits das Gesamtsystem der Urheberrechtsschranken nicht zu gefährden (beides lässt sich dem Schutzzweck „Schutz der Rechte des geistigen Eigentums" zuordnen). Im Falle des Wahrnehmungszwangs lässt sich das annehmen, denn jede Verwertungsgesellschaft in der EU unterliegt bereits den zwingenden Standards des Wahrnehmungszwangs aus Art. 5 Abs. 2 VG-RL, der sich als individueller Anspruch auch von jedem Rechteinhaber gegen eine Verwertungsgesellschaft durchsetzen lässt.[1201] Eine darüber hinausgehende Absicherung der Rechtspositionen durch die Verpflichtung einer ausländischen Verwertungsgesellschaft sich an inländische Wahrnehmungsverpflichtungen zu halten, sofern dies die Wahrnehmung eines inländischen Vergütungsanspruchs (oder eines verwertungsge-

1198 Was die „staatnahen Aufgaben" der Verwertungsgesellschaften im Bereich der Schranken betrifft, können diese letztlich auch auf europäischer Ebene berücksichtigt werden und insoweit zeigt die Richtlinie eine hinreichende Berücksichtigung.

1199 § 49 VGG betrifft die Vermutung zur Wahrnehmung der Rechte bei gesetzlichen Vergütungsansprüchen und setzt Konzentration voraus.

1200 *Drexl*, in: Götz von Olenhusen/Gergen/Vogel (Hrsg.), Kreativität und Charakter, 2017, S. 227, 241.

1201 Entscheidend für die Verpflichtung der Verwertungsgesellschaften zur Rechtewahrnehmung ist, ob objektiv nachvollziehbare Gründe für die Ablehnung vorliegen oder nicht. Diese sind vor allem in der tatsächlichen Wahrnehmungsreichweite im Hinblick auf die Kategorien der Rechte und ihre räumliche Reichweite zu verstehen. Damit unterliegt bereits jede Verwertungsgesellschaft entsprechend der Ausrichtung ihrer Handlung einer hinreichenden Verpflichtung zur Wahrnehmung der Rechte.

sellschaftspflichtigen Rechts) betrifft, ist zum Schutz des geistigen Eigentums nicht erforderlich. Ihre Durchsetzung gegenüber einer ausländischen (Unions-)Gesellschaft stünde daher nicht mit der primärrechtlich garantierten Dienstleistungsfreiheit der Verwertungsgesellschaften in Einklang.

4) Zusammenfassung und Ergebnis

Die Durchsetzung des nationalen Wahrnehmungszwangs ist auch im Bereich der Schranken nicht erforderlich. Zwar besteht ein grundsätzlicher Gleichlauf von Schranke und Wahrnehmungsverpflichtung, da die Verwertungsgesellschaften in diesem Bereich besondere Aufgaben des Urheberrechts übernehmen, die auch als staatsnahe Aufgaben bezeichnet werden könnten. Die VG-RL sorgt jedoch bereits für ein hinreichendes Schutzniveau. Art. 5 Abs. 2 der VG-RL schafft konkret bezeichnete und eng umschriebene individuelle Ansprüche, die als solche umzusetzen sind. Eine davon abweichende, überschießende nationale Regelung ist zwar möglich, ihre grenzüberschreitende Durchsetzung ist jedoch nicht erforderlich, da der europäische Maßstab hinreichenden Individualschutz und zugleich hinreichenden Systemschutz im Hinblick auf das Urheberrecht schafft.

Das Herkunftslandprinzip der Dienstleistungsfreiheit steht – bei der Frage der Anwendung eines inländischen Wahrnehmungszwangs – der Durchsetzung nationaler überschießender Schutzstandards gegenüber ausländischen EU-Gesellschaften daher entgegen. Soweit das Recht des „Bestimmungslands" (bzw. das Recht, aus dem sich der Vergütungsanspruch ergibt) strenger ist als das Recht des Sitzlands der Verwertungsgesellschaft, ist der Regulierungsmaßstab des anwendbaren Rechts auf denjenigen des Sitzlandrechts herabzusetzen. Es besteht damit die grundsätzliche Pflicht zur Anerkennung ausländischer Rechtsstandards.

IV. Der Rechtezugang

1) Einheitlichkeit der wesentlichen Verpflichtungen im Lizenzverhältnis

Bereits im vorhergehenden Kapitel bei der Analyse des allgemeinen Kollisionsrechts der kollektiven Rechtewahrnehmung zeigte sich der inhaltliche Zusammenhang der speziellen Verpflichtungen im Lizenzverhältnis. Zentral ist der Abschlusszwang bzw. im europäischen Recht das Diskriminierungsverbot und die Pflicht, Lizenzbedingungen auf objektive Kriterien zu stützen (Art. 16 Abs. 2 VG-RL) sowie die Verhandlungspflichten der Verwertungsgesellschaften mit den Nutzern. Im europäischen Recht werden die Tarife sodann ebenfalls im Gesamtzusammenhang mit den Regelungen zur Lizenzvergabe in Art. 16 VG-RL angesprochen. Nach Art. 16 Abs. 2 UAbs. 2 müssen Tarife in einem angemessenen Verhältnis zu dem wirtschaftlichen Wert der Nutzung stehen und die Nutzer sind über die Kriterien der Tarifaufstellung zu informieren. Im deutschen Recht steht der Abschlusszwang in § 34 VGG am Beginn des Unterabschnitts zu den Verträgen und Tarifen; in der Umklammerung durch Abschnitt 2, Unterabschnitt 1 zeigt sich auch hier der Zusammenhang der Regelungen.[1202]

Der Abschlusszwang ist im deutschen Recht konkreter ausgestaltet als in der Richtlinie, so ist jede Verwertungsgesellschaft „verpflichtet, aufgrund der von ihr wahrgenommenen Rechte jedermann auf Verlangen zu angemessenen Bedingungen Nutzungsrechte einzuräumen" (§ 34 Abs. 1 S. 1 VGG). Dabei ist unschwer zu erkennen, dass die Frage der Angemessenheit der Bedingungen zum zentralen Beurteilungskriterium wird, welches sich wiederum primär aus der Tarifhöhe ergibt. Die Grundfrage der Angemessenheit erfährt also eine nähere Beschreibung durch die weiteren Pflichten der Verwertungsgesellschaften in diesem Abschnitt und zu diesen zählt zuvorderst die Frage nach der Tarifhöhe.[1203] Nach h.M. gewährt das deutsche Recht keinen individuellen Anspruch auf die Aufstellung von Tarifen. Der Werknutzer könne lediglich die Einräumung von Rechten zu angemessenen Bedingungen verlangen, wobei einige spezielle Nutzerrechte bestehen, wie bspw. das Recht auf Hinterlegung oder Zahlung unter Vorbehalt (§ 37

1202 Eine ausführliche Darstellung der Lizenzbedingungen und Tarife der GEMA in den verschiedenen Bereichen von Tonträgerherstellung bis Online-Nutzungen findet sich bei *Langhoff/Radloff/Schmidt u.a.*, in: Heker/Riesenhuber (Hrsg.), Recht und Praxis der GEMA, ^{3}2018,

1203 Die Rechte und Pflichten der Verwertungsgesellschaften im Lizenzverhältnis wurden urheberrechtlich qualifiziert, da ihnen eine spezifische Ausgestaltung des Urheberrechts zugrunde liegt, wie sie sich in ganz ähnlicher Weise in den Schranken des Urheberrechts zeigt. (Siehe ausführlich *Teil 3, Kapitel 1, F, I., 3.), a.)*). Kartellrecht und Urheberrecht ergänzen sich in diesem Bereich, wobei eine Unterscheidung zwischen dem Schrankenbereich und der Wahrnehmung des Ausschließlichkeitsrechts sinnvoll erscheint. (Rechtsvergleichend zur verfahrens- und materiell-rechtlichen Ausgestaltung der Tarifkontrolle in Zentral- und Osteuropa *Vučković*, IIC 2016, 28 ff.).

VGG), die von besonderer praktischer Relevanz sein können.[1204] Andere Mitgliedstaaten mögen einen individuellen Anspruch auf Tarifaufstellung anerkennen, doch letztlich ist dies nicht von Bedeutung. Hier geht es allgemein um Lizenzzugangsregeln, ihre konkrete Ausgestaltung ist eben Frage des nationalen Rechts. Das deutsche Recht gewährt den zentralen Anspruch auf „Einräumung von Rechten zu angemessenen Bedingungen" und dieser individuelle Anspruch umklammert letztlich alle Detailfragen. Wird nachfolgend von „Tarifen" gesprochen, meint dies die Vergütungshöhe als wesentliche Lizenzbedingung.

Aus der sachlichen Einheitlichkeit der Pflichten folgt sodann auch ihre kollisionsrechtliche Einheitlichkeit, denn alle diese Pflichten prägen ein konkretes Rechtsverhältnis, welches in seiner Gesamtheit regulatorisch geformt ist und sich insgesamt dem Lizenzverhältnis oder den Bedingungen der Lizenzierung zuordnen lässt.[1205] Ausgeklammert wurden hier lediglich die werkbezogenen Informationspflichten, da ihnen erstens in der Richtlinie besondere Aufmerksamkeit geschenkt wird und sie zweitens als eine vorgelagerte Stufe der „Bedingungen der Lizenzierung" verstanden werden können.

2) Das Diskriminierungsverbot der VG-RL im Lizenzverhältnis

Die europäische Regulierung des Wahrnehmungsrechts sieht eine (eher vage) Verpflichtung der Verwertungsgesellschaften vor, ihre Lizenzdienstleistungen zu angemessenen Tarifen anzubieten, wobei der Referenzpunkt in erster Linie der wirtschaftliche Wert der Nutzung der Rechte unter Berücksichtigung der Art und des Umfangs der Nutzung ist (Art. 16 Abs. 2 UAbs. 2 VG-RL).[1206] Daraus lässt sich zunächst wenig für eine erweiterte Geltung des Herkunftslandprinzips in Tariffragen ableiten. Im Gegenteil lässt sich dieser Ansatz eher für eine marktortorientierte Betrachtung heranziehen.[1207]

Mit Art. 16 Abs. 2 UAbs. 1 VG-RL wird jedoch auch das Merkmal der Diskriminierungsfreiheit der Kriterien für die Lizenzbedingungen eingeführt.

1204 *Schulze*, in: Dreier/Schulze (Hrsg.), Urheberrechtsgesetz, ^{6}2018, VGG, § 38, Rn. 3. Mit Verweis auf Schiedsstelle *Schulze* SchSt 9, 43 ff. – *PC-Vergütung*.

1205 Im Detail siehe am Beginn des Abschnitts „Bewertung der besonderen Verpflichtungen aus dem Lizenzverhältnis" im vorhergehenden Kapitel (*Teil 3, Kapitel 1, F*).

1206 Zum europäischen Rechtsrahmen zur „Regelung der Lizenzierungstätigkeit" der Verwertungsgesellschaften siehe in *Teil 2, Kapitel 1, B, II*.

1207 Dazu sogleich.

Es stellt sich damit die Frage, was genau der Gegenstand der Diskriminierung sein soll. Denn einerseits könnte sich das Diskriminierungsverbot ganz allgemein auf potentielle Lizenznehmer beziehen, wobei der Marktort ein legitimes Unterscheidungskriterium darstellt, andererseits sind Diskriminierungsverbote aus den Grundfreiheiten bekannt und dienen dort der Förderung des Binnenmarkts.

a) Die Tarifkontrolle nach dem europäischen Kartellrecht

Unbekannt ist die Frage der Diskriminierung durch Verwertungsgesellschaften auf europäischer Ebene im Lizenzverhältnis nicht. Aufgenommen wurde sie in der Vergangenheit durch das Kartellrecht, wobei sich zwei Richtungen unterscheiden lassen. Erstens wurde das kartellrechtliche Diskriminierungsverbot im Sinne eines Gleichbehandlungsgebots auf rein innerstaatliche Sachverhalte angewandt; zweitens gab es Verfahren, in welchen die Unterteilung der verwertungsgesellschaftlichen Lizenzierungspraxis nach nationalen Märkten aufgegriffen wurde. Daneben gibt es inzwischen eine Reihe von Entscheidungen, in welchen der EuGH sich allgemein mit der Angemessenheit der Lizenzbedingungen befasst, wobei sich diese Frage zumeist im Zusammenhang mit der Frage nach der Zulässigkeit einer territorialen Abschottung stellte.

(1) Die sachliche Ungleichbehandlung

Beispielhaft für die erste Fallvariante steht die Entscheidung des EuGH in der Rechtssache *Kanal 5 und TV 4* gegen *STIM*[1208]. In der schwedischen Vorlage ging es unter anderem darum, ob es einen Missbrauch einer marktbeherrschenden Stellung darstellt, wenn eine Verwertungsgesellschaft die Gebühren, die sie als Vergütung für die Übertragung urheberrechtlich geschützter Musikwerke erhebt, unterschiedlich berechnet, je nachdem, ob es sich um private oder öffentlich-rechtliche Fernsehanstalten handelt.[1209] Im Vordergrund stand also ein typischer Fall von Art. 102 Abs. 2 lit. c) AEUV ohne direkten Binnenmarktbezug. Es komme, so der EuGH, darauf an, ob die Verwertungsgesellschaft unterschiedliche Bedingungen bei gleichwerti-

1208 EuGH, C-52/07, ECLI:EU:C:2008:703 – *Kanal 5/STIM.*
1209 Frage vier im Verfahren *Kanal 5 und TV 4 gegen STIM.*

ger Leistung anwendet und ob hierdurch zweitens ein Wettbewerbsnachteil entsteht. Im Grunde ging es also um eine klassische Frage der Ungleichbehandlung von im wesentlichen Gleichem, wobei die Benachteiligung im Wettbewerb als zusätzliches Kriterium hinzutritt, dabei aber zugleich als Konkretisierung des Kriteriums der „Vergleichbarkeit der Sachverhalte" verstanden werden kann.[1210] Der EuGH blieb eine klare Antwort schuldig und begnügte sich mit der wenig überraschenden Feststellung, dass „Art. 82 EG [102 AEUV] dahin auszulegen ist, dass [eine Verwertungsgesellschaft] ihre beherrschende Stellung im Sinne des genannten Artikels missbrauchen kann, wenn sie gegenüber diesen Gesellschaften unterschiedliche Bedingungen bei gleichwertigen Leistungen anwendet und sie dadurch im Wettbewerb benachteiligt, es sei denn, dass sich eine derartige Praxis objektiv rechtfertigen lässt."[1211]

In einem noch jungen und ganz ähnlich gelagerten Fall, entschied der EuGH entsprechend, führte dabei aber konkretisierend zum Zweck des kartellrechtlichen Diskriminierungsverbots aus, dass „der Begriff ‚im Wettbewerb benachteiligt werden' im Sinne von Art. 102 Abs. 2 Buchst. c AEUV [...] dahin auszulegen [ist], dass er, wenn ein marktbeherrschendes Unternehmen eine preisliche Diskriminierung zwischen Handelspartnern auf dem nachgelagerten Markt vornimmt, den Fall betrifft, dass dieses Verhalten eine Wettbewerbsverzerrung zwischen den Handelspartnern bewirken kann."[1212]

Damit kommt in dieser Entscheidung eine der wesentlichen Funktionen des Verwertungsgesellschaftssystems und des Kontrahierungszwangs bzw.

1210 Denn die Frage danach, ob ein Wettbewerbsverhältnis auf dieser Ebene besteht, richtet sich nach einer Marktabgrenzung in räumlicher, ggf. zeitlicher und vor allem sachlicher Hinsicht. Dabei wird nach der Substituierbarkeit der Güter gefragt, was ihre „Vergleichbarkeit" mit einschließt (zu den Kriterien der Bestimmung des relevanten Markts, statt vieler *Mestmäcker/Schweitzer*, Europäisches Wettbewerbsrecht, ^{3}2014, § 17, Rn. 19 ff.). Zum Diskriminierungsverbot in Art. 102 Abs. 2 lit, c AEUV ausführlich *Huttenlauch/Lübbig*, in: Loewenheim/Meessen/Riesenkampff u.a. (Hrsg.), Kartellrecht, ^{4}2020, Art. 102, Rn. 203 ff.

1211 EuGH, C-52/07, ECLI:EU:C:2008:703 – *Kanal 5/STIM*, Rz. 42–48.

1212 Tenor EuGH, C-525/16, ECLI:EU:C:2018:270 – *Meo*; und weiter „Die Feststellung, ob ein Handelspartner ‚im Wettbewerb benachteiligt' wird, erfordert nicht den Nachweis einer tatsächlichen und messbaren Verschlechterung der Wettbewerbsposition, sondern ist auf eine Analyse aller relevanten Umstände des Einzelfalls zu stützen, die den Schluss zulässt, dass dieses Verhalten einen Einfluss auf die Kosten, auf die Gewinne oder auf ein anderes maßgebliches Interesse eines oder mehrerer dieser Partner hat, so dass dieses Verhalten geeignet ist, diese Position zu beeinträchtigen."

Diskriminierungsverbots zum Ausdruck. Um den Preis einer Beschränkung des Wettbewerbs auf Ebene der Verwertungsgesellschaften wird der Wettbewerb auf nachgelagerter Ebene gefördert.[1213] Dabei handelt es sich weniger um einen Preiswettbewerb als vielmehr um einen Kreativwettbewerb, welcher auf einem umfassenden Repertoirezugang aufbaut.[1214] Diese Form des Diskriminierungsverbots lässt sich ohne Weiteres in Art. 16 Abs. 2 UAbs. 1 der VG-RL hineinlesen. Insoweit wirkt die Vorschrift wie eine Kodifizierung der Rechtsprechung und eine Absicherung der in ihr formulierten Grundsätze gegen eine eventuelle Schwächung der Anwendbarkeit des Kartellrechts aufgrund des angestrebten Wettbewerbs der Verwertungsgesellschaften.[1215]

(2) Die territoriale Ungleichbehandlung

Schwieriger zu beurteilen ist der zweite Interpretationsansatz des Diskriminierungsverbots, in welchem der Binnenmarktbezug hervorgehoben werden soll. Die vorherigen Ausführungen machten deutlich, dass Verwertungsgesellschaften ihre Lizenzen grundsätzlich zu gleichen, das heißt nichtdiskriminierenden Bedingungen anbieten müssen, was zunächst einmal räumlich neutral ist.[1216] Fraglich ist jedoch, ob sich aus Art. 16 der VG-RL auch ein Anspruch auf eine Lizenz für Land Y zu den Bedingungen von Land X herleiten lässt.[1217] Ergibt sich aus Art. 16 Abs. 2 VG-RL mithin eine Pflicht zur (tarifmäßigen) Gleichbehandlung von räumlichen Märkten?

1213 Auch auf Ebene der Verwertungsgesellschaften gibt es dabei einen (eingeschränkten) Wettbewerb. Die Abzüge der Verwaltungsgebühren gehen bei festen Tarifen zulasten der Rechteinhaber. Effiziente Verwaltungsstrukturen sind daher in ihrem Interesse und mit dem „Wahlrecht" steht ihnen auch ein Mittel zur Verfügung, um ihre Effizienzinteressen durchzusetzen.

1214 *Teil 3, Kapitel 1, F, I., 3.), a.).* Für einen Kreativwettbewerb i.S.d. Urheberrechts auch *Drexl*, in: Torremans (Hrsg.), Copyright Law, 2007, S. 255, 273 ff.

1215 Siehe dazu auch *Teil 2, Kapitel 2, C, III.*

1216 Art. 16 Abs. 2 u.A. 2 stellt zunächst auf das Verhältnis der Vergütung zum wirtschaftlichen Wert der Nutzung ab. Den korrekten Handelswert hebt auch *Riis* hervor (*Riis*, IIC 51 (2020), 446, 463), wobei dieser sich territorial (u.a. je nach Kaufkraft) unterscheiden kann.

1217 Nimmt eine Verwertungsgesellschaft Rechte für Land X wahr und lizenziert dort an einen Rechtenutzer, so kann sich aus Art. 16 Abs. 2 VG-RL ein Anspruch des Konkurrenten auf Lizenzzugang für die Rechte in Land X zu den gleichen Bedingungen ergeben. Nimmt die Verwertungsgesellschaft ebenso Rechte für Land Y wahr und Lizenzierungshandlungen vor, so könnte sich ebenso der Anspruch auf eine inhaltsgleiche Lizenz ergeben.

Auch hierüber kann die vergangene Rechtsprechung des EuGH Aufschluss geben.

In den sogenannten *French disco cases* ging es unter anderem um die Frage, ob das System der Gegenseitigkeitsverträge eine faktische Ausschließlichkeit herstellt, die es den Verwertungsgesellschaften ermöglicht, in missbräuchlicher Weise eine pauschale Vergütung zur Nutzung der Repertoires ausländischer Rechteinhaber festzusetzen? Der EuGH sah dies nicht ohne Weiteres als gegeben an, vielmehr strebten die von den Verwertungsgesellschaften miteinander geschlossenen Verträge das Ziel an, „die Gesamtheit der geschützten Musikwerke ohne Rücksicht auf deren Herkunft einheitlichen Bedingungen für die in ein und demselben Staat ansässigen Benutzer zu unterwerfen [...]“[1218] Der EuGH hob also die einheitliche Tariffindung innerhalb eines Staates als anzustrebendes Ziel hervor, welches einer Diskriminierung der Repertoires auf Grundlage ihrer Herkunft entgegenstehe. Damit wird in gewisser Hinsicht der Repertoiregleichbehandlung unabhängig von ihrer Herkunft Vorrang über die grenzüberschreitende Lizenzgebührengleichbehandlung gegeben.

Hinsichtlich der Frage der Tarifhöhe der französischen SACEM (in Frankreich) entschied der EuGH sodann, dass eine Verwertungsgesellschaft „[...] unangemessene Geschäftsbedingungen erzwingt, wenn die Gebühren, die sie von Diskotheken fordert, erheblich höher sind als die in den anderen Mitgliedstaaten erhobenen Gebühren, sofern die verschiedenen Tarife, was ihre Höhe betrifft, miteinander auf einheitlicher Grundlage verglichen wurden. Anders wäre es, wenn die in Rede stehende Verwertungsgesellschaft diese Differenz unter Hinweis auf objektive und relevante Unterschiede bei der Wahrnehmung der Urheberrechte in dem betroffenen Mitgliedstaat und in den übrigen Mitgliedstaaten rechtfertigen könnte.“[1219] Auch hier werden nationale Unterschiede also prinzipiell als ein Grund für unterschiedliche Gebührensätze anerkannt, ein wesentlich höherer nationaler Gebührensatz sei lediglich als Indiz für einen Missbrauch der marktbeherrschenden Stellung zu verstehen. Einen Anspruch auf einen ausländischen Gebührensatz gebe es hingegen nicht.

1218 EuGH, C-395/87, ECLI:EU:C:1989:319 – *Tournier*, Rz. 19 und wortgleich EuGH, verb. Rs. 110/88, 241/88 und 242/88, ECLI:EU:C:1989:326 – *Lucazeau*, Rz. 13.

1219 Siehe *Lucazeau*, Rz. 33 und wortgleich *Tournier*, Rz. 46.

Diese Rechtsprechung zur Lizenzgebührenkontrolle wurde in einigen jüngeren Entscheidungen konkretisiert und bestätigt.[1220] Dabei lohnt sich vor allem ein Blick auf die Entscheidung des EuGH in der Rechtssache *AKKA/LAA*, welche deutlich nach in Kraft treten der VG-RL erging, den Richtlinieninhalt jedoch gleichwohl nicht formal berücksichtigen konnte. Zunächst wiederholte der EuGH die in den Verfahren *Tournier* und *Lucazeau* gefundene Formel, wonach Tarife, die erheblich höher sind als in anderen (Vergleichs-)Mitgliedstaaten, als Indiz für einen Missbrauch der beherrschenden Stellung anzusehen sind. Sodann äußerte sich der EuGH in dieser Entscheidung jedoch erstmals differenzierter zum Maßstab der Vergleichsmethode und den Gründen, welche Unterschiede in den Tarifen rechtfertigen können. So seien die Referenzmitgliedstaaten nach „objektiven, geeigneten und überprüfbaren Kriterien" auszuwählen und zu diesen Kriterien seien, insbesondere „die Verbrauchsgewohnheiten und andere ökonomische oder soziokulturelle Gesichtspunkte" zu zählen, „wie das Bruttoinlandsprodukt pro Kopf und das kulturelle und historische Erbe".[1221]

Damit stellt der EuGH die Höhe der urheberrechtlichen Vergütung ausdrücklich in ein Verhältnis zur Leistungsfähigkeit der Gesellschaft, wobei er die Unterschiede in den Lebens- und Vermögensbedingungen zwischen den Mitgliedstaaten anerkennt. Auf diese Weise bereitet der EuGH einer differenzierten Betrachtung den Weg. Noch deutlicher in diese Richtung äußerte sich der EuGH sodann in Textziffer 46, wo er ausführt, dass „im Allgemeinen zwischen den Mitgliedstaaten erhebliche Preisunterschiede für identische Dienstleistungen bestehen, die mit den durch den KPI ausgedrückten Unterschieden in der Kaufkraft der Bürger eng zusammenhängen. Der Lebensstandard und die Kaufkraft beeinflussen dabei, inwieweit sich die Betreiber von Geschäften oder Dienstleistungszentren die Dienstleis-

1220 So etwa in der *OSA*-Entscheidung mit einem Verweis auf die grundlegende Entscheidung in *Tournier* und *Lucazeau*: „Sollte sich herausstellen, dass eine solche Verwertungsgesellschaft für die von ihr erbrachten Dienstleistungen Tarife erzwingt, die nach einem auf einheitlicher Grundlage vorgenommenen Vergleich erheblich höher sind als die in den übrigen Mitgliedstaaten angewandten Tarife, so ist diese Differenz als Anzeichen für einen Missbrauch der beherrschenden Stellung im Sinne von Art. 102 AEUV anzusehen. In diesem Fall obliegt es der betreffenden Verwertungsgesellschaft, die Differenz unter Hinweis auf etwaige objektive Unterschiede zwischen den Verhältnissen in dem in Rede stehenden Mitgliedstaat und denen in allen übrigen Mitgliedstaaten zu rechtfertigen (vgl. in diesem Sinne Urteile Tournier, Rz. 38, sowie Lucazeau u. a., Rz. 25)" (EuGH, C-351/12, ECLI:EU:C:2014:110 – *OSA*, Rz. 87).

1221 EuGH, C-177/16, ECLI:EU:C:2017:689 – *AKKA/LAA*, Rz. 41, 42.

tungen der Verwertungsgesellschaft leisten können. Bei einem Vergleich der Tarife für identische Dienstleistungen in mehreren Mitgliedstaaten mit unterschiedlichen Lebensstandards ist der KPI deshalb zwingend zu berücksichtigen."[1222]

b) Rückbezug zur VG-RL

Inwiefern diese Rechtsprechung des EuGH eine Fortführung im Diskriminierungsverbot und Angemessenheitsgrundsatz der VG-RL findet, geht aus dem Richtlinienkonzept nicht eindeutig hervor. Vieles mag dafür sprechen, dass der entwickelte kartellrechtliche Überprüfungsrahmen in Art. 16 der VG-RL abgesichert werden sollte. Gleichwohl scheint der Binnenmarktbezug der Richtlinie gegen nationale Besonderheiten bei der Tariffindung zu sprechen. So hebt gleich schon Erwägungsgrund 1 der VG-RL den „Binnenmarkt ohne Wettbewerbsverzerrungen" auf die Ebene eines übergeordneten Ziels. Zugleich wird die aufsichtsrechtliche Überprüfungsbefugnis über die Verwertungsgesellschaften am Marktort auch im Hinblick auf die Tarifkontrolle stark eingeschränkt. Dies sollte jedoch nicht darüber hinwegtäuschen, dass die Argumente des EuGH weiterhin tragen.

Das Urheberrecht eignet sich ganz besonders für eine individuelle an der Leistungsfähigkeit ausgerichtete Bepreisung. Als nicht-rivales Gut vermindert der „Konsum" eines Werks seinen Wert grundsätzlich nicht, zumal im Onlinebereich auch die Verbreitung mit keinen oder geringen zusätzlichen Kosten verbunden ist. Daher schafft ein „Mehr" an Nutzung grundsätzlich auch einen „Mehrwert". Um die Nutzung allerdings weiträumig zu ermöglichen, sind die Bedingungen der Nutzung an die Bedürfnisse bzw. die Leistungsfähigkeit der Nutzer anzupassen. Der Gedanke mag an den Marxschen Grundsatz „jeder nach seinen Fähigkeiten, jedem nach seinen Bedürfnissen"[1223] erinnern, tatsächlich liegen ihm aber gleichfalls Wettbewerbsprinzipien zugrunde – zumindest dann, wenn Gegenstand der Distribution nicht-rivale Güter sind. So geht der europäische Gesetzgeber in Erwägungsgrund 1 von einer falschen Prämisse aus, wenn er sich einen „Binnenmarkt ohne Wettbewerbsverzerrungen" vorstellt. Denn die kartellrechtliche Analyse des Verwertungsgesellschaftssystems zeigte gerade, dass der Wettbewerb der Verwertungsgesellschaften im gewählten Modell nicht

1222 EuGH, C-177/16, ECLI:EU:C:2017:689 – *AKKA/LAA*, Rz. 46.
1223 *Marx*, in: Marx/Engels (Hrsg.), Werke, Bd. 19, ^{4}1973, S. 13, 21.

auf Nutzerattraktivität ausgerichtet ist. In einem funktionierenden nutzerorientierten Wettbewerb wäre hingegen zu erwarten, dass sich das Angebot der Verwertungsgesellschaften (auch) an der Leistungsfähigkeit der Nutzer orientiert, also bedarfs- und bedürfnisgerecht ausgestaltet wird und dadurch eine möglichst weiträumige Verbreitung findet. Diese Form der individuellen oder zumindest regional typisierten Angemessenheit kann sich im gegenwärtigen Modell der *right-holders' option* hingegen kaum marktmäßig entwickeln.[1224]

Diese Argumente sprechen für die Möglichkeit einer räumlichen Aufteilung in Tariffragen aufgrund einer differenzierenden Betrachtung der Frage der *Angemessenheit*. Ihre inhaltliche Bedeutung wird durch die VG-RL nicht in Frage gestellt und zugleich ergibt sich aus der Richtlinie kein alternatives Konzept zur Behandlung dieser Frage. Da die Rechtsprechung des EuGH zur Diskriminierung und Angemessenheit der Tarife im Kontext der Umstände eines Landes aber keinesfalls neu ist, wäre eine Klarstellung in der Richtlinie naheliegend gewesen – so denn eine Distanzierung von den bisherigen Grundsätzen gewünscht gewesen wäre.[1225] Diese erfolgte nicht; im Gegenteil, Erwägungsgrund 31 und Art. 16 Abs. 2 UAbs. 2 der Richtlinie bestätigen das EuGH-Konzept implizit, indem sie die Angemessenheit der Tarife von dem wirtschaftlichen Wert abhängig machen, „den die Nutzung der Rechte in einem bestimmten Zusammenhang hat“. Diese kontextbezogene Beurteilung der Angemessenheit spiegelt unmittelbar die Auffassung des EuGH mit einem Kriterium der räumlichen Angemessenheit wider. Entscheidendes Kriterium zur Beurteilung der Diskriminierung ist daher, wie vom EuGH in der Entscheidung *Meo* ausgeführt, dass keine Wettbewerbsverzerrungen auf dem nachgelagerten Markt entstehen.[1226] Da-

1224 Diese Gedankenführung ist nicht ganz unproblematisch. Funktionierender Wettbewerb sollte eigentlich auf einen möglichst niedrigen Preis hinauslaufen (bis nahe an die Grenzkosten, was dem Urheberrecht grundsätzlich fremd ist). Individuelle Bepreisung ist hingegen ein Phänomen, welches eher bei fehlendem Wettbewerb zu erwarten ist (dazu beispielsweise *Varian*, in: Schmalensee/Willig (Hrsg.), Handbook of Industrial Organization – Volume 1, 1989, S. 597 ff., Introduction).

1225 Zum damaligen Richtlinienvorschlag auch *Quintais*, EIPR 35 (2) (2013), 65, 66, der ebenfalls darauf hinweist, dass die Regulierung im Hinblick auf Lizenzfragen im Kern eine Statuierung der wettbewerbsrechtlichen Rechtsprechung des EuGH bedeutet.

1226 EuGH, C-525/16, ECLI:EU:C:2018:270 – *Meo*, Rz. 37; unterschiedliche Tarife der Verwertungsgesellschaften – auch abhängig davon, wo sie ihren Sitz haben – können schnell zu einer Wettbewerbsverzerrung auf dem nachgelagerten Markt führen. Dies ist, wie der EuGH in der Rs. *Meo* ausführt, zu vermeiden.

bei sind die Vergleichsparameter richtig zu wählen, wobei der räumliche Markt grundsätzlich einen zulässigen Differenzierungsgrund darstellt, sofern er seine Ursache etwa in der jeweiligen Leistungsfähigkeit auf diesem Markt hat. Innerhalb dessen ist dann wiederum auf eine Gleichbehandlung zu achten.

Es ist daher davon auszugehen, dass das Diskriminierungskriterium in Art. 16 der VG-RL eine Absicherung der Rechtsprechung des EuGH zur kartellrechtlichen Tarifkontrolle gegenüber den Verwertungsgesellschaften darstellt und damit im Zusammenhang mit dieser Rechtsprechung zu lesen ist. Nationale Unterschiede in Tariffragen sind damit nicht per se nach Art. 16 Abs. 2 UAbs. 1 verbotene Diskriminierungen, vielmehr mögen sie ein Indiz für die Unangemessenheit eines Tarifs darstellen. Dieser Anschein lässt sich jedoch widerlegen, sofern die Unterschiede auf objektive Gründe zurückzuführen sind, welche vor allem in der finanziellen Leistungsfähigkeit der Gesellschaft bzw. der typischen Nutzer liegen können.[1227]

Dieser Ansatz gewinnt auf Grund der Schwächen der aufsichtsrechtlichen Kontrolle an Bedeutung. Denn diese konzentriert sich institutionell im Sitzland des Aufsichtssubjekts (Art. 36 Abs. 1 VG-RL), was bedeutet, dass eine inländische Aufsichtsbehörde die Angemessenheit von Tarifen für das Ausland beurteilen und kontrollieren müsste. Der Behörde im Sitzland der Verwertungsgesellschaft wird jedoch regelmäßig die Kenntnis der Marktbedingungen eines ausländischen Lizenzstaates fehlen, was jedoch Voraussetzung einer effektiven Kontrolle der Lizenzbedingungen i.S. des Art. 16 VG-RL ist. Naheliegend ist insbesondere bei schlecht aufgestellten Aufsichtsbehörden eine Überforderung mit derart komplexen Fragen oder gar ein mangelndes Interesse, Art. 16 VG-RL in Bezug auf einen ausländischen Lizenzmarkt durchzusetzen.[1228]

1227 Die Unterschiede in den Lizenzbedingungen werden erstens bei der Suche nach einem Vergleichsmaßstab relevant und zweitens auf Ebene der Rechtfertigung von Unterschieden durch objektive Gründe. Der EuGH trennt diese beiden Ebenen nicht eindeutig voneinander ab.

1228 So auch *Drexl*, in: Kubis/Peifer/Raue u.a. (Hrsg.), Ius Vivum: Kunst - Internationales - Persönlichkeit, 2022, S. 123 ff. und *ders.*, in: Götz von Olenhusen/Gergen/Vogel (Hrsg.), Kreativität und Charakter, 2017, S. 227, 249 f. auch der Mechanismus des Art. 37 Abs. 2 VG-RL scheint kaum geeignet ein drohendes institutionelles Versagen abwenden zu können. Siehe hierzu auch zuvor *Teil 2, Kapitel 2, B.*

3) Zusammenfassung

Art. 16 Abs. 2 der VG-RL führt die Grundsätze der Nichtdiskriminierung und Angemessenheit der Bedingungen auf Lizenzierungsebene in das europäische Wahrnehmungsrecht ein. Diskriminierungskriterien sind dem europäischen Recht wohlbekannt und spielen insbesondere bei den Grundfreiheiten eine tragende Rolle. Dort dienen sie dazu, nationalen Maßnahmen, welche zur Abschottung der Märkte führen können, entgegenzuwirken. Eine ähnliche Rolle kann auch Art. 16 Abs. 2 UAbs. 1 VG-RL spielen, dabei sind jedoch einige Besonderheiten zu beachten. Die Vorschrift scheint zunächst der Absicherung der kartellrechtlichen Rechtsprechung des EuGH gegenüber „Verwertungsgesellschaften im Wettbewerb" zu dienen. Der EuGH hat dabei eine wettbewerbliche Beurteilung vorgenommen, welche nationale Unterschiede nicht nivelliert. Art. 102 Abs. 2 lit. c) AEUV bezweckt im Kontext der kollektiven Rechtewahrnehmung zunächst die Verhinderung von Wettbewerbsverzerrungen auf dem nachgelagerten Markt der Diensteanbieter. Dazu ist ein „europäischer Einheitstarif" aber nicht erforderlich, vielmehr können national angepasste Tarife die Unterschiede in der Leistungsfähigkeit der jeweiligen Gesellschaft als objektive Gründe für eine Differenzierung wesentlich besser berücksichtigen, wobei von dieser Form der Differenzierung grundsätzlich keine Wettbewerbsverzerrungen ausgehen.

4) Rechtezugang und Dienstleistungsfreiheit

Die vorangegangenen Ausführungen zum Diskriminierungsverbot und der Angemessenheitskontrolle von Art. 16 Abs. 2 der VG-RL mögen nicht zuletzt in ihrer Ausführlichkeit verwundern, schließlich beantworten sie die eigentliche Frage der Arbeit, inwieweit das Sitzlandprinzip der Richtlinie und die Dienstleistungsfreiheit der Verwertungsgesellschaften Einfluss auf die Anwendung eines strengeren nationalen Rechts gegenüber Verwertungsgesellschaften mit Sitz in einem anderen Mitgliedstaat haben, nicht. Dieser Eindruck täuscht jedoch, denn im Grunde lassen sich die Argumente und Überlegungen, welche zur Anerkennung nationaler Differenzierungen auf Grundlage von Art. 16 Abs. 2 VG-RL führten, auf die Frage der (gegenseitigen) Anerkennung nach ausländischen Standards festgesetzter Tarife übertragen. So ist es nun naheliegend, dass die Berücksichtigung von Unterschieden in der Leistungsfähigkeit auch auf Ebene der Rechtfertigung von unterschiedlichen nationalen Maßstäben bei der privatrechtlichen Lizenzzugangs- bzw. Tarifkontrolle möglich ist. Doch wurden einige wesentliche Aspekte noch nicht beleuchtet. Die vorhergehende Argumentation baute auf einer Analyse der kartellrechtlichen Rechtsprechungspraxis des EuGH auf. In kartellrechtlicher Tradition wird Art. 16 Abs. 2 VG-RL auch maßgeblich gesehen, doch spielen im Binnenmarktkonzept der kollektiven Rechtewahrnehmung auch andere Aspekte eine Rolle, die überwiegend urheberrechtlich sind.

Bei der Analyse des allgemeinen Kollisionsrechts erfolgte ebenfalls eine Unterscheidung des rechtlichen Bezugspunkts der Pflichten im Lizenzverhältnis. Auch der dort entwickelte Ansatz differenzierte zwischen der Art des Lizenzverhältnis, also dahingehend, ob es sich um eine gesetzliche Lizenz (also Tarife für die Nutzung eines gesetzlich eingeschränkten Rechts)[1229] oder um den Zugang zu Ausschließlichkeitsrechten handelt. Es wurde dabei aber insgesamt ein schutzlandbezogener Ansatz gewählt, welcher sich vor allem auf urheberrechtliche und kartellrechtliche Erwägungen stützte. Nachfolgend wird daher zwischen den Bedingungen der Lizenzierung, erstens im Bereich der „normalen" Ausschließlichkeitsrechte, zweitens bei „Online-Rechten an Musikwerken", denen in Titel III der Richtlinie besondere Aufmerksamkeit geschenkt wird, und drittens hinsichtlich des eingeschränkten Rechts unterschieden.

a) Die Lizenzzugangsansprüche im Bereich des Ausschließlichkeitsrechts

(1) Beschränkung der Dienstleistungsfreiheit

Zur Ausübung der Dienstleistungsfreiheit der Verwertungsgesellschaften gehört, dass sie ihre Repertoires am Markt anbieten und dabei Preise für die Nutzungen festsetzen. Unterschiedliche nationale Anforderungen an die Tarifbildung können Verwertungsgesellschaften von der grenzüberschreitenden Leistungserbringung abhalten,[1230] weil sie mit typischen rechtlichen Anpassungskosten verbunden sind. Ganz praktisch müssten Verwertungs-

1229 Wobei der Terminus Lizenz oder gesetzliche Lizenz hierbei nicht unumstritten ist. Gemeint ist die Kombination von erlaubnisfreien Nutzungstatbeständen und einem gesetzlichen Vergütungsanspruch (siehe hierzu ausführlich *Pflüger*, Gerechter Ausgleich und angemessene Vergütung, 2017, S. 115 ff.).

1230 Es werden grundsätzlich alle Maßnahmen erfasst, die geeignet sind, eine grenzüberschreitende Leistungserbringung weniger attraktiv zu machen (EuGH, C-55/94, ECLI:EU:C:1995:411 – *Gebhard*, Rz. 37).

gesellschaften im Zweifel 27 unterschiedliche nationale Tarife (erweitert um die jeweils erfasste Nutzungsart) aufstellen und eine gesonderte Tarifkontrolle nach dem Recht jedes Mitgliedstaates befürchten, in dem sie Lizenzen anbieten. Derartige Erfordernisse sind zweifellos geeignet, Verwertungsgesellschaften von der Ausübung ihrer Dienstleistungsfreiheit im Binnenmarkt abzuhalten.

(2) Rechtfertigung

(a) Legitimer Zweck

i. Schutz der Rechte des geistigen Eigentums

Zunächst muss die Beschränkung einem legitimen Zweck – bzw. einem zwingenden Allgemeininteresse – dienen, wobei erneut vor allem der Schutz der Rechte des geistigen Eigentums in Frage kommt.[1231] Geht es um das Ausschließlichkeitsrecht, treten jedoch die spezifisch urheberrechtlichen Erwägungen weniger deutlich hervor. Die kartellrechtliche Analyse hat gezeigt, dass vielmehr wettbewerbliche Aspekte eine tragende Rolle spielen. Die besondere verwertungsgesellschaftsrechtliche Tarifkontrolle lehnt sich dabei eng an das klassische System der Missbrauchskontrolle, also an ein wettbewerbliches Denkgerüst an.[1232]

Während sich im Bereich der Schranken die Aufgabe zur Bestimmung dessen was „gerecht“ ist aus den urheberrechtlichen Anforderungen bzw. Bestimmungen zum „gerechten Ausgleich“ selbst ergibt, da es sich um einen unmittelbaren gesetzlichen Auftrag aus dem Urheberrecht handelt, erfolgt die Kollektivierung beim Ausschließlichkeitsrecht in der Regel freiwillig bzw. aus ökonomischen Erwägungen heraus und ist nicht (unmittelbar) urheberrechtlich vorgesehen. Entsprechend erfordert die Tariffindung im Bereich der urheberrechtlichen Schranken eine Kontrolle in beide Richtungen, nach unten wie nach oben hin, um den Maßstab für den „gerechten Ausgleich“ zu finden. Die Tarifkontrolle bei Ausübung des Ausschließlich-

1231 Siehe ausführlich in diesem Kapitel *C, II., 3.) a.)*.

1232 So wurden auf europäischer Ebene die Fragen des Lizenzzugangs direkt unter Art. 102 AEUV behandelt. Siehe beispielhaft EuGH, C-177/16, ECLI:EU:C:2017:689 – *AKKA/LAA*. Zur globalen Übersicht vor allem *Drexl*, Copyright, Competition and Development, 2013, unter 11.3 und zuvor *Teil 2, Kapitel 2, C, III.* sowie *Teil 3, Kapitel 1, F, I., 3.), a.), (2)*.

keitsrechts folgt jedoch eher einer wettbewerbsrechtlichen Logik, woraus sich grundsätzlich nur eine Kontrolle der Preise nach oben hin ergeben kann.[1233] Doch spricht die VG-RL in Art. 16 Abs. 2 UAbs. 2 auch im Lizenzverhältnis davon, dass die Rechteinhaber eine „angemessene Vergütung für die Nutzung ihrer Rechte" erhalten (sollen) und schiebt damit die Tarifkontrolle eher noch in die Nähe zu den Angemessenheitskriterien innerhalb der vergütungspflichtigen europäischen Schranken. Schon zuvor[1234] wurde sehr ausführlich dargelegt, warum sich das Verwertungsgesellschaftsrecht auch außerhalb der Wahrnehmung gesetzlicher Vergütungsansprüche als ein urheberrechtliches Instrument darstellt, welches nicht zuletzt über die Ausgestaltung der Zugangsansprüche ein wichtiger Bestandteil urheberrechtlicher Regulierung sein kann.

Das Urheberrecht ist zwar als legitimer Zweck anerkannt, doch wird in der Rechtsprechung des EuGH zwischen dem *Bestand* und der *Ausübung* der Schutzrechte unterschieden bzw. der Begriff des „spezifischen Gegenstand der Immaterialgüterrechte" zur Abgrenzung verwendet.[1235] In diesem Rahmen hat der EuGH festgesellt, dass der spezifische Gegenstand des Schutzrechts darin bestehe, „den Schutz der Persönlichkeitsrechte und der wirtschaftlichen Rechte ihrer Inhaber zu gewährleisten,"[1236] was auf wirtschaftlicher Ebene speziell das Interesse der Urheber an der Sicherstellung einer angemessenen Vergütung meint.[1237] Innerhalb der Schranken des Rechts lässt sich all dies ohne Weiteres begründen und die verwertungsgesellschaftlichen Vergütungsregelungen diesem Konzept der Vergütungssi-

1233 *Mestmäcker/Schweitzer*, Europäisches Wettbewerbsrecht, ^{3}2014, § 33, Rz. 44 ff.

1234 Siehe hierzu *Teil 1, Kapitel 1, A.* sowie *Teil 3, Kapitel 1, C, I., 1.).*

1235 Ausführlich in diesem Kapitel zuvor. Teilweise wird diese Unterscheidung auch erst auf Ebene der Erforderlichkeit vorgenommen (so bspw. bei EuGH in C-403/08 und C-429/08, ECLI:EU:C:2011:631 – *FAPL und Murphy*, Rz. 106 ff.).

1236 EuGH, C-92/92, ECLI:EU:C:1993:847 - *Collins*, Rz. 20.

1237 Ähnlich auch der EuGH in C-403/08 und C-429/08, ECLI:EU:C:2011:631 – *FAPL und Murphy*, Rz. 107 f., wobei es dort um die Frage einer Rechteinhaberseitigen Marktabschottung ging, bei der der EuGH insbesondere festgehalten hat, dass „der spezifische Gegenstand des geistigen Eigentums den betreffenden Rechtsinhabern nicht garantiert, dass sie die höchstmögliche Vergütung verlangen können." Nach Maßgabe dieses spezifischen Gegenstands werde ihnen nämlich nur eine angemessene Vergütung für jede Nutzung der Schutzgegenstände gesichert. Die nationale Tarifkontrolle betrifft den umgekehrten Fall, dass Rechteinhaber (über Verwertungsgesellschaften) keinen Einheitstarif im Binnenmarkt anwenden können, sondern eine nationale Angemessenheitskontrolle vorgenommen wird. Siehe zur Thematik auch, *Engels*, Die Vereinbarkeit der territorialen Aufspaltung von Verwertungsrechten mit den europäischen Binnenmarktregeln, 2016.

cherung zuordnen. Bei der Wahrnehmung des Ausschließlichkeitsrechts ist dies hingegen weniger naheliegend, auch wenn die VG-RL die „angemessene Vergütung der Rechteinhaber“ in Art. 16 Abs. 2 UAbs. 2 betont.

Ihrem Wesen nach geht es in der Tarifkontrolle nicht um das Phänomen (auch) Vergütungssicherung, sondern um eine kartellrechtliche Ausübungskontrolle der verwertungsgesellschaftlichen Machtposition.[1238] Dies zeigt sich schon allein daran, dass sie vor Einsetzen der Harmonisierung auf europäischer Ebene unmittelbar kartellrechtlich beurteilt wurden.[1239] Dabei kann durchaus auch eine urheberrechtliche Konstruktion eine Rolle spielen, die hinsichtlich dieser konkreten Frage aber weniger im Vergütungssicherungskonzept als im Werkzugangskonzept zu sehen ist. Insgesamt klingt das Gesamtkonstrukt der Lizenzzugangskontrolle hier eher nach *Ausübungskontrolle* und nicht nach *Bestandssicherung* des Urheberrechts, ohne dass mit diesem Begriffspaar eine klare Abgrenzung möglich wäre.

ii. Andere legitime Zwecke

Die legitimen zwingenden Allgemeininteressen sind primärrechtlich weder definiert noch begrenzt.[1240] Es haben sich in der Kommentarliteratur jedoch typisierte Kataloge entwickelt, die auf die umfangreiche Rechtsprechung des EuGH zu diesem Thema zurückgehen. Das Wettbewerbsrecht oder spezifisch kartellrechtliche Überlegungen sind darin nicht enthal-

1238 *Mestmäcker/Schweitzer* sehen im Wahrnehmungs- und Abschlusszwang (nach altem Recht) einen wichtigen Anwendungsfall von Art. 3 Abs. 3 VO 1/03, also von mitgliedstaatlichen Bestimmungen, die überwiegend wettbewerbsfremde Ziele verfolgen. Dies mag auf die vielen Besonderheiten des Wahrnehmungsrechts zurückzuführen sein, tatsächlich ist die Regulierung in diesem Bereich zwar sektorspezifisch, sie ist aber wettbewerbsrechtlich geprägt, was sich in der unmittelbaren Anwendung von Art. 102 AEUV durch den EuGH auf eben jene Fragen bestätigt. Im Übrigen führt Abs. 3 gleichermaßen dazu, dass das Regulierungsrecht nicht durch EU Wettbewerbsrecht „verdrängt“ wird und steht der hier zu begründenden Aussage (wonach nationale Tarifstandards sich auch im Binnenmarkt durchsetzen sollen) daher nicht im Wege. Zum Vorrang des sektoralen Rechts der Mitgliedstaaten auch *Zuber*, in: Loewenheim/Meessen/Riesenkampff u.a. (Hrsg.), Kartellrecht, [4]2020, Art. 3 VerfVO, Rn. 18.

1239 EuGH, C-177/16, ECLI:EU:C:2017:689 – *AKKA/LAA*, Rz. 41, 42; EuGH, C-395/87, ECLI:EU:C:1989:319 – *Tournier*, Rz. 19 (wortgl. EuGH, verb. Rs. 110/88, 241/88 u. 242/88 – *Lucazeau*, Rz. 13); EuGH, C-52/07, ECLI:EU:C:2008:703 – *Kanal 5/STIM* u. EuGH, C-351/12, ECLI:EU:C:2014:110 – *OSA*, Rz. 87.

1240 *Müller-Graff*, in: Streinz/Michl/Bings u.a. (Hrsg.), EUV/AEUV, [3]2018, Art. 56 AEUV, Rn. 106.

ten.[1241] Einigkeit besteht aber darüber, dass die zwingenden Erfordernisse des Allgemeininteressen keinen wirtschaftlichen oder wirtschaftspolitischen Charakter haben dürfen.[1242] Wettbewerbsrecht, das zum Gegenstand der Beurteilung durch den EuGH im Zusammenhang mit der Beschränkung von Grundfreiheiten wurde, findet sich vor allem im Lauterkeitsrecht mit seinen lauterkeitsrechtstypischen Schutzgründen, wie dem Verbraucherschutz und „der Lauterkeit des Handelsverkehrs".[1243] Dies ist hier jedoch nicht gemeint. Vielmehr geht es um Lizenzzugangssicherung – die ihrerseits eine verbraucherschützende Dimension aufweist – und um Schutz vor Diskriminierung im Wettbewerb, was genau in dieser Form auch in Art. 102 Abs. 2 lit. a) und c) AEUV angelegt ist.

Zum Verhältnis zwischen Kartellrecht und Grundfreiheiten bzw. speziell zur Frage, ob das Kartellrecht – mithin seine Ziele, wie Schutz des Wettbewerbs, Offenhaltung der Märkte, Effizienzsteigerung etc. – ein legitimes Allgemeinwohlinteresse zur Rechtfertigung von Einschränkungen der Grundfreiheiten darstellen kann, finden sich keine Aussagen.[1244] Dies ist wenig überraschend, denn Grundfreiheiten und europäisches Wettbewerbsrecht ergänzen sich in ihrer Konzeption und nehmen gemeinsam eine Integrationsfunktion wahr.[1245] Eine solche Ambivalenz ist daher keinesfalls ungewöhnlich, sondern für die Prüfung von Art. 56 Abs. 1 AEUV sogar prägend.

1241 Bspw. *Holoubek*, in: Schwarze/Becker/Hatje u.a. (Hrsg.), EU-Kommentar, ^{4}2019, Art. 56, 57 AEUV, Rn. 113 ff.; *Müller-Graff*, in: Streinz/Michl/Bings u.a. (Hrsg.), EUV/AEUV, ^{3}2018, Art. 56 AEUV, Rn. 107.

1242 *Müller-Graff*, in: Streinz/Michl/Bings u.a. (Hrsg.), EUV/AEUV, ^{3}2018, Art. 56, Rn. 106 m.w.N.

1243 Siehe nur *Holoubek*, in: Schwarze/Becker/Hatje u.a. (Hrsg.), EU-Kommentar, ^{4}2019, Art. 56, 57 AEUV, Rn. 113 ff. und *Müller-Graff*, in: Streinz/Michl/Bings u.a. (Hrsg.), EUV/AEUV, ^{3}2018, Art. 56 AEUV, Rn. 107. Zum Lauterkeitsrecht als einschränkendes Ziel und zur Beschränkung des Wettbewerbs als gerade ausgeschlossener Zweck der Einschränkung der Grundfreiheiten *Becker*, in: Schwarze/Becker/Hatje u.a. (Hrsg.), EU-Kommentar, ^{4}2019, Art 36 AEUV, Rn. 52 und 59.

1244 Grundsätzlich sind die zwingenden Erfordernisse des Allgemeinwohls für alle Grundfreiheiten einheitlich zu bestimmen. Anerkannt sind eher generelle Allgemeinwohlinteressen, wie der Verbraucherschutz oder die Lauterkeit des Handelsverkehrs. Außerdem spezielle Allgemeinwohlerfordernisse, wie der Arbeitnehmer-, Gläubiger-, Versicherungsnehmer- und Anlegerschutz (hierzu *Körber*, Grundfreiheiten und Privatrecht, 2004, 224 ff.). Dahinter mag man ein allgemeines Ziel des Schutzes des Schwächeren erkennen, welches vielfache Ausprägungen im regulatorischen Privatrecht hat und genauso im Wettbewerbsrecht angelegt ist.

1245 Zur Ergänzung der grundfreiheitlichen Marktzugangskriterien um wirtschaftliche Betrachtungen, wie sie seit jeher im Kartellrecht angewendet werden *Dietz/Streinz*, EuR 50 (2015), 50, 59 ff.

Mit unterschiedlichen Mitteln und auf unterschiedliche Akteure gerichtet, dienen beide auch der Marktintegration,[1246] sodass ein Zielkonflikt, aufgrund dessen die Anwendung des Wettbewerbsrechts gegenüber den Grundfreiheiten gerechtfertigt werden müsste, in der Regel ausgeschlossen sein dürfte.[1247] Festhalten lässt sich jedoch, dass die Wettbewerbspolitik und die Anwendung und Durchsetzung europäischen Wettbewerbsrechts ein überragendes und anerkanntes Unionsinteresse darstellt und sich damit nicht von anderen anerkannten Allgemeininteressen unterscheidet.

Weitere anerkannte legitime Interessen, denen die Anwendung von nationalen Vorschriften des Lizenzzugangs gegenüber Verwertungsgesellschaften dient, liegen in der Kulturpolitik bzw. dem Schutz kultureller Vielfalt, welche grundsätzlich weit verstanden werden können.[1248] Denn die Lizenzzugangssicherung dient auch dazu, ein reichhaltiges Kulturangebot abzusichern (siehe beispielsweise Erwägungsgrund 3 VG-RL) und den Bürgern (Verbrauchern) Zugang zu kulturellen Inhalten zu angemessenen Bedingungen zu ermöglichen. Letzteres lässt sich auch dem Verbraucherschutz zuordnen, der ebenfalls als zwingendes Allgemeininteresse anerkannt ist.[1249]

1246 *Müller-Graff*, in: Hatje/Müller-Graff/Braun (Hrsg.), Europäisches Organisations- und Verfassungsrecht, 2014, S. 477, § 9, Rn. 66 und 99. Zu den Grenzen der Marktintegration aufgrund der Gefahr einer Nivellierung des wirtschaftlichen Ordnungsrahmens sowie zum unionalen Kompetenzgefüge *Dietz/Streinz*, EuR 50 (2015), 50, 59.

1247 Zielkonflikte können z.B. dann entstehen, wenn die Anwendung der Grundfreiheiten zu Wettbewerbsverzerrungen führt oder wenn man die Grundfreiheiten als unmittelbar drittwirkende Verbote gegen private Marktteilnehmer wendet und sie so in eine funktionale Konkurrenz zu den Wettbewerbsregeln treten lässt (so *Körber*, Grundfreiheiten und Privatrecht, 2004, S. 112 f. und dann ausführlich S. 745 ff.).

1248 *Müller-Graff*, in: Streinz/Michl/Bings u.a. (Hrsg.), EUV/AEUV, [3]2018, Art. 56 AEUV, Rn. 107 Und EuGH, C-134/10, ECLI:EU:C:2011:117 – *Kommission/Belgien*, Rz. 44.

1249 M.w.N. *Holoubek*, in: Schwarze/Becker/Hatje u.a. (Hrsg.), EU-Kommentar, [4]2019, AEUV, Art. 56, 57, Rn. 114 Die Ziele des Verbraucherschutzes und der kulturellen Vielfalt sowie des Erhalts des kulturellen Erbes werden vom EuGH sehr großzügig interpretiert. So hat er jüngst bspw. Ober- und Untergrenzen für Architektenhonorare diesen Zielen zugeordnet (EuGH, C-377/17, EU:C:2019:562 – *Kommission/Deutschland*, Rz. 70, 71)

(b) Verhältnismäßigkeit

Die Durchsetzung nationaler Tarifstandards gegenüber ausländischen (EU/EWR-)Verwertungsgesellschaften muss jedoch zur Verwirklichung der genannten Ziele des Allgemeininteresses geeignet und erforderlich sein. Grundsätzlich stellen Tarifregelungen ein geeignetes Mittel zur Sicherstellung des Zugangs zu angemessenen Bedingungen dar, der im Interesse des Verbraucherschutzes und des Schutzes kultureller Vielfalt erfolgt.[1250] Genauso eignen sich Tarifregelung zur Gewährleistung von Wettbewerbsgleichheit auf nachgelagerten Märkten.

Problematischer vor dem Hintergrund der VG-RL erscheint vielmehr die Erforderlichkeit der Durchsetzung nationaler Tarifstandards gegenüber ausländischen Verwertungsgesellschaften im Binnenmarkt. Denn die Richtlinie formuliert insbesondere in Art. 16 Abs. 2 (UAbs. 2) bereits Standards des Lizenzzugangs, die eine hinreichende Absicherung der Interessen des Verbraucherschutzes, der Sicherung kultureller Vielfalt und des Wettbewerbsschutzes insbesondere auf nachgelagerten Märkten gewährleisten könnten. Doch lassen sich die Kernaussagen zum Diskriminierungsverbot der VG-RL in Art. 16 Abs. 2 im Lizenzverhältnis gerade umgekehrt, zur Begründung eines schutz-/ bzw. nutzungslandbezogenen Ansatzes heranziehen. Hier wurde insbesondere die EuGH-Rechtsprechung zur Lizenzkontrolle der Verwertungsgesellschaften analysiert und dabei deutlich, dass der EuGH staatliche bzw. regionale Besonderheiten durchaus berücksichtigt.[1251] Das Diskriminierungsverbot der Richtlinie erzwingt daher gerade nicht eine Gleichbehandlung der räumlichen Märkte, sondern eine Gleichbehandlung der Akteure innerhalb eines Marktes, der in kartellrechtlicher Tradition sachlich, räumlich und zeitlich zu bestimmen ist. Hierauf läuft die gesamte vergangene Rechtsprechung des EuGH zur Lizenzzugangskontrolle nach Art. 102 AEUV hinaus[1252] und es ist nicht ersichtlich, dass die VG-RL von diesem Prinzip im Bereich der Wahrnehmung der Ausschließ-

---

1250 In diesem Zusammenhang zur Geeignetheit von Mindest- und Höchstgrenzen für Honorare von Architekten und Ingenieuren zum Verbraucherschutz und dem Schutz des kulturellen (Bau-)Erbes EuGH, C-377/17, EU:C:2019:562 – *Kommission/Deutschland*, Rz. 74 ff.

1251 Rechtsvergleichend zur verfahrens- und materiell-rechtlichen Ausgestaltung der Tarifkontrolle in Zentral- und Osteuropa *Vučković*, IIC 2016, 28 ff.

1252 Siehe vor allem folgende Entscheidungen: EuGH, C-177/16, ECLI:EU:C:2017:689 – *AKKA/LAA*, Rz. 41, 42; EuGH, C-395/87, ECLI:EU:C:1989:319 – *Tournier*, Rz. 19 und EuGH, verb. Rs. 110/88, 241/88 und 242/88, ECLI:EU:C:1989:326 – *Lucaze-*

lichkeitsrechte generell abweichen wollte. Im Gegenteil, eine gesetzliche, sektorspezifische Absicherung der Rechtsprechung des EuGH ist deutlich naheliegender.[1253] Diese differenzierende Betrachtung der Märkte wird dem Wesen des Urheberrechts deutlich gerechter und so kommt die Berücksichtigung der wirtschaftlichen Leistungsfähigkeit innerhalb eines räumlichen Marktes – bei aller Künstlichkeit der Preiskontrolle und Preissetzung – einem marktwirtschaftlichen Ergebnis näher, als die mindestens ebenso künstliche zentrale Preissetzung und Preiskontrolle nach dem Sitzlandprinzip.

Auswirkungsgedanken können sich der Erforderlichkeit zuordnen lassen. Um den Schutz des Wettbewerbs, den Schutz des Zugangs, die Funktionsfähigkeit nachgelagerter Märkte, um schließlich den Zugang zu angemessenen Bedingungen sicherzustellen, ist eine auswirkungsbezogene Betrachtung, welche die Besonderheiten des Marktorts in den Blick nimmt, nicht ersetzbar. Ein Herkunftslandrecht bzw. ein Herkunftslandstandard kann sich nämlich gerade im Hinblick auf die Preisfindung in einem Bereich, der der „natürlichen Preisfindung im Wettbewerb" entzogen ist und damit ohnehin künstlich ist, schnell als sachfremd erweisen. Soweit sich der EuGH im Verfahren um die Auswertung der Senderechte zur Ausstrahlung der Premier League Spiele für eine einheitliche Preissetzung (bzw. gegen eine Marktabschottung durch ein nationales Einfuhr- und Verkaufsverbot ausländischer Dekodiervorrichtungen) aussprach, ist dies auf mehrere Besonderheiten zurückzuführen.[1254] Erstens ging es um eine nationale Regelung, die es den Inhabern von Urheberrechten (bzw. den Sportveranstaltern bei der Auswertung von Sportereignissen, unabhängig ob die Aufnahmen urheberrechtlich geschützt sind) ermöglichen sollte nicht nur eine angemessene Vergütung zu erzielen, sondern einen Preisaufschlag für die Gewährleistung einer absoluten gebietsabhängigen Exklusivität zu erwirken, die ihrerseits geeignet war, zu künstlichen Preisunterschieden zwischen den abgeschotteten Märkten zu führen.[1255] Die nationale Tarifkontrolle bezweckt jedoch das Gegenteil, die Verhinderung einer überhöh-

---

au, Rz. 13; EuGH, C-52/07, ECLI:EU:C:2008:703 – *Kanal 5/STIM* und EuGH, C-351/12, ECLI:EU:C:2014:110 – *OSA*, Rz. 87.

1253 Zum damaligen Richtlinienvorschlag auch *Quintais*, EIPR 35 (2) (2013), 65, 66, der ebenfalls darauf hinweist, dass die Regulierung im Hinblick auf Lizenzfragen im Kern eine Statuierung der wettbewerbsrechtlichen Rechtsprechung des EuGH bedeutet.

1254 EuGH, C-403/08 und C-429/08, ECLI:EU:C:2011:631 – *FAPL und Murphy*.

1255 Rz. 115.

ten Bepreisung auf nationalen Märkten, wobei etwaige Preisunterschiede, die entstehen können, nicht künstlich sind (oder sein sollten), sondern auf Grund unterschiedlicher Vermögensverhältnisse innerhalb der EU einer natürlichen Tariffindung näher kommen als ein europaweiter Einheitstarif. Zweitens erfolgte die Preisfindung in *FAPL/Murphy* marktmäßig durch Versteigerung der Lizenzen, womit eher noch ein angemessener Betrag für die EU-weite Verbreitung hätte gefunden werden können.[1256] Die Tarifkontrolle bei Verwertungsgesellschaften hingegen nimmt zwar insbesondere den wirtschaftlichen Wert der Leistung in den Blick,[1257] ihr liegt aber insgesamt ein künstliches, weil marktfernes Preissetzungsverfahren zugrunde. Drittens schließlich beruht die Entscheidung *FAPL/Murphy* maßgeblich auf den Besonderheiten des Sendelandprinzips der SatKab-RL,[1258] welches mit den Mitteln einer territorialen Fiktion die rechtliche Lokalisierung einer EU-weiten Satellitensendung, mithin die urheberrechtliche Nutzung, in einem Mitgliedstaat konzentriert und damit die Betroffenheit ausländischer Urheberrechte bereits auf Tatbestandsebene ausschließt.[1259] Die VG-RL lässt die Territorialität des Urheberrechts jedoch unberührt und verzichtet gerade auf Mechanismen, wie sie im Sendelandprinzip der SatKab-RL oder im Ursprunglandprinzip der SatKab-Online-RL[1260] eingesetzt werden.[1261]

Dies leitet direkt zu einer dritten und letzten Betrachtungsweise über, die sich auf den Schutz kultureller Vielfalt als legitimen Zweck bezieht. Die Verwertungsgesellschaftsrichtlinie hebt in den Erwägungsgründen 3 und 44 auch kulturelle Aufgaben der Verwertungsgesellschaften im Lizenzverhältnis hervor. § 39 Abs. 3 VGG setzt dies im deutschen Recht um, indem bei der Tarifgestaltung auf religiöse, kulturelle und soziale Belange der Nutzer angemessen Rücksicht zu nehmen ist. Gerade diese Belange beurteilen sich jedoch von Land zu Land verschieden und so mag die tarifrechtliche Begünstigung religiöser Gruppen in Deutschland angezeigt sein, dem Recht eines anderen Landes aber fremd erscheinen und dort

1256 Rz. 112.

1257 Siehe insbesondere EuGH, C-52/07, ECLI:EU:C:2008:703 – *Kanal 5/STIM*, Rz. 28 und 37 sowie Art. 16 Abs. 2 UAbs. 2 VG-RL.

1258 Richtlinie 93/83/EWG (ABl. L 248 vom 6.10.1993, S. 15–21).

1259 Dazu und zum Zusammenspiel mit der Entscheidung *FAPL/Murphy* ausführlich *Sutterer*, in: Hennemann/Sattler (Hrsg.), Immaterialgüter und Digitalisierung, 2017, S. 145 ff.

1260 RL 2019/790/EU, ABl. L 130 vom 17.5.2019, S. 92–125.

1261 Dazu sogleich vertiefend bei der Untersuchung der sogenannten Mehrgebietslizenzen.

gar einen Verstoß gegen staatliche Neutralitätspflichten darstellen. Auch darin wird deutlich, dass sich all jene Besonderheiten, welche auch die VG-RL hervorhebt, nur von Land zu Land und nach den dort geltenden Standards beurteilen lassen. Die Durchsetzung eines inländischen Tarifstandards gegenüber einer ausländischen EU bzw. EWR-Gesellschaft ist daher erforderlich, um den Wettbewerbsschutz auf nationalen Märkten sowie einen effektiven Verbraucherschutz und die Förderung der kulturellen Vielfalt in der Union zu gewährleisten.

(3) Ergebnis

Die Berücksichtigungspflicht nationaler Besonderheiten in Lizenzzugangsfragen stellt sich als eine Beschränkung der Dienstleistungsfreiheit der Verwertungsgesellschaften im Binnenmarkt dar. Im Bereich des Ausschließlichkeitsrechts ist sie jedoch gerechtfertigt. Sie ist gerechtfertigt, weil räumliche Marktbesonderheiten auch auf Ebene des Kartellrechts – worin jene Regelungen maßgeblich wurzeln – anerkannt sind. Das Diskriminierungsverbot in Art. 16 Abs. 2 der VG-RL erinnert stark an die Rechtsprechung des EuGH zu diesen Fragen und scheint die dort entwickelten Grundsätze in gesetzliche Bahnen überführen zu wollen. Der EuGH hat jedoch selbst stets die Berücksichtigungsfähigkeit nationaler und regionaler Besonderheiten betont. Die dafür angeführten Argumente verlieren auch im harmonisierten europäischen System der kollektiven Rechtewahrnehmung nicht an Bedeutung. So beinhalten die Zugangsfragen vor allem eine kartellrechtliche Komponente, die ohnehin nur orts- und auswirkungsbezogen beurteilt werden kann. Die Durchsetzung eines inländischen Tarifstandards gegenüber einer ausländischen EU bzw. EWR-Gesellschaft ist daher erforderlich, um die unionsrechtlichen Ziele des Verbraucherschutzes, der kulturellen Vielfalt und des Wettbewerbsschutzes zu verwirklichen. Sie verstößt nicht gegen Art. 56 AEUV.

b) Sonderregelungen für die Zugangsansprüche bei der Vergabe multiterritorialer Online-Musikrechte?

Inzwischen haben sich verschiedene Initiativen zu Vergabe von Mehrgebietslizenzen für Online-Musikrechte entwickelt, einige sind dabei schon länger auf dem Markt, andere schon wieder verschwunden – nach wie vor entwickeln sich neue Modelle.[1262] Besondere Aufmerksamkeit zieht wohl das Gemeinschaftsmodell ICE auf sich, welches aus der Zusammenarbeit von GEMA, PRS for Music und STIM entstanden ist. Die von ICE angebotenen Lizenzen sind stets gebietsübergreifend und dabei nicht notwendigerweise auf Europa beschränkt.[1263]

Geht es nun um die parallele Anwendung verschiedener nationaler Regelungen auf „eine Mehrgebietslizenz“, so gilt hinsichtlich der Binnenmarktbeschränkung grundsätzlich nichts anderes als bei der Wahrnehmung der übrigen Ausschließlichkeitsrechte. Hier wie dort stellt die Kontrolle des Lizenzzugangs nach dem Recht des Bestimmungslands eine Einschränkung der Betätigungsfreiheit bzw. der Dienstleistungsfreiheit der Verwertungsgesellschaften dar. Im Bereich der Online-Rechte erscheint diese jedoch schwerwiegender, da der Online-Markt weitaus stärker auf grenzüberschreitende Dienstleistungen ausgerichtet ist.[1264] Auch hier dienen die

1262 Übersicht bei *Langhoff/Radloff/Schmidt u.a.*, in: Heker/Riesenhuber (Hrsg.), Recht und Praxis der GEMA, ³2018, Rn. 220 ff.; übersichtliche Darstellung der abhängigen Verwertungseinrichtungen auch bei *Kling*, Gebietsübergreifende Vergabe von Online-Rechten an Musikwerken, 2017, S. 144 ff. und zuletzt Europäische Kommission, Study on emerging issues on collective licensing practices in the digital environment: final report, S. 34 ff.

1263 *Langhoff/Radloff/Schmidt u.a.*, in: Heker/Riesenhuber (Hrsg.), Recht und Praxis der GEMA, ³2018, Rn. 220 und 245. In der Literatur wird zwar die Ausrichtung der Tätigkeit von ICE behandelt (und die Ausführungen nehmen auch auf zahlreiche Rechtsgrundsätze Bezug), allerdings findet sich kein Verweis auf eine unmittelbare gesetzliche Bestimmung (So z.B. bei: *dies.*, in: Heker/Riesenhuber (Hrsg.), Recht und Praxis der GEMA, ³2018, Rn. 246-250 „Der rechtliche Rahmen lässt es nun zu, auf diese verschiedenen Geschäftsmodelle mit allen Besonderheiten bei der Lizenzierung noch flexibler einzugehen. Dennoch gelten die Grundsätze der umsatzorientierten Regelvergütung und der die Entwertung der Musik verhindernden Mindestvergütung auch hier.“ Oder „Insbesondere gilt auch im Bereich der multiterritorialen Lizenzierung der Grundsatz der Nicht-Diskriminierung. [...]“.).

1264 Es ist vor diesem Hintergrund eigentlich verwunderlich, dass sich der Spezialbereich der Richtlinie auf die sogenannten Online-Rechte an Musikwerken beschränkt. Ausgeschlossen sind damit andere Werkarten, wie Bildwerke, Texte (Literatur), Videos etc. (*Schulze*, in: Dreier/Schulze (Hrsg.), Urheberrechtsgesetz, ⁶2018, VGG, § 59, Rn. 2) sowie andere Rechtekategorien, wie die Rechte der ausübenden Künstler nach §§ 73 ff. UrhG und die Rechte der Tonträgerhersteller nach §§ 85, 86 UrhG (*Gerlach*, in: Wandtke/Bullinger (Hrsg.), Praxiskommentar Urheberrecht, ⁶2022, VGG, Vor §§ 59 ff., Rn. 4). Auch hier zeigt sich jedoch ein tatsächlicher Bedarf an Mehrgebietslizenzen. Auf der Hand liegt das dort, wo andere Rechte oder Werkarten mit den erfassten Musikrechten verbunden sind, dies betrifft die ausübenden Künstler und Tonträgerhersteller, daneben aber auch

nationalen Bestimmungen und die Anwendung nationaler Standards aber wettbewerblichen und kulturellen Zielen. Die Frage, ob die unveränderte Anwendung der Bestimmungslandstandards gegenüber Verwertungsgesellschaften mit Sitz in einem anderen Binnenmarktstaat zulässig ist, ist daher eine Frage der Rechtfertigung. Dabei sind einige Besonderheiten zu beachten: Erstens spricht das Marktbedürfnis nach grenzüberschreitenden Lizenzen im Onlinebereich für regulatorische Vereinfachungen wie sie das Sitzlandprinzip bewirken kann. Zweitens geht die Richtlinie bereits ihrem Namen nach und sodann in Titel III auf diesen Bereich gesondert ein. Die besondere Regelungstiefe der Richtlinie könnte die Anwendung nationaler Standards entbehrlich machen und damit einer Rechtfertigung entgegenstehen. Drittens ist nach dem Wesen der Mehrgebietslizenz im Online-Bereich zu fragen. Bevor es also darum gehen kann, inwieweit das Sitzlandprinzip der Richtlinie oder das Herkunftslandprinzip der Dienstleistungsfreiheit die Lizenzzugangskontrolle nach dem Bestimmungslandrecht beeinflussen, ist zu klären, was eine solche Mehrgebietslizenz rechtlich überhaupt ist.

(1) Das Wesen der Mehrgebietslizenzen

Nach Art. 3 lit. m) der VG-RL und im deutschen Recht nach § 59 Abs. 3 VGG ist eine „Mehrgebietslizenz" eine Lizenz, die sich auf das Hoheitsgebiet von mehr als einem Mitgliedstaat erstreckt. Diese Definition mag wenig aufschlussreich erscheinen, doch lässt sie aufgrund der ausdrücklichen Inbezugnahme der Hoheitsgebiete der Mitgliedstaaten auf ein Festhalten an der Territorialität des Urheberrechts schließen. Darin zeigt sich zugleich, dass die Konstruktion der Mehrgebietslizenz keinen grundsätzlichen Sys-

---

die Liedtexte. Sind letztere mit dem Musikwerk direkt verbunden, so lassen sie sich wohl zum Bereich der „Online-Rechte an Musikwerken" zählen, problematisch wird das aber beispielsweise bei gesonderter Anzeige der Liedtexte als Begleitservice, wie er inzwischen von vielen Musik-Diensteanbieter bereitgestellt wird. Schließlich entwickeln sich etwa für Hörbücher grenzüberschreitende Online-Märkte, teilweise werden diese auch bei den Musikdiensten integriert. Der Regelungsbereich der Richtlinie erweist sich also in vielerlei Hinsicht als unvollständig.

temwechsel aus dem Urheberrecht heraus bewirkt – auch wenn der Richtlinientitel einen solchen Systemwechsel suggeriert.[1265]

Das Urheberrecht beruht auf dem Territorialitätsprinzip.[1266] Praktisches Resultat des Territorialitätsprinzips ist die Entstehung eines Bündels national begrenzter Urheberrechte und insoweit eine kollisionsrechtliche Mosaikbetrachtung anstelle eines einheitlichen Welturheberrechts in der Hand eines Schöpfers.[1267] Entsprechend der für das Senderecht im Satellitenrundfunk entwickelten Bogsch-Theorie gilt auch für Internetsachverhalte, dass ein Eingriff in das Verwertungsrecht des § 19a UrhG grundsätzlich kumulativ im Staat der tatbestandlichen Handlung[1268] und in jedem Staat erfolgt, in dem das Werk empfangen oder abgerufen werden kann.[1269] Will ein Online-Diensteanbieter Werke nun europaweit zugänglich machen, muss er nicht nur die Rechte für den Staat erwerben, von dem aus er die Zugänglichmachung initiiert, sondern darüber hinaus die Rechte für all jene Staaten, von denen aus die Abrufbarkeit bestehen soll.[1270] Für einen paneu-

---

1265 So kann sich die Mehrgebietslizenzierung der Verwertungsgesellschaften ohne Weiteres auch auf Gebiete außerhalb der EU erstrecken. Dies ist von der Definition in Art. 3 lit. m) der Richtlinie nicht gedeckt und das anwendbare Recht wäre nach den entwickelten Grundsätzen im Lizenzverhältnis vor allem das Marktortrecht. Die Mehrgebietslizenzen von ICE umfassen beispielswese auch Gebiete außerhalb der EU und des EWR. Auch hierin zeigt sich, dass die Verwertungsgesellschaftsrichtlinie zwar Anstoß für die Europäisierung und Internationalisierung der Verwertungsgesellschaften war, nicht jedoch deren Voraussetzung. Dies bestätigt sich in einer jüngeren Studie der EU-Kommission wonach einige befragte Verwertungsgesellschaften zwar äußerten, dass Titel III der VG-RL zwar einen positiven Einfluss auf die Vergabe von Mehrgebietslizenzen im EWR hatte, nicht jedoch deren Voraussetzung war. Eher habe die Richtlinie die bereits zuvor bestehenden Freiheiten bei der Mehrgebietslizenzvergabe bestätigt (Europäische Kommission, Study on emerging issues on collective licensing practices in the digital environment: final report, S. 66). Gleichwohl werden die grenzüberschreitenden Onlinelizenzen für den Musikbereich bereits im Titel der Richtlinie genannt und ihnen ist auch Titel III innerhalb der Richtlinie gewidmet.

1266 EuGH, C-192/04 – *Lagardère*, Rn. 46; *Grünberger*, in: Hüßtege/Mansel (Hrsg.), Rom-Verordnungen, ³2019, Art: 8 Rom II, Rn. 3; *Dreier*, in: Dreier/Schulze (Hrsg.), Urheberrechtsgesetz, ⁶2018, Vor. §§ 120 ff. Rn. 28; *Drexl*, in: von Hein (Hrsg.), MüKo IPR II, ⁸2021, Rom II-VO Art. 8 Rn. 7.

1267 *Drexl*, in: von Hein (Hrsg.), MüKo IPR II, ⁸2021, Rom II-VO Art. 8 Rn. 7, 9.

1268 Gemeint ist dabei der tatsächliche Handlungsort, wobei es auf den Serverstandort nicht ankommt. *Dreier*, in: Dreier/Schulze (Hrsg.), Urheberrechtsgesetz, ⁶2018, Vor. §§ 120 ff. Rn. 41; *Drexl*, in: von Hein (Hrsg.), MüKo IPR II, ⁸2021, Rom II-VO Art. 8 Rn. 285.

1269 *Drexl*, in: von Hein (Hrsg.), MüKo IPR II, ⁸2021, Rom II-VO Art. 8 Rn. 287, 297 ff.

1270 *Stieper*, GRUR 2015, 1145, 1146.

ropäischen Dienst bedeutet das einen erheblichen Aufwand der Rechteklärung – es müssen Lizenzen für die Nutzung in allen 27 Mitgliedstaaten erworben werden bzw. eine Lizenz, die sich inhaltlich auf alle Mitgliedstaaten erstreckt.[1271] Geht es um die Verletzung des Rechts, so ist gemäß Art. 8 Abs. 1 Rom II-VO grundsätzlich ebenfalls für jedes territoriale Recht gesondert zu prüfen, ob eine Nutzung erlaubt ist, insbesondere ob die Nutzung von einer Lizenz erfasst ist oder nicht. Diese Konzeption setzt sich bis in die verfahrensrechtlichen Fragen zur Zuständigkeit fort.[1272] Zum Ausdruck kommt darin aber eine grundsätzlich vernünftige Überlegung, die in der Territorialität der Rechte wurzelt: Jedes nationale Recht hat einen eigenen wirtschaftlichen Wert und einen rechtlichen Gehalt, der selbstständig verletzt werden kann. Die Verletzung durch einen Eingriff in das deutsche Verwertungsrecht kann grundsätzlich nur durch eine inländische Verwertung erfolgen. Zugleich schmälert der Eingriff nur den wirtschaftlichen Wert des deutschen Urheberrechts.[1273] All dies ist auch in der territorialen Tarif- bzw.

1271 *Hugenholtz*, in: Franzosi/Pollicino/Campus (Hrsg.), The digital single market copyright, 2016, S. 51, S. 1; *Hilty/Sutterer*, in: Hilty/Moscon (Hrsg.), Modernisation of the EU Copyright Rules - Position Statement of the Max Planck Institute for Innovation and Competition, S. 113, 115. Auf der anderen Seite machen sich die Rechteinhaber die Territorialität des Urheberrechts bei der Vermarktung zunutze, um mit dem Versprechen territorialer Exklusivität eine höhere Vergütung zu erzielen (Kommission, I.A. SWD(2016) 301 final (Fn. 3), Abschnitt 3.1.4. (15); siehe auch Plum-Studie, The economic potential of cross-border pay-to-view and listen audiovisual media services, 2012, S. 2 (online abrufbar unter: http://ec.europa.eu /internal_market/media/docs/elecpay/plum_tns_final_en.pdf)) Dies war auch Gegenstand der Premiere League Entscheidung (EuGH, C-403/08 und C-429/08, ECLI:EU:C:2011:631 – *FAPL und Murphy*, Rz. 108 ff.).

1272 Ausgehend von Art. 4 Abs. 1 i.V.m. Art. 63 u. Art. 7 Nr. 2 EuGVVO kann der Kläger – die problematische Unterscheidung von Handlungs- und Erfolgsort außer Acht gelassen (hierzu EuGH, C-523/10, EU:C:2012:220 – *Wintersteiger*; EuGH, C-170/12, EU:C:2013:635 – *Pinckney*; *Metzger*, in: Leible/Ohly (Hrsg.), Intellectual property and private international law, 2009, S. 251 ff.; *Grünberger*, IPRax 2015, 57, 58; *Schack*, Internationales Zivilverfahrensrecht, [8]2021, Rn. 361 ff.) – zwischen drei potentiellen Gerichtständen wählen. Ist kein ausschließlicher Gerichtsstand gegeben, steht ihm stets der allgemeine am Sitz des Beklagten offen. Dort und – zumindest nach h.M. – am Handlungsort haben die Gerichte umfassende Kognitionsbefugnis (u.a. *Grünberger*, in: Hüßtege/Mansel (Hrsg.), Rom-Verordnungen, [3]2019, Art. 8 Rom II–VO, Rn. 74 ff.).

1273 BGH, v. 16.6.1994 – I ZR 24/92 – *Folgerecht bei Auslandsbezug* (BGHZ 126, 252–260); *Drexl*, in: von Hein (Hrsg.), MüKo IPR II, [8]2021, Rom II-VO Art. 8 Rn. 274 ff. und 285; *Sutterer*, ZUM-RD 2017, 301, 304, 306.

Lizenzzugangskontrolle angelegt, und zwar selbst dort, wo diese über das europäische Kartellrecht erfolgte.[1274]

An dieser grundsätzlichen Konzeption ändert auch die VG-RL nichts, im Gegenteil, sie billigt die territoriale Aufspaltbarkeit sogar ausdrücklich, indem sie die „Eingebietslizenz“ zur Norm erklärt und die „Mehrgebietslizenz“ zur förderungswürdigen Ausnahme (siehe Erwägungsgründe 46 und 47, sowie Art. 31 der VG-RL).[1275] Dass die Mehrgebietslizenz sich urheberrechtlich trotz der besonderen Aufmerksamkeit, welche sie innerhalb der Richtlinie erfährt, als eine Bündellizenz darstellt, zeigt auch ein Umkehrschluss aus Erwägungsgrund 48 der VG-RL. Demnach soll es Ausnahmevorschriften unter anderem für den Online-Zugang zu Hörfunk- und Fernsehprogrammen geben. Ausnahmeregelungen hierzu wurden vom europäischen Gesetzgeber auch konkret angegangen, jedoch nicht in der VG-RL, sondern in einem nachfolgenden gesonderten Rechtsakt, der sich den Mechanismus der SatKab-RL zu eigen machte und das dortige Sendelandprinzip auf eben jene ergänzenden Online-Dienste erstrecken wollte.[1276]

Die territoriale Aufspaltung der Rechtevergabe wurde nicht erst im Rahmen der Europäisierung des Verwertungsgesellschaftsrechts als Problem erkannt. Sie wurde bereits zuvor mit speziellen urheberrechtlichen Reformen (wenn auch eher kleinteilig) und mit den Mitteln des Kartellrechts angegangen. Zu diesen besonderen Rechtsakten gehören die SatKab-RL, die angesprochene Richtlinie (EU) 2019/789 und in gewisser Hinsicht die Portabilitätsverordnung (VO (EU) 2017/1128), nicht jedoch die VG-RL. All jene Richtlinien arbeiten mit dem Mechanismus des „Sende-“ oder „Ursprungslandprinzips“, welches territoriale Probleme bei der Lizenzierung des Urheberrechts dadurch umgeht, dass es eine Nutzungsfiktion einführt, die sich auf nur ein Land bezieht. So gilt am Beispiel der Satellitensendun-

1274 Mit weiteren Nennungen *Sutterer*, in: Hennemann/Sattler (Hrsg.), Immaterialgüter und Digitalisierung, 2017, S. 145, 149 ff. Siehe außerdem die Ausführungen zu den Tarifen im Bereich des Ausschließlichkeitsrechts zuvor.

1275 *Kling*, Gebietsübergreifende Vergabe von Online-Rechten an Musikwerken, 2017, S. 126.

1276 Siehe dazu ausführlich: *Sutterer*, in: Hennemann/Sattler (Hrsg.), Immaterialgüter und Digitalisierung, 2017, S. 145 ff.; *Sutterer*, ZUM-RD 2017, 301 ff.; *Hilty/Sutterer*, in: Hilty/Moscon (Hrsg.), Modernisation of the EU Copyright Rules - Position Statement of the Max Planck Institute for Innovation and Competition, S. 113 ff. Der Entwurf hat schließlich zum Erlass der Richtlinie (EU) 2019/789 geführt, in dieser wurde der Anwendungsbereich des Ursprungslandprinzips allerdings stark eingeschränkt.

gen nach Art. 1 Abs. 2 lit. b der RL 93/83/EWG etwa die Fiktion, dass „die öffentliche Wiedergabe über Satellit […] nur in dem Mitgliedstaat statt [-findet], in dem die programmtragenden Signale unter der Kontrolle des Sendeunternehmens und auf dessen Verantwortung in eine ununterbrochene Kommunikationskette eingegeben werden, die zum Satelliten und zurück zur Erde führt."

Auf diesem Weg lässt sich weiterhin an einem digitalen Binnenmarkt für Europa arbeiten, der urheberrechtliche Friktionen auf pragmatische Weise beseitigt. Die VG-RL geht hingegen einen anderen Weg, der auf Repertoireakkumulation und einheitliche Leistungsstandards setzt (dazu sogleich). Damit können Spannungen abgebaut und drohende Widersprüche vermieden werden, die etwa durch das Ursprungslandprinzip, wie es in der SatKab-RL angewandt wurde, entstehen.[1277] Die VG-RL selbst ist für die Überwindung der urheberrechtlichen Territorialität und der damit verwandten Fragen allerdings ungeeignet.

(2) Die Regulierungsmechanismen zur Förderung der Mehrgebietslizenzen

Einerseits ist das Sitzlandprinzip für den Bereich der Mehrgebietslizenzen in Titel III der Richtlinie deutlicher ausgeprägt als in den übrigen Teilen der Richtlinie. So stellt Art. 23 VG-RL klar, dass jene Mitgliedstaaten die Aufgabe der Überwachung der Einhaltung der Bestimmungen haben, in denen die betreffende Verwertungsgesellschaft ansässig ist; zugleich sieht die Richtlinie für diesen Bereich eine Vollharmonisierung vor.[1278] Andererseits

1277 So ist beispielsweise nicht klar, inwieweit die territoriale Fiktion der StaKab-RL oder der Richtlinie (EU) 2019/789 Einfluss auf die gerichtliche Zuständigkeit oder auf die Vergütung bei gespaltener Rechteinhaberschaft nehmen (dazu *Sutterer*, in: Hennemann/Sattler (Hrsg.), Immaterialgüter und Digitalisierung, 2017, S. 145 ff. und *ders.*, ZUM-RD 2017, 301 ff.). Auch nicht abschließend geklärt ist die Frage, ob das Ursprungslandprinzip die kartellrechtliche Kontrolle am Marktort „aushebeln" kann. Urheberrechtsdogmatisch ließe sich dies begründen, denn rechtlich betroffen ist allein das Urheberrecht eines Staates – des Sendestaates. Das kartellrechtliche Auswirkungsprinzip mag jedoch anders – nämlich markmäßig – zu verstehen sein; marktmäßige Auswirkungen im Empfangsstaat bleiben auch bei einer urheberrechtlichen Konzentration im Sendeland bestehen (angedacht auch bei *Ullrich*, Urheberrecht und Satellitenrundfunk, 2009, S. 570 ff.).

1278 Erwägungsgrund 9 der Richtlinie bestätigt diesen Ansatz, da die Befugnis der Mitgliedstaaten zur Festlegung strengere Vorschriften grds. nur für die Regelungsmaterie des Titels II gilt.

seits liegt der Schwerpunkt der Regulierung in Titel III aber gar nicht auf dem Lizenzverhältnis der Verwertungsgesellschaften – zumindest sofern man die besonderen Bestimmungen zu Transparenz und Werkinformation außer Acht lässt.[1279]

Die besonderen Vorschriften zur Vergabe von Mehrgebietslizenzen an Online-Rechten für Musikwerke konzentrieren sich vor allem auf eine Ausgestaltung des Innenverhältnisses der Verwertungsgesellschaften zu den Rechteinhabern sowie auf eine Ausgestaltung des Verhältnisses der Verwertungsgesellschaften untereinander. Es mag überraschend erscheinen, doch wie soeben dargestellt, verändert die Richtlinie wesentliche urheberrechtliche Fragen, die zu einer territorialen Zersplitterung der Repertoires führen, auf Lizenzebene gerade nicht. Der Ansatz ist ein anderer: zum einen werden generell besondere Leistungsanforderungen an die Verwertungsgesellschaften im Innen-[1280] und Außenverhältnis[1281] gestellt. Zum anderen werden den Rechteinhabern und Verwertungsgesellschaften, die selbst keine Mehrgebietslizenzen vergeben, zusätzliche Rechte eingeräumt, die eine Repertoirebündelung bei einigen wenigen Verwertungsgesellschaften forcieren sollen. Repräsentationsvereinbarungen zum Zwecke der Mehrgebietslizenzierung werden gefördert (ErwG 44 und Art. 29 Abs. 1 VG-RL) und Rechteinhaber können ihren Verwertungsgesellschaften Repertoireteile vereinfacht entziehen, um diese bei einer anderen Verwertungsgesellschaft zur Mehrgebietslizenzierung einzubringen (Art. 31 VG-RL). Die damit verbundenen rechtlichen Fragen richten sich jedoch ohnehin kollisionsrechtlich nach dem Sitzlandrecht der betroffenen Verwertungsgesellschaft – hier drohen also keine Verstrickungen mit dem europäischen Sitzlandprinzip.[1282]

Kernmechanismus der Verwertungsgesellschaftsrichtlinie zur Förderung der Mehrgebietslizenzen ist also die Stärkung des Wahlrechts der Rechteinhaber und eine damit verbundene oder erhoffte Repertoireakkumulation. Die einzige wesentliche Vorschrift zu den Bedingungen der Lizenzierung im Onlinebereich findet sich sodann gar nicht in Titel III der Richtlinie, sondern in Art. 16 Abs. 2 UAbs. 1 VG-RL. Denn dort wird das Diskriminierungsverbot bzw. die Bindungswirkung, die dem Gleichbehandlungsrund-

1279 Sie werden nachfolgend gesondert behandelt.

1280 Z.B. die besonderen Anforderungen bei der Ausschüttung der Einnahmen an die Rechteinhaber nach Art. 28 VG-RL.

1281 Auch hier handelt es sich vor allem um Informationspflichten und Abrechnungsmodalitäten, die in dieser Arbeit gesondert behandelt werden.

1282 *Teil 3, Kapitel 1, E, II.*

satz entspringt, für Lizenzangebote für neuartige Online-Dienste, die seit weniger als drei Jahren der Öffentlichkeit in der Union zur Verfügung stehen, aufgehoben.[1283] Verwertungsgesellschaften sind in diesem Verhältnis – das sich nicht auf Musikrechte wie in Titel III beschränkt – also freier darin, neue Lizenzmodelle auszuprobieren. Der liberalisierende Ansatz für neuartige Online-Dienste hat mit den Online-Musikrechten also nicht viel gemeinsam. Die Liberalisierung erfasst sicher neue Angebote in diesem Bereich, sie bezieht aber zugleich Angebote mit ein, die von den Sonderbestimmungen des Titel III ausgeschlossen sind.[1284]

(3) Praktische Auswirkungen auf die Rechtevergabe

Es bleibt die Frage, was eine Mehrgebietslizenz mit nationaler Tarifkontrolle sein soll und ob diese dem Gedanken der Förderung der Mehrstaatenlizenzen gerecht werden kann. Darauf lässt sich antworten: Es mag sich um eine Lizenz durch eine einzige Verwertungsgesellschaft handeln, die sich auf mehrere Staaten erstreckt und dort jeweils eine bestimmte Nutzung erlaubt; aus regulatorischer Sicht stellt sich die Mehrgebietslizenz aber als ein Lizenzbündel dar. Ähnlich wie im urheberrechtlichen Territorialitätsprinzip angelegt und wie es sich etwa bei Fragen der Verletzung des Urheberrechts und des Schadensersatzes aus der Verletzung des Urheberrechts zeigt, erfolgt die Lizenzzugangskontrolle nach dem jeweiligen nationalen Recht, für welches eine Lizenz beansprucht wird. Dies muss aber nicht gelichzeitig bedeuten, dass Verwertungsgesellschaften ihre Lizenzmodalitäten dem Recht aller Staaten gesondert anpassen müssen, denn gerade in der relevanten Kernfrage des Tarifs/Preises besteht durchaus Gestaltungsspielraum und es besteht eine gewisse Vermutung dahingehend, dass ein Tarif, der in Mitgliedstaat A angemessen ist, es auch in Mitgliedstaat B ist. Denn genauso wie zu vermuten ist, dass extrem ungleiche nationale Tarife missbräuchlich sind,[1285] ist umgekehrt zu vermuten, dass ein Tarif, der in einem Land nicht missbräuchlich ist, es auch in einem anderen Land nicht

1283 So auch umgesetzt in § 34 Abs. 2 VGG.

1284 Dazu gehören Dienste unabhängig von den Werkarten und Rechtekategorien, auf die sie sich beziehen. Videodienste, Dienste, die mit Texten oder Bildern arbeiten etc., können hierunter fallen.

1285 Siehe vor allem folgende Entscheidungen: EuGH, C-177/16, ECLI:EU:C:2017:689 – *AKKA/LAA*, Rz. 41, 42; EuGH, C-395/87, ECLI:EU:C:1989:319 – *Tournier*, Rz. 19 und EuGH, verb. Rs. 110/88, 241/88 und 242/88, ECLI:EU:C:1989:326 – *Lucaze-*

ist. Spiegelbildliches gilt auf Rechtfertigungsebene: Genauso wie sich ein unterschiedlicher Tarif durch unterschiedliche Lebensbedingungen rechtfertigen lässt, lässt sich ein gleicher Tarif bei unterschiedlichen Lebensbedingungen in seiner vermuteten Angemessenheit erschüttern. Grundsätzlich bleibt es also dabei, dass nationalen Besonderheiten Rechnung zu tragen ist und sofern ein nationales Lizenzzugangsregime strenger ist als ein anderes, ist dieses zu berücksichtigen, es sei denn, es steht seinerseits nicht im Einklang mit der VG-RL oder spezifischen harmonisierten urheberrechtlichen Bestimmungen. Gegenüber der zuvor gestellten Frage, ob die privatrechtliche Durchsetzung nationaler Tarifstandards gegen ausländische Verwertungsgesellschaften eine Verletzung ihres Rechts auf die freie Erbringung grenzüberschreitender Dienstleistungen bedeutet, ergeben sich daher keine Besonderheiten. Denn aus urheberrechtlicher Sicht stellt sich die Mehrstaatenlizenz als Lizenzbündel dar und Titel III der Richtlinie betrifft gerade nicht die Frage der Tarife und schafft daher auch keine weiterreichende Harmonisierung in diesem Bereich. Rechtfertigen lässt sich der Eingriff in die Dienstleistungsfreiheit daher genauso mit den anerkannten Zielen der Förderung des Wettbewerbs, der kulturellen Vielfalt und des Verbraucherschutzes, denn eine alleinige Tarifkontrolle im Sitzland der Verwertungsgesellschaft wird den unterschiedlichen Lebensverhältnissen in der EU bzw. dem EWR nicht gerecht und kann den Schutz der genannten Interessen daher nicht sicherstellen.

(4) Ergebnis

Die Vorschriften zur Mehrstaatenlizenz in der Verwertungsgesellschaftsrichtlinie nehmen keinen Einfluss auf die Territorialität des Urheberrechts. Das Lizenzverhältnis ist in Titel III überraschenderweise ohnehin kaum angesprochen. Die besonderen Vorschriften zu den Mehrgebietslizenzen fokussieren hingegen einerseits auf Leistungsfähigkeits-, Effizienz- und Informationsmechanismen, andererseits ist der Hauptmechanismus eine Repertoireakkumulation bei wenigen leistungsstarken Gesellschaften, die durch erweiterte Wechselmöglichkeiten der Rechteinhaber und Repräsentationslösungen erreicht werden soll. Der erhoffte Binnenmarkteffekt erfolgt eher mittelbar durch eine Veränderung bzw. Konzentration des Mark-

au, Rz. 13; EuGH, C-52/07, ECLI:EU:C:2008:703 – *Kanal 5/STIM* und EuGH, C-351/12, ECLI:EU:C:2014:110 – *OSA*, Rz. 87.

tes. Die Lizenzzugangskontrolle nach nationalem Recht wird hingegen nicht verändert und sie verliert auch nicht ihre grundlegende Bedeutung. Daher ergeben sich auch mit Blick auf die Vereinbarkeit einer nationalen Tarifkontrolle mit der Dienstleistungsfreiheit der Verwertungsgesellschaften nach Art. 56 Abs. I AEUV keine entscheidenden Unterschiede zur vorherigen Prüfung der einfachen Lizenzen. Andere Rechtsmechanismen sind dazu geeignet, die (urheber-)rechtlichen Barrieren im Binnenmarkt zu beseitigen. Hierzu zählt vor allem das Ursprungslandprinzip nach dem Vorbild der SatKab-RL. Die Mechanismen der Verwertungsgesellschaftsrichtlinie können dazu dienen, Spannungen abzubauen, die durch den radikalen Ansatz der Einführung des Ursprungslandprinzips entstehen. Im Ergebnis bleibt die kollisionsrechtlich begründete Lizenzzugangskontrolle nach dem jeweiligen Recht desjenigen Staates bestehen, auf dessen Urheberrecht sich die Lizenz bezieht.

c) Die Tarife im Bereich der urheberrechtlichen Schranken

(1) Harmonisierungsstand und Beschränkung

In der Arbeit wurde stets zwischen der Wahrnehmung von Ausschließlichkeitsrechten und der Wahrnehmung eingeschränkter Rechte unterschieden. Für die gesetzlichen Vergütungsansprüche und verwertungsgesellschaftspflichtigen Rechten zeigte sich auch im Innenverhältnis, dass sie enger mit dem Urheberrecht und der Ausgestaltung der Schranke selbst verbunden sind, was die Rechtfertigungsfähigkeit einer möglichen Beschränkung der Dienstleistungsfreiheit nahelegt. Die gesetzlichen Schranken sind vor allem durch Art. 5 InfoSoc-RL harmonisiert. Daneben treten nun die besonderen und verpflichtenden Schranken der DSM-RL (RL 2019/790/EU). Bislang wurden gesetzliche Vergütungsansprüche auf nationaler Ebene von nationalen Verwertungsgesellschaften wahrgenommen, was Rechtskonflikte grundsätzlich ausschloss. Der Fall, dass eine Verwertungsgesellschaft, etwa weil sie die Inhaber der Ansprüche nun einmal überwiegend repräsentiert, solche Ansprüche grenzüberschreitend unmittelbar geltend macht, ist jedoch nicht fernliegend.[1286]

1286 Dabei sind die Zugangsmöglichkeiten zum System der kollektiven Rechtewahrnehmung im Bereich der Schranken für Verwertungsgesellschaften begrenzter. Im

Unterschiedliche nationale Maßstäbe nehmen Einfluss auf die grenzüberschreitende Betätigung der Verwertungsgesellschaften und können sich beschränkend auf die Ausübungsmöglichkeiten ihrer Dienstleistungsfreiheit auswirken.[1287] Zu diesen nationalen Unterschieden gehören auch die nationalen Bestimmungen zur Tariffindung und ihre jeweilige Praxis. Kommt eine einheitliche Tarifanwendung durch die Verwertungsgesellschaften nicht in Frage und hat die Tariffindung daher in mehreren und womöglich aufwendigen Verfahren zu erfolgen, so ergeben sich hieraus typische Anpassungsschwierigkeiten, die einem Vordringen in räumlich benachbarte Märkte entgegenstehen können. Unterschiedliche Tarifbestimmungen haben sodann Einfluss auf den Abrechnungsaufwand gegenüber den Gebührenschuldnern und gegenüber den Rechteinhabern als Gebührengläubigern. Es handelt sich um typische Doppelstandards, welche die Rechtsanpassungskosten der Verwertungsgesellschaften erhöhen.[1288]

(2) Rechtfertigung

Die Bestimmung des „gerechten Ausgleichs" im Bereich der urheberrechtlichen Schranken dient dem unionsrechtlich anerkannten Zweck des Schutzes der Rechte des geistigen Eigentums. Entscheidend ist jedoch, dass die Beschränkung, die hier von einer nationalen Bestimmung des angemessenen Ausgleichs ausgeht, nicht über das hinausgeht, was erforderlich ist, um das Ziel des Schutzes des geistigen Eigentums zu erreichen. Insoweit begrenzt der EuGH die Zulässigkeit von Beschränkungen typischerweise auf die Wahrung der Rechte, die den spezifischen Gegenstand des betref-

---

deutschen Recht zeigt sich das etwa daran, dass das Zulassungsverfahren nach Art. 77 Abs. 2 VGG auch gegenüber EU-Gesellschaften gilt.

1287 Ausgehend von dem zuvor beschriebenen weiten Beschränkungsbegriff innerhalb der primärrechtlich garantierten Dienstleistungsfreiheit werden grundsätzlich alle Maßnahmen erfasst, die geeignet sind, eine grenzüberschreitende Leistungserbringung weniger attraktiv zu machen (EuGH, C-55/94, ECLI:EU:C:1995:411 – *Gebhard*, Rz. 37.). Dazu auch oben bei der Beschränkung im Rahmen verschiedener Standards zur Einnahmenverteilung, siehe grundsätzlich auch *Müller-Graff*, in: Streinz/Michl/Bings u.a. (Hrsg.), EUV/AEUV, ^{3}2018, Art. 56, Rn. 91.

1288 Darüber hinaus stellt sich die Frage, ob die nationalen Vorschriften die Schuldner der Leistung in ihrer Waren- oder Dienstleistungsfreiheit beeinträchtigen, da sie es sind, die den Ausgleich bezahlen müssen und ihr Waren- oder Dienstleistungsangebot, insbesondere in der Bepreisung, an die nationalen Abgaben anpassen müssen.

fenden geistigen Eigentums ausmachen.[1289] Zum spezifischen Gegenstand des Urheberrechts gehört jedoch gerade die Sicherung einer angemessenen Vergütung und in den von der InfoSoc-RL vorgesehenen Fälle von Ausnahmen und Beschränkungen die Gewährung eines gerechten Ausgleichs zum Schutz jenes Anspruchs auf angemessene Vergütung (ErwG 35 InfoSoc-RL).[1290]

Auch wenn der EuGH etwa in der Entscheidung *Padawan* hervorhebt, dass der Begriff des „gerechten Ausgleichs" in Art. 5 abs. 2 lit. b) InfoSoc-RL ein autonomer Rechtsbegriff mit einheitlicher Auslegung ist, so betont er doch ebenso, dass die Mitgliedstaaten die Befugnis (und damit wohl auch die Verantwortung) haben, innerhalb der Grenzen des Unionsrechts die Form, die Art und Weise der Finanzierung und die Erhebung sowie die Höhe des gerechten Ausgleichs festzulegen.[1291] Noch deutlicher wurde der EuGH in der Entscheidung *Amazon*. Demnach verfügen die Mitgliedstaaten bei der Bestimmung des Vergütungsschuldners, bei der Festlegung der Form der Vergütung, der Höhe der Vergütung und weiterer Einzelheiten über ein weites Ermessen, da diese Frage in der InfoSoc-RL nicht ausdrücklich geregelt wird.[1292]

1289 So bspw. EuGH, C-403/08 und C-429/08, ECLI:EU:C:2011:631 – *FAPL und Murphy*, Rz. 106.

1290 Zum Ausschließlichkeitsrecht EuGH, C-403/08 und C-429/08, ECLI:EU:C:2011:631 – *FAPL und Murphy*, Rz. 108.

1291 EuGH, C-467/08, ECLI:EU:C:2010:620 – *Padawan SL/ SGAE*, Rz. 37.
Auch in der Entscheidung *SENA* hat der EuGH keine eigene und vor allem keine konkrete Regelung zur Festsetzung einer einheitlichen Angemessenheit der Vergütung i.S.v. Art. 8 Abs. 2 der Vermiet- und Verleihrichtlinie (RL 92/100/EWG) im Einzelnen vorgenommen. Es sei vielmehr den Mitgliedstaaten überlassen, in ihrem Hoheitsgebiet sachnahe Kriterien festzulegen. Jeder Mitgliedstaat solle die Kriterien, die am besten geeignet sind, die Angemessenheit der Vergütung zu bestimmen, innerhalb der vom Gemeinschaftsrecht gesetzten Grenzen selbst entwickeln. Insbesondere sei der Tarif anhand des wirtschaftlichen Wertes der Nutzung zu ermitteln (EuGH, C-245/00, ECLI:EU:C:2003:68 – *SENA*, Rz. 34, 37 und 38). Hierzu auch *Riis*, IIC 51 (2020), 446, 457 f.

1292 EuGH, C-521/11, ECLI:EU:C:2013:515 – *Amazon.com International Sales*, Rz. 20 und 40; entsprechend auch in EuGH, C-462/09, ECLI:EU:C:2011:397 – *Stichting de Thuiskopie*, Rz. 23 und zuletzt in EuGH, C-433/20, ECLI:EU:C:2022:217 – *Austro-Mechana vs Strago AG*, Rz. 41 und 46. Entscheidend sei jedenfalls, dass die Kosten des Ausgleichs im Ergebnis von den Nutzern der Privatkopie getragen werden, was regelmäßig der Fall ist, wenn die Abgabe bei den Produzenten oder Händlern der Geräte eingezogen wird, nicht jedoch, wenn diese aus Mitteln des allgemeinen Staatshaushalts bezahlt werden (EuGH, C-470/14, ECLI:EU:C:2016:418 – *EGEDA/ Administración del Estado u.a.*, Rz. 41 f.). Auch

Deutlich wird aus diesen Entscheidungen, dass die Fragen nach der Ausgestaltung der Ausgleichs- oder Vergütungspflichten im Rahmen des eingeschränkten Urheberrechts Fragen des Urheberrechts bleiben und nicht etwa vom Verwertungsgesellschaftsrecht überlagert werden. So ist für die konkrete Entscheidung, ob etwa eine Tariffrage in diesem Bereich der Harmonisierung unterliegt, der harmonisierende Rechtsakt selbst zu untersuchen und nicht das Verwertungsgesellschaftsrecht. Da die VG-RL nicht der Harmonisierung des Urheberrechts, insbesondere nicht der Harmonisierung der Schranken, dient, kann von ihr auch kein entscheidender Impuls für eine erweiterte Geltung der Dienstleistungsfreiheit in diesem Bereich ausgehen. Die nationalen Standards für die Ausgestaltung des „gerechten Ausgleichs" bleiben unter dem Gesichtspunkt des Schutzes des geistigen Eigentums vielmehr gerechtfertigt. In der Konzeption des Unionsrechts wird der „gerechte Ausgleich" auch als ein Ersatz des Schadens der Inhaber des betroffenen Verwertungsrechts verstanden und dieser Schaden ist nach seinem Entstehen im jeweiligen Hoheitsgebiet des Staates zu beurteilen, welcher die Schranke konkret umsetzt.[1293] Aus diesem letzten Gedanken, lässt sich das Phänomen gedanklich auch Art. 8 Abs. 1 Rom II-VO zuordnen, der die Verletzung von Rechten des geistigen Eigentums behandelt.[1294] Da alle Modalitäten des gerechten Ausgleichs – von der Frage des Vergütungsschuldners über die Frage der Art und Weise der Einziehung bis hin zur Frage der Höhe des Ausgleichs – nur von Land zu Land, in Abhängigkeit zur konkreten Umsetzung der Schranke zu bestimmen sind, kann nur ein nationaler Tarifstandard den gerechten Ausgleich sicherstellen, womit auch seine Durchsetzung gegenüber ausländischen EU- oder EWR-Gesellschaften erforderlich bleibt.

Auch hier bestätigt Erwägungsgrund 13 der Richtlinie dieses Ergebnis. Demnach bleibt es den Mitgliedstaaten überlassen, die Bedingungen für die Einziehung des angemessenen Ausgleichs festzulegen. Zu diesen Bedingungen gehört nicht nur die Frage, wann und wie der Ausgleich zu bezahlen ist,

in dieser Entscheidung betonte der EuGH allerdings den weiten Spielraum bei der näheren Ausgestaltung der Ausgleichspflicht (siehe u.a. Rz. 23). Die Entscheidung erging im Übrigen nach In-Kraft-Treten der VG-RL. Ausführlich zu den unterschiedlichen Konzepten *ders.*, IIC 51 (2020), 446, 457 ff.

1293 Siehe nur EuGH, C-521/11, ECLI:EU:C:2013:515 – *Amazon.com International Sales*, Rz. 40 und EuGH, C-433/20, ECLI:EU:C:2022:217 – *Austro-Mechana vs Strago AG*, Rz. 42 und 46.

1294 Dazu differenzierender *Drexl*, in: von Hein (Hrsg.), MüKo IPR II, [8]2021, Rom II-VO Art. 8 Rn. 172.

sondern notwendigerweise auch, in welcher Höhe er anfällt, da sich diese Frage kaum von den vorherigen trennen lässt.

(3) Ergebnis

Auf die Tarifbestimmung im Bereich der urheberrechtlichen Schranken nimmt die VG-RL keinen Einfluss. Sie richtet sich nach der jeweiligen Schranke selbst und so ist im europäischen Kontext nach dem Harmonisierungsgrad der Schranke zu fragen. Für die Schranken der InfoSoc-RL – allen voran für die Privatkopievergütung – hat der EuGH entschieden, dass „der gerechte Ausgleich“ zwar ein autonomer Unionsbegriff ist, der einer einheitlichen Auslegung unterliegt, für die genaue Bestimmung dieses gerechten Ausgleichs – und zwar ausdrücklich im Hinblick auf die Bestimmung des Vergütungsschuldners, die Festlegung der Form der Vergütung, die Höhe der Vergütung (angemessene Bedingungen des Zugangs!) – aber allein die Mitgliedstaaten die Verantwortung tragen. Dies gilt unabhängig von der Herkunft der wahrnehmenden Organisation, mithin unabhängig vom Sitzland der Verwertungsgesellschaften. Das Sitzlandprinzip der VG-RL führt in diesem Verhältnis also zu keinen Rechtsanpassungen zugunsten ausländischer Verwertungsgesellschaften.

V. Die Befugnis zur und die Bedingungen der Nutzung ohne Lizenz

Das Recht zur Hinterlegung oder Zahlung unter Vorbehalt nach § 37 VGG gehört zu den Kerntatbeständen des Urheberrechts – der unerlaubten Verwertung urheberrechtlich geschützter Werke nach § 106 UrhG und dem Anspruch auf Unterlassung und Schadensersatz nach § 97 Abs. 1 UrhG. Für diese gilt mit Art. 8 Abs. 1 Rom II-VO die *lex loci protectionis.* Denn selbst ohne eine erfolgreiche Lizenzierung kommt es zu keiner Urheberrechtsverletzung, obwohl eine urheberrechtlich relevante Verwertungshandlung i.S.v. § 106 Abs. 1 und §§ 15 ff. UrhG stattfindet, wenn ein streitiger Mehrbetrag für die Nutzung hinterlegt worden ist (§ 37 VGG). Es handelt sich somit um einen der „gesetzlich zugelassenen Fälle“ nach § 106 Abs. 1 UrhG. Denklogisch kann die privilegierte Nutzung bzw. der Ausschluss der Haftung für lizenzlose Nutzungen nur soweit gelten, wie der Haftungsrahmen des deutschen Urheberrechtsgesetzes selbst gilt. Erleichterungen für Verwertungsgesellschaften durch Anpassung der rechtlichen Standards des nach dem Urheberrechtsstatuts berufenen Sachrechts an die Standards ihres Sitzlandrechts würden sich als Fremdkörper in diesem System erweisen. Es handelt sich im Übrigen um einen Mechanismus, der in unmittelbarem Zusammenhang mit den Tarifregelungen steht, auf die sich das Sitzlandprinzip ebenfalls nicht erstreckt.

VI. Werk- und lizenzbezogene Informationspflichten der Verwertungsgesellschaften gegenüber den Rechtenutzern

1) Kollisionsrechtlicher Ausgangspunkt

Auch für werkbezogene Informationspflichten der Verwertungsgesellschaften gegenüber den Rechtenutzern wurde im vorherigen Kapitel die Anwendung des Schutzlandrechts befürwortet.[1295] Diese Pflichten gehören ebenfalls zum Außenverhältnis der Verwertungsgesellschaften und sind im Zusammenhang mit dem gesamten Lizenzzugangssystem zu sehen. Sie bereiten den Anspruch auf Lizenzzugang zu angemessenen Bedingungen vor, da nur dort, wo die Repertoireinformationen zugänglich sind, dieser Anspruch effektiv genutzt werden kann.[1296] Eigenständigkeit kommt den Ansprüchen insoweit zu, als sie für die Akteure auf der Nutzerseite im Gesamtprozess der Rechteklärung von großer Bedeutung sind. Für dieses Kapitel ist eine eigenständige Behandlung aber vor allem deshalb notwendig, weil die Informationspflichten in der VG-RL besondere Beachtung finden.

2) Beschränkung und legitimer Zweck

Ebenso wie bei den Lizenzzugangsansprüchen kann sich die Pflicht zur Beachtung verschiedener Rechtsstandards im Bereich der Informationspflichten negativ auf die Binnenmarktaktivitäten der Verwertungsgesellschaften auswirken. Geht es um die nutzer- bzw. werkbezogenen Informationspflichten der Verwertungsgesellschaften, können unterschiedliche rechtliche Anforderungen sogar besonders schwer wiegen. Der Werkerfassungsprozess im Urheberrecht ist kleinteilig und mit einem hohen Aufwand

1295 *Teil 3, Kapitel 1, F, II.*
1296 Zum Zusammenhang mit den Lizenzzugangsansprüchen siehe auch *Teil 3, Kapitel 1, F, I., 1.)* und *II., 1.).*

verbunden. Die Verwertungsgesellschaften investieren dabei in Datenerfassungs- und Datenverarbeitungsprozesse, deren konkrete Ausgestaltung besonderen rechtlichen Anforderungen genügen muss.[1297] Unterscheiden sich diese Anforderungen jedoch, so kann dies dazu führen, dass Verwertungsgesellschaften ihre Prozesse nicht mehr einheitlich gestalten können und in verschiedene Systeme investieren müssen, die letztlich denselben Zweck verfolgen. Sicherlich kommt es auf den Einzelfall an und so werden die meisten rechtlichen Anforderungen „miteinander kompatibel" sein und keine Parallelprozesse erfordern. Zwingen nationale Regelungsregime allerdings in Ausnahmefällen doch zur Umsetzung verschiedener Standards, so handelt es sich um geradezu typische Fälle der Doppelbelastung, die im Binnenmarkt nach Art. 56 AEUV vermieden werden soll. Wie aufwendig der Katalogisierungsprozess und weitere Datenerfassungsprozesse im Bereich der Urheber- und verwandten Schutzrechte sind, zeigt sich auch daran, dass es bislang nicht gelungen ist, umfassende Werkdatenbanken aufzubauen. Eine der wesentlichen Herausforderungen bei der Gründung des gemeinsamen Lizenzierungshubs ICE lag schließlich in der Zusammenführung der Datensätze von GEMA, PRS und STIM sowie in der Standardisierung der Prozesse.[1298]

Unterschiedliche Regelungen zu den Informationspflichten der Verwertungsgesellschaften stellen daher klassische Doppelstandards dar, die dazu geeignet sind, Verwertungsgesellschaften an der Ausübung ihrer Dienstleistungsfreiheit zu hindern.

3) Rechtfertigung

Der Zweck von werk- und lizenzbezogenen Informationspflichten der Verwertungsgesellschaften liegt maßgeblich in der praktischen Effektuierung der Werkzugangsansprüche der Nutzer und in der Sicherstellung eines funktionierenden und transparenten Verwertungsgesellschaftssystems. Beides dient übergeordnet nicht zuletzt dem Schutz kultureller Vielfalt und dem Verbraucherschutz – zwei anerkannten legitimen Allgemeininteressen des Unionsrechts. Hinsichtlich der Rechtfertigung strengerer oder abweichender Informationspflichten im Bestimmungsland sind besonders

1297 Anforderungen an Rechtedatenbanken werden bspw. in Erwägungsgrund 41 der Richtlinie beschrieben.

1298 *Langhoff/Radloff/Schmidt u.a.*, in: Heker/Riesenhuber (Hrsg.), Recht und Praxis der GEMA, ^{3}2018, Kapitel 12, insbes. Rn. 223 und 229.

die Schwere der Beschränkung und das Maß der Harmonisierung zu berücksichtigen. Im Gegensatz zu den Kernansprüchen des Lizenzzugangs können unterschiedliche Informationspflichten ungleich schwerer wiegen. Denn während erstere nur punktuell eine (meist preisliche) Anpassung des Angebots erfordern, können abweichende Informationspflichten grundlegenden Einfluss auf die Prozesse der Verwertungsgesellschaften und ihren Marktauftritt nehmen. Im Rahmen der Rechtfertigung ist das durch Erhöhung der Anforderungen an die Verhältnismäßigkeit der Durchsetzung abweichender Standards gegenüber ausländischen Binnenmarktgesellschaften zu berücksichtigen.

Mit Blick auf die Erforderlichkeit ist vor allem der Harmonisierungsstand entscheidend. Denn dem Harmonisierungsstand in einem Rechtsbereich kann eine allgemeine Bedeutung für das Sitzlandprinzip in Form der gegenseitigen Anerkennung ausländischen Rechts und ausländischer Standards entnommen werden.[1299] Im Bereich der Rechtfertigung bedeutet dies konkret, dass dort wo bereits ein einheitlicher (Mindes-)Schutzstandard geschaffen wurde, die Anwendung eines strengeren nationalen Standards nicht erforderlich ist, wenn der europäische Mindeststandard als ausreichend erkannt wird, um das angestrebte Schutzniveau zu erreichen.[1300]

Die VG-RL führt zwar sinnvollerweise keine konkreten technischen Standards zu den Informationspflichten der Verwertungsgesellschaften aus, sie enthält aber sehr konkrete und detaillierte Zielvorgaben, welche die Verwertungsgesellschaften zu erfüllen haben. So sollen sich gemäß Art. 16 Abs. 1 VG-RL Verwertungsgesellschaften und Nutzer gegenseitig alle für die Lizenzierung notwendigen Informationen zur Verfügung stellen. Hinsichtlich der Tarife verpflichtet Art. 16 Abs. 2 UAbs. 2 VG-RL die Verwertungsgesellschaften auch zur Offenlegung der Kriterien, die der Tarifaufstellung zugrunde liegen. Außerdem veröffentlichen Verwertungsgesellschaften nach Art. 21 Abs. 1 lit. c) VG-RL Standardlizenzverträge und anwendbare Standardtarife einschließlich Ermäßigungen auf ihrer Website. Gemäß Art. 16 Abs. 3 und 4 VG-RL müssen Verwertungsgesellschaften unverzüglich auf Anfragen von Nutzern antworten und ihnen unter anderem mitteilen, welche Angaben sie für ein Lizenzangebot benötigen. Sie sind außerdem verpflichtet, den Nutzer unverzüglich entweder ein Lizenzangebot zu unterbreiten oder eine Erklärung abzugeben, warum sie keine Lizenz für eine

1299 *Basedow*, in: Schnyder/Reichert-Facilides (Hrsg.), Internationales Verbraucherschutzrecht, 1995, S. 11, 18.

1300 So in diesem Kapitel unter *B. II. 5.).*

bestimmte Nutzung vergeben wollen. Schließlich müssen Verwertungsgesellschaften den Nutzern für die Kommunikation mit ihnen die Verwendung elektronischer Kommunikationsmittel erlauben. Von besonderer Relevanz für die Repertoireinformationen ist Art. 20 VG-RL. Demnach muss jede Verwertungsgesellschaft den Rechteinhabern und Nutzern auf deren hinreichend begründete Anfrage mindestens folgende Informationen elektronisch zur Verfügung stellen: a) die Werke oder sonstigen Schutzgegenstände, die sie repräsentiert; die Rechte, die sie unmittelbar oder auf Grundlage von Repräsentationsvereinbarungen wahrnimmt; außerdem die umfassten Lizenzgebiete. Sollten aufgrund des Tätigkeitsbereichs einer Verwertungsgesellschaft derartige Werke und sonstige Schutzgegenstände nicht bestimmt werden können, sind zumindest die Arten von Werken oder sonstigen Schutzgegenständen, die sie repräsentiert, die wahrgenommenen Rechte und umfassten Lizenzgebiete zur Verfügung zu stellen (b).[1301]

Hinsichtlich der Fragen der nutzerbezogenen Informationspflichten beinhaltet also bereits die Richtlinie ein hohes Regulierungsniveau. In Detailfragen mögen die Verpflichtungen der Verwertungsgesellschaften in den Mitgliedstaaten unterschiedlich umgesetzt sein, doch sind alle Mitgliedstaaten den in der Richtlinie formulierten Zielen verpflichtet.[1302] Für die Durchsetzung besonderer Informationsstandards desjenigen Landes, für welches eine lizenzbezogene Information angefragt wird, besteht gegenüber einer „Binnenmarktgesellschaft“ mithin kein Bedarf. Der Schutz der Nutzer wird bereits durch die Vorgaben der VG-RL sichergestellt, was hinreichende Grundlage für die (gegenseitige) Anerkennung der Regulierungsniveaus ist. Die Durchsetzung nationaler Standards gegenüber ausländischen Binnenmarktgesellschaften erweist sich als nicht erforderliche Einschränkung der Dienstleistungsfreiheit.

1301 Speziell für den Bereich der Online-Rechte an Musikwerken stellen jene Verwertungsgesellschaften, die Mehrgebietslizenzen anbieten, insbesondere den Anbietern von Online-Diensten außerdem gemäß Art. 25 VG-RL folgende Informationen zur Bestimmung des wahrgenommen Repertoires zur Verfügung: a) die repräsentierten Musikwerke, b) die vollständig oder teilweise repräsentierten Rechte und c) die umfassten Lizenzgebiete. Gemäß Art. 26 Abs. 1 VG-RL ist ein Rechtsdurchsetzungsmechanismus vorzusehen, um die Korrektheit der Informationen zu gewährleisten. Die Repertoireinformationen werden schließlich in Erwägungsgrund 41 aufgegriffen.

1302 Die Kernpflichten zur Repertoireinformation werden im deutschen Recht in § 55 VGG und für die Online-Rechte in § 62 VGG beinahe wortgleich aufgegriffen.

4) Ergebnis

Die Durchsetzung nationaler Informationsstandards gegenüber den Verwertungsgesellschaften in Werk- und Lizenzfragen ist nicht erforderlich. Sie würde einen Verstoß gegen die Dienstleistungsfreiheit darstellen. Die Verwertungsgesellschaften sind daher nur verpflichtet, den Standards ihres Sitzlandes zu genügen.

D. Gesamtergebnis

Das europäische Sitz- bzw. Herkunftslandprinz wurzelt im Binnenmarktgedanken. Dieser beruht auf der gegenseitigen Anerkennung von (Rechts-)Standards, die doppelte Kontrollen auf der Basis gegenseitigen Vertrauens im Binnenmarkt vermeiden sollen. Dabei ist eine kollisionsrechtliche Umsetzung nicht notwendig und zumindest für das Primärrecht dogmatisch auch nicht angebracht. Sie erweist sich als Fremdkörper in einem inzwischen weitreichend harmonisierten europäischen Kollisionsrecht. Das Sitz- bzw. Herkunftslandprinzip stellt sich hingegen als ein zu berücksichtigendes Faktum dar, welches die Beschränkung der Binnenmarktfreiheiten – etwa im Bereich des Warenverkehrs oder der Dienstleistungen – zu einer rechtfertigungsbedürftigen Ausnahme macht. Es fungiert so als sachrechtliche Rechtsanwendungsschranke.

Die VG-RL enthält ein Sitzlandprinzip, das sich zunächst der verwaltungsrechtlichen Kontrolle annimmt. Diese erfolgt nach Art. 36 VG-RL durch die Behörden des Sitzlandes der jeweiligen Verwertungsgesellschaft. Obwohl die Richtlinie jedoch genauso die Einführung privatrechtlicher Rechte und Pflichten in den Mitgliedstaaten erfordert, wird die Reichweite des Sitzlandprinzips für das Privatrecht im Richtlinientext nicht angesprochen. Lediglich Art. 23 VG-RL legt eine Geltung auch für das Privatrecht nahe, ist aber zugleich auf die „Vergabe von Mehrgebietslizenzen für Online-Rechte an Musikwerken“ begrenzt. Ein Vergleich der VG-RL mit anderen europäischen Sekundarrechtsakten, namentlich der ECRL, der AVMD-RL und der Dienstleistungsrichtlinie zeigte, dass das Sitzlandprinzip der VG-RL erstens keine kollisionsrechtlichen Wirkungen und zweitens keine unmittelbare Wirkung im Privatrecht entfaltet, sondern am besten innerhalb der Dienstleistungsfreiheit berücksichtigt werden kann.

Die strenge Durchsetzung der Rechtsmaßstäbe des Bestimmungslandes stellt sich in diesem Konzept als Beschränkung der Dienstleistungsfreiheit der Verwertungsgesellschaften dar, wenn sie auf eine Berücksichtigungspflicht mehrfacher Standards hinausläuft. Innerhalb der Prüfung der Rechtfertigung einer Beschränkung ist die Berücksichtigung des Harmonisierungsstands entscheidend. Denn dort, wo der europäische Gesetzgeber bereits einen gemeinsamen (Mindest-)Standard geschaffen hat, ist grundsätzlich auch davon auszugehen, dass ein nationales Abweichen mit Wirkung gegenüber ausländischen Gesellschaften nicht erforderlich ist bzw. einem erhöhten Begründungsaufwand unterliegt. Die VG-RL ist dabei zwar der bedeutendste, jedoch nicht der einzig relevante Harmonisierungsakt. So drängt sich in jenen Bereichen, die aufgrund ihrer urheberrechtlichen Verstrickungen kollisionsrechtlich dem Schutzlandprinzip unterliegen, eine Berücksichtigung der urheberrechtlichen Harmonisierung auf. Das Harmonisierungsniveau wird zum entscheidenden Faktor, der eine Rechtfertigung der Anwendung erschwert und somit beschränkenden Doppelstandards entgegenstehen kann. Stets ist das konkrete Sachrecht auf seine beschränkende Wirkung gegenüber einer ausländischen Verwertungsgesellschaft zu überprüfen. Sofern teilweise der Eindruck einer Überprüfung des kollisionsrechtlichen Ergebnisses entstand, ist das vor allem auf den Abstraktionsgrad der Arbeit zurückzuführen, die sich keine konkreten Fallbeispiele vornimmt.

Die Untersuchung begann mit der komplexen Frage der Verteilung der Einnahmen für diejenigen Fälle, die zuvor urheberrechtlich qualifiziert wurden und sich daher nach dem Recht des Schutzlandes beurteilten. Jedoch hat sich gezeigt, dass die Richtlinie in diesem Bereich inhaltlich keine Grundlage für eine gegenseitige Anerkennung bietet. Ist eine Verteilungsreglung also erst einmal im Kern als urheberrechtlich qualifiziert worden, so kann auch das Sitzlandprinzip der VG-RL nicht zur Absenkung der materiell-rechtlichen Standards des Urheberrechts bezogen auf Verteilungsfragen führen. Es obliegt grundsätzlich dem harmonisierenden Urheberrecht, die Verteilung näher zu bestimmen. In Ansätzen erfolgte dies durch die InfoSoc-RL sowie durch Art. 16 DSM-RL. Dort wurde jedoch nur ein grober Rahmen geschaffen, der nationale Eigenheiten zulässt und Art. 16 DSM-RL erlaubt es den Mitgliedstaaten lediglich den Konsequenzen der Entscheidung *Reprobel* zu entgehen. Deutlich zeigt die Rechtsprechung des EuGH, dass es eine Entscheidung des nationalen Urheberrechts ist, wie die wirtschaftliche Partizipation an der Nutzung der Rechte im Einzelnen erfolgen soll. Beschränkungen für die Dienstleistungsfreiheit der Verwertungsgesellschaften erwiesen sich daher als gerechtfertigt.

Nicht erforderlich und damit nicht gerechtfertigt ist hingegen die Durchsetzung eines national strengeren Wahrnehmungszwangs gegenüber ausländischen Binnenmarktgesellschaften. Art. 5 Abs. 2 der VG-RL schafft konkret bezeichnete und eng umschriebene individuelle Ansprüche, die als solche umzusetzen sind. Eine davon abweichende überschießende nationale Regelung mag zwar möglich sein, ihre grenzüberschreitende Durchsetzung ist jedoch nicht erforderlich, da der europäische Maßstab hinreichenden Individualschutz und zugleich hinreichenden Systemschutz im Hinblick auf das Urheberrecht schafft.

Von großer Bedeutung sind die Fragen des Rechtezugangs, welche sich vor allem in der Tarifkontrolle materialisieren. Art. 16 Abs. 2 der VG-RL führt die Grundsätze der Nichtdiskriminierung und Angemessenheit der Bedingungen auf Lizenzierungsebene in das europäische Wahrnehmungsrecht ein. Die Vorschrift ist wettbewerbsrechtlich motiviert und knüpft an die vergangene Rechtsprechung des EuGH in Tariffragen an. Art. 102 Abs. 2 lit. c) AEUV bezweckt im Kontext der kollektiven Rechtewahrnehmung sowohl die Verhinderung von Wettbewerbsverzerrungen auf dem nachgelagerten Markt der Diensteanbieter als auch die generelle Sicherstellung der Angemessenheit der Tarife. Dazu ist ein „europäischer Einheitstarif" aber nicht erforderlich. Im Gegenteil, allein national angepasste Tarife können die Unterschiede bei der (finanziellen) Leistungsfähigkeit der jeweiligen Gesellschaft berücksichtigen und damit eine konkrete Angemessenheit bewirken, wobei von dieser Form der Differenzierung grundsätzlich keine Wettbewerbsverzerrungen ausgehen.

Aufgrund der Marktbesonderheiten und der unterschiedlichen Berücksichtigung in der VG-RL war eine Unterscheidung dreier Bereiche für die Tarifkontrolle erforderlich. Am deutlichsten fiel die Entscheidung gegen das Prinzip der gegenseitigen Anerkennung bei der Festlegung der Vergütungshöhe im Bereich der (vergütungspflichtigen) Schranken aus. Sie erfahren in der VG-RL keine Regelung und ergeben sich daher aus den Besonderheiten der Schranke selbst. Hinsichtlich der Schranken der InfoSoc-RL hat der EuGH entschieden, dass „der gerechte Ausgleich" zwar ein autonomer Unionsbegriff ist, für die genaue Bestimmung dieses gerechten Ausgleichs, insbesondere für seine Höhe, aber die Mitgliedstaaten die Verantwortung tragen. Das Sitzlandprinzip der VG-RL führt in diesem Verhältnis also zu keinen Rechtsanpassungen zugunsten ausländischer Verwertungsgesellschaften. Schwieriger zu beurteilen war die Tarifkontrolle bei Wahrnehmung des Ausschließlichkeitsrechts. Die Berücksichtigungspflicht nationaler Besonderheiten in Lizenzzugangsfragen erweist sich zwar als eine Beschränkung der Dienstleistungsfreiheit der Verwertungsgesellschaften im Binnenmarkt. Sie ist jedoch gerechtfertigt, weil räumliche Marktbesonderheiten auch auf Ebene des Kartellrechts, worin jene Regelungen maßgeblich wurzeln, anerkannt sind und weil die Durchsetzung der Tarifstandards zum Schutz der anerkannten Unionsziele des Verbraucherschutzes und des Schutzes der kulturessen Vielfalt erforderlich ist. Der EuGH selbst hat stets die Berücksichtigungsfähigkeit nationaler und regionaler Besonderheiten betont. Die dafür angeführten Argumente verlieren auch im harmonisierten europäischen System der kollektiven Rechtewahrnehmung nicht an Bedeutung.

Schließlich erfolgte eine gesonderte Überprüfung der Tarifkontrolle für den Bereich der Mehrgebietslizenzen. Sie haben auch in der VG-RL besondere Aufmerksamkeit erfahren. Die Mechanismen der Mehrgebietslizenzen wurzeln jedoch nicht in einer Vereinheitlichung der Lizenzbedingungen, sondern in der Repertoireakkumulation. Die Lizenzzugangskontrolle nach nationalem Recht wird daher nicht verändert. Entsprechend konnte auf die Argumentation im Bereich der einfachen Lizenzen zurückgegriffen werden.

Geht es um nationale Informationsstandards der Verwertungsgesellschaften in Werk- und Lizenzfragen, so genügt hingegen die Anwendung eines nationalen Standards auf der Basis des harmonisierten Verwertungsgesellschaftsrechts. Die Durchsetzung national abweichender Standards würde einen Verstoß gegen die Dienstleistungsfreiheit darstellen.

Kapitel 3. Grenzüberschreitende Rechtsfragen bei erweiterten kollektiven Lizenzen (EKL), insbesondere bei der Nutzung vergriffener Werke

A. *Kollisionsrechtlicher Ausgangspunkt*

Die kollisionsrechtliche Analyse der gesetzlichen und tatsächlichen Vermutungen im ersten Kapitel zeigte deren Positionierung im Spannungsfeld zwischen Prozessrecht und materiellem Recht.[1303] Es wurde festgestellt, dass es sich zwar um Beweisregelungen handeln kann, die prozessuale Fragen betreffen, diese jedoch insgesamt materiell-rechtlich verflochten sind und daher der *lex causae* unterfallen. Die *lex causae* kann sodann nur die *lex loci protectionis* sein, denn es geht um Regelungen, die, ähnlich den Urheberrechtsschranken, das Urheberrecht inhaltlich ausgestalten und so gilt eine vom deutschen Recht aufgestellte gesetzliche Vermutung grundsätzlich allein für Rechte nach dem deutschen Urheberrechtsgesetz. Im Fall der erweiterten kollektiven Lizenzen (*EKL*) und der besonderen Regelungen zu vergriffenen Werken bedeutet dies, dass eine Urheberrechtsverletzung in allen 27 Mitgliedstaaten in Betracht kommt, wenn beispielsweise eine deutsche Bibliothek Teile ihrer Bestände über eine Onlineplattform europaweit zugänglich macht.[1304] Aus Sicht der Verwertungsgesellschaften bedeutet dies umgekehrt, dass eine in ihrem Sitzland geltende Vermutung der Wahrnehmungsbefugnis oder der Repräsentativität grundsätzlich auf die Wahrnehmung der Urheberrechte im Sitzland begrenzt ist und nichts über die Wahrnehmungsbefugnis im Ausland aussagt. Vorschriften, die Begünstigungen im Sinne einer vermuteten umfassenden Wahrnehmungsbefugnis (oder der Repräsentativität) allein inländischen Verwertungsgesellschaften vorbehalten, treten sicherlich in Konflikt mit der Dienstleistungsfreiheit der

1303 *Teil 3, Kapitel 1, F, III., 2.), a.).*

1304 In diesem Fall könnte sich ein französischer Autor speziell in seinem französischen Urheberrecht verletzt fühlen, weil er in Frankreich weiterhin Marktchancen sieht und dort an einer individuellen Auswertung seines Rechts interessiert ist. Er würde dann gegen die öffentliche Zugänglichmachung seines Werks in Frankreich vorgehen und sich dabei auf die Verletzung französischen Urheberrechts berufen. Die Frage der Verletzung richtet sich sodann nach französischem Recht.

Verwertungsgesellschaften. Darum soll es an dieser Stelle aber nicht gehen. Vielmehr wird abschließend noch einmal der Blick auf die DSM-RL geworfen, welche erweiterte kollektive Lizenzen in Europa regelt und einen besonderen Mechanismus zur breiten Verfügbarkeit vergriffener Werke bereitstellt. Insbesondere bei den vergriffenen Werken bezweckt die Richtlinie eine EU/EWR-weite Zugänglichkeit und es ist interessant zu sehen, wie dies erreicht werden soll.[1305]

B. Die besonderen Mechanismen der erweiterten kollektiven Lizenz aus der DSM-RL

Die notwenige Begrenzung der Geltungssphäre erweiterter kollektiver Lizenzen ist auch in Art. 12 Abs. 1 der DSM-RL angelegt, wo es heißt, dass Mitgliedstaaten erweiterte kollektive Lizenzen vorsehen können, *„sofern es die Nutzung in ihrem Hoheitsgebiet betrifft"*. Die Heranziehung des Orts der Nutzung als Referenzpunkt entspricht der Geltung der *lex loci protectionis.*[1306] Aus dem System der erweiterten kollektiven Lizenzen können allerdings einige besondere Fragen mit grenzüberschreitendem Charakter im Binnenmarkt entstehen. So z.B. welche Werke sind erfasst? Erstreckt sich der Mechanismus zur Erweiterung der Lizenz, wie er in Art. 8 und 12 der DSM-RL vorgesehen ist, auch auf Werke ausländischer Rechteinhaber?[1307] Damit verbunden, worauf bezieht sich das Repräsentativitätskriterium in Art. 8 und 12 der DSM-RL? Im Bereich der vergriffenen Werke könnte Art. 9 DSM-RL das kollisionsrechtliche Grundmodell durch die Einführung des Ursprungslandprinzips schließlich grundlegend ändern. Der Binnenmarktgedanke, wie er der DSM-RL zugrunde liegt, sollte ebenfalls berücksichtigt werden (Erwägungsgründe 1–3). Es ist also die DSM-RL und nicht die VG-RL, welche die Maßstäbe für den Umgang mit erweiterten kollektiven Lizenzen im Binnenmarkt setzt. Zu unterscheiden sind die allgemeine erweiterte kollektive Lizenz nach Art. 12 DSM-RL und der besondere Fall der vergriffenen Werke nach Art. 8–11 DSM-RL.

1305 Die VG-RL regelt diese Fragen im Übrigen nicht, nach ErwG 12 lässt die Richtlinie die Regelungen über die erweiterte kollektive Lizenz und „die gesetzlichen Vermutungen in Bezug auf die Vertretung und Übertragung von Rechten an Organisationen für die kollektive Rechtewahrnehmung, [vielmehr ausdrücklich] unberührt"

1306 Zum Kollisionsrecht und der rechtlichen Natur der EKL ausführlich *Sutterer*, ZUM 2022, 422 ff. und *ders.*, GRUR 2021, 662, 663 f.

1307 Zu § 51 VGG wird diese Frage auch bei *Schulze*, in: Dreier/Schulze (Hrsg.), Urheberrechtsgesetz, 62018, VGG, § 51, Rn. 15 aufgeworfen.

C. Das allgemeine Modell der kollektiven Lizenzvergabe mit erweiterter Wirkung nach Art. 12 DSM-RL

Art. 12 DSM-RL erlaubt es den Mitgliedstaaten, ein System der erweiterten kollektiven Rechtewahrnehmung einzurichten. Die Umsetzung des Modells ist fakultativ und seine Wirkung ist nach den Grundsätzen der *lex loci protectionis* auf Nutzungen im Hoheitsgebiet des gesetzgebenden Mitgliedstaats beschränkt. Bei der Umsetzung besteht Spielraum und so ist auch zukünftig von unterschiedlichen nationalen Rechtsvorschriften auszugehen.[1308]

Das in der DSM-RL angelegte Binnenmarktkonzept könnte die Anwendung nationaler EKL-Lösungen vor allem im Hinblick auf die Frage der Repräsentation betreffen. Möglich wäre zunächst die Berücksichtigung des ausländischen Rechtsmaßstabs hinsichtlich der Anforderungen an die Repräsentativität. Weitergehend jedoch auch die Anerkennung des Status der Repräsentativität einer ausländischen Verwertungsgesellschaft für die Rechtewahrnehmung im Inland. Daneben stellen sich spezielle Fragen im Verhältnis zu den Rechteinhabern. Erweiterte kollektive Lizenzen setzen auf ein System der Repräsentation ohne vertragliche Rechteeinräumung. Im Gegenzug bestehen besondere Pflichten der Verwertungsgesellschaften, insbesondere hinsichtlich der Informationsbemühungen gegenüber den Rechteinhabern als Außenseitern. Kollisionsrechtlich wurde zuvor befürwortet, dass sich die rechteinhaberbezogenen Informationspflichten nach dem Recht des Sitzlandes der Verwertungsgesellschaften richten.[1309] Dieser Ansatz erscheint im Modell der erweiterten kollektiven Lizenz zunächst zweifelhaft, gleichzeitig kann das Sitzlandlandprinzip jedoch seinerseits für die besondere Berücksichtigung nur eines Rechts sorgen. Dieselbe Frage stellt sich für die gesetzlichen *Opt-out-Mechanismen*.[1310]

I. Das Modell der Repräsentativität in Art. 12 Abs. 3 lit. a)

Die Repräsentativität der lizenzierenden Verwertungsgesellschaft ist Kernbestandteil des Modells der erweiterten kollektiven Lizenzen und schafft

1308 *Dreier*, GRUR 2019, 771, 773 f.

1309 *Teil 3, Kapitel 1, E, IV., 1.)*

1310 Dies sind das *Opt-out* nach Art. 8 Abs. 4 DSM-RL für vergriffene Werke und das *Opt-out* nach Art. 12 Abs. 3 lit. c) für die allgemeine ECL.

die Voraussetzung für ihre Legitimität. Nach Art. 12 Abs. 3 lit. a) DSM-RL sollen die Mitgliedstaaten Schutzbestimmungen dafür vorsehen, dass die lizenzierende Verwertungsgesellschaft aufgrund ihrer Mandate ausreichend repräsentativ ist. Dies gilt erstens für die Rechteinhaber der einschlägigen Art von Werken und zweitens für die Rechte, die Gegenstand der Lizenz für den jeweiligen Mitgliedstaaten sind. Die Kriterien der Repräsentativität werden in Erwägungsgrund 48 der DSM-RL weiter ausgeführt, bleiben jedoch insgesamt vage.[1311] Fraglich ist dabei insbesondere, ob die Repräsentativität lediglich mit Blick auf inländische Rechteinhaber vorliegen oder sich auch auf das Repertoire ausländischer Rechteinhaber erstrecken muss, sofern deren Rechte Gegenstand der erweiterten kollektiven Lizenz sind. Dabei handelt es sich freilich nicht um eine kollisionsrechtliche Frage, eher geht es um die Einhaltung der Grundsätze der Inländergleichbehandlung und anderer Diskriminierungsverbote. Speziell mit Blick auf die Repräsentativität entschied ein norwegisches Gericht, dass ein pauschaler Repräsentationsbezug auf norwegische Rechteinhaber diskriminierend sei und verwarf das bis dahin in Norwegen praktizierte Modell. Maßgeblich sei die tatsächliche Repräsentativität in Bezug auf die Rechteinhaber der Werktypen, die in Norwegen genutzt werden.[1312]

Richtigerweise richtet sich die Frage der Repräsentativität daher nach der Tätigkeit der Verwertungsgesellschaft im Lizenzverhältnis, sie folgt dem Lizenzgegenstand.[1313] Die Bestimmung des Lizenzgegenstands umfasst zunächst die Werkkategorie - geht es um Bilder, Schriftwerke, Musik etc.?, - anschließend die Lizenzgebiete - soll eine Nutzung in Deutschland, Frankreich oder Belgien ermöglicht werden? - und sodann die Rechteinhaber - welcher nationalen Verwertungsgesellschaft gehört der Rechteinhaber eines erfassten Repertoires an oder welcher Verwertungsgesellschaft würde er typischerweise angehören? Für letzteres soll das Land der Erstveröffentlichung entscheidendes Indiz sein, denn dieses lasse auf den Wohnsitz des

1311 Zur Subjektivität dieses Kriteriums und seiner Abhängigkeit von nationaler Rechtssetzung und Rechtsauslegung *Guibault/Schroff*, IIC 49 (2018), 916, 921.

1312 Das norwegische *Kabeltvistnemda* (kompetent für Fragen rund um die Kabelverbreitung) entschied, dass der pauschale Repräsentationsbezug auf norwegische Rechteinhaber diskriminierend sei und verwarf dieses Modell. Maßgeblich sei die tatsächliche Repräsentativität in Bezug auf die Rechteinhaber der Werktypen, die in Norwegen genutzt werden (*Kabeltvistnemda* Entscheidungen Nr. 1/2010 und 4/2010, berichtet bei *Riis/Schovsbo*, IIC 43 (2012), 930, 937).

1313 So im Ergebnis auch *Staats*, ZUM 2019, 703, 710; nähere Ausführungen bei *Trumpke*, Exklusivität und Kollektivierung, 2016, 237 f.

Rechteinhabers schließen und damit auf eine typische Repräsentanz der dort dominierenden Verwertungsgesellschaft.[1314] Entsprechend beschränkt die VG WORT ihre Lizenzvergabe für Schriftwerke in Deutschland auf Werke, die in Deutschland erstveröffentlicht wurden.[1315]

Für die Wirksamkeit der erweiterten kollektiven Lizenzen kann dieses Modell zum Problem werden. Betrifft die Nachfrage vor allem Werke ausländischer Künstler, die überdies aus verschiedenen Ländern stammen, so kann weder eine deutsche Verwertungsgesellschaft noch eine ausländische Verwertungsgesellschaft allgemein als repräsentativ angesehen werden. Die Frage der Repräsentation würde sich nicht nur in Werkkategorien, sondern auch in Nationalitäten der typischen Schöpfer aufteilen. Wird die Repräsentationsfähigkeit aber zu kleinteilig beurteilt, droht das ganze System der erweiterten kollektiven Lizenzen seine Funktion der vereinfachten Zugänglichmachung zu verlieren. Das Problem ließe sich allerdings durch ein umfassendes System der Gegenseitigkeits- oder Repräsentationsverträge auflösen. Dieses System müsste die Rechte, welche Inhalt der EKL-Lizenzvereinbarung sein sollen, miteinbeziehen. Dadurch wäre eine einheitliche Repräsentanz auf nationaler Ebene sichergestellt.[1316] Die Abrechnung würde wie im klassischen Modell der Gegenseitigkeitsverträge zwischen den Verwertungsgesellschaften vorgenommen werden.[1317]

Dies alles ist jedoch eine Frage der Ausgestaltung und Interpretation des materiellen Rechts, das nun durch Art. 12 Abs. 3 lit. a DSM-RL überformt wird. Trotz gebotener autonomer Auslegung bleiben die Kriterien allerdings zumindest bis zu einer Konkretisierung durch den EuGH vage und unbestimmt. Für diese Untersuchung ist entscheidend, dass sich die Frage der Repräsentativität in Anwendung der *lex loci protectionis* allein nach dem Recht entscheidet, für welches die erweiterte kollektive Lizenz gewährt werden soll. Dieses kollisionsrechtliche Ergebnis erfährt keine Anpassungen durch das Sitzlandprinzip. Denn die Berücksichtigung eines ausländischen Rechtsstandards würde sich als sachfremd erweisen. Zugleich ist die Repräsentativität sehr faktisch zu bestimmen. Ausländische Verwertungsgesellschaften können sich (zumindest innerhalb der EU) zur

1314 So *Guibault/Schroff*, IIC 49 (2018), 916, 921.

1315 So ausdrücklich *Staats*, ZUM 2019, 703, 709. Dazu auch *Trumpke*, Exklusivität und Kollektivierung, 2016, S. 228.

1316 Für diesen Ansatz auch *Staats*, ZUM 2019, 703, 709 sowie *Trumpke*, Exklusivität und Kollektivierung, 2016, 238 f.

1317 Hierin zeigt sich, dass das Repräsentationsmodell der EKL einen anderen gedanklichen Ursprung hat als das Wettbewerbsmodell der VG-RL.

Vergabe von erweiterten kollektiven Lizenzen qualifizieren, wenn sie die relevanten Rechteinhaber entsprechend repräsentieren, was seinerseits eine Entscheidung des Lizenzlandrechts (in Umsetzung der DSM-RL) ist.[1318] Ihr Status als repräsentative Organisation in einem Land muss in einem anderen jedoch nicht anerkannt werden. Er ist für jedes Land und jeden Lizenzmarkt gesondert festzustellen, was sich schon allein aus der Erkenntnis ergibt, dass die Repräsentativität dem Lizenzgegenstand folgt, der sich auch territorial bestimmt.

II. Die rechtlichen Anforderungen an die Informationsbemühungen der Verwertungsgesellschaften, Art. 12 Abs. 3 lit. d) DSM-RL

Nach Art. 12 Abs. 3 lit. d) DSM-RL müssen die Verwertungsgesellschaften „eine angemessene Zeitspanne vor Beginn der lizenzierten Nutzung der Werke oder sonstigen Schutzgegenstände angemessene Informationsmaßnahmen [ergreifen], um Rechteinhaber darüber zu informieren, dass die Verwertungsgesellschaft in der Lage ist, Lizenzen [...] zu erteilen, dass [eine EKL-] Lizenzvergabe [...] erfolgt und dass den Rechteinhabern die Möglichkeiten [zum Opt-out] zur Verfügung stehen." Dabei genügt die Bemühung um Information bzw. die Informationsmaßnahme selbst; es kommt nicht darauf an, dass der konkrete Rechteinhaber auch tatsächlich positiv informiert wird.

Kollisionsrechtlich wurde zuvor befürwortet, dass sich die rechteinhaberbezogenen Informationspflichten nach dem Recht des Sitzlandes der Verwertungsgesellschaften richten.[1319] Das Sitzlandrecht wurde als das sachnächste identifiziert, wobei die Verkehrsinteressen für eine Konzentration der Rechtsanwendung sprachen. Der Schutz der Rechteinhaber wurde bereits deshalb als hinreichend gegeben angesehen, weil sie es sind, die die Verwertungsgesellschaft typischerweise wählen.

1318 Möglich ist dann auch der Rückgriff auf eine Pflicht zur gemeinsamen Rechtewahrnehmung, wie sie in § 51 Abs. 3 VGG bislang vorgesehen ist. Die gemeinsame Rechtewahrnehmung erinnert dann wieder (zumindest in der Wirkung) an eine gegenseitige Ermächtigung, wie sie über die Gegenseitigkeitsverträge erfolgt. Berechtigt erscheint i.Ü. eine Erlaubnispflicht, wie sie im deutschen Recht in § 77 Abs. 2 VGG auch für ausländische EU-Gesellschaften vorgesehen ist. Sie lässt sich mit dem besonderen Überprüfungsbedürfnis bspw. der tatsächlichen Repräsentativität begründen.

1319 *Teil 3, Kapitel 1, E, IV., 1.)*

Beides gilt im Modell der erweiterten kollektiven Lizenz nicht. Die Informationspflicht ist ein maßgeblicher Teil der erweiterten kollektiven Lizenz selbst und gehört somit insgesamt zum abgestimmten System von Lizenzzugangserleichterung und Schutz der Rechteinhaber durch Repräsentativität, Gleichbehandlung, *Opt-out* und notwendiger Information zur Ausübung des *Opt-out*. Die Sachnähe besteht also vor allem zur erweiterten kollektiven Lizenz als schrankenähnlichem Mechanismus und damit zum Lizenzstaat; der Schutz durch freiwillige Wahl der Gesellschaft entfällt ebenfalls, weil die Lizenzen gerade Außenseiter betreffen, die ihre Wahl nicht ausgeübt haben. Es fehlt gegenüber den Rechteinhabern daher auch die vertragliche Komponente, die einer Liberalisierung typischerweise Raum verschafft. Schließlich ist die Umsetzung der EKL nach Art. 12 DSM-RL in der EU nur fakultativ, und so ist nicht gesagt, dass das Sitzland einer Verwertungsgesellschaft, die im Ausland erweiterte kollektive Lizenzen vergibt, überhaupt entsprechende Regelungen kennt.

Fraglich ist auch der Umgang mit den Informationspflichten im Modell der Gegenseitigkeitsverträge. Es wäre grundsätzlich denkbar, dass eine jede Verwertungsgesellschaft, die am System der erweiterten kollektiven Lizenz (wenn auch nur mittelbar) teilnimmt, Informationspflichten unterliegt. Dann wäre in der Tat über die Anwendung nur des Sitzlandrechts nachzudenken, denn andernfalls würde sich für die teilnehmenden Verwertungsgesellschaft eine kaum zu bewältigende Normhäufung ergeben. Richtigerweise sind die Schwestergesellschaften, welche der lizenzierenden Verwertungsgesellschaft ihre Rechte zur Wahrnehmung übertragen, aber gar nicht an Informationspflichten gebunden, denn sie nehmen am System der EKL (auch) nicht (mittelbar) teil. Sie übertragen der repräsentierenden Gesellschaft nur diejenigen Rechte, die von ihnen tatsächlich wahrgenommen werden. Sie verschaffen der repräsentierenden Verwertungsgesellschaft damit aber die Grundlage einer eigenen Repräsentativität, ihre Rechteeinräumung bezieht hingegen keine Außenseiterrechte mit ein.[1320]

Für eine einheitliche Anwendung des Standards des Sitzlands der Verwertungsgesellschaften könnte allenfalls die Harmonisierung in Art. 12 Abs. 3 lit. d) DSM-RL sprechen. Das europäische Recht formuliert die Informationspflichten jedoch nur abstrakt, sie müssen gemäß Art. 12 Abs. 3 lit. d) angemessen sein. Dies eröffnet einen breiten Spielraum für eine na-

1320 Dennoch erscheint eine (zusätzliche) Information nach den Regeln des Sitzlandes der „repräsentierten Verwertungsgesellschaft" sinnvoll, da diese am ehesten dazu geeignet ist, die inländischen Rechteinhaber (Außenseiter) zu erreichen.

tionale Umsetzung und sichert lediglich das Bestehen der Pflicht an sich ab. Die Informationsweise kann jedoch für den Erfolg der Informationsmaßnahmen entscheidend sein. Das Recht des Lizenzlandes ist am ehesten dazu geeignet, angemessene Informationskanäle zu bestimmen, die bezogen auf die Information der Außenseiter erfolgsversprechend erscheinen.

D. Vergriffene Werke in Europa

I. Hintergrund der Regelung

Besondere Aufmerksamkeit schenkt der europäische Gesetzgeber der Nutzung von vergriffenen Werken und sonstigen Schutzgegenständen durch Einrichtungen des Kulturerbes (Art. 8–11 DSM-RL). Dabei geht es darum die Werkbestände kultureller Einrichtungen für die Allgemeinheit zu öffnen, um auf diese Weise den Zugang zu Kulturgütern zu bewahren, die im Handel nicht mehr frei verfügbar sind. Der Prozess der Digitalisierung und Zugänglichmachung der Werkbestände europäischer Kultureinrichtungen stellt sich in allen Fällen, in denen die Werkbestände urheberrechtlich geschützt sind, als ein urheberrechtlicher Nutzungsakt dar und greift so in die urheberrechtlichen Verwertungsrechte ein. Um das Handeln der Kultureinrichtungen zu legitimieren ist daher entweder eine Lizenz oder eine Schranke bzw. Ausnahme vom Urheberrecht erforderlich. Die Diskussion um Möglichkeiten der breiten Zugänglichmachung vergriffener Werke für die Allgemeinheit ist nicht neu. Spätestens mit Beginn des *Google Books Projekts* fand sie sich auch auf der europäischen Agenda. Ein Durchbruch schien im Jahr 2011 mit der Vermittlung eines Memorandum of Understanding (MoU)[1321] durch die Europäische Kommission erreicht. Die Absichtserklärung sollte die Digitalisierung und Zugänglichmachung von vergriffenen Werken durch europäische Bibliotheken und ähnliche Einrichtungen erleichtern. Auch hier wurden bereits die Probleme im Zusammenhang mit der grenzüberschreitenden Verbreitung identifiziert, insbesondere aufgrund des fehlenden zwingenden Charakters des MoU, jedoch nicht abschließend gelöst. Schon damals wurde daher gesetzgeberischer Handlungsbedarf auf

---

1321 Memorandum of Understanding on Key Principles on the Digitisation and Making Available of Out-of-Commerce Works (online nicht mehr auffindbar, siehe jedoch die Pressemitteilung unter https://ec.europa.eu/commission/presscorner/detail/en/MEMO_11_619, zuletzt abgerufen am 20.4.2020).

Unionsebene erkannt.[1322] Den unionalen Rahmen für die Zugänglichmachung vergriffener Werke übernehmen nun Art. 8–11 DSM-RL.

Die DSM-Richtlinie unterscheidet dabei zwei Modelle der Werkvermittlung über Kultureinrichtungen. Bevorzugt wird eine Lizenzlösung, deren Grundmechanismus in Art. 8 Abs. 1 DSM-RL umschrieben wird. Kultureinrichtungen erwerben für die Nutzung vergriffener Werke eine Lizenz bei „repräsentativen" Verwertungsgesellschaften. Für den Fall, dass keine repräsentative Verwertungsgesellschaft vorhanden ist, erlaubt Art. 8 Abs. 2 und 3 DSM-RL die lizenzfreie Nutzung, welche über eine neu einzuführende Schranke ermöglicht werden soll. Beide Modelle sind aus Sicht des Kollisionsrechts bzw. der Frage der gegenseitigen Anerkennung in Europa interessant, wobei nach Art. 9 Abs. 1 bzw. Abs. 2 DSM-RL zunächst von einem jeweils unterschiedlichen „Binnenmarktmechanismus" ausgegangen werden muss.

II. Die Tatbestandsmerkmale in der Regulierung vergriffener Werke

Das Regelungsmodell der DSM-RL arbeitet mit einigen Tatbestandsmerkmalen, deren kollisionsrechtliche Behandlung bzw. deren Lokalisierung im Binnenmarkt unklar erscheint. Ausgehend von der Geltung der *lex loci protectionis* bestimmen sich diese nach dem Recht desjenigen Landes, in welchem die Werknutzung erfolgt (bzw. für welches Schutz beansprucht wird). Im Kontext des Lizenzierungsmodells nach Art. 8 Abs. 1 DSM-RL setzt die Privilegierung vor allem die Erfüllung folgender Tatbestandmerkmale voraus: (1) die Werknutzungshandlungen erfolgen durch eine Einrichtung des Kulturerbes; (2) das Werk (der Nutzungsgegenstand) befindet sich dauerhaft im Bestand dieser Kultureinrichtung; (3) das Werk ist vergriffen; (4) die Nutzung erfolgt zu nicht-kommerziellen Zwecken; (5) die lizenzierende Verwertungsgesellschaft ist repräsentativ. Entsprechendes gilt im Fall der Nutzung ohne Lizenz nach Art. 8 Abs. 2 und 3 DSM-RL, wobei an die Stelle der Repräsentativität einer Verwertungsgesellschaft die Tatbestandsvoraussetzung tritt, dass eben keine repräsentative Verwertungsgesellschaft zur Verfügung steht. Problematisch erscheinen vor dem

1322 *Axhamn*, "European MoU on Key Principles on the Digitisation and Making Available of Out-of-Commerce Works", Kluwer Copyright Blog, 22-9-2011. (online abrufbar unter: http://copyrightblog.kluweriplaw.com/2011/09/22/european-mou-on-key-principles-on-the-digitisation-and-making-available-of-out-of-commerce-works/, zuletzt abgerufen am 9.4.2020).

Hintergrund einer grenzüberschreitenden Zugänglichmachung vor allem folgende Tatbestandsvoraussetzungen: (1) das *Vergriffensein* des Werkes; (2) die Repräsentativität der lizenzierenden Verwertungsgesellschaft bzw. (3) das Fehlen einer repräsentativen Verwertungsgesellschaft (Abs. 3).

III. Die Umsetzung des Binnenmarktkonzepts für vergriffene Werke

Alle diese Fragen sind im Ausgangspunkt nach dem Recht desjenigen Landes zu bestimmen, in welchem die Nutzung erfolgt.[1323] Dabei könnte das jeweils anwendbare Recht jedoch einen besonderen Bezugspunkt einnehmen und beispielsweise die Fragen nach dem *Vergriffensein* eines Werkes oder der Repräsentativität einer Verwertungsgesellschaft nicht in Abhängigkeit zum eigenen Territorium, sondern zum Sitzland der Kultureinrichtung beantworten. Denn es ist festzustellen, dass die DSM-RL im Bereich der vergriffenen Werke auf eine möglichst weitreichende Verbreitung des Kulturbestands in der EU ausgerichtet ist. Nach Art. 9 Abs. 1 DSM-RL sollen die Mitgliedstaaten sicherstellen, dass die erteilten Lizenzen die Nutzung in allen Mitgliedstaaten erlauben dürfen; in Art. 9 Abs. 2 wird sodann das Ursprungslandprinzip in Form einer territorialen Fiktion eingeführt; Art. 8 Abs. 6 scheint eine Art Sitzlandprinzip im Hinblick auf die Repräsentativität der Verwertungsgesellschaften zu enthalten; Erwägungsgrund 31 S. 2 offenbart den Wunsch, dass Lizenzen für die Nutzung vergriffener Werke in allen Mitgliedstaaten gelten sollen und nach Erwägungsgrund 40 S. 1 soll es den Einrichtungen des Kulturerbes und den Verwertungsgesellschaften freistehen, sich auf den räumlichen Geltungsbereich der Lizenzen zu einigen, wobei eine paneuropäische Lizenz explizit möglich sein soll. Weitere Hinweise auf mögliche Erleichterungen europaweiter Verbreitung des Kulturgutes finden sich in den Erwägungsgründen 33 S. 2, 36 sowie 38 S. 2 und 5 der DSM-RL.

1323 Dieser Ausgangspunkt wurde bereits bei der Analyse der erweiterten kollektiven Lizenzen und gesetzlichen Vermutung im Kapitel zum allgemeinen Kollisionsrecht herausgearbeitet (entsprechendes nimmt etwa *Llorca* an, *Llorca*, in: García/Llorca (Hrsg.), Propiedad intelectual y mercado único digital europeo, 2020, S. 214, 200 f.).

1) Der territoriale Bezugspunkt des Vergriffenseins

Eine handfeste Definition für vergriffene Werke enthält die Richtlinie nicht. Gemäß Art. 8 Abs. 5 DSM-RL gilt ein Werk als vergriffen, „wenn nach Treu und Glauben davon ausgegangen werden kann, dass das gesamte Werk [...] auf den üblichen Vertriebswegen für die Öffentlichkeit nicht erhältlich ist, nachdem ein vertretbarer Aufwand betrieben wurde, um festzustellen, ob es [...] für die Öffentlichkeit erhältlich ist." Zwei Problemkonstellationen können für den Binnenmarkt auftreten. Erstens können die gesetzlichen Voraussetzungen in Umsetzung der Richtlinie hinsichtlich des *Vergriffenseins* variieren. So wird es den Mitgliedstaaten bspw. ermöglicht, typisierte „Anforderungen wie einen Stichtag [vorzusehen], um zu bestimmen, ob für ein Werk [...] eine Lizenz nach Absatz 1 erteilt oder ob es [...] im Rahmen einer in Absatz 2 vorgesehenen Ausnahme oder Beschränkung verwendet werden kann" (Art. 8 Abs. 5 UAbs. 2 DSM-RL). Diese Möglichkeit zur nationalen Bestimmung typisierter Tatbestände kann den Erfolg grenzüberscheitender Digitalisierungsprojekte gefährden, wenn diese nach den Regeln der *lex loci protectionis* kumulativ zur Anwendung kommen. Tatsächlich sehen die Mitgliedstaaten bislang sehr unterschiedliche Fristenregelungen vor. Während Frankreich den 1. Januar 2001 als Stichtag wählte, sieht der deutsche Gesetzgeber für Werke, die in Büchern, Fachzeitschriften, Zeitungen, Zeitschriften oder in anderen verlegten Schriften veröffentlicht wurden, ein *Vergriffensein* frühestens nach 30 Jahre nach der letztmaligen Veröffentlichung vor (sog. *moving wall*).[1324] Damit stellt sich zwangsläufig die Frage, auf welche nationale Stichtagsregelung es ankommt, wenn Werkbestände grenzüberschreitend zugänglich gemacht werden. Ferner kann es selbst dann zu Binnenmarktfriktionen kommen, wenn einheitliche Rechtsmaßstäbe gelten, denn ein Werk kann in einem Mitgliedstaat tatsächlich vergriffen sein, in einem anderen jedoch nicht.

Nach Art. 9 Abs. 1 DSM-RL sollen die Mitgliedstaaten sicherstellen, dass nach Art. 8 erteilte Lizenzen die Nutzung in jedem Mitgliedstaat erlauben dürfen. Wie dies praktisch zu ermöglichen ist, geht aus der Richtlinie jedoch nicht hervor. Zur Klarheit kann auch Erwägungsgrund 38 S. 5 nicht beitragen, denn danach sollte „die Überprüfung der Verfügbarkeit eines

1324 Zunächst wurde ebenfalls eine Stichtagslösung mit dem Datum 1. Januar 1966 vorgeschlagen. Schließlich gilt in Polen der 24. Mai 1994 als Stichtag (nachzulesen bei *dies.*, in: García/Llorca (Hrsg.), Propiedad intelectual y mercado único digital europeo, 2020, S. 214, 209).

Werks [zwar] in der Regel in dem Mitgliedstaat stattfinden, in dem die Einrichtung des Kulturerbes ihren Sitz hat", doch wird „eine grenzüberschreitende Überprüfung als vertretbar erachtet, etwa in Fällen, in denen leicht verfügbare Informationen darüber vorliegen, dass ein literarisches Werk in einer bestimmten Sprachfassung in einem anderen Mitgliedstaat erstmals veröffentlicht wurde". Während die Konzeption in Art. 8 Abs. 5 und Art. 9 Abs. 1 und 2 DSM-RL zunächst die Kontrolle und die Regelungsbefugnis im Sitzland der Kultureinrichtung ins Spiel bringt, scheint Erwägungsgrund 38 S. 5 eher (oder zumindest für Ausnahmefälle) auf die Herkunft des Werkes zu verweisen (wobei nicht gesagt ist, dass die rechtlichen Voraussetzungen des Ursprungslandes für das *Vergriffensein* entscheidend sind).[1325] Für sich genommen kann jedes Modell die grenzüberschreitende Zugänglichmachung erleichtern, in kumulativer Anwendung bewirken sie den gewünschten Effekt jedoch gerade nicht. Die Reichweite der Recherchepflicht bleibt letztlich unklar.[1326]

2) Der territoriale Bezugspunkt der Repräsentativität

Von großer Bedeutung ist auch der territoriale Bezugspunkt der Frage nach der Repräsentativität. Im allgemeinen System der erweiterten kollektiven Lizenzen wurde angenommen, dass das Recht, welches das Bestehen und die Voraussetzungen eines erweiterten kollektiven Lizenzmechanismus bestimmt, dasjenige des Staates ist, für den eine erweiterte kollektive Lizenz erteilt werden soll. Dabei bestimmt dieses die rechtlichen Voraussetzungen an die Repräsentativität, welche sodann sinnvoller Weise eine tatsächli-

1325 Dies war bereits während des Gesetzgebungsprozesses äußerst unklar, siehe hierzu *Geiger/Frosio/Bulayenko*, JIPITEC 2018, 240, para. 8.

1326 Sie ist bislang allen Autoren unklar, siehe etwa: *Llorca*, in: García/Llorca (Hrsg.), Propiedad intelectual y mercado único digital europeo, 2020, S. 214, S. 207 f.; *Spindler*, WRP 2019, 811, 816. Für eine Anwendung des Ursprungslandprinzips, jedoch ohne Begründung und ohne Benennung des Bezugspunkts und der Wirkung *Durantaye/Kuschel*, ZUM 2019, 694, 697. Möglich erscheint es, den Status des *Vergriffenseins* eines Werkes nach dem Recht des Sitzlandes der Kulturinstitution zu bestimmen – hierzu können insbesondere typisierte Tatbestandsmerkmale, wie Stichtage, die Bestimmung erleichtern. Negative Anzeichen können diese Vermutung erschüttern und Fälle, in denen ein Werk zuerst im Ausland veröffentlicht wurde, können zu einer Überprüfungspflicht im Ausland führen. All dies mag zu unklaren Tatbeständen führen und der Rechtssicherheit abträglich sein, es ließe sich jedoch allein nach den Rechtsstandards eines Landes bestimmen. Zum *Vergriffensein* auch sogleich am Ende des Abschnitts.

che Repräsentativität im Hinblick auf den Nutzungsgegenstand und Ort beinhalten werden.[1327] Art. 8 Abs. 6 der DSM-RL scheint hingegen auf die bloße Repräsentativität der Verwertungsgesellschaften im Sitzland der jeweiligen Kultureinrichtung abzustellen. Gemäß Art. 8 Abs. 6 sehen die Mitgliedstaaten vor, dass die in Absatz 1 genannten Lizenzen bei einer Verwertungsgesellschaft anzufordern sind, die in dem Mitgliedstaat repräsentativ ist, in dem die Einrichtung des Kulturerbes ihren Sitz hat. Nach Erwägungsgrund 33 sollen die Mitgliedstaaten bei der Festlegung der Anforderungen an die Repräsentativität flexibel sein. Grundlage der Repräsentativität ist dabei „eine beträchtliche Zahl von Rechteinhabern im Bereich der einschlägigen Arten von Werken [...]", die der Verwertungsgesellschaft „ein Mandat zur Lizenzierung für die entsprechende Nutzungsart erteilt [haben]".

In der Regel werden die Lizenzen wohl bei einer Verwertungsgesellschaft angefordert, die generell im Sitzland der Kultureinrichtung repräsentativ ist. Unproblematisch ist zunächst der Fall, dass deutsche Bibliotheken bei der VG WORT um eine Lizenz für die öffentliche Zugänglichmachung von vergriffenen Werken deutscher Autoren anfragen, die sich in ihren Beständen befinden. Schwieriger zu beurteilen ist hingegen der Regelfall, dass eine Bibliothek vergriffene Werke von Autoren verschiedener Länder in ihren Beständen hält und diese umfassend zugänglich machen möchte. Schließlich lässt sich der Spezialfall unterscheiden, dass eine Kultureinrichtung, die sich ausschließlich Werken aus einem bestimmten Land oder Kulturkreis widmet, ihren Bestand öffnen will.

Ein klares Lösungskonzept lässt sich der Richtlinie nicht entnehmen. Art. 8 Abs. 6 DSM-RL mag dahingehend zu verstehen sein, dass stets die im Sitzland der Kultureinrichtung generell repräsentative Verwertungsgesellschaft für die Lizenzierung zuständig ist, unabhängig davon, ob sich ihre Repräsentativität auf die von der konkreten Lizenzierung typischerweise

1327 Gemeint ist eine tatsächliche Repräsentativität hinsichtlich der erforderlichen Nutzungsrechte und der umfassten Lizenzgebiete. Diese Verpflichtung leitete das norwegische *Kabeltvistnemda* aus dem Diskriminierungsverbot des Art. 4 des Abkommens über den Europäischen Wirtschaftsraums ab (*Kabeltvistnemda* Entscheidungen Nr. 1/2010 und 4/2010, berichtet bei *Riis/Schovsbo*, IIC 43 (2012), 930, 937). Genauso ließe sich eine derartige Verpflichtung aus dem gleichlautenden Art. 18 Abs. 1 AEUV oder aus speziellen Diskriminierungsverboten herleiten. Dazu auch *Trumpke*, Exklusivität und Kollektivierung, 2016, S. 228.

betroffenen Rechteinhaber tatsächlich erstreckt.[1328] Die Repräsentativität würde vor allem anhand der Werkart bestimmt.[1329] Ein Umkehrschluss aus Art. 8 Abs. 7 DSM-RL bestätigt dieses Konzept. Denn hier werden in lit. a) bis c) solche Werke von der vereinfachten Lizenzierung ausgeschlossen, deren Ursprung einem Drittstaat zugeordnet werden kann.[1330] Absatz 7 Unterabsatz 2 sieht sodann eine Rückausnahme vor, wenn die Verwertungsgesellschaft für Rechteinhaber des jeweiligen Drittlandes ausreichend repräsentativ ist. Ausnahme und Rückausnahme bräuchte es nicht, wenn das Richtlinienmodell bereits allgemein vom Erfordernis der tatsächlichen Repräsentativität der lizenzierenden Verwertungsgesellschaft im Hinblick auf die Nationalität der Rechteinhaber (oder die Herkunft der Werke/Erstveröffentlichung) ausgehen würde. So scheint für europäische Werke eine generelle Repräsentativität der Verwertungsgesellschaft im Sitzland der Kultureinrichtung ausreichend.

Besonders konfliktreich wird dieses Lizenzierungskonzept jedoch vor dem Hintergrund der Europäisierung des Werkzugangs, wie er nach Art. 9 Abs. 1 DSM-RL erreicht werden soll. Denn gemäß Art. 9 Abs. 1 DSM-RL sollen die Mitgliedstaaten sicherstellen, dass nach Art. 8 erteilte Lizenzen die Nutzung der Werke durch die Kultureinrichtungen in jedem Mitgliedstaat erlauben dürfen.[1331] Wie dies genau zu bewirken sein soll, geht

---

1328 Gemeint ist eine Eingrenzung der Typisierung ausgehend vom Lizenzgegenstand. Werkbestände mit ausländischer Literatur ließen sich beispielsweise anders typisieren als Bestände mit deutschsprachiger Literatur oder Literatur deutscher Autoren. Letztlich ist das auch eine Frage wie kleinteilig die Repräsentativität bestimmt wird.

1329 Gemeint sind die Werkarten (bspw. Literatur, Film oder Musik) und die Nutzungsrechte, die von der Verwertungsgesellschaft typischerweise vertreten werden (bspw. das Recht zur Zugänglichmachung über eine Onlinedatenbank). Nicht zur Repräsentativität gehört die Frage, ob die Verwertungsgesellschaften typischerweise Rechteinhaber aus einem bestimmten Land (originär) vertreten. Dafür wohl auch *Durantaye/Kuschel*, ZUM 2019, 694, 698 f. Argument ist hier die Wirksamkeit des Mechanismus, der infrage gestellt werden könnte, wenn er nicht die Mehrheit der Kultureinrichtungen mit gemischt nationalen Beständen erfasst und einer einfachen Lizenzierungsmöglichkeit zuführt. So wohl auch *Spindler*, WRP 2019, 811, 816.

1330 In lit. a) geht es um Werke, die zunächst in einem Drittland veröffentlicht wurden und in lit. b) um Kinofilme und sonstige audiovisuelle Werke, deren Produzenten ihren Hauptsitz oder gewöhnlichen Wohnsitz in einem Drittland haben. Begründet wird die Ausnahme nach Erwägungsgrund 39 mit „diplomatischen Gepflogenheiten".

1331 Nach Erwägungsgrund 40 S. 1 soll es den Einrichtungen des Kulturerbes und den Verwertungsgesellschaften schließlich freistehen, sich auf den räumlichen

aus der Richtlinie wiederum nicht hervor. Ein Mittel dies zu bewirken und zugleich die „paneuropäische Repräsentationsfiktion" auf ein festes Fundament zu stellen, läge in den Gegenseitigkeitsverträgen der Verwertungsgesellschaften. Für die Mehrheit der Wahrnehmungsbereiche bestehen diese weiterhin, nicht jedoch als „multiterritoriale Vertretungsmodelle", sondern in Form der klassischen territorialen Vertretung. Verwertungsgesellschaften beauftragen sich gegenseitig mit der Wahrnehmung des von ihnen originär wahrgenommenen Repertoires, dies jedoch beschränkt auf das jeweilige territoriale Tätigkeitsgebiet einer jeden Verwertungsgesellschaft. Dieses klassische Modell der Gegenseitigkeitsverträge vermag also zumindest innerhalb eines Territoriums weitreichende Repräsentativität herzustellen.

Vorbilder zur Ermöglichung einer multiterritorialen Vertretung im Gegenseitigkeitsmodell der Verwertungsgesellschaft finden sich jedoch gleichermaßen. Für die Rechte der Tonträgerhersteller war dies die *IFPI-Simulcasting-Vereinbarung*, für die Aufführungsrechte der Musikurheber die *Vereinbarung von Santiago* und für die Vervielfältigungsrechte die *Vereinbarung von Barcelona.* Die Vereinbarungen sahen eine Modifizierung der bestehenden Gegenseitigkeitsverträge durch Streichung der territorialen Beschränkungsklauseln und Einführung einer sogenannten *„user's residence clause"* vor. Dadurch sollte es jeder Verwertungsgesellschaft ermöglicht werden, Rechte am Gegenseitigkeitsrepertoire für europa- bzw. weltweite Nutzungen einzuräumen. Die *user's residence clause* schränkte dies zugleich so ein, dass Nutzer eine Mehrstaatenlizenz nur über die Verwertungsgesellschaft ihres „Sitzlandes" erlangen konnten. Sie war Gegenstand der Beanstandung durch die Europäische Kommission.[1332]

Geltungsbereich der Lizenzen zu einigen – einschließlich der Möglichkeit alle Mitgliedstaaten abzudecken. Was das bedeutet und wie dies sicherzustellen ist, bleibt jedoch unklar. Im deutschen Recht ist in § 51 VGG bislang keine Absicherung der grenzüberschreitenden Zirkulierbarkeit der Werke enthalten. Auch die deutsche Kommentarliteratur spricht dieses Thema bislang nicht an (siehe bspw. *Schulze*, in: Dreier/Schulze (Hrsg.), Urheberrechtsgesetz, [6]2018, § 51 VGG; *Staats*, in: Wandtke/Bullinger (Hrsg.), Praxiskommentar Urheberrecht, [6]2022, VGG, § 51). *Staats* macht lediglich für die Frage der Repräsentativität deutlich, dass die VG WORT nur Lizenzen für Schriftwerke vergibt, die in Deutschland erstveröffentlicht wurden (*ders.*, ZUM 2019, 703 und *ders.*, in: Wandtke/Bullinger (Hrsg.), Praxiskommentar Urheberrecht, [6]2022, § 51 VGG, Rn. 9).

1332 Hierzu exemplarisch *Drexl*, Copyright, Competition and Development, 2013, S. 266 ff. und *Heyde*, Die grenzüberschreitende Lizenzierung von Online-Musikrechten in Europa, 2011, S. 96 ff. Die Kommission verweigerte die Freistellung der Abkommen von *Santiago* und *Barcelona* und leite ein Verfahren gegen die am *San-*

Das Modell der vertragsgetragenen paneuropäischen Lizenzierung bei einer Verwertungsgesellschaft, die zugleich Repräsentativität im Sitzland der lizenzsuchenden Partei aufweist, erinnert stark an jene Abkommen. Kultureinrichtungen werden auf die repräsentativen Verwertungsgesellschaften in ihrem Sitzland verwiesen, was einer gesetzlichen Übernahme der besagten *user's residence clauses* gleichkommt. Auf Grundlage der Gegenseitigkeitsverträge lassen sich sodann nicht nur rechtliche Hürden, die in der Territorialität der Urheberrechte wurzeln, ohne tiefgreifenden Systemeingriff in das bestehende urheberrechtliche Kollisionsrecht überwinden, auch praktisch vermag dieses System Reibungsverluste abzubauen. Denn es stellt sich nicht nur die Frage des Umgangs mit Außenseitern, die am System der kollektiven Rechtewahrnehmung insgesamt nicht teilnehmen, sondern zunächst die Frage des Umgangs mit Rechteinhabern, die einer anderen Verwertungsgesellschaft angeschlossen sind. Über die Gegenseitigkeitsverträge lässt sich nicht nur der Rechtefluss, sondern auch die Vergütung absichern.[1333] Zugleich ließe sich das Recht der Urheber auf Information und zum *Opt-out* durch die Zusammenarbeit der Verwertungsgesellschaften auf effiziente Weise sicherstellen. Denn erstens steht stets die – aus Sicht des Rechteinhabers – räumlich und sachlich nächste Verwertungsgesellschaft als Ansprechpartner zur Verfügung, zweitens kann eine Benachrichtigung der unmittelbar lizenzierenden Verwertungsgesellschaft erfolgen und drittens könnte selbst die Benachrichtigung einer Drittgesellschaft über den ohnehin stattfindenden Informationsfluss zwischen den Verwertungsgesellschaften berücksichtigt werden.[1334]

Das wirksamste Mittel, die Kulturbestände rechtssicher europaweit zugänglich zu machen, läge jedoch in der Einführung des Ursprungslandprinzips. Art. 9 Abs. 2 DSM-RL sieht ein solches Modell vor, ist jedoch auf Werknutzungen nach Art. 8 Abs. 2 DSM-RL beschränkt und steht im Mo-

---

tiago-Abkommen beteiligten Gesellschaften ein (*Europäische Kommission*, Presseerklärung vom 3.5.2004, IP/04/586).

1333 Reibungsverluste durch die Geltendmachung doppelter Verwaltungskosten mögen bestehen.

1334 Die Informationspflichten stellen im Bereich der vergriffenen Werke grundsätzlich ein weniger drängendes Problem dar. Gemäß Art. 10 Abs. 1 Unterabsatz 2 DSM-RL wird eine zentrale Informationsstelle beim Amt der Europäischen Union für geistiges Eigentum eingerichtet und verwaltet. Dennoch können nach Art. 10 Abs. 2 Unterabsatz 2 weitere Informationsmaßnahmen erforderlich werden. Diese sind im Rahmen des Lizenzmechanismus nach Art. 8 Abs. 1 DSM-RL allein in dem Mitgliedstaat zu ergreifen, in dem (nicht *für den*!) um eine Lizenz nach Artikel 8 Abs. 1 ersucht wird.

dell der Lizenzlösung daher nicht zur Verfügung. Ein klares Lösungsmodell geht aus der Richtlinie nicht hervor. Art. 8 Abs. 2, Abs. 6 i.V.m. Art. 9 Abs. 1 DSM-RL scheint zugunsten einer europaweiten Öffnung der Werkbestände von einem Sitzlandprinzip auszugehen, dessen Wirkungsmechanismus nicht ganz deutlich wird. Um ein Ursprungslandprinzip mit territorialer Fiktion wie in Art. 9 Abs. 2 handelt es sich dem Wortlaut nach nicht. Möglich erscheint eine schlichte Erstreckung der Repräsentativität auf ausländische Rechte bzw. Gebiete, ohne dass dies gesondert geprüft bzw. tatsächlich begründet sein muss. Um Friktionen zu vermeiden, die aus diesem Modell hervorgehen, wäre die Zusammenarbeit der Verwertungsgesellschaften in Form von Gegenseitigkeitsverträgen jedenfalls erstrebenswert.

3) Das Ursprungslandprinzip in Art. 9 Abs. 2 DSM-RL

Zuletzt lohnt sich die nähere Betrachtung des besagten Art. 9 Abs. 2 der DSM-RL, welcher das Ursprungslandprinzip nach dem Vorbild der Sat-Kab-RL für vergriffene Werke aufgreift. Gemäß Art. 9 Abs. 2 DSM-RL gilt die Nutzung der Werke allein als in dem Mitgliedstaat erfolgt, in dem die Kultureinrichtung ihren Sitz hat. Art. 9 Abs. 2 der DSM-RL gilt ausdrücklich nur für Nutzungen im Rahmen einer nach Art. 8 Abs. 2 vorgesehen Ausnahme oder Beschränkung. Dabei geht es um eine lizenzlose Nutzung, die nur eingreift, sofern keine repräsentative Verwertungsgesellschaft zur Verfügung steht (Art. 8 Abs. 3 i.V.m. Abs. 1 lit. a)).

a) Das dogmatische Konzept des Ursprungslandprinzips

Entsprechend der für das Senderecht im Satellitenrundfunk entwickelten Bogsch-Theorie gilt auch für Internetsachverhalte, dass ein Eingriff in das Verwertungsrecht des § 19a UrhG grundsätzlich kumulativ im Staat der tatbestandlichen Handlung und im Staat der Abrufbarkeit erfolgt.[1335] Auch für die Kultureinrichtungen geht es hier um die öffentliche Zugänglichmachung im Internet (auf nicht-kommerziellen Internetseiten nach Art. 8 Abs. 2 lit. b) DSM-RL), womit eine rechtliche Absicherung für die jeweilige

1335 *Dreier*, in: Dreier/Schulze (Hrsg.), Urheberrechtsgesetz, ^{6}2018, Vor. §§ 120 ff. Rn. 41; *Drexl*, in: von Hein (Hrsg.), MüKo IPR II, ^{8}2021, Rom II-VO Art. 8 Rn. 297 ff.

Nutzung in allen Mitgliedstaaten erforderlich würde, in denen Werkbestände abrufbar sind.

Zur Vereinfachung der grenzüberschreitenden Zugänglichmachung vergriffener Werke durch Kultureinrichtungen ohne Lizenz bedient sich die DSM-Richtlinie nun eines sehr einfachen Tricks: Statt das Problem auf kollisionsrechtlicher Ebene anzugehen, gestaltet der europäische Gesetzgeber das Sachrecht in seinem internationalen Bezug aus. Die einschlägigen Nutzungshandlungen gelten nur als in dem Mitgliedstaat erfolgt, in welchem die Kultureinrichtung ihren Sitz hat. Dieser Mechanismus hat bereits bei der SatKab-RL von 1993 funktioniert. Das Schutzlandprinzip, wie es sich in Art. 8 Abs. 1 Rom-II-VO findet, bleibt weiterhin bestehen. Der Kläger wählt, indem er sich auf Immaterialgüterschutz für ein bestimmtes Gebiet beruft, mit seinem Vortrag das anwendbare Recht. Erst auf zweiter Ebene – der Ebene des Sachrechts – kommt es darauf an, ob auch eine verbotene Nutzungshandlung im Territorium des Schutzlandes vorliegt.[1336] Der vernünftige Kläger wird diese zweite Ebene, welche künftig vom Ursprungslandprinzip beherrscht sein wird, bereits bei der „Wahl der *lex loci protectionis*" berücksichtigen; er wird sich also nur auf den Schutz derjenigen Rechtsordnung berufen, für welche eine Verletzung tatsächlich in Betracht kommt. Mit anderen Worten: Auf das Internationale Privatrecht kommt es nicht mehr an. Egal welches nationale Recht nach den IPR-Regeln zur Anwendung kommt, materiell betroffen ist durch die Onlineveröffentlichung einer Kultureinrichtung allenfalls das Recht eines Mitgliedstaates – des Staates, in welchem die jeweilige Kultureinrichtung ihren Sitz hat.[1337] Das Ursprungslandprinzip, wie es sich im Bereich der Satellitensendungen und nun auch bei den vergriffenen Werken wiederfindet, entzieht damit eine internationale Tätigkeit ihrem internationalen Kontext und vermeidet auf diese Weise Rechtskonflikte, die sich aus der Territorialität des Urheberrechts ergeben.[1338] Es handelt sich um eine sachrechtliche Fiktion mit Wirkung auf die territoriale Reichweite einer urheberrechtlichen Nutzungshandlung.

1336 *Drexl*, in: von Hein (Hrsg.), MüKo IPR II, ^{8}2021, Rom II-VO Art. 8 Rn. 12.

1337 Für das Sendelandprinzip *Dreier*, in: Dreier/Schulze (Hrsg.), Urheberrechtsgesetz, ^{7}2022, § 20a, Rn. 3; *Schack*, Urheber- und Urhebervertragsrecht, ^{10}2021, Rn. 1170.

1338 Siehe insgesamt *Sutterer*, in: Hennemann/Sattler (Hrsg.), Immaterialgüter und Digitalisierung, 2017, S. 145, 150, 151; *Sutterer*, ZUM-RD 2017, 301, 306 Auch zu Rückwirkungen auf die Internationalen Zuständigkeit.

b) Grenzen des Ursprungslandprinzips in Art. 9 Abs. 2 DSM-RL

Worin die Erleichterung für grenzüberschreitende Nutzungen durch Einführung des Ursprungslandprinzips konkret liegen soll, erscheint zunächst unklar. Das Sendelandprinzip der SatKab-RL (umgesetzt in § 20a UrhG) und das Ursprungslandprinzip in Art. 3 Abs. 1 der SatKab-Online-RL (RL 2019/790/EU) dienen vor allem der Erleichterung der Lizenzierung für grenzüberschreitende Nutzungen. Entsprechend ist der Anwendungsbereich (bzw. Tatbestand) sehr weit formuliert. Im Rahmen der SatKab-RL genügt nach Art. 1 Abs. 2 lit. b) die öffentliche Wiedergabe über Satellit; in Art. 3 Abs. 1 der SatKab-Online-RL findet sich schon ein sehr viel engerer Tatbestand. Voraussetzung ist insbesondere, dass es sich um eng umschriebene Programmarten handelt und ein „ergänzender Online-Dienst" eines Sendeunternehmens Gegenstand der Online-Zugänglichmachung ist.

Art. 9 Abs. 2 der DSM-RL verweist dagegen auf Nutzungen, die im Rahmen der Ausnahme nach Art. 8 Abs. 2 der Richtlinie stattfinden. Die Erfüllung der Tatbestandsvoraussetzungen nach Art. 8 Abs. 2 DSM-RL wird damit selbst zur Voraussetzung der Anwendung des Ursprungslandprinzips. Um eine Auflösung des Problems der territorialen Bestimmung u.a. des Merkmals *Vergriffensein* der Werke[1339] kann es also nicht gehen, denn die Eingangskriterien die erfüllt werden müssen, um die Rechtfolge des Art. 9 Abs. 2 DSM-RL (*territoriale Fiktion*) auszulösen, decken sich mit den Kriterien, vor deren kumulativer Anwendbarkeit Art. 9 Abs. 2 DSM-RL schützen könnte. Was allein ersetzt und somit der territorialen Fiktion zugeführt werden kann, ist das Merkmal des *nicht Vorhandenseins einer repräsentativen Verwertungsgesellschaft* nach Art. 8 Abs. 3 i.V.m. Abs. 1 lit. a) DSM-RL. Sobald also eine repräsentative Verwertungsgesellschaft im Sitzland der Kulturinstitution fehlt, können unter den weiteren Voraussetzungen des Art. 8 Abs. 2 DSM-RL (die grundsätzlichen in jedem Mitgliedstaat erfüllt sein müssen, in welchem die Werke zugänglich gemacht werden) die Werkbestände der Kultureinrichtung EU-weit zugänglich gemacht werden.

1339 Die Erfüllung der Tatbestandsvoraussetzungen nach Art. 8 Abs. 2 DSM-RL – maßgeblich die Qualifikation als Einrichtung des Kulturerbes, die Qualifikation des Verbreitungsgenstands als vergriffen, die Nichtkommerzialität des Zwecks und der Internetseite über welche der Werkzugang erfolgen soll und schließlich die Nennung des Rechteinhabers (soweit möglich) – ist Eingangstor (Voraussetzung) zum Ursprungslandprinzip.

Das Ursprungslandprinzip löst die Probleme der territorialen Bestimmung des *Vergriffenseins* daher nicht. Dies ist jedoch auch nicht möglich, da es sich um eine faktische Frage handelt, die sich von Land zu Land unterschiedlich beurteilen kann. Ein Werk kann in einem Mitgliedstaat vergriffen sein, muss dies aber nicht in einem anderen Mitgliedstaat sein.[1340] Was hingegen gelöst wird, ist die Frage des territorialen Bezugspunkts der Repräsentativität. Sie muss im Schrankenmodell nach Art. 8 Abs. 2 und 3 DSM-RL nur einmal, und zwar im Sitzland der Kultureinrichtung geprüft werden. Dies lässt sich auch auf die Interpretation des Sitzlandprinzips in Art. 8 Abs. 1, Abs. 6 i.V.m. Art. 9 Abs. 1 DSM-RL übertragen. Denn aus systematischer Sicht lässt sich hieraus schließen, dass durch Art. 9 Abs. 2 das Modell der Nutzung ohne Lizenz, dem Modell der Nutzung mit Lizenz angeglichen werden soll. Die Lizenzsuche soll in beiden Fällen nur einmal, und zwar im Sitzland der Kultureinrichtung notwendig werden.[1341]

E. Ergebnis

Bei gesetzlichen Vermutungen und anderen Mechanismen der Wahrnehmung von Rechten ohne Zustimmung der Rechteinhaber handelt es sich um schrankenähnliche Mechanismen, die grundsätzlich dem Recht desje-

1340 Interessant ist insoweit ein Vergleich mit der älteren Regelung zu den verwaisten Werken, wo der europäische Gesetzgeber den Ort der Suche nach dem Rechteinhaber selbst festgelegt hat (Art. 3 RL 2012/28/EU). In Art. 4 der Verwaiste-Werke-RL wird sodann ausdrücklich die unionsweite Anerkennung des Status des *Verwaistseins* des Werkes angeordnet: „Ein Werk […], das […] in einem Mitgliedstaat als verwaistes Werk gilt, gilt in allen Mitgliedstaaten als verwaistes Werk. Dieses Werk […] kann [dann] in allen Mitgliedstaaten genutzt werden und es kann auf dies[s] zugegriffen werden." Der Unterschied liegt wie oben beschrieben darin, dass der Status des *Verwaistseins* einheitlich betrachtet werden kann, wohingegen der Status des *Vergriffenseins* vom jeweiligen Markt abhängig ist (wobei eine Vermutung besteht, dass ein Werk, das in einem Mitgliedstaat vergriffen ist (besonders, wenn dies der Staat der Erstveröffentlichung ist), auch in anderen Mitgliedstaaten nicht mehr auf üblichen Vertriebswegen erhältlich ist – zwingend ist dies aber nicht.). Siehe hierzu auch *Sutterer*, ZUM 2022, 422, unter V.3.

1341 So im Ergebnis wohl auch *Staats*, ZUM 2019, 703, 707 f. Argumentativ lässt sich das auf einen Erst-Recht-Schluss stützen. Denn wenn eine Kultureinrichtung ohnehin nur in ihrem Sitzland nach einer repräsentativen Verwertungsgesellschaft suchen muss, und – sofern diese nicht vorhanden ist – dies auch die Suche im Ausland ersetzt (bei gleichzeitiger EU-weiter Zugänglichmachung), so muss dies erst recht für die Lizenzlösung gelten, da sie der Zugänglichmachung mehr Legitimität vermittelt. Mit weiteren Argumenten *Sutterer*, ZUM 2022, 422, 429.

nigen Staates unterfallen, in welchem eine Nutzung auf dieser Basis stattfindet (*lex loci protectionis*). Die VG-RL nimmt keinen Einfluss auf das Internationale Privatrecht in diesem Bereich und führt auch nicht durch sonstige Anerkennungsprinzipien zu Binnenmarkterleichterung zugunsten derjenigen Verwertungsgesellschaften, die erweiterte kollektive Lizenzen vergeben wollen.[1342] Die VG-RL regelt den Gegenstand der erweiterten kollektiven Lizenzen nicht (Erwägungsgrund 12).

Hingegen sind erweiterte kollektive Lizenzen Regelungsgegenstand der DSM-RL. Diese ermöglicht in Art. 12 zunächst nationale Initiativen im Hinblick auf Vermutungen und sonstige Mechanismen der erweiterten Geltung von kollektiven Lizenzen. Eine europäische Lösung war notwendig, da bestehende Modelle teilweise nicht in Einklang mit der InfoSoc-RL standen.[1343] Die territoriale Beschränkung der Geltung derartiger Modelle auf das Hoheitsgebiet des rechtssetzenden Mitgliedstaates wird in Art. 12 Abs. 1 S. 1 DSM-RL sogleich bestätigt. Problematisch erscheint jedoch insbesondere der Bezugspunkt der Repräsentativität. Zunächst ist die Frage der Repräsentativität ebenfalls eine des Rechts des Nutzungslands einer erweiterten kollektiven Lizenz. In materiell-rechtlicher Hinsicht wird sie sich aber soweit wie möglich nach dem Lizenzgegenstand richten, wozu auch Diskriminierungsverbote verpflichten können. Gegenseitigkeitsverträge sind dazu geeignet, Friktionen zu vermeiden und der Repräsentativität ein tragendes Fundament zu geben.

Schwieriger zu beurteilen sind die territorialen Bezugspunkte innerhalb der europäischen Regulierung des Zugangs zu vergriffenen Werken nach Art. 8 ff. DSM-RL. Zwei Modelle sind in der Richtlinie zu unterscheiden: Während das Grundmodell mit einer erweiterten kollektiven Lizenz – aufbauend auf die Lizenzierung durch repräsentative Verwertungsgesellschaften – arbeitet, setzt das subsidiäre Hilfsmodell auf eine lizenzfreie Nutzung, was die Einführung einer formellen Schranke erforderte. Kollisionsrechtlicher Ausgangspunkt ist auch im Bereich der vergriffenen Werke die *lex loci protectionis*. Dabei ergeben sich jedoch Unsicherheiten im Hinblick auf den räumlichen Bezugspunkt einzelner Tatbestandsmerkmale. So scheint eine weitreichende Anerkennung ausländischer Entscheidungen zugunsten einer möglichst einfachen Zugänglichmachung der Werkbestände im Binnenmarkt in der Richtlinie angelegt zu sein.

1342 Ausgenommen sind hier administrative Erleichterung.

1343 Siehe EuGH, C-301/15, ECLI:EU:C:2016:878 – *Soulier und Doke*.

Im Lizenzmodell stellen sich Anerkennungsfragen vor allem für den Status des *Vergriffenseins* und der Repräsentativität. Zumindest hinsichtlich der Frage der Repräsentativität scheint die Richtlinie doch deutlich eine Konzentration auf das Sitzland der Kultureinrichtungen vorzusehen. Drohende Friktionen lassen sich auch hier am besten durch ein umfassendes Netz an Gegenseitigkeitsverträgen auflösen. In Art. 9 Abs. 2 DSM-RL wird schließlich das Ursprungslandprinzip in Form einer territorialen Fiktion eingeführt; die Nutzung der Werke gilt allein als in dem Mitgliedstaat erfolgt, in dem die Kultureinrichtung ihren Sitz hat. Dieses Modell ersetzt praktisch aber nur die Suche nach einer potentiell repräsentativen Verwertungsgesellschaft im Ausland. Besteht keine repräsentative Verwertungsgesellschaft im Sitzland der Kultureinrichtung, kann diese sich für die Zugänglichmachung ihrer Werkbestände in der gesamten EU auf die Schranke in Art. 8 Abs. 2 DSM-RL stützen – unter dem Vorbehalt, dass die üblichen Voraussetzungen der Schranke dort jeweils erfüllt sind. Auch dies spricht schließlich für eine Anwendung des Sitzlandprinzips zugunsten des Status einer Verwertungsgesellschaft im Hinblick auf ihre Repräsentativität bei einer Lizenzierung nach Art. 8 Abs. 1 DSM-RL.

Schlussbetrachtung

Anlass zur Untersuchung des Kollisionsrechts der kollektiven Rechtewahrnehmung gab die Reform des Wahrnehmungsrechts auf europäischer Ebene. Von der Europäisierung der Verwertungsgesellschaften sollen entscheidende Impulse für einen Binnenmarkt für kreative Güter ausgehen. In der Tat sind Verwertungsgesellschaften zentrale Akteure im Handel mit Urheber- und verwandten Schutzrechten und somit ein wesentlicher Baustein des digitalen Binnenmarkts, des kreativen Binnenmarkts oder schlicht eines Kultur- und Wissensbinnenmarkts. Umso überraschender scheint es, dass weder das VGG noch die europäische VG-RL ein eigenständiges kollisionsrechtliches Konzept für die grenzüberschreitende kollektive Rechtewahrnehmung bereithalten. Gleichzeitig ist die grenzüberschreitende Tätigkeit der Verwertungsgesellschaften nicht auf Europa begrenzt, vielmehr werden die von Verwertungsgesellschaften gehandelten Rechte international nachgefragt. Neu entstandene Lizenzierungsinitiativen beschränken sich konsequenter Weise nicht auf Europa, sondern versuchen möglichst weltweite Lösungen bereitzustellen. Dies machte eine Zweistufigkeit der Prüfung erforderlich, in welcher zunächst nach einem Kollisionsrecht für allgemein grenzüberschreitende Konstellationen gefragt und anschließend Besonderheiten für Verwertungsgesellschaften in der EU untersucht wurden.

Da das deutsche Verwertungsgesellschaftsrecht und auch die VG-RL kein Kollisionsrecht für die kollektive Rechtewahrnehmung bereithalten, war dieses auf andere Weise zu ermitteln. Der Ansatz zur Entwicklung des kollisionsrechtlichen Modells stützte sich auf eine Untersuchung des Wesens der Verwertungsgesellschaften und des Verwertungsgesellschaftsrechts. Gegründet auf Initiative der Rechteinhaber entwickelten sich Verwertungsgesellschaften zu einer tragenden Säule des Urheberrechtssystems und zu einem Vehikel urheberrechtlicher Regulierung. Doch steht bereits die Grundkonzeption der kollektiven Ausübung des Urheberrechts in offensichtlichem Konflikt mit wettbewerbsrechtlichen Prinzipien. Entsprechend muss das Verwertungsgesellschaftssystem weitere Interessenpositionen in sich aufnehmen, gleichzeitig bleibt das Kartellrecht ein wichtiger Faktor zur Regulierung von Verwertungsgesellschaften.

Vor diesem Hintergrund stellt sich das Verwertungsgesellschaftsrecht als eine typische Querschnittsmaterie dar. Es nimmt die Wertungen angrenzender Rechtsbereiche idealerweise in sich auf und verhilft diesen so zu einer konsequenteren Umsetzung. Diesem Gedanken ist auf Ebene des Kollisionsrechts Rechnung zu tragen, indem die Rechte und Pflichten bzw. die jeweiligen Rechtsverhältnisse funktionsbezogen betrachtet werden. Sowohl für das Urheberrecht als auch für das Kartellrecht besteht ein weitgehend anerkanntes und ausdifferenziertes Kollisionsrecht, dessen Wertungen auf das Verwertungsgesellschaftsrecht zurückbezogen werden können, wenn das Verwertungsgesellschaftsrecht sich – materiell-rechtlich – selbst in den Dienst einer dieser Rechtsinstitutionen stellt. Wo und inwiefern dies der Fall ist, ist durch Qualifikation zu ermitteln.

Die funktionale Analyse des Verwertungsgesellschaftsrechts stand daher unter folgender Prämisse: Genauso wenig wie Verwertungsgesellschaften ein eigenes Interesse verfolgen, eine eigenständige Funktion erfüllen und ein in sich geschlossenes System bilden, kann das Verwertungsgesellschaftsrecht als geschlossenes Rechtssystem verstanden werden. Es steht nicht nur in Interaktion mit angrenzenden Rechtsbereichen – wie dies im Recht stets der Fall ist –, sondern hat seine eigentliche Funktion in der Effektuierung angrenzender Rechtssysteme, welche vor allem das Urheberrecht und das Kartellrecht sind. Doch sind die angrenzenden Rechtsbereiche nicht nur als mögliche „Qualifikationsschablonen“ von Bedeutung, ihnen kommt auch weiterhin eine tragende und eigenständige Rolle für die Funktionsgewährleistung des Verwertungsgesellschaftssystems zu. Sie bilden nicht zuletzt eigenständige Bausteine in der Konstruktion zur Kontrolle der Verwertungsgesellschaften. Dort, wo Einzelpositionen gegenüber den Verwertungsgesellschaften oder systemische Funktionen der Verwertungsgesellschaften bereits auf andere Weise geschützt werden, kann das Kollisionsrecht für die kollektive Rechtewahrnehmung grundsätzlich liberaler ausfallen als dort, wo dies nicht der Fall ist. Liberalität meint in diesem Zusammenhang Tätigkeitsvereinfachungen zugunsten der Verwertungsgesellschaften, indem diese beispielsweise das geltende Recht wählen können oder zumindest mit nur einem Verwertungsgesellschaftsrecht konfrontiert werden, selbst wenn ihre Tätigkeit Bezug zu mehreren Staaten aufweist.

Das Verwertungsgesellschaftsrecht ist dem Wirtschaftsrecht zuzuordnen. Dies erschwert die Suche nach einem „neutral“ bzw. allseitig ausgestalteten Kollisionsrechts. Denn das Wirtschaftskollisionsrecht ist davon geprägt, den ordnungspolitischen Charakter einer Regelungsmaterie zu erhalten und die ordnungspolitischen Interessen der Staaten gegeneinander abzugrenzen. Das Wirtschaftsrecht zeichnet sich gerade dadurch aus, dass es eine institutionelle Grundlage für wirtschaftliches Verhalten und wirtschaftliche Entwicklung bereithält. Diese Funktion der Marktgestaltung können ordnungspolitische Normen in einem internationalen Umfeld aber grundsätzlich nur erfüllen, wenn ihre kollisionsrechtliche Anknüpfung von der Wirkung her gedacht wird, die ein geregeltes Verhalten auf ein geschütztes Rechtsgut hat. Doch weist das Auswirkungsprinzip auch Schwächen auf. Sie bestehen nicht zuletzt darin, Normkonflikte aufzulösen und für Rechtssicherheit zu sorgen, indem für die handelnden Parteien vorhersehbar ist, welches ordnungspolitische Regime sie zu befolgen haben.

Das Internationale Privatrecht sucht den Sitz eines Rechtsverhältnisses maßgeblich auf Grundlage der kollisionsrechtlichen Interessen. Etabliert haben sich dabei die Kategorien der Verkehrs-, Partei- und Ordnungsinteressen. Die Verkehrsinteressen werden mittelbar auch im Konzept der VG-RL hervorgehoben. Will man den grenzüberschreitenden Urheberrechtsverkehr fördern, ist es zunächst sinnvoll die Verwertungsgesellschaften als die maßgeblichen Transaktionsakteure des Urheberrechts in den Blick zu nehmen und mit nur einem Recht zu konfrontieren – oder besser noch, ihnen die Wahl des Rechts selbst zu überlassen. Die Parteiinteressen weiten den Blick hin zu anderen Interessengruppen. Dies sind nicht zuletzt die typischerweise schwächeren Parteien. Im Wahrnehmungsrecht stehen den Verwertungsgesellschaften zunächst die Rechteinhaber und die (kommerziellen) Rechtenutzer gegenüber. Da die Parteiinteressen insbesondere die kollisionsrechtliche Absicherung von Parteienschutz in grenzüberschreitenden Konstellationen zum Ziel haben, ist auch nach der Erforderlichkeit der Absicherung des Parteienschutzes zu fragen. Die Erforderlichkeit kann erstens marktmäßig begründet sein und sie kann zweitens durch eine hinreichende Absicherung durch andere (Kontroll-)Institutionen entfallen. Dies sind im Verwertungsgesellschaftssystem die interne und die externe Aufsicht sowie das Kartellrecht. Die Untersuchung ergab dabei ein differenziertes Bild. Die Rechteinhaber erfahren eine strukturelle Stärkung ihrer Position im Markt der kollektiven Rechtewahrnehmung. Sie haben außerdem weitreichende Einflussmöglichkeiten über ihre Mitwirkungsmöglichkeiten in den Gremien der Verwertungsgesellschaften.

Im Urheberrecht und im Internationalen Wirtschaftsrecht sind es jedoch zunächst die Ordnungsinteressen, die besondere Berücksichtigung verlangen. Hierhin gehört auch die Funktionssicherung des Systems der kollektiven Rechtewahrnehmung, welches freilich nicht nur ordnungspolitischer Natur ist, sondern gleichfalls im Partei- und Verkehrsinteresse liegt. Dem klassischen Internationalen Privatrecht folgend zielt das Ordnungsinteresse zunächst darauf ab, Normwidersprüche zu vermeiden, ein leicht ermittelbares Recht anzuwenden und zu einer durchsetzbaren Entscheidung zu gelangen. Dieser Arbeit lag allerdings noch ein anderes Verständnis des international-privatrechtlichen Ordnungsinteresses zugrunde, welches besser mit dem Terminus „ordnungspolitisches Interesse" umschrieben ist. Im Bereich des regulatorischen Privatrechts besteht ein grundsätzlich anerkennenswertes Interesse derjenigen Staaten, auf deren Territorium oder auf deren Markt sich eine wirtschaftliche Betätigung auswirkt, den Ordnungsrahmen zu formulieren. Dieses auswirkungsbezogene Ordnungsinteresse besteht für die Betätigung der Verwertungsgesellschaften grundsätzlich nicht nur in ihrem Sitzstaat, sondern auf allen Märkten, an denen eine Verwertungsgesellschaft teilnimmt. Der Auswirkungsgedanke wird gleichfalls in der urheberrechtlichen *lex loci protectionis* und im Internationalen Wettbewerbsrecht gespiegelt, doch lässt sich eine Abstufung des Interessenschwerpunkts zwischen Lizenz- und Wahrnehmungsverhältnis vornehmen.

Im Wahrnehmungsverhältnis löst sich der Marktbezug zunehmend auf und wird mehr und mehr zu einer Frage der individuellen Rechtsposition der Rechteinhaber gegenüber den Verwertungsgesellschaften. Ein deutsches Regulierungsinteresse an der Verteilung der Einnahmen einer ausländischen Verwertungsgesellschaft gegenüber einem ausländischen Rechteinhaber lässt sich kaum begründen. Das Allgemeininteresse an der Funktionssicherung der kollektiven Rechtewahrnehmung zerfällt in unterschiedliche Parteiinteressen der Rechteinhaber und zugleich lässt sich der staatliche Regulierungswille durch die öffentlich-rechtliche Komponente des Verwertungsgesellschaftsrechts auffangen. Das Aufsichtsrecht kann einen abstrakten Interessenausgleich schaffen und ist jenseits der EU-Verwertungsgesellschaften auch nicht durch das Sitzlandprinzip zwingend begrenzt. Das „Sitzlandprinzip" ist aber für die Wahrnehmungsbeziehungen ein grundsätzlich sinnvolles Rechtsanwendungsprinzip. Durch die Verknüpfung mit dem international-privatrechtlichen Wahrnehmungsstatut wird ein genereller Gleichlauf zwischen privatrechtlichen und öffentlich-rechtlichen Rechten und Pflichten in dem Staat gewährleistet, in welchem zumindest schwerpunktmäßig die Beaufsichtigung erfolgt. Die Anwendung des Wahrnehmungsstatuts berücksichtigt mithin die ordnungspolitische Nähe im Sitzland der Verwertungsgesellschaft.

Während also das Wahrnehmungsverhältnis grundsätzlich vom Wahrnehmungsstatut beherrscht wird, wurde für das Lizenzverhältnis ein auswirkungsbezogener Ansatz gewählt. Ausgangspunkt war die Abgrenzung von Wahrnehmungs- und Abschlusszwang auch in ihren jeweiligen urheberrechtlichen Funktionen. Der Wahrnehmungszwang erwies sich als eine Reaktion auf allgemeine wettbewerbliche Zugangsprobleme, welchen grundsätzlich mit dem Wettbewerbsrecht und einer tatsächlichen Stärkung des Wettbewerbs um die Rechteinhaber (auswirkungsbezogen) begegnet werden kann. Dieser liberalere Ansatz dient der Förderung der grenzüberschreitenden Betätigung der Verwertungsgesellschaften. Einschränkungen mussten im Bereich der Wahrnehmung verwertungsgesellschaftspflichtiger Rechte und gesetzlicher Vergütungsansprüche erfolgen. Denn dort nehmen die Verwertungsgesellschaften eine andere Rolle ein, die sich unmittelbar auf die Funktionsgewährleistung des Urheberrechts bezieht. Klarzustellen war jedoch, dass die Anwendung der strengen *lex loci protectionis* dann nicht erforderlich ist, wenn Verwertungsgesellschaften gesetzliche Vergütungsansprüche und verwertungsgesellschaftspflichtige Rechte nur mittelbar wahrnehmen, d.h. sich nicht selbst aktiv an der Lizenzierung oder der Einziehung der Vergütung im Schutzland beteiligen.

Das Lizenzverhältnis, insbesondere der Abschlusszwang und die damit verbundene Tarifkontrolle, reflektiert eine andere Funktion der Verwertungsgesellschaften im System des Urheber- und Wahrnehmungsrechts. Als wesentliches Vehikel zur Vereinfachung der Werknutzung zeigt sich im Lizenzverhältnis ein Regelungskonzept, welches als Antwort auf strukturelle Probleme im Zusammenhang mit der Konzeption des Urheberrechts als Ausschließlichkeitsrecht und in seiner Wirkungsweise damit als eine Alternative zum formalen Schrankenkonzept im Urheberrecht verstanden werden kann. Wettbewerbliche Prinzipien liegen den Zugangsansprüchen ebenso zugrunde wie urheberrechtliche. Zugleich kann auf die strenge Anwendung des Auswirkungsprinzips auf Lizenzebene nicht verzichtet werden, da der Wettbewerb der Verwertungsgesellschaften um attraktive Repertoires die Abhängigkeit der Nutzer nicht verringert. Rechte und Pflichten der Verwertungsgesellschaften, welche sich auf das Lizenzverhältnis beziehen, folgen daher insgesamt einem auswirkungsbezogenen Ansatz, welcher zur Anwendung der *lex loci protectionis* führt. Das Gegenseitigkeitsverhältnis von Verwertungsgesellschaften ist schließlich vertragsrechtlich geprägt.

Die Frage der Definition von Verwertungsgesellschaften erweist sich nicht als kollisionsrechtliche Vorfrage, sondern als akzessorisch anzuknüpfende Teilfrage. Sie erfährt keine eigenständige Relevanz, sondern dient allein der Eröffnung des Anwendungsbereichs einer speziellen Rechtsmaterie, welche ihrerseits besondere Verpflichtungen einführt und damit Rechtsverhältnisse begründet, nach deren kollisionsrechtlicher Behandlung allein zu fragen ist.

Die Untersuchung führte zu konkret ausgestalteten kollisionsrechtsrechtlichen Leitsätzen, die am Ende von *Teil 3, Kapitel 1* nachgelesen werden können.

Die Untersuchung von Tätigkeitserleichterungen für Verwertungsgesellschaften im Binnenmarkt baute sodann auf diesem kollisionsrechtlichen Ergebnis auf. Die vorherrschende Frage lautete, inwiefern das harmonisierte Verwertungsgesellschaftsrecht mit der ausdrücklichen Formulierung eines Sitzlandprinzips und dem expliziten Ziel der Europäisierung der Tätigkeit von Verwertungsgesellschaften das kollisionsrechtliche Ergebnis beeinflusst. Dabei zeigte sich schnell, dass die VG-RL nicht unmittelbar zu einer Anpassung des jeweiligen nationalen Regelungsrahmens für Verwertungsgesellschaften führt, sondern Beschränkungen der Tätigkeitsausübung der Verwertungsgesellschaften an den Maßstäben der Dienstleistungsfreiheit zu messen sind. Die strenge Durchsetzung der Rechtsmaßstäbe des Bestimmungslandes stellt sich in diesem Konzept als Beschränkung der Dienstleistungsfreiheit der Verwertungsgesellschaften dar, wenn sie auf eine Berücksichtigungspflicht mehrfacher Standards hinausläuft. Erst innerhalb der Prüfung der Rechtfertigung einer konkreten Beschränkung ist die Berücksichtigung des Harmonisierungsstands entscheidend. Denn dort, wo der europäische Gesetzgeber bereits einen gemeinsamen Standard geschaffen hat, ist grundsätzlich auch davon auszugehen, dass ein nationales Abweichen mit Wirkung gegenüber ausländischen Gesellschaften nicht erforderlich ist bzw. einem erhöhten Begründungsaufwand unterliegt. Die VG-RL ist dabei zwar der bedeutendste, jedoch nicht der einzig relevante Harmonisierungsakt, um dem Prinzip der gegenseitigen Anerkennung ein Fundament zu geben. So drängt sich in jenen Bereichen, die aufgrund ihrer urheberrechtlichen Verstrickungen kollisionsrechtlich dem Schutzlandprinzip unterliegen, eine Berücksichtigung der urheberrechtlichen Harmonisierung auf. Das Harmonisierungsniveau wird zum entscheidenden Faktor, der einer Rechtfertigung der Anwendung strengerer und somit beschränkender Doppelstandards entgegenstehen kann.

Nur in Ausnahmefällen führt die europäische Harmonisierung zu einer Pflicht der gegenseitigen Anerkennung von Kontrolle bzw. Kontrollmaßstäben. Nicht erforderlich und damit nicht gerechtfertigt ist beispielsweise die Durchsetzung eines national strengeren Wahrnehmungszwangs im Bereich der verwertungsgesellschaftspflichtigen Rechte und gesetzlichen Vergütungsansprüche, da bereits der europäische Maßstab hinreichenden Individualschutz und zugleich hinreichenden Systemschutz im Hinblick auf das Urheberrecht schafft. Gleiches gilt für nationale Informationsstandards der Verwertungsgesellschaften in Werk- und Lizenzfragen. Auch in diesem Fall genügt die Anwendung eines nationalen Standards auf der Basis des harmonisierten Verwertungsgesellschaftsrechts. Eine Durchsetzung strengerer nationaler Regelungen gegen ausländische EU-/EWR-Gesellschaften würde sich daher als nicht gerechtfertigte Beschränkung ihrer Dienstleistungsfreiheit darstellen. In der Mehrheit der Fälle erweisen sich Beschränkungen der Dienstleistungsfreiheit, die auf die Anwendung der Rechtsstandards des Marktorts zurückzuführen sind, dagegen als gerechtfertigt. Dies betrifft namentlich die Frage der Verteilung von Einnahmen aus gesetzlichen Vergütungsansprüchen, da in diesem Fall weder die VG-RL noch das harmonisierte Urheberrecht eine Grundlage für die gegenseitige Anerkennung bieten. Hindernisse für die Rechtewahrnehmung im Binnenmarkt werden bereits dadurch abgebaut, dass die Berücksichtigungspflicht ausländischer Standards in zweifacher Hinsicht begrenzt ist. Sie gilt nur bei unmittelbarer Einziehung der Vergütungsansprüche oder Lizenzierung der verwertungsgesellschaftspflichtigen Rechte; außerdem muss jedes beschränkende Verhalten bezwecken (und geeignet sein), negative Effekte auf die Vergütungssicherung der Rechteinhaber zu verhindern und so das Urheberrecht in seiner Funktionsfähigkeit zu wahren.

Einen Schwerpunkt der Untersuchung bildeten Fragen des Rechtezugangs, welche sich vor allem in der Tarifkontrolle materialisieren. Aufgrund der Marktbesonderheiten und der unterschiedlichen Berücksichtigung in der VG-RL war eine Unterscheidung dreier Bereiche für die Tarifkontrolle erforderlich. Am deutlichsten fiel die Entscheidung gegen das Prinzip der gegenseitigen Anerkennung bei der Festlegung der Vergütungshöhe im Bereich der (vergütungspflichtigen) Schranken aus. Sie erfahren in der VG-RL keine Regelung und ergeben sich daher aus den Besonderheiten der Schranke selbst. Hinsichtlich der Schranken der InfoSoc-RL hat der EuGH entschieden, dass „der gerechte Ausgleich" zwar ein autonomer Unionsbegriff ist, für die genaue Bestimmung dieses gerechten Ausgleichs, insbesondere für seine Höhe, aber die Mitgliedstaaten die Verantwortung tragen. Schwieriger zu beurteilen war die Tarifkontrolle bei Wahrnehmung des Ausschließlichkeitsrechts. Die Berücksichtigungspflicht nationaler Besonderheiten in Lizenzzugangsfragen erweist sich zwar als eine Beschränkung der Dienstleistungsfreiheit der Verwertungsgesellschaften im Binnenmarkt, sie ist jedoch gerechtfertigt, weil räumliche Marktbesonderheiten auch auf Ebene des Kartellrechts, worin jene Regelungen maßgeblich wurzeln, anerkannt sind und weil die Durchsetzung der Tarifstandards zum Schutz der anerkannten Unionsziele des Verbraucherschutzes und des Schutzes der kulturellen Vielfalt erforderlich ist. Der EuGH hat selbst stets die Berücksichtigungsfähigkeit nationaler und regionaler Besonderheiten betont. Die dafür angeführten Argumente verlieren auch im harmonisierten europäischen System der kollektiven Rechtewahrnehmung nicht an Bedeutung. Schließlich erfolgte eine gesonderte Untersuchung der Tarifkontrolle für den Bereich der Mehrgebietslizenzen. Sie zeigte, dass die Mechanismen der Mehrgebietslizenzen nicht in einer Vereinheitlichung der Lizenzbedingungen, sondern in der Repertoireakkumulation wurzeln. Die Lizenzzugangskontrolle nach nationalem Recht wird daher nicht verändert.

Ein gesondertes Kapitel widmete sich schließlich der Behandlung von erweiterten kollektiven Lizenzen und den Regelungen zur zentralen Zugänglichmachung von vergriffenen Werken. Ihre Regelung erfolgt auf EU-Ebene durch die DSM-RL, die VG-RL berührt diesen Gegenstand ausdrücklich nicht (ErwG 12). Das Thema ist sowohl aus kollisionsrechtlicher Sicht als auch mit Blick auf Erleichterungen im Binnenmarkt interessant. Ausgangspunkt ist auch hier das Schutzlandprinzip. Zu Unklarheiten im europäischen Konzept der erweiterten kollektiven Lizenzen führt lediglich die Frage nach dem Bezugspunkt der Repräsentativität. Er sollte sich zumindest in materiell-rechtlicher Hinsicht so weit wie möglich nach dem Lizenzgegenstand richten, wozu auch Diskriminierungsverbote verpflichten können. Schwieriger zu beurteilen waren die territorialen Bezugspunkte innerhalb der europäischen Regulierung des Zugangs zu vergriffenen Werken nach Art. 8 ff. DSM-RL. Unklarheiten bestehen im Hinblick auf den räumlichen Bezugspunkt einzelner Tatbestandsmerkmale. Im Lizenzmodell stellen sich Anerkennungsfragen vor allem für den Status des *Vergriffenseins* und der Repräsentativität. Zumindest hinsichtlich der Frage der Repräsentativität scheint die Richtlinie doch deutlich eine Konzentration auf das Sitzland der Kultureinrichtungen vorzusehen. Für lizenzfreie Nutzungen wird in Art. 9 Abs. 2 DSM-RL schließlich das Ursprungslandprinzip in Form einer territorialen Fiktion eingeführt. Dieses Modell ersetzt praktisch aber nur die Suche nach einer potentiell repräsentativen Verwertungsgesellschaft im Ausland.

Entwickelt wurde das Kollisionsrecht in dieser Arbeit auf Grundlage eines funktionsbasierten Ansatzes und aus den systematischen Zusammenhängen innerhalb der Querschnittsmaterie Verwertungsgesellschaftsrecht. Es ist insoweit verallgemeinerbar und überall dort gültig, wo die Funktionsbezüge des Verwertungsgesellschaftsrechts in entsprechender Form bestehen. Es wäre sicherlich im Sinne der Verwertungsgesellschaften und ihrer internationalen Ambitionen, wenn sich zumindest ein in Grundzügen ausformuliertes Kollisionsrecht der kollektiven Rechtewahrnehmung entwickeln würde. Überraschend ist vor diesem Hintergrund, dass auch die Rechtsprechung bislang kaum Eckpfeiler zu dieser Problematik setzen konnte. Dies mag jedoch darin liegen, dass die meisten Rechtsordnungen dem Eindringen von Verwertungsgesellschaften auf ihren Markt bereits aufsichtsrechtlich einen Riegel vorschieben. Zunehmend zeigen sich aber besonders bei der Wahrnehmung der Ausschließlichkeitsrechte konkrete Entwicklungen einer Internationalisierung. Möglicherweise können Teile dieser Arbeit einen ersten Grundstein für differenziertere Konzepte in der Praxis legen.

Literaturverzeichnis

Alich, Stefan, Neue Entwicklungen auf dem Gebiet der Lizenzierung von Musikrechten durch Verwertungsgesellschaften in Europa, GRUR Int. 2008, S. 996–1007.

Altemark, Christine, Wahrnehmung von Online-Musikrechten im Europäischen Wirtschaftsraum – Unter besonderer Berücksichtigung des Systems der Rechtewahrnehmung seit der Empfehlung der Kommission vom 18. Oktober 2005, Frankfurt am Main 2011.

von Arnim, Hans Herbert, Gemeinwohl und Gruppeninteressen, Frankfurt a.M. (1977).

Kühling, Jürgen/Buchner, Benedikt (Hrsg.), Datenschutz-Grundverordnung BDSG – Kommentar, 3. Aufl., München 2020.

Badowski, Jerzy Andrzej, § 4, Die Rechtsbeziehung zwischen Verwertungsgesellschaft und Urheber – Das polnische Recht – Dargestellt am Beispiel der Verwertungsgesellschaft ZAIKS, in: Riesenhuber, Karl (Hrsg.), Wahrnehmungsrecht in Polen, Deutschland und Europa – INTERGU-Tagung 2005, Berlin 2006, S. 63–90.

Baere, Geert de, Is this a Conflict Rule which I see Before Me? – Looking for a Hidden Conflict Rule in the Principle of Origin as Implemented in Primary European Community Law and in the Directive on Electronic Commerce, MJ 2004, S. 287–319.

Banck, Manuel, Der Kontrahierungszwang der Verwertungsgesellschaften gemäß § 11 WahrnG und seine Ausnahmen, s.l. 2012.

Basedow, Jürgen, Wirtschaftskollisionsrecht – theoretischer Versuch über die ordnungspolitischen Normen des Forumstaates, RabelsZ 52 (1986), S. 8–40.

—, Der kollisionsrechtliche Gehalt der Produktfreiheiten im europäischen Binnenmarkt: favor offerentis, RabelsZ 1995, S. 1–55.

—, Materielle Rechtsangleichung und Kollisionsrecht, in: Schnyder, Anton K./Reichert-Facilides, Fritz (Hrsg.), Internationales Verbraucherschutzrecht – Erfahrungen und Entwicklungen in Deutschland, Liechtenstein, Österreich und der Schweiz; Referate und Diskussionsberichte des Kolloquiums zu Ehren von Fritz Reichert-Facilides, Tübingen 1995, S. 11–34.

—, Dienstleistungsrichtlinie, Herkunftslandprinzip und Internationales Privatrecht, EuZW 2004, S. 423–424.

Bamberger, Heinz Georg/Roth, Herbert (Hrsg.), Bürgerliches Gesetzbuch – In 4 Bänden, 5. Aufl., München 2023.

Bechtold, Rainer/Bosch, Wolfgang/Brinker, Ingo/Hirsbrunner, Simon (Hrsg.), EU-Kartellrecht – Kommentar, 4. Aufl., München 2023.

Becker, Jürgen/Riesenhuber, Karl/Kreile, Reinhold (Hrsg.), Recht und Praxis der GEMA – Handbuch und Kommentar, 2. Aufl., Berlin 2008.

Beier, Friedrich-Karl/Schricker, Gerhard/Ulmer, Eugen, Stellungnahme des Max-Planck-Instituts für ausländisches und internationales Patent-, Urheber- und Wettbewerbsrecht zum Entwurf eines Gesetzes zur Ergänzung des internationalen Privatrechts (außervertragliche Schuldverhältnisse und Sachen), GRUR Int. 1985, S. 104–108.

Berberich, Matthias, Staatliche und privatrechtliche Kontrolle über Verwertungsgesellschaften, GRUR-Prax 2019, S. 453–455.

Bernhard, Peter, Cassis de Dijon und Kollisionsrecht – am Beispiel des unlauteren Wettbewerbs, EuZW 1992, S. 437–443.

Bernitt, Carmen Christina, Die Anknüpfung von Vorfragen im europäischen Kollisionsrecht, Tübingen 2012.

Bernreuther, Friedrich, Der Ort der Rechtsdurchsetzung des Herkunftslandsrechtes nach Art. 3 Abs. II EC-RiL und das Grundgesetz, WRP 2001, S. 513–525.

—, Die Rechtsdurchsetzung des Herkunftslandsrechts nach Art 3 Abs II EC-RiL und das Grundgesetz, WRP 2001, S. 384–391.

Bing, Friederike, Die Verwertung von Urheberrechten – Eine ökonomische Analyse unter besonderer Berücksichtigung der Lizenzvergabe durch Verwertungsgesellschaften, Berlin 2002.

Birkmann, Andreas, Die Anknüpfung der originären Inhaberschaft am Urheberrecht – Ein Vergleich der Rechtslage in Deutschland, Frankreich und den USA unter Berücksichtigung internationaler Konventionen, Baden-Baden 2009.

Blasi, Martina, Das Herkunftslandprinzip der Fernseh- und der E-Commerce-Richtlinie – Unter Berücksichtigung des Herkunftslandprinzips auf der Ebene des Primärrechts, Köln 2004.

Bollacher, Philipp D., Internationales Privatrecht, Urheberrecht und Internet – Das auf länderübergreifende Sachverhalte anwendbare Recht, Frankfurt am Main/Wien u.a. 2005.

Brettschneider, Jörg, Das Herkunftslandprinzip und mögliche Alternativen aus ökonomischer Sicht – Auswirkungen auf und Bedeutung für den Systemwettbewerb, Berlin 2015.

Brunotte, Nico, Urheberrechtliche Bewertung der Streamingfilmportale – Unter besonderer Berücksichtigung der Schrankenbestimmung zu ephemeren Vervielfältigungen und des digitalen Werkgenusses, Frankfurt am Main/Wien u.a. 2014.

Bücken, Alexander, Internationales Beweisrecht im Europäischen internationalen Schuldrecht, Baden-Baden 2016.

Clark, Andrew E./Senik, Claudia, Who Compares to Whom? – The Anatomy of Income Comparisons in Europe*, The Economic Journal 120 (2010), S. 573–594.

Coester-Waltjen, Dagmar, Internationales Beweisrecht – Das auf den Beweis anwendbare Recht in Rechtsstreitigkeiten mit Auslandsbezug, Ebelsbach 1983.

Cooter, Robert/Ulen, Thomas S., Law & economics, 5. Aufl., Boston Mass. u.a. 2008.

Cornish, William R., Intellectual Property Infringement and Private International Law: Changing the Common Law Approach, GRUR Int. 1996, S. 285–289.

De Miguel Asensio, Pedro A., The Private International Law of Intellectual Property and Unfair Commercial Practices: Convergence or Divergence, in: Leible, Stefan/Ohly, Ansgar (Hrsg.), Intellectual property and private international law, Tübingen 2009, S. 137–190.

Deinert, Olaf, Das Herkunftslandprinzip und seine Bedeutung für das Internationale Deliktsrecht, EWS 2006, S. 445–454.

Dessemontet, Francois, The ALI Principles – Intellectual Property in Transborder Litigation, in: Basedow, Jürgen (Hrsg.), Intellectual property in the global arena – Jurisdiction, applicable law, and the recognition of judgments in Europe, Japan and the US, Tübingen 2010, S. 31–48.

Dietz, Adolf, Die fünf Säulen des Urheberrechtssystems und ihre Gefährdungen, in: Dümling, Albrecht/Kreile, Reinhold u.a. (Hrsg.), Musik hat ihren Wert – 100 Jahre musikalische Verwertungsgesellschaft in Deutschland, Regensburg 2003, S. 336–347.

—, Schutz der Kreativen (der Urheber und ausübenden Künstler) durch das Urheberrecht oder Die fünf Säulen des modernen kontinentaleuropäischen Urheberrechts, GRUR Int. 2015, S. 309–319.

Dietz, Sara/Streinz, Thomas, Das Marktzugangskriterium in der Dogmatik der Grundfreiheiten, EuR 50 (2015), S. 50–72.

Drasch, Wolfgang, Das Herkunftslandprinzip im internationalen Privatrecht – Auswirkungen des europäischen Binnenmarktes auf Vertrags- und Wettbewerbsstatut, Baden-Baden 1997.

Dreier, Thomas, Die Schlacht ist geschlagen – ein Überblick, GRUR 2019, S. 771–779.

Dreier, Thomas/Schulze, Gernot (Hrsg.), Urheberrechtsgesetz – Urheberrechtswahrnehmungsgesetz, Kunsturhebergesetz: Kommentar, 5. Aufl., München 2015.

— (Hrsg.), Urheberrechtsgesetz – Verwertungsgesellschaftenrecht, Kunsturhebergesetz: Kommentar, 6. Aufl., München 2018.

— (Hrsg.), Urheberrechtsgesetz – Urheberrechts-Diensteanbieter-Gesetz, Verwertungsgesellschaftengesetz, Nebenurheberrecht, Kunsturhebergesetz : Kommentar, Hrsg.: *Raue*, Benjamin/*Specht-Riemenschneider*, Louisa, 7. Aufl., München 2022.

Drexl, Josef, Entwicklungsmöglichkeiten des Urheberrechts im Rahmen des GATT – Inländerbehandlung, Meistbegünstigung, Maximalschutz; eine prinzipienorientierte Betrachtung im Lichte bestehender Konventionen, München 1990.

—, Der Anspruch der Werkschöpfer und ausübenden Künstler auf angemessene Vergütung, in: Ohly, Ansgar (Hrsg.), Perspektiven des geistigen Eigentums und Wettbewerbsrechts – Festschrift für Gerhard Schricker zum 70. Geburtstag, München 2005, S. 651–670.

—, Auf dem Weg zu einer neuen europäischen Marktordnung für die kollektive Wahrnehmung von Online-Rechten der Musik – Kritische Würdigung der Kommissionsempfehlung vom 18. Oktober 2005, in: Riesenhuber, Karl (Hrsg.), Wahrnehmungsrecht in Polen, Deutschland und Europa – INTERGU-Tagung 2005, Berlin 2006, S. 193–242.

—, Competition in the field of cllective management – preferring 'creative competition' to allocative efficiency in European copyright law, in: Torremans, Paul (Hrsg.), Copyright Law – A Handbook of Contemporary Research, Cheltenham 2007, S. 255–282.

—, Das Recht der Verwertungsgesellschaften in Deutschland nach Erlass der Kommissionsempfehlung über die kollektive Verwertung von Online-Musikrechten, in: Hilty, Reto M./Geiger, Christophe (Hrsg.), Impulse für eine europäische Harmonisierung des Urheberrechts/Perspectives d'harmonisation du droit d'auteur en Europe – Urheberrecht im deutsch-französischen Dialog/Rencontres franco-allemandes, Berlin Heidelberg 2007, S. 369–430.

—, Is There a 'More Economic Approach' to Intellectual Property and Competition Law?, in: ders. (Hrsg.), Research Handbook on Competition and Intellectual Property Law, Cheltenham 2008, 27.53.

—, Deutsche Verwertungsgesellschaften im europäischen Wettbewerb, in: 50 Jahre GVL – 50 Jahre kollektive Rechtewahrnehmung der Leistungsschutzrechte, Berlin 2011, S. 11–28.

—, Copyright, Competition and Development – Report to the World Intellectual Property Organization, München 2013.

—, Collective Management of Copyrights and the EU Principle of Free Movement of Services after the OSA Judgment — In Favour of a More Balance Approach, in: Purnhagen, Kai/Micklitz, Hans-Wolfgang (Hrsg.), Varieties of European Economic Law and Regulation – Liber amicorum for Hans Micklitz, Cham u.a. 2014, S. 459–487.

—, Zugang zu standardessenziellen Patenten als moderne Regulierungsaufgabe: Wie reagiert das EU-Kartellrecht auf Patentkriege zwischen chinesischen Unternehmen? – Max Planck Institute for Innovation & Competition Discussion Paper No. 5 2014.

—, Stellungnahme des Max-Planck-Instituts für Innovation und Wettbewerb zum Referentenentwurf des Bundesministeriums der Justiz und für Verbraucherschutz vom 9. Juli 2015 für ein Gesetz über die Wahrnehmung von Urheberrechten und verwandten Schutzrechten durch Verwertungsgesellschaften (Verwertungsgesellschaftengesetz – VGG) 2015 (zit. *Drexl*, MPI Stellungnahme VGG).

—, Wahrnehmungs- und Abschlusszwang im europäischen Wahrnehmungsrecht, in: Götz von Olenhusen, Albrecht/Gergen, Thomas/Vogel, Martin (Hrsg.), Kreativität und Charakter – Recht, Geschichte und Kultur in schöpferischen Prozessen: Festschrift für Martin Vogel zum siebzigsten Geburtstag, 2017, S. 227–253.

—, Die Kyoto Guidelines 2020 der International Law Association – Zur Reichweite des Schutzlandprinzips im Urheberkollisionsrecht, in: Kubis, Sebastian/Peifer, Karl-Nikolaus u.a. (Hrsg.), Ius Vivum: Kunst – Internationales – Persönlichkeit – Festschrift für Haimo Schack zum 70. Geburtstag, Tübingen 2022, S. 123–135.

—, The Contributions and Limitations of Competition Law in Regulating Collective Rights Management in the EU, in: Leska, Rudolf (Hrsg.), Managing Copyright – Emerging Business Models in the Individual and Collective Management of Rights, Alphen aan den Rijn 2023, S. 29–52.

Drexl, Josef/Nérisson, Sylvie/Trumpke, Felix/Hilty, Reto M., Comments of the Max Planck Institute for Intellectual Property and Competition Law on the Proposal for a Directive of the European Parliament and of the Council on Collective Management of Copyright and Related Rights and Multi-Territorial Licensing of Rights in Musical Works for Online Uses in the Internal Market COM (2012)372, IIC 44 (2013), S. 322–350.

Drobnig, Ulrich, Das Profil des Wirtschaftskollisionsrechts - Einführende Bemerkungen zum Symposium "Extraterritoriale Anwendung von Witschaftsrecht", Hamburg 1986, RabelsZ 52 (1986), S. 1–7.

Durantaye, Katharina De la/*Kuschel, Linda*, Vergriffene Werke größer als gedacht: Art. 8–11 DSM-Richtlinie, ZUM 2019, S. 694–703.

Eckel, Philipp, Kartellrechtliche Anforderungen an Gegenseitigkeitsvereinbarungen zwischen Verwertungsgesellschaften, GRUR Int. 2017, S. 948–961.

Eidenmüller, Horst, Wettbewerb der Gesellschaftsrechte in Europa. Zugleich Besprechung des Urteils des Europäischen Gerichtshofs vom 5.11.2002 in der Rechtssache C-208/00 (Überseering BV gegen Nordic Construction Company), ZIP 2002, S. 2233–2244.

—, Effizienz als Rechtsprinzip - Möglichkeiten und Grenzen der ökonomischen Analyse des Rechts, 4. Aufl., Tübingen 2015.

Einhorn, Michael A., Intellectual Property and Antitrust: Music Performing Rights in Broadcasting, Colum. J.L. & Arts 24 (2001), S. 349–368.

Emler, Matthias, Wettbewerb zwischen Verwertungsgesellschaften - Eine ökonomische Analyse am Beispiel der Musikindustrie, Baden-Baden 2014.

Engels, Sebastian, Die Vereinbarkeit der territorialen Aufspaltung von Verwertungsrechten mit den europäischen Binnenmarktregeln - Eine Untersuchung am Beispiel der Filmwirtschaft, Baden-Baden 2016.

Erichsen, Hans-Uwe, Öffentliches und privates Recht, Jura 1982, 537–245.

Euhus, Fabian, Die Gegenseitigkeitsverträge der Verwertungsgesellschaften im Musikbereich, Baden-Baden 2008.

Evans, David S., The Antitrust Economics of Two-Sided Markets, SSRN 2002, http://dx.doi.org/10.2139/ssrn.332022.

Ferrari, Franco/Kieninger, Eva-Maria/Mankowski, Peter (Hrsg.), Internationales Vertragsrecht - Rom I-VO, CISG, CMR, FactÜ; Kommentar, 3. Aufl. 2018.

Fezer, Karl-Heinz/Büscher, Wolfgang/Obergfell, Eva Inés (Hrsg.), Internationales Lauterkeitsrecht, lauterkeitsrechtliche Spezialthemen, Geschichte - Sytematik - Grundlagen - §§ 1–3 UWG, 3. Aufl., München 2016.

Fezer, Karl-Heinz/Koos, Stefan, Das gemeinschaftsrechtliche Herkunftslandprinzip und die e-commerce-Richtlinie, IPRax 2000, S. 349–354.

Ficsor, Mihály, Collective Rights Management from the Viewoint of International Treaties - with Special Attention to the EU 'Acquis', in: Gervais, Daniel J. (Hrsg.), Collective management of copyright and related rights, 2015, S. 31–79.

Fischer, Oliver, Perspektiven für ein europäisches Urheberrecht, Baden-Baden 2014.

Flechsig, Frederike B., Harmonisierung der Schutzdauer für musikalische Kompositionen mit Text – Materielle Harmonisierung europäischen Urheberrechts als Folge der Schutzfristenangleichung durch die Richtlinie 2011/77/EU, ZUM 2012, S. 227–235.

Flechsig, Norbert P., Inhalt der Evidenzkontrolle durch das DPMA, GRUR-Prax 2017, S. 160–161.

Franck, Jens-Uwe, in: Riesenhuber, Karl (Hrsg.), European Legal Methodology, 2. Aufl., Cambridge u.a. 2021.

Fromm, Friedrich Karl/Nordemann, Wilhelm (Hrsg.), Urheberrecht – Kommentar zum Urheberrechtsgesetz, zum Verlagsgesetz und zum Urheberrechtswahrnehmungsgesetz, Hrsg.: *Nordemann*, Axel/*Nordemann*, Jan Bernd/*Czychowski*, Christian, 12. Aufl., Stuttgart 2018.

Füllemann, Verena, Die Vorfrage im internationalen Privatrecht – Unter besonderer Berücksichtigung der bundesgerichtlichen Rechtsprechung, Zürich 1977.

Geiger, Christophe, Zusammenfassung der Standpunkte — Entwickelte Thesen, in: Hilty, Reto M./Geiger, Christophe (Hrsg.), Impulse für eine europäische Harmonisierung des Urheberrechts/Perspectives d'harmonisation du droit d'auteur en Europe – Urheberrecht im deutsch-französischen Dialog/Rencontres franco-allemandes, Berlin Heidelberg 2007, S. 519–522.

—, Die Schranken des Urheberrechts als Instrumente der Innovationsförderung – Freie Gedanken zur Ausschließlichkeit im Urheberrecht, GRUR Int. 2008, 459–468.

Geiger, Christophe/Frosio, Giancarlo/Bulayenko, Oleksandr, Facilitating Access to Out-of-Commerce Works in the Digital Single Market – How to Make Pico della Mirandola's Dream a Reality in the European Union, JIPITEC 2018, S. 240–250.

Gerlach, Felix-Tessen von, Die urheberrechtliche Bewertung des nicht-linearen Audio-Video Streamings im Internet – Die verschiedenen technischen Verfahren im System und auf dem Prüfstand urheberrechtlicher Verwertungs- und Leistungsschutzrechte, Baden-Baden 2012.

Gervais, Daniel J., Symposium: Collective Management of Copyright: Solution or Sacrifice? – The Landscape of Collective Management Schemes, Colum. J.L. & Arts 34 (2011), S. 591–618.

—, Collective Management of Copyright – Theory and Practice in the Digital Age, in: ders. (Hrsg.), Collective management of copyright and related rights, 2015, S. 3–30.

—, (Re)structuring Copyright – A Comprehensive Path to International Copyright Reform, Cheltenham, U.K 2017.

—, The Cultural Role(s) of Collective Management Organisations, EIPR 40 (2018), S. 349–356.

Ginsburg, Jane C., Die Rolle des nationalen Urheberrechts im Zeitalter der internationalen Urheberrechtsnormen, GRUR Int. 2000, S. 97–110.

—, International Copyright: From a "Bundle" of National Copyright Laws to a Supranational Code?, JCSUSA Millenium Volume (2000), S. 265–291.

Glöckner, Jochen, Ist die Union reif für die Kontrolle an der Quelle?, WRP 2005, S. 195–808.

Goldstein, Paul, Future Platforms for Copyright Licensing, IIC 2015, S. 153–154.

Götting, Horst-Peter/Lauber-Rönsberg, Anne/Rauer, Nils (Hrsg.), Beck'scher Online-Kommentar Urheberrecht, 39. Aufl., München 2023.

— (Hrsg.), Beck'scher Online-Kommentar Urheberrecht, 39. Aufl., München 2023.

Grabitz, Eberhard/Hilf, Meinhard/Nettesheim, Martin (Hrsg.), Das Recht der Europäischen Union – Kommentar, München 2019.

Grewening, Claus, Rechteerwerb und Rechteinhaberschaft im digitalen Zeitalter – Probleme von Nutzern beim Rechteerwerb aus Sicht privater Medienunternehmen, ZUM 2011, S. 27–31.

Grohmann, Arno, In der EU spielt die Musik: Richtlinie über kollektive Rechtewahrnehmung und Mehrgebietslizenzen für die Online-Nutzung von Musikwerken verabschiedet, GRUR-Prax 2014, S. 145–147.

Grote, Sophia, Europäische Perspektiven der Rechtewahrnehmung durch Verwertungsgesellschaften, Baden-Baden 2012.

Grünberger, Michael, Das Urheberrechtsstatut nach der Rom II-VO, ZVglRWiss 2009, S. 134–177.

—, Zuständigkeitsbegründender Erfolgsort bei Urheberrechtsverletzungen, IPRax 2015, S. 57–65.

Grüneberg, Christian (Hrsg.), Bürgerliches Gesetzbuch – Mit Nebengesetzen insbesondere mit Einführungsgesetz (Auszug) einschließlich Rom I-, Rom II- und Rom III-Verordnungen sowie EU-Güterrechtsverordnungen, Haager Unterhaltsprotokoll und EU-Erbrechtsverordnung, Allgemeines Gleichbehandlungsgesetz (Auszug), Wohn- und Betreuungsvertragsgesetz, Unterlassungsklagengesetz (GrünHome), Produkthaftungsgesetz, Erbbaurechtsgesetz, Wohnungseigentumsgesetz, Versorgungsausgleichsgesetz, Lebenspartnerschaftsgesetz (GrünHome), Gewaltschutzgesetz, 83. Aufl., München 2023.

Guibault, Lucie/Schroff, Simone, Extended Collective Licensing for the Use of Out-of-Commerce Works in Europe: A Matter of Legitimacy Vis-à-Vis Rights Holders, IIC 49 (2018), S. 916–939.

Gyertyánfy, Peter, Collective Management of Music Rights in Europe After the CISAC Decision, IIC 210, S. 59–89.

Haberstumpf, Helmut, Das System der Verwertungsrechte im harmonisierten Urheberrecht, GRUR Int. 2013, S. 627–635.

Handke, Christian, The Economics of Collective Copyright Management, SSRN Journal 2013.

Handke, Christian/Stepan, Paul/Towse, Ruth, Development of the econimics of copyright, in: Drexl, Josef (Hrsg.), Research Handbook on Competition and Intellectual Property Law, Cheltenham 2008, S. 373–402.

Hansen, Gerd, Warum Urheberrecht? – Die Rechtfertigung des Urheberrechts unter besonderer Berücksichtigung des Nutzerschutzes, Baden-Baden 2009.

Hansen, Gerd/Schmidt-Bischoffshausen, Albrecht, Ökonomische Funktionen von Verwertungsgesellschaften – Kollektive Wahrnehmung im Lichte von Transaktionskosten- und Informationsökonomik, GRUR Int. 2007, S. 461–481.

Hau, Wolfgang/Poseck, Roman (Hrsg.), BeckOK BGB, 61. Aufl. 2022.

Hauptmann, Christian, Die Vergesellschaftung des Urheberrechts – Das ausschließliche Recht, Entindividualisierung und Vergesellschaftung bei Wahrnehmung durch Verwertungsgesellschaften am Beispiel der GEMA und der VG Wort, Baden-Baden 1994.

Hausmann, Rainer/Odersky, Felix/Schäuble, Daniel/Wall, Fabian (Hrsg.), Internationales Privatrecht in der Notar- und Gestaltungspraxis. Personenrecht und Rechtsgeschäfte, Familienrecht, Erbrecht, Schuldvertrags- und Sachenrecht, Gesellschaftsrecht, 4. Aufl., München 2021.

Hayek, Friedrich A. von, Die Irrtümer des Konstruktivismus und die Grundlagen legitimer Kritik gesellschaftlicher Gebilde, Tübingen 1975.

Heermann, Peter W./Schlingloff, Jochen (Hrsg.), MüKo (UWG), 3. Aufl., München 2020.

von Hein, Jan (Hrsg.), IPR I – Internationales Privatrecht I, Europäisches Kollisionsrecht, Einführungsgesetz zum Bürgerlichen Gesetzbuche (Art. 1–26), 7. Aufl., München 2018.

— (Hrsg.), IPR I – Internationales Privatrecht I, Europäisches Kollisionsrecht, Einführungsgesetz zum Bürgerlichen Gesetzbuche (Art. 1–26), 8. Aufl., München 2020.

— (Hrsg.), IPR II – Internationales Privatrecht II, Internationales Wirtschaftsrecht, Einführungsgesetz zum Bürgerlichen Gesetzbuche (Art. 50–253), 8. Aufl., München 2021 (zit. *Bearbeiter*, in: von Hein (Hrsg.), MüKo IPR II).

Heindorf, Arne Christian, Die staatliche Aufsicht über Verwertungsgesellschaften – Grundstrukturen, Spezifika, Vergleich zu anderen Aufsichtsformen des Wirtschaftsverwaltungsrechts, Hamburg 2011.

Heine, Robert, Wahrnehmung von Online-Musikrechten durch Verwertungsgesellschaften im Binnenmarkt, Berlin 2008.

Heine, Robert/Holzmüller, Tobias (Hrsg.), VGG – Verwertungsgesellschaftengesetz, Berlin/Boston 2019.

Wandtke, Artur-Axel/Bullinger, Winfried (Hrsg.), Praxiskommentar Urheberrecht – UrhG, UrhDaG, VGG, InsO, UKlaG, KUG, EVtr, InfoSoc-RL, Portabilitäts-VO, 6. Aufl., München 2022.

Heine, Robert/Eisenberg, Sonja, Verwertungsgesellschaften im Binnenmarkt Die kollektive Wahrnehmung von Urheberrechten nach der Dienstleistungsrichtlinie, GRUR Int. 2009, S. 277–283.

Heinemann, Andreas, Immaterialgüterschutz in der Wettbewerbsordnung – Eine grundlagenorientierte Untersuchung zum Kartellrecht des geistigen Eigentums, Tübingen 2002.

Heinemann, Tobias, Die Verteilungspraxis der Verwertungsgesellschaften 2017.

Hellgardt, Alexander, Das Verbot der kollisionsrechtlichen Wahl nichtstaatlichen Rechts und das Unionsgrundrecht der Privatautonomie, RabelsZ 82 (2018), S. 654–696.

Hemphill, Scott C., Competition and the Collective Management of Copyright. Symposium: Collective Management of Copyright: Solution or Sacrifice?, Colum. J.L. & Arts 34 (2011), S. 645–651.

Herschel, Wilhelm, Die Verwertungsgesellschaften als Träger staatsentlastender Tätigkeit, UFITA 50 (1967), S. 22–32.

Hertin, Paul, Die Subventionierung der E-Musik durch Einkünfte aus anderen Sparten der Musikverwertung. Das GEMA-Verteilungssystem auf dem Prüfstand, GRUR 2013, S. 469–476.

Heyde, Johann, Die grenzüberschreitende Lizenzierung von Online-Musikrechten in Europa – Eine urheber- und wahrnehmungsrechtliche Studie, Baden-Baden 2011.

Hieber, Thomas, Der US-amerikanische »Music Modernization Act« – »The Most Important Piece of Legislation in a Generation«?, ZUM 2019, S. 161–173.

Hilty, Reto M., Urheberrecht in der Informationsgesellschaft: »Wer will was von wem woraus?« – Ein Auftakt zum »zweiten Korb«, ZUM 2003, S. 983–1006.

—, Verbotsrecht vs. Vergütungsanspruch: Suche nach den Konsequenzen der tripolaren Interessenlage im Urheberrecht, in: Ohly, Ansgar (Hrsg.), Perspektiven des geistigen Eigentums und Wettbewerbsrechts – Festschrift für Gerhard Schricker zum 70. Geburtstag, München 2005, S. 325–352.

—, Vergütungssystem und Schrankenregelungen Neue Herausforderungen an den Gesetzgeber, GRUR 2005, S. 819–828.

—, Kollektive Rechtewahrnehmung und Vergütungsregelungen: Harmonisierungsbedarf und -möglichkeiten, in: Leistner, Matthias (Hrsg.), Europäische Perspektiven des geistigen Eigentums, Tübingen 2010, S. 123–166.

Hilty, Reto M./Li, Tao, Control Mechanisms for CRM Systems and Competition Law. Max Planck Institute for Innovation & Competition Research Paper No. 16–04, SSRN, April 2016, https://ssrn.com/abstract=2772482.

Hilty, Reto M./Peukert, Alexander, Das neue deutsche Urhebervertragsrecht im internationalen Kontext, GRUR Int. 2002, S. 643–668.

Hilty, Reto M./Sutterer, Moritz M., PART H – Intra-Europe Content Circulation (COM(2016) 594 final), in: Hilty, Reto M./Moscon, Valentina (Hrsg.), Modernisation of the EU Copyright Rules – Position Statement of the Max Planck Institute for Innovation and Competition, S. 113–123.

Hoeren, Thomas, Vorschlag für eine EU-Richtlinie über E-Commerce – Eine erste kritische Analyse, MMR 1999, S. 192–199.

Holzmüller, Tobias, Der Entwurf der Richtlinie über die kollektive Wahrnehmung von Urheberrechten und verwandten Schutzrechten – Anmerkungen zu den Regelungen über die grenzüberschreitende Lizenzierung von Musikrechten, ZUM 2013, S. 168–174.

Hoth, Jürgen, Territoriale Grenzen des Schutzbereichs von Warenbezeichnungen, GRUR 1968, S. 64–79.

Hugenholtz, Bernt, Copyright without frontiers: the problem of territoriality in European copyright law, in: Derclaye, Estelle (Hrsg.), Research handbook on the future of EU copyright, Cheltenham, UK, Northampton, MA 2009, S. 12–26.

—, Making the Digital Single Market Work for Copyright. Extending the Satellite & Cable Directive to content services on line, in: Franzosi, Mario/Pollicino, Oreste/Campus, Gianluca (Hrsg.), The digital single market copyright – Internet and copyright law in the European perspective : conference proceedings, Milan, 4–5 November 2015, Ariccia (RM) 2016, S. 51–66.

Hüßtege, Rainer/Mansel, Heinz-Peter (Hrsg.), Rom-Verordnungen – Rom I, Vertragliche Schuldverhältnisse; Rom II, Außervertragliche Schuldverhältnisse; Rom III, Ehescheidung, Trennung; HUP, Haager Unterhaltsprotokoll; EuErbVO, Erbrecht, 3. Aufl., Baden-Baden 2019.

ILA Committee on Intellectual Property and Private International Law – Kyoto Guidelines, JIPITEC 12 (2021), S. 86.

Immenga, Ulrich/Mestmäcker, Ernst-Joachim (Hrsg.), Wettbewerbsrecht – Kommentar zum Europäischen Kartellrecht, 5. Aufl., München 2012.

— (Hrsg.), EU – Kommentar zum Europäischen Kartellrecht, 6. Aufl., München 2019.

Jaeger, Thomas, Materielles Europarecht – Lehrbuch mit Originalquellen, Wien 2017.

Jani, Ole, Alles eins? – Das Verhältnis des Rechts der öffentlichen Zugänglichmachung zum Vervielfältigungsrecht. Zugleich Anmerkung zu LG München I ZUM 2009, 788 - myvideo, ZUM 2009, S. 722–730.

Jänich, Michael/Eichelberger, Jan, Die Verwertung von Musikaufnahmen in dezentralen Computernetzwerken als eigenständige, MMR 2008, S. 576–579.

Janik, Viktor/Tiwisina, Constanze, Neuer europäischer Rechtsrahmen für Verwertungsgesellschaften – Einstieg in den Ausstieg aus dem System des "collective rights managements"?, ZUM 2013, S. 177–180.

Jayme, Erik/Kohler, Christian, Das Internationale Privat- und Verfahrensrecht der EG 1991 – Harmonisierungsmodell oder Mehrspurigkeit des Kollisionsrechts, IPRax 1991, S. 361–369.

—, Europäisches Kollisionsrecht 2001 – Anerkennungsprinzip statt IPR?, IPRax 2001, S. 501–514.

—, Europäisches Kollisionsrecht 2002 – Zur Wiederkehr des Internationalen Privatrechts, IPRax 2002, S. 461–471.

Junker, Abbo, Internationales Privatrecht, 4. Aufl., München 2021.

Junker, Markus, Anwendbares Recht und internationale Zuständigkeit bei Urheberrechtsverletzungen im Internet, Kassel 2002.

Katz, Ariel, The Potential Demise of Another Natural Monopoly – Rethinking the Collective Administration of Performing Rights, Journal of Competition Law & Economics 1 (2005), S. 541–593.

—, Copyright Collectives – Good Solution But for Which Problem? 2009.

Katzenberger, Paul, Urheberrechtsverträge im Internationalen Privatrecht und Konventionsrecht, in: Beier, Friedrich-Karl/Götting, Horst-Peter u.a. (Hrsg.), Urhebervertragsrecht – Festgabe für Gerhard Schricker zum 60. Geburtstag, München 1995, S. 225–262.

—, Deutsche Zweckübertragungsregelung (§ 31 Abs. 5 UrhG) keine international zwingende Bestimmung – Hi Hotel II – Anmerkung zu Bundesgerichtshof, Urt. v. 24.9.2014 - I ZR 35/11, GRUR Int. 64 (2015), S. 381–384.

Kegel, Gerhard, Begriffs- und Interessenjurisprudenz im Internationalen Privatrecht, in: Hans Lewald (Hrsg.), Festschrift Hans Lewald, Basel 1953, S. 259–288.

Kegel, Gerhard/Schurig, Klaus, Internationales Privatrecht – Ein Studienbuch, 9. Aufl., München 2004.

Kępiński, Marian, § 2 Verwertungsgesellschaften und Staatsaufsicht – Das polnische Recht, in: Riesenhuber, Karl (Hrsg.), Wahrnehmungsrecht in Polen, Deutschland und Europa – INTERGU-Tagung 2005, Berlin 2006, S. 9–33.

Klass, Nadine, Das Urheberkollisionsrecht der ersten Inhaberschaft – Plädoyer für einen universalen Ansatz, GRUR Int. 2007, S. 373–386.

Kling, Camilla, Gebietsübergreifende Vergabe von Online-Rechten an Musikwerken – Probleme einer effizienten Lizenzierungspraxis unter Geltung des VGG, Berlin/Boston 2017.

Klippel, Diethelm, Geistiges Eigentum, Privileg und Naturrecht in rechtshistorischer Perspektive, ZGE 7 (2015), S. 49–76.

Knörzer, Thomas, Das Urheberrecht im deutschen internationalen Privatrecht 1992.

Köhler, Helmut/Bornkamm, Joachim/Feddersen, Jörn (Hrsg.), Gesetz gegen den unlauteren Wettbewerb. Preisangabenverordnung, Unterlassungsklagengesetz, Dienstleistungs-Informationspflichten-Verordnung, 42. Aufl., München 2023.

Köndgen, Johannes/Mörsdorf, Oliver, in: Riesenhuber, Karl (Hrsg.), European Legal Methodology, 2. Aufl., Cambridge u.a. 2021.

Körber, Torsten, Grundfreiheiten und Privatrecht, Tübingen 2004.

Kreile, Johannes, Kein Freibrief – Inhalt und Grenzen der Staatsaufsicht über Verwertungsgesellschaften, ZUM 2018, S. 13–19.

Kropholler, Jan, Internationales Privatrecht – Einschließlich der Grundbegriffe des Internationalen Zivilverfahrensrechts, 6. Aufl., Tübingen 2006 (zit. *Kropholler*, IPR).

Kuhn, Christoph, Die Verwirklichung des freien Dienstleistungsverkehrs im Spannungsfeld von wirtschaftlicher Handlungsfreiheit und Sozialgestaltung – Inhalt und Grenzen des grundfreiheitlichen Liberalisierungsauftrags am Beispiel der Dienstleistungsrichtlinie, Baden-Baden 2013.

Kühn, Michael, One-Stop-Shop, in: Zimmermann, Olaf (Hrsg.), Save the Rights! – Dossier »Verwertungsgesellschaften« – Über die Arbeit der Verwertungsgesellschaften in Deutschland, 2015, S. 38–39.

Kur, Annette, Are there any Common European Principles of Private International Law with regard to Intellectual Property?, in: Leible, Stefan/Ohly, Ansgar (Hrsg.), Intellectual property and private international law, Tübingen 2009, S. 1–14.

Lamping, Matthias, Refusal to Licence as an Abuse of Market Dominance: From Commercial Solvents to Microsoft, in: Hilty, Reto M./Liu, Kung-Chung (Hrsg.), Compulsory Licensing – Practical Experiences and Ways Forward, Berlin, Heidelberg 2015, S. 121–145.

Landes, William M./Posner, Richard A., An Economic Analysis of Copyright Law, JLS 18 (1989), S. 325–363.

Langen, Eugen/Bunte, Hermann-Josef (Hrsg.), Kommentar zum deutschen und europäischen Kartellrecht, 13. Aufl., Köln 2018.

Langhoff, Helge/Radloff, Jörn/Schmidt, Nike/Seifert, Fedor/Staudt, Monika/Weber, Björn/Welp, Kai, Kapitel 12 – Die Lizenzierung, in: Heker, Harald/Riesenhuber, Karl (Hrsg.), Recht und Praxis der GEMA – Handbuch und Kommentar, 3. Aufl., 2018.

Lehmann, Matthias, § 1, Das Finanzmarktrecht im Internationalen Privatrecht, in: Zetzsche, Dirk/Lehmann, Matthias (Hrsg.), Grenzüberschreitende Finanzdienstleistungen – Das internationale Finanzmarkt-, Privat- und Zivilprozessrecht Deutschlands, Österreichs, der Schweiz und Liechtensteins, Tübingen 2018, S. 1–48.

Leistner, Matthias, Konsolidierung und Entwicklungsperspektive des europäischen Urheberreechts, Bonn 2008.

—, The Law Applicable to Non-Contractual Obligations, in: Leible, Stefan/Ohly, Ansgar (Hrsg.), Intellectual property and private international law, Tübingen 2009, S. 97–121.

—, Urheberrecht an der Schnittstelle zwischen Unionsrecht und nationalem Recht – Werkbegriff und Recht der öffentlichen Wiedergabe, GRUR 2014, S. 1145–1155.

Leistner, Matthias/Hansen, Gerd, Die Begründung des Urheberrechts im digitalen Zeitalter – Versuch einer Zusammenführung von individualistischen und utilitaristischen Rechtfertigungsbemühungen, GRUR 2008, S. 479–490.

von Lewinski, Silke, Gedanken zur kollektiven Rechtewahrnehmung, in: Ohly, Ansgar (Hrsg.), Perspektiven des geistigen Eigentums und Wettbewerbsrechts – Festschrift für Gerhard Schricker zum 70. Geburtstag, München 2005, S. 401–412.

—, Es war einmal..., in: Zimmermann, Olaf (Hrsg.), Save the Rights! – Dossier »Verwertungsgesellschaften« – Über die Arbeit der Verwertungsgesellschaften in Deutschland, 2015, S. 10–11.

—, Funktionen von Verwertungsgesellschaften im Zusammenhang mit dem Ausgleich von verschiedenen Interessen, in: Heker, Harald/Riesenhuber, Karl (Hrsg.), Recht und Praxis der GEMA – Handbuch und Kommentar, 3. Aufl., 2018, Kapitel 3.

Li, Tao, Multifunktionalität, Monopol und sektorspezifische Aufsicht – Verwertungsgesellschaften aus interdisziplinärer und rechtsvergleichender Perspektive, Tübingen 2020.

Lichtenegger, Moritz, Verwertungsgesellschaften, Kartellverbot und Neue Medien – Der wahrnehmungsrechtliche Grundsatz und seine Konsequenzen für die kartellrechtliche Bewertung der Verwertungsgesellschaften in Europa, Tübingen 2014.

Limper, Josef/Musiol, Christian (Hrsg.), Handbuch des Fachanwalts Urheber- und Medienrecht – Urheber- und Medienrecht, Köln 2010.

Llorca, Raquel Evangelio, La Regulación de las Obras y Prestaciones Fuera del Circuito Comercial en la Directiva (UE) 2019/790, in: García, Saiz/Llorca, Raquel Evangelio (Hrsg.), Propiedad intelectual y mercado único digital europeo, Valencia 2020, S. 214–272.

Loewenheim, Ulrich/Meessen, Karl Matthias/Riesenkampff, Alexander/Kersting, Christian/Meyer-Lindemann, Hans Jürgen/Ablasser-Neuhuber, Astrid/Lüdemann, Jörn/Lüdemann, Volker (Hrsg.), Kartellrecht – Kommentar zum deutschen und europäischen Recht, 4. Aufl., München 2020.

Loren, Lydia Pallas, Untangling the Web of Music Copyrights, Case W. Res. L. Rev. 53 (2003), S. 673–722.

—, Copyright Jumps the Shark: The Music Modernization Act, B.U. L. Rev. 99 (2019), S. 2519–2550.

Lueg, Lisa Franziska, Teleologische Theorien des Urheberrechts – Der angloamerikanische Urheberrechtsdiskurs zwischen Rechtfertigung und Rechtskritik, Tübingen 2022.

Lunney, Glynn, Copyright Collectives and Collecting Societies: The United States Experience, in: Gervais, Daniel J. (Hrsg.), Collective management of copyright and related rights, 2015, S. 319–366.

Lurger, Brigitta/Vallant, Sonja, Grenzüberschreitender Wettbewerb im Internet, RIW 2002, S. 188–202.

Mankowski, Peter, Internet und Internationales Wettbewerbsrecht, GRUR Int. 1999, S. 909–921.

—, Das Herkunftslandprinzip als Internationales Privatrecht der e-commerce-Richtlinie, ZVglRWiss 100 (2001), S. 137–181.

—, Herkunftslandprinzip und deutsches Umsetzungsgesetz zur e-commerce-Richtlinie, IPRax 2002, S. 257–266.

—, Wider ein Herkunftslandprinzip für Dienstleistungen im Binnenmarkt, IPRax 2004, S. 385–395.

Marx, Karl, Kritik des Gothaer Programms, in: Marx, Karl/Engels, Friedrich (Hrsg.), Werke, Bd. 19, 4. Aufl., Berlin 1973, S. 13–32.

Matulionytė, Rita, Cross-Border Collective Management and Principle of Territoriality – Problems and Possible Solutions in the EU, JWIP 11 (2008), S. 467–497.

—, Law applicable to copyright – A comparison of the ALI and CLIP proposals, Cheltenham, U.K 2011.

Mazziotti, Giuseppe, New Licensing Models for Online Music Services in the European Union: From Collective to Customized Management. Symposium: Collective Management of Copyright: Solution or Sacrifice, Colum. J.L. & Arts 34 (2011), S. 757–809.

—, Remedies, Enforcement and Territotiality, Colum. J.L. & Arts 2018, S. 533–538.

Melchior, George, Die Grundlagen des deutschen internationalen Privatrechts, Berlin, Boston 2016.

Melichar, Ferdinand, Die Wahrnehmung von Urheberrechten durch Verwertungsgesellschaften, München 1983.

—, in: Loewenheim, Ulrich/Becker, Bernhard von (Hrsg.), Handbuch des Urheberrechts, 2. Aufl., München 2010.

—, Anmerkung zu OLG München, Urteil vom 29. April 2010 – 29 U 3698/09, ZUM 2010, S. 713–715.

Mesevic, Iza Razija, Urheberrechtssysteme und kollektive Rechtewahrnehmung in Südosteuropa, Baden-Baden 2015.

Mestmäcker, Ernst-Joachim, Rechtsfragen einer Ordnung der Weltwirtschaft, in: Börner, Bodo/Jahrreiß, Hermann/Stern, Klaus (Hrsg.), Einigkeit und Recht und Freiheit – Festschrift für Karl Carstens zum 70. Geburtstag am 14. Dezember 1984; Band 1. Europarecht. Völkerrecht; Band 2. Staatsrecht, Köln 1984, S. 417–427.

—, Wirtschaft und Verfassung in der Europäischen Union – Beiträge zu Recht, Theorie und Politik der europäischen Integration, 2. Aufl., Baden-Baden 2006.

Mestmäcker, Ernst-Joachim/Schweitzer, Heike, Europäisches Wettbewerbsrecht, 3. Aufl., München 2014.

Metzger, Axel, Jurisdiction in Cases Concerning Intellectual Property Infringements on the Internet: Brussels-I-Regulation, ALI-Principles and Max-Planck-Proposals, in: Leible, Stefan/Ohly, Ansgar (Hrsg.), Intellectual property and private international law, Tübingen 2009, S. 251–267.

—, Applicable Law under the CLIP Principles – A Pragmatic Revaluation of Territoriality, in: Basedow, Jürgen (Hrsg.), Intellectual property in the global arena – Jurisdiction, applicable law, and the recognition of judgments in Europe, Japan and the US, Tübingen 2010, S. 157–178.

—, Perspektiven des internationalen Urheberrechts – Zwischen Territorialität und Ubiquität, JZ 65 (2010), S. 929–937.

—, Der Einfluss des EuGH auf die gegenwärtige Entwicklung des Urheberrechts, GRUR 2012, S. 118–126.

—, Beteiligungsgrundsatz und Fairness – Warum das Vertragsrecht ungeeignet ist, die soziale Frage der Urheber zu lösen, in: Obergfell, Eva Inés (Hrsg.), Zehn Jahre reformiertes Urhebervertragsrecht – 1. Josef-Kohler-Symposion, Berlin u.a 2013, S. 37–54.

—, Rechtsfortbildung im Richtlinienrecht – Zur judikativen Rechtsangleichung durch den EuGH im Urheberrecht, ZEuP 2017, S. 836–862.

Meyer, Katrin, Verwertungsgesellschaften und ihre Kontrolle nach dem Urheberrechtswahrnehmungsgesetz – Unter besonderer Berücksichtigung der Anforderungen und Möglichkeiten des digitalen Zeitalters, Baden-Baden 2001.

Micklitz, Hans-Wolfgang, Europäisches Regulierungsprivatrcht: Plädoyer für ein neues Denken, GPR 2009, S. 254–263.

—, regulatory strategies on services contracts in EC law, in: Cafaggi, Fabrizio/Muir Watt, Horatia (Hrsg.), The regulatory function of European private law, Cheltenham 2009, S. 16–61.

Miernicki, Martin, Collective management of copyrights between competition, regulation and monopolism – A comparison of European and U.S. approaches to collective management organizations, Vienna/Baden-Baden 2017.

Miguel Asensio, Pedro Alberto de, Conflict of Laws and the Internet, Cheltenham, UK 2020.

Möller, Frederik, Verwaiste Werke – Eine Analyse aus internationaler Perspektive, Baden-Baden 2013.

MPI, Stellungnahme des Max-Planck-Instituts für Geistiges Eigentum, Wettbewerbs- und Steuerrecht zuhanden des Bundesministeriums der Justiz betreffend die Empfehlung der Europäischen Kommission über die Lizenzierung von Musik für das Internet vom 18. Oktober 2005 (2005/737/EG) GRUR Int. 2006, 222.

Müller, Stefan, Rechtewahrnehmung durch Verwertungsgesellschaften bei der Nutzung von Musikwerken im Internet, ZUM 2009, S. 121–131.

—, Die Rechteinhaberschaft an Musikwerken bei Online-Nutzungen, ZUM 2011, S. 13–20.

—, Die Zusammenarbeit der Verwertungsgesellschaften, in: Heker, Harald/Riesenhuber, Karl (Hrsg.), Recht und Praxis der GEMA – Handbuch und Kommentar, 3. Aufl., 2018, Kapitel 13.

Müller-Graff, Peter-Christian, § 9 Grundfreiheiten und Wettbewerbsordnung, in: Hatje, Armin/Müller-Graff, Peter-Christian/Braun, Dominik (Hrsg.), Europäisches Organisations- und Verfassungsrecht, Baden-Baden 2014, S. 477–542.

Nérisson, Sylvie, L'article 5.7 de la directive 2014/26/UE, une introduction diabolique du droit des contrats dans le droit d'auteur de l'Union européenne, in: von Lewinski, Silke (Hrsg.), Remuneration for the use of works – Exclusivity vs. other approaches, 2017, S. 259–265.

—, Remaining Scopes for Collective Management of Copyright in the Online World, in: Liu, Kung-Chung/Hilty, Reto M. (Hrsg.), Remuneration of copyright owners – Regulatory challenges of new business models, 2017, S. 71–83.

Nérisson, Sylvie/Katzenberger, Paul, Kulturförderung, Solidarität und Verteilungsgerechtigkeit in Recht und Praxis urheberrechtlicher Verwertungsgesellschaften, GRUR Int. 2011, 283–295.

Neumann, Sophie, Die Haftung der Intermediäre im Internationalen Immaterialgüterrecht – Vorgaben und Grenzen von Territorialitätsprinzip und Schutzlandanknüpfung, Baden-Baden 2014.

Obergfell, Eva Inés, Das Schutzlandprinzip und „Rom II" – Bedeutung und Konsequenzen für das Internationale Urheberrecht, IPRax 2005, S. 9–13.

Ogus Anthony, The regulation of services and the public-private divide, in: Cafaggi, Fabrizio/Muir Watt, Horatia (Hrsg.), The regulatory function of European private law, Cheltenham 2009, S. 3–15.

Ohly, Ansgar, Herkunftslandprinzip und Kollisionsrecht, GRUR Int. 2001, S. 899–908.

Ohly, Ansgar/Sosnitza, Olaf/Köhler, Helmut/Piper, Henning (Hrsg.), Gesetz gegen den unlauteren Wettbewerb – Mit Geschäftsgeheimnisgesetz (Auszug) und Preisangabenverordnung : Kommentar, 8. Aufl., München 2023.

Oppermann, Jan Philipp, Die kollisionsrechtliche Anknüpfung internationaler Urheberrechtsverletzungen – Das universelle Verständnis im Urheberrecht, Baden-Baden 2011.

Panzar, John C./Willig, Robert D., Economies of Scale in Multi-Output Production, Q J Econ 91 (1977), S. 481–493.

Papēde, Magda, Verwertungsgesellschaften im europäischen Kontext – Das Beispiel der baltischen Staaten, Köln 2016.

Peifer, Karl-Nikolaus, Wissenschaftsmarkt und Urheberrecht: Schranken, Vertragsrecht, Wettbewerbsrecht, GRUR 2009, S. 22–28.

—, Umsetzung der EU-Richtlinie für Verwertungsgesellschaften in deutsches Recht – Umsetzungsbedarf aus wissenschaftlicher Sicht, ZUM 2014, S. 453–468.

—, Die Zukunft der kollektiven Rechtewahrnehmung zur Fussnote, GRUR 2015, S. 27–35.

Peitz, Martin/Schweitzer, Heike, Ein neuer europäischer Ordnungsrahmen für Datenmärkte?, NJW 2018, S. 275–280.

Pflüger, Claudius, Gerechter Ausgleich und angemessene Vergütung – Dispositionsmöglichkeiten bei Vergütungsansprüchen aus gesetzlichen Lizenzen, Baden-Baden 2017.

Picht, Peter, Von eDate zu Wintersteiger – Die Ausformung des Art. 5 Nr. 3 EuGVVO für Internetdelikte durch die Rechtsprechung des EuGH, GRUR Int. 2013, S. 19–26.

Plate, John-Christian, Die Verwertungsgesellschaftspflicht für urheberrechtliche Vergütungsansprüche und ausschließliche Verwertungsrechte, Berlin 2003.

Podszun, Rupprecht, Verwertungsgesellschaften vor der Neuordnung: Der Vorschlag der Kommission zu einer Richtlinie über die kollektive Wahrnehmung von Urheberrechten und verwandten Schutzrechten, GPR 2013, S. 97–104.

—, Die Kontrolle der Verwertungsgesellschaften, in: Grünberger, Michael/Leible, Stefan (Hrsg.), Die Kollision von Urheberrecht und Nutzerverhalten, Tübingen 2014, S. 173–210.

—, Freibrief für Verwertungsgesellschaften? – Das Fehlurteil des VG München zur Aufsicht des DPMA über Verwertungsgesellschaften, ZUM 2017, S. 732–740.

Podszun, Rupprecht/Franz, Benjamin, Das Aufsichtsregime über Verwertungsgesellschaften – Implikationen der Richtlinie 2014/26/EU für das nationale Recht, ZGE 7 (2015), S. 15–48.

Poelzig, Dörte, Normdurchsetzung durch Privatrecht, Tübingen 2012.

Poll, Günter, Grenzüberschreitende Lizenzierung von Musikwerken in Europa – Weiterführende Überlegungen, MMR 2007, S. XXVII-XXX.

—, Neue internetbasierte Nutzungsformen – Das Recht der Zugänglichmachung auf Abruf (§ 19a UrhG) und seine Abgrenzung zum Senderecht (§§ 20, 20b UrhG), GRUR 2007, S. 476–483.

—, CELAS, PEDL & Co.: Metamorphose oder Anfang vom Ende der kollektiven Wahrnehmung von Musik-Online-Rechten in Europa?, ZUM 2008, S. 500–507.

—, Die "GEMA-Vermutung" auf dem Prüfstand, KR 2015, S. 166.

Popitz, Heinrich, Prozesse der Machtbildung, 3. Aufl., Tübingen 1976.

Popp, Alexander, Verwertungsgesellschaften – Ihre Stellung im Spannungsfeld zwischen Urheberrecht und Kartellrecht, Wien 2001.

Quintais, João Pedro, Proposal for a Directive on collective rights management and (some) multiterritorial licensing, EIPR 35 (2) (2013), S. 65–73.

Reckwitz, Andreas, Die Gesellschaft der Singularitäten – Zum Strukturwandel der Moderne, Berlin 2017.

Rehbinder, Manfred, Urheberrecht – Ein Studienbuch, 16. Aufl., München 2010.

Rehse, Mario, Europäischer Rechtsrahmen für Verwertungsgesellschaften, ZUM 2013, S. 191–193.

Reich, Michael Mark, Die ökonomische Analyse des Urheberrechts in der Informationsgesellschaft, München 2006.

Remien, Oliver, Grenzen der gerichtlichen Privatrechtsangleichung mittels der Grundfreiheiten des EG-Vertrages – Bemerkungen zu den Urteilen des EuGH vom 24-11-1993 (Keck und Mithouard) und 15-12-1993 (Hünermund ua), JZ 1994, S. 349–353.

Rhode, Paul, Reformbedarf für eine effizienzorientierte kollektive Wahrnehmung von Online-Rechten an Musikwerken, Baden-Baden 2019.

Riccio, Giovanni Maria/Codiglione, Giorgio Giannone, Copyright Collecting Societies, Monopolistic Positions and Competition in the EU Single Market, MUJLT 7 (2013), S. 287–302.

Richter, Rudolf, Institutionen ökonomisch analysiert – Zur jüngeren Entwicklung auf einem Gebiet der Wirtschaftstheorie, Tübingen 1994.

Richter, Rudolf/Furubotn, Eirik Grundtvig, Neue Institutionenökonomik – Eine Einführung und kritische Würdigung, 4. Aufl., Tübingen 2010.

Riesenhuber, Karl, Die Auslegung und Kontrolle des Wahrnehmungsvertrags, Berlin 2004.

—, Nutzung von Musik für Werbezwecke, ZUM 2010, S. 137–145.

—, Grundlagen der „angemessenen Vergütung", GRUR 2013, S. 582–590.

—, Autonomie und Beurteilungsspielräume der Verwertungsgesellschaft – Zugleich eine Erwiderung auf Hertin, GRUR 2013, 469, GRUR 2014, S. 443–448.

—, Heteronome und privatautonome Legitimierung der Verlegerbeteiligung – Offene Fragen nach der Reprobel-Entscheidung, EuZW 2016, S. 16–18.

—, Auslegung und Kontrolle des Wahrnemhungsvertrags, in: Heker, Harald/Riesenhuber, Karl (Hrsg.), Recht und Praxis der GEMA – Handbuch und Kommentar, 3. Aufl., 2018, Kapitel 6.

—, Die Rechtsbeziehung der GEMA zu den Nutzern – Rechtliche Grundlagen, in: Heker, Harald/Riesenhuber, Karl (Hrsg.), Recht und Praxis der GEMA – Handbuch und Kommentar, 3. Aufl., 2018, Kapitel 11.

—, Urheber und Verleger in Verwertungsgesellschaften, ZUM 2018, S. 407–416.

—, in: ders. (Hrsg.), European Legal Methodology, 2. Aufl., Cambridge u.a. 2021.

Riis, Thomas, Remuneration Rights in EU Copyright Law, IIC 51 (2020), S. 446–467.

Riis, Thomas/Schovsbo, Jens, Extended Collective Licenses in Action, IIC 43 (2012), S. 930–950.

Rosen, Sherwin, The Econimcs of Superstars, AER 71 (1981), S. 845–858.

Roth, Wulf-Henning, Der Einfluß des Europäischen Gemeinschaftsrechts auf das Internationale Privatrecht, RabelsZ 55 (1991), S. 623–673.

—, Der Einfluss der Grundfreiheiten auf das internationale Privat- und Verfahrensrecht, in: Dauner-Lieb, Barbara (Hrsg.), Systemwechsel im europäischen Kollisionsrecht – Fachtagung der Bayer-Stiftung für deutsches und internationales Arbeits- und Wirtschaftsrecht am 17. und 18. Mai 2001, München 2002, S. 47–63.

Rupp, Martin, Die Richtlinie über Verwertungsgesellschaften und Mehrgebietslizenzen – Ein europäischer Rahmen für das Recht der kollektiven Wahrnehmung von Urheberrechten, MMR 2014, S. 217–221.

Ruthig, Josef/Storr, Stefan, Öffentliches Wirtschaftsrecht, 5. Aufl., Heidelberg 2020.

Sack, Rolf, Herkunftslandprinzip und internationale elektronische Werbung nach der Novellierung des Teledienstegesetzes (TDG), WRP 2002, 271–283.

Säcker, Franz Jürgen (Hrsg.), Telekommunikationsgesetz – Kommentar, 3. Aufl., Frankfurt am Main 2013.

Sandberger, Georg, Neue Rahmenbedingungen für Verwertungsgesellschaften in einem globalisierten Rechtemarkt, in: Götz von Olenhusen, Albrecht/Gergen, Thomas/Vogel, Martin (Hrsg.), Kreativität und Charakter – Recht, Geschichte und Kultur in schöpferischen Prozessen: Festschrift für Martin Vogel zum siebzigsten Geburtstag, 2017, S. 307–346.

Savigny, Friedrich Carl von, System des heutigen Römischen Rechts VIII, Berlin 1849.

Schack, Haimo, Urheberrechtsverletzung im internationalen Privatrecht aus der Sicht des Kollisionsrechts, GRUR Int. 1985, S. 523–525.

—, Internationale Urheber-, Marken- und Wettbewerbsrechtsverletzungen im Internet – Internationales Privatrecht, MMR 2000, S. 59–65.

—, International zwingende Normen im Urhebervertragsrecht, in: Lorenz, Stephan (Hrsg.), Festschrift für Andreas Heldrich zum 70. Geburtstag, München 2005, S. 997–1007.

—, Das auf (formlose) Immaterialgüterrechte anwendbare Recht nach Rom II, in: Baetge, Dietmar/von Hein, Jan/Hinden, Michael von (Hrsg.), Die richtige Ordnung – Festschrift für Jan Kropholler zum 70. Geburtstag, Tübingen 2008, S. 651–670.

—, Europäische Urheberrechts-Verordnung: erwünscht oder unvermeidlich?, in: Leistner, Matthias (Hrsg.), Europäische Perspektiven des geistigen Eigentums, Tübingen 2010, S. 173–189.

—, Urheber- und Urhebervertragsrecht, 9. Aufl., Tübingen 2019.

—, Internationales Zivilverfahrensrecht – Mit internationalem Insolvenzrecht und Schiedsverfahrensrecht, 8. Aufl., München 2021.

—, Urheber- und Urhebervertragsrecht, 10. Aufl., Tübingen 2021.

Schaefer, Martin, Alles oder nichts! – Erwiderung auf Jani, Alles eins? – Das Verhältnis des Rechts der öffentlichen Zugänglichmachung zum Vervielfältigungsrecht, ZUM 2009, 722, ZUM 2010, S. 150–155.

Scheuerle, Wilhelm A., Das Wesen des Wesens – Studien über das sogenannte Wesensargument im juristischen Begründen, AcP 163 (1964), S. 429–471.

Schierholz, Anke, Collective Rights Management in Europe, in: Walter, Michael M./von Lewinski, Silke (Hrsg.), European copyright law – A commentary, Oxford 2010.

Schimmel, Wolfgang, Impulsreferat zum Thema „Urhebervertragsrecht – Gelungen oder reformbedürftig?“, in: Stern, Klaus/Peifer, Karl-Nikolaus/Hain, Karl-E. (Hrsg.), Urhebervertragsrecht – gelungen oder reformbedürftig? – Vortragsveranstaltung des Instituts für Rundfunkrecht an der Universität zu Köln vom 27.Mai 2013, München 2014, S. 119–138.

Schindel, Angelika, Eine Frage der Prinzipien, in: Zimmermann, Olaf (Hrsg.), Save the Rights! – Dossier »Verwertungsgesellschaften« – Über die Arbeit der Verwertungsgesellschaften in Deutschland, 2015, S. 49.

Schmidt, Torben Svenné, The incidental question in private international law, RC 1992, S. 305–415.

Schricker, Gerhard/Loewenheim, Ulrich (Hrsg.), Urheberrecht – UrhG, KUG (Auszug), UrhWG. Kommentar, 4. Aufl. 2010.

— (Hrsg.), Urheberrecht – UrhG, KUG (Auszug), UrhWG. Kommentar, 5. Aufl. 2017.

— (Hrsg.), Urheberrecht - UrhG, KUG, VGG: Kommentar, 6. Aufl. 2020.

Schulze, Gernot, Aspekte zu Inhalt und Reichweite von § 19a UrhG, ZUM 2011, S. 2–13.

—, Impulsreferat zum Thema „Urhebervertragsrecht - Gelungen oder reformbedürftig?", in: Stern, Klaus/Peifer, Karl-Nikolaus/Hain, Karl-E. (Hrsg.), Urhebervertragsrecht - gelungen oder reformbedürftig? - Vortragsveranstaltung des Instituts für Rundfunkrecht an der Universität zu Köln vom 27.Mai 2013, München 2014, S. 149–151.

Schurig, Klaus, Zwingendes Recht, "Eingriffnormen" und neues IPR, RabelsZ 1990, S. 217–248.

Schwab, Roland, Recht und Praxis der Urheberverwertungsgesellschaften in Frankreich, München 1989.

Schwarze, Jürgen/Becker, Ulrich/Hatje, Armin/Schoo, Johann (Hrsg.), EU-Kommentar, 4. Aufl., Baden-Baden u.a. 2019.

Schweitzer, Heike/Haucap, Justus/Kerber, Wolfgang/Welker, Robert, Modernisierung der Missbrauchsaufsicht für marktmächtige Unternehmen - Endbericht August 2018.

Senftleben, Martin, Der kulturelle Imperativ des Urheberrechts, in: Weller, Matthias/Weller-Kemle-Dreier-Lynen (Hrsg.), Kunst im Markt - Kunst im Recht - Tagungsband des Dritten Heidelberger Kunstrechtstags am 09. und 10. Oktober 2009, Baden-Baden 2010, S. 75–106.

Serick, Rolf, Sonderanknüpfung von Teilfragen im Internationalen Privatrecht, RabelsZ 18 (1953), S. 633–650.

Siehr, Kurt, Ausländische Eingriffsnormen im inländischen Wirtschaftskollisionsrecht, RabelsZ 52 (1988), S. 41–103.

Sonnenberger, Hans Jürgen, Eingriffsrecht – Das trojanische Pferd im IPR oder notwendige Ergänzung?, IPRax 2003, S. 104–116.

Spickhoff, Andreas, Das Internationale Privatrecht der sog. Internet-Delikte - Art. 40 - 42 EGBGB,„Rom II" und Herkunftslandprinzip, in: Leible, Stefan (Hrsg.), Die Bedeutung des internationalen Privatrechts im Zeitalter der neuen Medien, Stuttgart 2003, S. 89–120.

Spindler, Gerald, Kapitalmarktgeschäfte im Binnenmarkt, IPRax 2001, S. 400–411.

—, Die kollisionsrechtliche Behandlung von Urheberrechtsverletzungen im Internet, IPRax 2003, S. 412–421.

—, Internetplattformen und die Finanzierung der privaten Nutzung, ZUM 2014, S. 91–101.

—, Die neue Urheberrechts-Richtlinie der EU (Teil 1), WRP 2019, S. 811–817.

Spindler, Gerald/Heckmann, Jörn, Retrodigitalisierung verwaister Printpublikationen – Die Nutzungsmöglichkeiten von „orphan works" de lege lata und ferenda, GRUR Int. 2008, S. 271–284.

Spindler, Gerald/Schuster, Fabian/Döpkens, Harm-Randolf (Hrsg.), Recht der elektronischen Medien - Kommentar, 3. Aufl., München 2015.

Spoendlin, Kaspar, Der internationale Schutz des Urhebers, UFITA 1988, S. 11–54.

Spohn, Koja/Hullen, Nils, Lizenzierung von Musik zur Online-Verwertung - Statt One-Stop-Shop ein Rechte-Puzzle, GRUR 2010, 1053.

Staats, Robert, Aufführungsrecht und kollektive Wahrnehmung bei Werken der Musik, Baden-Baden 2004.

—, Kollektives Rechtemanagement im Zeitalter von Google – Wie können die Verwertungsgesellschaften eine angemessene Vergütung der Rechteinhaber sichern und die Werkvermittlung erleichtern?, in: Peifer, Karl-Nikolaus (Hrsg.), Werkvermittlung und Rechtemanagement im Zeitalter von Google und Youtube – Urheberrechtliche Lösungen für die audiovisuelle Medienwelt, München 2010, S. 91–106.

—, Der EU-Richtlinienvorschlag über die kollektive Rechtewahrnehmung – Stellungnahme aus Sicht der Praxis, ZUM 2013, S. 162–168.

—, Umsetzung der EU-Richtlinie für Verwertungsgesellschaften in deutsches Recht – Umsetzungsbedarf aus Sicht der VG WORT, ZUM 2014, S. 470–473.

—, Ein Auslaufmodell?, in: Zimmermann, Olaf (Hrsg.), Save the Rights! – Dossier »Verwertungsgesellschaften« – Über die Arbeit der Verwertungsgesellschaften in Deutschland, 2015, S. 12–13.

—, Die Aufsicht des DPMA über ausländische Verwertungsgesellschaften, in: Dreier, Thomas/Peifer, Karl-Nikolaus/Specht, Louisa (Hrsg.), Anwalt des Urheberrechts – Festschrift für Gernot Schulze zum 70. Geburtstag, München 2017, S. 331–340.

—, Kollektive Lizenzvergabe mit erweiterter Wirkung nach Art. 12 der DSM-Richtlinie – eine sinnvolle Lösung für Deutschland?, ZUM 2019, S. 703–712.

Staudt, Monika/Welp, Kai/Hendel, Arndt Christoph, Der Berechtigungsvertrag – Kapitel 7, in: Heker, Harald/Riesenhuber, Karl (Hrsg.), Recht und Praxis der GEMA – Handbuch und Kommentar, 3. Aufl., 2018, S. 212–341.

Steindorff, Ernst, Gemeinsamer Markt als Binnenmarkt – Rezensionsabhandlung, ZHR 150 (1986), S. 687–704.

Stieper, Malte, Rechtfertigung, Rechtsnatur und Disponibilität der Schranken des Urheberrechts, Tübingen 2009.

—, Grenzüberschreitender Zugang zu digitalen Inhalten – oder Reform des europäischen Urheberrechts?, GRUR 2015, S. 1145–1151.

Streinz, Rudolf (Hrsg.), EUV, AEUV – Vertrag über die Europäische Union und Vertrag über die Arbeitsweise der Europäischen Union, 2. Aufl., München 2012.

—, Europarecht, 10. Aufl., Heidelberg 2016.

Streinz, Rudolf/Michl, Walther/Bings, Sophie Luise/Burgi, Martin/Dannecker, Gerhard/Ehricke, Ulrich (Hrsg.), EUV/AEUV – Vertrag über die Europäische Union, Vertrag über die Arbeitsweise der Europäischen Union, Charta der Grundrechte der Europäischen Union, 3. Aufl., München 2018.

Strömholm, Stig, Copyright and the conflict of laws – A comparative survey, Cologne [Germany] 2010.

Sutterer, Moritz, Erweiterte kollektive Lizenzen im Kontext grenzüberschreitender Werknutzungen – Ein Versuch zur Bestimmung der territorialen Bezugspunkte der Tatbestandsvoraussetzungen innerhalb der europäischen Regelungen zur ECL und zu den vergriffenen Werken, GRUR 2021, S. 662–671.

—, Fragmentierung trotz Kollektivierung – Wie eine konsequente Anwendung der deutschen Urheberrechtsdogmatik und des Kartellrechts die Rechteklärung über Verwertungsgesellschaften erleichtern kann, ZGE 2021, S. 281–311.

—, Report on the Kyoto Guidelines of the ILA Committee on Intellectual Property and Private International Law, GRUR Int. 2021, S. 969–971.

—, Territorialität, Binnenmarkt, Nichtdiskriminierung und Praktikabilität – eine Analyse des europäischn Modells erweiterter kollektiver Lizenzen, ZUM 2022, S. 422–430.

Sutterer, Moritz M., Der Verordnungsvorschlag COM(2016) 594 final – das Ursprungslandprinzip und seine Auswirkungen auf Rechtevergabe und Rechtsdurchsetzung, in: Hennemann, Moritz/Sattler, Andreas (Hrsg.), Immaterialgüter und Digitalisierung – Junge Wissenschaft zum Gewerblichen Rechtsschutz, Urheber- und Medienrecht, 2017, S. 145–162.

—, Prozessuale Bedeutung des europäischen Sendelandprinzips – Anmerkung zu OLG Wien, ZUM-RD 2017, S. 301–308.

Thiele, Andreas/Paudtke Jürgen, Rechtsbeziehungen der GEMA zu ausländischen Verwertungsgesellschaften – Die Gestaltung der Gegenseitigkeitsverträge, in: Heker, Harald/Riesenhuber, Karl (Hrsg.), Recht und Praxis der GEMA – Handbuch und Kommentar, 3. Aufl., 2018, Kapitel 14.

Thole, Christian, Anscheinsbeweis und Beweisvereitelung im harmonisierten Europäischen Kollisionsrecht – ein Prüfstein für die Abgrenzung zwischen lex causae und lex fori, IPRax 2010, S. 285–289.

Thünken, Alexander, Die EG-Richtlinie über den elektronischen Geschäftsverkehr und das internationale Privatrecht des unlauteren Wettbewerbs, IPRax 2001, S. 15–22.

—, Das kollisionsrechtliche Herkunftslandprinzip, Frankfurt am Main/Wien u.a. 2003.

Torremans, Paul, Authorship, ownership of right and works created by employees: which law applies?, EIPR 27 (2005), S. 220–224.

Towse, Ruth, Copyright and Artists – A View From Cultural Economics, J Economic Surveys 20 (2006), S. 567–585.

Troller, Alois, Das Internationale Privat- und Zivilprozessrecht im gewerblichen Rechtsschutz und Urheberrecht, 2. Aufl., Basel 1952.

Trumpke, Felix, Exklusivität und Kollektivierung – Das skandinavische Modell der Erweitern Kollektiven Lizenz (Extended Collective Licensing), Baden-Baden 2016.

Ullrich, Jan Nicolaus, Urheberrecht und Satellitenrundfunk – Kollisionsrecht und materielles Recht, Berlin 2009.

—, Alles in einem – Die Einräumung eines Nutzungsrechts i. S. d. § 31 Abs. 1 UrhG für einen On-Demand-Dienst im Internet – Zugleich zum Unterschied zwischen Verwertungsrechten, Nutzungsrechten, Nutzungsarten und Nutzungen, ZUM 2010, S. 311–321.

Ulmer, Eugen, in: Ulmer, Eugen/Bussmann, Kurt/Weber, Sybille (Hrsg.), Das Recht der Verwertungsgesellschaften: Vergleichende Darstellung der gesetzlichen Bestimmungen, Weinheim 1955.

—, Die Immaterialgüterrechte im internationalen Privatrecht – Rechtsvergleichende Untersuchung mit Vorschlägen für die Vereinheitlichung in der Europäischen Wirtschaftsgemeinschaft, Köln u.a. 1975.

—, Urheber- und Verlagsrecht, 3. Aufl., Berlin, Heidelberg, New York 1980.

Ungern-Sternberg, Joachim von, Urheberrechtlicher Werknutzer, Täter und Störer im Lichte des Unionsrechts – Zugleich Besprechung zu EuGH, C-162/10 – Phonographic Performance (Ireland) und C-135/10 – SCF, GRUR 2012, S. 576–582.

—, Das Urteil des BGH "Verlegeranteil" und seine Folgen – zugleich eine Erwiderung auf Riesenhuber, ZUM 2018, 407, JurPC 105/2018.

—, Verwertungsgesellschaften und ihre Berechtigten, in: Ahrens, Hans-Jürgen/Bornkamm, Joachim u.a. (Hrsg.), Festschrift für Wolfgang Büscher, Köln 2018, S. 265–280.

van Eechoud, Mireille, Alternatives to the lex protectionis as the Choice-of-Law Rule for Initial Ownership of Copyright, in: Drexl, Josef/Kur, Annette (Hrsg.), Intellectual property and private international law, Oxford 2005, S. 289–307.

van Gompel, Stef, Unlocking the Potential of Pre-Existing Content: How to Address the Issue of Orphan Works in Europe?, IIC 2007, S. 669–702.

Varian, Hal R., Price Discrimination, in: Schmalensee, Richard/Willig, Robert (Hrsg.), Handbook of Industrial Organization – Volume 1, 1989, S. 597–654.

Vianello, Mirko, Lizenzierung von Musik in nutzergenerierten Videos – Der steinige Weg zur Verwendung im Internet, MMR 2009, S. 90–95.

Vogel, Martin, Zur Geschichte der kollektiven Verwertung von Sprachwerken, in: Becker, Jürgen (Hrsg.), Die Wahrnehmung von Urheberrechten an Sprachwerken – Symposion für Ferdinand Melichar zum 60. Geburtstag, Baden-Baden 1999, S. 17–36.

von Einem, Götz, Grenzüberschreitende Lizenzierung von Musikwerken in Europa Auswirkungen der Empfehlung der EU-Kommission zur Rechtewahrnehmung auf das System der Gegenseitigkeitsverträge, MMR 2006, S. 647–652.

—, Verwertungsgesellschaften im deutschen und internationalen Musikrecht – Rechtliche und praktische Probleme bei der Lizensierung von Musik angesichts der Digitalisierung und Internationalisierung der Rechteverwertung, Köln 2007.

Vučković, Romana Matanovac, Implementation of Directive 2014/26/EU on Collective Management and Multi-Territorial Licensing of Musical Rights in Regulating the Tariff-Setting Systems in Central and Eastern Europe, IIC 2016, S. 28–59.

Wagner, Rolf, EU-Kompetenz in der justiziellen Zusammenarbeit in Zivilsachen – Résumé und Ausblick nach mehr als fünfzehn Jahren, RabelsZ 79 (2015), S. 521–545.

Walter, Michel M., VerwGesG '16 – Kommentar zum VerwertungsgesellschaftenG 2016 : Ergänzung zu Band II des "Urheber- und Verwertungsgesellschaftenrecht '15", Wien 2017.

Wandtke, Artur-Axel/Bullinger, Winfried (Hrsg.), Praxiskommentar zum Urheberrecht, 4. Aufl., München 2014.

Wawretzko, Herbert, Die GEMA und sonstige Verwertungsgesellschaften im System der deutschen und der internationalen Wettbewerbsbeschränkungen, UFITA 31 (1960), S. 287–316.

Wengler, Wilhelm, Die Vorfrage im Kollisionsrecht, RabelsZ 8 (1934), S. 148–251.

Wille, Stefan, Die kollisionsrechtliche Geltung der urheberrechtlichen Neuregelungen zu den unbekannten Nutzungsarten – §§ 31a, 32c UrhG im Lichte des Internationalen Privatrechts, GRUR Int. 2008, S. 389–393.

Williamson, Oliver E., Transaction-Cost Economics: The Governance of Contractual Relations, The Journal of Law and Economics Vol. 22 (1979), S. 233–261.

—, Transaktionskostenökonomik, Münster u.a. 1993.

Wirtz, Martin, Die Kontrolle von Verwertungsgesellschaften – Eine rechtsvergleichende Studie des deutschen, britischen und europäischen Rechts, Frankfurt am Main/Wien u.a. 2002.

Wittmann, Heinz (Hrsg.), Verwertungsgesellschaftengesetz 2016 – Kommentar 2018.

Wolff, Hans J., Der Unterschied zwischen öffentlichem und privatem Recht, AöR 76 (1950), S. 205–217.

Wübbelt, Benjamin, Die Zukunft der kollektiven Rechtewahrnehmung im Online-Musikbereich, Frankfurt am Main 2015.

Wünschmann, Christoph, Die kollektive Verwertung von Urheber- und Leistungsschutzrechten nach europäischem Wettbewerbsrecht, Baden-Baden 2000.

FSC
www.fsc.org
MIX
Papier | Fördert gute Waldnutzung
FSC® C083411

Kolibri 360 GmbH
Ferdinand-Jühlke-Straße 7
99095 Erfurt, Deutschland
produktsicherheit@kolibri360.de